NOTRE-DAME DE PARIS

Collection dirigée par Michel Simonin

VICTOR HUGO

Notre-Dame de Paris

INTRODUCTION, NOTES ET CHRONOLOGIE
PAR JACQUES SEEBACHER

« *Notre-Dame* à la scène et à l'écran », par Arnaud LASTER

LE LIVRE DE POCHE
classique

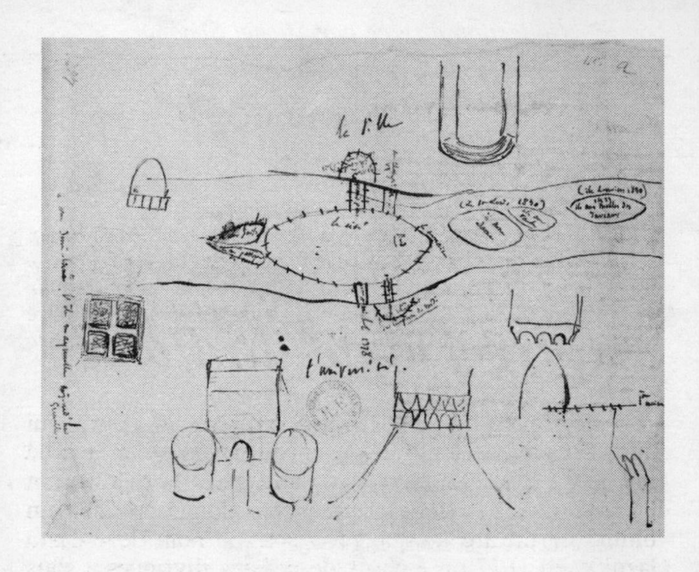

« ...la triple enceinte de la Cité, de l'Université et de la Ville. » (p. 61)

Manuscrit de *Notre-Dame de Paris*, le plan de la Ville.

« Lisez le roman de Victor Hugo. Vous trouverez que le genre salop abonde. Il y a pourtant ce me semble un immense talent. Je serais désespéré pourtant que ce fût cela dont le siècle voulut. »

C'est Prosper Mérimée, vingt-sept ans et demi, qui s'adresse ainsi à Henri Beyle, dit Stendhal, vingt ans de plus, le 31 mars 1831, quinze jours après la publication de *Notre-Dame de Paris*. Mérimée a donné en 1825 un volume de théâtre « espagnol » sous le nom de « Clara Gazul », en 1827 un « choix de poésies illyriques » sous le titre de *La Guzla*, et, en 1829, *1572, Chronique du temps de Charles IX*, qui passa plus tard pour le sommet insurpassable du roman historique ; le régime de Juillet faisait de ce juriste, administrateur avisé, le chef de cabinet du comte d'Argout qui, après avoir tenté de sauver Charles X, venait de contribuer à la chute de Laffitte, banquier du « mouvement » de 1830, et au triomphe de Casimir Périer, banquier de la « résistance ». Pendant ce temps, Stendhal, n'ayant pu obtenir le poste de préfet qui l'aurait consolé de son long purgatoire pour cause de bonapartisme, se résigne au consulat de Civita-Vecchia, dans les États du pape, sur le refus autrichien de l'agréer à Trieste. Il n'était guère connu que pour sa vie mondaine dans les salons libéraux, son goût des arts italiens et des femmes piquantes, et pour s'être aventuré à la suite de la duchesse de Duras, et de son roman, *Olivier* sur « le terrain dangereux » des précautions et des mystères indispensables pour faire d'un impuissant le héros d'un récit. C'est que cette œuvre, *Armance*, peignait sur le vif « les salons du jour et les mœurs de 1827 », frayant la voie à une « *Chronique du* XIXe *siècle* » dont le titre, *Le Rouge et le Noir*, porte dès novembre 1830 les couleurs de la lutte entre l'énergie moderne et le « parti jésuite ».

Quant à Hugo, dix-neuf mois de plus que Mérimée, il a mis près de dix ans d'exercice poétique à sortir, avec Chateaubriand, du parti ultra sinon de la légitimité et à transformer l'idéal royaliste de liberté en explorations d'un libéralisme « Jeune-France » qui finiront par devoir beaucoup à Sainte-Beuve, familier de la maison. Stendhal, à l'époque où il fournissait aux revues britanniques les nouvelles de Paris [1], n'avait pas eu de mots assez durs, sous Louis XVIII, pour cette poésie qui revendiquait l'inspiration des « idées monarchiques et religieuses » ; le compte rendu burlesque qu'il fait du roman « norvégien » de *Han d'Islande*, « monstrueux avorton », ne dissimule pas son parti pris politique et culturel d'éreintage : *Han* prouve par l'absurde la vanité des tentatives bien-pensantes de restauration « morale et classique ». Tout contre, on peut lire l'apologie enjouée de *Racine et Shakespeare*, pamphlet de « M. Beyle, l'un des partisans les plus sincères et les plus farouches de l'école romantique ». Trois ans plus tard, à l'occasion des *Odes*, Stendhal ajoute aux concessions de 1823 (le talent remarquable des passages descriptifs, l'élégance du style, la nervosité de l'expression) la « chaleur d'imagination » qui autoriserait à considérer Hugo comme un « peut... être », « si seulement il apprenait à écrire en français », « avec la clarté et l'élégance de M. Delavigne ». Cette question du rapport entre poésie, roman, et manière d'écrire « en français », c'est-à-dire à la fois hors de la métaphore, loin des nostalgies d'émigration et des sympathies ultramontaines, est probablement le point critique essentiel pour comprendre et apprécier ce qui se passe dans la littérature à la veille de la révolution de 1830.

On voit ici un peu mieux ce que Mérimée peut entendre par « le genre salop » : la fausse naïveté des bons sentiments, l'utilisation sans vergogne des thèmes à la mode (Louis XI, Faust, le moine, les Bohémiens, la torture), la complaisance pour des formes intellectuelles ou populaires d'irrationalisme, les recettes de mélodrame, la sen-

---

1. Voir *Paris-Londres*, éd. de R. Dénier, Stock, 1997.

sualité sans trop de faux-fuyants ni d'arrière-plans, le didactisme provocateur, bref tout ce qu'une tradition têtue oppose à Hugo dont on redoute l'ambition réelle, qui ne reculerait pas devant la démagogie et le racolage. Mais le futur inspecteur des Monuments historiques, sauveur avec Hugo du patrimoine architectural français, ne peut rester insensible, dès cette édition abrégée d'un roman qui attendra plus d'un an pour révéler son ampleur, devant le tour de force qui visse en une Babel de prose la mort du Moyen Âge sur la mort de l'Ancien Régime. Hugo non seulement prépare la « résurrection intégrale du passé » à quoi s'attache Michelet à partir de son illumination aux Archives sur le coup de « l'éclair de Juillet », mais encore esquisse son intuition profonde de « la Renaissance comme méthode » et comme conduite militante. Du coup, la plume de Mérimée vacille, les « pourtant » se suivent et s'opposent, la correction de la dernière phrase se fait douteuse, tout s'élance en un appel angoissé à l'aîné, au maître : qu'est-ce que le siècle va se décider à être, en ces semaines de reprises en main, de remises en ordre et bientôt d'insurrections-répression si peu de temps après Juillet ?

Notre-Dame de Paris n'est pas tant une surenchère énorme sur la *Chronique du règne de Charles IX* qu'une sorte de coup de force posant, au travers des questions techniques, idéologiques ou mondaines du genre romanesque, celles du péril dans la civilisation quand l'effacement du Roi « de France » au profit d'un roi « des Français » transvase la souveraineté en nationalité. Déjà, en 1483, la mort d'un roi rassembleur de fiefs et de provinces, d'aristocraties et de bourgeoisies, d'exécutants et d'exécuteurs, avait coïncidé avec les grandes découvertes, consacré l'industrialisme, ouvert le siècle pantagruélique. À l'époque de la genèse de *Notre-Dame*, Balzac devient lui-même en sautant d'un projet de roman sur la guerre entre Armagnacs et Bourguignons, qui ravagea Paris et la France pendant le demi-siècle qui précède l'avènement de Louis XI, au *Dernier Chouan* dont l'action est contemporaine de la prise de pouvoir de Bonaparte, et de là à la nébuleuse de récits philosophiques et de contes drolatiques où s'origine la *Comédie humaine*.

Il n'empêche que Balzac a sa manière à lui de caractériser et de déplorer ce que Mérimée appelle « le genre salop », dès le 19 mars 1831 : « Je viens de lire *Notre-Dame* — ce n'est pas de M. Victor Hugo auteur de quelques bonnes odes, c'est de M. Hugo auteur d'*Hernani* — deux belles scènes, trois mots, le tout invraisemblable, deux descriptions, la belle et la bête, et un déluge de mauvais goût — une fable sans possibilité, et par-dessus tout un ouvrage ennuyeux, vide, plein de prétention architecturale — voilà où nous mène l'amour-propre excessif. » En dehors du hérissement de Balzac devant l'impérialisme de Hugo, chef d'école sinon de parti, théoricien du drame moderne avec *Cromwell* et sa Préface de combat en 1827, général victorieux en février 1830 de la fameuse bataille qui consacre l'invasion du théâtre par la poésie et par une politique visionnaire, on voit bien que le romancier résume sa critique dans l'invraisemblance de la « fable », sans trop s'apercevoir que les moyens du fabuliste ne sont guère de l'ordre de l'illusion réaliste, que les genres traditionnels sont en pleine crise, et que la nouveauté d'un monde fabuleux convoque désormais les puissances de l'art de conter avec celles de l'imagination, équilibrant les illusions de celle-ci par les ruses de celui-là, et réciproquement.

C'est donc dans une fraternité batailleuse et jalouse que ces hommes de trente ans tout juste vont secouer la distinction traditionnelle des genres, bouleverser la relative unification du roman d'histoire qui s'était faite autour du modèle de Walter Scott, et ouvrir tout le champ du réel au génie de la satire, sous l'égide de Stendhal et de Nodier, s'inscrivant dans la lignée de Diderot et de Sterne, et se réclamant de Rabelais, de Cervantès et de Lesage. Le roman moderne naît en France de ces étranges greffes baroques sur le vieux fonds des fabliaux médiévaux, sur les heurs et malheurs de nos « Chroniques » nationales, enfin douées de la pleine vertu historique.

« Un journal à nous... »

Rien n'illustre mieux l'intensification de ce mouvement que la dizaine de livraisons de la *Revue de Paris* qui précèdent *Hernani*. Fondée en 1829 par le Dr Véron, qui allait plus tard passer la main à Amédée Pichot, excellent connaisseur de l'Angleterre, et s'emparer de la direction de l'Opéra de Paris, auquel il donna un lustre incomparable, cette élégante publication pourchasse l'ennui, et rassemble quelques autorités tutélaires, comme Nodier ou Benjamin Constant, pour y donner libre cours aux audaces de la jeunesse. Mérimée y publie régulièrement, à côté de Stendhal, et Hugo donne le *Fragment d'histoire*, détourné de la préface de *Cromwell* en octobre 1827, qui synthétise, en plein essor de génie et non sans désinvolture, les idées de l'heure autour de ce que Victor Cousin et quelques autres ont pu rapporter d'Allemagne sur le cheminement d'est en ouest de la civilisation. Mais il y figure aussi pour le texte rapporté du voyage d'art, de nature et d'histoire aux Alpes en 1825, effectué en compagnie de Nodier au lendemain du sacre de Charles X à Reims. C'est là que prend naissance cette « guerre aux démolisseurs » de la Bande noire, pour la sauvegarde des monuments de l'ancienne France, contre les trafics et démembrements dus aux lotisseurs et entrepreneurs dont Paul-Louis Courier avait soutenu l'action économique, contre les immobilisations de la féodalité. En même temps, Véron signe un texte cinglant contre le régime de Charles X qui vient, malgré l'audience royale accordée à Hugo, de confirmer l'interdiction de représenter *Marion de Lorme*, tout en offrant comme compensation au chantre du sacre le triplement de sa pension et l'accès à la carrière politique par une éventuelle nomination au Conseil d'État. En fait le texte est de Sainte-Beuve, si ce n'est de Hugo lui-même, et le régime court à sa perte en multipliant les preuves de ses efforts pour acheter journaux, administrateurs et consciences. Le refus hautain du « membre de la Légion d'honneur » s'illustre d'une page entière consacrée à la lithographie de son portrait par Devéria : extrême jeunesse de ce dandy dont on ne dirait pas qu'il a déjà une nombreuse progéniture, modernité éblouissante de la technique de reproduction, *fashion* de la mise, de la tenue et de la pose : Hugo sert d'enseigne au lancement de la revue.

C'est que l'anglomanie romantique ne se borne pas à

prolonger le travail de Voltaire et de Montesquieu et à réclamer avec Stendhal un véritable régime représentatif : les articles sur Walter Scott appellent au merveilleux, le trouvent chez Shakespeare, associé à la fantaisie, saisissent chez Hoffmann le passage du roman historique au roman fantastique et décèlent sans doute dans le « roman *fashionable* » le « génie du lieu » de ce tournant esthétique, qui n'est autre que Byron, poète damné, mort en 1824 en se portant au secours de la Grèce agonisante.

Le rôle de Nodier dans cette entreprise de joyeuse accélération du mouvement est de multiplier les brèves études sur les phases les plus critiques de la Révolution française, de s'interroger sur la terreur qui double les avancées de l'histoire, sur ce théâtre de la cruauté qui fait les dessous de ce qu'on peut bien appeler l'utilitarisme bourgeois et en est le contrepoids sinon l'antidote. D'où l'appel au développement d'une « nouvelle école littéraire » qui se caractériserait par ce qu'il nomme narquoisement le « style topographique », à savoir « mixte entre la poésie et l'histoire ». Question de lieux, de sites, de paysages, réels, conceptuels ou imaginaires, mais qui exigent le recours à une matière spécifique. C'est Philarète Chasles qui, à la suite de Michaud, vénérable historien des croisades, se révèle la cheville ouvrière de cet assemblage. Dès le premier numéro, il avait fait l'apologie du moyen âge et de son « industrialisme », par lequel à cette époque se fait « l'avant-scène bizarre du drame compliqué de la société moderne », ne serait-ce que dans sa contradiction entre « croyance idéale » et « raillerie vulgaire et audacieuse », par exemple avec la célébration religieuse de la Fête des Fous ou de la Fête de l'Âne, la Danse des Morts, la parodie que la Basoche offre de la justice. On croirait un programme pour le roman que Hugo s'est engagé à écrire depuis bientôt un an, et que vient nourrir l'article de Nodier sur « les sociétés secrètes du moyen âge », qui aligne bohémiens, juifs, templiers, albigeois, maçons et compagnons.

Ce type de dualité culmine dans la figure du Fou du roi, encore boiteuse dans *Notre-Dame* entre Quasimodo et Gringoire, et qui en sortira par le personnage de Triboulet dans *Le roi s'amuse*, une fois que le XVe siècle aura accouché du XVIe. De la déconstruction progressive de cette antithèse régalienne sort la lignée de bouffons qui dénoncent toute sublimité illusoire, depuis la chevalerie et les rivalités princières jusqu'à la décadence des grands en pauvres sires. C'est là, en 1829, que le romantisme, construisant la généalogie des progrès de l'esprit, dénonce le mensonge des pouvoirs et balise la vérité romanesque : Rabelais, Shakespeare et Cervantès, en inventant Panurge, Falstaff ou Sancho, tracent la route qu'emprunteront le Gil Blas de Lesage, le Pangloss de Voltaire et le Figaro de Beaumarchais, tous philosophes pratiques de la critique intellectuelle et sociale, tous saisis « pour le corps d'une tendresse profonde et durable ».

Tel est le type de matérialisme historien sur lequel risquerait de proliférer « le genre salop », avec la mode des « mauvais garçons » dans le Paris du XVIe siècle, dont un album de chez Renduel publie les lieux majeurs, écoles de l'Université et coutumes de la Basoche, « mystères » de la Table de marbre au Palais et prolifération des hôtels du Roi aux Tournelles, orgies des argotiers : cachots, échelles et gibets parsèment le paysage parisien des signes emblématiques de la fracture sociale. Un roman d'Émile Morice *(Une commune — 1468)* fournit même l'exemple des insurrections flamandes contre les ducs de Bourgogne pour caractériser les allures bourgeoises de Louis XI, « compère tourangeau » habile à encourager secrètement les « prétentions démocratiques,... en haine d'une noblesse bien plus redoutable pour lui qu'un peuple sans plan et sans chefs ». L'historien belge Henri Moke, exact contemporain de Hugo, fournit à l'éditeur Gosselin (« qui paraît décidément viser au monopole du roman ») toute cette tradition d'un pays auquel la liberté des barricades de 1830 allait faire inventer l'indépendance moderne du « lion belgique ».

L'unité d'inspiration culturelle et politique de ces premiers numéros de la *Revue de Paris* culmine dans les *Réflexions sur la tragédie* de B. Constant. Partant sur le déplacement qu'avait opéré Diderot des « caractères » aux « conditions », le célèbre orateur de la gauche libérale analyse la transformation des ressorts traditionnels du spectacle tragique : passions et caractères ne suffisent plus au mécanisme de la Fatalité ; l'individualité moderne met en cause « l'action de la société prise dans son ensemble » : « les masses sentent qu'elles ont pris rang ; elles veulent se voir sur la scène, elles ou leurs prédécesseurs. Les individus ne sont que le prétexte, l'occasion, l'accessoire ». D'où, comme dans la Préface de *Cromwell*, la liquidation des unités de temps et de lieu, l'apologie de la « couleur locale » non comme ornement ou décor, mais comme matière même de l'historicisme moderne (Guizot, Barante, Thierry), par opposition aux épigones désincarnés de Voltaire. Voilà qui rejoint le « style topographique » de Nodier : l'histoire entre enfin en possession de son identité poétique. « Donnez la liberté, le génie mûrira. »

Cet optimisme a peut-être tort d'ignorer les conséquences du jeu des caractères et des passions. Henri de Latouche se lance au travers de cette belle unanimité en visant le paternel Nodier et l'officieux Sainte-Beuve, qui a servi de poisson pilote aux progrès de Hugo en libéralisme. L'article *De la camaraderie littéraire* se réfère à *Han d'Islande* pour disqualifier en jonglerie le statut princier du nouvel Auguste des Lettres : « tel qui a souri aux monstres altérés d'eau de mer, et affamés de régiments islandais, ne nous conduit-il pas à ne nous passionner que pour des tours de force exécutés sur la voie publique ? » L'insulte est de taille, et Hugo s'en souviendra certainement, ce qui est plus qu'une élégance, en l'assumant dans le roman : le philosophe Gringoire gagne sa vie à la force de ses mâchoires, sous une pyramide de chaises. Philarète Chasles, qui s'est senti visé, répond vivement par la réplique *De la haine littéraire*, mais le ver est dans le fruit : son compte rendu d'*Hernani* est sans ambiguïté : « loin de réformer la tragédie, il a essayé seulement d'augmenter la force des moyens qu'elle avait adoptés ». Cette « exagération de grandeur » sera désormais le pont aux ânes de la critique. C'est que « l'individualité » n'avait été omise ni par Constant ni par Nodier, qui savait avoir l'œil à ce qui se passait à l'étranger. Son apologie de *Werther* peut apparaître ainsi comme une sorte de regret devant la tournure que prennent les choses dans le microcosme littéraire. Loin d'un retour à l'ornière des caractères et des passions, dite psychologie, Nodier avait trouvé dans le héros de Goethe « le type essentiel et complet de l'homme jeune des nouveaux siècles » et dans ce « livre nécessaire » « l'expression attendue et infaillible d'une époque sociale ».

Après la bataille d'*Hernani* et la longue histoire des éditions de *Notre-Dame de Paris*, la carrière de Hugo se partage pendant une bonne dizaine d'années entre le théâtre et la poésie : c'est là qu'il fixera la figure du héros romantique, Olympio et Ruy Blas plutôt que Werther. Au bout de cela, il n'y aurait eu ni *Les Contemplations* ni *Les Misérables* si Rabelais et Faust ne s'étaient accordés à la veille et au lendemain de 1830 pour fournir avec *Notre-Dame de Paris* l'architecture visionnaire d'une interprétation globale de l'histoire, dans l'émergence problématique de l'individu moderne.

L'Anti-Louis XIV

À la cohérence sociale et culturelle du moment 1829 telle qu'elle apparaît dans le déploiement des premiers numéros de la *Revue de Paris* répond la netteté de l'image publique du jeune chef de l'école romantique : ce sera bientôt celle d'« une espèce de jeune Louis XIV botté, éperonné et une cravache à la main », « entrant dans toutes les questions », à quoi la dénégation de la préface des *Orientales* (début 1829) ne pourra pas grand-chose. Mais le thème principal de ces années du passage à l'« âge d'homme » — à l'époque, vingt-cinq ans —, c'est bien l'étoile double de la perte du pouvoir et de la perte de l'enfance. Dans une liste de « drames que j'ai à faire », datable de fin 1826 ou de l'année 1827, et contemporaine des toutes premières pierres du chantier de *Notre-Dame*, on trouve en effet un écho de *Cromwell*, la première donnée des *Jumeaux* (« *Le Masque de fer* — Mazarin. — L'enfant dans la grotte du tigre »), une « Enfance » de Pierre le Cruel (« Fille qui sacrifie son honneur pour sauver son père »), une reprise originale du *Don Carlos* illustré par Schiller et intelligemment défendu par Mme de Staël (« Le fils luttant d'empoisonnement avec le père qui a le dessus à la fin ») et, parmi les têtes découronnées *(Louis XVI, Charles I*[er]*, La Mort de Charles Quint)*, une « tragédie romaine » sur Néron, « peinture de la Rome compliquée des Césars ». Drames ou tragédie ? Jeu des masses ou histrionisme du Destin ? C'est là, dans cette ambiguïté désinvolte, qu'on découvre « Louis XI. — Sa mort. — La grande scène avec Olivier le Dain ». Ce ne sera ni un drame, malgré la charpente scénique de l'œuvre, ni une tragédie, malgré la méditation sur l'*Anankê* et l'araignée, et ce ne sera la peinture ni de la Rome impériale ni des origines de l'expansion du christianisme, mais le roman des aventures philosophiques de la Ville de Paris dans l'histoire de la civilisation, saisies au moment où la royauté s'éclipse, à la veille de la Réforme, entre deux ères, deux mondes et deux dynasties. Ce passage au noir vaut alchimie de l'histoire, méditation sur la naissance et le déclin des empires comme des familles régnantes, au moment où l'échec du dernier des Bourbons, Charles X, allait laisser place à on ne sait quelle souveraineté, comme la mort de Henri III, dernier des Valois, avait ouvert à l'absolutisme de Henri IV.

On voit bien, dans cet empilement de cycles historiques, que l'extraordinaire convergence politique, idéologique et esthétique des derniers moments de la Restauration s'effectue contre un adversaire au moins aussi symbolique que réel : le faux « grand siècle », l'absolutisme louis-quatorzien, la tragédie racinienne, telle du moins qu'elle a été vidée de sa substance par les épigones « classiques » de Voltaire. Par contrecoup, la référence positive, sinon le modèle, est tout désigné : c'est le jeune Corneille des dernières années de Louis XIII, de la Régence et de Mazarin, encore tout plein de poésie baroque, témoin des aventures sinistres ou bouffonnes des Frondes, champion de la liberté créatrice, théoricien du « poème dramatique », assoiffé de vertu héroïque, et philosophe pratique des rapports entre l'honneur et la gloire, au moment où l'abaissement irréversible des féodalités et l'âpreté des dissensions religieuses mettent à l'ordre du jour la constitution de l'individu moderne, de son rapport aux pouvoirs, de sa responsabilité en conscience comme en fait, bref, de sa « gloire », avec la part de fantaisie et d'étrangeté, de non-moi nécessaire à l'émergence du moi, pour qu'il accède à sa « générosité ».

La Préface de *Cromwell* en 1827 s'inscrivait ainsi dans la lignée des *Discours* cornéliens, comme l'auteur du *Cid* ou de *Sertorius* préparait celui d'*Hernani* ou de *Ruy Blas*, à la faveur de cet « espagnolisme » ibère ou italien dont Stendhal et Mérimée faisaient aussi le ressort de leur esthétique morale. La liquidation de la tragédie post-racinienne était nécessaire à ce ressourcement du tragique moderne, et c'est probablement la raison pour laquelle Gringoire, antihéros qui sert de main courante à l'action de *Notre-Dame de Paris*, fait anachroniquement « une fin tragique » ; faute de s'être aperçu qu'une tragédie réelle s'était déroulée avec lui et autour de lui, il n'avait pu que passer des genres médiévaux fondus dans la « moralité, sotie et farce » de la Grand' Salle du Palais à la composition de pièces d'un genre sans rapport encore avec les réalités de l'histoire, de même que son inaptitude à l'amour réduisait Djalii, la chèvre savante et sorcière, au statut d'animal de compagnie.

Cette vigueur ironique du prosaïsme répond à plusieurs nécessités. Il assure entre les épisodes la continuité d'une conscience petitement bourgeoise et médiocrement artiste, tandis que l'écolier Jehan Frollo joue un rôle similaire d'accompagnement et de commentaire de l'action, mais dans l'ordre traditionnel de la débauche étudiante, grosse de tout libertinage possible. Gringoire échappe à la tragédie après avoir frôlé la potence des gueux puis celle du roi. Jehan est plus tard le Gavroche des *Misérables*, il est l'enfance sacrifiée, mais parce qu'il est précipité et brisé contre la cathédrale par Quasimodo, son quasi-frère, que l'archidiacre avait adopté sur le lit des enfants trouvés pour le seul mérite d'une assurance de grâces. Là se trouve la faute sans faute, le déclenchement originel de la machinerie du destin, l'industrialisme du « Caïn, qu'as-tu fait de ton frère ? ». Ce qui renvoie aux temps des guerres civiles, féodales ou étrangères et des épidémies catastrophiques, à la pratique des guérisseurs et des sorciers, à la prostitution institutionnelle, quand la foi au Dieu sauveur ne suffit plus, quand la royauté est aux expédients, quand l'Église apparaît plus triomphante que militante. Bref, à la socialité de la misère.

Les deux précédents romans du jeune ultra Hugo s'étaient déjà avancés dans cette voie. Pour *Han d'Islande* (1823), le système de la quête chevaleresque déçue accompagne l'insurrection pacifique des ouvriers des mines de cuivre de Norvège. Pour *Bug-Jargal* (1826), l'idéal de l'émancipation des Noirs achoppe à la sanglante insurrection d'où est sortie l'indépendance d'Haïti, dont la reconnaissance par Charles X vient de déclencher la première crise du règne. Dans les deux cas, un être monstrueux et mauvais, Han ou Habibrah, partage avec l'auteur, à l'initiale, le « coup de H » qui tranche les commodités, les conformités, les complaisances de l'histoire décorative. Ces personnages sataniques, victimes et complices du mal social, avaient plus ou moins caricaturalement conduit le roman à se faire symbolique : la puissance d'attraction de la violence et du crime, forte de toutes les ressources de la dérision, arrache ces héros grotesques et terribles à quelque individuation psychologique que ce soit ; ils sont le symbole charnel de la massivité, de la complication infinie du pervers, en quelque sorte les anges noirs de l'humiliation. Quasimodo sera leur transfiguration.

La difficulté d'être

Si l'on comprend que tout cela se passe en plein mouvement de collecte, de comparaison, de critique et d'interprétation des symboles juridiques, religieux et culturels par lesquels les peuples ont jalonné leur progression légendaire, on considérera la création mythique de Hugo comme un effort non pas pour nier la psychologie des caractères, mais pour la révolutionner par la pratique du passage à la limite. Quand Amédée Pichot écrit à Hugo, le 27 octobre 1828 : « le bruit a couru que vous écriviez un roman,... Gosselin prétend qu'il y a du Scott en vous », il n'est pas du tout évident que *Notre-Dame* soit en chantier et que le dramaturge ait fait virer son projet de « Mort de Louis XI » au roman. Car depuis le 14 octobre, près d'un an après avoir assisté au spectacle du ferrement des forçats dans la cour de Bicêtre avec David d'Angers, Hugo s'est lancé dans la rédaction du *Dernier Jour d'un condamné*, qui les ramène à cette antichambre du bagne les 22 et 23 octobre 1828. On peut même imaginer, sous toutes réserves, que les propositions de Gosselin ont été décisives pour la métamorphose du drame en roman, laquelle se ferait donc au plus tard ici, sur le coup d'un jeu de miroir prodigieux. Les bagnards que l'on ferre en chaîne pour les mettre sur la route de Brest ou de Toulon ont leurs mœurs, leur langue, leurs hiérarchies, leurs fêtes provocatrices comme la société des honnêtes gens a les siennes, et le spectacle des gueux imite, singe, critique, dénonce la fausse bonne ordonnance du monde comme il faut. Mais le condamné à mort, devant la bigarrure des bagnards, est seul avec sa tête et son corps qu'on s'apprête à séparer. Et le vertige de cette séparation, impensable de l'intérieur, conduit à une sorte d'anéantissement progressif de la pensée, dont le corrélatif est l'intensité grandissante de la mise en question, implicite et objective, de tout le système de l'ordre, depuis le gendarme jusqu'au prêtre et au roi. Ce roman fascinant, dont Albert Camus s'est largement inspiré pour son *Étranger*, n'est pas seulement une contribution au vaste mouvement d'études et de propositions de l'époque pour une réforme du système pénal et la suppression de la peine de mort. Michel Foucault, qui a beaucoup étudié cette campagne, disait admirer la maîtrise avec laquelle Hugo avait su réunir en ce mince roman la totalité des arguments mobilisés alors. En fait, il s'agissait moins d'un roman que du préalable à tout roman moderne, qui s'équilibre par la vertu du soliloque.

La conscience humaine en effet, dans la torture de ce qui ne s'appelait pas encore le couloir de la mort, et dans sa sidération implacable par le simple écoulement du temps, présente pour ainsi dire des conditions d'expérience telles qu'elles forment une image sensible de l'apriorisme kantien : la nudité de l'espace carcéral, la marque d'absolu qui pèse sur le temps de l'angoisse forment les conditions comme avant toute expérience des perceptions, des sensations, des sentiments, des idées, des désirs et des volontés affrontés à l'impossible et à l'impensable. Ne reste que cette possibilité de la voix intérieure, de la conscience du moi qui ne va plus pouvoir dire je, bref, la forme la plus hyperbolique et la plus philosophique de l'unité de péril qui était l'âme du théâtre cornélien. Ainsi la philosophie expérimentale des « idéologues » héritiers et théoriciens de l'empirisme anglo-saxon redéployé en France autour de Condillac — et battue en brèche par l'enseignement scotto-germano-platonicien de l'éclectique Victor Cousin — se trouve réorientée, probablement selon des influences dues à Maine de Biran, dans le sens d'une mise en question de l'intime par sa mise à la torture. Car si les misérables de Bicêtre offrent aux spectateurs et au condamné à mort la dérision de l'horreur sociale, le poète voyeur et contemplateur, accompagné de son ami l'artiste, qui a fait de lui un si pur médaillon, ne peut pas ne pas se sentir mis en cause : il est dans le monde de la clarté l'élu du destin, comme le solitaire dans sa cellule, sur sa charrette ou sous le couperet. Il sait que son regard sur le monde et la société dissipe les faux-semblants, cherchant sous les apparences « plus que les choses », « tout ce qu'il y a d'intime dans tout », c'est-à-dire le plus intérieur, l'origine et la raison des effets. Et c'est l'intimité du moi qui est à la recherche et à la conquête de l'intimité du monde. Non sans tous les risques de damnation, car il n'y a pas de moi sans corps, sans imagination, sans fascination de la faute. L'expérience des limites et des paniques, des affaiblissements asymptotiques et des sursauts par-dessus le zéro ou l'infini, si caractéristiques du héros romantique, tient à cette exigence de connaissance.

La conséquence littéraire de cette rencontre avec le bagne et la guillotine, qui naturalise la Terreur comme constitutive du siècle puisque la Révolution a été irréversible, est que la voix de l'intime arrache le monologue intérieur au danger et aux bassesses des épanchements. Il faut être poète pour que la philosophie ait prise sur le réel, mais la psychologie du romancier tourne le dos aux passions toutes faites, aux caractères donnés, aux mœurs répertoriées. Le convenu assumé de personnages — c'est-à-dire de fonctions — comme l'écolier, l'auteur, le militaire, le prêtre, le juge, la bourgeoise, la bohémienne, vaut par leur faculté d'effacement et de fuite. Mais au lieu que chacun disparaisse comme marionnette de foire, ils sont tous référés d'une part à un brouhaha, d'autre part à un silence. Le roman est en effet construit d'emprunts textuels, tout juste adaptés pour la narration, à une documentation historique ample et solide qui devient pittoresque par combinaison de fragments. Chaque personnage représente à l'évidence son milieu, mais en porte les signes distinctifs comme en écho, avec des interférences multiples, et pas mal de zébrures. Seul Quasimodo, quasiment muet, sensible aux seuls ultrasons, musicien du Saint-Esprit, ne participe pas de cette rumeur de la ville. Et sa surdité interpelle l'aveuglement de tous, son œil unique fouille les ruses de l'exclusion ; sa difformité, presque congénitalement adaptée aux angles de la cathédrale, se fond dans l'énigmatique silence du bâtiment, creuse antithèse face au hourvari tumultueux du concours de grimaces dans la Grand' Salle du Palais de la Royauté et de sa Justice. Ainsi le poète est corrélatif à la monstruosité de son héros et son écriture virtuose, analogique des mimiques de l'infirme, de même que la complaisance à la misère historique, à l'horreur des pénalités médiévales assume le sadisme contemporain des époques où masses et individus rivalisent d'angoisses. Les traductions ou adaptations en anglais ne se trompent pas en intitulant *Le Bossu de Notre-Dame* le roman de cet archipersonnage d'« à peu près » qui porte le nom chrétien du dimanche après Pâques, où la liturgie célèbre la pureté des enfants, la régénération des pécheurs, la métamorphose de la « pierre d'achoppement » en « pierre vive » qui spiritualise tout l'édifice de l'humanité. Il est vraisemblable que l'influence de Lamennais n'est pas étrangère à la profonde charité de ce roman anticlérical, mis à l'*Index* par Rome dès 1834.

En fait le caractère fantastique de Quasimodo repose sur la conjonction de trois éléments. Ses infirmités et difformités l'unifient en monstre, force de la nature : homme manqué, ou inachevé, écarté de la condition humaine, il se retrouve comme d'un bond tout naturellement surhumain, et n'a pas, comme dans le conte de la Belle et la Bête, à se transformer en Prince charmant pour de bleues réconciliations. Deuxièmement, élevé dans la cathédrale, dont il transforme le sanctuaire musical en intimité, il en devient, par un retournement apocalyptique du dedans et du dehors, le génie familier, l'âme. Le principal personnage de ce roman n'est ni la cathédrale — comme on l'a trop dit pour des raisons de commodité littéraire ou de convenance culturelle — ni le sonneur bossu, mais cet extraordinaire couple de cavalerie que forme la réversibilité de l'un dans l'autre, parole secrète de ces deux mutités. Troisièmement, le texte de chronique qui a, très probablement, donné l'étincelle de vie et le nom de baptême au personnage, participe de l'image même qui inspire l'animation de la cathédrale : d'une part (Sauval, II, 561) le monstre né en 1578 « le dimanche de Quasimodo à Gentilly » (lieu des enchantements de fiançailles de Hugo en 1822 !) qui présentait « sur la tête... une trompe approchant celle d'un éléphant, d'où sortait au-dessous une petite corne », et d'autre part, au chapitre de la *Fièvre* de l'archidiacre (IX, 1), qui prépare dans l'hallucination la structure épique de la mise en scène finale, « il lui sembla que l'église aussi s'ébranlait, remuait, s'animait, vivait, que chaque grosse colonne devenait une patte énorme qui battait le sol de sa large spatule de pierre, et que la gigantesque cathédrale n'était plus qu'une sorte d'éléphant prodigieux qui soufflait et marchait avec ses piliers pour pieds, ses deux tours pour trompes et l'immense drap noir pour caparaçon ». Massivité en mouvement, trompes menaçantes : le prêtre damné, du dedans de la cathédrale — qui est l'habitacle et le « lieu » de l'agilité quasimodale —, projette en défenses extérieures et châtiments l'échec de son sacerdoce, de sa science et de son amour, et sans doute aussi l'écrasement de sa double paternité adoptive.

Les masses là-bas

Cette image de l'éléphant n'est certainement pas un détail. Le plus fort des animaux cache sa puissance sous des allures gauches, pour ne pas dire baroques ou disgracieuses. Il apparaît comme une sorte d'ébauche des temps primitifs, comparable à cette girafe, cadeau du pacha d'Égypte, dont l'arrivée à Paris, en 1827, suscita un engouement considérable. Bien plus tard, le roman des *Misérables* développera cette contradiction : l'éléphant de la Bastille, resté à l'état de maquette et tombant en ruine, abrite l'inventivité de Gavroche, et la charité qui de frère le transforme en père. Or ce « cadavre grandiose d'une idée de Napoléon », « membre de l'Institut, général en chef de l'armée d'Égypte », qui est présenté comme « une sorte de symbole de la force populaire » par opposition à la colonne de Juillet, « tuyau de poêle », « monument manqué d'une révolution avortée », nous renvoie au rêve oriental, au vertige de savoir et de puissance que déclenche la nécessité stratégique de menacer l'Angleterre dans sa conquête asiatique. Avec le souvenir d'Hannibal, qui vint de Carthage jusqu'aux abords de Rome, avec Bonaparte qui joignit une armée de savants à son expédition contre l'impérialisme bientôt triomphant de la Grande-Bretagne, c'est toute la question de la concurrence des civilisations qui se joue : l'assujettissement du monde aux puissances occidentales se double d'une espèce de retour aux sources orientales de l'épopée humaine. Si, classiquement, l'*Iliade* et l'*Énéide* servent de caution à la fable d'une origine troyenne de la monarchie franque, l'épisode de Didon fait remonter à la Phénicie, porte de l'Asie profonde, l'actualité des conflits qui se jouent aux rivages de la Méditerranée, depuis ceux de l'indépendance grecque jusqu'aux ports des pirates barbaresques, pendant que Champollion ouvre par le déchiffrement des hiéroglyphes tout l'arrière-fonds de notre culture, et que les Anglais développent aux Indes les conquêtes du grand Alexandre.

Une partie des notes prises par Hugo pour *Notre-Dame de Paris* est toute mélangée d'autres notes, assez abondantes, relatives à la géographie humaine des pays riverains de la Méditerranée, et parmi les quelques adresses qui figurent dans ces liasses manuscrites, celle de James Auguste Saint-John, arabisant, indianisant, polygraphe aux curiosités encyclopédiques, témoigne, comme celle de Lamennais, ou celle du directeur de la Bibliothèque personnelle du roi, d'un souci de documentation et d'information qui ne cesse de relier les problèmes de l'heure aux origines des peuples et des sociétés. Si l'on n'a pas encore réussi à identifier les ouvrages dont Hugo s'est servi pour la partie alchimique ou hermétique de son roman, en dehors de quelques emprunts textuels à Sauval, il est probable qu'il a connu, pour la partie architecturale, la monumentale publication de Louis-Matthieu Langlès, *Monuments anciens et modernes de l'Indoustan* (1812-1821, 144 planches), qui abonde en reproductions d'éléphants, et il est possible que le mystérieux « temple d'Eklinga », c'est-à-dire du lingam unique, figuration sexuelle de Siva, soit celui d'Éléphanta.

En attendant que la recherche identifie les sources et les références de cet orientalisme plus ou moins maçonnique héritier de la gnose alexandrine, on risquerait de perdre dans les dédales de ces bâtisses piranésiennes, dans les jeux du vide au travers des masses, du jour parmi l'ombre et de l'angoisse aux fissures de la Tradition, le fil de la méditation solitaire, l'interrogation sur soi. De 1821 à 1828, les éditions successivement recomposées des *Odes* (et *Ballades*) finissent par constituer une périodisation en double spirale. Trois livres d'odes jalonnant les années 1818-1828 composent les fastes et les malheurs de la légitimité autour des engagements du jeune poète, et les font converger selon un processus de reconnaissance de Bonaparte que la présence de Chateaubriand et de Lamartine accompagne dans l'ordre du génie. Le quatrième livre reprend cette chronologie (1819-1827) pour produire les fruits de cette vocation à la double spiritualité virtuose de la Muse et de Dieu. Un dernier livre reprend la succession des années (1819-1829) dans l'ordre du lyrisme personnel, des premières amours, de la vie intime, où le moi semble finir, s'étant trouvé dans son histoire, par s'épuiser, « oubliant, oublié » dans les « Rêves » du dernier vers. Le livre des *Ballades* dégage alors de la période 1823-1828 tout ce qui est du fantastique du monde, depuis les fées et les lutins jusqu'aux mœurs du moyen âge. Le dernier poème, dialogue entre la Fée et la Péri, rivalise avec le « Roi des Aulnes » de Goethe pour ouvrir à l'enfance en risque d'agonie un tout autre *Divan occidentalo-oriental*. Au nécessaire adieu à l'enfance, *Les Orientales* font succéder l'âge d'homme, sous le double et dialectique éclairage du moyen âge et de l'Orient, que l'enracinement hispanique transforme en fraternité de la cathédrale et de la mosquée dans la Ville, et en actualité des mythes originels au plus brûlant de l'exotisme.

La préface des *Orientales*, datée de janvier 1829, contemporaine de la lutte engagée avec *Le Dernier Jour d'un condamné*, ne met le livre de poèmes sous le signe de la mosquée que pour mieux esquisser, dans une série de dénégations ironiques, l'« œuvre », l'« ensemble d'œuvres », l'« ébauche informe » d'un bilan provisoire dont il ne dissimule nullement le caractère programmatique : la « cathédrale gothique », le « théâtre », le « hideux gibet » dénotent les *Odes et Ballades, Cromwell* et *Le Dernier Jour*, mais les réunissent comme ressort d'un projet poétique et critique dont la métaphore de la Ville indique le sens historique et social. « Souhaiter pour la France une littérature qu'on puisse comparer à une ville du Moyen Âge », en s'exposant aux critiques de « désordre, profusion, bizarrerie, mauvais goût », conduit à considérer l'Orient comme un équivalent, « autre mer de poésie », de nos antiquités nationales. Il s'agit bel et bien d'originer la modernité du 1830 qui approche dans un déplacement radical de la réflexion et de la culture : « jusqu'ici on a beaucoup trop vu l'époque moderne dans le siècle de Louis XIV et l'antiquité dans Rome et la Grèce : ne verrait-on pas de plus haut et plus loin, en étudiant l'ère moderne dans le moyen âge et l'antiquité dans l'Orient ? ». C'est à cette décision stratégique que répond *Notre-Dame de Paris*, une fois que la « ville espagnole » d'*Hernani* a placé l'échec du rêve impérial à la naissance même du triomphe de Charles Quint, et contourné l'interdiction de *Marion Delorme* qui, en août 1829, s'attachait, comme Vigny, avec la figure de Richelieu, aux origines immédiates de l'absolutisme louis-quatorzien.

Babel, Lui, et eux

« De plus haut et plus loin » : c'est la tentation de Babel, le gigantisme et l'ascension, la communauté et l'unité des hommes. Ce roman de la Fatalité, s'emparant de l'invention de l'imprimerie, va faire de la presse « la seconde tour de Babel du genre humain », entreprise non pas d'orgueil et de corruption citadine comme l'interprète le psychologisme culpabilisant de la tradition yahviste, mais de libération et de différenciation. C'est l'invention des langues comme langues, comme aptitude au travail et à la transformation du monde. Mais le premier poème des *Orientales*, « Le Feu du Ciel », fait bien de Babel la complice de Sodome et de Gomorrhe, civilisations maudites pour leur idolâtrie de la jouissance, et disparues sous la mer Morte. À l'autre bout du recueil, les deux poèmes consacrés à Napoléon s'allient sous le signe de leurs épigraphes : « Grand comme le monde » et « J'étais géant alors, et haut de cent coudées », mais il s'agit dans un cas comme dans l'autre d'un mort, d'un spectre autour duquel — Bounaberdi vu par l'Arabe — le désert et la mer forment l'espace indistinct de l'avenir, tandis que — Napoléon vu par le poète — toute beauté et tout mythe se rassemblent, comme la Grande Grèce mystique autour du Vésuve :

Toujours Napoléon, éblouissant et sombre,
Sur le seuil du siècle est debout.

L'orientalisme de ces regards croisés constitue donc une sorte d'espace vide, initial et initiatique, déserté par l'écroulement de l'Empire, mais aimanté par l'épopée fulgurante de la Grande Nation, tendu par ce retrait. Il y a là comme l'équivalent d'une théologie négative, une divinisation de la notion de siècle qui, devant la fuite infinie du perpétuel « plus grand », ne peut qu'affirmer — de manière polémique et critique — ce que le romantisme n'est pas. La séduction que l'Islam exerça sur plusieurs des lieutenants de Napoléon n'est sans doute pas étrangère à la constitution de Bonaparte comme « Mahomet de l'Occident », et le rêve de la ville espagnole s'enracine dans la nostalgie de la civilisation hispano-mauresque, de l'époque légendaire du Cid jusqu'au miracle de Grenade, dont la chute, en 1492, avait été contemporaine de l'expulsion des Juifs d'Espagne, et de la découverte de l'Amérique.

Aux deux extrémités de l'Europe, en Espagne comme en Grèce, la question orientale nouait donc un problème planétaire, mûrissant de l'Inde profonde jusqu'à l'immense virtualité américaine, et c'est à l'occasion de Cromwell et de la révolution britannique au XVIIe siècle que Hugo avait pu esquisser en « Fragment d'histoire » une géopolitique qui se continuerait, quinze ans plus tard, avec *Le Rhin* et ferait du « vicomte Hugo » un pair de France. Mais on comprend qu'à l'approche de 1830, le mûrissement du projet d'abord dramatique puis romanesque de la mort de Louis XI, devenu *Notre-Dame de Paris*, ait demandé bien des ajournements, dont l'éditeur commanditaire ne s'est guère accommodé. On a donc, très probablement, une œuvre dont la construction et la méditation s'étendent sur près de quatre ans, *work in progress* qui colle à son temps, lequel, comme le temps de son action, est un basculement de l'histoire, doublé d'une tragédie personnelle.

On n'insistera pas sur les tristesses d'un couple qui se défait, d'un ami qui guette votre femme peut-être parce que vous le fascinez : les assiduités de Sainte-Beuve auprès d'Adèle Hugo enceinte n'ont sans doute triomphé, au plus tôt, que vers l'achèvement du roman, plus de quatre mois après la naissance de l'autre Adèle, le jour de la Saint-Barthélemy 1830. Mais le couple ne s'est pas refait, la jalousie et la violence ont éclaté. La figure de Frollo, clerc exclu de l'amour, est d'autant plus sinistre qu'elle n'est sans doute pas le résultat, mais l'appréhension et comme la tentation plus ou moins conjuratoire du malheur intime et de l'échec intellectuel. Ce temps creux ne manque pas d'analogie avec le champ magnétique de l'histoire du siècle tel que nous venons d'en esquisser la formation ; la dernière année de Louis XI, heure pivotale entre le XVe et le XVIe siècle, entre le Moyen Âge fini et la Renaissance non encore puisée à sa source italienne, fournit à ce vertige du vide une foison documentaire dont on a repéré l'essentiel depuis un siècle, mais, faute d'attention au contexte, sans en mesurer l'inflexion. Entre la fin de la guerre de Cent Ans et le début des guerres d'Italie, entre le départ des Anglais de France et l'arrivée des imprimeurs et artistes d'Allemagne ou d'outre-monts, le règne de Louis XI a essentiellement consisté à négocier la soumission puis à briser la rébellion des princes du sang et autres grands féodaux, à unifier le pays autour d'une monarchie soucieuse de la sécurité économique et sociale, à ruser, au-dehors comme au-dedans, contre la puissance anglaise ou germanique, bref, à rassembler autour de Paris et de Tours les éléments d'une nation. Mais si le traité d'Arras — qui prévoit le mariage du Dauphin mineur avec l'enfant héritière des Flandres et de la maison d'Autriche, et ne sera pas suivi d'effet — marque l'apogée du règne, il en annonce aussi la fin : le roi souffre de crises plus ou moins paralysantes qui le laissent au bord du tombeau, où il descend enfin le 30 août 1483.

Les Entre-Deux-Mondes

Mély-Janin avait repris le sujet du *Quentin Durward* de Walter Scott, et fait représenter au début de 1827 un *Louis XI à Péronne*, c'est-à-dire au pire moment de son abaissement devant le duc de Bourgogne. Hugo, le restituant au roman, répond en le saisissant dans la conjonction du triomphe et de la mort, comme figure énigmatique de la destinée des hommes, des peuples, de la civilisation. La documentation est d'abord élémentaire : c'est la *Biographie universelle* des frères Michaud qui lui fournit ses premiers éléments, et lui indique une bibliographie succincte, encore que volumineuse. Si la *Chronique*, dite on ne voit pas trop pourquoi « scandaleuse » et attribuée par Michaud à un « Jean de Troyes » introuvable, fournit année par année un échelonnement vif et clair des événements marquants, le livre du père Du Breul, *Théâtre des Antiquités de Paris* (1612), dépasse treize cents pages, et les trois volumes de Sauval, *Histoire et Recherche des Antiquités de la Ville de Paris* (1724), en totalisent plus de deux mille, in-folio, non sans quelques répétitions, qui permettent à Hugo de parler de fatras. En fait, à lire consciencieusement ces ouvrages, on s'aperçoit qu'on refait pas à pas la lecture intégrale que Hugo en avait faite : la quantité et la continuité des emprunts excluent tout feuilletage, même si l'on se demande quand ce travailleur infatigable, ce mondain avisé, ce père de famille attentif a pu trouver le temps de pareil pillage. Comme l'a bien vu l'admirable Edmond Huguet, premier auteur du recensement de ces sources, il n'y a guère de pages de *Notre-Dame* qui ne doivent à cet ensemble documentaire. On pourrait ajouter qu'on ne lit pas cinq pages de cette manne sans qu'il s'y trouve tel détail voire tel développement du roman, ou de la suite de l'œuvre, comme cette rue de *l'Homme-Armé*, centrale dans la tragédie de Jean Valjean au cœur des *Misérables*, marquée chez Sauval du sceau de la Fatalité pour avoir réuni quelques-unes des plus illustres chutes. Mais puisque Hugo garde pour sa mémoire pensive le secret de cette élection funeste, il n'est pas inutile, quant à *Notre-Dame*, de veiller dans la documentation aux tenants et aboutissants des pièces et morceaux transplantés dans le roman.

Et d'abord d'identifier et de caractériser les auteurs, auxquels Hugo est plus attentivement fidèle qu'on ne le croit généralement. L'anonyme *Chronique* « écrite par un greffier de l'Hôtel de Ville de Paris », jadis attribuée par Corrozet (repris par le biographe Michaud) à « Jean de Troyes », est maintenant considérée comme l'œuvre d'un Jehan de Roye, lequel se trouve désigné, dans la *Chronique* même, comme « secrétaire de Monseigneur le duc de Bourbon, et garde dudit hôtel de Bourbon », à la date de 1478. Cette *Histoire de Louis onzième* est donc l'œuvre d'un contemporain, témoin et agent de l'histoire féodale, apologiste de la politique royale, qui a beau jeu de rejeter sur « d'aucuns personnages... comme Olivier le Dain » les « injustices, maux et violences » de Louis XI, lequel « avoit mis son peuple si au bas, que au jour de son trespas estoit presque au desespoir : car les biens qu'il prenoit sur son peuple il les donnoit et distribuoit aux églises, en grans pensions, en ambassades, et gens de bas estat et condition ». Mais cette position ambiguë, qui peut bien trouver quelque complicité ironique chez un Hugo en transit de ses positions ultra aux séductions libérales, s'accorde surtout avec une particulière attention aux mœurs : l'éditeur des *Mémoires relatifs à l'Histoire de France* affirme qu'« aucun ouvrage ne fait peut-être mieux connaître Paris tel qu'il était vers la fin du quinzième siècle ». Le personnage collectif de la Ville et du peuple, qui esquisse dans *Notre-Dame* l'histoire de l'opinion et des mentalités, est, de source, aussi important que la figure royale entre sa Bastille et le décor de son hôtel Saint-Paul, si bien que le rôle du cardinal de Bourbon dans la Grand'Salle, entouré de sa clientèle, a toutes chances d'être plus emblématique encore que satirique ou caricatural.

Le père Jacques Du Breul, lui, est religieux de Saint-Germain-des-Prés, archiviste et historien consciencieux, qui rend à l'équipe de ses informateurs ce qu'il leur doit. C'est au travers de lui, et non par visite à la bibliothèque de l'archevêché, que Hugo a connaissance du Grand et du Petit Pastoral, ainsi que du fameux Livre Noir (d'après la couleur de sa couverture), communiqués par le doyen du chapitre de la cathédrale grâce à l'appui du président de Thou, qui avait joué un rôle important dans la transmission de la couronne des Valois aux Bourbons, de Henri III à Henri IV. Le *Théâtre des Antiquités* est dédié à François de Bourbon, prince de Conti, neveu, au même titre que Henri IV, du cardinal Charles de Bourbon, dont la Ligue avait tenté de faire son roi de France et que Du Breul avait suivi pendant vingt-six ans. D'où le commentaire amusé et désabusé de Hugo sur cette généalogie de cardinaux éclectiques et opportunistes qui servirent si bien l'élévation de leur famille. Mais si Du Breul reconnaît que « les Princes sont de petits dieux sur terre », c'est pour mieux les incliner à « imiter les actions de Celui qui seul peut absolument commander ». Toute l'orientation de son livre est religieuse autant qu'historienne ou politique, dans le droit fil de la généalogie spirituelle qui descend de Saint Louis, « ce grand et merveilleux arbre ». Le plan du livre s'enracine donc dans la Cité, où le face à face de la cathédrale et du Palais se fond en la Sainte-Chapelle, drageonne sur la rive gauche avec l'Université, qui ne dépend que de l'Église, se répand sur la droite dans le commerce de la Ville, s'étend hors les murs parmi les « coutures » des abbayes, qui mènent à la description du diocèse rural. Universitaire de formation, religieux de profession, « domestique » des Bourbons, Du Breul comptabilise les successifs « troubles de l'Université » qui de Saint Louis à Louis XII, de 1229 à 1498, n'ont cessé d'opposer les étudiants aux « gens du Roi », aux moines de Saint-Germain qui revendiquaient le Pré aux

Clercs, et aux éternels « bourgeois ». La tripartition de Paris, qui honore ses armes de « la belle nef d'une grand' République » est donc aussi physiologique que géographique et institutionnelle ; elle correspond au fonctionnement des pouvoirs, elle incarne leurs organes en une dynamique vivante. Le plan d'exposition choisi par Du Breul arrache l'histoire à la chronique, l'oriente selon un monarchisme chrétien dont le providentialisme prudent préfigure la naissance des philosophies de l'histoire.

Tout autre est le point de vue d'Henri Sauval, avocat au Parlement, mort vers 1672 en laissant un chantier considérable, qui ne fut mis à peu près en ordre, puis enfin publié, qu'en 1724. Sauval avait obtenu de Fouquet accès au Trésor des Chartes et communication des Comptes de la Prévôté et de l'Ordinaire du Roi, dont le relevé nourrira les pièces justificatives de son troisième volume. Mais il n'avait obtenu de Colbert, après la chute du surintendant, aucune des aides sollicitées. Ses critiques de la crédulité de Du Breul ne sont peut-être pas pures de tout antibourbonnisme, si tant est que le placide père ait pu paraître *a posteriori* responsable de l'évolution bureaucratique de la monarchie louis-quatorzienne. Mais, que cela tienne à Sauval lui-même, à son continuateur Rousseau ou aux circonstances de la publication au sortir de la Régence, trois ans après les *Lettres persanes*, ou encore à l'apparence aléatoire du plan, un esprit de liberté critique, attentif à la contiguïté des splendeurs et des déviances, parcourt cette *Histoire et Recherches*, qui ne sont rien moins que théâtrales. Car le désordre du premier volume, célébrant les agrandissements du Paris moderne, ne fait que refléter dans le réseau des voies et moyens de circulation les emballements du progrès, la presse de la socialité. Au cœur de ce dispositif, *via* les quais et les égouts, la misère urbaine, le pullulement des gueux, les « cours des miracles » de l'antisocialité, débordant la vieille mission d'assistance de l'Église, et l'immigration stupéfiante de « ces misérables et difformes créatures que nous nommons Égyptiennes ». D'où la célébration du « grand ouvrage du renfermement des Pauvres » dans l'« Hôpital général » (1656-1659) qui fait place nette pour la prise de pouvoir de Louis XIV et pour la propreté de l'urbanisme et de l'art classique. C'est là que Michel Foucault centre son *Histoire de la folie*, quand Sauval y voit l'occasion de redéployer la description des carrefours de la modernité, places, halles, foires.

Le second volume obéit en fait au même ordre du désordre, ou de la fantaisie satirique. Commençant par la monumentalité de la ville pour animer ensuite l'histoire des fêtes et des spectacles, Sauval consacre un considérable chapitre central à l'histoire sans cesse répétée de l'expulsion des Juifs « et autres », avec une cruauté d'archives tout à la hauteur de la question : c'est le passage à la description minutieuse des lieux patibulaires et des modes atroces d'exécution, le moment de la pitié inévitable. Face à la cathédrale et aux palais, ce que la préface des *Orientales* appelle le gibet, en toute référence à la Croix, ou à son absence.

L'ouvrage s'achève par une sorte de régression, une remontée aux fêtes coutumières, aux tournois, aux rites et symboles de la chevalerie, à la chape de saint Martin et à l'oriflamme de saint Denis, comme si ce travail de l'époque de la Fronde, poursuivi en marge du « siècle de Louis XIV », publié dans l'éclosion des Lumières, traçait la voie à l'esthétique troubadour qui fit resurgir sous la Restauration les pratiques régressives du préromantisme, en prélude à l'insurrection historienne et médiévistique de l'époque 1830.

Installation du chantier

Le reste de la documentation identifiée pour l'instant peut se résumer à Commynes, mémorialiste plus qu'historien, qui présente l'avantage d'un regard d'acteur autant que de témoin, et l'unité concise d'une écriture d'époque qui soit à hauteur de narration romanesque. Le peu de notes prises par Hugo qui nous restent semblent indiquer que les premiers « extraits », pour la plupart perdus, furent mêlés de sources, de curiosités et d'affectations diverses, puis retranscrits par bribes à chaque fois pour la composition d'un chapitre, non sans d'infimes détails qui mettent parfois sur la voie d'une parenté secrète ou discrète entre deux passages de cette œuvre où la visée symbolique se cache d'autant plus qu'elle s'affiche, ou se moque... Le manuscrit qui a servi à l'impression est une mise au net où le travail de chaque journée, repérable grâce au jalonnement de quelques dates et au trait qui la ponctue, probablement révisé et complété lors de la relecture du lendemain, a permis de suivre, à partir du plan primitif et de ses modifications, le développement d'une œuvre où écriture et stratégie s'inventent au fur et à mesure qu'elle progresse, dans une claustration de cinq mois. Ce labeur, non plus projet, mais quasi-découverte de *Notre-Dame de Paris*, largement conditionné par le type de lecture que le Hugo de 1830 pouvait faire ou refaire, après Juillet, de sa documentation, est marqué par quelques coups de génie fulgurants, qui commandent l'interprétation. Mais, pour en finir avec le caractère historique et politique de la plongée documentaire, pour ne pas perdre de vue notre propre actualité et pour comprendre comment le Hugo de la monarchie de Juillet mûrit dans l'ouverture politique le souci de la misère sociale, il suffira de signaler, avec l'auteur de la « Chronique scandaleuse », qu'en 1467 Louis XI avait fait Paris asile, c'est-à-dire ville franche, ouverte à toute racaille, pour la repeupler après le ravage des guerres et des épidémies, et de rappeler, avec Sauval, que l'alternance des expulsions de Juifs et de leur réadmission eut pour principale fonction de leur faire accumuler de la richesse aisément confiscable : ces historiens de la monarchie française n'oubliaient pas les corrélats économiques de son long établissement. La force « surhumaine » de Quasimodo appartient autant à l'intérêt de l'ère industrielle pour la force de travail des masses qu'à l'amplification épique dont il serait trop aisé d'accuser l'« exagération ». De même les amendes qui alimentent l'ordinaire du roi dans les Comptes de la Prévôté n'ont pas pour seul objet romanesque une couleur d'époque, au moment où la France est pour longtemps encore plus près de ses « sous » que des sous-multiples du franc Germinal : la police des mœurs ne manque pas de vertu fiscale et budgétaire.

Le plan primitif est peut-être encore plus éloigné du roman définitif qu'on ne le croyait : nulle trace de la Grand'Salle, de la « moralité, sotie et farce » de Gringoire ni du cardinal de Bourbon. L'« archidiacre » n'a pas plus de nom que « le sourd-muet ». Le scénario indique sommairement la quasi-totalité de la matière dramaturgique :

Les grimaces.
La tentative de rapt.
La Cour des Miracles.
Gringoire, Esmeralda, la chèvre.
Le pilori.
La prise de corps comme sorcière.
La recluse.
La tentation de l'archidiacre.
Le procès de la sorcière et de la chèvre.
La condamnation.
L'amende honorable au portail.
L'asile.
Amour de l'archidiacre et du sourd-muet.
Les truands. Assaut de l'église.
Méprise du sourd-muet.
Louis XI. — qu'on charge le populaire et qu'on pende l'Égyptienne.

y compris le dénouement actuel :

La recluse.
Le petit soulier.
Reconnaissance.
Survenue des sergents à verge.
Le sourd-muet et l'archidiacre au haut de la tour.
Conclusion. Cave de Montfaucon.

Entre les deux, il y a bien l'idée primordiale et théâtrale :

Demande la grâce à L. XI. — Comment veut-on que je fasse grâce quand je ne puis l'obtenir pour moi-même.

Olivier le Dain et L. XI. — grde scène.

mais située non pas à Paris, dans la Bastille : on s'est déplacé au château du Plessis-du-Parc-les-Tours, résidence favorite du souverain ; Esmeralda est détenue à Paris en une « cage de fer », ce qui passe toutes les bornes de la vraisemblance. Mais l'imitation de Walter Scott et de son *Quentin Durward* où l'on voyage du Plessis à Péronne, contamine tout ce ventre du projet initial : laissez-passer donné à Gringoire par le Roi des Argotiers pour l'introduire auprès de Coppenole, archers (écossais, évidemment), le tout suivi de l'évasion d'Esmeralda sous le costume de Gringoire, auquel les « matrones et ventrières » ne trouvent évidemment nul signe de grossesse, ce qui le conduit, avec la chèvre, au gibet de la Grève. Libre parmi ses congénères Égyptiens, Esmeralda pouvait se refuser une dernière fois au prêtre, et succomber à la fatalité de la reconnaissance maternelle.

On voit que ce pittoresque mélodramatique hérité du roman sentimental, du roman noir et du roman historique, tout en extériorités, en excroissances plus bavardes encore que baroques, condamnait le roman à la dispersion et à l'artifice. La question du pouvoir restait étroitement dépendante de la mort prochaine du roi, assez mince élément de tragédie. Paradoxalement, c'est l'introduction d'un nouveau personnage qui va nouer le roman, par le ressort de la jalousie. Une addition marginale au plan primitif, qu'on peut vraisemblablement dater du 23 septembre 1830, met en place la rivalité, l'amour, et la fuite tragique des sentiments :

Phébus de Chateaupers. et l'archidiacre.
Phébus et la Esmeralda.
Phébus, la Esmeralda, l'archidiacre.

Probablement presque aussitôt rayée, cette trouvaille entraîne un ressourcement capital :

Histoire de Quasimodo et de Matifas.
Le lendemain Quasimodo mené devant le prévôt — au pilori !
La recluse
Le pilori

Progrès des reculs

Le sourd-muet a trouvé son nom, même si l'on ne sait à quoi correspond ce Matifas, décalqué dans Sauval sur Simon de Matiphas de Buci (en grec : qui parle en vain), évêque vers la fin du XIIIe siècle, et les indications qui suivent non seulement engagent l'actuel livre VII, mais inventent, entre l'archidiacre et Phébus, le personnage de Jehan Frollo. Ainsi c'est seulement après un mois de rédaction acharnée que Hugo met le doigt sur cet entourage d'hommes dont la principale fonction est de conditionner et déterminer le personnage du prêtre maudit. Jusqu'alors, le jeune écolier n'était qu'un *Joannes de Molendino* ou Jean du Moulin, sans h et sans lien de parenté avec l'archidiacre. On pourrait épiloguer sur ce rattachement qui provoque la déhiscence du prénom, comme s'il fallait comprendre que l'écolier fait toujours l'âne pour avoir du son. La référence documentaire est plus sinistre : Sauval, aux Comptes de 1539, tout au bout de son troisième volume, fournit un Jehan Frollo, auditeur des basses auditoires du Châtelet, jugé par contumace pour homicide sur un sergent à verge dudit Châtelet : on le décrète de prise de corps, et le condamne à l'amende honorable au parvis du tribunal, à être traîné sur une claie jusqu'au domicile de sa victime pour y avoir le poing coupé, à être décapité au pilori et à y avoir le corps pendu. Le tout « par figure », c'est-à-dire en effigie de mannequin. L'atrocité des vieilles pénalités se rehaussait de la bonne régie du spectacle et se tempérait des facilités de fuite. Quant à notre Jehan, il apparaît ici comme l'entremetteur de la « scène de nuit », qui glisse l'archidiacre entre Phébus et la bohémienne, en un raptus de voyeurisme criminel, dont la justification va exiger de reprendre les premiers chapitres : l'enchaînement des actuels livres VI à VII entraîne par rétroaction la rédaction de l'actuel livre IV, qu'on pourrait intituler « archéologie d'un couple », celui de l'homme-cerveau et de l'homme-brute, du maître et de l'esclave, de Faust et de Méphisto.

La nécessité d'intrigue qui conduit le livre VI aux origines rémoises de la Sachette, autrefois Paquette la Chantefleurie, fille de joie, suffirait à justifier une remontée analogue pour le prêtre, les deux retours en arrière établissant pour le lecteur la communauté de destin qui se croise entre Quasimodo et la Esmeralda. Mais remonter à Reims (et aux souvenirs personnels du sacre de 1825, à la campagne pour la sauvegarde des monuments français) en faisant abstraction de la cathédrale, c'est — ne serait-ce que par l'énigmatique expédition du petit monstre d'un évêque à l'autre — constituer la cathédrale de Paris, celle du sacre de Napoléon, comme destination suprême de l'histoire monumentale, religieuse et surtout politique.

Les retours en arrière d'intrigue, de biographie des personnages, d'histoire médiévale et moderne, suscités par la rédaction du livre VI font surgir tout un programme proprement archéologique : Hugo s'en ouvre le 4 octobre à son éditeur Gosselin, qui refuse le 7 toute augmentation de volume — et de rémunération. De cette mésentente viendra que la première édition (mars 1831) produira un roman incomplet. Les chapitres réservés feront de la « huitième » (décembre 1832) la première intégrale. Mais pour l'instant Hugo se sent libre d'infléchir son plan à sa guise. Le 9 octobre, il écrit les premières pages du chapitre « Notre-Dame » (III, 1), puis interrompt la rédaction pour une semaine, qui peut sans doute être considérée comme celle du véritable enracinement du roman dans l'histoire, cet « enchâssement dans Homère » destiné à dépasser Walter Scott en proposant à la conscience nationale le fondement d'une épopée radicalement moderne.

On observera que ce jour du samedi 9 octobre 1830, qui amorce la rédaction du chapitre « Notre-Dame » est non seulement la veille — ou pourrait dire la vigile — de la seule semaine où le labeur romanesque fait silence, mais encore la date de l'un des deux seuls poèmes répertoriés dans l'œuvre pour cette période de cinq mois de travaux forcés, et que ce poème n'est autre que le second « À la Colonne », qui prendra place, en 1835, en tête des *Chants du crépuscule*, juste après le « Prélude » et le fameux poème « À la jeune France » qui avait marqué le ralliement de Hugo à la monarchie de Juillet. Daté du 10 août, sans doute non sans rapport avec la journée révolutionnaire qui avait vu en 1792 la chute de Louis XVI, cette proclamation en forme d'ordre du jour « aux trois écoles », c'est-à-dire aux futurs cadres de la nation, imprégnée de christianisme réformateur, n'apparaîtra plus, cinq ans plus tard qu'à titre d'archive, de monument justificatif « Dicté après Juillet 1830 » : Hugo n'aura pas été le nouveau Bonaparte de la jeunesse, et son christianisme social a eu le temps de sombrer dans le naufrage de l'entreprise mennaisienne. Mais la date affectée au poème suivant, le 9 octobre 1830, laisserait sceptique quant à sa sincérité (composer 240 vers en une journée !), si un titre envisagé « Ode à la Colonne n° 2 » n'était explicitement mis en rapport avec la première Ode à la Colonne, celle de 1827, qui marquait le ralliement du poète naguère ultra à la vague montante du libéralisme, par la note renvoyant à la publication dans la presse « Voir les *Débats* du 9 février ». Dans les deux cas il s'agit de la colonne de la place Vendôme, faite du bronze des canons ennemis mais sur le modèle de la colonne Trajane à Rome. La Chambre des députés venait (le 2 octobre et non le 7 comme l'indique Hugo, soit par erreur soit pour marquer le jaillissement de furie du poème) de refuser le transfert des cendres de Napoléon et leur installation solennelle dans le socle du monument. Que le poème ait été effectivement mené à bien, concurremment avec la fin du livre VI du roman, du 3 au 9 octobre, ou que Hugo ait pris la semaine du 9 au 15 pour l'écrire avant d'achever la rédaction du chapitre « Notre-Dame », la coïncidence des monumentalités entre la colonne, la cathédrale, et l'œuvre même qui s'érige est trop criante pour passer au compte des pertes et profits, ou des hasards insignifiants.

Le sarcasme se déchaîne contre ces « trois cents avocats », ces « Démosthènes haletants », ces chiens à la curée des places et des titres :

Tout en vous partageant l'empire d'Alexandre
Vous avez peur d'une ombre et peur d'un peu de cendre :
Oh ! vous êtes petits !

Ce mépris pour le parlementarisme bourgeois conduit à écarter le risque de césarisme, à associer la gloire impériale à la liberté d'une véritable démocratie :

Encor si c'était crainte austère !
Si c'était l'âpre liberté
Qui d'une cendre militaire
N'ose ensemencer la cité —
...
La Gloire...
N'est plus armée et couronnée
...
Et n'a plus rien dont s'épouvante
La Liberté, sa grande sœur !

C'est là que germe l'image-idée, héritée du grand

monologue d'*Hernani* — don Carlos au tombeau de Charlemagne à Aix-la-Chapelle :

Et toi, colonne ! un jour, descendu sous ta base,
Le pèlerin pensif, contemplant en extase
Ce débris surhumain,
Serait venu peser, à genoux sur la pierre.
Ce qu'un Napoléon peut laisser de poussière
Dans le creux de la main.

Dans l'immédiate déception de la monarchie de Juillet et de ses parlementaires — qui allaient enterrer leur velléité d'abolir la peine de mort dès que les ministres de Charles X n'auraient plus rien à craindre —, la méditation non tant sur la vanité des grandeurs d'institution que sur la fécondité du point de vue de la mort se renverse de la tradition triomphale au charnier sordide. Au lieu du « pilier » de la place Vendôme, ce sont les piliers de Montfaucon, au lieu de la « base » de la colonne, le socle qui sert de cave-charnier, au lieu de la « poussière » du chef suprême, celle du sourd-muet.

On peut donc considérer que Quasimodo s'invente et se développe dans la place laissée vide par le Génie, dont Napoléon a été la figure historique. Ou plutôt par le retrait du Génie, qui rend aux temps nouveaux la liberté d'inventer l'avenir. Le poème s'achève par la promesse du retour des cendres — qui se fait en 1840 et que Hugo solennise alors —, mais dans une thématique de l'universalité où s'associent les symboles du dialogue entre le poète et les masses :

Nous y convierons tout, Europe, Afrique, Asie !
Et nous t'amènerons la jeune poésie
Chantant la jeune liberté
...
Tu seras bien chez nous !
...
Sous ces pavés vivants qui grondent et qui s'amassent,
Où roulent les canons, où les légions passent : —
Le peuple est une mer aussi
...
Qui ne laissera pas regretter à ton ombre
Le murmure de l'Océan.

Autrement dit, le peuple est la nature de l'histoire, mais

on ne le perçoit que dans ses émeutes ou ses insurrections, voire dans ses méprises tragiques, « maladroit ami » de la beauté, de la gaieté, de la liberté qu'il peut être, comme Quasimodo de la Esmeralda. Il est substance plus que forme, masse plus que nombre, mouvement plus que direction. D'où le couple indispensable du peuple et du penseur. C'est la justification du poète sans doute que cette fonction de héraut des humbles, mais c'est aussi la condition qui le fait poète : le sacre vient des « vandales » et sa ruine de l'académisme savant des architectures. Tout le chapitre « Notre-Dame », sondant les destructions successives et conjuguées du temps, des révolutions et des « restaurations », aboutit à l'affirmation de l'unité, de la permanence, de l'identité de la cathédrale, dont la métaphore végétale enracine une sorte d'ontologie de la vie des peuples : « Le tronc de l'arbre est immuable, la végétation est capricieuse. » Le retour en arrière sur les origines du prêtre et du monstre — actuel livre IV —, sur le pacte de fait qui les lie en une sorte d'ensorcellement, lui-même essentiel à la mentalité historique du « gros et menu peuple », est donc constitutif non seulement de la cohérence de l'intrigue, mais encore du roman comme laboratoire de la Fatalité, et aussi de la valeur symbolique des rapports entre l'intellectuel et le difforme. L'œuvre, se faisant, a désormais trouvé l'unité de son dynamisme, qui devra encore s'éprouver à la rédaction de l'actuel livre VII.

Archi-texture

Quand la rédaction reprend, le 26 octobre 1830, après les deux retours en arrière, narratif et biographique avec le livre IV, architectural et historique avec « Notre-Dame », ce qui s'écrit est tout d'allégresse et comique : jalousies de Fleur-de-Lys envers la Esmeralda, de l'archidiacre envers Phoebus, avec Gringoire et le jeune Jehan pour attiser la passion du savant prêtre. En fait il s'agit de préparer un système de jeu de regards sur autrui qui culminera sur la scène de voyeurisme criminel où se précipite la Fatalité tragique. Le passage d'un registre à l'autre était prévu par la mise face à face du clerc suprême et du souverain, de Frollo et de Louis XI, amené *incognito* par Jacques Coictier, son inséparable médecin plus ou moins astrologue et cabaliste. La santé ou la mort du roi, la richesse ou l'indigence de son trésor, les rapports de la science et du pouvoir transforment d'un coup l'archidiacre en une sorte de juge et prophète : la rédaction de ce futur livre VII s'interrompt le 7 novembre au début de ce chapitre 5, qui ne sera repris qu'une semaine plus tard, pour la visite de Charmolue, méprisable sorcier-bourreau, mixte de cléricature, de magistrature et de basses-œuvres. Et c'est tout le livre V qui s'écrit pour ainsi dire rétroactivement, articulant ses deux chapitres dans l'herméneutique de l'histoire par le dialogue de l'archidiacre visionnaire et du rusé compère, abbé de saint Martin, qui débouche sur le monologue proprement hugolien du « Ceci tuera cela ». L'imprimerie stérilisera l'architecture, substituera à la pratique asservie des symboles matériels la rationalité libératrice de la presse et à la séparation des castes l'universalité de la nouvelle Babel.

Toute cette partie, l'actuel livre V et le chapitre rajouté à la fin du livre IV, « Impopularité », ne sera publiée qu'à la fin de 1832. Mais dès l'originale, la réflexion sur l'architecture indisposait ceux qui comme Balzac ou Mérimée cherchaient probablement une définition strictement romanesque du roman. La critique, qui aime les ordres et les catégories, le parcours rectiligne et l'émotion scolarisable, a abondé dans leur sens, n'acceptant qu'à la faveur du « style » ce qu'elle a taxé très tôt de « digressions ». Le considérable arrêt sur énigme qui suspend pour le lecteur l'action avant les reprises narratives des livres VI et VII a bien d'autres avantages que de nous communiquer les idées planétaires d'un jeune romancier aux audaces quasi insultantes. Il met en perspective la Renaissance dans l'histoire de l'humanité, marque le moment climatérique des grandes découvertes et du règne de Louis XI, fondateur de la poste et introducteur en France de l'imprimerie rhénane, revendique l'aptitude particulière du régime de 1830, surgi de l'éclatante revendication de la liberté de la presse, à rendre compte du sens de l'histoire et de la signification de ses cycles. En lui-même de surcroît cet effet de suspens oriente l'attente du lecteur pour lequel la narration échappe ainsi à son régime normal de divertissement : les événements viendront mais non sans mettre en cause les questions les plus têtues de la justice et des pénalités, de l'éducation et de l'argent, des spectacles et du public, de la hiérarchie des arts et des évolutions socioculturelles. La tragédie qui entraîne dans ce roman tous ceux qui en entourent le funeste héros, et qui constitue réciproquement les personnages et les masses, l'individu et l'humanité, est orientée par un déterminisme qui ne peut se réduire à aucune faute originelle, à aucun vice de constitution, mais appartient à une sorte de régulation autonome de la vocation historique de l'humanité, dont la raison interne peut et doit se nommer la conscience. C'est chez Sauval que Hugo a trouvé dans la rue la plus courte de Paris la plus grande accumulation de catastrophes historiques, qui en avait fait une sorte d'icône proverbiale de la Fatalité : la rue de *l'Homme-Armé* a resurgi au temps des *Misérables*, pour y accueillir la convulsion qui transforme Jean Valjean d'assassin potentiel en sauveur sauvé.

Reste une des conséquences les moins visibles de cette réorientation par à-coups et à-côtés de l'essor romanesque. La réintégration dynamisante des découvertes où la rédaction se surprend a pour effet de rebander les ressorts de l'action, qu'elle inscrit dans une nécessité non tant dramatique que proprement symbolique. Fondée sur la libération de l'écrit et de l'art, l'idéologie voltairienne et bourgeoise de la transparence rationnelle et de la simplicité de communication se révèle paradoxalement apte à circonscrire les noyaux les plus résistants et obscurs de la condition humaine. La vocation, le pouvoir, l'enfance, le désir, le mal, la malédiction maternelle, toutes les passions tragiques ne forment plus tellement la grammaire des personnages et de l'intrigue que la problématique de la misère, des masses plus que des individus, des peuples comme des tempêtes. Les héros échappent aux déterminations particulières qui font l'agrément du psychologisme romanesque non pas pour s'enfermer dans des figures typiques plus ou moins conventionnelles, mais pour y échapper par participation à des structures mythiques le plus souvent ambivalentes.

La pure jeune fille jalouse de son trésor, par exemple, n'a rien d'une ingénue ; c'est une bohémienne armée ; par son talisman, le petit soulier, elle reste attachée à l'origine maternelle, qui vaut condamnation capitale ; par son nom, la Esmeralda communique aussi bien avec la « table d'émeraude » des hermétiques qu'avec les guerres d'indépendance de l'Amérique du Sud (le futur lord Cochrane, au service du Chili, s'était emparé en 1820 d'une frégate espagnole de 40 canons gardée par vingt-sept navires armés et cette action d'éclat lui avait valu, avec une gloire universelle, le surnom d'El Diabolo, qui le suivit quand il devint l'amiral de l'indépendance grecque) : c'est la mondialisation mythique de l'orientalisme méditerranéen, porté par la tradition littéraire de la femme indomptable, gitane ou quasi, depuis la Preciosa de Cervantès jusqu'à la Carmen de Mérimée (qui avait utilisé le nom d'Esmeralda en 1825 dans *L'Occasion*) en passant par la Liance que raconte Tallemant des Réaux et la Maria Padilla qui fut maîtresse de Pierre le Cruel. Mais dans ce carrefour de statuts et d'héritages polymorphes, le personnage d'Esmeralda n'a pas de meilleure identité que la Danse, sous le parrainage quasi explicite du *Wilhelm Meister* de Goethe, dont la Mignon a largement inspiré notre héroïne. C'est l'ensorceleuse innocente, que les « bonnes âmes » nomment sorcière, car son vol de « demoiselle » fait communier tous les regards du même désir dans la guerre des castes et des clans.

Pour en rester à la référence goethéenne, le caractère faustien de Claude Frollo transforme la tradition du roman noir où le prêtre satanique satisfait l'antipapisme industriel. Comme le héros de Goethe, il a bien son serviteur et son chien, réunis dans le seul Quasimodo, et la hantise du savoir que traverse celle de la possession amoureuse, mais il est d'abord et surtout le lieu de l'angoisse, de l'hallucination, du vertige. Autre sorcier, autre inspiré, autre victime caïnique symbole de l'impossible fraternité, face à ce monstre de naturel insouciant, ce Jehan qui tient tant du Chérubin de Beaumarchais. Sa débauche accompagne celle du galant militaire, dont l'emploi en caricature fait trop facilement oublier le nom solaire, le métier classique, le rôle symbolique dans la constitution sous Louis XI des bases de l'absolutisme royal.

Intégration des transcendances

Dans cette comédie des symboles, comme la fatalité est finalité, il faut que tout finisse par des mariages. C'était même le principe philosophique et narratif de l'enquête de Panurge chez Rabelais, dont la charge satirique se joint à celle du Sganarelle de Molière pour inspirer la verve renaissante du roman. À y bien regarder, nos héros disparaissent en une sorte de figure de leur destin. La danse de la Esmeralda au gibet s'est transformée en ploiement de la « créature de blanc vêtue », c'est-à-dire en la Béatrice de Dante, Gringoire a épousé la tragédie, forme dramatique non encore advenue — et bientôt condamnée —, l'archidiacre a mesuré de toute sa chute la hauteur de sa cathédrale. Quasimodo, qui avait fait irruption dans le roman comme grimace en sort comme poussière. C'est que sa fonction est d'ordre entièrement musical. Esprit de la cathédrale, le sonneur infirme fournit à la foule les carillons de son indicible cohérence, la promesse liturgique de son engendrement comme peuple. Comme Christophe le colosse, il est le passeur du salut, le porte-Christ populaire, la pierre d'achoppement qui devient pierre vive, entre Pâques et la Pentecôte.

Ici encore, l'étude matérielle et chronologique du manuscrit permet d'apercevoir l'efficacité de la composition par rétroaction. Le chapitre « Les Cloches » (VII,3), qui précède directement celui de l'*Anankê*, a été inséré à cette place probablement après la rédaction du chapitre IX, « Sourd »[1], où il est question du sifflet à ultrasons. Cette reprise en sous-œuvre du thème musical réagit à son tour sur le titre de IV, 3, qui était « Le sonneur de cloches » et devient une citation latine centrée sur la

---

1. C'est-à-dire le 9 décembre, jour sans rédaction, dont Hugo date, à minuit, le poème XXXI des *Feuilles d'automne,* « À Madame Marie M. », qui est la fille pianiste de Nodier. À cette pièce, nocturne galant qui chante Poésie et Musique comme sœurs, le poète ne craindra pas d'oser comme épigraphe *Ave Maria, gratia plena.*

monstruosité. Le caractère épique de cette cascade à rebours ne fait aucun doute, et le souvenir de la citation virgilienne associe la beauté à ce grandissement monstre. Mais si le thème de la musique du sourd est comme une paraphrase beethovénienne des antinomies des Béatitudes évangéliques (Bienheureux les pauvres d'esprit...) ou plutôt comme un renversement de ceux qui ont des oreilles et n'entendent pas, il faut observer que toute la mise en scène et en chaîne de ces chapitres est fondée sur une dépense physique, sensuelle et sexuelle dont l'orchestration double la plaisanterie populaire sur les risques auditifs du plaisir solitaire. Offert au peuple, le concert de cloches cesse dans la contemplation de la Esmeralda et se transforme en oblation silencieuse de l'ultra-sifflet qui la sauvera. Génie de la musique, Quasimodo se sublime par le silence des cloches, comme sa force surhumaine tombe en poussière à Montfaucon. Il est le génie de la disparition qui accompagne le grand opéra de la mort de Louis XI et du Moyen Âge avec toutes les promesses de l'avenir.

Une fois le roman terminé, le « 15 janvier 1831, 6 h. 1/2 du soir », dans les ultimes délais accordés par l'éditeur, et résigné, sinon convaincu, à garder sous le coude l'actuel livre V, Hugo se trouve à la fois heureux de sa performance et probablement soucieux de l'inégale distribution des neuf livres en deux volumes. C'est alors qu'il se lance dans la rédaction de « Paris à vol d'oiseau » qui vient ajouter une cinquantaine de pages au tome I. Enchaînant sur « Notre-Dame », et plaçant son belvédère à l'endroit même, au haut de la tour, où Frollo et Quasimodo auront assisté à l'exécution de la « creatura bella », le romancier polémiste revient à son combat contre les démolisseurs, oppose le foisonnement du vieux Paris à la géométrie sèche et dysfonctionnelle du Paris moderne, mais bientôt se fait dessinateur et peintre pour pousser son lecteur à ressusciter la ville du XVe siècle par un effort intense d'imagination et comme d'anamorphose sur son « profil gothique » en « mâchoire de requin ». Mais à cet exercice de plasticien du clair-obscur succède enfin, le 2 février (jour de la Chandeleur...), une évocation virtuose de Paris comme orchestre et symphonie, « au soleil levant de Pâques ou de la Pentecôte », dans le printemps qui est renouveau et régénération. Ce morceau de bravoure, bonheur du travail accompli, relaie en harmonie le tumulte de la Grand'Salle et dispose un espace d'attente musicale qui vient *in extremis* préparer la perspective romanesque de cette langue universelle, si cohérente avec le thème de la refondation de Babel.

*

Le « genre salop » et « l'immense talent » ont-ils un terrain de rencontre ? L'émotion communicative avec les ruses du roman moderne ? Le genre dramatique, généralisation de l'illusion théâtrale, s'accommode-t-il de retours en arrière et de digressions ? La pratique fort ancienne du roman à tiroirs, où les divers personnages d'une action pouvaient à leur tour raconter une histoire, dans laquelle tel autre à son tour incluait un nouveau récit, genre qui culmina dans les derniers soubresauts terroristes des Lumières vers 1820, correspond assez peu à l'apparent saccage du roman que représente *Notre-Dame*. Chaque récit s'y apparentait à la nouvelle, dont l'effet est de jouer à perdre le lecteur à la fois pour le divertir et pour lui proposer tant des intrigues singulières que l'énigme de leurs rapports, de leur hiérarchie, de leur composition intellectuelle, morale, sociale, symbolique. Mais cette stratégie de la composition sur divers lieux, à diverses époques, en diverses conditions, qui relayait le roman picaresque repris des Espagnols par Lesage, n'a sans doute pas moins influé sur ce coup d'éclat de 1830 que la nécessité de bouleverser le modèle scottien du roman historique. Le génie de Hugo consiste à concilier le démembrement de romans qui ont fait leur temps et l'extrême unité du sentiment tragique. L'unité de destins fictifs interroge l'unité d'une époque, d'une date, 1482 ici, comme *Quatrevingt-Treize* au terme — 1874 — d'une immense carrière, et celle de son rapport à la problématique unité de l'Histoire, qui repose en fin de compte sur la douteuse unité de l'individu, et sur la mort ou le silence du Dieu unique de nos contrées lancées à la conquête de mondes nouveaux.

Il s'agit donc d'architectures, aussi techniques et aussi symboliques que les sculptures des portails de Notre-Dame, celles des ogives, des tours et des flèches, dont les pignons, denture hallucinatoire, déchiquettent les certitudes de tous nos conforts. Et quand on sera mieux renseigné sur ce que Hugo savait des hermétiques de son époque, et de la discussion fort vive sur les rapports entre la gnose, la philosophie allemande et le retour en force du platonisme, on verra sans doute mieux encore que le roman joue de la folie arborescente de l'interprétation à la fois pour la satiriser et pour la respecter, c'est-à-dire pour lui reconnaître et lui circonscrire son droit, sa fonction « magique », à vrai dire « sorcière ».

Livre sur l'architecture, *Notre-Dame de Paris* est fondamentalement un livre architecturé. Les *monuments* qui font la fidélité pieuse de Du Breul et le « fatras » contestataire de Sauval ont gardé, outre leur valeur historique de sources, références et preuves, l'espace vide de leur proportions et rapports. La Ville elle-même se trouve construite, par renouvellement éclatant de la tradition, moins sur la croix du transept de l'église que sur les deux axes des conflits féconds ou calamiteux : ceux qui opposent et composent dans l'île, l'Église et l'État, et au-delà des ponts la Marchandise et l'Université, autrement dit l'économie et la science. L'intrigue ne quitte pas le terrain de cette géographie urbaine, mais le « vol d'oiseau » fait éclater la symphonie d'une action bien plus méditative et glorieuse que pittoresque. L'ambition de beauté, de sensualité, d'intelligence, et d'intervention fondamentale dans la politique du moment, excède peut-être la tradition du genre, mais c'est elle qui, de 1831 à 1832 fait du roman ce que l'architecture était pour Hugo avant l'imprimerie : l'art majeur, conférant ainsi au romantisme une valeur d'universalité que notre siècle n'a pas abolie. Peut-être cela tient-il à ce qu'un jeune et déjà trop talentueux poète s'est regardé dans les quatre miroirs des hommes de la Esmeralda : amateur d'art, de littérature, de succès et de confort comme Gringoire, intelligence forcenée comme Frollo, conscient de ses infirmités et monstruosités comme Quasimodo, fringant conducteur d'hommes et amateur de femmes comme Phœbus. Parce qu'on a tâché de l'immobiliser plus tard dans la pairie, la proscription et le Panthéon, non sans risque qu'il s'y complaise, il faut saisir ce moment étonnant de pleine jeunesse où l'érudition s'ébroue, la couleur enflamme le dessin, la liberté aspire à l'ordre créateur, l'art d'écrire se met à l'écoute de Berlioz et de Liszt, la gueuserie au service de l'anthropologie sociale, quand l'architecture et le mouvement se donnent la main, et que l'ancien ultra se fait « libéral » en continuant de détester les bourgeois qui n'ont de franchise que pour la fabrication et la circulation de ce qui se vend.

La popularité de *Notre-Dame de Paris* — dont les adaptations à la scène et à l'écran montrent qu'elle ne s'est jamais démentie, en France comme à l'étranger, et qui est devenue mondiale — tient moins aux structures élémentaires de l'intrigue, aux rôles bien définis des personnages, à l'apparente simplicité des caractères, au pittoresque de l'évocation historique, qu'à ce qu'il faudrait appeler le désir moderne d'histoire.

C'est par la tragédie du *Roi Jean* que Hugo reçoit, à Reims, en 1825, le lendemain du sacre, de la bouche de Ch. Nodier, la révélation de Shakespeare. L'action est en 1216, époque où le roi d'Angleterre, contraint d'accorder la Grande Charte, en butte aux menées de sa noblesse, de la Papauté et de Philippe-Auguste, meurt le jour même de l'Ascension, qu'il avait choisi pour renouveler son sacre, au péril d'une prophétie funeste. Nodier s'était muni pour le « voyage à Reims » d'une lecture point trop innocente, mais politiquement et littérairement éblouissante. Car dans cette sorte d'interrègne entre son frère légendaire Richard Cœur de Lion et son fils tout enfant Henri III, le Roi Sans Terre n'est plus qu'une figure pathétique face au Bâtard Faulconbridge, qu'il adoube et reconnaît Plantagenêt. Ce fils du Roi Richard tient le devant de la scène, à la fois comme truculent commentateur du drame et comme symbolique acteur du sursaut d'unanimité nationale par lequel se proclame au tomber du rideau l'inviolabilité britannique.

En 1830, Hugo réajuste son choix de la mort de Louis XI, de cet inter-siècle qui met fin à la Guerre de Cent Ans comme l'histoire d'Aliénor d'Aquitaine et de ses enfants en avait été l'origine, et qui ouvre, avec l'imprimerie, la toute neuve Renaissance et bientôt l'Amérique, les temps modernes. Ou plutôt les siècles des temps modernes. Car si le préfacier des *Orientales*, chef incontesté des romantiques, se défendait d'être un jeune Louis XIV entrant dans toutes les questions botté et la cravache à la main, c'est qu'il avait lu ce que Voltaire représente, au chapitre XXV du *Siècle de Louis XIV*, de l'irruption royale, retour de la chasse, en plein Parlement (1665). Source inépuisable de références, cet ouvrage a surtout comme caractéristique de forger la théorie historique des grands siècles (Périclès, Auguste, les Médicis, le Roi Soleil), après quoi le génie ne peut que dégénérer, puisque ce sont les phases de la croissance des arts qui font la civilisation... S'emparant d'un roi modeste et singulier, politique tenace hanté par la mort et le salut, en pleine époque indistincte et critique, Hugo, sans quitter l'œil ni Rabelais ni Voltaire, se fait « le Shakespeare du roman » par son attention aux mouvements de l'histoire, à l'architecture de la musique symbolique qu'elle nous fait entendre, au jeu des analogies séculaires et des prophéties populaires : à la pulsation et à la scansion du destin des peuples.

On voit bien après cela, surtout quand les Bourbons s'épuisent, que l'avenir est moins aux dynasties qu'aux nations, aux héros qu'aux génies, aux pouvoirs qu'aux devoirs. Le narrateur ne peut plus être le sujet omniscient de la fiction classique. L'ironie, qui a partie liée avec la bâtardise et le doute, pactise avec la nature des choses, se fait interprète réciproque des incertitudes et des espérances. Ce que Hugo invente avec *Notre-Dame de Paris* est de l'ordre de la poétique du roman et de l'éthique de la responsabilité. Comme Homère, l'aveugle voyant, il dote l'histoire de son pays et de sa civilisation, autour du creux de 1482/1483, d'une *Iliade* non tant originelle que cyclique. Au terme de sa vie et de son œuvre, en 1878, cinquante ans après la signature du contrat pour le roman et au centième anniversaire de la mort de Voltaire, Hugo lui consacre un discours d'apothéose qui vaut reconnaissance de pair à égal, autoportrait testamentaire.

Si l'aventure de l'époque romantique, socle institutionnel et culturel de la nôtre, culmine au dernier horizon de cette œuvre monumentale par *La Légende des Siècles*, c'est que le roman de 1830 avait découvert et imposé, avec toutes les ruses de l'analogie et les vertus de la satire, l'appropriation commune du génie historique et de la sensiblité séculaire, qui fait notre consensus social, et que Mérimée pressentait sans doute sous ce « talent » géant.

Jacques SEEBACHER

LE TEXTE ET LES NOTES

On a reproduit à l'identique l'édition Furne de 1840, qui reproduit l'édition Renduel de 1836, laquelle reprend la « huitième » édition de 1832, qui fut la première à donner le texte complet du roman, en y intégrant les deux chapitres du livre V, écrits dès la semaine du 7 au 14 novembre 1830[1]. L'édition Furne, qui sera réutilisée sous le nom de la Veuve Houssiaux de 1857 à 1878, représente ainsi la norme moyenne du roman que les contemporains ont pu lire, et que Hugo a soigneusement contrôlé[2].

L'orthographe de cette édition a été scrupuleusement conservée, jusque dans ses variations : son intérêt documentaire, historique et pittoresque ne risque en rien de gêner le lecteur d'aujourd'hui, que les « normalisations » habituelles ne font que leurrer en bétonnant le mythe de l'immutabilité de la langue et de sa transcription. Ce livre sur le premier basculement de notre histoire (mort et transfiguration du Moyen Âge comme la Révolution sera mort et transfiguration de la souveraineté) mérite sans doute ce respect ironique autant qu'érudit.

Le même fidélité impose plus encore le maintien de la ponctuation, qui est celle même du manuscrit original et des épreuves d'imprimerie corrigées par le romancier. Loin de nos habitudes administratives et scolaires, réglées sur une logique de grammaire abstraite, la prose du XIXe siècle s'écrit et s'imprime avec la variété des mouvements de l'esprit, de la verve, de la voix haute et de la parole charnelle. Le point-virgule tient dans la ponctuation un rôle spécifique, qu'il appartient aux lec-

---

1. Le chapitre « Impopularité » (IV, 6), lui aussi absent de l'édition originale, a été écrit après le livre V, peut-être même en 1832. Les vérités de la « Note ajoutée » ne dédaignent pas l'approximation.
2. Hugo a effectué, avant et après l'édition Furne, quelques rares corrections, qu'il a reportées sur son manuscrit. Elles sont signalées en note. On n'a indiqué, pour les adjonctions ou corrections au manuscrit en cours de rédaction, que quelques cas exemplaires. On en trouvera l'intégralité dans les tirages successifs de l'édition de la Pléiade, régulièrement mise à jour.

teurs de retrouver et de faire entendre : c'est lui qui commande les pauses essentielles à la signification textuelle. Pareille obéissance à la partition est la condition de la validité de l'interprétation, et bien souvent écarte les contre-sens littéraires qu'une prétendue normalisation risque de faire naître. Roman musical, *Notre-Dame de Paris* ne peut abandonner la pulsation de son rythme, dans le détail aussi bien que dans l'organisation d'ensemble.

Tenter de modeler la conduite du commentateur-éditeur sur celle des restaurateurs de monuments, tableaux, objets d'art, meubles d'autrefois ne se borne pas à ce décrassage du texte. La visée d'authenticité demande un travail d'identifications presque infinies. On ne peut, dans cette édition « de poche », mettre en regard du tissu hugolien les fils qu'il a amplement tirés de sa documentation, retissés et renoués au gré de son bricolage railleur. Mais la reprise par Le Livre de Poche de sa grande tradition d'ouvrages « classiques » impose et justifie suffisamment de notes en bas de page pour que la curiosité du destinataire soit encore plus piquée que satisfaite. On ne s'est donc pas borné à juxtaposer sources et confluents, termes et synonymes, dates et lieux. Autant qu'on l'a pu, la notion de contexte, documentaire, historique, culturel, a paru valoir un effort de mise en rapport, qui vise à fournir à la liberté du lecteur les moyens actuellement disponibles pour l'intelligence de cette prose artiste non dépourvue de pièges.

On a même, en quelques endroits, indiqué de pures références topographiques par exemple, que Hugo ignorait sans doute. C'est qu'on n'a pas attendu Proust pour sentir que les « noms de pays » vivent, comme ceux des personnes, de l'air dont nous vivons, et qu'il y a d'étranges interférences entre le paysage mental de l'écrivain, celui de ses contemporains, et le nôtre. Pour citer un cas balzacien, quel rapport entre le Rubempré qui joua un rôle important sous Louis XI autour de la triste affaire de Péronne, le malheureux héros des *Illusions perdues* et l'une des maîtresses de Stendhal ? Hugo a pu se poser un jour la question, à propos de voisins de ce nom qu'il avait eus dans le quartier des Feuillantines. En tout cas les archives notariales conservent mention de ces « Cozette de Rubempré » dont on ne saura probablement jamais s'ils ont baptisé de ce diminutif de Nicole la frêle héroïne des *Misérables*. On s'excuse donc de n'avoir pas résisté, en certains détours de la recherche, à la tentation du rêve, ne serait-ce qu'afin d'équilibrer des explications, superfétatoires pour beaucoup, peut-être indispensables pour d'autres.

Encore faut-il ne pas sous-estimer la connaissance pratique

et coutumière que l'ancienne France avait de son sol. Les rois l'ont cultivée pour rattacher à leur couronne, à partir de l'île de France, le maillage déchiré des fiefs. Au XIXe siècle le colportage, le compagnonnage ouvrier, les « voyages pittoresques » à la Nodier, les inventaires statistiques des départements comme *La France pittoresque* d'Abel Hugo, le développement des routes et la création des chemins de fer, aboutissement de la poste royale fondée par Louis XI, vont faire de la monarchie de Juillet le moment triomphal de la conscience « nationale », sans laquelle l'épopée parisienne de *Notre-Dame*, installée à la croisée des grands axes du pays, entre Normandie presque encore anglaise et Champagne aux portes bourguignonnes des Allemagnes, entre Flandres industrieuses et Touraine en son jardin, n'aurait pas cette force de maelström centripète qui fait l'adhérence du roman à « l'éclair de Juillet » 1830 comme à l'époque des prolégomènes valoisiens de la Renaissance. Entre son prévôt, le Normand d'Estouteville, son médecin le Comtois Coctier, les Flamands Olivier Le Dain et Tristan Lhermite et les « compères » de la bonne ville de Tours, Louis XI quarre son domaine. Bien au-delà du caractère décoratif, ornemental, quasi familier de cette géographie en miettes, l'annotation des *realia* du territoire et des mœurs relève d'un investissement de l'espace historique identique à celui qui inspire à Michelet, à peu près au même moment, le fameux *Tableau de la France* où les fatales déterminations physiques de servitude et de conflit se retournent en vocation d'unité et de liberté.

Il en est de même, à plus forte raison, pour la connaissance intime que Hugo avait du Paris de la Restauration, dont la croissance aux siècles classiques n'avait pas encore fait éclater l'organicité primitive de ville médiévale. Paysan de Paris « avant la lettre, le jeune romancier mêle aux traces de l'enfance perdue la physiologie fonctionnelle de la ville triple, politique, intellectuelle et marchande, cœur, tête et ventre de cette entité quasi mystique dont l'ambition romantique va faire, au moment des éventrements haussmanniens, la capitale de la civilisation. Là encore, l'annotation tente de briser l'apparence pittoresque pour l'usage que Rabelais, inspirateur principal du livre, faisait de la « substantifique moëlle ».

Il a enfin paru indispensable de dégager, du milieu de ce roman trop évidemment anticlérical, ce qu'il pouvait avoir de précisément religieux. Contrairement à des idées aussi reçues que hâtives, la culture catholique de Hugo n'est pas nulle, et s'appuie sur une pratique des textes liturgiques qui mérite considération. La fréquentation de Lamennais et de Montalembert, l'enthousiasme pour la politique de l'*Avenir* suffiraient à commander cette attention, surtout à notre époque où les dogmes et les rites s'estompent dans une sorte d'indifférence faussement humaniste.

Aucun de ces efforts documentaires et critiques n'aurait de sens si l'on ne mettait pas le lecteur en garde contre la tentation permanente d'interrompre la lecture pour chercher en bas de page des solutions toutes faites et plus ou moins autorisées. On ne saurait trop recommander, pour la lecture courante, de séparer les deux textes : lire le roman comme roman, d'une part, et parcourir, après ou même avant, la suite des notes d'autre part, comme un miroir déformant et informant, susceptible de déclencher et d'aider à constituer une lecture autre. L'explication de texte, ou telle incompréhension subite pourront nécessiter l'application étroite des notes au texte, mais le mouvement du roman, son caractère symphonique, l'alacrité ironique ou batailleuse de sa composition doivent l'emporter sur toute autre chose. Le maître est encore ici Rabelais en sa Thélème, qui pourrait dire « Lis ce que voudras », ce futur indiquant que la volonté est construction, apprentissage de liberté et de fantaisie, exercice du plaisir, mais ni ignorance manipulée, ni délire fugueur, ni caprice d'irrésolution.

J. S.

NOTRE-DAME DE PARIS

Il y a quelques années qu'en visitant, ou, pour mieux dire, en furetant Notre-Dame, l'auteur de ce livre trouva, dans un coin obscur de l'une des tours, ce mot gravé à la main sur le mur :

'ΑΝÁΓΚΗ.

Ces majuscules grecques, noires de vétusté et assez profondément entaillées dans la pierre, je ne sais quels signes propres à la calligraphie gothique empreints dans leurs formes et dans leurs attitudes, comme pour révéler que c'était une main du moyen-âge qui les avait écrites là, surtout le sens lugubre et fatal qu'elles renferment [1], frappèrent vivement l'auteur.

Il se demanda, il chercha à deviner quelle pouvait être l'âme en peine qui n'avait pas voulu quitter ce monde sans laisser ce stigmate [2] de crime ou de malheur au front de la vieille église.

Depuis, on a badigeonné ou gratté (je ne sais plus lequel) le mur, et l'inscription a disparu. Car c'est ainsi qu'on agit depuis tantôt deux cents ans [3] avec les merveilleuses églises du moyen-âge. Les mutilations leur viennent de toutes parts, du dedans comme du dehors. Le prêtre les badigeonne, l'architecte les gratte ; puis le peuple survient, qui les démolit.

Ainsi, hormis le fragile souvenir que lui consacre ici

---

1. On traduit d'ordinaire par « fatalité » ; une feuille de dictionnaire conservée au manuscrit marque l'extension du sens : « nécessité, contrainte ; loi fatale, obligation impérieuse, destin, mort, calamité ; quelquefois raison convaincante, argument décisif et sans réplique ; quelquefois, surtout au pluriel, supplice, torture ; quelquefois relation intime, liaison, parenté. » On ne peut négliger en outre les valeurs d'image de ces lettres grecques : chevalet, claie, gibet, croc, « échelle ». **2.** Trace laissée par une maladie, une flétrissure pénale (par exemple les plaies de la Passion du Christ). **3.** Approximativement à l'avènement de Louis XIV, Roi-Soleil, Très-Chrétien et « classique ».

l'auteur de ce livre, il ne reste plus rien aujourd'hui du mot mystérieux gravé dans la sombre tour de Notre-Dame, rien de la destinée inconnue qu'il résumait si mélancoliquement. L'homme qui a écrit ce mot sur ce mur s'est effacé, il y a plusieurs siècles, du milieu des générations, le mot s'est à son tour effacé du mur de l'église, l'église elle-même s'effacera bientôt peut-être de la terre.

C'est sur ce mot qu'on a fait ce livre.

Mars 1831.

NOTE AJOUTÉE À LA HUITIÈME ÉDITION
— 1832 —

C'est par erreur qu'on a annoncé cette édition comme devant être augmentée de plusieurs chapitres *nouveaux*. Il fallait dire *inédits*. En effet, si par nouveaux on entend *nouvellement faits*, les chapitres ajoutés à cette édition ne sont pas *nouveaux*. Ils ont été écrits en même temps que le reste de l'ouvrage ; ils datent de la même époque, et sont venus de la même pensée ; ils ont toujours fait partie du manuscrit de *Notre-Dame de Paris*. Il y a plus, l'auteur ne comprendrait pas qu'on ajoutât après coup des développements nouveaux à un ouvrage de ce genre. Cela ne se fait pas à volonté. Un roman, selon lui, naît, d'une façon en quelque sorte nécessaire, avec tous ses chapitres ; un drame naît avec toutes ses scènes. Ne croyez pas qu'il y ait rien d'arbitraire dans le nombre de parties dont se compose ce tout, ce mystérieux microcosme que vous appelez drame ou roman. La greffe et la soudure prennent mal sur des œuvres de cette nature, qui doivent jaillir d'un seul jet et rester telles quelles. Une fois la chose faite, ne vous ravisez pas, n'y retouchez plus. Une fois que le livre est publié, une fois que le sexe de l'œuvre, virile ou non, a été reconnu [1] et proclamé, une fois que l'enfant a poussé son premier cri, il est né, le voilà, il est ainsi fait, père ni mère n'y peuvent plus rien, il appartient à l'air et au soleil, laissez-le vivre ou mourir comme il est. Votre livre est-il manqué ? tant pis. N'ajoutez pas de chapitres à un livre manqué. Il est incomplet. Il fallait le compléter en l'engendrant. Votre arbre est noué ? vous ne le redresse-

1. Le sexe des enfants devait être présenté pour reconnaissance à l'officier d'état civil (Code civil, 55).

rez pas. Votre roman est phthisique[1] ? votre roman n'est pas viable ? Vous ne lui rendrez pas le souffle qui lui manque. Votre drame est né boiteux ? Croyez-moi, ne lui mettez pas de jambe de bois.

L'auteur attache donc un prix particulier à ce que le public sache bien que les chapitres ajoutés ici n'ont pas été faits exprès pour cette réimpression. S'ils n'ont pas été publiés dans les précédentes éditions du livre, c'est par une raison bien simple. À l'époque où *Notre-Dame de Paris* s'imprimait pour la première fois, le dossier qui contenait ces trois[2] chapitres s'égara. Il fallait ou les récrire ou s'en passer. L'auteur considéra que les deux seuls de ces chapitres qui eussent quelque importance par leur étendue, étaient des chapitres d'art et d'histoire qui n'entamaient en rien le fond du drame et du roman ; que le public ne s'apercevrait pas de leur disparition, et qu'il serait seul, lui auteur, dans le secret de cette lacune. Il prit le parti de passer outre. Et puis, s'il faut tout avouer, sa paresse recula devant la tâche de récrire trois chapitres perdus. Il eût trouvé plus court de faire un nouveau roman.

Aujourd'hui, les chapitres se sont retrouvés, et il saisit la première occasion de les remettre à leur place.

Voici donc maintenant son œuvre entière, telle qu'il l'a rêvée, telle qu'il l'a faite, bonne ou mauvaise, durable ou fragile, mais telle qu'il la veut.

Sans doute ces chapitres retrouvés auront peu de valeur aux yeux des personnes, d'ailleurs fort judicieuses, qui n'ont cherché dans *Notre-Dame de Paris* que le drame, que le roman. Mais il est peut-être d'autres lecteurs qui n'ont pas trouvé inutile d'étudier la pensée d'esthétique et de philosophie cachée dans ce livre, qui ont bien voulu, en lisant *Notre-Dame de Paris*, se plaire à démêler sous le roman autre chose que le roman[3], et à suivre, qu'on

---

1. Atteint de « consomption », maladie qui venait d'être (1819) caractérisée par Laennec comme tuberculose pulmonaire. **2.** Plutôt deux, qui forment le livre V de l'édition définitive. Le dernier chapitre du livre IV est vraisemblablement plus tardif. **3.** La préface des *Odes* de 1822 ouvrait carrière à « ceux que des méditations graves ont accoutumés à voir dans les choses plus que les choses » et par qui la poésie est ainsi « tout ce qu'il y a d'intime dans tout ».

nous passe ces expressions un peu ambitieuses, le système de l'historien et le but de l'artiste à travers la création telle quelle du poète.

C'est pour ceux-là surtout que les chapitres ajoutés à cette édition compléteront *Notre-Dame de Paris*, en admettant que *Notre-Dame de Paris* vaille la peine d'être complétée.

L'auteur exprime et développe dans un de ces chapitres, sur la décadence actuelle de l'architecture et sur la mort, selon lui, aujourd'hui presque inévitable de cet art-roi, une opinion malheureusement bien enracinée chez lui et bien réfléchie [1]. Mais il sent le besoin de dire ici qu'il désire vivement que l'avenir lui donne tort un jour. Il sait que l'art, sous toutes ses formes, peut tout espérer des nouvelles générations dont on entend sourdre dans nos ateliers le génie encore en germe. Le grain est dans le sillon, la moisson certainement sera belle. Il craint seulement, et l'on pourra voir pourquoi au tome second de cette édition, que la sève ne se soit retirée de ce vieux sol de l'architecture qui a été pendant tant de siècles le meilleur terrain de l'art.

Cependant il y a aujourd'hui dans la jeunesse artiste tant de vie, de puissance, et pour ainsi dire de prédestination, que, dans nos écoles d'architecture en particulier, à l'heure qu'il est, les professeurs, qui sont détestables, font, non-seulement à leur insu, mais même tout-à-fait malgré eux, des élèves qui sont excellents ; tout au rebours de ce potier dont parle Horace [2], lequel méditait des amphores et produisait des marmites. *Currit rota, urceus exit*.

Mais dans tous les cas, quel que soit l'avenir de l'architecture, de quelque façon que nos jeunes architectes résolvent un jour la question de leur art, en attendant les monuments nouveaux, conservons les monuments anciens. Inspirons, s'il est

---

1. Au moins depuis 1825, date du sacre de Reims et du voyage dans les Alpes. 2. *Art poétique*, 21-22 : « Le tour se met en mouvement, et voilà qu'on produit un pot » ; marmite ou cruche, c'est l'opposition de la basse cuisine à l'art.

possible, à la nation l'amour de l'architecture nationale[1]. C'est là, l'auteur le déclare, un des buts principaux de ce livre ; c'est là un des buts principaux de sa vie.

Notre-Dame de Paris a peut-être ouvert quelques perspectives vraies sur l'art du moyen-âge, sur cet art merveilleux jusqu'à présent inconnu des uns, et, ce qui est pire encore, méconnu des autres. Mais l'auteur est bien loin de considérer comme accomplie la tâche qu'il s'est volontairement imposée. Il a déjà plaidé dans plus d'une occasion la cause de notre vieille architecture, il a déjà dénoncé à haute voix bien des profanations, bien des démolitions, bien des impiétés. Il ne se lassera pas. Il s'est engagé à revenir souvent sur ce sujet. Il y reviendra. Il sera aussi infatigable à défendre nos édifices historiques que nos iconoclastes d'écoles et d'académies sont acharnés à les attaquer. Car c'est une chose affligeante de voir en quelles mains l'architecture du moyen-âge est tombée, et de quelle façon les gâcheurs de plâtre[2] d'à présent traitent la ruine de ce grand art. C'est même une honte pour nous autres, hommes intelligents qui les voyons faire et qui nous contentons de les huer. Et l'on ne parle pas ici seulement de ce qui se passe en province, mais de ce qui se fait à Paris, à notre porte, sous nos fenêtres, dans la grande ville, dans la ville lettrée, dans la cité de la presse, de la parole, de la pensée. Nous ne pouvons résister au besoin de signaler, pour terminer cette note, quelques-uns de ces actes de vandalisme[3] qui tous les jours

---

1. Depuis la révolution de Juillet 1830, la plupart de ce qui était « royal » est devenu « national », par accomplissement de l'œuvre d'unité que la Révolution de 1789 hiérarchise dans la formule « la Nation, la Loi, le Roi ». La revendication de l'art gothique comme art français enracine dans le moyen âge cette tradition patriotique. **2.** Gâcher du plâtre, c'est préparer à l'emploi cette substance calcaire dont la blancheur a fait le caractère du paysage parisien, ainsi que sa précarité. Mais le terme connote le ratage. **3.** Les Vandales, peuple germanique dont l'invasion suivit celle des Goths et précéda celle des Wisigoths dans la première moitié du Ve siècle, laissèrent le souvenir de deux années de saccage et de destructions, que leur passage en Espagne puis en Afrique ne fit pas oublier. L'abbé Grégoire, prenant en mains le combat de la Révolution pour la sauvegarde des monuments nationaux, créa sur l'usage proverbial de ce nom le terme dont s'empare Hugo. La Terreur de 93 a réveillé la peur des Barbares. La cible est pourtant ici non la foule populaire, mais les bourgeois installés sur les ruines de l'ancienne monarchie.

sont projetés, débattus, commencés, continués et menés paisiblement à bien sous nos yeux, sous les yeux du public artiste de Paris, face à face avec la critique que tant d'audace déconcerte. On vient de démolir l'archevêché, édifice d'un pauvre goût, le mal n'est pas grand ; mais tout en bloc avec l'archevêché [1] on a démoli l'évêché, rare débris du quatorzième siècle, que l'architecte démolisseur n'a pas su distinguer du reste. Il a arraché l'épi avec l'ivraie ; c'est égal. On parle de raser l'admirable chapelle de Vincennes, pour faire avec les pierres je ne sais quelle fortification, dont Daumesnil [2] n'avait pourtant pas eu besoin. Tandis qu'on répare à grands frais et qu'on restaure le Palais-Bourbon [3], cette masure, on laisse effondrer par les coups de vent de l'équinoxe [4] les vitraux magnifiques de la Sainte-Chapelle. Il y a, depuis quelques jours, un échafaudage sur la tour de Saint-Jacques de la Boucherie ; et un de ces matins la pioche s'y mettra. Il s'est trouvé un maçon pour bâtir une maisonnette

---

1. L'archevêché, construit sous Louis XIV au flanc sud de la cathédrale, fut mis à sac le 15 février 1831, pendant l'impression de *Notre-Dame de Paris*, à la suite du scandale provoqué par le service célébré à Saint-Germain-l'Auxerrois (paroisse traditionnelle des rois de France) à la mémoire du duc de Berry, héritier présomptif du trône, assassiné onze ans plus tôt. L'évêché (pour partie du XIIe siècle) jouxtait l'archevêché vers l'est, à hauteur du chevet. **2.** Le général Daumesnil, dit Jambe-de-bois pour avoir été amputé à Wagram, commandait le château de Vincennes en 1814 et 1815, à l'effondrement de l'Empire. Résistant victorieusement à l'Europe coalisée avec sa garnison d'invalides, il ne livra la forteresse qu'à la monarchie restaurée, qui le releva de son commandement. Retrouvant sa place forte en 1830, il y mourut de l'épidémie de choléra de 1832. C'est donc une figure quasi jumelle du général Hugo, père du romancier, par qui « deux fois Thionville resta française ». Le fort reçut sous la Monarchie de Juillet de notables aménagements, préfigurant la politique de fortification générale de Paris qui s'imposa avec Thiers. **3.** Hôtel du prince de Condé, affecté au Conseil des Cinq-Cents puis à la Chambre des Députés. La nouvelle salle des séances fut achevée cette même année 1832. Hugo n'est pas tendre avec le parlementarisme, même et surtout bâti. **4.** Époque des tempêtes et des grandes marées, fin mars et fin septembre. Largement délabrée depuis l'époque révolutionnaire, la Sainte-Chapelle n'avait pas encore trouvé acquéreur en 1837, date où l'on décida sa restructuration. On avait racheté l'année précédente la tour Saint-Jacques à l'industriel qui y produisait du plomb de chasse.

blanche entre les vénérables tours du Palais de Justice[1]. Il s'en est trouvé un autre pour châtrer Saint-Germain-des-Prés, la féodale abbaye aux trois clochers[2]. Il s'en trouvera un autre, n'en doutez pas, pour jeter bas Saint-Germain-l'Auxerrois. Tous ces maçons-là se prétendent architectes, sont payés par la préfecture ou les menus[3], et ont des habits verts[4]. Tout le mal que le faux goût peut faire au vrai goût, ils le font. À l'heure où nous écrivons, spectacle déplorable ! l'un d'eux tient les Tuileries[5], l'un d'eux balafre Philibert Delorme au beau milieu du visage, et ce n'est pas, certes, un des médiocres scandales de notre temps, de voir avec quelle effronterie la lourde architecture de ce monsieur vient s'épater[6] tout au travers d'une des plus délicates façades de la renaissance !

Paris, 20 octobre 1832.

---

1. Plutôt que de la monumentale bâtisse de la cour d'honneur, il s'agit sans doute des restaurations et restructurations entreprises à partir de la tour de l'Horloge vers l'ouest et les tours de la Conciergerie. Sous Louis-Philippe, tout l'ouest du Palais est en chantier. **2.** L'architecte Godde entreprit la restauration en 1819, et dut, faute de crédits, abattre les deux tours qui flanquaient l'église entre le transept et le chœur. La vigueur antique du terme *châtrer* n'est donc pas déplacée. **3.** Préfecture de la Seine et administration de la Couronne (menus plaisirs). Les termes dévalorisent la Ville et le Roi. **4.** Uniforme des académiciens, « membres de l'Institut ». **5.** Il s'agit de Fontaine (1762-1853), auquel on reproche particulièrement la suppression, au palais royal des Tuileries, de la terrasse qui séparait, dans la réalisation de Philibert Delorme (1515-1570), le pavillon de l'Horloge de la chapelle. Le palais, incendié lors de l'agonie de la Commune en 1871, ne fut pas sauvé et resta longtemps à l'état de ruine. **6.** S'élargir et s'écraser, comme un nez au milieu de la figure ; mais déjà s'étaler dans une sorte d'importance contente d'elle-même. Cette note de fin 1832 prend à partie, par le biais de son architecte personnel autant qu'officiel, le roi Louis-Philippe lui-même, et sans doute le régime.

LIVRE PREMIER

I

LA GRAND'SALLE

Il y a aujourd'hui trois cent quarante-huit ans six mois et dix-neuf jours [1], que les Parisiens s'éveillèrent au bruit de toutes les cloches sonnant à grande volée dans la triple enceinte de la Cité, de l'Université et de la Ville [2].

Ce n'est cependant pas un jour dont l'histoire ait gardé souvenir que le 6 janvier 1482. Rien de notable dans l'événement qui mettait ainsi en branle, dès le matin, les cloches et les bourgeois de Paris. Ce n'était ni un assaut de Picards ou de Bourguignons, ni une châsse menée en procession, ni une révolte d'écoliers dans la vigne de Laas [3], ni une entrée [4] de *notredit très-redouté seigneur*

---

1. La rédaction commence le 25 juillet 1830. Malgré la correction de 347 ans en 348, pour reporter l'action de 1483 en 1482, peut-être à la lecture de la *Chronique* de Louis XI, dite « scandaleuse », qui rappelle qu'alors l'année ne commençait qu'à Pâques, le décompte des jours est inexact, car la réforme grégorienne du calendrier a supprimé dix jours entre les 4 et 15 novembre 1582. Tout au long du roman, la correction 1483/1482 n'a pas toujours été scrupuleusement exécutée. L'action est située en 1482 nouveau style, un an avant la longue maladie qui devait emporter Louis XI. **2.** Division traditionnelle, topographique et organique de Paris : le pouvoir civil et religieux, l'éducation, le commerce et l'industrie. **3.** Sur l'emplacement de l'actuelle rue Saint-André-des-Arts. L'Université et l'abbaye de Saint-Germain se disputaient encore au XVIe siècle ce terroir. Picards et Bourguignons n'ont cessé de menacer ou d'occuper Paris pendant les premières années du règne de Louis XI. **4.** Les « entrées » du Roi ou de la Reine dans la Ville par la porte Saint-Denis après le sacre et le couronnement à Reims étaient des festivités solennelles, largement décrites par les chroniqueurs.

monsieur le roi, ni même une belle pendaison de larrons et de larronnesses à la Justice de Paris[1]. Ce n'était pas non plus la survenue, si fréquente au quinzième siècle, de quelque ambassade chamarrée et empanachée. Il y avait à peine deux jours que la dernière cavalcade de ce genre, celle des ambassadeurs flamands chargés de conclure le mariage entre le dauphin et Marguerite de Flandre[2], avait fait son entrée à Paris, au grand ennui de monsieur le cardinal de Bourbon, qui, pour plaire au roi, avait dû faire bonne mine à toute cette rustique[3] cohue de bourgmestres flamands, et les régaler, en son hôtel de Bourbon, d'une *moult belle moralité, sotie et farce*[4], tandis qu'une pluie battante inondait[5] à sa porte ses magnifiques tapisseries.

Le 6 janvier, ce qui *mettait en émotion tout le populaire de Paris*, comme dit Jehan de Troyes[6], c'était la double solennité, réunie depuis un temps immémorial, du jour des Rois et de la fête des Fous[7].

Ce jour-là, il devait y avoir feu de joie à la Grève[8],

---

1. Au gibet de Montfaucon, qui occupe ainsi la première et la dernière page du roman. **2.** L'ambassade fait son entrée le samedi 3 janvier 1483, en application du traité d'Arras (23 décembre 1482) qui couronne la politique d'annexions de Louis XI, allié aux Gantois dans sa lutte contre la maison de Bourgogne. Il est convenu que l'héritière de Bourgogne (trois ans) serait élevée auprès du Dauphin, futur Charles VIII (douze ans) jusqu'à ce qu'elle l'épouse. **3.** Alliance de grossièreté et de solidité plutôt que paysannerie. **4.** Citation de la *Chronique...* **5.** Hugo met au pluriel la tapisserie tendue sur la cour de l'hôtel de Bourbon. On ne garantit pas ici l'absence d'allusion à l'habituelle plaisanterie de potache sur les vers de Racine (*Athalie*, I, 1) : *Du temple, orné partout de festons magnifiques, / Le peuple saint en foule inondait les portiques.* **6.** L'auteur de l'*Histoire de Louis onzième* (1460-1483, dite « chronique scandaleuse », écrite par un greffier de l'Hôtel de Ville de Paris) est en fait Jehan de Roye « secrétaire de Mgr. le duc de Bourbon, et garde dudit hôtel de Bourbon » comme il se désigne à la date de 1478. **7.** L'Église fêtait l'adoration des Mages le 6 janvier, « jour des Rois » ; la fête des Fous en revanche n'était pas fixe, et variait beaucoup selon la tradition locale autour du 1er janvier, fête de la Circoncision (qui ne commence l'année qu'à partir de 1564). La contamination de ces deux fêtes dans le roman restaure la tradition romaine des Saturnales, opposant les puissants et les humbles, les pouvoirs et le peuple dans l'inversion des valeurs. Hugo se fait fort discret et sur l'obscénité fréquente de ces explosions gauloises et sur la réelle spiritualité de la fête de l'Âne. **8.** Au bord de la Seine, devant l'Hôtel de Ville.

plantation de mai[1] à la chapelle de Braque, et mystère au Palais de Justice. Le cri en avait été fait la veille à son de trompe dans les carrefours, par les gens de monsieur le prevôt[2], en beaux hoquetons[3] de camelot[4] violet, avec de grandes croix blanches sur la poitrine.

La foule des bourgeois et des bourgeoises s'acheminait donc de toutes parts dès le matin, maisons et boutiques fermées, vers l'un des trois endroits désignés. Chacun avait pris parti, qui pour le feu de joie, qui pour le mai, qui pour le mystère. Il faut dire, à l'éloge de l'antique bon sens des badauds de Paris, que la plus grande partie de cette foule se dirigeait vers le feu de joie, lequel était tout-à-fait de saison, ou vers le mystère qui devait être représenté dans la grand'salle du Palais, bien couverte et bien close ; et que les curieux s'accordaient à laisser le pauvre mai mal fleuri[5] grelotter tout seul sous le ciel de janvier, dans le cimetière de la chapelle de Braque.

Le peuple affluait surtout dans les avenues[6] du Palais de Justice, parce qu'on savait que les ambassadeurs flamands, arrivés de la surveille[7], se proposaient d'assister à la représentation du mystère et à l'élection du pape des fous, laquelle devait se faire également dans la grand'salle.

Ce n'était pas chose aisée de pénétrer ce jour-là dans cette grand'salle, réputée cependant alors la plus grande enceinte couverte qui fût au monde (il est vrai que Sau-

---

1. Arbre installé, à l'origine le 1er mai, pour faire honneur. Les clercs des procureurs du Parlement allaient le couper en forêt de Bondy pour le décorer des armes de la Basoche dans la cour du Palais, nommée depuis Cour de Mai. La substitution de la chapelle de Braque (fondée en 1348, près de la rue des Blancs-Manteaux) à celle de Sainte-Catherine-du-Val-des-Écoliers unifie probablement le système de folie de cette phrase : il y a joie où l'on pend, mai en janvier et « mystère » là où la Justice devrait tout éclairer. Tout est braque et se détraque. **2.** Le prévôt du Palais responsable de la police, agent direct du pouvoir royal. **3.** Veste grossière de soldat ; sous Louis XI, casaque brodée des archers du roi. **4.** Étoffe originaire d'Orient, de poil de chameau puis de chèvre, éventuellement chaînée de soie. **5.** Jeu sur les fleurs de lys et de rubans de l'arbre vert, et sur le mai : aubépine, dont la floraison éclate avec le printemps. **6.** Au sens propre : les voies d'accès. **7.** Symétrique du surlendemain : aujourd'hui l'avant-veille.

val[1] n'avait pas encore mesuré la grande salle du château de Montargis[2]). La place du Palais, encombrée de peuple, offrait aux curieux des fenêtres l'aspect d'une mer, dans laquelle cinq ou six rues, comme autant d'embouchures de fleuves, dégorgeaient à chaque instant de nouveaux flots de têtes. Les ondes de cette foule, sans cesse grossies, se heurtaient aux angles des maisons qui s'avançaient çà et là, comme autant de promontoires, dans le bassin irrégulier de la place. Au centre de la haute façade gothique[3] * du Palais, le grand escalier, sans relâche remonté et descendu par un double courant qui, après s'être brisé sous le perron intermédiaire, s'épandait à larges vagues sur ses deux pentes latérales ; le grand escalier, dis-je, ruisselait incessamment dans la place comme une cascade dans un lac. Les cris, les rires, le trépignement de ces mille pieds faisaient un grand bruit et une grande clameur. De temps en temps cette clameur et ce bruit redoublaient ; le courant qui poussait toute cette foule vers le grand escalier rebroussait, se troublait, tourbillonnait. C'était une bourrade d'un archer, ou le cheval d'un sergent de la prevôté qui ruait pour rétablir l'ordre ; admirable tradition que la prevôté a léguée à la connétablie[4], la connétablie

---

* Le mot *gothique*, dans le sens où on l'emploie généralement, est parfaitement impropre, mais parfaitement consacré. Nous l'acceptons donc, et nous l'adoptons, comme tout le monde, pour caractériser l'architecture de la seconde moitié du moyen-âge, celle dont l'ogive est le principe, qui succède à l'architecture de la première période, dont le plein-cintre est le générateur.

---

1. Henri Sauval (1620 ?-1671 ?), auteur des [...] *Antiquités de Paris*, monument d'érudition critique, publié seulement en 1724, que Hugo a lu très attentivement et largement utilisé, non sans une certaine complicité ironique. **2.** Capitale du Gâtinais (Loiret), sur le Loing. Le château, dont la grande salle avait étonné Sauval, fut en majeure partie détruit en 1810. Hugo, un mois après la mort de sa fille, en 1843, ira rêver sur cette ruine reconquise par la végétation. **3.** Du XIIIe au XVe siècle. **4.** Du XIIIe au XVIIe siècle, le connétable est le premier dignitaire de l'État, commandant les armées. Son tribunal jugeait à la Table de marbre, comme ensuite le tribunal des maréchaux de France, toutes affaires impliquant des gens de guerre. La maréchaussée est vite accaparée par les affaires de police. La gendarmerie, révolutionnaire puis impériale, lui succède, pour être, vers 1830, à Paris, nommée la Garde. À chaque fois, il s'agit de la dégradation du militaire ou du juge en force de l'ordre ou police.

à la maréchaussée, et la maréchaussée à notre gendarmerie de Paris.

Aux portes, aux fenêtres, aux lucarnes, sur les toits, fourmillaient des milliers de bonnes figures bourgeoises, calmes et honnêtes, regardant le Palais, regardant la cohue, et n'en demandant pas davantage ; car bien des gens à Paris se contentent du spectacle des spectateurs[1], et c'est déjà pour nous une chose très-curieuse qu'une muraille derrière laquelle il se passe quelque chose.

S'il pouvait nous être donné à nous, hommes de 1830, de nous mêler en pensée à ces Parisiens du quinzième siècle et d'entrer avec eux, tiraillés, coudoyés, culbutés, dans cette immense salle du Palais, si étroite le 6 janvier 1482, le spectacle ne serait ni sans intérêt ni sans charme, et nous n'aurions autour de nous que des choses si vieilles qu'elles nous sembleraient toutes neuves.

Si le lecteur y consent, nous essaierons de retrouver par la pensée l'impression qu'il eût éprouvée avec nous en franchissant le seuil de cette grand'salle au milieu de cette cohue en surcot, en hoqueton et en cotte-hardie[2].

Et d'abord, bourdonnement dans les oreilles, éblouissement dans les yeux. Au-dessus de nos têtes une double voûte en ogive, lambrissée en sculptures de bois[3], peinte d'azur, fleurdelysée en or ; sous nos pieds, un pavé alternatif de marbre blanc et noir. À quelques pas de nous, un énorme pilier, puis un autre, puis un autre ; en tout sept piliers dans la longueur de la salle, soutenant au milieu de sa largeur les retombées de la double voûte. Autour des quatre premiers piliers, des boutiques de marchands, tout étincelantes de verre et de clinquants ; autour des trois derniers, des bancs de bois de chêne, usés et polis par le haut-de-chausses[4] des plaideurs et la robe des procureurs. À l'entour de la salle, le long de la haute muraille, entre les portes, entre les croisées, entre les piliers, l'interminable rangée des statues de tous les rois

---

1. Ou badauds. **2.** Trois vêtements de dessus, par ordre de longueur croissante. **3.** Au début de son second volume, Sauval dit plus clairement « lambrissée et voûtée de bois ». **4.** Vêtement du corps de l'homme, culotte au-dessus des bas.

de France depuis Pharamond[1] ; les rois fainéants[2], les bras pendants et les yeux baissés ; les rois vaillants et bataillards, la tête et les mains hardiment levées au ciel. Puis aux longues fenêtres ogives, des vitraux de mille couleurs ; aux larges issues de la salle, de riches portes finement sculptées ; et le tout, voûtes, piliers, murailles, chambranles[3], lambris, portes, statues, recouvert du haut en bas d'une splendide enluminure bleu et or, qui, déjà un peu ternie à l'époque où nous la voyons, avait presque entièrement disparu sous la poussière et les toiles d'araignée en l'an de grâce 1549, où Du Breul[4] l'admirait encore par tradition.

Qu'on se représente maintenant cette immense salle oblongue[5], éclairée de la clarté blafarde d'un jour de janvier, envahie par une foule bariolée et bruyante qui dérive le long des murs et tournoie autour des sept piliers, et l'on aura déjà une idée confuse de l'ensemble du tableau dont nous allons essayer d'indiquer plus précisément les curieux détails.

Il est certain que, si Ravaillac n'avait point assassiné Henri IV[6], il n'y aurait point eu de pièces du procès de Ravaillac déposées au greffe[7] du Palais de Justice ; point de complices intéressés à faire disparaître lesdites pièces ; partant, point d'incendiaires obligés, faute de meilleur moyen, à brûler le greffe pour brûler les pièces, et à brûler le Palais de Justice pour brûler le greffe ; par conséquent enfin, point d'incendie de 1618. Le vieux Palais serait encore debout avec sa vieille grand'salle ; je pourrais dire au lecteur : Allez la voir ; et nous serions ainsi dispensés tous deux, moi d'en faire, lui d'en lire une description

---

1. Mythique roi franc du ve siècle, origine supposée de la monarchie, à qui, autour de Soumet et Boïeldieu, quelques thuriféraires du sacre de Charles X consacrèrent un opéra en 1825. **2.** Les derniers mérovingiens, de 670 à 751, supplantés par les maires du Palais. **3.** Encadrement des portes et fenêtres. **4.** Jacques Du Breul (1528-1614), religieux de Saint-Germain-des-Prés, auteur du *Théâtre des Antiquités de Paris* (1612), autre source essentielle de la documentation du roman. 1549 est la date donnée dans l'Avis au lecteur pour son entrée en religion. **5.** Plus long que large. **6.** Le 14 mai 1610. Il fut atrocement écartelé le 27. On accusa le duc d'Épernon et le parti de la Reine d'avoir au moins inspiré ce visionnaire. **7.** Secrétariat administratif et judiciaire d'un tribunal.

telle quelle. — Ce qui prouve cette vérité neuve : que les grands événements ont des suites incalculables.

Il est vrai qu'il serait fort possible d'abord que Ravaillac n'eût pas de complices, ensuite que ses complices, si par hasard il en avait, ne fussent pour rien dans l'incendie de 1618. Il en existe deux autres explications très-plausibles. Premièrement, la grande étoile enflammée, large d'un pied, haute d'une coudée, qui tomba, comme chacun sait, du ciel sur le Palais, le 7 mars après minuit. Deuxièmement, le quatrain de Théophile :

> Certes, ce fut un triste jeu
> Quand à Paris dame Justice,
> Pour avoir mangé trop d'épice[1],
> Se mit tout le palais en feu.

Quoi qu'on pense de cette triple explication politique, physique, poétique, de l'incendie du Palais de Justice en 1618, le fait malheureusement certain, c'est l'incendie. Il reste bien peu de chose aujourd'hui, grâce à cette catastrophe, grâce surtout aux diverses restaurations successives qui ont achevé ce qu'elle avait épargné, il reste bien peu de chose de cette première demeure des rois de France, de ce palais aîné du Louvre, déjà si vieux du temps de Philippe-le-Bel[2] qu'on y cherchait les traces des magnifiques bâtiments élevés par le roi Robert[3] et décrits par Helgaldus[4]. Presque tout a disparu. Qu'est devenue la chambre de la chancellerie où saint Louis *consomma son mariage* ? le jardin où il rendait la justice « vêtu d'une cotte de camelot, d'un surcot de tiretaine[5] sans manches, et d'un manteau par-dessus de sandal[6] noir,

---

1. Jeu sur les deux sens d'*épice* et de *palais* : gustatif et judiciaire. Théophile de Viau (1590-1626) poète libertin en tous les sens, persécuté par les tenants de l'ordre, fut un temps emprisonné dans la cellule de Ravaillac. On a aussi attribué ce quatrain à Saint-Amant. **2.** Philippe IV (1268-1314), roi en 1285. Tout ce paragraphe utilise directement les premières pages du deuxième volume de Sauval. **3.** Robert II le Pieux (970 ?-1031), fils d'Hugues Capet, roi en 996. **4.** Religieux, historien et ami du roi Robert. **5.** Tissu fort rude de lin ou chanvre et laine. **6.** Ou cendal, sorte de taffetas, tissu de soie.

couché sur des tapis, avec Joinville[1] » ? Où est la chambre de l'empereur Sigismond[2] ? celle de Charles IV[3] ? celle de Jean-sans-Terre[4] ? Où est l'escalier d'où Charles VI[5] promulgua son édit de grâce ? la dalle où Marcel[6] égorgea, en présence du dauphin, Robert de Clermont et le maréchal de Champagne ? le guichet où furent lacérées les bulles de l'anti-pape Bénédict[7], et d'où repartirent ceux qui les avaient apportées, chapés et mitrés en dérision[8], et faisant amende honorable par tout Paris ? et la grand'salle, avec sa dorure, son azur, ses ogives, ses statues, ses piliers, son immense voûte toute déchiquetée[9] de sculptures ? et la chambre dorée ? et le lion de pierre qui se tenait à la porte, la tête baissée, la queue entre les jambes, comme les lions du trône de Salomon[10], dans l'attitude humiliée qui convient à la force devant la justice ? et les belles portes ? et les beaux

---

1. Jean de Joinville (1224-1317), conseiller et chroniqueur de Louis IX (1215-1270, roi en 1226). Hugo choisit chez Sauval des témoignages de l'heureuse naïveté des anciennes mœurs. **2.** Prince de Luxembourg (1368-1437), roi de Hongrie en 1387, Empereur en 1411, responsable de la mort de Jean Hus en 1415. Reçu au Palais par Charles VI, il intervint chevaleresquement dans un procès auquel il assistait. **3.** L'empereur Charles IV (1316-1378) (Sauval, II, 5). **4.** Roi d'Angleterre (1167-1216, roi en 1199), assassin de l'héritier légitime son neveu, déchu de ses fiefs français par Philippe Auguste. **5.** Dans la cour, Charles VI gracia les maillotins et les dépouilla de la moitié de leurs biens. **6.** Étienne Marcel (?-1358), prévôt des marchands en 1354, héros de la bourgeoisie parisienne, qui tenta d'imposer au Dauphin, duc de Normandie, futur Charles V, régent pendant la captivité en Angleterre de Jean le Bon, un système représentatif du contrôle des impôts à partir des États généraux. L'assassinat des deux conseillers du régent, le 22 février 1358, le lança dans une alliance avec Charles le Mauvais, roi de Navarre, qui le perdit. L'historiographie révolutionnaire et républicaine d'après 1789 ne revendique pas cette seconde face du grand ancêtre. Le maréchal de Champagne était Jean de Conflans. **7.** Pierre de Lune (1334-1424), successeur à Avignon en 1394 sous le nom de Benoît XIII, de Clément VII, antipape, dont il tenta de prolonger le schisme, malgré son abandon par la France. **8.** En tombereau, avec les bulles et les armes de l'antipape peintes renversées, en 1401. **9.** Plutôt *échiqueté*, terme de blason qui désigne une division en carrés égaux, comme d'un échiquier. Mais voir Sauval, II, 210 pour l'ordre du Chardon à l'hôtel de Bourbon. **10.** Roi des Juifs, fils de David, constructeur du Temple de Jérusalem, un millénaire avant notre ère. Sa sagesse, devenue proverbiale, ne l'empêcha pas de sombrer dans un luxe d'idolâtries orientales.

vitraux ? et les ferrures ciselées qui décourageaient Biscornette[1] ? et les délicates menuiseries de du Hancy[2] ?... Qu'a fait le temps, qu'ont fait les hommes de ces merveilles ? Que nous a-t-on donné pour tout cela, pour toute cette histoire gauloise, pour tout cet art gothique ? les lourds cintres surbaissés de M. de Brosse[3], ce gauche architecte du portail Saint-Gervais, voilà pour l'art ; et quant à l'histoire, nous avons les souvenirs bavards du gros pilier, encore tout retentissant des commérages des Patru[4].

Ce n'est pas grand'chose. — Revenons à la véritable grand'salle du véritable vieux Palais.

Les deux extrémités de ce gigantesque parallélogramme étaient occupées, l'une par la fameuse table de marbre d'un seul morceau, si longue, si large et si épaisse que jamais on ne vit, disent les vieux papiers terriers[5], dans un style qui eût donné appétit à Gargantua[6], *pareille tranche de marbre au monde* ; l'autre, par la chapelle où Louis XI s'était fait sculpter à genoux devant la Vierge[7], et où il avait fait transporter, sans se soucier de laisser deux niches vides dans la file des statues royales, les statues de Charlemagne[8] et de saint Louis, deux saints qu'il

---

1. Inventeur au XVIIe siècle du fer fondu des pentures des portes de Notre-Dame, « dont le secret est mort avec lui ». **2.** Sauval (III,9) le fait vivre sous Louis XII. **3.** Architecte du palais du Luxembourg, du temple protestant de Charenton, de l'aqueduc d'Arcueil, reconstructeur de la grand-salle du Palais, mort en 1626. Pour le portail de Saint-Gervais, on cite aussi Clément Métézeau (1581-1660 ?). **4.** Olivier Patru (1604-1681), fils d'un procureur au Parlement amateur de belles-lettres, pratiqua dans l'art oratoire un décapage tout classique. À l'Académie française, il inaugura la pratique du discours de réception. Fort ami avec Maucroix et Tallemant des Réaux, il avait toute une culture d'« historiettes ». La tradition du « gros pilier » est celle des consultations gratuites aux indigents, honneur de l'ancien barreau. **5.** Un terrier consiste dans le dénombrement des droits à payer au seigneur pour la jouissance des différentes parties de son fief. Ce terme, qui corrige *chartes*, se justifie peut-être par l'appétit terrien qu'inspire le mot *tranche.* **6.** Géant éponyme de l'œuvre rabelaisienne (1534). **7.** Le catholicisme affirme la virginité de Marie, mère de Jésus, avant, pendant et après l'accouchement. **8.** Les écoliers fêtaient le 28 janvier la Saint-Charlemagne (742-814) depuis 1479 par édit de Louis XI. La sainteté du grand empereur franc passe pour plus douteuse que celle de Louis IX (1216-1270), canonisé en 1294.

supposait fort en crédit au ciel comme rois de France. Cette chapelle, neuve encore, bâtie à peine depuis six ans[1], était toute dans ce goût charmant d'architecture délicate, de sculpture merveilleuse, de fine et profonde ciselure[2] qui marque chez nous la fin de l'ère gothique et se perpétue jusque vers le milieu du seizième siècle dans les fantaisies féeriques de la renaissance. La petite rosace à jour percée au-dessus du portail était en particulier un chef-d'œuvre de ténuité et de grâce, on eût dit une étoile de dentelle.

Au milieu de la salle, vis-à-vis la grande porte, une estrade de brocart[3] d'or, adossée au mur, et dans laquelle était pratiquée une entrée particulière au moyen d'une fenêtre du couloir de la chambre dorée[4], avait été élevée pour les envoyés flamands et les autres gros[5] personnages conviés à la représentation du mystère.

C'est sur la table de marbre que devait, selon l'usage, être représenté le mystère. Elle avait été disposée pour cela dès le matin ; sa riche planche de marbre, toute rayée par les talons de la basoche[6], supportait une cage de charpente assez élevée, dont la surface supérieure, accessible aux regards de toute la salle, devait servir de théâtre, et dont l'intérieur, masqué par des tapisseries, devait tenir lieu de vestiaire aux personnages de la pièce. Une échelle, naïvement placée en dehors, devait établir la communication entre la scène et le vestiaire, et prêter ses roides échelons aux entrées comme aux sorties. Il n'y avait pas de personnage si imprévu, pas de péripétie, pas de coup de théâtre qui ne fût tenu de monter par cette échelle. Innocente et vénérable enfance de l'art et des machines[7] !

---

1. En 1477. **2.** Le terme s'applique proprement au métal ; mais il marque ici la limite du travail de la pierre, dont le dépassement défierait l'imagination, serait de l'ordre de l'illusion renaissante. **3.** Étoffe de soie sur laquelle une seconde trame dessine en relief des motifs, souvent d'or ou d'argent. **4.** La Grand-Chambre ; mais les dorures ne datent que de la restauration accomplie sous Louis XII. **5.** Importants ; manière de relativiser « grand ». **6.** Corporation des clercs des procureurs du Palais, jouissant de divers privilèges, dont celui, jusqu'à Henri III, de se nommer un « roi ». **7.** L'*anankê* va dissiper l'innocence de cette « échelle », qui fait l'un des leitmotive du roman : c'est par d'autres échelles que Jehan Frollo et la Esmeralda sortiront du récit.

Quatre sergents du bailli du Palais[1], gardiens obligés de tous les plaisirs du peuple les jours de fête comme les jours d'exécution, se tenaient debout aux quatre coins de la table de marbre.

Ce n'était qu'au douzième coup de midi sonnant à la grande horloge du Palais que la pièce devait commencer. C'était bien tard sans doute pour une représentation théâtrale ; mais il avait fallu prendre l'heure des ambassadeurs.

Or toute cette multitude attendait depuis le matin. Bon nombre de ces honnêtes curieux grelottaient dès le point du jour devant le grand degré du Palais : quelques-uns même affirmaient avoir passé la nuit en travers de la grande porte pour être sûrs d'entrer les premiers. La foule s'épaississait à tout moment, et, comme une eau qui dépasse son niveau, commençait à monter le long des murs, à s'enfler autour des piliers, à déborder sur les entablements[2], sur les corniches, sur les appuis des fenêtres, sur toutes les saillies de l'architecture, sur tous les reliefs de la sculpture. Aussi la gêne, l'impatience, l'ennui, la liberté d'un jour de cynisme[3] et de folie, les querelles qui éclataient à tout propos pour un coude pointu ou un soulier ferré, la fatigue d'une longue attente, donnaient-elles déjà, bien avant l'heure où les ambassadeurs devaient arriver, un accent aigre et amer à la clameur de ce peuple enfermé, emboîté, pressé, foulé, étouffé. On n'entendait que plaintes et imprécations contre les Flamands, le prevôt des marchands, le cardinal de Bourbon, le bailli du Palais, madame Marguerite d'Autriche[4], les sergents à verge, le froid, le chaud, le mauvais temps, l'évêque de Paris, le pape des fous, les piliers, les statues, cette porte fermée, cette fenêtre ouverte ; le tout au grand amusement

---

1. De même le bailli du Palais, juge au nom du seigneur (ici, le Roi), tient-il une place d'importance dans le dénouement de l'action (voir X, 5). Ce paragraphe est une addition. **2.** Saillie supérieure d'une paroi (qui comprend la corniche...). **3.** Secte de l'Antiquité qui par mépris critique des convenances, affichait des mœurs de chien (en grec *kuôn, kunos*). L'absolue liberté de Diogène en est le symbole. Le terme est devenu péjoratif avec le développement de la civilité bourgeoise. **4.** Ou de Flandre, la promise du Dauphin. Sa noblesse entraîne le *Madame*.

des bandes d'écoliers et de laquais disséminées dans la masse, qui mêlaient à tout ce mécontentement leurs taquineries et leurs malices, et piquaient, pour ainsi dire, à coups d'épingles la mauvaise humeur générale.

Il y avait entre autres un groupe de ces joyeux démons qui, après avoir défoncé le vitrage d'une fenêtre, s'était hardiment assis sur l'entablement, et de là plongeait tour à tour ses regards et ses railleries au dedans et au dehors, dans la foule de la salle et dans la foule de la place. À leurs gestes de parodie, à leurs rires éclatants, aux appels goguenards qu'ils échangeaient d'un bout à l'autre de la salle avec leurs camarades, il était aisé de juger que ces jeunes clercs ne partageaient pas l'ennui et la fatigue du reste des assistants, et qu'ils savaient fort bien, pour leur plaisir particulier, extraire de ce qu'ils avaient sous les yeux un spectacle qui leur faisait attendre patiemment l'autre.

Sur mon âme, c'est vous, *Joannes Frollo de Molendino !* criait l'un d'eux à une espèce de petit diable blond, à jolie et maligne figure, accroché aux acanthes [1] d'un chapiteau ; vous êtes bien nommé Jehan [2] du Moulin, car vos deux bras et vos deux jambes ont l'air de quatre ailes qui vont au vent. — Depuis combien de temps êtes-vous ici ?

— Par la miséricorde du diable, répondit *Joannes Frollo*, voilà plus de quatre heures, et j'espère bien qu'elles me seront comptées sur mon temps de purgatoire [3]. J'ai entendu les huit chantres du roi de Sicile [4] entonner le premier verset de la haute messe [5] de sept heures dans la Sainte-Chapelle.

---

1. Élément des chapiteaux corinthiens imitant les feuilles d'une plante épineuse méditerranéenne. **2.** Le *h* et le patronyme Frollo sont en addition à la rédaction primitive. Le jeune Jean du Moulin, qui n'était pas encore frère de l'archidiacre, a pris son nom d'un tourmenteur juré au Châtelet (Sauval, III, 339). **3.** La théologie catholique maintient l'existence d'un lieu et d'un état où peuvent s'expier après la mort les fautes qui interdisent le passage à la vision béatifique du Paradis. La pratique des « indulgences » (et leur trafic, qui précipita la Réforme) garantissait une diminution étrangement comptable de la durée de cette pénitence. **4.** René d'Anjou (1409-1480), « roi de Naples et de Sicile » en 1434, ne garda guère de ses immenses héritages que la Provence. Louis XI a donc « hérité » de ses chantres comme de l'Anjou. La fondation date de 1481. **5.** Terme exact de la messe chantée par des choristes.

— De beaux chantres ! reprit l'autre, et qui ont la voix encore plus pointue que leur bonnet ! Avant de fonder une messe à monsieur saint Jean [1], le roi aurait bien dû s'informer si monsieur saint Jean aime le latin psalmodié avec accent provençal.

— C'est pour employer ces maudits chantres du roi de Sicile qu'il a fait cela ! cria aigrement une vieille femme dans la foule au bas de la fenêtre. Je vous demande un peu ! mille livres parisis [2] pour une messe ! et sur la ferme [3] du poisson de mer des halles de Paris, encore !

— Paix ! vieille, reprit un gros et grave personnage qui se bouchait le nez à côté de la marchande de poisson ; il fallait bien fonder une messe. Vouliez-vous pas que le roi retombât malade ?

— Bravement parlé, sire Gilles Lecornu, maître [4] pelletier-fourreur des robes du roi ! cria le petit écolier cramponné au chapiteau.

Un éclat de rire de tous les écoliers accueillit le nom malencontreux du pauvre pelletier-fourreur des robes du roi.

— Lecornu ! Gilles Lecornu ! disaient les uns.

— *Cornutus et hirsutus* [5], reprenait un autre.

— Hé ! sans doute, continuait le petit démon du chapiteau. Qu'ont-ils à rire ? Honorable homme Gilles Lecornu, frère de maître Jehan Lecornu, prevôt de l'hôtel du roi, fils de maître Mahiet Lecornu, premier portier [6] du bois de Vincennes, tous bourgeois de Paris, tous mariés de père en fils !

---

1. La *Chronique*, qui fournit tout ce passage, ne dit pas s'il s'agit du Baptiste ou de l'Évangéliste. **2.** La monnaie frappée à Paris pour le Nord de la France valait 25 pour cent de plus que celle de Tours (tournois) pour le Sud et l'Ouest. En fait les changes et la valeur métallique des pièces pouvaient beaucoup varier. Mille livres font une somme énorme : le roi était en danger de mort à Thouars. **3.** Perception de l'impôt par des soumissionnaires (les fermiers, généraux ou non). **4.** Degré supérieur dans les corporations d'ancien régime, au-dessus d'apprenti et de compagnon. Les pelletiers-fourreurs formaient le quatrième des six corps marchands porteurs du dais royal. **5.** « Cornu et hirsute » : on voit à quoi on reconnaît le bourgeois marié. **6.** Ou concierge, garde d'une possession royale. Fonction réunie, pour le Palais, à celle de bailli par Louis XI, en faveur de Coictier.

La gaîté redoubla. Le gros pelletier-fourreur, sans répondre un mot, s'efforçait de se dérober aux regards fixés sur lui de tous côtés ; mais il suait et soufflait en vain : comme un coin qui s'enfonce dans le bois, les efforts qu'il faisait ne servaient qu'à emboîter plus solidement dans les épaules de ses voisins sa large face apoplectique, pourpre de dépit et de colère.

Enfin un de ceux-ci, gros, court et vénérable comme lui, vint à son secours.

— Abomination ! des écoliers qui parlent de la sorte à un bourgeois ! de mon temps on les eût fustigés avec un fagot dont on les eût brûlés ensuite.

La bande entière éclata.

— Hola-hé ! qui chante cette gamme ? quel est le chathuant[1] de malheur ?

— Tiens, je le reconnais, dit l'un ; c'est maître Andry Musnier.

— Parce qu'il est un des quatre libraires jurés de l'Université ! dit l'autre.

— Tout est par quatre dans cette boutique, cria un troisième : les quatre nations, les quatre facultés, les quatre fêtes, les quatre procureurs, les quatre électeurs, les quatre libraires[2].

— Eh bien, reprit Jehan Frollo, il faut leur faire le diable à quatre.

— Musnier, nous brûlerons tes livres.

— Musnier, nous battrons ton laquais.

— Musnier, nous chiffonnerons ta femme.

— La bonne grosse mademoiselle[3] Oudarde.

— Qui est aussi fraîche et aussi gaie que si elle était veuve.

— Que le diable vous emporte ! grommela maître Andry Musnier.

---

1. Hulotte, dont le hululement nocturne passe pour mauvais augure.
2. Les nations : France, Picardie, Normandie, Allemagne ; les facultés : théologie, droit, médecine, arts ; les fêtes : Noël, Épiphanie, Pâques, Pentecôte ? Les procureurs : un à la tête de chaque nation, assesseur du recteur de l'Université ; cette énumération a pour fonction d'amener la goguenardise tumultueuse qui suit. **3.** Femme du Tiers État. Hugo ayant trouvé une « veuve nommée Oudarde » dans sa documentation a pu songer à l'outarde, gibier assez lourd, comparable à l'oie.

— Maître Andry, reprit Jehan, toujours pendu à son chapiteau, tais-toi, ou je te tombe sur la tête !

Maître Andry leva les yeux, parut mesurer un instant la hauteur du pilier, la pesanteur du drôle, multiplia mentalement cette pesanteur par le carré de la vitesse[1], et se tut.

Jehan, maître du champ de bataille, poursuivit avec triomphe :

— C'est que je le ferais, quoique je sois frère d'un archidiacre[2] !

— Beaux sires, que nos gens de l'Université ! n'avoir seulement pas fait respecter nos priviléges dans un jour comme celui-ci ! Enfin, il y a mai et feu de joie à la Ville ; mystère, pape des fous et ambassadeurs flamands à la Cité ; et à l'Université, rien !

— Cependant la place Maubert[3] est assez grande ! reprit un des clercs cantonnés[4] sur la table de la fenêtre.

— À bas le recteur, les électeurs et les procureurs ! cria Joannes.

— Il faudra faire un feu de joie ce soir dans le champ-Gaillard[5], poursuivit l'autre, avec les livres de maître Andry.

— Et les pupitres des scribes ! dit son voisin.

— Et les verges des bedeaux[6] !

— Et les crachoirs des doyens !

---

1. Allusion doublement fantaisiste à la théorie des forces. Une équation comme $F = 1/2\ m\ v^2$ ne s'ajuste pas tout à fait à la situation, et s'affiche ici comme un anachronisme joyeux. **2.** Le diocèse de Paris comprenait, outre Paris, deux archidiaconés. À la tête de chacun, l'archidiacre représente l'évêque. Claude Frollo est archidiacre de Josas, au sud-ouest de Paris. La principale agglomération, près de Bièvres, est Jouy. En 1527, ce titre appartenait à un Jean Le Bossu, selon Sauval. **3.** Sur la rive gauche, au sud de la cathédrale et au nord de la montagne Sainte-Geneviève ; illustre par l'enseignement en plein air, sous Saint Louis, de « maître Albert », dominicain très fidèle à Aristote, et chimiste victime d'une réputation sulfureuse. La place devint au XVIe siècle un lieu patibulaire, où furent suppliciés nombre d'hérétiques dont l'humaniste Étienne Dolet. La division de Paris en Cité, Ville et Université est habituelle chez ses historiens, et fait le plan du Du Breul. Hugo lui rend sa fonction problématique. **4.** Terme militaire. **5.** Faute de localisation, on notera l'expressivité. **6.** Les sept bedeaux assermentés de l'Université avaient, avec l'insigne de leur fonction, la responsabilité du maintien de l'ordre.

— Et les buffets des procureurs !

— Et les huches des électeurs !

— Et les escabeaux du recteur !

— À bas ! reprit le petit Jehan en faux-bourdon[1] ; à bas maître Andry les bedeaux et les scribes ; les théologiens, les médecins et les décrétistes[2] ; les procureurs, les électeurs et le recteur !

— C'est donc la fin du monde ! murmura maître Andry en se bouchant les oreilles.

— À propos, le recteur ! le voici qui passe dans la place, cria un de ceux de la fenêtre.

Ce fut à qui se retournerait vers la place.

— Est-ce que c'est vraiment notre vénérable recteur maître Thibaut, demanda Jehan Frollo du Moulin, qui, s'étant accroché à un pilier de l'intérieur, ne pouvait voir ce qui se passait au dehors.

— Oui, oui, répondirent tous les autres ; c'est bien lui, maître Thibaut le recteur.

C'était en effet le recteur et tous les dignitaires de l'Université, qui se rendaient processionnellement au-devant de l'ambassade, et traversaient en ce moment la place du Palais. Les écoliers, pressés à la fenêtre, les accueillirent au passage avec des sarcasmes et des applaudissements ironiques. Le recteur, qui marchait en tête de sa compagnie, essuya la première bordée[3] ; elle fut rude.

— Bonjour, monsieur le recteur ! Hola-hé ! bonjour donc !

— Comment fait-il pour être ici, le vieux joueur ? il a donc quitté ses dés !

— Comme il trotte sur sa mule ! elle a les oreilles moins longues que lui.

— Hola-hé ! bonjour, monsieur le recteur Thibaut ! *Tybalde aleator*[4] ! vieil imbécile ! vieux joueur !

— Dieu vous garde ! avez-vous fait souvent double-six cette nuit ?

---

1. Chant à plusieurs voix, début d'application de l'harmonie au plain-chant. Les rimes ou assonances servent ici à justifier cette « reprise » en approximative « partie ». **2.** Juristes spécialisés dans le droit canon (ecclésiastique). **3.** Canonnade simultanée de tout un côté d'un navire. **4.** Thibaut joueur de dés. Jeu étymologique probable sur *aléatoire*, qui peut se dire d'une démarche incertaine.

— Oh ! la caduque[1] figure, plombée, tirée et battue pour l'amour du jeu et des dés !

— Où allez-vous comme cela, Thibaut, *Tybalde ad dados*, tournant le dos à l'Université et trottant vers la ville ?

— Il y va sans doute chercher un logis rue Thibautodé[2], cria Jehan du Moulin.

Toute la bande répéta le quolibet[3] avec une voix de tonnerre et des battements de main furieux.

— Vous allez chercher logis rue Thibautodé, n'est-ce pas, monsieur le recteur, joueur de la partie du diable ?

Puis ce fut le tour des autres dignitaires.

— À bas les bedeaux ! à bas les massiers[4] !

— Dis donc, Robin Poussepain, qu'est-ce que c'est donc que celui-là ?

— C'est Gilbert de Suilly, *Gilbertus de Soliaco*, le chancelier du collége d'Autun[5].

— Tiens, voici mon soulier : tu es mieux placé que moi ; jette-le lui par la figure.

— *Saturnalitias mittimus ecce nuces*[6].

— À bas les six théologiens avec leurs surplis blancs !

— Ce sont là les théologiens ? Je croyais que c'étaient six oies blanches données par Sainte-Geneviève[7] à la ville, pour le fief de Roogny[8].

— À bas les médecins !

— À bas les disputations cardinales et quodlibétaires[9] !

— À toi ma coiffe, chancelier de Sainte-Geneviève ! tu m'as fait un passe-droit.

---

1. Affaibli et près de choir. État d'un vieillard au-delà de 80 ans. **2.** Près de Saint-Germain-l'Auxerrois. **3.** Plaisanterie sans retenue. **4.** Porteurs de la masse, symbole du corps universitaire. **5.** Fondé en 1327 par Pierre Bertrand, évêque d'Autun (des vestiges se trouvent 23-27 rue de l'Hirondelle). **6.** « Voici, pour les Saturnales, les noix que nous t'envoyons » (Martial, VII, 91). Les deux derniers vers de cette épigramme suggèrent une lecture obscène de ces « noix ». **7.** Abbaye dédiée à la sainte protectrice de Paris contre Attila (420-512), sur la « montagne » qui prit son nom. Les « oies blanches » dont on sait la réputation proverbiale arrivent sans doute à cause de l'habit blanc des dominicains. **8.** Rosny (S., III, 261-614). **9.** Exercices réglés d'argumentation pour la soutenance de thèses soit sur un sujet défini soit sur toutes les parties d'une discipline.

— C'est vrai cela ; il a donné ma place dans la nation de Normandie au petit Ascanio Falzaspada[1], qui est de la province de Bourges[2], puisqu'il est Italien.

— C'est une injustice, dirent tous les écoliers. À bas le chancelier de Sainte-Geneviève !

— Ho-hé ! maître Joachim de Ladehors ! Ho-hé ! Louis Dahuille ! Ho-hé ! Lambert Hoctement !

— Que le diable étouffe le procureur de la nation d'Allemagne !

— Et les chapelains de la Sainte-Chapelle, avec leurs aumusses[3] grises ; *cum tunicis grisis !*

— *Seu de pellibus grisis fourratis !*

— Hola-hé ! les maîtres ès-arts ! Toutes les belles chapes noires ! toutes les belles chapes rouges !

— Cela fait une belle queue au recteur.

— On dirait un duc de Venise[4] qui va aux épousailles de la mer.

— Dis-donc, Jehan ! les chanoines de Sainte-Geneviève !

— Au diable la chanoinerie !

— Abbé Claude Choart ! docteur Claude Choart ! Est-ce que vous cherchez Marie-la-Giffarde ?

— Elle est rue de Glatigny.

— Elle fait le lit du roi des ribauds.

— Elle paie ses quatre deniers ; *quatuor denarios*.

— *Aut unum bombum*[5].

— Voulez-vous qu'elle vous paie au nez ?

— Camarades ! maître Simon Sanguin, l'électeur de Picardie, qui a sa femme en croupe.

— *Post equitem sedet atra cura*[6].

---

1. Fausse-épée ? **2.** Les « nations » étaient subdivisées en provinces, au gré d'une histoire dont on avait perdu les raisons. Bourges, capitale du Berry et du roi Charles VII, père de Louis XI, avant que Jeanne d'Arc le fasse sacrer à Reims. **3.** L'aumusse n'est pas une tunique, mais une sorte de bonnet ou chaperon fourré, que portent en particulier les chanoines. Chez Mathurin Régnier, *aumusse* rime avec *se musse* : se cache. Chats-fourrés ? **4.** Le doge sacrifiait chaque année à cette alliance. **5.** « Ou un pet ». La rue de Glatigny, dans la Cité (sur l'emplacement de l'actuel Hôtel-Dieu) formait un « quartier réservé ». **6.** « Derrière le cavalier est en selle le noir souci » (Horace, *Odes*, III, I, 40).

— Hardi, maître Simon !
— Bonjour, monsieur l'électeur !
— Bonne nuit, madame l'électrice !
— Sont-ils heureux de voir tout cela, disait en soupirant *Joannes de Molendino*, toujours perché dans les feuillages de son chapiteau.

Cependant le libraire juré de l'Université, maître Andry Musnier, se penchait à l'oreille du pelletier-fourreur des robes du roi, maître Gilles Lecornu.

— Je vous le dis, monsieur, c'est la fin du monde. On n'a jamais vu pareils débordements de l'écolerie ; ce sont les maudites inventions du siècle qui perdent tout. Les artilleries, les serpentines, les bombardes, et surtout l'impression, cette autre peste d'Allemagne [1]. Plus de manuscrits, plus de livres ! l'impression tue la librairie. C'est la fin du monde qui vient.

— Je m'en aperçois bien au progrès des étoffes de velours [2], dit le marchand fourreur.

En ce moment midi sonna.

Ah !... dit toute la foule d'une seule voix.

Les écoliers se turent. Puis il se fit un grand remue-ménage ; un grand mouvement de pieds et de têtes ; une grande détonation générale de toux et de mouchoirs ; chacun s'arrangea, se posta, se haussa, se groupa. Puis un grand silence ; tous les cous restèrent tendus, toutes les bouches ouvertes, tous les regards tournés vers la table de marbre : ... rien n'y parut. Les quatre sergents du bailli étaient toujours là, roides et immobiles comme quatre statues peintes. Tous les yeux se tournèrent vers l'estrade réservée aux envoyés flamands. La porte restait fermée, et l'estrade vide. Cette foule attendait depuis le matin trois choses : midi, l'ambassade de Flandre, le mystère. Midi seul était arrivé à l'heure.

Pour le coup, c'était trop fort.

On attendit une, deux, trois, cinq minutes, un quart

---

1. Inventée à Mayence vers le milieu du XVᵉ siècle, l'imprimerie gagna toute la vallée du Rhin, et, de Paris (1470), favorisée par Louis XI, se répandit dans le royaume. *Tue* corrige *perd* ; *cf.* V, 2.
2. Étoffe dont l'une des faces est rase et l'autre veloutée. Venant d'Asie, elle est très rare encore au XVᵉ siècle en France et ne se développe vraiment qu'au XVIᵉ, à partir de l'Italie.

d'heure ; rien ne venait. L'estrade demeurait déserte ; le théâtre, muet. Cependant à l'impatience avait succédé la colère. Les paroles irritées circulaient, à voix basse encore, il est vrai. — Le mystère ! le mystère ! murmurait-on sourdement. Les têtes fermentaient. Une tempête, qui ne faisait encore que gronder, flottait à la surface de cette foule. Ce fut Jehan du Moulin qui en tira la première étincelle.

— Le mystère, et au diable les Flamands ! s'écria-t-il de toute la force de ses poumons, en se tordant comme un serpent autour de son chapiteau[1].

La foule battit des mains.

— Le mystère, répéta-t-elle, et la Flandre à tous les diables !

— Il nous faut le mystère, sur-le-champ, reprit l'écolier ; ou m'est avis que nous pendions le bailli du Palais, en guise de comédie et de moralité.

— Bien dit, cria le peuple, et entamons la pendaison par ses sergents.

Une grande acclamation suivit. Les quatre pauvres diables commençaient à pâlir et à s'entre-regarder. La multitude s'ébranlait vers eux, et ils voyaient déjà la frêle balustrade de bois qui les en séparait ployer et faire ventre[2] sous la pression de la foule.

Le moment était critique.

— À sac ! à sac ! criait-on de toutes parts.

En cet instant, la tapisserie du vestiaire que nous avons décrit plus haut, se souleva et donna passage à un personnage dont la seule vue arrêta subitement la foule, et changea comme par enchantement sa colère en curiosité.

— Silence ! silence !

Le personnage, fort peu rassuré et tremblant de tous ses membres, s'avança jusqu'au bord de la table de marbre, avec force révérences qui, à mesure qu'il approchait, ressemblaient de plus en plus à des génuflexions.

Cependant le calme s'était à peu près rétabli. Il ne res-

---

1. Les chapiteaux à serpent sont surtout ceux qui représentent la tentation d'Ève, comme à Autun. **2.** Se bomber, comme un mur dont le parement menace ruine.

tait plus que cette légère rumeur qui se dégage toujours du silence de la foule.

— Messieurs les bourgeois, dit-il, et mesdemoiselles les bourgeoises, nous devons avoir l'honneur de déclamer et représenter devant son éminence monsieur le cardinal une très-belle moralité, qui a nom : *le bon Jugement de madame la vierge Marie*. C'est moi qui fais Jupiter. Son éminence accompagne en ce moment l'ambassade très-honorable de monsieur le duc d'Autriche ; laquelle est retenue, à l'heure qu'il est, à écouter la harangue de monsieur le recteur de l'Université, à la porte Baudets [1]. Dès que l'éminentissime cardinal sera arrivé, nous commencerons.

Il est certain qu'il ne fallait rien moins que l'intervention de Jupiter pour sauver les quatre malheureux sergents du bailli du Palais. Si nous avions le bonheur d'avoir inventé cette très-véridique histoire, et par conséquent d'en être responsable par-devant notre dame la critique, ce n'est pas contre nous qu'on pourrait invoquer en ce moment le précepte classique : *Nec deus intersit* [2]. Du reste, le costume du seigneur Jupiter était fort beau, et n'avait pas peu contribué à calmer la foule, en attirant toute son attention. Jupiter était vêtu d'une brigandine [3] couverte de velours noir, à clous dorés ; il était coiffé d'un bicoquet [4] garni de boutons d'argent dorés ; et, n'était le rouge et la grosse barbe qui couvraient chacun une moitié de son visage, n'était le rouleau de carton doré, semé de passequilles [5] et tout hérissé de lanières de clinquant qu'il portait à la main et dans lequel des yeux exercés reconnaissaient aisément la foudre, n'était ses pieds couleur de chair et enrubannés à la grecque, il eût

1. Ou Baudoyer, au nord de Saint-Gervais, au bout de la rue des Barres. Mais ne pas oublier que « baudet » est un nom de l'âne. **2.** « Et pas d'intervention d'un dieu » (Horace, *Art poétique*, 191). **3.** Armure pour le haut du corps, de cuir et grosse toile armée d'écailles et lames de fer. Uniforme des « brigands » (= fantassins). **4.** On ne sait quelle sorte de couvre-chef : il a le mérite de rimer avec coquet. **5.** Sorte de pampilles, motifs de passementerie, paillettes ou verroteries ?

pu supporter la comparaison, pour la sévérité de sa tenue, avec un archer breton du corps de monsieur de Berry [1].

II

PIERRE GRINGOIRE

Cependant, tandis qu'il haranguait, la satisfaction, l'admiration unanimement excitées par son costume se dissipaient à ses paroles ; et quand il arriva à cette conclusion malencontreuse : « Dès que l'éminentissime cardinal sera arrivé, nous commencerons », sa voix se perdit dans un tonnerre de huées.

— Commencez tout de suite ! le mystère ! le mystère tout de suite ! criait le peuple. Et l'on entendait par-dessus toutes les voix celle de *Johannes de Molendino*, qui perçait la rumeur comme le fifre dans un charivari de Nîmes [2] : Commencez tout de suite ! glapissait l'écolier.

— À bas Jupiter et le cardinal de Bourbon ! vociféraient Robin Poussepain et les autres clercs juchés dans la croisée.

— Tout de suite la moralité ! répétait la foule ; sur-le-champ ! tout de suite ! le sac et la corde [3] aux comédiens et au cardinal !

Le pauvre Jupiter, hagard, effaré, pâle sous son rouge, laissa tomber sa foudre, prit à la main son bicoquet ; puis il saluait et tremblait en balbutiant : Son éminence... les

---

1. Toute la description est en effet empruntée à celle que fait la *Chronique...* du costume de ces archers. Le duc de Berry (1446-1472), frère de Louis XI, l'un des tristes héros de la ligue du « Bien public », qui ne put enrayer l'œuvre monarchique du souverain. **2.** Ancienne tradition, venue sans doute de l'Italie et du Languedoc, de concert grotesque offert à l'occasion de secondes noces où la différence des âges suscite la protestation et la malédiction de la jeunesse. Les ustensiles de cuisine, les instruments agricoles y font la masse du chahut. Le fifre, petite flûte très aiguë, avançait en bataille avec le tambour. **3.** Pour l'exécution par noyade : le sac et la corde pour le fermer.

ambassadeurs... madame Marguerite de Flandre... Il ne savait que dire. Au fond, il avait peur d'être pendu.

Pendu par la populace pour attendre, pendu par le cardinal pour n'avoir pas attendu, il ne voyait des deux côtés qu'un abîme, c'est-à-dire une potence.

Heureusement quelqu'un vint le tirer d'embarras et assumer la responsabilité.

Un individu qui se tenait en deçà de la balustrade, dans l'espace laissé libre autour de la table de marbre, et que personne n'avait encore aperçu, tant sa longue et mince personne était complètement abritée de tout rayon visuel par le diamètre du pilier auquel il était adossé ; cet individu, disons-nous, grand, maigre, blême, blond, jeune encore, quoique déjà ridé au front et aux joues, avec des yeux brillants et une bouche souriante, vêtu d'une serge [1] noire, râpée et lustrée de vieillesse, s'approcha de la table de marbre et fit un signe au pauvre patient. Mais l'autre, interdit, ne voyait pas.

Le nouveau venu fit un pas de plus :

— Jupiter ! dit-il, mon cher Jupiter !

L'autre n'entendait point.

Enfin le grand blond, impatienté, lui cria presque sous le nez :

— Michel Giborne !

— Qui m'appelle ? dit Jupiter, comme éveillé en sursaut.

— Moi, répondit le personnage vêtu de noir.

— Ah ! dit Jupiter.

— Commencez tout de suite, reprit l'autre. Satisfaites le populaire ; je me charge d'apaiser monsieur le bailli, qui apaisera monsieur le cardinal.

Jupiter respira.

— Messeigneurs les bourgeois, cria-t-il de toute la force de ses poumons à la foule, qui continuait de le huer, nous allons commencer tout de suite.

— *Evoe, Juppiter ! Plaudite, cives* [2] *!* crièrent les écoliers.

---

1. Étoffe unie de laine à texture croisée. **2.** Formule latine, d'usage à la fin de la pièce, pour solliciter l'applaudissement des spectateurs (citoyens). Pour Evo(h)é, *cf.* Rabelais, V, 38 : Pan et ses bandes à l'arrière-garde de Bacchus contre les Indiens.

— Noël ! Noël ! cria le peuple[1].

Ce fut un battement de mains assourdissant, et Jupiter était déjà rentré sous sa tapisserie que la salle tremblait encore d'acclamations.

Cependant le personnage inconnu qui avait si magiquement changé *la tempête en bonace*[2], comme dit notre vieux et cher Corneille, était modestement rentré dans la pénombre de son pilier, et y serait sans doute resté invisible, immobile et muet comme auparavant, s'il n'en eût été tiré par deux jeunes femmes qui, placées au premier rang des spectateurs, avaient remarqué son colloque avec Michel Giborne-Jupiter.

— Maître, dit l'une d'elles en lui faisant signe de s'approcher...

— Taisez-vous donc, ma chère Liénarde, dit sa voisine, jolie, fraîche, et toute brave à force d'être endimanchée. Ce n'est pas un clerc, c'est un laïque ; il ne faut pas dire *maître*, mais bien *messire*.

— Messire, dit Liénarde.

L'inconnu s'approcha de la balustrade.

— Que voulez-vous de moi, mesdamoiselles ? demanda-t-il avec empressement.

— Oh ! rien, dit Liénarde toute confuse, c'est ma voisine Gisquette-la-Gencienne qui veut vous parler.

— Non pas, reprit Gisquette en rougissant ; c'est Liénarde qui vous a dit, Maître ; je lui ai dit qu'on disait Messire.

Les deux jeunes filles baissaient les yeux. L'autre, qui ne demandait pas mieux que de lier conversation, les regardait en souriant :

— Vous n'avez donc rien à me dire, mesdamoiselles ?

— Oh ! rien du tout, répondit Gisquette.

— Rien, dit Liénarde.

Le grand jeune homme blond fit un pas pour se retirer ;

---

1. Les chroniqueurs s'accordent à signaler que « Noël ! » (Emmanuel ?) était le cri de joie du peuple (à quoi aurait succédé « Vive le Roi ! »). **2.** *Le Menteur*, II, 5. Dorante le fabulateur invente une surprise nocturne qui l'aurait obligé au mariage : *Donc pour sauver ma vie ainsi que son honneur / Et me mettre avec elle au comble du bonheur, / Je changeai d'un seul mot la tempête en bonace.*

mais les deux curieuses n'avaient pas envie de lâcher prise.

— Messire, dit vivement Gisquette avec l'impétuosité d'une écluse qui s'ouvre ou d'une femme qui prend son parti, vous connaissez donc ce soldat qui va jouer le rôle de madame la Vierge dans le mystère ?

— Vous voulez dire le rôle de Jupiter ? reprit l'anonyme.

— Hé ! oui, dit Liénarde, est-elle bête ! Vous connaissez donc Jupiter ?

— Michel Giborne ? répondit l'anonyme ; oui, madame.

— Il a une fière barbe ! dit Liénarde.

— Cela sera-t-il beau, ce qu'ils vont dire là-dessus ? demanda timidement Gisquette.

— Très-beau, madamoiselle, répondit l'anonyme sans la moindre hésitation.

— Qu'est-ce que ce sera ? dit Liénarde.

— *Le bon Jugement de madame la Vierge*, moralité, s'il vous plaît, madamoiselle.

— Ah ! c'est différent, reprit Liénarde.

Un court silence suivit. L'inconnu le rompit :

— C'est une moralité toute neuve, et qui n'a pas encore servi.

— Ce n'est donc pas la même, dit Gisquette, que celle qu'on a donnée il y a deux ans, le jour de l'entrée de Monsieur le légat[1], et où il y avait trois belles filles faisant personnages...

— De syrènes, dit Liénarde.

— Et toutes nues, ajouta le jeune homme.

Liénarde baissa pudiquement les yeux. Gisquette la regarda, et en fit autant. Il poursuivit en souriant :

— C'était chose bien plaisante à voir. Aujourd'hui c'est une moralité faite exprès pour madame la demoiselle de Flandre.

---

1. Julien de la Rovère, légat du pape Sixte IV, cardinal de Saint Pierre ad Vincula, et futur pape Jules II, fait son entrée le 5 septembre 1480, en route pour les Flandres. Il est festoyé par Olivier le Daim et par le cardinal de Bourbon, avec qui il « soupe et couche » à son retour le 21 décembre (*Chronique*...).

— Chantera-t-on des bergerettes[1] ? demanda Gisquette.

— Fi ! dit l'inconnu, dans une moralité ! il ne faut pas confondre les genres. Si c'était une sotie[2], à la bonne heure.

— C'est dommage, reprit Gisquette. Ce jour-là il y avait à la fontaine du Ponceau[3] des hommes et des femmes sauvages qui se combattaient et faisaient plusieurs contenances en chantant de petits motets et des bergerettes.

— Ce qui convient pour un légat, dit assez sèchement l'inconnu, ne convient pas pour une princesse.

— Et près d'eux, reprit Liénarde, joûtaient plusieurs bas instruments qui rendaient de grandes mélodies.

— Et pour rafraîchir les passants, continua Gisquette, la fontaine jetait par trois bouches, vin, lait et hypocras[4], dont buvait qui voulait.

— Et un peu au-dessous du Ponceau, poursuivit Liénarde, à la Trinité[5], il y avait une passion[6] par personnages, et sans parler.

— Si je m'en souviens ! s'écria Gisquette : Dieu en la croix, et les deux larrons à droite et à gauche.

Ici les jeunes commères, s'échauffant au souvenir de l'entrée de monsieur le légat, se mirent à parler à la fois.

— Et plus avant, à la Porte aux Peintres[7], il y avait d'autres personnes très-richement habillées.

— Et à la fontaine Saint-Innocent[8], ce chasseur qui

---

1. Chanson de bergers sans doute du genre pastoral, mais où Hugo trouve peut-être le souvenir d'une coutume religieuse de Pâques qui a longtemps survécu à Besançon. **2.** Théâtre des fous pour la Fête des Fous ; plus loin, les motets sont d'ordre proprement religieux. Avec la critique de la séparation des genres, c'est la fatrasie de leur mélange qui séduit Hugo dans la formule de Jean de Roye : moralité, sotie et farce. **3.** Rue Saint-Denis, à la hauteur de la rue Réaumur. **4.** Vin miellé et épicé. **5.** À hauteur de la rue Grenéta. Hospice hors les murs, ou jouaient les Confrères de la Passion. **6.** Tableau traditionnel de la crucifixion, Jésus (« Dieu fait homme ») entre le bon et le mauvais larron. Les « passions » que jouaient les Confrères depuis le début du siècle, avec paroles, avaient ouvert la voie à une dérive farcesque. **7.** À hauteur de la rue de Turbigo. **8.** Au sud-est des Halles. Elle fut décorée de nymphes sous François Ier par Jean Goujon et Pierre Lescot.

poursuivait une biche avec grand bruit de chiens et de trompes de chasse !

— Et à la boucherie de Paris, ces échafauds qui figuraient la Bastille de Dieppe[1] !

— Et quand le légat passa, tu sais, Gisquette ? on donna l'assaut, et les Anglais eurent tous les gorges coupées !

— Et contre la porte du Châtelet[2], il y avait de très-beaux personnages !

— Et sur le pont au Change, qui était tout tendu[3] par-dessus !

— Et quand le légat passa, on laissa voler sur le pont plus de deux cents douzaines de toutes sortes d'oiseaux ; c'était très-beau, Liénarde.

— Ce sera plus beau aujourd'hui, reprit enfin leur interlocuteur, qui semblait les écouter avec impatience.

— Vous nous promettez que ce mystère sera beau ? dit Gisquette.

— Sans doute, répondit-il ; puis il ajouta avec une certaine emphase :

— Mesdamoiselles, c'est moi qui en suis l'auteur.

— Vraiment ? dirent les jeunes filles, tout ébahies.

— Vraiment ! répondit le poète en se rengorgeant légèrement ; c'est-à-dire, nous sommes deux : Jehan Marchand, qui a scié les planches, et dressé la charpente du théâtre et la boiserie, et moi qui ai fait la pièce. — Je m'appelle Pierre Gringoire.

L'auteur du *Cid* n'eût pas dit avec plus de fierté : *Pierre Corneille*.

Nos lecteurs ont pu observer qu'il avait déjà dû s'écouler un certain temps depuis le moment où Jupiter était rentré sous la tapisserie jusqu'à l'instant où l'auteur de la moralité nouvelle s'était révélé ainsi brusquement à l'admiration naïve de Gisquette et de Liénarde. Chose remarquable : toute cette foule, quelques minutes aupara-

---

1. Hugo a déjà annexé à l'entrée du légat celle de Louis XI après son couronnement. La prise de Dieppe, haut fait du jeune prince, datait de 1443. **2.** Forteresse qui commandait à l'origine l'accès nord à la Cité, puis tribunal et prison. **3.** Déploiement de velum dont la *Chronique* atteste la mode.

vant si tumultueuse, attendait maintenant avec mansuétude, sur la foi du comédien ; ce qui prouve cette vérité éternelle et tous les jours encore éprouvée dans nos théâtres, que le meilleur moyen de faire attendre patiemment le public, c'est de lui affirmer qu'on va commencer tout de suite.

Toutefois l'écolier Joannes ne s'endormait pas.

— Holà-hé ! cria-t-il tout-à-coup au milieu de la paisible attente qui avait succédé au trouble. Jupiter, madame la Vierge, bateleurs[1] du diable ! vous gaussez-vous ? la pièce ! la pièce ! commencez, ou nous recommençons !

Il n'en fallut pas davantage.

Une musique de hauts et bas instruments[2] se fit entendre de l'intérieur de l'échafaudage ; la tapisserie se souleva ; quatre personnages bariolés et fardés en sortirent, grimpèrent la roide échelle du théâtre, et, parvenus sur la plate-forme supérieure, se rangèrent en ligne devant le public, qu'ils saluèrent profondément ; alors la symphonie se tut. C'était le mystère qui commençait.

Les quatre personnages, après avoir largement recueilli le paiement de leurs révérences en applaudissements, entamèrent, au milieu d'un religieux silence, un prologue dont nous faisons volontiers grâce au lecteur. Du reste, ce qui arrive encore de nos jours, le public s'occupait encore plus des costumes qu'ils portaient que du rôle qu'ils débitaient ; et en vérité, c'était justice. Ils étaient vêtus tous quatre de robes mi-parties[3] jaune et blanc, qui ne se distinguaient entre elles que par la nature de l'étoffe ; la première était en brocart or et argent, la deuxième en soie, la troisième en laine, la quatrième en toile. Le premier des personnages portait en main droite une épée, le second deux clefs d'or, le troisième une balance, le quatrième une bêche ; et pour aider les intelligences paresseuses qui n'auraient pas vu clair à travers la transparence de ces attributs, on pouvait lire en grosses lettres noires brodées : au bas de la robe de brocart, JE M'APPELLE NOBLESSE ; au bas de la robe de soie, JE M'AP-

---

1. Amuseur public, baladin. **2.** Musique faite par un ensemble d'instruments différents. **3.** Divisées en deux. Hugo affectionne ce terme de blason, de coupure et alliance.

PELLE CLERGÉ ; au bas de la robe de laine, JE M'APPELLE MARCHANDISE ; au bas de la robe de toile, JE M'APPELLE LABOUR. Le sexe des deux allégories mâles était clairement indiqué à tout spectateur judicieux par leurs robes moins longues et par la cramignole [1] qu'elles portaient en tête, tandis que les deux allégories femelles, moins court vêtues, étaient coiffées d'un chaperon.

Il eût fallu aussi beaucoup de mauvaise volonté pour ne pas comprendre, à travers la poésie du prologue, que Labour était marié à Marchandise et Clergé à Noblesse ; et que les deux heureux couples possédaient en commun un magnifique dauphin d'or, qu'ils prétendaient n'adjuger qu'à la plus belle. Ils allaient donc par le monde cherchant et quêtant cette beauté, et, après avoir successivement rejeté la reine de Golconde [2], la princesse de Trébisonde [3], la fille du Grand-Khan de Tartarie [4], etc., etc., Labour et Clergé, Noblesse et Marchandise étaient venus se reposer sur la table de marbre du Palais de Justice, en débitant devant l'honnête auditoire autant de sentences et de maximes qu'on en pouvait alors dépenser à la Faculté des arts aux examens, sophismes, déterminances, figures et actes [5], où les maîtres prenaient leurs bonnets de licence.

Tout cela était en effet très-beau.

Cependant, dans cette foule sur laquelle les quatre allégories versaient à qui mieux mieux des flots de métaphores [6], il n'y avait pas une oreille plus attentive, pas un cœur plus palpitant, pas un œil plus hagard, pas un cou plus tendu, que l'œil, l'oreille, le cou et le cœur de l'auteur, du poète, de ce brave Pierre Gringoire, qui n'avait pu résister, le moment d'auparavant, à la joie de dire son nom à deux jolies filles. Il était retourné à quelques pas

---

1. Couvre-chef auquel on peut trouver une allure assez gaillarde. **2.** Royaume de l'Inde célèbre par ses trésors (Hyderabad). **3.** Empire byzantin des Comnène, au sud de la mer Noire, du XIIIe au XVe siècle. **4.** Vaste région d'Asie centrale, d'où les invasions déferlèrent jusqu'aux limites occidentales du monde slave, rendue célèbre par la figure de Gengis-Khan et le récit de Marco-Polo, que cite le manuscrit. **5.** Mélange de rhétorique et de logique dans les soutenances de thèses où les « maîtres ès arts » conquéraient la permission d'enseigner. **6.** Figure de rhétorique fondée sur la pratique de comparaisons implicites.

d'elles, derrière son pilier ; et là, il écoutait, il regardait, il savourait. Les bienveillants applaudissements qui avaient accueilli le début de son prologue retentissaient encore dans ses entrailles, et il était complètement absorbé dans cette espèce de contemplation extatique avec laquelle un auteur voit ses idées tomber une à une de la bouche de l'acteur dans le silence d'un vaste auditoire. Digne Pierre Gringoire !

Il nous en coûte de le dire, mais cette première extase fut bien vite troublée. À peine Gringoire avait-il approché ses lèvres de cette coupe enivrante de joie et de triomphe, qu'une goutte d'amertume vint s'y mêler.

Un mendiant déguenillé, qui ne pouvait faire recette, perdu qu'il était au milieu de la foule, et qui n'avait sans doute pas trouvé suffisante indemnité dans les poches de ses voisins, avait imaginé de se jucher sur quelque point en évidence, pour attirer les regards et les aumônes. Il s'était donc hissé pendant les premiers vers du prologue, à l'aide des piliers de l'estrade réservée, jusqu'à la corniche qui en bordait la balustrade à sa partie inférieure ; et là, il s'était assis, sollicitant l'attention et la pitié de la multitude, avec ses haillons et une plaie hideuse qui couvrait son bras droit. Du reste, il ne proférait pas une parole.

Le silence qu'il gardait laissait aller le prologue sans encombre, et aucun désordre sensible ne serait survenu, si le malheur n'eût voulu que l'écolier Joannes avisât, du haut de son pilier, le mendiant et ses simagrées[1]. Un fou rire s'empara du jeune drôle, qui, sans se soucier d'interrompre le spectacle et de troubler le recueillement universel, s'écria gaillardement :

— Tiens ! ce malingreux[2] qui demande l'aumône !

Quiconque a jeté une pierre dans une mare à grenouilles, ou tiré un coup de fusil dans une volée d'oiseaux, peut se faire une idée de l'effet que produisirent

---

1. Singerie d'intention trompeuse. **2.** Sauval donne le sens technique : gueux qui tente d'apitoyer par de faux ulcères.

ces paroles incongrues[1], au milieu de l'attention générale. Gringoire en tressaillit, comme d'une secousse électrique. Le prologue resta court, et toutes les têtes se retournèrent en tumulte vers le mendiant, qui, loin de se déconcerter, vit dans cet incident une bonne occasion de récolte, et se mit à dire d'un air dolent, en fermant ses yeux à demi : — La charité, s'il vous plaît !

— Eh mais... sur mon âme, reprit Johannes, c'est Clopin Trouillefou[2]. Holà hé ! l'ami, ta plaie te gênait donc à la jambe, que tu l'as mise sur ton bras ?

En parlant ainsi, il jetait, avec une adresse de singe, un petit blanc[3] dans le feutre gras que le mendiant tendait de son bras malade. Le mendiant reçut, sans broncher, l'aumône et le sarcasme, et continua d'un accent lamentable : — La charité, s'il vous plaît !

Cet épisode avait considérablement distrait l'auditoire ; et bon nombre de spectateurs, Robin Poussepain et tous les clercs en tête, applaudissaient gaîment à ce duo bizarre, que venaient d'improviser, au milieu du prologue, l'écolier avec sa voix criarde et le mendiant avec son imperturbable psalmodie[4].

Gringoire était fort mécontent. Revenu de sa première stupéfaction, il s'évertuait à crier aux quatre personnages en scène : — Continuez ! Que diable ? continuez ! — sans même daigner jeter un regard de dédain sur les deux interrupteurs.

En ce moment, il se sentit tirer par le bord de son surtout ; il se retourna, non sans quelque humeur, et eut assez de peine à sourire ; il le fallait pourtant. C'était le joli bras de Gisquette-la-Gencienne, qui, passé à travers la balustrade, sollicitait de cette façon son attention.

— Monsieur, dit la jeune fille, est-ce qu'ils vont continuer ?

---

1. Non convenable, déplacé. **2.** Boiterie et folie encadrant la peur ? *Trouille* au sens de *peur* n'est pas attesté pour cette époque (1830). **3.** Pièce de 5 deniers (il y a douze deniers au sou, et vingt sous à la livre). Le manuscrit donnait d'abord *liard* (trois deniers). **4.** Chant rituel répétitif et monotone comme celui des psaumes.

— Sans doute, répondit Gringoire, assez choqué de la question.

— En ce cas, messire, reprit-elle, auriez-vous la courtoisie de m'expliquer...

— Ce qu'ils vont dire ? interrompit Gringoire. Eh bien, écoutez !

— Non, dit Gisquette ; mais ce qu'ils ont dit jusqu'à présent.

Gringoire fit un soubresaut, comme un homme dont on toucherait la plaie à vif.

— Peste de la petite fille sotte et bouchée ! dit-il entre ses dents.

À dater de ce moment-là, Gisquette fut perdue dans son esprit.

Cependant les acteurs avaient obéi à son injonction, et le public, voyant qu'ils se remettaient à parler, s'était remis à écouter ; non sans avoir perdu force beautés, dans l'espèce de soudure qui se fit entre les deux parties de la pièce, ainsi brusquement coupée. Gringoire en faisait tout bas l'amère réflexion. Pourtant la tranquillité s'était rétablie peu à peu ; l'écolier se taisait, le mendiant comptait quelque monnaie dans son chapeau, et la pièce avait repris le dessus.

C'était en réalité un fort bel ouvrage, et dont il nous semble qu'on pourrait encore fort bien tirer parti aujourd'hui, moyennant quelques arrangements. L'exposition, un peu longue et un peu vide, c'est-à-dire dans les règles, était simple ; et Gringoire, dans le candide sanctuaire de son for intérieur, en admirait la clarté. Comme on s'en doute bien, les quatre personnages allégoriques étaient un peu fatigués d'avoir parcouru les trois parties du monde, sans trouver à se défaire convenablement de leur dauphin d'or. Là-dessus, éloge du poisson[1] merveilleux, avec mille allusions délicates au jeune fiancé de Marguerite de Flandre, alors fort tristement reclus à Amboise[2], et

---

1. Littré considère encore le dauphin comme un poisson, et Larousse insiste sur la valeur christique de ce symbole grec ἰχθύς : ichthus « Jésus-Christ, Fils de Dieu, Sauveur (des hommes). » **2.** Château sur la Loire entre Blois et Tours, où Louis XI consignait le futur Charles VIII (qui y mourut en 1498).

ne se doutant guère que Labour et Clergé, Noblesse et Marchandise venaient de faire le tour du monde pour lui. Le susdit dauphin donc était jeune, était beau, était fort, et surtout (magnifique origine de toutes les vertus royales !) il était fils du lion de France[1]. Je déclare que cette métaphore hardie est admirable ; et que l'histoire naturelle du théâtre, un jour d'allégorie et d'épithalame[2] royal, ne s'effarouche aucunement d'un dauphin fils d'un lion. Ce sont justement ces rares et pindariques[3] mélanges qui prouvent l'enthousiasme. Néanmoins, pour faire aussi la part de la critique, le poète aurait pu développer cette belle idée en moins de deux cents vers. Il est vrai que le mystère devait durer depuis midi jusqu'à quatre heures, d'après l'ordonnance de monsieur le prevôt, et qu'il faut bien dire quelque chose. D'ailleurs, on écoutait patiemment.

Tout-à-coup, au beau milieu d'une querelle entre mademoiselle Marchandise et madame Noblesse, au moment où maître Labour prononçait ce vers mirifique,

Onc ne vis dans les bois bête plus triomphante[4] ;

la porte de l'estrade réservée, qui était jusque là restée si mal à propos fermée, s'ouvrit plus mal à propos encore ; et la voix retentissante de l'huissier annonça brusquement : *Son éminence monseigneur le cardinal de Bourbon.*

---

1. Parce que le lion est le roi des animaux. **2.** Poème en l'honneur des époux, à leur mariage. **3.** Dignes de Pindare, poète grec du début du ve siècle avant J.-C. Ses odes en l'honneur des vainqueurs aux jeux sont célèbres pour la hauteur de leur ambition poétique. **4.** Dans la collection des animaux grotesques, l'éclectique cardinal succède au dauphin mi-chair mi-poisson.

III

MONSIEUR LE CARDINAL

Pauvre Gringoire ! le fracas de tous les gros doubles pétards de la Saint-Jean[1], la décharge de vingt arquebuses à croc[2], la détonnation de cette fameuse serpentine de la tour de Billy[3], qui, lors du siége de Paris, le dimanche 29 septembre 1465, tua sept Bourguignons d'un coup, l'explosion de toute la poudre à canon emmagasinée à la porte du Temple[4], lui eût moins rudement déchiré les oreilles, en ce moment solennel et dramatique, que ce peu de paroles tombées de la bouche d'un huissier : *Son éminence monseigneur le cardinal de Bourbon.*

Ce n'est pas que Pierre Gringoire craignît monsieur le cardinal ou le dédaignât. Il n'avait ni cette faiblesse, ni cette outrecuidance. Véritable éclectique[5], comme on dirait aujourd'hui, Gringoire était de ces esprits élevés et fermes, modérés et calmes, qui savent toujours se tenir au milieu de tout (*stare in dimidio rerum*), et qui sont pleins de raison et de libérale philosophie, tout en faisant état[6] des cardinaux. Race précieuse et jamais interrompue de philosophes auxquels la sagesse, comme une autre Ariane[7], semble voir donné une pelote de fil qu'ils s'en vont dévidant depuis le commencement du monde à tra-

---

1. La Saint-Jean (Baptiste) des feux de l'été, le 24 juin. **2.** Arme à feu qui a précédé le fusil. Encore très lourde, elle se fixait par un croc en bout de canon au haut d'un piquet. **3.** Où l'enceinte de Charles V touche à la Seine, à l'est, rive droite. **4.** Sur la même enceinte, au nord. La poudre noire, qui date en Europe du milieu du XIVe siècle, ne trouvera sa pleine efficacité d'artillerie que vers la fin du XVe, avec les guerres d'Italie. Le roman lui donne sa place de nouveauté historique, presque en style indirect. **5.** L'éclectisme est le système philosophique — et politico-moral — de Victor Cousin (1792-1867), qui tenta une synthèse bien-pensante entre l'école écossaise de Th. Reid et l'idéalisme allemand en un spiritualisme qu'il rattacha à Platon. Il accumula charges et dignités sous la monarchie de Juillet, et parvint à régenter la quasi totalité de l'Université. À la date de *Notre-Dame*, les paroles de Hugo sont prophétiques. **6.** Faire (grand) cas de. **7.** Le fil donné par Ariane à Thésée lui permit de ne pas se perdre dans le labyrinthe de Crète après sa victoire sur le Minotaure.

vers le labyrinthe des choses humaines. On les retrouve dans tous les temps, toujours les mêmes, c'est-à-dire toujours selon tous les temps [1]. Et sans compter notre Pierre Gringoire, qui les représenterait au quinzième siècle si nous parvenions à lui rendre l'illustration qu'il mérite, certainement c'est leur esprit qui animait le père Du Breul lorsqu'il écrivait dans le seizième ces paroles naïvement sublimes, dignes de tous les siècles : « Ie suis parisien de nation et parrhisian de parler, puisque *parrhisia* en grec signifie liberté de parler ; de laquelle i'ai vsé mesme enuers messeigneurs les cardinaux, oncle et frère de monseigneur le prince de Conty [2] : toutesfois auec respect de leur grandeur, et sans offenser personne de leur suite, qui [3] est beaucoup. »

Il n'y avait donc ni haine du cardinal, ni dédain de sa présence, dans l'impression désagréable qu'elle fit à Pierre Gringoire. Bien au contraire ; notre poète avait trop de bon sens et une souquenille [4] trop râpée pour ne pas attacher un prix particulier à ce que mainte allusion de son prologue, et en particulier la glorification du dauphin, fils du lion de France, fût recueillie par une oreille éminentissime. Mais ce n'est pas l'intérêt qui domine dans la noble nature des poètes. Je suppose que l'entité du poète soit représentée par le nombre dix ; il est certain qu'un chimiste, en l'analysant et pharmacopolisant [5], comme dit Rabelais, la trouverait composée d'une partie d'intérêt contre neuf parties d'amour-propre. Or, au moment où la porte s'était ouverte pour le cardinal, les neuf parties d'amour-propre de Gringoire, gonflées et tuméfiées [6] au souffle de l'admiration populaire, étaient dans un état

---

1. Opportunisme des changements de temps et de régimes. **2.** Cette déclaration de l'*Avis au lecteur*, comme la dédicace du livre à François, prince de Conti, revendique l'appartenance du P. Du Breul à la « maison » de cette branche des Bourbons-Vendôme : Hugo ne se contente pas de citer ses sources, il en indique la tendance, voire le parti. L'oncle du prince était Charles, autre cardinal de Bourbon (1523-1590), que la Ligue avait proclamé Roi de France, pour faire pièce aux droits de son neveu hérétique, le futur Henri IV. Le frère du prince de Conti était Charles, cardinal de Vendôme, évêque de Rouen (1560-1594). **3.** Ce qui. **4.** Sorte de blouse de travail. **5.** Désigne l'activité de l'apothicaire, en grec. **6.** Tuméfaction qui ressemble plutôt à une intumescence.

d'accroissement prodigieux, sous lequel disparaissait comme étouffée cette imperceptible molécule d'intérêt que nous distinguions tout-à-l'heure dans la constitution des poètes ; ingrédient précieux, du reste, lest de réalité et d'humanité sans lequel ils ne toucheraient pas la terre. Gringoire jouissait de sentir, de voir, de palper pour ainsi dire une assemblée entière, de marauds[1], il est vrai, mais qu'importe ? stupéfiée, pétrifiée, et comme asphyxiée devant les incommensurables[2] tirades qui surgissaient à chaque instant de toutes les parties de son épithalame. J'affirme qu'il partageait lui-même la béatitude générale, et qu'au rebours de La Fontaine, qui, à la représentation de sa comédie du *Florentin*, demandait : *Quel est le malotru qui a fait cette rapsodie*[3] *?* Gringoire eût volontiers demandé à son voisin : *De qui est ce chef-d'œuvre ?* On peut juger maintenant quel effet produisit sur lui la brusque et intempestive survenue du cardinal.

Ce qu'il pouvait craindre ne se réalisa que trop. L'entrée de son éminence bouleversa l'auditoire. Toutes les têtes se tournèrent vers l'estrade. Ce fut à ne plus s'entendre. — Le cardinal ! le cardinal ! répétèrent toutes les bouches. Le malheureux prologue resta court[4] une seconde fois.

Le cardinal s'arrêta un moment sur le seuil de l'estrade. Tandis qu'il promenait un regard assez indifférent sur l'auditoire, le tumulte redoublait. Chacun voulait le mieux voir. C'était à qui mettrait sa tête sur les épaules de son voisin.

C'était en effet un haut personnage, et dont le spectacle valait bien toute autre comédie. Charles, cardinal de Bourbon, archevêque et comte de Lyon, primat des Gau-

---

1. Qui n'ont de noblesse ni de naissance ni d'esprit ; mais le mot associe à ce sens celui de gueuserie (texte premier : croquants). **2.** Sans aucune commune mesure avec toute autre, mais aussi démesurées. **3.** Larousse attribue encore à La Fontaine cette comédie jouée « le 20 juillet 1683... sous le nom de Champmeslé », sans doute pour l'identité de titre de la satire du fabuliste contre Lulli. **4.** Interrompu, suspendu, comme si c'était un personnage.

les[1], était à la fois allié à Louis XI par son frère, Pierre, seigneur de Beaujeu, qui avait épousé la fille aînée du roi[2], et allié à Charles-le-Téméraire par sa mère, Agnès de Bourgogne[3]. Or le trait dominant, le trait caractéristique et distinctif du caractère du primat des Gaules, c'était l'esprit de courtisan et la dévotion aux puissances. On peut juger des embarras sans nombre que lui avait valus cette double parenté, et de tous les écueils temporels entre lesquels sa barque spirituelle avait dû louvoyer, pour ne se briser ni à Louis, ni à Charles, cette Charybe et cette Scylla[4] qui avaient dévoré le duc de Nemours et le connétable de Saint-Pol[5]. Grâce au ciel, il s'était assez bien tiré de la traversée, et était arrivé à Rome sans encombre. Mais, quoiqu'il fût au port, et précisément parce qu'il était au port, il ne se rappelait jamais sans inquiétude les chances[6] diverses de sa vie politique, si long-temps alarmée et laborieuse. Aussi avait-il coutume de dire que l'année 1476 avait été pour lui *noire et blanche* ; entendant par là qu'il avait perdu dans cette même année sa mère, la duchesse de Bourbonnais[7], et son cousin le duc de Bourgogne, et qu'un deuil l'avait consolé de l'autre[8].

---

1. Lyon, primatiale des Gaules depuis 1079, mit longtemps pour faire accepter par les autres métropoles religieuses sa primatie, essentiellement honorifique. **2.** Charles (1437-1488) avait été pourvu de ce bénéfice en 1446. Frère du duc Jean II, il se vit déposséder de son héritage par les soins de son autre frère Pierre de Beaujeu, époux d'Anne, fille de Louis XI, régente pendant la minorité de Charles VIII. La maison de Bourbon attendra pourtant un siècle avant de monter, par Henri IV, sur le trône de France. **3.** Et par sa sœur Isabelle, épouse du Téméraire, il se trouvait grand-oncle de la Marguerite des Flandres. **4.** Dans le détroit de Messine, le tourbillon Charybde envoyait les navires qui lui échappaient à l'écueil Scylla. **5.** Louis de Luxembourg (1418-1475), comte de Saint-Pol, connétable de France, livré à Louis XI par le Téméraire, décapité le 19 décembre, au dire de la *Chronique*, devant 200 000 spectateurs. Le 4 août 1477, exécution de Jacques d'Armagnac, duc de Nemours, condamné à mort par le Parlement pour trahison. **6.** Aléas, ou risques. **7.** Agnès de Bourgogne, veuve de Charles, duc de Bourbonnais et d'Auvergne, morte à Moulins en décembre 1476. Le Téméraire, mort devant Nancy le 5 janvier 1477 (1476 vieux style). **8.** Il est probable que Gérard de Nerval se souvient de ce mot au moment de son suicide : « Ne m'attends pas ce soir, car la nuit sera noire et blanche. » Mort et résurrection ? La devise du cardinal était *Ni peur ni espoir*.

Du reste, c'était un bon homme ; il menait joyeuse vie de cardinal, s'égayait volontiers avec du crû royal de Challuau, ne haïssait pas Richarde la Garmoise et Thomasse la Saillarde, faisait l'aumône aux jolies filles plutôt qu'aux vieilles femmes, et pour toutes ces raisons était fort agréable au *populaire* de Paris. Il ne marchait qu'entouré d'une petite cour d'évêques et d'abbés de hautes lignées[1], galants, grivois et faisant ripaille au besoin ; et plus d'une fois les braves dévotes de Saint-Germain-d'Auxerre, en passant le soir sous les fenêtres illuminées du logis de Bourbon, avaient été scandalisées d'entendre les mêmes voix qui leur avaient chanté vêpres[2] dans la journée, psalmodier au bruit des verres le proverbe bachique de Benoît XII, ce pape qui avait ajouté une troisième couronne à la tiare : — *Bibamus papaliter*[3].

Ce fut sans doute cette popularité, acquise à si juste titre, qui le préserva, à son entrée, de tout mauvais accueil de la part de la cohue, si mécontente le moment d'auparavant, et fort peu disposée au respect d'un cardinal le jour même où elle allait élire un pape. Mais les Parisiens ont peu de rancune ; et puis, en faisant commencer la représentation d'autorité, les bons bourgeois l'avaient emporté sur le cardinal, et ce triomphe leur suffisait. D'ailleurs monsieur le cardinal de Bourbon était bel homme, il avait une fort belle robe rouge qu'il portait fort bien ; c'est dire qu'il avait pour lui toutes les femmes, et par conséquent la meilleure moitié de l'auditoire. Certainement, il y aurait injustice et mauvais goût à huer un cardinal pour s'être fait attendre au spectacle, lorsqu'il est bel homme et qu'il porte bien sa robe rouge.

Il entra donc, salua l'assistance avec ce sourire héréditaire des grands pour le peuple, et se dirigea à pas lents vers son fauteuil de velours écarlate, en ayant l'air de songer à toute autre chose. Son cortége, ce que nous

---

1. La famille de Bourbon n'était pas la seule à avoir la main sur titres, charges et bénéfices ecclésiastiques. **2.** Office de l'après-midi, autour du *Magnificat*, « cantique de la Sainte Vierge ». **3.** Jacques Fournier, cistercien, pape de 1334 à 1342, réformateur de l'Église et pourfendeur de l'hérésie. La troisième couronne symbolise la suprématie papale sur tous les rois. Le « buvons en pape » pourrait se traduire « buvons pontificalement ».

appellerions aujourd'hui son état-major d'évêques et d'abbés, fit irruption à sa suite dans l'estrade, non sans redoublement de tumulte et de curiosité au parterre. C'était à qui se les montrerait, se les nommerait ; à qui en connaîtrait au moins un ; qui, monsieur l'évêque de Marseille, Alaudet, si j'ai bonne mémoire ; qui, le primicier[1] de Saint-Denis ; qui, Robert de Lespinasse, abbé de Saint-Germain-des-Prés, ce frère libertin d'une maîtresse de Louis XI : le tout avec force méprises et cacophonies. Quant aux écoliers, ils juraient. C'était leur jour, leur fête des fous, leur saturnale, l'orgie annuelle de la basoche et de l'école. Pas de turpitude[2] qui ne fût de droit ce jour-là et chose sacrée. Et puis il y avait de folles commères dans la foule : Simone Quatrelivres, Agnès la Gadine, Robine Piédebou. N'était-ce pas le moins qu'on pût jurer à son aise et maugréer[3] un peu le nom de Dieu, un si beau jour, en si bonne compagnie de gens d'église et de filles de joie ? Aussi ne s'en faisaient-ils faute ; et, au milieu du brouhaha, c'était un effrayant charivari de blasphèmes et d'énormités que celui de toutes ces langues échappées, langues de clercs et d'écoliers contenues le reste de l'année par la crainte du fer chaud de saint Louis[4]. Pauvre saint Louis, quelle nargue ils lui faisaient dans son propre palais de justice ! Chacun d'eux, dans les nouveau-venus de l'estrade, avait pris à partie une soutane noire, ou grise, ou blanche, ou violette[5]. Quant à Joannes Frollo de Molendino, en sa qualité de frère d'un archidiacre, c'était à la rouge qu'il s'était hardiment attaqué ; et il chantait à tue-tête, en fixant ses yeux effrontés sur le cardinal : *Cappa repleta mero*[6] !

Tous ces détails, que nous mettons ici à nu pour l'édifi-

---

1. Premier dans la liste du chapitre de l'abbaye. **2.** Action si honteuse qu'on se refuse à la nommer. **3.** S'emporter en jurant contre quelqu'un ou quelque chose. *Cf.* Mathurin Régnier, *Sat.* XI, v. 102. **4.** Les *Établissements de Saint Louis* ont été largement commentés sous la Restauration. Il s'agit de la marque infamante à la fleur de lis. **5.** Vêtement ecclésiastique qui ne s'est uniformisé et imposé qu'au XIXe siècle. Ici, sans doute terme générique pour l'habit des clercs de tous ordres. Le violet est la couleur de l'évêque. Le rouge du cardinal. **6.** « Cape pleine de vin pur. »

cation[1] du lecteur, étaient tellement couverts par la rumeur générale, qu'ils s'y effaçaient avant d'arriver jusqu'à l'estrade réservée ; d'ailleurs, le cardinal s'en fût peu ému, tant les libertés de ce jour-là étaient dans les mœurs. Il avait du reste, et sa mine en était toute préoccupée, un autre souci qui le suivait de près et qui entra presque en même temps que lui dans l'estrade ; c'était l'ambassade de Flandre.

Non qu'il fût profond politique, et qu'il se fît une affaire des suites possibles du mariage de madame sa cousine Marguerite de Bourgogne avec monsieur son cousin Charles, dauphin de Vienne[2] ; combien durerait la bonne intelligence plâtrée[3] du duc d'Autriche et du roi de France ; comment le roi d'Angleterre prendrait ce dédain de sa fille[4] : cela l'inquiétait peu, et il fêtait chaque soir le vin du crû royal de Chaillot, sans se douter que quelques flacons de ce même vin (un peu revu et corrigé, il est vrai, par le médecin Coictier), cordialement offerts à Édouard IV par Louis XI, débarrasseraient un beau matin Louis XI d'Édouard IV. *La moult honorée ambassade de monsieur le duc d'Autriche* n'apportait au cardinal aucun de ces soucis, mais elle l'importunait par un autre côté. Il était en effet un peu dur, et nous en avons déjà dit un mot à la deuxième page de ce livre, d'être obligé de faire fête et bon accueil, lui Charles de Bourbon, à je ne sais quels bourgeois ; lui cardinal, à des échevins[5] ; lui Français, joyeux convive, à des Flamands buveurs de bière ; et cela en public. C'était là, certes, une des plus fastidieuses grimaces qu'il eût jamais faites pour le bon plaisir du roi.

Il se tourna donc vers la porte, et de la meilleure grâce du monde (tant il s'y étudiait), quand l'huissier annonça d'une voix sonore : *Messieurs les envoyés de monsieur le*

---

1. Instruction morale ou religieuse, permettant à l'individu de se constituer. **2.** La cession du Dauphiné à la France en 1344 avait entraîné pour l'héritier du trône la possession en apanage du Viennois. **3.** Image d'une entente fragile. **4.** Édouard IV (1441-avril 1483), que Louis XI avait amadoué au traité de Picquigny par cette promesse de mariage du Dauphin avec sa fille aînée, et d'autres dédommagements dilatoires (août 1475). **5.** Adjoints du bourgmestre dans les municipalités flamandes.

duc d'Autriche. Il est inutile de dire que la salle entière en fit autant.

Alors arrivèrent, deux par deux, avec une gravité qui faisait contraste au milieu du pétulant[1] cortége ecclésiastique de Charles de Bourbon, les quarante-huit ambassadeurs de Maximilien d'Autriche, ayant en tête révérend père en Dieu, Jehan, abbé de Saint-Bertin[2], chancelier de la Toison-d'Or[3], et Jacques de Goy, sieur Dauby, haut bailli de Gand. Il se fit dans l'assemblée un grand silence accompagné de rires étouffés pour écouter tous les noms saugrenus et toutes les qualifications bourgeoises que chacun de ces personnages transmettait imperturbablement à l'huissier, qui jetait ensuite noms et qualités pêle-mêle et tout estropiés à travers la foule. C'était maître Loys Roelof, échevin de la ville de Louvain ; messire Clays d'Étuelde, échevin de Bruxelles ; messire Paul de Baeust, sieur de Voirmizelle, président de Flandre ; maître Jehan Coleghens, bourgmestre de la ville d'Anvers ; maître George de la Moere, premier échevin de la kuere de la ville de Gand ; maître Gheldof vander Hage, premier échevin des parchons de ladite ville ; et le sieur de Bierbecque, et Jehan Pinnock, et Jehan Dymaerzelle, etc., etc., etc., baillis, échevins, bourgmestres ; bourgmestres, échevins, baillis ; tous roides, gourmés, empesés, endimanchés de velours et de damas, encapuchonnés de cramignoles de velours noir à grosses houppes de fil d'or de Chypre[4] ; bonnes têtes flamandes après tout, figures dignes et sévères, de la famille de celles que Rembrandt fait saillir si fortes et si graves sur le fond noir de sa ronde de nuit[5] ; personnages qui portaient tous écrit sur le front que Maximilien d'Autriche avait eu raison de se *confier*

---

1. Empreint de vivacité, d'agitation gaie. **2.** À Saint-Omer (Pas-de-Calais), abbaye fondée au VIIe s., ruinée à la Révolution. **3.** Ordre de Chevalerie fondé en 1429 à Bruges par Philippe le Bon. **4.** Texte emprunté à la *Chronique*, à la date d'octobre 1465. **5.** Rembrandt van Rijn, peintre et graveur des Pays-Bas (1606-1669). Son clair-obscur, accentué par la patine du temps, fit de lui une référence pour les romantiques. La mal nommée « Ronde de nuit », au musée d'Amsterdam, est le plus célèbre de ses tableaux.

à plain, comme disait son manifeste[1], *en leur sens, vaillance, expérience, loyaultez, et bonnes preudomies.*

Un excepté pourtant. C'était un visage fin, intelligent, rusé, une espèce de museau de singe et de diplomate, au-devant duquel le cardinal fit trois pas et une profonde révérence, et qui ne s'appelait pourtant que *Guillaume Rym, conseiller et pensionnaire*[2] *de la ville de Gand.*

Peu de personnes savaient alors ce que c'était que Guillaume Rym. Rare génie qui dans un temps de révolution eût paru avec éclat à la surface des événements, mais qui au quinzième siècle était réduit aux caverneuses intrigues et à *vivre dans les sapes*, comme dit le duc de Saint-Simon[3]. Du reste, il était apprécié du premier *sapeur* de l'Europe ; il machinait familièrement avec Louis XI, et mettait souvent la main aux secrètes besognes du roi. Toutes choses fort ignorées de cette foule qu'émerveillaient les politesses du cardinal à cette chétive figure de bailli flamand.

IV

MAÎTRE JACQUES COPPENOLE

Pendant que le pensionnaire de Gand et l'éminence échangeaient une révérence fort basse et quelques paroles à voix plus basse encore, un homme à haute stature, à large face, à puissantes épaules, se présentait pour entrer de front avec Guillaume Rym : on eût dit un dogue auprès

---

1. Lettres de créance de cette ambassade, qui fournissent noms et titres à Hugo, relevés dans les pièces annexes d'une édition de Commynes. **2.** Officier public, comme le grand pensionnaire de Hollande au XVIIe siècle, chef de l'exécutif républicain. **3.** Saint-Simon (1675-1755) mémorialiste des dessous et intrigues de la Cour, écrivain original et libre. La publication de ses *Mémoires* venait de commencer en 1829. L'image de la sape, fouille destinée à faire écrouler une fortification, est reprise dans *Les Misérables* (1862) au chapitre « Les mines et les mineurs » (III, VII, 1).

d'un renard. Son bicoquet de feutre[1] et sa veste de cuir faisaient tache au milieu du velours et de la soie qui l'entouraient. Présumant que c'était quelque palefrenier fourvoyé[2], l'huissier l'arrêta.

— Hé, l'ami ! on ne passe pas.

L'homme à veste de cuir le repoussa de l'épaule.

— Que me veut ce drôle ? dit-il avec un éclat de voix qui rendit la salle entière attentive à cet étrange colloque[3]. Tu ne vois pas que j'en suis ?

— Votre nom ? demanda l'huissier.

— Jacques Coppenole.

— Vos qualités ?

— Chaussetier[4], à l'enseigne des *Trois Chaînettes*, à Gand.

L'huissier recula. Annoncer des échevins et des bourgmestres, passe ; mais un chaussetier, c'était dur. Le cardinal était sur les épines. Tout le peuple écoutait et regardait. Voilà deux jours que son éminence s'évertuait à lécher ces ours[5] flamands pour les rendre un peu plus présentables en public, et l'incartade était rude. Cependant Guillaume Rym, avec son fin sourire, s'approcha de l'huissier :

— Annoncez maître Jacques Coppenole, clerc des échevins de la ville de Gand, lui souffla-t-il très-bas.

— Huissier, reprit le cardinal à haute voix, annoncez maître Jacques Coppenole, clerc des échevins de l'illustre ville de Gand.

Ce fut une faute. Guillaume Rym tout seul eût escamoté la difficulté ; mais Coppenole avait entendu le cardinal.

— Non, croix-Dieu ! s'écria-t-il avec sa voix de tonnerre. Jacques Coppenole, chaussetier. Entends-tu, l'huissier ? Rien de plus, rien de moins. Croix-Dieu ! chaussetier, c'est assez beau. Monsieur l'archiduc a plus d'une fois cherché son gant dans mes chausses[6].

---

1. Tissu fait de poil agglutiné, quasi imperméable. **2.** Garçon d'écurie qui s'est trompé de chemin. **3.** Un dialogue à deux se nomme « colloque singulier ». **4.** Fabricant de chausses. **5.** Retournement de la locution proverbiale « ours mal léché ». **6.** Double ambiguïté : gant et Gand, les chausses que j'ai faites et celles que je porte.

Les rires et les applaudissements éclatèrent. Un quolibet est tout de suite compris à Paris, et par conséquent toujours applaudi.

Ajoutons que Coppenole était du peuple, et que ce public qui l'entourait était du peuple. Aussi la communication entre eux et lui avait été prompte, électrique, et pour ainsi dire de plain pied. L'altière algarade du chaussetier flamand, en humiliant les gens de cour, avait remué dans toutes les âmes plébéiennes je ne sais quel sentiment de dignité encore vague et indistinct au quinzième siècle. C'était un égal que ce chaussetier, qui venait de tenir tête à monsieur le cardinal ! réflexion bien douce à de pauvres diables qui étaient habitués à respect et obéissance envers les valets des sergents du bailli de l'abbé de Sainte-Geneviève, caudataire [1] du cardinal.

Coppenole salua fièrement son éminence, qui rendit son salut au tout-puissant bourgeois redouté [2] de Louis XI. Puis, tandis que Guillaume Rym, *sage homme et malicieux*, comme dit Philippe de Comines [3], les suivait tous deux d'un sourire de raillerie et de supériorité, ils gagnèrent chacun leur place, le cardinal tout décontenancé et soucieux, Coppenole tranquille et hautain, et songeant sans doute qu'après tout son titre de chaussetier en valait bien un autre, et que Marie de Bourgogne, mère de cette Marguerite que Coppenole mariait aujourd'hui, l'eût moins redouté cardinal que chaussetier : car ce n'est pas un cardinal qui eût ameuté les Gantois contre les favoris de la fille de Charles-le-Téméraire ; ce n'est pas un cardinal qui eût fortifié la foule avec une parole contre ses larmes et ses prières, quand la demoiselle de Flandre vint supplier son peuple pour eux jusqu'au pied de leur échafaud : tandis que le chaussetier n'avait eu qu'à lever son coude de cuir pour faire tomber vos deux têtes, illustris-

---

1. Succession hiérarchique de compléments de nom, dont le dernier n'est autre que porte-queue (de la robe du cardinal). Tout le contraire du plain-pied populaire. **2.** Renversement de la formule notée par Hugo « Notre dit très redouté seigneur, Monsieur le Roy » (testament du duc de Guyenne). **3.** Ou Commynes (Philippe de, 1447 ?-1511), historien passé du service du Téméraire à celui de Louis XI et de ses successeurs, aux *Mémoires* duquel Hugo doit bonne part de sa documentation.

simes seigneurs, Guy d'Hymbercourt, chancelier Guillaume Hugonet[1] !

Cependant tout n'était pas fini pour ce pauvre cardinal, et il devait boire jusqu'à la lie le calice[2] d'être en si mauvaise compagnie.

Le lecteur n'a peut-être pas oublié l'effronté mendiant qui était venu se cramponner, dès le commencement du prologue, aux franges de l'estrade cardinale. L'arrivée des illustres conviés ne lui avait nullement fait lâcher prise, et tandis que prélats et ambassadeurs s'encaquaient[3], en vrais harengs flamands, dans les stalles[4] de la tribune, lui s'était mis à l'aise, et avait bravement croisé ses jambes sur l'architrave[5]. L'insolence était rare, et personne ne s'en était aperçu au premier moment, l'attention étant tournée ailleurs. Lui, de son côté, ne s'apercevait de rien dans la salle : il balançait sa tête avec une insouciance de Napolitain[6], répétant de temps en temps dans la rumeur, comme par une machinale habitude : « La charité, s'il vous plaît ! » Et certes, il était, dans toute l'assistance, le seul, probablement, qui n'eût pas daigné tourner la tête à l'altercation de Coppenole et de l'huissier. Or, le hasard voulut que le maître chaussetier de Gand, avec qui le peuple sympathisait déjà si vivement, et sur qui tous les yeux étaient fixés, vînt précisément s'asseoir au premier rang de l'estrade, au-dessus du mendiant ; et l'on ne fut pas médiocrement étonné de voir l'ambassadeur flamand,

---

1. Marie de Bourgogne (1457-1482), seule héritière à la mort de son père, ne put empêcher l'exécution de ses conseillers, manipulés par Louis XI, à Gand le 3 avril 1477. Ils étaient compromis dans la négociation visant à imposer le Dauphin (8 ans) à Marie comme époux. Elle se maria la même année avec Maximilien d'Autriche. **2.** Coupe dans laquelle Jésus partage le vin au moment de la Cène ; l'officiant de la messe l'y consacre en célébrant le mystère de l'Eucharistie. À Gethsémani, dans la tristesse du début de la Passion, Jésus demande à son père d'écarter loin de lui ce calice (Marc, XIV, 36). **3.** La caque est un tonneau pour harengs salés. **4.** Comme dans le chœur d'une église. **5.** En architecture, ce qui repose sur les colonnes : terme bien noble pour une tribune d'échafaudage. **6.** Outre la faveur que la grâce napolitaine recueillit tout au long du XIXe siècle depuis la statue que Duret exposa en 1833, il faut signaler l'école réaliste des zingaresques, dans la tradition du « Bohémien », et l'œuvre du Caravage.

inspection faite du drôle placé sous ses yeux, frapper amicalement sur cette épaule couverte de haillons. Le mendiant se retourna ; il y eut surprise, reconnaissance, épanouissement des deux visages, etc. ; puis, sans se soucier le moins du monde des spectateurs, le chaussetier et le malingreux se mirent à causer à voix basse, en se tenant les mains dans les mains, tandis que les guenilles de Clopin Trouillefou, étalées sur le drap d'or de l'estrade, faisaient l'effet d'une chenille sur une orange.

La nouveauté de cette scène singulière excita une telle rumeur de folie et de gaîté dans la salle, que le cardinal ne tarda pas à s'en apercevoir ; il se pencha à demi, et ne pouvant, du point où il était placé, qu'entrevoir fort imparfaitement la casaque ignominieuse de Trouillefou, il se figura assez naturellement que le mendiant demandait l'aumône, et, révolté de l'audace, il s'écria : « Monsieur le bailli du Palais, jetez-moi ce drôle à la rivière. »

— Croix-Dieu ! monseigneur le cardinal, dit Coppenole sans quitter la main de Clopin, c'est un de mes amis.

— Noël ! Noël ! cria la cohue. À dater de ce moment, maître Coppenole eut à Paris, comme à Gand, *grand crédit avec le peuple ; car gens de telle taille l'y ont*, dit Philippe de Comines, *quand ils sont ainsi désordonnés*.

Le cardinal se mordit les lèvres. Il se pencha vers son voisin l'abbé de Sainte-Geneviève, et lui dit à demi-voix :

— Plaisants ambassadeurs que nous envoie là monsieur l'archiduc pour nous annoncer madame Marguerite !

— Votre éminence, répondit l'abbé, perd ses politesses avec ces grouins[1] flamands. *Margaritas ante porcos.*

— Dites plutôt, répondit le cardinal avec un sourire : *Porcos ante Margaritam.*

Toute la petite cour en soutane s'extasia sur le jeu de mots ; le cardinal se sentit un peu soulagé ; il était maintenant quitte avec Coppenole, il avait eu aussi son quolibet applaudi.

---

1. Museau du porc et du sanglier. Matthieu (VII, 6) rapporte dans le « Sermon sur la montagne » les paroles de Jésus : « Ne jetez point vos perles devant les pourceaux. » Le jeu de mots porte sur *margarita* nom latin de la perle, et prénom de la « demoiselle des Flandres ». Hugo l'emprunte à la *Chronique... de Charles IX*, de Mérimée.

Maintenant, que ceux de nos lecteurs qui ont la puissance de généraliser une image et une idée, comme on dit dans le style d'aujourd'hui[1], nous permettent de leur demander s'ils se figurent bien nettement le spectacle qu'offrait, au moment où nous arrêtons leur attention, le vaste parallélogramme de la grand'salle du Palais. Au milieu de la salle, adossée au mur occidental, une large et magnifique estrade de brocart d'or, dans laquelle entrent processionnellement, par une petite porte ogive, de graves personnages successivement annoncés par la voix criarde d'un huissier. Sur les premiers bancs, déjà force vénérables figures, embéguinées[2] d'hermine, de velours et d'écarlate. Autour de l'estrade, qui demeure silencieuse et digne, en bas, en face, partout, grande foule et grande rumeur. Mille regards du peuple sur chaque visage de l'estrade, mille chuchotements sur chaque nom. Certes, le spectacle est curieux et mérite bien l'attention des spectateurs. Mais là bas, tout au bout, qu'est-ce donc que cette espèce de tréteau avec quatre pantins bariolés dessus et quatre autres en bas ? Qu'est-ce donc, à côté du tréteau, que cet homme à souquenille noire et à pâle figure ? Hélas ! mon cher lecteur, c'est Pierre Gringoire et son prologue.

Nous l'avions tous profondément oublié.

Voilà précisément ce qu'il craignait.

Du moment où le cardinal était entré, Gringoire n'avait cessé de s'agiter pour le salut de son prologue. Il avait d'abord enjoint aux acteurs, restés en suspens, de continuer et de hausser la voix ; puis, voyant que personne n'écoutait, il les avait arrêtés ; et depuis près d'un quart d'heure que l'interruption durait, il n'avait cessé de frapper du pied, de se démener, d'interpeller Gisquette et Liénarde, d'encourager ses voisins à la poursuite du prologue ; le tout en vain. Nul ne bougeait du cardinal, de l'ambassade et de l'estrade, unique centre de ce vaste cercle de rayons visuels. Il faut croire aussi, et nous le disons à regret, que le prologue commençait à gêner légè-

---

1. Encore la distance ironique à l'égard des « idéologues ». **2.** Le béguin, qui couvre la tête et les joues, est propre aux femmes pieuses et aux petits enfants. Mais le verbe glisse au sens de s'éprendre, s'infatuer. Fourrure et tissus précieux exhibent les couleurs du pouvoir.

rement l'auditoire, au moment où son éminence était venue y faire diversion d'une si terrible façon. Après tout, à l'estrade comme à la table de marbre, c'était toujours le même spectacle : le conflit de Labour et de Clergé, de Noblesse et de Marchandise. Et beaucoup de gens aimaient mieux les voir tout bonnement, vivant, respirant, agissant, se coudoyant, en chair et en os, dans cette ambassade flamande, dans cette cour épiscopale, sous la robe du cardinal, sous la veste de Coppenole, que fardés, attifés, parlant en vers, et pour ainsi dire empaillés sous les tuniques jaunes et blanches[1] dont les avait affublés Gringoire.

Pourtant quand notre poète vit le calme un peu rétabli, il imagina un stratagème qui eût tout sauvé.

— Monsieur, dit-il en se tournant vers un de ses voisins, brave et gros homme à figure patiente, si l'on recommençait ?

— Quoi ? dit le voisin.

— Hé ! le mystère, dit Gringoire.

— Comme il vous plaira, repartit le voisin.

Cette demi-approbation suffit à Gringoire, et, faisant ses affaires lui-même, il commença à crier, en se confondant le plus possible avec la foule : Recommencez le mystère ! recommencez !

— Diable ! dit Joannes de Molendino, qu'est-ce qu'ils chantent donc là-bas, au bout ? (Car Gringoire faisait du bruit comme quatre.) Dites donc, camarades ! est-ce que le mystère n'est pas fini ? Ils veulent le recommencer ; ce n'est pas juste.

— Non, non, crièrent tous les écoliers. À bas le mystère ! à bas !

Mais Gringoire se multipliait, et n'en criait que plus fort : Recommencez ! recommencez !

Ces clameurs attirèrent l'attention du cardinal.

— Monsieur le bailli du Palais, dit-il à un grand homme noir placé à quelques pas de lui, est-ce que ces drôles sont dans un bénitier, qu'ils font ce bruit d'enfer[2] ?

Le bailli du Palais était une espèce de magistrat amphi-

---

1. Couleurs de la folie, mais aussi de la Papauté. **2.** Manière « élégante » de les qualifier diables.

bie, une sorte de chauve-souris de l'ordre judiciaire, tenant à la fois du rat et de l'oiseau, du juge et du soldat.

Il s'approcha de son éminence, et, non sans redouter fort son mécontentement, il lui expliqua en balbutiant l'incongruité populaire : que midi était arrivé avant son éminence, et que les comédiens avaient été forcés de commencer sans attendre son éminence.

Le cardinal éclata de rire.

— Sur ma foi, monsieur le recteur de l'Université aurait bien dû en faire autant. Qu'en dites-vous, maître Guillaume Rym ?

— Monseigneur, répondit Guillaume Rym, contentons-nous d'avoir échappé à la moitié de la comédie. C'est toujours cela de gagné.

— Ces coquins peuvent-ils continuer leur farce ? demanda le bailli.

— Continuez, continuez, dit le cardinal ; cela m'est égal. Pendant ce temps-là, je vais lire mon bréviaire[1].

Le bailli s'avança au bord de l'estrade, et cria, après avoir fait faire silence d'un geste de la main :

— Bourgeois, manants et habitants, pour satisfaire ceux qui veulent qu'on recommence et ceux qui veulent qu'on finisse, son éminence ordonne que l'on continue.

Il fallut bien se résigner des deux parts. Cependant l'auteur et le public en gardèrent long-temps rancune au cardinal.

Les personnages en scène reprirent donc leur glose[2], et Gringoire espéra que du moins le reste de son œuvre serait écouté. Cette espérance ne tarda pas à être déçue comme ses autres illusions ; le silence s'était bien en effet rétabli tellement quellement[3] dans l'auditoire ; mais Gringoire n'avait pas remarqué que, au moment où le cardinal avait donné l'ordre de continuer, l'estrade était loin d'être remplie, et qu'après les envoyés flamands étaient survenus de nouveaux personnages faisant partie du cortége, dont les noms et qualités, lancés tout au travers de son dialogue par le cri intermittent de l'huissier, y produi-

---

1. Livre des offices à lire chaque jour par les prêtres catholiques.
2. Commentaire explicatif. C'est l'excessive longueur d'un argument assez simple qui est ici en cause. **3.** Plus ou moins, à peu près.

saient un ravage considérable. Qu'on se figure en effet, au milieu d'une pièce de théâtre, le glapissement d'un huissier jetant, entre deux rimes et souvent entre deux hémistiches[1], des parenthèses comme celles-ci :

Maître Jacques Charmolue, procureur du roi en cour d'église !

Jehan de Harlay, écuyer, garde de l'office de chevalier du guet de nuit[2] de la ville de Paris !

Messire Galiot de Genoilhac, chevalier, seigneur de Brussac, maître de l'artillerie du roi !

Maître Dreux-Raguier, enquesteur des eaux et forêts du roi notre sire, ès[3] pays de France, Champagne et Brie !

Messire Louis de Graville, chevalier, conseiller et chambellan[4] du roi, amiral de France, concierge du bois de Vincennes !

Maître Denis Le Mercier, garde de la maison des aveugles[5] de Paris ! — Etc., etc., etc.

Cela devenait insoutenable.

Cet étrange accompagnement, qui rendait la pièce difficile à suivre, indignait d'autant plus Gringoire qu'il ne pouvait se dissimuler que l'intérêt allait toujours croissant et qu'il ne manquait à son ouvrage que d'être écouté. Il était en effet difficile d'imaginer une contexture plus ingénieuse et plus dramatique. Les quatre personnages du prologue se lamentaient dans leur mortel embarras, lorsque Vénus en personne (*vera incessu patuit dea*[6]) s'était présentée à eux, vêtue d'une belle cotte-hardie armoriée au navire[7] de la ville de Paris. Elle venait elle-même réclamer le dauphin promis à la plus belle. Jupiter, dont on entendait la foudre gronder dans le vestiaire, l'ap-

---

1. Moitié d'un vers. **2.** La surveillance nocturne de Paris était assurée par un guet civil, à la charge des corporations bourgeoises, et un guet royal, avec sergents à cheval et à pied. Le chevalier du guet, en charge de la sûreté de la ville (et des reliques de la Sainte Chapelle), avait accès direct au Roi. **3.** Dans les. **4.** Responsable de la chambre du roi, et de tout son service intérieur. C'est le second personnage de l'administration royale. **5.** Les Quinze-Vingts, fondés par Saint Louis vers 1260 pour 300 malades à l'angle des rues Saint-Honoré et Saint-Nicaise, devant l'actuel Palais-Royal. **6.** « Par sa démarche elle se manifesta déesse » : Vénus, telle qu'elle apparaît dans l'*Énéide* de Virgile (I, 405). **7.** Le blason de la Ville.

puyait, et la déesse allait l'emporter, c'est-à-dire, sans figure[1], épouser monsieur le dauphin ; lorsqu'une jeune enfant, vêtue de damas[2] blanc et tenant en main une marguerite (diaphane personnification de mademoiselle de Flandre), était venue lutter avec Vénus. Coup de théâtre et péripétie[3]. Après controverse[4], Vénus, Marguerite et la cantonnade[5] étaient convenues de s'en remettre au bon jugement de la sainte Vierge. Il y avait encore un beau rôle, celui de dom Pèdre, roi de Mésopotamie[6] ; mais à travers tant d'interruptions, il était difficile de démêler à quoi il servait. Tout cela était monté par l'échelle.

Mais c'en était fait ; aucune de ces beautés n'était sentie, ni comprise. À l'entrée du cardinal, on eût dit qu'un fil invisible et magique avait subitement tiré tous les regards de la table de marbre à l'estrade, de l'extrémité méridionale de la salle au côté occidental. Rien ne pouvait désensorceler l'auditoire ; tous les yeux restaient fixés là, et les nouveau-arrivants, et leurs noms maudits, et leurs visages, et leurs costumes étaient une diversion continuelle. C'était désolant. Excepté Gisquette et Liénarde, qui se détournaient de temps en temps quand Gringoire les tirait par la manche, excepté le gros voisin patient, personne n'écoutait, personne ne regardait en face la pauvre moralité abandonnée. Gringoire ne voyait plus que des profils.

Avec quelle amertume il voyait s'écrouler pièce à pièce tout son échafaudage de gloire et de poésie ! Et songer que ce peuple avait été sur le point de se rebeller contre mon-

---

1. Non seulement obtenir la décision, mais enlever le Dauphin au sens propre. **2.** Tissu à motifs, venant d'abord de Damas en Syrie, le plus souvent en soie ; Louis XI favorisa sa production en France, à Tours et Lyon. **3.** Retournement de la situation dramatique. **4.** Débat plus ou moins réglé par la rhétorique sur une question, le plus souvent religieuse. **5.** Côté de la scène, coulisse, personnage absent du théâtre : les personnages sont bien seuls en scène et ne s'adressent à personne. **6.** Bien loin de la Mésopotamie (région d'Orient entre Tigre et Euphrate, Irak), les dom Pèdre sont seigneurs ibériques, parmi lesquels Pierre le Justicier ou le Cruel (1334-1369), auquel Voltaire consacre une tragédie (1775), ou son homonyme roi de Portugal (1320-1367), célèbre pour sa passion pour Inès de Castro (*cf.* la tragédie d'Arnault, 1823). Ces sujets figurent parmi les projets de jeunesse de Hugo, et tout cet espagnolisme quasi oriental, de sang, de pouvoir et d'amour, constitue l'archéologie d'*Hernani* (février 1830).

sieur le bailli, par impatience d'entendre son ouvrage ! maintenant qu'on l'avait, on ne s'en souciait. Cette même représentation qui avait commencé dans une si unanime acclamation ! Éternel flux et reflux de la faveur populaire ! Penser qu'on avait failli pendre les sergents du bailli ! Que n'eût-il pas donné pour en être encore à cette heure de miel !

Le brutal monologue de l'huissier cessa pourtant ; tout le monde était arrivé ; et Gringoire respira ; les acteurs continuaient bravement. Mais ne voilà-t-il pas que maître Coppenole, le chaussetier, se lève tout-à-coup, et que Gringoire lui entend prononcer, au milieu de l'attention universelle, cette abominable harangue :

— Messieurs les bourgeois et hobereaux [1] de Paris, je ne sais, croix-Dieu ! pas ce que nous faisons ici. Je vois bien là-bas dans ce coin, sur ce tréteau, des gens qui ont l'air de vouloir se battre. J'ignore si c'est là ce que vous appelez un *mystère*, mais ce n'est pas amusant ; ils se querellent de la langue, et rien de plus. Voilà un quart d'heure que j'attends le premier coup ; rien ne vient : ce sont des lâches, qui ne s'égratignent qu'avec des injures. Il fallait faire venir des lutteurs de Londres ou de Rotterdam [2] ; et, à la bonne heure ! vous auriez eu des coups de poing qu'on aurait entendus de la place ; mais ceux-là font pitié. Ils devraient nous donner au moins une danse morisque, ou quelque autre momerie [3] ! Ce n'est pas là ce qu'on m'avait dit ; on m'avait promis une fête de fous,

---

1. Audacieux emploi de ce nom d'un petit oiseau de proie, qui désigne un mince gentilhomme campagnard. **2.** Rotterdam en Hollande, à l'embouchure de la Meuse, n'était pas encore une bien grande ville en cette fin du XVe siècle. Mais comme Londres pour l'Angleterre, cette ville marchande était appelée à devenir le premier port du monde : l'énergie de leurs marins jointe à l'audace de leurs armateurs promet à ces métropoles bourgeoises l'empire des mers. Aristocratie de la lutte moderne, qui ne va pas sans la vogue quasiment symbolique de la boxe. Coppenole est ainsi une sorte de prophète économique et social. Voir en X, 5 l'aspect politique de cette fonction, et *L'Homme qui rit*, roman de 1869. **3.** Les Maures et les « mahométanneries » sont à la mode depuis les Croisades, mais la concomitance au XVe siècle de l'arrivée des Bohémiens en Occident et des Turcs à Constantinople fait interférer voire confondre ces exotismes. Sauval (II, 678) signale des « tapisseries à personnages tant saints que profanes, qu'on appelle Mystères et Mommeries ».

avec élection du pape. Nous avons aussi notre pape des fous à Gand ; et en cela nous ne sommes pas en arrière, croix-Dieu ! mais voici comme nous faisons : on se rassemble une cohue, comme ici ; puis chacun à son tour va passer sa tête par un trou, et fait une grimace aux autres ; celui qui fait la plus laide, à l'acclamation de tous, est élu pape ; voilà. C'est fort divertissant. Voulez-vous que nous fassions votre pape à la mode de mon pays ? Ce sera toujours moins fastidieux que d'écouter ces bavards. S'ils veulent venir faire leur grimace à la lucarne, ils seront du jeu. Qu'en dites-vous, messieurs les bourgeois ? Il y a ici un suffisamment grotesque échantillon des deux sexes pour qu'on rie à la flamande, et nous sommes assez de laids visages pour espérer une belle grimace.

Gringoire eût voulu répondre : la stupéfaction, la colère, l'indignation lui ôtèrent la parole. D'ailleurs la motion du chaussetier populaire fut accueillie avec un tel enthousiasme par ces bourgeois flattés d'être appelés *hobereaux*, que toute résistance était inutile. Il n'y avait plus qu'à se laisser aller au torrent. Gringoire cacha son visage de ses deux mains, n'ayant pas le bonheur d'avoir un manteau pour se voiler la tête, comme l'Agamemnon de Timante[1].

V

QUASIMODO[2]

En un clin d'œil tout fut prêt pour exécuter l'idée de Coppenole. Bourgeois, écoliers et basochiens s'étaient

1. Peintre grec du IVe siècle avant notre ère. Désespérant de pouvoir rendre la douleur d'Agamemnon sacrifiant sa fille Iphigénie, il imagina ce subterfuge du deuil. 2. Terme latin de la comparaison : comme à la manière de. Ce n'est pas un synonyme de l'à peu près *grosso modo*. La valeur monstrueuse vient probablement de Sauval (II, 561) : « En 1578 [...] deux monstres naquirent aux environs de Paris, un cochon et un veau ; l'un le dimanche de Quasimodo à Gentilly, [...] monstrueux presque partout [...] Sur la tête on lui voyait une trompe

mis à l'œuvre. La petite chapelle située en face de la table de marbre fut choisie pour le théâtre des grimaces. Une vitre brisée à la jolie rosace au-dessus de la porte laissa libre un cercle de pierre par lequel il fut convenu que les concurrents passeraient la tête. Il suffisait, pour y atteindre, de grimper sur deux tonneaux qu'on avait pris je ne sais où, et juchés l'un sur l'autre tant bien que mal. Il fut réglé que chaque candidat, homme ou femme (car on pouvait faire une papesse[1]), pour laisser vierge et entière l'impression de sa grimace, se couvrirait le visage et se tiendrait caché dans la chapelle jusqu'au moment de faire apparition. En moins d'un instant la chapelle fut remplie de concurrents, sur lesquels la porte se referma.

Coppenole de sa place ordonnait tout, dirigeait tout, arrangeait tout. Pendant le brouhaha, le cardinal, non moins décontenancé que Gringoire, s'était, sous un prétexte d'affaires et de vêpres, retiré avec toute sa suite, sans que cette foule, que son arrivée avait remuée si vivement, se fût le moindrement émue à son départ. Guillaume Rym fut le seul qui remarqua la déroute de son éminence. L'attention populaire, comme le soleil, poursuivait sa révolution[2] ; partie d'un bout de la salle, après s'être arrêtée quelque temps au milieu, elle était maintenant à l'autre bout. La table de marbre, l'estrade de brocart avaient eu leur moment ; c'était le tour de la chapelle de Louis XI. Le champ était désormais libre à toute folie. Il n'y avait plus que des Flamands et de la canaille[3].

---

approchant celle d'un éléphant, d'où sortait au-dessous une petite corne ; outre cela il n'avait qu'un œil placé au milieu du front. » La valeur spirituelle du nom tient à la fête du dimanche suivant Pâques qui célèbre le temps de la régénération, à partir de l'épître de saint Pierre (II, 2 et suiv.) qui transforme la « pierre d'achoppement » en « pierre vivante ».

1. La croyance populaire en une papesse qui aurait régné au IXe siècle sous le nom de Jean VIII a largement alimenté l'anticléricalisme gaulois sous la Restauration et dans les débuts de la Monarchie de Juillet. **2.** Le même mot désigne le cycle régulier des planètes et les éruptions populaires : l'ordre des choses n'interdit pas le désordre. **3.** Hugo a fait la liste de ses personnages en trois classes : bourgeois, nobles, et « canaille ». C'est la foule, vue d'en haut, comme chienne. Les textes d'époque emploient aussi *quenaille*, petites gens, dont l'étymologie probable dit l'enfance.

Les grimaces commencèrent. La première figure qui apparut à la lucarne, avec des paupières retournées au rouge, une bouche ouverte en gueule et un front plissé comme nos bottes à la hussarde[1] de l'empire, fit éclater un rire tellement inextinguible qu'Homère eût pris tous ces manants pour des dieux[2]. Cependant la grand'salle n'était rien moins qu'un Olympe[3], et le pauvre Jupiter de Gringoire le savait mieux que personne. Une seconde, une troisième grimace succédèrent, puis une autre, puis une autre ; et toujours les rires et les trépignements de joie redoublaient. Il y avait dans ce spectacle je ne sais quel vertige particulier, je ne sais quelle puissance d'enivrement et de fascination dont il serait difficile de donner une idée au lecteur de nos jours et de nos salons. Qu'on se figure une série de visages présentant successivement toutes les formes géométriques, depuis le triangle jusqu'au trapèze, depuis le cône jusqu'au polyèdre[4] ; toutes les expressions humaines, depuis la colère jusqu'à la luxure ; tous les âges, depuis les rides du nouveau-né jusqu'aux rides de la vieille moribonde ; toutes les fantasmagories religieuses, depuis Faune[5] jusqu'à Belzébuth[6] ; tous les profils animaux, depuis la gueule jusqu'au bec, depuis la hure[7] jusqu'au museau. Qu'on se représente tous les mascarons du Pont-Neuf[8], ces cauchemars pétrifiés sous la main de Germain Pilon, prenant vie et souffle, et venant tour-à-tour vous regarder en face avec des yeux ardents ; tous les masques du carnaval de Venise se suc-

---

1. Bottes évasées et plissées sur le coup de pied. Les régiments au costume hongrois passaient pour les plus fringants de la cavalerie légère de Napoléon. **2.** Voir le rire des dieux devant Héphaïstos à la fin du premier chant de l'*Iliade*. **3.** Pas du tout. Mais il arrive que Hugo use de cette formule à contresens. **4.** Volume à plusieurs faces. **5.** Divinité agreste des Latins, proche des satyres grecs de la suite de Bacchus, et du grand Pan. **6.** Chef des démons dans le Nouveau Testament, et de l'idolatrie chez les Hébreux : le Diable. **7.** Tête de sanglier, coupée. **8.** Attribués par Sauval à G. Pilon, les mascarons du Pont-Neuf, achevé en 1605, centrent le vaste poème du « livre épique » des *Quatre Vents de l'Esprit* sur la Révolution (1857, publié en 1881). Sous le titre de « cariatides » ils symbolisent les victimes de toute oppression et parlent comme le Satyre de la *Légende des siècles*.

cédant à votre lorgnette ; en un mot, un kaléidoscope humain [1].

L'orgie devenait de plus en plus flamande. Teniers [2] n'en donnerait qu'une bien imparfaite idée. Qu'on se figure en bacchanale [3] la bataille de Salvator Rosa [4]. Il n'y avait plus ni écoliers, ni ambassadeurs, ni bourgeois, ni hommes, ni femmes ; plus de Clopin Trouillefou, de Gilles Lecornu, de Marie Quatrelivres, de Robin Poussepain. Tout s'effaçait dans la licence [5] commune. La grand'salle n'était plus qu'une vaste fournaise d'effronterie et de jovialité où chaque bouche était un cri, chaque œil un éclair, chaque face une grimace, chaque individu une posture [6] : le tout criait et hurlait. Les visages étranges qui venaient tour-à-tour grincer des dents à la rosace étaient comme autant de brandons jetés dans le brasier ; et de toute cette foule effervescente s'échappait, comme la vapeur de la fournaise [7], une rumeur aigre, aiguë, acérée, sifflante, comme les ailes d'un moucheron.

— Ho hé ! malédiction !

— Vois donc cette figure !

— Elle ne vaut rien.

— À une autre !

— Guillemette Maugerepuis, regarde donc ce muffle de taureau, il ne lui manque que des cornes. Ce n'est pas ton mari.

— Un autre !

— Ventre du pape ! qu'est-ce que cette grimace-là !

— Holà hé ! c'est tricher. On ne doit montrer que son visage.

---

1. Sorte de lorgnette dont la rotation provoque la transformation de rosaces construites par effets de miroirs à partir de quelques fragments colorés. **2.** David Teniers le Jeune (1610-1694), d'Anvers, peintre des paysans, des cabarets, des kermesses de Flandres, dont Louis XIV détestait les « magots ». **3.** À Rome, fêtes en l'honneur de Bacchus, qui tournèrent à l'orgie. **4.** Peintre italien (1620-1673), célèbre pour la grandeur sauvage de sa peinture ; il s'agit probablement ici de la *Bataille antique* du Louvre, offerte par le pape en 1652. **5.** Liberté sans frein, dont l'agitation tend à la débauche. **6.** L'arrêt sur image bloque chaque figure dans l'intensité de sa pulsion. **7.** On est passé du feu de joie à l'incendie, voire au bûcher. La fournaise tient à l'enfer comme à la fornication.

— Cette damnée Perrette Callebotte ! elle est capable de cela.

— Noël ! noël !

— J'étouffe !

— En voilà un dont les oreilles ne peuvent passer !

— Etc., etc.

Il faut rendre pourtant justice à notre ami Jehan. Au milieu de ce sabbat[1], on le distinguait encore au haut de son pilier, comme un mousse dans le hunier[2]. Il se démenait avec une incroyable furie. Sa bouche était toute grande ouverte, et il s'en échappait un cri que l'on n'entendait pas, non qu'il fût couvert par la clameur générale, si intense qu'elle fût, mais parce qu'il atteignait sans doute la limite des sons aigus perceptibles, les douze mille vibrations de Sauveur ou les huit mille de Biot[3].

Quant à Gringoire, le premier moment d'abattement passé, il avait repris contenance. Il s'était raidi contre l'adversité. — Continuez ! avait-il dit pour la troisième fois à ses comédiens, machines parlantes ; puis, se promenant à grands pas devant la table de marbre, il lui prenait des fantaisies d'aller apparaître à son tour à la lucarne de la chapelle, ne fût-ce que pour avoir le plaisir de faire la grimace à ce peuple ingrat.

— Mais non, cela ne serait pas digne de nous ; pas de vengeance ! luttons jusqu'à la fin, se répétait-il ; le pouvoir de la poésie est grand sur le peuple ; je les ramènerai. Nous verrons qui l'emportera, des grimaces ou des belles-lettres.

Hélas ! il était resté le seul spectateur de sa pièce.

C'était bien pis que tout-à-l'heure. Il ne voyait plus que des dos.

Je me trompe. Le gros homme patient, qu'il avait déjà

---

1. Septième jour de la création pour les Juifs, dont on taxait les rites hebdomadaires de sorcellerie. D'où assemblée diabolique des sorcières. **2.** Inexactitude probable : le hunier est la voile d'un mât de hune, qui prolonge le bas-mât au-dessus de la plate-forme qui porte ce nom. Le mousse observateur voire combattant se nomme gabier. **3.** Jean-Baptiste Biot (1774-1862) et Joseph Sauveur (1653-1716), savants dont le second est considéré comme le fondateur de l'acoustique musicale. On supposera que le premier, qui appartient à la génération des maîtres de Hugo, a pu faire progresser la connaissance des ultrasons. Il a publié « en l'année 1817 » un traité de physique élémentaire.

consulté dans un moment critique, était resté tourné vers le théâtre. Quant à Gisquette et à Liénarde, elles avaient déserté depuis long-temps.

Gringoire fut touché au fond du cœur de la fidélité de son unique spectateur. Il s'approcha de lui et lui adressa la parole en lui secouant légèrement le bras ; car le brave homme s'était appuyé à la balustrade et dormait un peu.

— Monsieur, dit Gringoire, je vous remercie !

— Monsieur, répondit le gros homme avec un bâillement, de quoi ?

— Je vois ce qui vous ennuie, reprit le poète ; c'est tout ce bruit qui vous empêche d'entendre à votre aise. Mais soyez tranquille : votre nom passera à la postérité. Votre nom, s'il vous plaît ?

— Renauld Château, garde du scel du Châtelet de Paris, pour vous servir.

— Monsieur, vous êtes ici le seul représentant des muses, dit Gringoire.

— Vous êtes trop honnête, monsieur, répondit le garde du scel du Châtelet.

— Vous êtes le seul, reprit Gringoire, qui ayez convenablement écouté la pièce. Comment la trouvez-vous ?

— Hé ! hé ! répondit le gros magistrat à demi réveillé, assez gaillarde[1] en effet.

Il fallut que Gringoire se contentât de cet éloge : car un tonnerre d'applaudissements, mêlé à une prodigieuse acclamation, vint couper court à leur conversation. Le pape des fous était élu.

— Noël ! Noël ! Noël ! criait le peuple de toutes parts.

C'était une merveilleuse grimace, en effet, que celle qui rayonnait en ce moment au trou de la rosace. Après toutes les figures pentagones, hexagones et hétéroclites[2] qui s'étaient succédé à cette lucarne sans réaliser cet idéal du grotesque qui s'était construit dans les imaginations exaltées par l'orgie, il ne fallait rien moins, pour enlever les suffrages, que[3] la grimace sublime qui venait d'éblouir l'assemblée. Maître Coppenole lui-même

1. Adjectif à tout faire : vif, hardi, gai, franc, fort, libertin. **2.** Bizarres, qui tendent à altérer toute forme régulière. **3.** Rien moins que : ici, pas moins que.

applaudit ; et Clopin Trouillefou, qui avait concouru (et Dieu sait quelle intensité de laideur son visage pouvait atteindre), s'avoua vaincu. Nous ferons de même. Nous n'essaierons pas de donner au lecteur une idée de ce nez tétraèdre[1], de cette bouche en fer à cheval, de ce petit œil gauche obstrué d'un sourcil roux en broussailles, tandis que l'œil droit disparaissait entièrement sous une énorme verrue ; de ces dents désordonnées, ébréchées çà et là, comme les créneaux d'une forteresse ; de cette lèvre calleuse, sur laquelle une de ces dents empiétait comme la défense d'un éléphant ; de ce menton fourchu ; et surtout de la physionomie[2] répandue sur tout cela ; de ce mélange de malice, d'étonnement et de tristesse. Qu'on rêve, si l'on peut, cet ensemble.

L'acclamation fut unanime[3] ; on se précipita vers la chapelle. On en fit sortir en triomphe le bienheureux[4] pape des fous. Mais c'est alors que la surprise et l'admiration furent à leur comble ; la grimace était son visage.

Ou plutôt toute sa personne était une grimace. Une grosse tête hérissée de cheveux roux[5] entre les deux épaules une bosse énorme dont le contre-coup se faisait sentir par-devant ; un système de cuisses et de jambes si étrangement fourvoyées qu'elles ne pouvaient se toucher que par les genoux, et, vues de face, ressemblaient à deux croissants de faucilles qui se rejoignent par la poignée[6] ; de larges pieds, des mains monstrueuses ; et, avec toute cette difformité, je ne sais quelle allure redoutable de vigueur, d'agilité et de courage ; étrange exception à la règle éternelle qui veut que la force, comme la beauté, résulte de l'harmonie. Tel était le pape que les fous venaient de se donner.

On eût dit un géant brisé et mal ressoudé.

Quand cette espèce de cyclope[7] parut sur le seuil de la

---

1. À quatre pans. **2.** Expression générale des traits. **3.** Manifestation immédiate de l'unanimité qui est prévue comme inspiration du Saint-Esprit pour l'élection sans scrutin d'un pape. **4.** Comme si ce « pape » ajoutait au bonheur du triomphe la perspective de la canonisation. **5.** Couleur de toute déviance, traditionnellement attribuée à Judas. **6.** Hugo a fait le croquis de cette malformation : *cf.* l'illustration de couverture de la présente édition. **7.** Comme dans l'*Odyssée* (IX) où Ulysse échappe à Polyphème.

chapelle, immobile, trapu, et presque aussi large que haut ; *carré par la base*, comme dit un grand homme[1] ; à son surtout mi-parti rouge et violet, semé de campanilles d'argent, et surtout à la perfection de sa laideur, la populace le reconnut sur-le-champ, et s'écria d'une voix :

— C'est Quasimodo, le sonneur de cloches ! c'est Quasimodo, le bossu de Notre-Dame ! Quasimodo le borgne ! Quasimodo le bancal ! Noël ! Noël !

On voit que le pauvre diable avait des surnoms à choisir.

— Gare les femmes grosses ! criaient les écoliers.

— Ou qui ont envie de l'être, reprenait Joannes.

Les femmes en effet se cachaient le visage.

— Oh ! le vilain singe ! disait l'une.

— Aussi méchant que laid, reprenait une autre.

— C'est le diable, ajoutait une troisième.

— J'ai le malheur de demeurer auprès de Notre-Dame ; la nuit je l'entends rôder dans la gouttière.

— Avec les chats.

— Il est toujours sur nos toits.

— Il nous jette des sorts par les cheminées.

— L'autre soir, il est venu me faire la grimace à ma lucarne. Je croyais que c'était un homme. J'ai eu une peur !

— Je suis sûre qu'il va au sabbat. Une fois, il a laissé un balai sur mes plombs[2].

— Oh ! la déplaisante face de bossu !

— Oh ! la vilaine âme !

— Buah[3] !

Les hommes au contraire étaient ravis, et applaudissaient.

Quasimodo, objet du tumulte, se tenait toujours sur la porte de la chapelle, debout, sombre et grave, se laissant admirer.

Un écolier (Robin Poussepain, je crois) vint lui rire sous le nez, et trop près. Quasimodo se contenta de le

---

1. Première version : « comme eût dit Napoléon ». **2.** Sorte de cuvette pour la vidange des eaux usées. **3.** Pouah ?

prendre par la ceinture, et de le jeter à dix pas[1] à travers la foule, le tout sans dire un mot.

Maître Coppenole, émerveillé, s'approcha de lui.

— Croix-Dieu ! Saint-Père[2] ! tu as bien la plus belle laideur que j'aie vue de ma vie. Tu mériterais la papauté à Rome comme à Paris.

En parlant ainsi, il lui mettait la main gaîment sur l'épaule.

Quasimodo ne bougea pas. Coppenole poursuivit :

— Tu es un drôle avec qui j'ai démangeaison de ripailler, dût-il m'en coûter un douzain neuf de douze tournois[3]. Que t'en semble ?

Quasimodo ne répondit pas.

— Croix-Dieu ! dit le chaussetier, est-ce que tu es sourd ?

Il était sourd en effet.

Cependant il commençait à s'impatienter des façons de Coppenole, et se tourna tout-à-coup vers lui, avec un grincement de dents si formidable que le géant flamand recula comme un boule-dogue[4] devant un chat.

Alors il se fit autour de l'étrange personnage un cercle de terreur et de respect, qui avait au moins quinze pas géométriques[5] de rayon. Une vieille femme expliqua à maître Coppenole que Quasimodo était sourd.

— Sourd ! dit le chaussetier avec son gros rire flamand. Croix-Dieu ! c'est un pape accompli.

— Hé ! je le reconnais, s'écria Jehan, qui était enfin descendu de son chapiteau pour voir Quasimodo de plus près, c'est le sonneur de cloches de mon frère l'archidiacre. — Bonjour, Quasimodo !

— Diable d'homme ! dit Robin Poussepain, encore tout contus de sa chute. Il paraît : c'est un bossu. Il marche : c'est un bancal. Il vous regarde : c'est un borgne. Vous lui parlez : c'est un sourd. — Ah çà : que fait-il de sa langue, ce Polyphème ?

---

1. Environ 7 mètres. **2.** Dénomination usuelle du pape. **3.** C'est en décembre 1474 selon la *Chronique* que ces « douzains neufs » furent créés. **4.** Chien de garde et d'attaque, particulièrement puissant. **5.** Environ 25 mètres.

— Il parle quand il veut, dit la vieille ; il est devenu sourd à sonner les cloches. Il n'est pas muet.

— Cela lui manque, observa Jehan.

— Et il a un œil de trop, ajouta Robin Poussepain.

— Non pas, dit judicieusement Jehan. Un borgne est bien plus incomplet qu'un aveugle. Il sait ce qui lui manque.

Cependant tous les mendiants, tous les laquais, tous les coupe-bourses, réunis aux écoliers, avaient été chercher processionnellement, dans l'armoire de la basoche, la tiare de carton et la simarre[1] dérisoire du pape des fous. Quasimodo s'en laissa revêtir sans sourciller et avec une sorte de docilité orgueilleuse. Puis on le fit asseoir sur un brancard bariolé. Douze officiers de la confrérie des fous l'enlevèrent sur leurs épaules ; et une espèce de joie amère et dédaigneuse vint s'épanouir sur la face morose du cyclope, quand il vit sous ses pieds difformes toutes ces têtes d'hommes beaux, droits et bien faits. Puis la procession hurlante et déguenillée se mit en marche pour faire, selon l'usage, la tournée intérieure des galeries du Palais, avant la promenade des rues et des carrefours.

VI

LA ESMERALDA[2]

Nous sommes ravis d'avoir à apprendre à nos lecteurs que pendant toute cette scène Gringoire et sa pièce avaient tenu bon. Ses acteurs, talonnés[3] par lui, n'avaient pas discontinué de débiter sa comédie, et lui n'avait pas discontinué de l'écouter. Il avait pris son parti du vacarme, et était déterminé à aller jusqu'au bout, ne

1. Longue robe de magistrat. **2.** La source la plus probable de ce nom se trouve dans la nouvelle de Cervantès, *La Bohémienne*, qui fournit le thème de la fatalité et celui de l'enfant volée puis retrouvée. Cette « pierre précieuse » fait s'exclamer « voilà ce qui s'appelle des yeux d'émeraude ! ». **3.** Comme le cheval par le cavalier.

désespérant pas d'un retour d'attention de la part du public. Cette lueur d'espérance se ranima quand il vit Quasimodo, Coppenole et le cortége assourdissant du pape des fous sortir à grand bruit de la salle. La foule se précipita avidement à leur suite. — Bon, se dit-il, voilà tous les brouillons qui s'en vont. — Malheureusement, tous les brouillons c'était le public. En un clin d'œil la grand'salle fut vide.

À vrai dire, il restait encore quelques spectateurs, les uns épars, les autres groupés autour des piliers, femmes, vieillards ou enfants, en ayant assez du brouhaha et du tumulte. Quelques écoliers étaient demeurés à cheval sur l'entablement des fenêtres et regardaient dans la place.

— Eh bien, pensa Gringoire, en voilà encore autant qu'il en faut pour entendre la fin de mon mystère. Ils sont peu, mais c'est un public d'élite, un public lettré.

Au bout d'un instant, une symphonie qui devait produire le plus grand effet à l'arrivée de la sainte Vierge, manqua. Gringoire s'aperçut que sa musique avait été emmenée par la procession du pape des fous. — Passez outre, dit-il stoïquement.

Il s'approcha d'un groupe de bourgeois qui lui fit l'effet de s'entretenir de sa pièce. Voici le lambeau de conversation qu'il saisit.

— Vous savez, maître Cheneteau, l'hôtel de Navarre, qui était à M. de Nemours ?

— Oui, vis-à-vis la chapelle de Braque.

— Eh bien, le fisc vient de le louer à Guillaume Alixandre, historieur, pour six livres huit sols parisis par an.

— Comme les loyers renchérissent !

— Allons ! se dit Gringoire en soupirant ; les autres écoutent.

— Camarades, cria tout-à-coup un de ces jeunes drôles des croisées, *la Esmeralda ! la Esmeralda* dans la place !

Ce mot produisit un effet magique. Tout ce qui restait dans la salle se précipita aux fenêtres, grimpant aux murailles pour voir, et répétant : *la Esmeralda ! la Esmeralda !*

En même temps on entendait au dehors un grand bruit d'applaudissements.

— Qu'est-ce que cela veut dire, la Esmeralda ? dit Gringoire en joignant les mains avec désolation. Ah ! mon Dieu ! il paraît que c'est le tour des fenêtres maintenant.

Il se retourna vers la table de marbre, et vit que la représentation était interrompue. C'était précisément l'instant où Jupiter devait paraître avec sa foudre. Or Jupiter se tenait immobile au bas du théâtre.

— Michel Giborne, cria le poète irrité, que fais-tu là ? Est-ce ton rôle ? monte donc !

— Hélas, dit Jupiter, un écolier vient de prendre l'échelle.

Gringoire regarda. La chose n'était que trop vraie. Toute communication était interceptée entre son nœud et son dénouement.

— Le drôle ! murmura-t-il. Et pourquoi a-t-il pris cette échelle ?

— Pour aller voir la Esmeralda, répondit piteusement Jupiter. Il a dit : Tiens, voilà une échelle qui ne sert pas, et il l'a prise.

C'était le dernier coup. Gringoire le reçut avec résignation.

— Que le diable vous emporte ! dit-il aux comédiens, et si je suis payé vous le serez.

Alors il fit retraite, la tête basse, mais le dernier, comme un général qui s'est bien battu.

Et tout en descendant les tortueux escaliers du Palais : — Belle cohue d'ânes et de butors [1] que ces Parisiens ! grommelait-il entre ses dents ; ils viennent pour entendre un mystère, et n'en écoutent rien ! Ils se sont occupés de tout le monde, de Clopin Trouillefou, du cardinal, de Coppenole, de Quasimodo, du diable ! mais de madame la vierge Marie, point. Si j'avais su, je vous en aurais donné, des vierges Marie, badauds ! Et moi, venir pour voir des visages, et ne voir que des dos ! être poète, et avoir le succès d'un apothicaire ! Il est vrai qu'Homerus a mendié par les bourgades grecques, et que Nason [2] mou-

---

1. L'âne et le butor, sorte de héron, ont en commun la puissance de leur cri et leur mauvaise réputation de sottise. **2.** Le poète Ovide (43-16) exilé sur les rives de l'actuelle Roumanie.

rut en exil chez les Moscovites. Mais je veux que le diable m'écorche si je comprends ce qu'ils veulent dire avec leur Esmeralda ! Qu'est-ce que c'est que ce mot-là d'abord ? c'est de l'égyptiaque[1] !

1. Double obscurité : le caractère « gypsie » des Bohémiens, et les hiéroglyphes de l'Égypte.

« Qu'on se représente tous les mascarons du Pont-Neuf,
ces cauchemars pétrifiés sous la main de Germain Pilon... (p. 115) »

Mascarons de Germain Pilon.

LIVRE DEUXIÈME

I

DE CHARYBDE EN SCYLLA

La nuit arrive de bonne heure en janvier. Les rues étaient déjà sombres quand Gringoire sortit du Palais. Cette nuit tombée lui plut ; il lui tardait d'aborder quelque ruelle obscure et déserte pour y méditer à son aise, et pour que le philosophe posât le premier appareil [1] sur la blessure du poète. La philosophie était du reste son seul refuge, car il ne savait où loger. Après l'éclatant avortement de son coup d'essai théâtral, il n'osait rentrer dans le logis qu'il occupait, rue Grenier-sur-l'Eau, vis-à-vis le port au Foin [2], ayant compté sur ce que monsieur le prévôt devait lui donner de son épithalame pour payer à maître Guillaume Doulx-Sire, fermier de la coutume du pied-fourché [3] de Paris, les six mois de loyer qu'il lui devait, c'est-à-dire, douze sols parisis ; douze fois la valeur de ce qu'il possédait au monde, y compris son haut-de-chausses, sa chemise et son bicoquet. Après avoir un moment réfléchi, provisoirement abrité sous le petit guichet de la prison du trésorier de la Sainte-Chapelle, au gîte qu'il élirait pour la nuit, ayant tous les pavés de Paris à son choix, il se souvint d'avoir avisé la semaine précédente, rue de la Savaterie, à la porte d'un conseiller au parlement, un marche-pied à monter sur mule, et de s'être dit que cette pierre serait, dans l'occasion, un fort excel-

---

1. Terme commun jusqu'au XIXe siècle pour « pansement ». **2.** Derrière le chevet de Saint-Gervais, peut-être à cause des « crocheteurs du Port-au-Foin » que Malherbe reconnaissait pour ses maîtres en langue. **3.** La taxe sur les animaux de boucherie à pied fendu.

lent oreiller pour un mendiant ou pour un poète. Il remercia la providence de lui avoir envoyé cette bonne idée ; mais comme il se préparait à traverser la place du Palais pour gagner le tortueux labyrinthe de la Cité, où serpentent toutes ces vieilles sœurs, les rues de la Barillerie, de la Vieille-Draperie, de la Savaterie, de la Juiverie[1], etc., encore debout aujourd'hui avec leurs maisons à neuf étages, il vit la procession du pape des fous qui sortait aussi du Palais, et se ruait au travers de la cour, avec grands cris, grande clarté de torches et sa musique, à lui Gringoire. Cette vue raviva les écorchures de son amour-propre ; il s'enfuit. Dans l'amertume de sa mésaventure dramatique, tout ce qui lui rappelait la fête du jour l'aigrissait et faisait saigner sa plaie.

Il voulut prendre le pont Saint-Michel ; des enfants y couraient çà et là avec des lances à feu et des fusées.

— Peste soit des chandelles d'artifice ! dit Gringoire, et il se rabattit sur le Pont-au-Change. On avait attaché aux maisons de la tête du pont trois drapels représentant le roi, le dauphin et Marguerite de Flandre, et six petits drapelets où étaient *pourtraicts* le duc d'Autriche, le cardinal de Bourbon, et monsieur de Beaujeu, et madame Jeanne de France, et monsieur le bâtard de Bourbon, et je ne sais qui encore[2] ; le tout éclairé de torches. La cohue admirait.

— Heureux peintre Jehan Fourbeault ! dit Gringoire avec un gros soupir, et il tourna le dos aux drapels et drapelets. Une rue était devant lui ; il la trouva si noire et si abandonnée qu'il espéra y échapper à tous les retentissements comme à tous les rayonnements de la fête ; il s'y enfonça. Au bout de quelques instants, son pied heurta un obstacle ; il trébucha et tomba. C'était la botte de mai, que les clercs de la basoche avaient déposée le matin à

1. Sur l'emplacement de l'actuelle Préfecture de police. **2.** Hugo multiplie les Bourbons. Parmi les nombreux bâtards, il peut s'agir de Jean, mort en 1483, à qui le cardinal devait son archevêché de Lyon. Quant à Jeanne de France, on peut se demander si c'est la sœur ou la fille de Louis XI. La première avait épousé Jean II, sixième et dernier duc de Bourbon, frère du cardinal et du sire de Beaujeu. L'autre, mariée au duc d'Orléans, futur Louis XII, dut s'incliner devant les nécessités du rattachement de la Bretagne au royaume, et finir sa vie en religion.

la porte d'un président au parlement, en l'honneur de la solennité du jour. Gringoire supporta héroïquement cette nouvelle rencontre ; il se releva, et gagna le bord de l'eau. Après avoir laissé derrière lui la tournelle civile et la tour criminelle, et longé le grand mur des jardins du roi, sur cette grève non pavée où la boue lui venait à la cheville, il arriva à la pointe occidentale de la Cité, et considéra quelque temps l'îlot du Passeur-aux-Vaches, qui a disparu depuis sous le cheval de bronze et le Pont-Neuf. L'îlot lui apparaissait dans l'ombre comme une masse noire au-delà de l'étroit cours d'eau blanchâtre qui l'en séparait. On y devinait, au rayonnement d'une petite lumière, l'espèce de hutte en forme de ruche où le passeur aux vaches s'abritait la nuit.

— Heureux passeur aux vaches ! pensa Gringoire ; tu ne songes pas à la gloire et tu ne fais pas d'épithalames ! Que t'importent les rois qui se marient et les duchesses de Bourgogne ? Tu ne connais d'autres marguerites que celles que ta pelouse d'avril donne à brouter à tes vaches ! Et moi, poète, je suis hué, et je grelotte, et je dois douze sous, et ma semelle est si transparente qu'elle pourrait servir de vitre à ta lanterne. Merci ! passeur aux vaches ! ta cabane repose ma vue, et me fait oublier Paris !

Il fut réveillé de son extase presque lyrique par un gros double pétard de la Saint-Jean, qui partit brusquement de la bienheureuse cabane. C'était le passeur aux vaches qui prenait sa part des réjouissances du jour, et se tirait un feu d'artifice.

Ce pétard fit hérisser l'épiderme de Gringoire.

— Maudite fête ! s'écria-t-il, me poursuivras-tu partout ? Oh ! mon Dieu ! jusque chez le passeur aux vaches !

Puis il regarda la Seine à ses pieds, et une horrible tentation le prit :

— Oh ! dit-il, que volontiers je me noierais, si l'eau n'était pas si froide !

Alors il lui vint une résolution désespérée. C'était, puisqu'il ne pouvait échapper au pape des fous, aux drapelets de Jehan Fourbeault, aux bottes de mai, aux lances à feu et aux pétards, de s'enfoncer hardiment au cœur même de la fête, et d'aller à la place de Grève.

— Au moins, pensa-t-il, j'y aurai peut-être un tison du feu de joie pour me réchauffer, et j'y pourrai souper avec quelque miette des trois grandes armoiries de sucre royal qu'on a dû y dresser sur le buffet public de la ville.

II

LA PLACE DE GRÈVE

Il ne reste aujourd'hui qu'un bien imperceptible vestige de la place de Grève, telle qu'elle existait alors. C'est la charmante tourelle qui occupe l'angle nord de la place, et qui, déjà ensevelie sous l'ignoble badigeonnage qui empâte les vives arêtes de ses sculptures, aura bientôt disparu peut-être, submergée par cette crue de maisons neuves qui dévore si rapidement toutes les vieilles façades de Paris.

Les personnes qui, comme nous, ne passent jamais sur la place de Grève sans donner un regard de pitié et de sympathie à cette pauvre tourelle étranglée entre deux masures du temps de Louis XV[1], peuvent reconstruire aisément dans leur pensée l'ensemble d'édifices auquel elle appartenait, et y retrouver entière la vieille place gothique du quinzième siècle.

C'était, comme aujourd'hui, un trapèze irrégulier bordé d'un côté par le quai, et des trois autres par une série de maisons hautes, étroites et sombres. Le jour, on pouvait admirer la variété de ses édifices, tous sculptés en pierre ou en bois, et présentant déjà de complets échantillons des diverses architectures domestiques du moyen-âge, en remontant du quinzième au onzième siècle, depuis la croisée, qui commençait à détrôner l'ogive, jusqu'au plein-cintre roman, qui avait été supplanté par l'ogive, et qui occupait encore, au-dessous d'elle, le premier étage de

---

1. Roi de France de 1715 à 1774 il s'identifiait, pour les romantiques comme pour les révolutionnaires, à ce que le XVIIIe siècle avait de décadent. Cette partie de la place a disparu dans l'ouverture de la rue de Rivoli, encore inachevée en 1830.

cette ancienne maison de la Tour-Roland, angle de la place sur la Seine, du côté de la rue de la Tannerie[1]. La nuit, on ne distinguait de cette masse d'édifices que la dentelure noire des toits déroulant autour de la place leur chaine d'angles aigus. Car c'est une des différences radicales des villes d'alors et des villes d'à présent, qu'aujourd'hui ce sont les façades qui regardent les places et les rues, et qu'alors c'étaient les pignons. Depuis deux siècles, les maisons se sont retournées.

Au centre du côté oriental de la place, s'élevait une lourde et hybride construction formée de trois logis juxtaposés. On l'appelait de trois noms qui expliquent son histoire, sa destination et son architecture : la *Maison-au-Dauphin*, parce que Charles V, dauphin, l'avait habitée ; la *Marchandise*, parce qu'elle servait d'Hôtel-de-Ville ; la *Maison-aux-Piliers* (domus ad piloria), à cause d'une suite de gros piliers qui soutenaient ses trois étages. La ville trouvait là tout ce qu'il faut à une bonne ville comme Paris : une chapelle, pour prier Dieu ; un *plaidoyer*, pour tenir audience et rembarrer au besoin les gens du roi ; et dans les combles, un *arsenac*, plein d'artillerie. Car les bourgeois de Paris savent qu'il ne suffit pas en toute conjoncture de prier et de plaider pour les franchises de la Cité, et ils ont toujours en réserve dans un grenier de l'Hôtel-de-Ville quelque bonne arquebuse rouillée.

La Grève avait dès lors cet aspect sinistre, que lui conservent encore aujourd'hui l'idée exécrable qu'elle réveille, et le sombre Hôtel-de-Ville de Dominique Bocador, qui a remplacé la Maison-aux-Piliers. Il faut dire qu'un gibet et un pilori permanents, une justice et une échelle, comme on disait alors, dressés côte-à-côte au milieu du pavé, ne contribuaient pas peu à faire détourner les yeux de cette place fatale, où tant d'êtres pleins de santé et de vie ont agonisé ; où devait naître cinquante ans plus tard cette *fièvre de Saint-Vallier*[2], cette maladie

---

1. À l'ouest. **2.** Jean de Saint-Vallier, père de la jeune et belle Diane de Poitiers échappa à l'échafaud en 1524 après sa condamnation dans l'affaire de trahison du connétable de Bourbon. Dans *Le roi s'amuse*, qu'il écrit en juin 1832, Hugo lui fait jeter à François Ier et à son bouffon Triboulet la malédiction d'un père outragé.

de la terreur de l'échafaud, la plus monstrueuse de toutes les maladies, parce qu'elle ne vient pas de Dieu, mais de l'homme.

C'est une idée consolante (disons-le en passant) de songer que la peine de mort, qui, il y a trois cents ans, encombrait encore de ses roues de fer, de ses gibets de pierre, de tout son attirail de supplices, permanent et scellé dans le pavé, la Grève, les Halles, la place Dauphine, la Croix du Trahoir, le Marché-aux-Pourceaux, ce hideux Montfaucon, la barrière des Sergents, la Place-aux-Chats, la porte Saint-Denis, Champeaux, la porte Baudets, la porte Saint-Jacques [1], sans compter les innombrables échelles des prevôts, de l'évêque, des chapitres, des abbés, des prieurs ayant justice ; sans compter les noyades juridiques en rivière de Seine [2] ; il est consolant qu'aujourd'hui, après avoir perdu successivement toutes les pièces de son armure, son luxe de supplices, sa pénalité d'imagination et de fantaisie, sa torture à laquelle elle refaisait tous les cinq ans un lit de cuir au Grand-Châtelet, cette vieille suzeraine de la société féodale, presque mise hors de nos lois et de nos villes, traquée de code en code, chassée de place en place, n'ait plus dans notre immense Paris qu'un coin déshonoré de la Grève, qu'une misérable guillotine, furtive, inquiète, honteuse, qui semble toujours craindre d'être prise en flagrant délit, tant elle disparaît vite après avoir fait son coup [3] !

---

1. Utilisation d'un chapitre de Sauval sur les « lieux patibulaires » ; l'énumération est encadrée par le seul lieu subsistant du supplice et par celui des lectures d'enfance de Hugo, près des Feuillantines. La Croix du Trahoir était au carrefour de la rue de l'Arbre-sec (la potence) et de la rue Saint-Honoré ; le Marché aux Pourceaux à la butte Saint-Roch ; la barrière des Sergents rue Saint-Honoré à hauteur du Louvre ; la place aux Chats impasse des Bourdonnais ; Champeaux aux Halles. **2.** C'est la locution traditionnelle. **3.** Avant leur très tardive suppression, les exécutions capitales furent transférées hors les murs, porte Saint-Jacques, peu après *Notre-Dame de Paris*, puis passèrent en 1939 du boulevard Arago à l'intérieur de la prison de la Santé.

III

BESOS PARA GOLPES [1]

Lorsque Pierre Gringoire arriva sur la place de Grève, il était transi. Il avait pris par le pont aux Meuniers [2] pour éviter la cohue du Pont-au-Change et les drapelets de Jehan Fourbeault ; mais les roues de tous les moulins de l'évêque l'avaient éclaboussé au passage, et sa souquenille était trempée ; il lui semblait en outre que la chute de sa pièce le rendait plus frileux encore. Aussi se hâta-t-il de s'approcher du feu de joie qui brûlait magnifiquement au milieu de la place. Mais une foule considérable faisait cercle à l'entour.

— Damnés Parisiens ! se dit-il à lui-même (car Gringoire, en vrai poète dramatique, était sujet aux monologues), les voilà qui m'obstruent le feu ! Pourtant j'ai bon besoin d'un coin de cheminée ; mes souliers boivent, et tous ces maudits moulins qui ont pleuré sur moi ! Diable d'évêque de Paris avec ses moulins ! Je voudrais bien savoir ce qu'un évêque peut faire d'un moulin ! est-ce qu'il s'attend à devenir d'évêque meunier ? S'il ne lui faut que ma malédiction pour cela, je la lui donne, et à sa cathédrale, et à ses moulins ! Voyez un peu s'ils se dérangeront, ces badauds ! Je vous demande ce qu'ils font là ! Ils se chauffent ; beau plaisir ! Ils regardent brûler un cent de bourrées [3] ; beau spectacle !

En examinant de plus près, il s'aperçut que le cercle était beaucoup plus grand qu'il ne fallait pour se chauffer au feu du roi, et que cette affluence de spectateurs n'était pas uniquement attirée par la beauté du cent de bourrées qui brûlait.

---

1. « Des baisers pour des coups » en espagnol plus ou moins fautif.
2. Gringoire a fait le tour de la partie ouest de la Cité, du Palais ; il n'en sort vers la rive droite que par ce pont, possession de l'évêque, principal seigneur de la partie est, pour rejoindre la Ville marchande : effet de pittoresque narratif certes, mais aussi projection symbolique de la situation du Gringoire historique, qui fut au XVIe siècle un satirique et anticlérical soutien de la politique royale. **3.** Fagot de menu bois, épines, sarments, qui flambe clair.

Dans un vaste espace laissé libre entre la foule et le feu, une jeune fille dansait.

Si cette jeune fille était un être humain, ou une fée, ou un ange, c'est ce que Gringoire, tout philosophe sceptique, tout poète ironique qu'il était, ne put décider dans le premier moment, tant il fut fasciné par cette éblouissante vision.

Elle n'était pas grande, mais elle le semblait, tant sa fine taille s'élançait hardiment. Elle était brune, mais on devinait que le jour sa peau devait avoir ce beau reflet doré des Andalouses [1] et des Romaines. Son petit pied aussi était andalou, car il était tout ensemble à l'étroit et à l'aise dans sa gracieuse chaussure. Elle dansait, elle tournait, elle tourbillonnait sur un vieux tapis de Perse, jeté négligemment sous ses pieds ; et chaque fois qu'en tournoyant sa rayonnante figure passait devant vous, ses grands yeux noirs vous jetaient un éclair.

Autour d'elle tous les regards étaient fixes, toutes les bouches ouvertes ; et en effet, tandis qu'elle dansait ainsi, au bourdonnement du tambour de basque [2] que ses deux bras ronds et purs élevaient au-dessus de sa tête, mince, frêle et vive comme une guêpe avec son corsage d'or sans pli, sa robe bariolée [3] qui se gonflait, avec ses épaules nues, ses jambes fines que sa jupe découvrait par moments, ses cheveux noirs, ses yeux de flamme, c'était une surnaturelle créature.

— En vérité, pensa Gringoire, c'est une salamandre [4], c'est une nymphe [5], c'est une déesse, c'est une bacchante du Mont-Ménaléen [6] !

En ce moment une des nattes de la chevelure de la « salamandre » se détacha, et une pièce de cuivre jaune qui y était attachée roula à terre.

---

1. Au sud de l'Espagne, l'Andalousie, qui fut, à Grenade, maure jusqu'en 1492, sut accueillir les Gitans. Le type de femme qui s'esquisse ici est nourri de souvenirs de Madrid et vaut comme hommage à Adèle Hugo. **2.** Tambourin pour danser, muni de grelots. Le bourdonnement du rythme prépare la guêpe, où gît peut-être le souvenir de l'espagnol *guapa*, belle. **3.** L'abdomen de la guêpe est rayé. **4.** Censée vivre dans le feu. **5.** Divinité des eaux. **6.** En Arcadie, montagne consacrée à Pan, où Hercule conquit la biche aux pieds d'airain et aux cornes d'or.

— Hé non ! dit-il, c'est une bohémienne.

Toute illusion avait disparu.

Elle se remit à danser ; elle prit à terre deux épées dont elle appuya la pointe sur son front, et qu'elle fit tourner dans un sens tandis qu'elle tournait dans l'autre : c'était en effet tout bonnement une bohémienne. Mais quelque désenchanté que fût Gringoire, l'ensemble de ce tableau n'était pas sans prestige[1] et sans magie ; le feu de joie l'éclairait d'une lumière crue et rouge qui tremblait toute vive sur le cercle des visages de la foule, sur le front brun de la jeune fille, et au fond de la place jetait un blême reflet mêlé aux vacillations de leurs ombres, d'un côté sur la vieille façade noire et ridée de la Maison-aux-Piliers, de l'autre sur le bras de pierre du gibet[2].

Parmi les mille visages que cette lueur teignait d'écarlate, il y en avait un qui semblait plus encore que tous les autres absorbé dans la contemplation de la danseuse. C'était une figure d'homme, austère, calme et sombre. Cet homme, dont le costume était caché par la foule qui l'entourait, ne paraissait pas avoir plus de trente-cinq ans ; cependant il était chauve ; à peine avait-il aux tempes quelques touffes de cheveux rares et déjà gris ; son front large et haut commençait à se creuser de rides ; mais dans ses yeux enfoncés éclataient une jeunesse extraordinaire, une vie ardente, une passion profonde. Il les tenait sans cesse attachés sur la bohémienne, et tandis que la folle jeune fille de seize ans dansait et voltigeait au plaisir de tous, sa rêverie, à lui, semblait devenir de plus en plus sombre. De temps en temps un sourire et un soupir se rencontraient sur ses lèvres, mais le sourire était plus douloureux que le soupir.

La jeune fille, essoufflée, s'arrêta enfin, et le peuple l'applaudit avec amour.

— Djali[3], dit la bohémienne.

Alors Gringoire vit arriver une jolie petite chèvre blanche, alerte, éveillée, lustrée, avec des cornes dorées,

---

1. Au sens propre : force d'illusion. **2.** Animation par projection : le mouvement du pittoresque tend au prophétique. La Maison-aux-Piliers était l'hôtel de ville. **3.** Hugo a noté : « en tartare veut dire chien ».

avec des pieds dorés, avec un collier dorée, qu'il n'avait pas encore aperçue, et qui était restée jusque là accroupie sur un coin du tapis et regardant danser sa maîtresse.

— Djali, dit la danseuse, à votre tour.

Et, s'asseyant, elle présenta gracieusement à la chèvre son tambour de basque.

— Djali, continua-t-elle, à quel mois sommes-nous de l'année ?

La chèvre leva son pied de devant, et frappa un coup sur le tambour. On était en effet au premier mois [1]. La foule applaudit.

— Djali, reprit la jeune fille en tournant son tambour de basque d'un autre côté, à quel jour du mois sommes-nous ?

Djali leva son petit pied d'or, et frappa six coups sur le tambour.

— Djali, poursuivit l'égyptienne toujours avec un nouveau manége du tambour, à quelle heure du jour sommes-nous ?

Djali frappa sept coups. Au même moment l'horloge de la Maison-aux-Piliers sonna sept heures.

Le peuple était émerveillé.

— Il y a de la sorcellerie là-dessous, dit une voix sinistre dans la foule. C'était celle de l'homme chauve qui ne quittait pas la bohémienne des yeux.

Elle tressaillit, se détourna ; mais les applaudissements éclatèrent et couvrirent la morose exclamation.

Ils l'effacèrent même si complètement dans son esprit qu'elle continua d'interpeller sa chèvre.

— Djali, comment fait maître Guichard Grand-Remy, capitaine des pistoliers [2] de la ville, à la procession de la Chandeleur [3] ?

Djali se dressa sur ses pattes de derrière, et se mit à bêler, en marchant avec une si gentille gravité que le

---

1. Janvier n'a été le premier mois de l'année qu'à partir de 1564.
2. Le pistolet n'était encore qu'une dague, originaire peut-être de Pistoïa. **3.** Le 2 février, fête de la Purification de la Vierge, selon le rite mosaïque, 40 jours après la naissance de son fils. C'est la fête de la lumière qui revient, et la dernière chance de l'hiver, la Chandeleur.

cercle entier des spectateurs éclata de rire à cette parodie de la dévotion intéressée du capitaine des pistoliers.

— Djali, reprit la jeune fille, enhardie par ce succès croissant, comment prêche maître Jacques Charmolue, procureur du roi en cour d'église[1] ?

La chèvre prit séance sur son derrière, et se mit à bêler, en agitant ses pattes de devant d'une si étrange façon que, hormis le mauvais français et le mauvais latin, geste, accent, attitude, tout Jacques Charmolue y était.

Et la foule d'applaudir de plus belle.

— Sacrilége ! profanation ! reprit la voix de l'homme chauve.

La bohémienne se retourna encore une fois.

— Ah ! dit-elle, c'est ce vilain homme ! puis, allongeant sa lèvre inférieure au-delà de la lèvre supérieure, elle fit une petite moue qui paraissait lui être familière, pirouetta sur le talon, et se mit à recueillir dans un tambour de basque les dons de la multitude.

Les grands-blancs, les petits-blancs, les targes, les liards à l'aigle[2] pleuvaient. Tout-à-coup elle passa devant Gringoire. Gringoire mit si étourdiment la main à sa poche qu'elle s'arrêta. — Diable ! dit le poète en trouvant au fond de sa poche la réalité, c'est-à-dire le vide. Cependant la jolie fille était là, le regardant avec ses grands yeux, lui tendant son tambour, et attendant. Gringoire suait à grosses gouttes.

S'il avait eu le Pérou dans sa poche, certainement il l'eût donné à la danseuse ; mais Gringoire n'avait pas le Pérou, et d'ailleurs l'Amérique n'était pas encore découverte[3].

---

1. Ce magistrat n'était pas chargé de sermon comme le prêtre en chaire mais de la surveillance des tribunaux ecclésiastiques. La laïcisation de la justice a bien pu se doubler d'une cléricalisation de la conduite des juges et autres « chats-fourrés » de Rabelais. **2.** Le liard vaut un quart de sou ; la targe, monnaie bretonne, portait l'image d'un bouclier. **3.** Cette addition de fantaisie, brodée sur les locutions familières dérivées de la découverte du Pérou et de son or au milieu du XVIe siècle, n'a pas seulement fonction d'anachronisme ironique : l'histoire non plus n'avait « pas encore » découvert l'Amérique, mais allait le faire.

Heureusement un incident inattendu vint à son secours.

— T'en iras-tu, sauterelle d'Égypte[1] ? cria une voix aigre qui partait du coin le plus sombre de la place. La jeune fille se retourna effrayée. Ce n'était plus la voix de l'homme chauve ; c'était une voix de femme, une voix dévote et méchante.

Du reste, ce cri, qui fit peur à la bohémienne, mit en joie une troupe d'enfants qui rôdait par-là.

— C'est la récluse de la Tour-Roland, s'écrièrent-ils avec des rires désordonnés, c'est la sachette[2] qui gronde ? Est-ce qu'elle n'a pas soupé[3] ? portons-lui quelque reste du buffet de ville !

Tous se précipitèrent vers la Maison-aux-Piliers.

Cependant Gringoire avait profité du trouble de la danseuse pour s'éclipser. La clameur des enfants lui rappela que lui aussi n'avait pas soupé. Il courut donc au buffet. Mais les petits drôles avaient de meilleures jambes que lui : quand il arriva, ils avaient fait table rase. Il ne restait même pas un misérable camichon[4] à cinq sous la livre. Il n'y avait plus sur le mur que les sveltes fleurs-de-lis, entremêlées de rosiers, peintes en 1434 par Mathieu Biterne. C'était un maigre souper.

C'est une chose importune de se coucher sans souper ; c'est une chose moins riante encore, de ne pas souper et de ne savoir où coucher. Gringoire en était là. Pas de pain, pas de gîte ; il se voyait pressé de toutes parts par la nécessité, et il trouvait la nécessité fort bourrue. Il avait depuis long-temps découvert cette vérité, que Jupiter a créé les hommes dans un accès de misanthropie[5], et que, pendant toute la vie du sage, sa destinée tient en état de siége sa philosophie. Quant à lui, il n'avait jamais vu

---

1. L'invasion des sauterelles était — et peut être encore — une des plaies de l'Égypte. *Cf.* dans l'Ancien Testament, Exode, X, 4-19 pour cette « huitième plaie ». Les mots jouent avec la « sauteuse » « venue d'Égypte ». **2.** Recluses dont Michelet fera grand cas, nommées du sac qu'avaient porté comme habit certains religieux augustins, et les sœurs autrefois installées dans le quartier de Saint-André-des-Arts. **3.** Repas du soir, vers cinq heures. **4.** Sorte de petit four sec. Sauval, II, 483. **5.** La misanthropie consiste à haïr le genre humain.

le blocus[1] si complet ; il entendait son estomac battre la chamade[2], et il trouvait très-déplacé que le mauvais destin prît sa philosophie par la famine.

Cette mélancolique rêverie l'absorbait de plus en plus, lorsqu'un chant bizarre, quoique plein de douceur, vint brusquement l'en arracher. C'était la jeune égyptienne qui chantait.

Il en était de sa voix comme de sa danse, comme de sa beauté. C'était indéfinissable et charmant ; quelque chose de pur, et de sonore, d'aérien, d'ailé, pour ainsi dire. C'étaient de continuels épanouissements, des mélodies, des cadences inattendues, puis des phrases simples semées de notes acérées et sifflantes, puis des sauts de gammes[3] qui eussent dérouté un rossignol, mais où l'harmonie se retrouvait toujours ; puis de molles ondulations d'octaves[4] qui s'élevaient et s'abaissaient comme le sein de la jeune chanteuse. Son beau visage suivait avec une mobilité singulière tous les caprices de sa chanson, depuis l'inspiration la plus échevelée jusqu'à la plus chaste dignité. On eût dit tantôt une folle, tantôt une reine.

Les paroles qu'elle chantait étaient d'une langue inconnue à Gringoire, et qui paraissait lui être inconnue à elle-même, tant l'expression qu'elle donnait au chant se rapportait peu au sens des paroles. Ainsi ces quatre vers dans sa bouche étaient d'une gaîté folle :

Un cofre de gran riqueza
Hallaron dentro un pilar,
Dentro del, nuevas banderas
Con figuras de espantar.

Et un instant après, à l'accent qu'elle donnait à cette stance :

---

1. Le fait d'investir une place, un port (voire le continent entier comme Napoléon en 1806) pour lui interdire tout commerce extérieur. **2.** Batterie de tambour pour annoncer la reddition des assiégés. S'emploie d'ordinaire au figuré, pour le cœur. **3.** De tonalité ou de hauteur ? **4.** Espace de la première à la huitième note de la gamme, qui consonnera.

Alarabes de cavallo
Sin poderse menear
Con espadas, y los cuellos,
Ballestas de buen echar[1],

Gringoire se sentait venir les larmes aux yeux. Cependant son chant respirait surtout la joie, et elle semblait chanter comme l'oiseau, par sérénité et par insouciance.

La chanson de la bohémienne avait troublé la rêverie de Gringoire, mais comme le cygne[2] trouble l'eau. Il l'écoutait avec une sorte de ravissement et d'oubli de toute chose. C'était depuis plusieurs heures le premier moment où il ne se sentît pas souffrir.

Le moment fut court.

La même voix de femme qui avait interrompu la danse de la bohémienne vint interrompre son chant.

— Te tairas-tu, cigale d'enfer ? cria-t-elle toujours du même coin obscur de la place.

La pauvre *cigale* s'arrêta court. Gringoire se boucha les oreilles.

— Oh ! s'écria-t-il, maudite scie ébréchée, qui vient briser la lyre[3] !

Cependant les autres spectateurs murmuraient comme lui : — Au diable la sachette ! disait plus d'un. Et la vieille trouble-fête invisible eût pu avoir à se repentir de ses agressions contre la bohémienne, s'ils n'eussent été distraits en ce moment même par la procession du pape des fous, qui, après avoir parcouru force rues et carrefours, débouchait dans la place de Grève, avec toutes ses torches et toute sa rumeur.

Cette procession, que nos lecteurs ont vue partir du Palais, s'était organisée chemin faisant, et recrutée de tout ce qu'il y avait à Paris de marauds, de voleurs oisifs, et

---

1. Quatrains d'un *romancero* de Rodrigue, publié par Abel Hugo en 1821 (octosyllabes en rondelet) : *Un coffre de grand richesse / Trouvèrent en un pilier / Dedans neuves bannières / À figures d'épouvante. / Arabes de cheval / Sans pouvoir se remuer / Avec épées et au cou / Arbalètes de bon effet.* **2.** Qui semble se déplacer immobile. **3.** Instrument d'Apollon, de la poésie, chant inspiré.

de vagabonds disponibles ; aussi présentait-elle un aspect respectable lorsqu'elle arriva en Grève.

D'abord marchait l'Égypte. Le duc d'Égypte, en tête, à cheval, avec ses comtes à pied, lui tenant la bride et l'étrier ; derrière eux, les égyptiens et les égyptiennes pêle-mêle avec leurs petits enfants criant sur leurs épaules ; tous, duc, comtes, menu-peuple, en haillons et en oripeaux[1]. Puis c'était le royaume d'argot : c'est-à-dire, tous les voleurs de France, échelonnés par ordre de dignité ; les moindres passant les premiers[2]. Ainsi défilaient quatre par quatre, avec les divers insignes de leurs grades dans cette étrange faculté, la plupart éclopés, ceux-ci boiteux, ceux-là manchots, les courtauds de boutanche, les coquillarts, les hubins, les sabouleux, les calots, les francs-mitoux, les polissons, les piètres, les capons, les malingreux, les rifodés, les marcandiers, les narquois, les orphelins, les archisuppôts, les cagoux ; dénombrement à fatiguer Homère[3]. Au centre du conclave[4] des cagoux et des archisuppôts, on avait peine à distinguer le roi de l'argot, le grand-coësre[5], accroupi dans une petite charrette traînée par deux grands chiens. Après le royaume des argotiers, venait l'empire de Galilée[6]. Guillaume

---

1. Pièces de clinquant, décoration de la misère. **2.** Cet ordre calque celui de l'Église. **3.** Copié de Sauval (I, 514), qui fournit la signification de ce jargon. *Courtauds de boutanche* : ne chôment que l'hiver ; *coquillards*, portent l'insigne de pèlerins de saint Jacques ou saint Michel ; *hubins* : enragés, pèlerins de saint Hubert ; *sabouleux* : épileptiques ; *calots* : pèlerins de sainte Reine, contre la teigne ; *francs-mitoux* : la tête enveloppée d'un linge ; *polissons* : sans chemise mais avec bissac et bouteille ; *piètres* : avec une « potence » = béquille ; *capons* : compères aux jeux des cabarets ou du Pont-Neuf ; *malingreux* : hydropiques ou ulcéreux, pèlerins de saint Méen ; *rifodés* : en famille, victimes du feu ; *marcandiers* : marchands ruinés par la guerre, le feu... ; *narquois* : blessés de guerre, « gens de la petite flambe » ; *orphelins* : mendient par trois ou quatre ; *archisuppôts* : écoliers et prêtres débauchés, maîtres du langage argotique ; *cagoux* : lépreux. Tout cela dans la dissimulation, et dans l'ordre inverse de Sauval. L'allusion à Homère renvoie au chant II de l'*Iliade* **4.** Assemblée pour l'élection du pape. **5.** Ou Roi de Thunes : « scélérat appelé de la sorte, qui fut Roi trois ans de suite... et mourut à Bordeaux sur une roue ». **6.** C'est la Basoche des clercs de la Chambre des Comptes, qui se réunissaient rue de Galilée, au Palais. La fête des Rois devait être accompagnée de « danses morisques, mommeries, triomphes et aultres joyeusetés accoutumées ».

Rousseau, empereur de l'empire de Galilée, marchait majestueusement dans sa robe de pourpre [1] tachée de vin, précédé de baladins s'entrebattant et dansant des pyrrhiques [2] ; entouré de ses massiers, de ses suppôts, et des clercs de la chambre des comptes. Enfin venait la basoche [3], avec ses mais couronnés de fleurs, ses robes noires, sa musique digne du sabbat, et ses grosses chandelles de cire jaune. Au centre de cette foule, les grands-officiers de la confrérie des fous portaient sur leurs épaules un brancard plus surchargé de cierges que la châsse de Sainte-Geneviève en temps de peste [4] ; et sur ce brancard resplendissait, crossé [5], chapé et mitré, le nouveau pape des fous, le sonneur de cloches de Notre-Dame, Quasimodo-le-Bossu.

Chacune des sections de cette procession grotesque [6] avait sa musique particulière. Les égyptiens faisaient détonner leurs balafos [7] et leurs tambourins d'Afrique. Les argotiers, race fort peu musicale, en étaient encore à la viole, au cornet à bouquin et à la gothique rubebbe du douzième siècle [8]. L'empire de Galilée n'était guère plus avancé ; à peine distinguait-on dans sa musique quelque misérable rebec de l'enfance de l'art, encore emprisonné

---

1. Le rouge du pouvoir impérial, aussi bien que de la dignité cardinalice. **2.** Danse des jeunes gens en armes, dans l'ancienne Grèce. **3.** Corporation des clercs des procureurs au Parlement, célèbre pour ses privilèges, ses « montres », son esprit satirique, ses capacités militaires et son rôle d'importance dans la naissance de la comédie. Le vrai Gringoire avec son très antipapiste *Jeu du Prince des sots* (contre Jules II) exprime à souhait cet esprit. Mais sous Louis XI, il y eut répression de cette licence. **4.** Parmi diverses épidémies, la peste, sévissant quatre années au milieu du XIVe siècle avait tué un bon quart de la population en Europe. Outre son usage en cas de contagion, et la grande procession annuelle de Notre-Dame à Sainte-Geneviève, le jour des Rameaux, Hugo a noté que « les fébricitants (fiévreux) se retirent (la nuit) sous la châsse de Sainte-Geneviève » qui reposait sur le maître autel de la cathédrale. **5.** Muni de la crosse épiscopale, symbole du berger. **6.** Elle participe doublement du principe de contradiction : satire des pouvoirs et juxtaposition d'éléments foncièrement disparates. **7.** Instrument africain à sept cordes et deux calebasses. **8.** Plusieurs instruments ont porté le nom de cornet à bouquin, dont la corne de bœuf des pâtres et le cornet de terre du carnaval. Hugo a noté « au XIIIe siècle, la rubebbe (instrument à deux cordes) ».

dans le *ré-la-mi*[1]. Mais c'est autour du pape des fous que se déployaient, dans une cacophonie magnifique, toutes les richesses musicales de l'époque. Ce n'était que dessus de rebec, hautes-contre de rebec, tailles de rebec, sans compter les flûtes et les cuivres[2]. Hélas ! nos lecteurs se souviennent que c'était l'orchestre de Gringoire.

Il est difficile de donner une idée du degré d'épanouissement orgueilleux et béat où le triste et hideux visage de Quasimodo était parvenu dans le trajet du palais à la Grève. C'était la première jouissance d'amour-propre qu'il eût jamais éprouvée. Il n'avait connu jusque là que l'humiliation, le dédain pour sa condition, le dégoût pour sa personne. Aussi, tout sourd qu'il était, savourait-il en véritable pape les acclamations de cette foule qu'il haïssait pour s'en sentir haï. Que son peuple fût un ramas de fous, de perclus[3], de voleurs, de mendiants, qu'importe ? c'était toujours un peuple et lui un souverain. Et il prenait au sérieux tous ces applaudissements ironiques, tous ces respects dérisoires, auxquels nous devons dire qu'il se mêlait pourtant, dans la foule, un peu de crainte fort réelle. Car le bossu était robuste ; car le bancal était agile ; car le sourd était méchant : trois qualités qui tempèrent le ridicule.

Du reste, que le nouveau pape des fous se rendît compte à lui-même des sentiments qu'il éprouvait et des sentiments qu'il inspirait, c'est ce que nous sommes loin de croire. L'esprit qui était logé dans ce corps manqué avait nécessairement lui-même quelque chose d'incomplet et de sourd. Aussi ce qu'il ressentait en ce moment était-il pour lui absolument vague, indistinct et confus. Seulement la joie perçait, l'orgueil dominait. Autour de cette sombre et malheureuse figure, il y avait rayonnement.

Ce ne fut donc pas sans surprise et sans effroi que l'on vit tout-à-coup, au moment où Quasimodo, dans cette

---

1. « Au XIVe, le rebec (3 cordes *ré, la, mi*). » **2.** « Au XVe, des dessus de rebec, des haute-contre de rebec, des tailles (ténors) de rebec. » Le rebec, successeur de la rubebe, est l'ancêtre du violon. L'histoire matérielle de la musique hiérarchise les corps de la procession en fonction du progrès. **3.** Empêchés dans leurs mouvements.

demi-ivresse, passait triomphalement devant la Maison-aux-Piliers, un homme s'élancer de la foule et lui arracher des mains, avec un geste de colère, sa crosse de bois doré, insigne de sa folle papauté.

Cet homme, ce téméraire, c'était le personnage au front chauve qui, le moment auparavant, mêlé au groupe de la bohémienne, avait glacé la pauvre fille de ses paroles de menace et de haine. Il était revêtu du costume ecclésiastique. Au moment où il sortit de la foule, Gringoire, qui ne l'avait point remarqué jusqu'alors, le reconnut : — Tiens ! dit-il, avec un cri d'étonnement, hé ! c'est mon maître en Hermès [1], dom Claude Frollo, l'archidiacre ! Que diable veut-il à ce vilain borgne ? Il va se faire dévorer.

Un cri de terreur s'éleva en effet. Le formidable Quasimodo s'était précipité à bas du brancard, et les femmes détournaient les yeux pour ne pas le voir déchirer l'archidiacre.

Il fit un bond jusqu'au prêtre, le regarda, et tomba à genoux.

Le prêtre lui arracha sa tiare, lui brisa sa crosse, lui lacéra sa chape de clinquant.

Quasimodo resta à genoux, baissa la tête et joignit les mains.

Puis il s'établit entre eux un étrange dialogue de signes et de gestes, car ni l'un ni l'autre ne parlaient. Le prêtre, debout, irrité, menaçant, impérieux ; Quasimodo, prosterné, humble, suppliant. Et cependant il est certain que Quasimodo eût pu écraser le prêtre avec le pouce.

Enfin, l'archidiacre, secouant rudement la puissante épaule de Quasimodo, lui fit signe de se lever et de le suivre.

Quasimodo se leva.

Alors la confrérie des fous, la première stupeur passée, voulut défendre son pape si brusquement détrôné. Les

---

1. Sous le nom d'Hermès Trismégiste, on désigne à la fois l'alchimie et le syncrétisme égypto-hellénique du IVe siècle : science et sagesse.

égyptiens, les argotiers et toute la basoche vinrent japper[1] autour du prêtre.

Quasimodo se plaça devant le prêtre, fit jouer les muscles de ses poings athlétiques, et regarda les assaillants avec le grincement de dents d'un tigre fâché.

Le prêtre reprit sa gravité sombre, fit un signe à Quasimodo et se retira en silence.

Quasimodo marchait devant lui, éparpillant[2] la foule à son passage.

Quand ils eurent traversé la populace et la place, la nuée des curieux et des oisifs voulut les suivre. Quasimodo prit alors l'arrière-garde, et suivit l'archidiacre à reculons, trapu, hargneux, monstrueux, hérissé, ramassant ses membres, léchant ses défenses de sanglier, grondant comme une bête fauve, et imprimant d'immenses oscillations à la foule, avec un geste ou un regard.

On les laissa s'enfoncer tous deux dans une rue étroite et ténébreuse, où nul n'osa se risquer après eux ; tant la seule chimère[3] de Quasimodo grinçant des dents en barrait bien l'entrée.

Voilà qui est merveilleux, dit Gringoire ; mais où diable trouverai-je à souper ?

IV

LES INCONVÉNIENTS DE SUIVRE UNE JOLIE FEMME LE SOIR DANS LES RUES

Gringoire, à tout hasard, s'était mis à suivre la bohémienne. Il lui avait vu prendre, avec sa chèvre, la rue de la Coutellerie[4] ; il avait pris la rue de la Coutellerie.

— Pourquoi pas ? s'était-il dit.

Gringoire, philosophe pratique des rues de Paris, avait

---

1. Comme de petits chiens. **2.** Grossissement épique de la dispersion. **3.** Être fantastique dont les morceaux sont empruntés à des animaux différents. **4.** Entre Saint-Jacques-la-Boucherie et la place de Grève.

remarqué que rien n'est propice à la rêverie comme de suivre une jolie femme sans savoir où elle va. Il y a dans cette abdication volontaire de son libre arbitre, dans cette fantaisie qui se soumet à une autre fantaisie, laquelle ne s'en doute pas, un mélange d'indépendance fantasque et d'obéissance aveugle, je ne sais quoi d'intermédiaire entre l'esclavage et la liberté qui plaisait à Gringoire, esprit essentiellement mixte, indécis et complexe, tenant le bout de tous les extrêmes, incessamment suspendu entre toutes les propensions humaines, et les neutralisant l'une par l'autre. Il se comparait lui-même volontiers au tombeau de Mahomet, attiré en sens inverse par deux pierres d'aimant, et qui hésite éternellement entre le haut et le bas, entre la voûte et le pavé, entre la chute et l'ascension, entre le zénith et le nadir[1].

Si Gringoire vivait de nos jours, quel beau milieu il tiendrait entre le classique et le romantique !

Mais il n'était pas assez primitif pour vivre trois cents ans[2], et c'est dommage. Son absence est un vide qui ne se fait que trop sentir aujourd'hui.

Du reste, pour suivre ainsi dans les rues les passants (et surtout les passantes), ce que Gringoire faisait volontiers, il n'y a pas de meilleure disposition que de ne savoir où coucher.

Il marchait donc tout pensif derrière la jeune fille, qui hâtait le pas et faisait trotter sa jolie chèvre en voyant rentrer les bourgeois et se fermer les tavernes, seules boutiques qui eussent été ouvertes ce jour-là.

— Après tout, pensait-il à peu près, il faut bien qu'elle loge quelque part ; les bohémiennes ont bon cœur. — Qui sait ?...

Et il y avait dans les points suspensifs dont il faisait suivre cette réticence dans son esprit, je ne sais quelles idées assez gracieuses.

Cependant de temps en temps, en passant devant les

---

1. Les deux directions opposées de la verticale au point d'observation. **2.** Il faut attendre les petits-fils de Noé pour que la longévité des héros de la Genèse s'abaisse aux alentours de 400 ans. Avec Jacob-Israël, elle tombe à 147 ans. Abraham date donc la sortie de la « primitivité », avec ses 175 ans, depuis six générations.

derniers groupes de bourgeois fermant leurs portes, il attrapait quelque lambeau de leurs conversations qui venaient rompre l'enchaînement de ses riantes hypothèses.

Tantôt c'étaient deux vieillards qui s'accostaient.

— Maître Thibaut Fernicle, savez-vous qu'il fait froid ?

(Gringoire savait cela depuis le commencement de l'hiver.)

— Oui, bien, maître Boniface Disome ! Est-ce que nous allons avoir un hiver comme il y a trois ans [1], en 80, que le bois coûtait huit sols le moule [2] ?

— Bah ! ce n'est rien, maître Thibaut, près de l'hiver de 1407, qu'il gela depuis la Saint-Martin jusqu'à la Chandeleur [3] ! et avec une telle furie que la plume du greffier du parlement gelait, dans la grand'chambre, de trois mots en trois mots ! ce qui interrompit l'enregistrement de la justice.

Plus loin, c'étaient des voisines à leur fenêtre avec des chandelles que le brouillard faisait grésiller.

— Votre mari vous a-t-il conté le malheur, mademoiselle La Boudraque ?

— Non. Qu'est-ce que c'est donc, mademoiselle Turquant ?

— Le cheval de monsieur Gilles Godin, le notaire au Châtelet [4], qui s'est effarouché des Flamands et de leur procession, et qui a renversé maître Philippot Avrillot, oblat des Célestins [5].

— En vérité ?

— Bellement.

---

1. La transformation de 1483 en 1482 n'a pas été reportée ici. **2.** Ancienne mesure de bois de chauffage qui a oscillé suivant les temps et les lieux entre la valeur du stère (1 m^3) et de celle de la corde (3 m^3). **3.** Du 11 novembre au 2 février. **4.** Institués par Saint Louis, les notaires au Châtelet de Paris, au nombre de 60, ou notaires royaux, ont pour charge de rédiger, conserver et transmettre tous actes « authentiques ». **5.** Ordre de discipline bénédictine, d'origine italienne, installé à Paris au début du XIVe siècle entre l'Arsenal et la Bastille, célèbre pour sa richesse. Les oblats étaient le plus souvent des laïques associés à un couvent auquel ils léguaient leurs biens ou payaient pension.

— Un cheval bourgeois ! c'est un peu fort. Si c'était un cheval de cavalerie, à la bonne heure !

Et les fenêtres se refermaient. Mais Gringoire n'en avait pas moins perdu le fil de ses idées.

Heureusement il le retrouvait vite et le renouait sans peine, grâce à la bohémienne, grâce à Djali, qui marchaient toujours devant lui ; deux fines, délicates et charmantes créatures, dont il admirait les petits pieds, les jolies formes, les gracieuses manières, les confondant presque dans sa contemplation ; pour l'intelligence et la bonne amitié, les croyant toutes deux jeunes filles ; pour la légèreté, l'agilité, la dextérité de la marche, les trouvant chèvres toutes deux.

Les rues cependant devenaient à tout moment plus noires et plus désertes. Le couvre-feu[1] était sonné depuis long-temps, et l'on commençait à ne plus rencontrer qu'à de rares intervalles un passant sur le pavé, une lumière aux fenêtres. Gringoire s'était engagé, à la suite de l'égyptienne, dans ce dédale inextricable de ruelles, de carrefours et de culs-de-sac qui environne l'ancien sépulcre des Saints-Innocents, et qui ressemble à un écheveau de fil brouillé par un chat. — Voilà des rues qui ont bien peu de logique ! disait Gringoire, perdu dans ces mille circuits qui revenaient sans cesse sur eux-mêmes, mais où la jeune fille suivait un chemin qui lui paraissait bien connu, sans hésiter et d'un pas de plus en plus rapide. Quant à lui, il eût parfaitement ignoré où il était, s'il n'eût aperçu en passant, au détour d'une rue, la masse octogone du pilori des halles, dont le sommet à jour détachait vivement sa découpure noire sur une fenêtre encore éclairée de la rue Verdelet[2].

Depuis quelques instants il avait attiré l'attention de la jeune fille ; elle avait à plusieurs reprises tourné la tête vers lui avec inquiétude ; elle s'était même une fois arrêtée tout court, avait profité d'un rayon de lumière qui

---

1. Sonnerie de nuit close, vers 8 heures, pour les mesures de précaution contre les incendies et les désordres nocturnes ; les filles publiques devaient en principe quitter la rue. **2.** Ou Verderet, jadis Merderet, entre la rue Mauconseil et celle de la-Grande-Truanderie.

s'échappait d'une boulangerie[1] entr'ouverte pour le regarder fixement du haut en bas ; puis, ce coup d'œil jeté, Gringoire lui avait vu faire cette petite moue qu'il avait déjà remarquée, et elle avait passé outre.

Cette petite moue donna à penser à Gringoire. Il y avait certainement du dédain et de la moquerie dans cette gracieuse grimace. Aussi commençait-il à baisser la tête, à compter les pavés, et à suivre la jeune fille d'un peu plus loin, lorsque, au tournant d'une rue qui venait de la lui faire perdre de vue, il l'entendit pousser un cri perçant.

Il hâta le pas.

La rue était pleine de ténèbres. Pourtant une étoupe[2] imbibée d'huile, qui brûlait dans une cage de fer aux pieds de la sainte Vierge du coin de la rue, permit à Gringoire de distinguer la bohémienne se débattant dans les bras de deux hommes qui s'efforçaient d'étouffer ses cris. La pauvre petite chèvre, tout effarée, baissait les cornes, et bêlait.

— À nous, messieurs du guet ! cria Gringoire, et il s'avança bravement. L'un des hommes qui tenaient la jeune fille se retourna vers lui. C'était la formidable figure de Quasimodo.

Gringoire ne prit pas la fuite, mais il ne fit point un pas de plus.

Quasimodo vint à lui, le jeta à quatre pas sur le pavé d'un revers de la main, et s'enfonça rapidement dans l'ombre, emportant la jeune fille, ployée sur un de ses bras comme une écharpe de soie. Son compagnon le suivait, et la pauvre chèvre courait après tous, avec son bêlement plaintif.

— Au meurtre ! au meurtre ! criait la malheureuse bohémienne.

— Halte là, misérables, et lâchez-moi cette ribaude ! dit tout-à-coup, d'une voix de tonnerre, un cavalier qui déboucha brusquement du carrefour voisin.

C'était un capitaine des archers de l'ordonnance du roi, armé de pied en cap, et l'espadon[3] à la main.

---

1. Le travail au fournil indique l'heure avancée. **2.** Bourre résiduelle de fibres textiles (lin, chanvre) qui peut servir de mèche. **3.** Forte épée à deux mains.

Il arracha la bohémienne des bras de Quasimodo stupéfait, la mit en travers sur sa selle ; et au moment où le redoutable bossu, revenu de sa surprise, se précipitait sur lui pour reprendre sa proie, quinze ou seize archers, qui suivaient de près leur capitaine, parurent l'estramaçon[1] au poing. C'était une escouade[2] de l'ordonnance du roi qui faisait le contre-guet, par ordre de messire Robert d'Estouteville[3], garde de la prevôté de Paris.

Quasimodo fut enveloppé, saisi, garrotté ; il rugissait, il écumait, il mordait ; et s'il eût fait grand jour, nul doute que son visage seul, rendu plus hideux encore par la colère, n'eût mis en fuite toute l'escouade. Mais, la nuit, il était désarmé de son arme la plus redoutable, de sa laideur.

Son compagnon avait disparu dans la lutte.

La bohémienne se dressa gracieusement sur la selle de l'officier ; elle appuya ses deux mains sur les deux épaules du jeune homme, et le regarda fixement quelques secondes, comme ravie de sa bonne mine et du bon secours qu'il venait de lui porter. Puis, rompant le silence la première, elle lui dit, en faisant plus douce encore sa douce voix :

— Comment vous appelez-vous, monsieur le gendarme ?

— Le capitaine Phœbus de Châteaupers[4], pour vous servir, ma belle ! répondit l'officier en se redressant.

— Merci, dit-elle.

Et, pendant que le capitaine Phœbus retroussait sa

---

1. Épée large à deux tranchants. **2.** Terme probablement anachronique. Au XIXe siècle, une dizaine d'hommes. **3.** Prévôt de Paris de 1446 à 1461 et de 1465 à sa mort en juin 1479, après son père et avant son fils. Cette continuité, soulignée en addition au début du livre VI, transforme en bonne fortune la bévue sur la date de sa mort. **4.** Le nom de Phœbus peut venir de la lecture de Sauval (I, 157 et 167) où se rencontrent deux maréchaux de France : César Phœbus d'Albret de Miossans, au XVIIe siècle, et le portrait de Gaston de Foix par Raphaël (appartenant à Saint-Simon, copié par Ph. de Champaigne pour le Palais Cardinal). Ce « plus brave et plus vaillant capitaine » du XIVe siècle, était l'auteur du *Miroir de Phœbus*, fameux ouvrage de vénerie, d'un style plus que relevé. Cette synthèse vaut annonce du « Grand Siècle ».

moustache à la bourguignonne[1], elle se laissa glisser à bas du cheval, comme une flèche qui tombe à terre, et s'enfuit.

Un éclair se fût évanoui moins vite.

— Nombril du pape ! dit le capitaine en faisant resserrer les courroies de Quasimodo, j'eusse aimé mieux garder la ribaude.

— Que voulez-vous, capitaine ? dit un gendarme ; la fauvette[2] s'est envolée, la chauve-souris est restée.

V

SUITE DES INCONVÉNIENTS

Gringoire, tout étourdi de sa chute, était resté sur le pavé devant la bonne Vierge du coin de la rue. Peu à peu, il reprit ses sens ; il fut d'abord quelques minutes flottant dans une espèce de rêverie à demi somnolente qui n'était pas sans douceur, où les aériennes figures de la bohémienne et de la chèvre se mariaient à la pesanteur du poing de Quasimodo. Cet état dura peu. Une assez vive impression de froid à la partie de son corps qui se trouvait en contact avec le pavé le réveilla tout-à-coup, et fit revenir son esprit à la surface. — D'où me vient donc cette fraîcheur ? se dit-il brusquement. Il s'aperçut alors qu'il était un peu dans le milieu du ruisseau[3].

— Diable de cyclope bossu ! grommela-t-il entre ses dents, et il voulut se lever. Mais il était trop étourdi et trop meurtri : force lui fut de rester en place. Il avait du reste la main assez libre ; il se boucha le nez et se résigna.

— La boue de Paris, pensa-t-il (car il croyait être sûr que, décidément, le ruisseau serait son gîte ;

---

1. En crocs, sans doute ; mais l'anachronisme est probable, quoiqu'il dénote l'origine toute militaire de cet ornement. **2.** Passereau chanteur qui évoque la finesse, le primesaut et l'indépendance : charmant diminutif du fauve, antonyme du domestique. **3.** Alors au milieu de la rue.

Et que faire en un gîte à moins que l'on ne songe[1]?)

la boue de Paris est particulièrement puante ; elle doit renfermer beaucoup de sel volatil et nitreux[2]. C'est, du reste, l'opinion de maître Nicolas Flamel[3] et des hermétiques...

Le mot d'*hermétiques* amena subitement l'idée de l'archidiacre Claude Frollo dans son esprit. Il se rappela la scène violente qu'il venait d'entrevoir, que la bohémienne se débattait entre deux hommes, que Quasimodo avait un compagnon ; et la figure morose et hautaine de l'archidiacre passa confusément dans son souvenir. — Cela serait étrange ! pensa-t-il. Et il se mit à échafauder, avec cette donnée et sur cette base, le fantasque édifice des hypothèses, ce château de cartes des philosophes. Puis soudain, revenant encore une fois à la réalité : — Ah çà ! je gêle ! s'écria-t-il.

La place, en effet, devenait de moins en moins tenable. Chaque molécule de l'eau du ruisseau enlevait une molécule de calorique[4] rayonnant aux reins de Gringoire, et l'équilibre entre la température de son corps et la température du ruisseau commençait à s'établir d'une rude façon.

Un ennui d'une tout autre nature vint tout-à-coup l'assaillir.

Un groupe d'enfants, de ces petits sauvages va-nu-pieds qui ont de tout temps battu le pavé de Paris sous le nom éternel de *gamins*, et qui, lorsque nous étions enfants aussi, nous ont jeté des pierres à tous le soir au sortir de classe, parce que nos pantalons n'étaient pas déchirés, un

---

1. La Fontaine, *Fables* II, 14, (Le Lièvre et les Grenouilles), « Car que faire... », fable sur l'universelle poltronnerie, dont le lièvre est le symbole, en même temps que lui appartient en propre le terme de gîte. Le *Et* évite la répétition du *Car*. **2.** Il s'agit de l'ammoniaque, qui rappelle ce qu'on jetait alors au ruisseau. Le nom de Lutèce faisait de Paris la ville par excellence de la boue (*lutum* en latin). **3.** Écrivain-juré de l'Université, riche et libéral paroissien de Saint-Jacques-la-Boucherie, figure célèbre de l'alchimiste (1330-1418). **4.** L'un des « impondérables » de la physique assez avant encore dans le XIXe siècle ; mais la « molécule » quantifiable joue du progrès par rupture d'époques.

essaim de ces jeunes drôles accourait vers le carrefour[1] où gisait Gringoire, avec des rires et des cris qui paraissaient se soucier fort peu du sommeil des voisins. Ils traînaient après eux je ne sais quel sac informe ; et le bruit seul de leurs sabots eût réveillé un mort. Gringoire, qui ne l'était pas encore tout-à-fait, se souleva à demi.

— Ohé ! Hennequin Dandèche ; ohé ! Jehan Pincebourde ! criaient-ils à tue-tête ; le vieux Eustache Moubon, le marchand feron[2] du coin, vient de mourir. Nous avons sa paillasse, nous allons en faire un feu de joie. C'est aujourd'hui les Flamands !

Et voilà qu'ils jetèrent la paillasse précisément sur Gringoire, près duquel ils étaient arrivés sans le voir. En même temps, un d'eux prit une poignée de paille qu'il alla allumer à la mèche de la bonne Vierge.

— Mort-Christ ! grommela Gringoire, est-ce que je vais avoir trop chaud maintenant ?

Le moment était critique. Il allait être pris entre le feu et l'eau ; il fit un effort surnaturel, un effort de faux-monnoyeur qu'on va bouillir et qui tâche de s'échapper. Il se leva debout[3], rejeta la paillasse sur les gamins, et s'enfuit.

— Sainte-Vierge ! crièrent les enfants ; le marchand feron qui revient !

Et ils s'enfuirent de leur côté.

La paillasse resta maîtresse du champ de bataille. Belleforêt, le P. Le Juge et Corrozet[4] assurent que le lendemain elle fut ramassée avec grande pompe par le clergé du quartier et portée au trésor de l'église Sainte-Opportune[5], où le sacristain[6] se fit jusqu'en 1789 un assez beau revenu avec

---

1. On est à l'angle de deux rues, Gringoire est au milieu, la scène est en « place » pour la survenue des *gamins*, définis par l'ignorance et l'hostilité de classe. Le *drôle* est encore à la campagne un jeune garçon, sans marque péjorative. Le *gamin* est proprement un jeune commis d'imprimerie. **2.** Ou ferron, marchand de fer. **3.** Et non plus « sur son séant ». **4.** François de Belleforest (1530-1583), historiographe de France destitué pour incapacité ; Pierre Le Juge, historien de sainte Geneviève (1586), Gilles Corrozet (1510-1568) publia en 1532 sa *Fleur des Antiquités de [...] Paris*. Tous historiens que Du Breul a critiqués, et fait oublier, au dire de Sauval. **5.** Sur la place du même nom, au sud de la rue de la Ferronnerie. **6.** Employé chargé de la garde et de l'entretien des objets de culte conservés dans la sacristie des églises.

le grand miracle de la statue de la Vierge du coin de la rue Mauconseil[1], qui avait, par sa seule présence, dans la mémorable nuit du 6 au 7 janvier 1482, exorcisé[2] défunt Jehan[3] Moubon, lequel, pour faire niche au diable, avait, en mourant, malicieusement caché son âme dans sa paillasse.

VI

LA CRUCHE CASSÉE

Après avoir couru à toutes jambes pendant quelque temps, sans savoir où, donnant de la tête à maint coin de rue, enjambant maint ruisseau, traversant mainte ruelle, maint cul-de-sac, maint carrefour, cherchant fuite et passage à travers tous les méandres du vieux pavé des Halles, explorant dans sa peur panique ce que le beau latin des chartes[4] appelle *tota via, cheminum et viaria*[5], notre poète s'arrêta tout-à-coup, d'essoufflement d'abord, puis saisi en quelque sorte au collet par un dilemme[6] qui venait de surgir dans son esprit. — Il me semble, maître Pierre Gringoire, se dit-il à lui-même en appuyant son doigt sur son front, que vous courez là comme un écervelé. Les petits drôles n'ont pas eu moins peur de vous que vous d'eux. Il me semble, vous dis-je, que vous avez entendu le bruit de leurs sabots qui s'enfuyait au midi, pendant que vous vous enfuyiez au septentrion. Or de deux choses l'une : ou ils ont pris la fuite ; et alors la paillasse, qu'ils ont dû oublier dans leur terreur, est précisément ce lit hospitalier après lequel vous courez depuis ce matin, et

---

1. Entre les rues Montorgueil et Saint-Denis : Gringoire progressait vers le nord ; mais Mauconseil signifie mauvais conseil. **2.** Cérémonie qui a pour objet de chasser le ou les démons du corps des « possédés ». **3.** Leçon du manuscrit et de la source (Sauval, III, 480). On unifie généralement en *Eustache*, retenu plus haut, peut-être pour la cacophonie insolente v*ieux Eu*stache (*cf.* p. 153). **4.** Titres établissant ou concédant des droits. **5.** « Toutes voies, chemins et passages. » **6.** Argumentation où l'on montre que les deux possibilités ouvertes mènent à la même conclusion.

que madame la Vierge vous envoie miraculeusement pour vous récompenser d'avoir fait en son honneur une moralité accompagnée de triomphes et momeries : ou les enfants n'ont pas pris la fuite, et dans ce cas ils ont mis le brandon à la paillasse ; et c'est là justement l'excellent feu dont vous avez besoin pour vous réjouir, sécher et réchauffer. Dans les deux cas, bon feu ou bon lit, la paillasse est un présent du ciel. La benoite[1] vierge Marie qui est au coin de la rue Mauconseil n'a peut-être fait mourir Jehan Moubon que pour cela ; et c'est folie à vous de vous enfuir ainsi sur traîne-boyau[2], comme un Picard devant un Français, laissant derrière vous ce que vous cherchez devant ; et vous êtes un sot !

Alors il revint sur ses pas, et, s'orientant et furetant, le nez au vent et l'oreille aux aguets, il s'efforça de retrouver la bienheureuse paillasse, mais en vain. Ce n'était qu'intersections de maisons, culs-de-sac, pattes-d'oie, au milieu desquelles il hésitait et doutait sans cesse, plus empêché et plus englué dans cet enchevêtrement de ruelles noires qu'il ne l'eût été dans le dédalus[3] même de l'hôtel des Tournelles ; enfin il perdit patience, et s'écria solennellement : — Maudits soient les carrefours ! c'est le diable qui les a faits à l'image de sa fourche.

Cette exclamation le soulagea un peu, et une espèce de reflet rougeâtre qu'il aperçut en ce moment au bout d'une longue et étroite ruelle acheva de relever son moral. — Dieu soit loué ! dit-il, c'est là-bas ! Voilà ma paillasse qui brûle. Et se comparant au nocher[4] qui sombre dans la nuit : *Salve*, ajouta-t-il pieusement, *salve, maris stella*[5] !

---

1. Parce que « bénie » entre toutes les femmes, comme le dit la « salutation angélique » (l'*Ave Maria*). D'où un sens d'intercession. **2.** La locution vient de la *Chronique* à la date de 1470 et a sans doute à voir avec les effets physiologiques de la peur. **3.** Dédale passe pour le constructeur du labyrinthe de Crète. Sauval (I, 186) parle de cette curiosité, pourvue d'une tour, dans les jardins de la résidence royale des Tournelles (entre la Bastille et le quartier Saint-Paul), et que Louis XI « donna » en 1467 à « Jaques Coctier, son Conseiller, Médecin et Astrologue, [...] pour en jouir son vivant ». **4.** Celui qui conduit une embarcation. **5.** « Salut, [...] étoile de la mer ». Le *Salve Regina* figure dans l'une des antiennes de la Vierge, et l'hymne *Ave maris stella* dans ses Vêpres ; parmi ses litanies, elle est étoile du matin

Adressait-il ce fragment de litanie à la sainte Vierge ou à la paillasse ? c'est ce que nous ignorons parfaitement.

À peine avait-il fait quelques pas dans la longue ruelle, laquelle était en pente, non pavée, et de plus en plus boueuse et inclinée, qu'il remarqua quelque chose d'assez singulier. Elle n'était pas déserte : çà et là, dans sa longueur, rampaient je ne sais quelles masses vagues et informes, se dirigeant toutes vers la lueur qui vacillait au bout de la rue, comme ces lourds insectes qui se traînent la nuit de brin d'herbe en brin d'herbe vers un feu de pâtre[1].

Rien ne rend aventureux[2] comme de ne pas sentir la place de son gousset[3]. Gringoire continua de s'avancer, et eut bientôt rejoint celle de ces larves[4] qui se traînait le plus paresseusement à la suite des autres. En s'en approchant, il vit que ce n'était rien autre chose qu'un misérable cul-de-jatte qui sautelait[5] sur ses deux mains, comme un faucheux[6] blessé qui n'a plus que deux pattes. Au moment où il passa près de cette espèce d'araignée à face humaine, elle éleva vers lui une voix lamentable : — *La buona mancia*[7], *signor ! la buona mancia !*

— Que le diable t'emporte, dit Gringoire, et moi avec toi, si je sais ce que tu veux dire !

Et il passa outre.

Il rejoignit une autre de ces masses ambulantes, et l'examina. C'était un perclus, à la fois boiteux et manchot, et si manchot et si boiteux, que le système compliqué de béquilles et de jambes de bois qui le soute-

---

(*stella matutina*). On a moqué cette confusion, sans voir que Gringoire cherche le salut plus que la salutation, qu'il vient, d'avoir grand peur, que son latin est peu catholique, et sa piété soupçonnable.

1. La liaison de l'étoile et du feu de pâtre est au cœur d'un poème central des *Contemplations* (1856), *Magnitudo parvi*, « grandeur de ce qui est petit ». **2.** Audacieux, qui se risque. **3.** Petite poche à mettre l'argent, voire le bronze, des sous. **4.** Spectres, ou organismes non encore parvenus au terme de leur métamorphose, telle la chenille. **5.** Comme un oiseau sur ses deux pattes. **6.** Ou, bien pis, comme cette araignée des champs qui a perdu six de ses membres. **7.** « La bonne aumône » ; l'italien *mancia* a donné la « manche ».

nait lui donnait l'air d'un échafaudage de maçons[1] en marche. Gringoire, qui aimait les comparaisons nobles et classiques, le compara, dans sa pensée, au trépied vivant de Vulcain[2].

Ce trépied vivant le salua au passage, mais en arrêtant son chapeau à la hauteur du menton de Gringoire, comme un plat à barbe, et en lui criant aux oreilles : — *Senor caballero, para comprar un pedaso de pan*[3] *!*

— Il paraît, dit Gringoire, que celui-là parle aussi ; mais c'est une rude langue, et il est plus heureux que moi s'il la comprend.

Puis, se frappant le front par une subite transition d'idée : — A propos, que diable voulaient-ils dire ce matin avec leur *Esmeralda* ?

Il voulut doubler le pas ; mais pour la troisième fois quelque chose lui barra le chemin. Ce quelque chose, ou plutôt ce quelqu'un, c'était un aveugle, un petit aveugle à face juive et barbue, qui, ramant dans l'espace autour de lui avec un bâton, et remorqué par un gros chien, lui nasilla avec un accent hongrois : *Facitote caritatem*[4] *!*

— À la bonne heure ! dit Pierre Gringoire, en voilà un enfin qui parle un langage chrétien. Il faut que j'aie la mine bien aumônière pour qu'on me demande ainsi la charité dans l'état de maigreur où est ma bourse. Mon ami (et il se tournait vers l'aveugle), j'ai vendu la semaine passée ma dernière chemise ; c'est-à-dire, puisque vous ne comprenez que la langue de Cicéro : *Vendidi hebdomade nuper transitâ meam ultimam chemisam*[5].

Cela dit, il tourna le dos à l'aveugle, et poursuivit son chemin. Mais l'aveugle se mit à allonger le pas en même temps que lui ; et voilà que le perclus, voilà que le cul-de-jatte surviennent de leur côté avec grande hâte et grand bruit d'écuelle et de béquilles sur le pavé. Puis, tous trois,

---

1. Les échafaudages ont été jusqu'au XXe siècle faits de perches et boulins liés de cordes. **2.** Dieu romain du feu et de la forge, difforme et boiteux, qui se soutient parfois sur son marteau. **3.** « Seigneur chevalier, pour acheter un morceau de pain », en espagnol. **4.** « Faites la charité » : l'impératif est au pluriel, ce qui ne garantit guère la compétence du hongrois en latin. **5.** Traduction en latin mot à mot.

s'entre-culbutant aux trousses du pauvre Gringoire, se mirent à lui chanter leur chanson :

— *Caritatem !* chantait l'aveugle.

— *La buona mancia !* chantait le cul-de-jatte.

Et le boiteux relevait la phrase musicale en répétant : *Un pedaso de pan !*

Gringoire se boucha les oreilles. — O tour de Babel[1] ! s'écria-t-il.

Il se mit à courir. L'aveugle courut. Le boiteux courut. Le cul-de-jatte courut.

Et puis, à mesure qu'il s'enfonçait dans la rue, culs-de-jatte, aveugles, boiteux pullulaient autour de lui, et des manchots, et des borgnes, et des lépreux avec leurs plaies, qui sortant des maisons, qui des petites rues adjacentes, qui des soupiraux des caves, hurlant, beuglant, glapissant, tous clopin-clopant, cahin-caha, se ruant vers la lumière, et vautrés dans la fange comme des limaces après la pluie.

Gringoire, toujours suivi par ses trois persécuteurs, et ne sachant trop ce que cela allait devenir, marchait effaré au milieu des autres, tournant les boiteux, enjambant les culs-de-jatte, les pieds empêtrés dans cette fourmilière d'éclopés, comme ce capitaine anglais qui s'enlisa dans un troupeau de crabes[2].

L'idée lui vint d'essayer de retourner sur ses pas. Mais il était trop tard. Toute cette légion[3] s'était refermée derrière lui, et ses trois mendiants le tenaient. Il continua donc, poussé à la fois par ce flot irrésistible, par la peur et par un vertige qui lui faisait de tout cela une sorte de rêve horrible.

Enfin, il atteignit l'extrémité de la rue. Elle débouchait sur une place immense, où mille lumière éparses vacil-

---

1. La Genèse (XI, 1-9) fait de cette tour le lieu origine de la pluralité des idiomes, comme entrave faite aux hommes d'égaler les dieux. (*Cf.* fin de V, 2.) **2.** Sir Francis Drake (vers 1540-1595) mit ses talents exceptionnels et son goût de l'aventure au service d'Élisabeth d'Angleterre, aux dépens de l'Espagne et de son empire colonial. Il aurait été victime des crabes énormes de l'île des Cancres, après l'échec de sa tentative sur Panama. **3.** Plutôt qu'à la formation romaine de plusieurs milliers de soldats, il y a sans doute allusion à Marc (V, 9-13) où Jésus expédie dans des cochons qui vont se noyer en mer les quelque deux mille esprits impurs d'un possédé.

laient dans le brouillard confus de la nuit. Gringoire s'y jeta, espérant échapper par la vitesse de ses jambes aux trois spectres[1] infirmes qui s'étaient cramponnés à lui.

— *Ondè vas, hombre !* cria le perclus jetant là ses béquilles, et courant après lui avec les deux meilleures jambes qui eussent jamais tracé un pas géométrique[2] sur le pavé de Paris.

Cependant le cul-de-jatte, debout sur ses pieds, coiffait Gringoire de sa lourde jatte ferrée[3], et l'aveugle le regardait en face avec des yeux flamboyants.

— Où suis-je ? dit le poète terrifié.

— Dans la Cour des Miracles[4], répondit un quatrième spectre qui les avait accostés.

— Sur mon âme, reprit Gringoire, je vois bien les aveugles qui regardent et les boiteux qui courent ; mais où est le Sauveur[5] ?

Ils répondirent par un éclat de rire sinistre.

Le pauvre poète jeta les yeux autour de lui. Il était en effet dans cette redoutable Cour des Miracles, où jamais honnête homme n'avait pénétré à pareille heure ; cercle

---

1. Équivalent de fantômes. « Où vas-tu, l'homme ? » est à mettre en rapport avec cette note, de 1828 : « *Hombre*, que vous traduisez par *homme*, je le traduis par *ombre.* » **2.** Le pas géométrique valant 1,62 mètre, l'adjectif l'a sans doute emporté sur la réalité métrologique pour exprimer la netteté. **3.** En fer ou lestée de fer. **4.** Hugo a puisé dans Sauval (I, 510 et suiv.) l'essentiel de sa documentation sur ces repaires de gueuserie dont le principal (la Cour des Miracles « par excellence ») se trouvait « entre la rue Montorgueil, le couvent des Filles-Dieu et la rue Neuve Saint-Sauveur », soit maintenant autour du passage du Caire, au pied de l'enceinte de Charles V, à la limite de la Ville. Tout le développement tend chez Sauval à l'apologie critique du « grand renfermement » des années 1660 : la misère obligée de choisir entre la concentration dans les établissements de l'*Hôpital général* ou la fuite en banlieue puis en province. On a cité comme autre source le *Gil Blas* de Lesage (I, 5) pour une caverne de voleurs. Hugo a effectivement collaboré à l'édition que François (de Neufchâteau) a publiée en 1820 ; dans la discussion de ce que Lesage doit ou non aux Espagnols, la note finale du ch. 4 renvoie à l'*Âne d'or* d'Apulée (IV et VII). Cette source « de préférence » de Lesage pourrait bien avoir été décisive pour la valeur symbolique de la Esmeralda. **5.** C'est dans Matthieu (XV, 29-31) que Jésus guérit une foule de plus de quatre mille malades avant d'opérer pour eux la multiplication des pains. Freud reprendra la même interrogation dans son étude sur le mot d'esprit (à propos de deux voleurs).

magique où les officiers du Châtelet et les sergents de la prevôté qui s'y aventuraient disparaissaient en miettes ; cité des voleurs, hideuse verrue à la face de Paris ; égout d'où s'échappait chaque matin, et où revenait croupir chaque nuit, ce ruisseau de vices, de mendicité et de vagabondage, toujours débordé dans les rues des capitales ; ruche monstrueuse où rentraient le soir avec leur butin tous les frelons[1] de l'ordre social ; hôpital menteur où le bohémien, le moine défroqué, l'écolier perdu, les vauriens de toutes les nations, espagnols, italiens, allemands, de toutes les religions, juifs, chrétiens, mahométans, idolâtres, couverts de plaies fardées[2], mendiant le jour, se transfiguraient la nuit en brigands ; immense vestiaire, en un mot, où s'habillaient et se déshabillaient à cette époque tous les acteurs de cette comédie éternelle que le vol, la prostitution et le meurtre jouent sur le pavé de Paris.

C'était une vaste place, irrégulière et mal pavée, comme toutes les places de Paris alors. Des feux autour desquels fourmillaient des groupes étranges y brillaient çà et là. Tout cela allait, venait, criait. On entendait des rires aigus, des vagissements d'enfants, des voix de femmes. Les mains, les têtes de cette foule, noires sur le fond lumineux, y découpaient mille gestes bizarres. Par moments, sur le sol, où tremblait la clarté des feux, mêlée à de grandes ombres indéfinies, on pouvait voir passer un chien qui ressemblait à un homme, un homme qui ressemblait à un chien[3]. Les limites des races et des espèces semblaient s'effacer dans cette cité comme dans un pandæmonium[4]. Hommes, femmes, bêtes, âge, sexe, santé, maladies, tout semblait être en commun parmi ce

---

1. Les frelons pillent la ruche des abeilles, mais construisent autrement qu'elles leur nid, d'où, par une sorte de renversement, la nature monstrueuse de cette ruche, concentré de fraudes. **2.** Non cachées mais faites de fard. **3.** Puisqu'il s'agit de la « canaille ». Mais voir au ch. VII, 7 qu'« il est prouvé que Platon avait le profil d'un chien de chasse », qui provient de l'article *Physiognomonie* du *Dictionnaire infernal* de Collin de Plancy et de sa planche au tome IV (1826). L'effacement des limites conditionne l'universelle analogie. **4.** Réunion de tous les démons, capitale de l'Enfer, siège de Satan tel que Milton (1608-1674) l'envisage dans le *Paradis perdu*.

peuple ; tout allait ensemble, mêlé, confondu, superposé ; chacun y participait de tout.

Le rayonnement chancelant et pauvre des feux permettait à Gringoire de distinguer, à travers son trouble, tout à l'entour de l'immense place, un hideux encadrement de vieilles maisons dont les façades vermoulues[1], ratatinées, rabougries, percées chacune d'une ou deux lucarnes éclairées, lui semblaient dans l'ombre d'énormes têtes de vieilles femmes, rangées en cercles, monstrueuses et rechignées, qui regardaient le sabbat en clignant des yeux.

C'était comme un nouveau monde, inconnu, inouï, difforme, reptile, fourmillant, fantastique.

Gringoire, de plus en plus effaré, pris par les trois mendiants comme par trois tenailles, assourdi d'une foule d'autres visages qui moutonnaient[2] et aboyaient autour de lui ; le malencontreux[3] Gringoire tâchait de rallier sa présence d'esprit pour se rappeler si l'on était à un samedi[4]. Mais ses efforts étaient vains ; le fil de sa mémoire et de sa pensée était rompu ; et, doutant de tout, flottant de ce qu'il voyait à ce qu'il sentait, il se posait cette insoluble question : — Si je suis, cela est-il ? si cela est, suis-je[5] ?

En ce moment, un cri distinct s'éleva dans la cohue bourdonnante qui l'enveloppait : — Menons-le au roi ! menons-le au roi !

— Sainte Vierge ! murmura Gringoire, le roi d'ici, ce doit être un bouc[6].

— Au roi ! au roi ! répétèrent toutes les voix.

On l'entraîna. Ce fut à qui mettrait la griffe sur lui. Mais les trois mendiants ne lâchaient pas prise, et l'arrachaient aux autres en hurlant : il est à nous !

Le pourpoint[7] déjà malade du poète rendit le dernier soupir dans cette lutte.

En traversant l'horrible place, son vertige se dissipa.

---

1. Parce que faites encore de colombage. **2.** Se presser comme moutons en troupeau ou vagues sous le vent. **3.** Mal tombé ; qui n'a pas de chance. **4.** Jour du sabbat des Juifs, et des sorcières. **5.** Même la limite entre le moi et le non-moi risque de disparaître : question lancinante de la philosophie à l'époque romantique. **6.** Mâle de la chèvre, figure de l'animalité sexuelle, forme fréquente de Satan au Sabbat. **7.** Vêtement du haut du corps.

Au bout de quelques pas, le sentiment de la réalité lui était revenu. Il commençait à se faire à l'atmosphère du lieu. Dans le premier moment, de sa tête de poète, ou peut-être, tout simplement et tout prosaïquement, de son estomac vide, il s'était élevé une fumée, une vapeur pour ainsi dire, qui, se répandant entre les objets et lui, ne les lui avait laissé entrevoir que dans la brume incohérente du cauchemar, dans ces ténèbres des rêves qui font trembler tous les contours, grimacer toutes les formes, s'agglomérer les objets en groupes démesurés, dilatant les choses en chimères et les hommes en fantômes. Peu à peu à cette hallucination succéda un regard moins égaré et moins grossissant. Le réel se faisait jour autour de lui, lui heurtait les yeux, lui heurtait les pieds, et démolissait pièce à pièce toute l'effroyable poésie dont il s'était cru d'abord entouré. Il fallut bien s'apercevoir qu'il ne marchait pas dans le Styx[1], mais dans la boue ; qu'il n'était pas coudoyé par des démons, mais par des voleurs ; qu'il n'y allait pas de son âme, mais tout bonnement de sa vie (puisqu'il lui manquait ce précieux conciliateur qui se place si efficacement entre le bandit et l'honnête homme : la bourse). Enfin, en examinant l'orgie de plus près et avec plus de sang-froid, il tomba du sabbat au cabaret[2].

La Cour des Miracles n'était en effet qu'un cabaret, mais un cabaret de brigands, tout aussi rouge de sang que de vin.

Le spectacle qui s'offrit à ses yeux, quand son escorte en guenilles le déposa enfin au terme de sa course, n'était pas propre à le ramener à la poésie, fût-ce même à la poésie de l'enfer. C'était plus que jamais la prosaïque et brutale réalité de la taverne. Si nous n'étions pas au quinzième siècle, nous dirions que Gringoire était descendu de Michel-Ange[3] à Callot[4].

---

1. Fleuve des Enfers dans la mythologie antique. **2.** Débit de vin et de piètre nourriture qui va passer au XIXe siècle pour faire le malheur de l'ouvrier, au terme d'une longue tradition de gueuserie, de liberté rabelaisienne, de chanson et de poésie. **3.** Buonarotti (1475-1564) ; Hugo pense probablement au *Jugement dernier* de la chapelle Sixtine à Rome. **4.** Graveur lorrain (1592-1635) digne de Dürer et de Rembrandt, passé des sujets édifiants aux grotesques de la société, gueux, soldats et autres victimes de la guerre, bohémiens.

Autour d'un grand feu qui brûlait sur une large dalle ronde, et qui pénétrait de ses flammes les tiges rougies d'un trépied vide pour le moment, quelques tables vermoulues étaient dressées çà et là, au hasard, sans que le moindre laquais géomètre eût daigné ajuster leur parallélisme ou veiller à ce qu'au moins elles ne se coupassent pas à des angles trop inusités. Sur ces tables reluisaient quelques pots ruisselants de vin et de cervoise [1], et autour de ces pots se groupaient force visages bachiques, empourprés de feu et de vin. C'était un homme à gros ventre et à joviale figure qui embrassait bruyamment une fille de joie, épaisse et charnue. C'était une espèce de faux soldat, un narquois [2], comme on disait en argot, qui défaisait en sifflant les bandages de sa fausse blessure, et qui dégourdissait son genou sain et vigoureux, emmailloté depuis le matin dans mille ligatures. Au rebours, c'était un malingreux qui préparait avec de l'éclaire [3] et du sang de bœuf sa *jambe de Dieu* du lendemain. Deux tables plus loin, un coquillart, avec son costume complet de pélerin, épelait la complainte de Sainte-Reine, sans oublier la psalmodie et le nasillement. Ailleurs un jeune hubin prenait leçon d'épilepsie d'un vieux sabouleux qui lui enseignait l'art d'écumer en mâchant un morceau de savon. À côté, un hydropique [4] se dégonflait, et faisait boucher le nez à quatre ou cinq larronnesses, qui se disputaient à la même table un enfant volé dans la soirée. Toutes circonstances qui, deux siècles plus tard, *semblèrent si ridicules à la cour*, comme dit Sauval, *qu'elles servirent de passe-temps au roi et d'entrée au ballet royal de La Nuit, divisé en quatre parties et dansé sur le théâtre du Petit-Bourbon* [5]. « Jamais, ajoute un témoin oculaire de 1653, les subites métamorphoses de la Cour des

---

1. Nom roman de la bière gauloise. **2.** Voir le sens technique en II, 3, détaillé ici. Le mot joue avec son sens moderne, retournant la ruse en ironie. **3.** Chélidoine, ou herbe aux verrues, au suc jaune. **4.** L'hydropique met le comble à cette réutilisation pédagogique de la liste de II, 3 : Sauval rapporte cette histoire de la rue Saint-Honoré avec l'utilisation d'un tampon pour faire gonfler le ventre. **5.** Pure citation de Sauval, I, 512.

Miracles n'ont été plus heureusement représentées. Benserade[1] nous y prépara par des vers assez galants. »

Le gros rire éclatait partout, et la chanson obscène. Chacun tirait à soi, glosant et jurant sans écouter le voisin. Les pots trinquaient, et les querelles naissaient au choc des pots, et les pots ébréchés faisaient déchirer les haillons.

Un gros chien, assis sur sa queue, regardait le feu. Quelques enfants étaient mêlés à cette orgie. L'enfant volé, qui pleurait et criait. Un autre, gros garçon de quatre ans, assis les jambes pendantes sur un banc trop élevé, ayant de la table jusqu'au menton, et ne disant mot. Un troisième étalant gravement avec son doigt sur la table le suif en fusion qui coulait d'une chandelle. Un dernier, petit, accroupi dans la boue, presque perdu dans un chaudron qu'il râclait avec une tuile, et dont il tirait un son à faire évanouir Stradivarius[2].

Un tonneau était près du feu, et un mendiant sur le tonneau. C'était le roi sur son trône.

Les trois qui avaient Gringoire l'amenèrent devant ce tonneau, et toute la bacchanale fit un moment silence, excepté le chaudron habité par l'enfant.

Gringoire n'osait souffler ni lever les yeux.

— *Hombre, quita tu sombrero ?* dit l'un des trois drôles à qui il était, et avant qu'il eût compris ce que cela voulait dire, l'autre lui avait pris son chapeau. Misérable bicoquet, il est vrai, mais bon encore un jour de soleil ou un jour de pluie. Gringoire soupira.

Cependant le roi, du haut de sa futaille, lui adressa la parole.

— Qu'est-ce que c'est que ce maraud ?

Gringoire tressaillit. Cette voix, quoique accentuée par la menace, lui rappela une autre voix qui le matin même

---

1. Isaac de Benserade (1613-1691), poète d'origine protestante et peut-être juive, protégé du cardinal de Richelieu, secrétaire de la correspondance entre Louis XIV et Mlle de La Vallière, indispensable aux fêtes de Cour, où il jouait de la réputation des acteurs pour nourrir ses personnages d'allusions. En 1653 le Roi n'avait que dix ans sans être tout à fait petit garçon, mais Dulaure, historien libéral de Paris, s'appuie sur cette fête pour stigmatiser la monarchie du « Grand Siècle ».
2. Célèbre luthier de Crémone (1644-1737).

avait porté le premier coup à son mystère, en nasillant au milieu de l'auditoire : *La charité, s'il vous plaît !* Il leva la tête. C'était en effet Clopin Trouillefou.

Clopin Trouillefou, revêtu de ses insignes royaux, n'avait pas un haillon de plus ni de moins. Sa plaie au bras avait déjà disparu. Il portait à la main un de ces fouets à lanières de cuir blanc dont se servaient alors les sergents à verge pour serrer [1] la foule, et que l'on appelait *boullayes*. Il avait sur la tête une espèce de coiffure cerclée et fermée par le haut ; mais il était difficile de distinguer si c'était un bourrelet [2] d'enfant ou une couronne de roi, tant les deux choses se ressemblent.

Cependant Gringoire, sans savoir pourquoi, avait repris quelque espoir en reconnaissant dans le roi de la Cour des Miracles son maudit mendiant de la grand'salle.

— Maître, balbutia-t-il... Monseigneur... Sire... — Comment dois-je vous appeler ? dit-il enfin, arrivé au point culminant de son crescendo [3], et ne sachant plus comment monter ni redescendre.

— Monseigneur, sa majesté, ou camarade, appelle-moi comme tu voudras. Mais dépêche. Qu'as-tu à dire pour ta défense ?

Pour ta défense ! pensa Gringoire, ceci me déplaît. Il reprit en bégayant : — Je suis celui qui ce matin...

— Par les ongles du diable ! interrompit Clopin, ton nom, maraud, et rien de plus. Écoute. Tu es devant trois puissants souverains : moi, Clopin Trouillefou, roi de Thunes [4], successeur du Grand-Coësre, suzerain [5] suprême du royaume de l'argot ; Mathias Hungadi Spicali, duc d'Égypte et de Bohême, ce vieux jaune que tu vois là avec un torchon autour de la tête ; Guillaume Rousseau, empereur de Galilée, ce gros qui ne nous écoute pas et qui caresse une ribaude. Nous sommes tes juges. Tu es entré dans le royaume d'argot sans être argotier, tu as

---

1. Maintenir, comprimer, écarter. **2.** Destiné à amortir les chocs à la tête. L'application à la couronne tient de la critique pascalienne des grandeurs d'institution. **3.** Terme de musique pour indiquer l'augmentation progressive du son en intensité. **4.** *Tuner* signifiait mendier. **5.** Le lien féodal s'établit entre suzerain et vassal. La victoire des rois de France sur la féodalité vient de leur reconnaissance successive comme suzerains par les possesseurs des grands domaines.

violé les priviléges de notre ville. Tu dois être puni, à moins que tu ne sois capon, franc-mitou ou rifodé, c'est-à-dire, dans l'argot des honnêtes gens, voleur, mendiant ou vagabond. Es-tu quelque chose comme cela ? Justifie-toi ; décline tes qualités.

— Hélas ! dit Gringoire, je n'ai pas cet honneur. Je suis l'auteur...

— Cela suffit, reprit Trouillefou sans le laisser achever. Tu vas être pendu. Chose toute simple, messieurs les honnêtes bourgeois ! comme vous traitez les nôtres chez vous, nous traitons les vôtres chez nous. La loi que vous faites aux truands, les truands vous la font. C'est votre faute si elle est méchante. Il faut bien qu'on voie de temps en temps une grimace d'honnête homme au-dessus du collier de chanvre [1] ; cela rend la chose honorable. Allons, l'ami, partage gaîment tes guenilles à ces demoiselles. Je vais te faire pendre pour amuser les truands, et tu leur donneras ta bourse pour boire. Si tu as quelque momerie [2] à faire, il y a là-bas dans l'égrugeoir [3] un très-bon Dieu-le-Père, en pierre, que nous avons volé à Saint-Pierre-aux-Bœufs. Tu as quatre minutes pour lui jeter ton âme à la tête.

La harangue était formidable.

— Bien dit, sur mon âme ! Clopin Trouillefou prêche comme un saint-père le pape, s'écria l'empereur de Galilée en cassant son pot pour étayer sa table.

— Messeigneurs les empereurs et rois, dit Gringoire avec sang-froid (car je ne sais comment la fermeté lui était revenue, et il parlait résolument), vous n'y pensez pas ; je m'appelle Pierre Gringoire, je suis le poète dont on a représenté ce matin une moralité, dans la grand'salle du Palais.

— Ah ! c'est toi, maître ! dit Clopin. J'y étais, par la tête-Dieu ! Eh bien ! camarade, est-ce une raison, parce que tu nous as ennuyés ce matin, pour ne pas être pendu ce soir ?

---

1. Plante textile dont on faisait les cordes. **2.** Singerie rituelle, comme la prière des musulmans, ou les rites de l'Église. **3.** Mortier en bois pour moudre et sécher le sel ; par métaphore, la chaire à prêcher accrochée au pilier des églises. Sauval (I, 512) dit « dans quelque église ». Saint-Pierre-aux-Bœufs, dans la Cité (dont le portail a rejoint Saint-Séverin après la démolition) fournit une sorte de rime à l'envers à « Dieu-le-Père en pierre ».

J'aurai de la peine à m'en tirer, pensa Gringoire. Il tenta pourtant encore un effort.

— Je ne vois pas pourquoi, dit-il, les poètes ne sont pas rangés parmi les truands. Vagabond, Æsopus [1] le fut ; mendiant, Homerus le fut ; voleur, Mercurius l'était...

Clopin l'interrompit : — Je crois que tu veux nous matagraboliser [2] avec ton grimoire [3]. Pardieu, laisse-toi pendre, et pas tant de façons !

— Pardon, monseigneur le roi de Thunes, répliqua Gringoire, disputant le terrain pied à pied. Cela en vaut la peine... — Un moment !... — Écoutez-moi... Vous ne me condamnerez pas sans m'entendre...

Sa malheureuse voix, en effet, était couverte par le vacarme qui se faisait autour de lui. Le petit garçon râclait son chaudron avec plus de verve que jamais ; et pour comble, une vieille femme venait de poser sur le trépied ardent une poêle pleine de graisse, qui glapissait au feu avec un bruit pareil aux cris d'une troupe d'enfants qui poursuit un masque [4].

Cependant Clopin Trouillefou parut conférer un moment avec le duc d'Égypte et l'empereur de Galilée, lequel était complètement ivre. Puis il cria aigrement : Silence donc ! et comme le chaudron et la poêle à frire ne l'écoutaient pas et continuaient leur duo, il sauta à bas de son tonneau, donna un coup de pied dans le chaudron, qui roula à dix pas avec l'enfant, un coup de pied dans la poêle, dont toute la graisse se renversa dans le feu, et il remonta gravement sur son trône, sans se soucier des pleurs étouffés de l'enfant, ni des grognements de la vieille, dont le souper s'en allait en belle flamme blanche.

Trouillefou fit un signe, et le duc, et l'empereur, et les archisuppôts et les cagoux vinrent se ranger autour de lui en un fer-à-cheval, dont Gringoire, toujours rudement

---

1. Ésope, Grec légendaire auquel on attribue un recueil de *Fables*. La Fontaine publie en tête de ses propres *Fables* une ironique *Vie d'Ésope le Phrygien* qui peut être lue comme un apologue philosophique, sous couleur de traduire la *Vie* que Planude, moine grec, avait écrite au XIVe siècle. **2.** Peut-être, selon le grec, bombarder de paroles creuses de vieille femme. Chez Rabelais (IV, 63), abrutir d'inanités. **3.** Propos obscur comme un livre de magicien. **4.** Un individu masqué, comme au carnaval, ou à certains bals.

appréhendé au corps, occupait le centre. C'était un demi-cercle de haillons, de guenilles, de clinquant, de fourches, de haches, de jambes avinées, de gros bras nus, de figures sordides, éteintes et hébétées. Au milieu de cette table ronde[1] de la gueuserie, Clopin Trouillefou, comme le doge de ce sénat, comme le roi de cette pairie, comme le pape de ce conclave, dominait, d'abord de toute la hauteur de son tonneau, puis de je ne sais quel air hautain, farouche et formidable[2] qui faisait pétiller sa prunelle, et corrigeait dans son sauvage profil le type bestial de la race truande. On eût dit une hure parmi des grouins.

— Écoute, dit-il à Gringoire en caressant son menton difforme avec sa main calleuse ; je ne vois pas pourquoi tu ne serais pas pendu. Il est vrai que cela a l'air de te répugner ; et c'est tout simple, vous autres bourgeois, vous n'y êtes pas habitués. Vous vous faites de la chose une grosse idée. Après tout, nous ne te voulons pas de mal. Voici un moyen de te tirer d'affaire pour le moment. Veux-tu être des nôtres ?

On peut juger de l'effet que fit cette proposition sur Gringoire, qui voyait la vie lui échapper, et commençait à lâcher prise. Il s'y rattacha énergiquement.

— Je le veux, certes, bellement, dit-il.

— Tu consens, reprit Clopin, à t'enrôler parmi les gens de la petite flambe[3] ?

— De la petite flambe, précisément, répondit Gringoire.

— Tu te reconnais membre de la franche bourgeoisie[4] ? reprit le roi de Thunes...

— De la franche bourgeoisie.

— Sujet du royaume d'argot ?

---

1. Arthur, roi légendaire du pays de Galles au VIe siècle, et ses compagnons sont les héros de l'égalité chevaleresque dans le cycle des romans de la Table Ronde, écrits au XIIe siècle. Même notion du *primus inter pares* dans les comparaisons qui suivent. **2.** Au sens fort : qui inspire la terreur. **3.** On a vu comment ces faux soldats estropiés sont devenus « narquois » ; la flambe était une épée ondulée, tordue comme flamme. Petite, elle est propre à couper les bourses. **4.** Au XVIe siècle les pauvres exempts d'impôts recueillis dans la maison d'aumône de la rue qui deviendra des Francs-Bourgeois s'étaient transformés en une population de toute gueuserie. Avertissement à la bourgeoisie conquérante du XIXe siècle, fière de ses franchises ?

— Du royaume d'argot.
— Truand ?
— Truand.
— Dans l'âme ?
— Dans l'âme.

— Je te fais remarquer, reprit le roi, que tu n'en seras pas moins pendu pour cela.

— Diable ! dit le poète.

— Seulement, continua Clopin imperturbable, tu seras pendu plus tard, avec plus de cérémonie, aux frais de la bonne ville de Paris, à un beau gibet de pierre, et par les honnêtes gens. C'est une consolation.

— Comme vous dites, répondit Gringoire.

— Il y a d'autres avantages. En qualité de franc-bourgeois, tu n'auras à payer ni boues, ni pauvres, ni lanternes, à quoi sont sujets les bourgeois de Paris.

— Ainsi soit-il, dit le poète. Je consens. Je suis truand, argotier, franc-bourgeois, petite flambe, tout ce que vous voudrez ; et j'étais tout cela d'avance, monsieur le roi de Thunes, car je suis philosophe ; *et omnia in philosophia, omnes in philosopho continentur* [1], comme vous savez.

Le roi de Thunes fronça le sourcil.

— Pour qui me prends-tu, l'ami ? Quel argot de juif de Hongrie nous chantes-tu là ? Je ne sais pas l'hébreu, Pour être bandit on n'est pas juif. Je ne vole même plus, je suis au-dessus de cela, je tue. Coupe-gorge, oui ; coupe-bourse, non.

Gringoire tâcha de glisser quelque excuse à travers ces brèves paroles que la colère saccadait de plus en plus.
— Je vous demande pardon, monseigneur. Ce n'est pas de l'hébreu, c'est du latin.

— Je te dis, reprit Clopin avec emportement, que je ne suis pas juif, et que je te ferai pendre, ventre de synagogue [2] !

---

1. «Toute chose est contenue dans la philosophie, et tout un chacun dans le philosophe. » **2.** La question religieuse, mais surtout politique et sociale des Juifs et des persécutions qu'ils ont endurées tout au long de l'histoire de France, tient une grande place chez Sauval. Il est vraisemblable qu'au travers de l'insulte méprisante du roi de Thunes, Hugo, adversaire de la peine de mort, salue l'interdit absolu du meurtre dans la loi de Moïse.

ainsi que ce petit marcandier [1] de Judée qui est auprès de toi, et que j'espère bien voir clouer un jour sur un comptoir, comme une pièce de fausse monnaie qu'il est !

En parlant ainsi, il désignait du doigt le petit juif hongrois barbu, qui avait accosté Gringoire de son *facitote caritatem*, et qui, ne comprenant pas d'autre langue, regardait avec surprise la mauvaise humeur du roi de Thunes déborder sur lui.

Enfin monseigneur Clopin se calma. — Maraud ! dit-il à notre poète, tu veux donc être truand ?

— Sans doute, répondit le poète.

— Ce n'est pas le tout de vouloir, dit le bourru Clopin ; la bonne volonté ne met pas un oignon de plus dans la soupe, et n'est bonne que pour aller en paradis ; or paradis et argot sont deux. Pour être reçu dans l'argot, il faut que tu prouves que tu es bon à quelque chose, et pour cela que tu fouilles le mannequin.

— Je fouillerai, dit Gringoire, tout ce qu'il vous plaira.

Clopin fit un signe. Quelques argotiers se détachèrent du cercle et revinrent un moment après. Ils apportaient deux poteaux terminés à leur extrémité inférieure par deux spatules en charpente, qui leur faisaient prendre aisément pied sur le sol ; à l'extrémité supérieure des deux poteaux ils adaptèrent une solive transversale, et le tout constitua une fort jolie potence portative que Gringoire eut la satisfaction de voir se dresser devant lui en un clin d'œil. Rien n'y manquait, pas même la corde qui se balançait gracieusement au-dessous de la traverse.

— Où veulent-ils en venir ? se demanda Gringoire avec quelque inquiétude. Un bruit de sonnettes qu'il entendit au même moment mit fin à son anxiété ; c'était un mannequin que les truands suspendaient par le cou à la corde, espèce d'épouvantail aux oiseaux, vêtu de rouge, et tellement chargé de grelots et de clochettes qu'on eût pu en harnacher trente mules castillanes [2]. Ces mille son-

---

1. Faux marchands ruinés, mendiant deux par deux (Sauval) ; allusion probable à l'antisémitisme commercial. **2.** Si les clochettes rappellent à Hugo son enfance espagnole, c'est Sauval (I, 513) qui lui fournit le canevas de ce premier « chef d'œuvre ». Hugo a supprimé l'assiette dans laquelle il faut poser le pied, et inversé les rôles des deux jambes.

nettes frissonnèrent quelque temps aux oscillations de la corde, puis s'éteignirent peu à peu, et se turent enfin, quand le mannequin eut été ramené à l'immobilité par cette loi du pendule[1] qui a détrôné le clepsydre et le sablier.

Alors Clopin, indiquant à Gringoire un vieil escabeau chancelant, placé au-dessous du mannequin : — Monte là-dessus.

— Mort-diable ! objecta Gringoire, je vais me rompre le cou. Votre escabelle boite comme un distique de Martial[2] ; elle a un pied hexamètre et un pied pentamètre.

— Monte, reprit Clopin.

Gringoire monta sur l'escabeau, et parvint, non sans quelques oscillations de la tête et des bras, à y retrouver son centre de gravité.

— Maintenant, poursuivit le roi de Thunes, tourne ton pied droit autour de ta jambe gauche et dresse-toi sur la pointe du pied gauche.

— Monseigneur, dit Gringoire, vous tenez donc absolument à ce que je me casse quelque membre ?

Clopin hocha la tête.

— Écoute, l'ami, tu parles trop. Voilà en deux mots de quoi il s'agit : tu vas te dresser sur la pointe du pied, comme je te le dis ; de cette façon tu pourras atteindre jusqu'à la poche du mannequin ; tu y fouilleras ; tu en tireras une bourse qui s'y trouve ; et si tu fais tout cela sans qu'on entende le bruit d'une sonnette, c'est bien ; tu seras truand. Nous n'aurons plus qu'à te rouer de coups pendant huit jours.

— Ventre-Dieu ! je n'aurai garde, dit Gringoire. Et si je fais chanter les sonnettes ?

— Alors tu seras pendu. Comprends-tu ?

---

1. Car *la* pendule qui indique l'heure est réglée par la loi physique du balancier (*le* pendule), depuis Galilée (1564-1642) ; elle a remplacé les horloges à eau (*la* clepsydre), cadeau plus ou moins légendaire d'Haroun al Raschid à Charlemagne. **2.** Les épigrammes de ce poète (43-104) venaient d'être éditées en 1471. Leur obscénité récompense les efforts des jeunes latinistes capables d'en constater la virtuosité. Le distique à l'allure claudicante associe un vers de cinq pieds (pentamètre ou hexamètre catalectique) au vers de six pieds de la grande poésie latine.

— Je ne comprends pas du tout, répondit Gringoire.

— Écoute encore une fois. Tu vas fouiller le mannequin et lui prendre sa bourse ; si une seule sonnette bouge dans l'opération, tu seras pendu. Comprends-tu cela ?

— Bien, dit Gringoire ; je comprends cela. Après ?

— Si tu parviens à enlever la bourse sans qu'on entende les grelots, tu es truand, et tu seras roué de coups pendant huit jours consécutifs. Tu comprends sans doute, maintenant ?

— Non, monseigneur ; je ne comprends plus. Où est mon avantage ? pendu dans un cas, battu dans l'autre.

— Et truand, reprit Clopin, et truand, n'est-ce rien ? C'est dans ton intérêt que nous te battrons, afin de t'endurcir aux coups.

— Grand merci, répondit le poète.

— Allons, dépêchons, dit le roi en frappant du pied sur son tonneau, qui résonna comme une grosse caisse. Fouille le mannequin, et que cela finisse. Je t'avertis une dernière fois que, si j'entends un seul grelot, tu prendras la place du mannequin.

La bande des argotiers applaudit aux paroles de Clopin, et se rangea circulairement autour de la potence, avec un rire tellement impitoyable que Gringoire vit qu'il les amusait trop pour n'avoir pas tout à craindre d'eux. Il ne lui restait donc plus d'espoir, si ce n'est la frêle chance de réussir dans la redoutable opération qui lui était imposée ; il se décida à la risquer, mais ce ne fut pas sans avoir adressé d'abord une fervente prière au mannequin qu'il allait dévaliser, et qui eût été plus facile à attendrir que les truands. Cette myriade [1] de sonnettes avec leurs petites langues de cuivre lui semblaient autant de gueules d'aspics [2] ouvertes, prêtes à mordre et à siffler.

— Oh ! disait-il tout bas, est-il possible que ma vie dépende de la moindre des vibrations du moindre de ces grelots ? Oh ! ajoutait-il les mains jointes, sonnettes, ne sonnez pas ! clochettes, ne clochez pas ! grelots, ne grelottez pas !

Il tenta encore un effort sur Trouillefou.

— Et s'il survient un coup de vent ? lui demanda-t-il.

---

1. 10 000. **2.** Vipères.

— Tu seras pendu, répondit l'autre sans hésiter.

Voyant qu'il n'y avait ni répit, ni sursis, ni faux-fuyant possible, il prit bravement son parti ; il tourna son pied droit autour de son pied gauche, se dressa sur son pied gauche, et étendit le bras... ; mais au moment où il touchait le mannequin, son corps, qui n'avait plus qu'un pied, chancela sur l'escabeau, qui n'en avait que trois ; il voulut machinalement s'appuyer au mannequin, perdit l'équilibre, et tomba lourdement sur la terre, tout assourdi par la fatale vibration des mille sonnettes du mannequin, qui, cédant à l'impulsion de sa main, décrivit d'abord une rotation sur lui-même, puis se balança majestueusement entre les deux poteaux.

— Malédiction ! cria-t-il en tombant, et il resta comme mort, la face contre terre.

Cependant il entendait le redoutable carillon au-dessus de sa tête, et le rire diabolique des truands, et la voix de Trouillefou, qui disait : — Relevez-moi le drôle, et pendez-le-moi rudement.

Il se leva. On avait déjà décroché le mannequin pour lui faire place.

Les argotiers le firent monter sur l'escabeau. Clopin vint à lui, lui passa la corde au cou, et, lui frappant sur l'épaule : — Adieu ! l'ami. Tu ne peux plus échapper maintenant, quand même tu digérerais avec les boyaux du pape.

Le mot *grâce* expira sur les lèvres de Gringoire. Il promena ses regards autour de lui ; mais aucun espoir : tous riaient.

— Bellevigne-de-l'Étoile[1], dit le roi de Thunes à un énorme truand qui sortit des rangs, grimpe sur la traverse.

Bellevigne-de-l'Étoile monta lestement sur la solive transversale, et au bout d'un instant, Gringoire, en levant les yeux, le vit avec terreur accroupi sur la traverse au-dessus de sa tête.

— Maintenant, reprit Clopin Trouillefou, dès que je frapperai des mains, Andry-le-Rouge, tu jetteras l'escabelle à

---

1. Du Breul (239) fournit le nom de ce Juif, appelant le 7 avril 1314, avec six de ces coreligionnaires, d'une sentence de bûcher. La vie sauve leur coûta l'énorme amende de 1000 livres et le bannissement.

terre d'un coup de genou ; François Chante-Prune, tu te pendras aux pieds du maraud ; et toi, Bellevigne, tu te jetteras sur ses épaules ; et tous trois à la fois, entendez-vous ?

Gringoire frissonna.

— Y êtes-vous ? dit Clopin Trouillefou aux trois argotiers prêts à se précipiter sur Gringoire[1]. Le pauvre patient eut un moment d'attente horrible, pendant que Clopin repoussait tranquillement du bout du pied dans le feu quelques brins de sarment que la flamme n'avait pas gagnés. — Y êtes-vous ? répéta-t-il, et il ouvrit ses mains pour frapper. Une seconde de plus, c'en était fait.

Mais il s'arrêta, comme averti par une idée subite. — Un instant, dit-il ; j'oubliais !... Il est d'usage que nous ne pendions pas un homme sans demander s'il y a une femme qui en veut. — Camarade ! c'est ta dernière ressource. Il faut que tu épouses une truande ou la corde.

Cette loi bohémienne, si bizarre qu'elle puisse sembler au lecteur, est aujourd'hui encore écrite tout au long dans la vieille législation anglaise. Voyez *Burington's Observations*[2].

Gringoire respira. C'était la seconde fois qu'il revenait à la vie depuis une demi-heure. Aussi n'osait-il trop s'y fier.

— Holà ! cria Clopin remonté sur sa futaille, holà ! femmes, femelles, y a-t-il parmi vous, depuis la sorcière jusqu'à sa chatte, une ribaude qui veuille de ce ribaud ? Holà, Colette la Charonne ! Élisabeth Trouvain ! Simone Jodouyne ! Marie Piédebou ! Thonne la Longue ! Bérarde Fanouel ! Michelle Genaille ! Claude Ronge-oreille ! Mathurine Girorou ! Holà ! Isabeau la Thierrye ! Venez et voyez ! un homme pour rien ! qui en veut ?

Gringoire, dans ce misérable état, était sans doute peu appétissant. Les truandes se montrèrent médiocrement touchées de la proposition. Le malheureux les entendit répondre : — Non ! non ! pendez-le, il y aura du plaisir pour toutes.

Trois cependant sortirent de la foule et vinrent le flai-

---

1. Les éditions ultérieures ajoutent (ou rétablissent ?) « comme trois araignées sur une mouche ». **2.** Il s'agit des *Observations on the Statutes Chiefly the Most Ancient from Magna Charta...* (1766) de Daines Barrington (1727-1800).

rer. La première était une grosse fille à face carrée. Elle examina attentivement le pourpoint déplorable du philosophe. La souquenille était usée et plus trouée qu'une poêle à griller des châtaignes. La fille fit la grimace. — Vieux drapeau ! grommela-t-elle, et s'adressant à Gringoire : — Voyons ta cape ? — Je l'ai perdue, dit Gringoire. — Ton chapeau ? — On me l'a pris. — Tes souliers ? — Ils commencent à n'avoir plus de semelles. — Ta bourse ? — Hélas ! bégaya Gringoire, je n'ai pas un denier parisis. — Laisse-toi pendre, et dis merci ! répliqua la truande en lui tournant le dos.

La seconde, vieille, noire, ridée, hideuse, d'une laideur à faire tache dans la Cour des Miracles, tourna autour de Gringoire. Il tremblait presque qu'elle ne voulût de lui. Mais elle dit entre ses dents : — Il est trop maigre, et s'éloigna.

La troisième était une jeune fille, assez fraîche, et pas trop laide. — Sauvez-moi, lui dit à voix basse le pauvre diable. Elle le considéra un moment d'un air de pitié, puis baissa les yeux, fit un pli à sa jupe, et resta indécise. Il suivait des yeux tous ses mouvements ; c'était la dernière lueur d'espoir. — Non, dit enfin la jeune fille, non ! Guillaume Longue-joue me battrait. Elle rentra dans la foule.

— Camarade, dit Clopin, tu as du malheur.

Puis, se levant debout sur son tonneau : — Personne n'en veut ? cria-t-il en contrefaisant l'accent d'un huissier priseur, à la grande gaîté de tous ; personne n'en veut ? une fois, deux fois, trois fois ! Et se tournant vers la potence avec un signe de tête : — Adjugé !

Bellevigne-de-l'Étoile, Andry-le-Rouge, François Chante-Prune se rapprochèrent de Gringoire.

En ce moment un cri s'éleva parmi les argotiers : — *La Esmeralda ! la Esmeralda !*

Gringoire tressaillit, et se tourna du côté d'où venait la clameur. La foule s'ouvrit, et donna passage à une pure et éblouissante figure. C'était la bohémienne.

— La Esmeralda ! dit Gringoire, stupéfait, au milieu de ses émotions, de la brusque manière dont ce mot magique nouait tous les souvenirs de sa journée.

Cette rare créature paraissait exercer jusque dans la Cour des Miracles son empire de charme et de beauté. Argotiers et argotières se rangeaient doucement à son passage, et leurs brutales figures s'épanouissaient à son regard.

Elle s'approcha du patient avec son pas léger. Sa jolie Djali la suivait. Gringoire était plus mort que vif. Elle le considéra un moment en silence.

— Vous allez pendre cet homme ? dit-elle gravement à Clopin.

— Oui, sœur, répondit le roi de Thunes, à moins que tu ne le prennes pour mari.

Elle fit sa jolie petite moue de la lèvre inférieure.

— Je le prends, dit-elle.

Gringoire ici crut fermement qu'il n'avait fait qu'un rêve depuis le matin, et que ceci en était la suite.

La péripétie en effet, quoique gracieuse, était violente.

On détacha le nœud coulant, on fit descendre le poète de l'escabeau. Il fut obligé de s'asseoir, tant la commotion était vive.

Le duc d'Égypte, sans prononcer une parole, apporta une cruche d'argile. La bohémienne la présenta à Gringoire. — Jetez-la à terre, lui dit-elle.

La cruche se brisa en quatre morceaux.

— Frère, dit alors le duc d'Égypte en leur imposant les mains sur le front, elle est ta femme ; sœur, il est ton mari. Pour quatre ans. Allez[1].

VII

UNE NUIT DE NOCES

Au bout de quelques instants, notre poète se trouva dans une petite chambre voûtée en ogive, bien close, bien chaude, assis devant une table qui ne paraissait pas demander mieux que de faire quelques emprunts à un garde-manger suspendu tout auprès, ayant un bon lit en

---

1. Le *Dictionnaire infernal*, à l'article *Bohémiens*, recopie la note que Hugo avait consacrée à cette coutume au ch. XLI de *Han d'Islande* (1823).

perspective, et tête à tête avec une jolie fille. L'aventure tenait de l'enchantement. Il commençait à se prendre sérieusement pour un personnage de conte de fées ; de temps en temps il jetait les yeux autour de lui comme pour chercher si le char de feu attelé de deux chimères ailées, qui avait seul pu le transporter si rapidement du Tartare[1] au paradis, était encore là. Par moments aussi il attachait obstinément son regard aux trous de son pourpoint, afin de se cramponner à la réalité et de ne pas perdre terre tout-à-fait. Sa raison, ballottée dans les espaces imaginaires, ne tenait plus qu'à ce fil.

La jeune fille ne paraissait faire aucune attention à lui ; elle allait, venait, dérangeait quelque escabelle, causait avec sa chèvre, faisait sa moue çà et là. Enfin elle vint s'asseoir près de la table, et Gringoire put la considérer à l'aise.

Vous avez été enfant, lecteur, et vous êtes peut-être assez heureux pour l'être encore. Il n'est pas que vous n'ayez plus d'une fois (et pour mon compte j'y ai passé des journées entières, les mieux employées de ma vie) suivi de broussaille en broussaille, au bord d'une eau vive, par un jour de soleil, quelque belle demoiselle[2] verte ou bleue, brisant son vol à angles brusques et baisant le bout de toutes les branches. Vous vous rappelez avec quelle curiosité amoureuse votre pensée et votre regard s'attachaient à ce petit tourbillon sifflant et bourdonnant, d'ailes de pourpre et d'azur, au milieu duquel flottait une forme insaisissable voilée par la rapidité même de son mouvement. L'être aérien qui se dessinait confusément à travers ce frémissement d'ailes vous paraissait chimérique, imaginaire, impossible à toucher, impossible à voir. Mais lorsqu'enfin la demoiselle se reposait à la pointe d'un roseau, et que vous pouviez examiner, en retenant votre souffle, les longues ailes de gaze, la longue robe d'émail, les deux globes de cristal, quel étonnement n'éprouviez-vous pas, et quelle peur de voir de nouveau la forme s'en aller en ombre et l'être en chimère ! Rappelez-vous ces impressions, et vous vous rendrez aisément compte de ce que ressentait Gringoire en

---

1. Le fond de l'enfer chez les Grecs. 2. Nom populaire de la libellule. Tout ce paragraphe est en addition.

contemplant sous sa forme visible et palpable cette Esmeralda qu'il n'avait entrevue jusque là qu'à travers un tourbillon de danse, de chant et de tumulte.

Enfoncé de plus en plus dans sa rêverie, — Voilà donc, se disait-il en la suivant vaguement des yeux, ce que c'est que *la Esmeralda !* une céleste créature ! une danseuse des rues ! tant et si peu ! C'est elle qui a donné le coup de grâce à mon mystère ce matin, c'est elle qui me sauve la vie ce soir. Mon mauvais génie ! mon bon ange ! — Une jolie femme, sur ma parole ! — et qui doit m'aimer à la folie pour m'avoir pris de la sorte. — À propos, dit-il en se levant tout-à-coup avec ce sentiment du vrai qui faisait le fond de son caractère et de sa philosophie, je ne sais trop comment cela se fait, mais je suis son mari !

Cette idée en tête et dans les yeux, il s'approcha de la jeune fille d'une façon si militaire et si galante qu'elle recula. — Que me voulez-vous donc ? dit-elle.

— Pouvez-vous me le demander, adorable Esmeralda ? répondit Gringoire avec un accent si passionné qu'il en était étonné lui-même en s'entendant parler.

L'égyptienne ouvrit ses grands yeux. — Je ne sais pas ce que voulez dire.

— Eh quoi ! reprit Gringoire, s'échauffant de plus en plus, et songeant qu'il n'avait affaire après tout qu'à une vertu de la Cour des Miracles, ne suis-je pas à toi, douce amie ? n'es-tu pas à moi ?

Et, tout ingénument, il lui prit la taille.

Le corsage de la bohémienne glissa dans ses mains comme la robe d'une anguille. Elle sauta d'un bout à l'autre bout de la cellule, se baissa, et se redressa, avec un petit poignard à la main, avant que Gringoire eût eu seulement le temps de voir d'où ce poignard sortait ; irritée et fière, les lèvres gonflées, les narines ouvertes, les joues rouges comme une pomme d'api, les prunelles rayonnantes d'éclairs. En même temps la chevrette blanche se plaça devant elle, et présenta à Gringoire un front de bataille, hérissé de deux cornes jolies, dorées, et fort pointues. Tout cela se fit en un clin d'œil.

La demoiselle se faisait guêpe, et ne demandait pas mieux que de piquer.

Notre philosophe resta interdit, promenant tour à tour

de la chèvre à la jeune fille des regards hébétés. — Sainte Vierge ! dit-il enfin quand la surprise lui permit de parler, voilà deux luronnes !

La bohémienne rompit le silence de son côté : — Il faut que tu sois un drôle bien hardi !

— Pardon, mademoiselle, dit Gringoire en souriant. Mais pourquoi donc m'avez-vous pris pour mari ?

— Fallait-il te laisser pendre ?

— Ainsi, reprit le poète, un peu désappointé dans ses espérances amoureuses, vous n'avez eu d'autre pensée en m'épousant que de me sauver du gibet ?

— Et quelle autre pensée veux-tu que j'aie eue ?

Gringoire se mordit les lèvres. — Allons, dit-il, je ne suis pas encore si triomphant en Cupido [1] que je croyais. Mais, alors, à quoi bon avoir cassé cette pauvre cruche ?

Cependant le poignard de la Esmeralda et les cornes de la chèvre étaient toujours sur la défensive.

— Mademoiselle Esmeralda, dit le poète, capitulons. Je ne suis pas clerc-greffier au Châtelet, et ne vous chicanerai pas de porter ainsi une dague dans Paris à la barbe des ordonnances et prohibitions de monsieur le prevôt. Vous n'ignorez pas pourtant que Noël Lescrivain a été condamné il y a huit jours en dix sous parisis pour avoir porté un braquemard [2]. Or ce n'est pas mon affaire ; et je viens au fait. Je vous jure sur ma parole de paradis de ne pas vous approcher sans votre congé et permission ; mais donnez-moi à souper.

Au fond, Gringoire, comme M. Despréaux [3], était « très-peu voluptueux. » Il n'était pas de cette espèce chevalière et mousquetaire qui prend les jeunes filles d'as-

---

1. Nom de l'Amour, fils de Vénus, chez les Latins. **2.** Courte et large épée dont le nom peut servir de métaphore gaillarde. La *Preciosa* des *Histoires exemplaires* de Cervantès a pu servir de modèle à cette vertu armée, comme la *Liance* qui punit Benserade pour l'avoir traitée en bohémienne, selon Tallemant des Réaux. Mais Montmerqué ne devait publier les *Historiettes* qu'en 1834-1835. **3.** Il s'agit de Boileau, *Épître* X, *À mes vers* (1695) : *Assez faible de corps, assez doux de visage, / Ni petit ni trop grand, très peu voluptueux, / Ami de la vertu plutôt que vertueux.* Dès son enfance, que ce soit à cause d'une opération de la pierre ou par la violence d'un méchant dindon, Boileau fut voué aux purs sentiments.

saut. En matière d'amour, comme en toute autre affaire, il était volontiers pour les temporisations et les moyens termes ; et un bon souper, en tête à tête aimable, lui paraissait, surtout quand il avait faim, un entr'acte excellent entre le prologue et le dénoûment d'une aventure d'amour.

L'égyptienne ne répondit pas. Elle fit sa petite moue dédaigneuse, dressa la tête comme un oiseau, puis éclata de rire, et le poignard mignon disparut comme il était venu, sans que Gringoire pût voir où l'abeille cachait son aiguillon.

Un moment après, il y avait sur la table un pain de seigle, une tranche de lard, quelques pommes ridées et un broc de cervoise. Gringoire se mit à manger avec emportement. À entendre le cliquetis furieux de sa fourchette de fer et de son assiette de faïence, on eût dit que tout son amour s'était tourné en appétit.

La jeune fille assise devant lui le regardait faire en silence, visiblement préoccupée d'une autre pensée à laquelle elle souriait de temps en temps, tandis que sa douce main caressait la tête intelligente de la chèvre mollement pressée entre ses genoux.

Une chandelle de cire jaune éclairait cette scène de voracité et de rêverie.

Cependant, les premiers bêlements de son estomac apaisés, Gringoire sentit quelque fausse honte de voir qu'il ne restait plus qu'une pomme. — Vous ne mangez pas, mademoiselle Esmeralda ?

Elle répondit par un signe de tête négatif, et son regard pensif alla se fixer à la voûte de la cellule.

De quoi diable est-elle occupée ? pensa Gringoire, et regardant ce qu'elle regardait :

— Il est impossible que ce soit la grimace de ce nain de pierre sculpté dans la clef de voûte qui absorbe ainsi son attention. Que diable ! je puis soutenir la comparaison !

Il haussa la voix : — Mademoiselle !

Elle ne paraissait pas l'entendre.

Il reprit plus haut encore : — Mademoiselle Esmeralda ! — Peine perdue. L'esprit de la jeune fille était ailleurs, et la voix de Gringoire n'avait pas la puissance de le rappeler. Heureusement la chèvre s'en mêla. Elle se mit à tirer doucement sa maîtresse par la manche.

— Que veux-tu, Djali ? dit vivement l'égyptienne comme réveillée en sursaut.

— Elle a faim, dit Gringoire, charmé d'entamer la conversation.

La Esmeralda se mit à émietter du pain, que Djali mangeait gracieusement dans le creux de sa main.

Du reste, Gringoire ne lui laissa pas le temps de reprendre sa rêverie. Il hasarda une question délicate.

— Vous ne voulez donc pas de moi pour votre mari ?

La jeune fille le regarda fixement, et dit : — Non.

— Pour votre amant ? reprit Gringoire.

Elle fit sa moue, et répondit : — Non.

— Pour votre ami ? poursuivit Gringoire.

Elle le regarda encore fixement, et dit après un moment de réflexion : — Peut-être.

Ce *peut-être*, si cher aux philosophes, enhardit Gringoire.

— Savez-vous ce que c'est que l'amitié ? demanda-t-il.

— Oui, répondit l'égyptienne ; c'est être frère et sœur ; deux âmes qui se touchent sans se confondre, les deux doigts de la main.

— Et l'amour ? poursuivit Gringoire.

— Oh ! l'amour ! dit-elle, et sa voix tremblait, et son œil rayonnait. C'est être deux et n'être qu'un. Un homme et une femme qui se fondent en un ange. C'est le ciel.

La danseuse des rues était, en parlant ainsi, d'une beauté qui frappait singulièrement Gringoire, et lui semblait en rapport parfait avec l'exaltation presque orientale de ses paroles. Ses lèvres roses et pures souriaient à demi ; son front candide et serein devenait trouble par moments sous sa pensée, comme un miroir sous une haleine ; et de ses longs cils noirs baissés s'échappait une sorte de lumière ineffable qui donnait à son profil cette suavité idéale que Raphaël[1] retrouva depuis au point d'in-

---

1. Peintre italien (1483-1520). Parmi les très nombreuses Vierges de son œuvre, il est possible que Hugo ait particulièrement pensé à la *Sainte Famille* dite de François Ier (1518), au Louvre. Le rapport au Fils, au Père et au Saint-Esprit de l'Annonciation se transpose ici en une sorte de Trinité de la féminité. Mystère au carré ?

tersection mystique de la virginité, de la maternité et de la divinité.

Gringoire n'en poursuivit pas moins.

— Comment faut-il donc être pour vous plaire ?

— Il faut être homme.

— Et moi, dit-il, qu'est-ce que je suis donc ?

— Un homme a le casque en tête, l'épée au poing et des éperons d'or aux talons.

— Bon, dit Gringoire, sans le cheval point d'homme. — Aimez-vous quelqu'un ?

— D'amour ?

— D'amour ?

Elle resta un moment pensive, puis elle dit avec une expression particulière : — Je saurai cela bientôt.

— Pourquoi pas ce soir ? reprit alors tendrement le poète. Pourquoi pas moi ?

Elle lui jeta un coup d'œil grave.

— Je ne pourrai aimer qu'un homme qui pourra me protéger.

Gringoire rougit, et se le tint pour dit. Il était évident que la jeune fille faisait allusion au peu d'appui qu'il lui avait prêté dans la circonstance critique où elle s'était trouvée deux heures auparavant. Ce souvenir, effacé par ses autres aventures de la soirée, lui revint. Il se frappa le front.

— À propos, mademoiselle, j'aurais dû commencer par là. Pardonnez-moi mes folles distractions. Comment donc avez-vous fait pour échapper aux griffes de Quasimodo ?

Cette question fit tressaillir la bohémienne.

— Oh ! l'horrible bossu ! dit-elle en se cachant le visage dans ses mains. Et elle frissonnait comme dans un grand froid.

— Horrible en effet, dit Gringoire, qui ne lâchait pas son idée ; mais comment avez-vous pu lui échapper ?

La Esmeralda sourit, soupira, et garda le silence.

— Savez-vous pourquoi il vous avait suivie ? reprit Gringoire, tâchant de revenir à sa question par un détour.

— Je ne sais pas, dit la jeune fille. Et elle ajouta vivement : Mais vous qui me suiviez aussi, pourquoi me suiviez-vous ?

— En bonne foi, répondit Gringoire, je ne sais pas non plus.

Il y eut un silence. Gringoire tailladait la table avec son couteau. La jeune fille souriait, et semblait regarder quelque chose à travers le mur. Tout-à-coup elle se prit à chanter d'une voix à peine articulée :

Quando las pintadas aves
Mudas estan, y la tierra [1]...

Elle s'interrompit brusquement, et se mit à caresser Djali.

— Vous avez là une jolie bête, dit Gringoire.

— C'est ma sœur, répondit-elle.

— Pourquoi vous appelle-t-on *la Esmeralda ?* demanda le poète.

— Je n'en sais rien.

— Mais encore ?

Elle tira de son sein une espèce de petit sachet oblong suspendu à son cou par une chaîne de grains d'adrézarach [2] ; ce sachet exhalait une forte odeur de camphre [3]. Il était recouvert de soie verte, et portait à son centre une grosse verroterie verte, imitant l'émeraude.

— C'est peut-être à cause de cela, dit-elle.

Gringoire voulut prendre le sachet. Elle recula.

— N'y touchez pas, c'est une amulette [4]. Tu ferais mal au charme, ou le charme à toi.

La curiosité du poète était de plus en plus éveillée.

— Qui vous l'a donnée ?

Elle mit un doigt sur sa bouche, et cacha l'amulette

---

1. *« Quand les oiseaux multicolores / Sont muets et que la terre... »*, citation du début d'une des *Romances* publiées par Abel Hugo en 1821 et 1822. **2.** Hugo a noté : « Catalpa. Grains noirs de l'Adrézarach (Sycomore, Syrie) » dans une liste de curiosités historico-religieuses. **3.** Antiseptique et insecticide balsamique, dont Raspail allait faire, dans les années 1840, une quasi panacée. Il était reconnu comme anaphrodisiaque. Le vert est la couleur de l'Islam, des sorcières, de l'espérance. **4.** Objet qui écarte le mauvais œil par son pouvoir magique (charme).

dans son sein. Il essaya d'autres questions, mais elle répondait à peine.

— Que veut dire ce mot : *la Esmeralda ?*

— Je ne sais pas, dit-elle.

— À quelle langue appartient-il ?

— C'est de l'égyptien, je crois.

— Je m'en étais douté, dit Gringoire. Vous n'êtes pas de France ?

— Je n'en sais rien.

— Avez-vous vos parents ?

Elle se mit à chanter sur un vieil air :

> Mon père est oiseau,
> Ma mère est oiselle.
> Je passe l'eau sans nacelle[1],
> Je passe l'eau sans bateau.
> Ma mère est oiselle,
> Mon père est oiseau.

— C'est bon, dit Gringoire. À quel âge êtes-vous venue en France ?

— Toute petite.

— À Paris ?

— L'an dernier. Au moment où nous entrions par la porte Papale[2], j'ai vu filer en l'air la fauvette des[3] roseaux ; c'était à la fin d'août ; j'ai dit : l'hiver sera rude.

— Il l'a été, dit Gringoire, ravi de ce commencement de conversation ; je l'ai passé à souffler dans mes doigts. Vous avez donc le don de prophétie[4] ?

Elle retomba dans son laconisme : Non.

— Cet homme que vous nommez le duc d'Égypte, c'est le chef de votre tribu ?

— Oui.

---

1. Diminutif de nef : petit bateau puis habitacle des aéronautes. **2.** Dans la clôture de l'abbaye Sainte-Geneviève, au sud-est de l'enceinte de Philippe Auguste. **3.** On corrige la coquille « fauvette *de* roseaux » de l'édition. Hugo l'avait notée, avec le labbe, comme signe météorologique. La *Chronique...* consacre toute une page au « grand gel » qui sévit du 26 décembre 1480 au 8 février 1481 (nouveau style). Nous sommes bien en janvier 1482 (nouveau style). **4.** De prévoir l'avenir.

— C'est pourtant lui qui nous a mariés, observa timidement le poète.

Elle fit sa jolie grimace habituelle. — Je ne sais seulement pas ton nom.

— Mon nom ? si vous le voulez, le voici. Pierre Gringoire.

— J'en sais un plus beau, dit-elle.

— Mauvaise ! reprit le poète. N'importe, vous ne m'irriterez pas. Tenez, vous m'aimerez peut-être en me connaissant mieux ; et puis vous m'avez conté votre histoire avec tant de confiance, que je vous dois un peu la mienne. Vous saurez donc que je m'appelle Pierre Gringoire, et que je suis fils du fermier du tabellionage de Gonesse[1]. Mon père a été pendu par les Bourguignons, et ma mère éventrée par les Picards, lors du siège de Paris, il y a vingt ans. À six ans donc, j'étais orphelin, n'ayant pour semelle à mes pieds que le pavé de Paris. Je ne sais comment j'ai franchi l'intervalle de six ans à seize. Une fruitière me donnait une prune par-ci, un talmellier[2] me jetait une croûte par-là ; le soir, je me faisais ramasser par les onze-vingts, qui me mettaient en prison, et je trouvais là une botte de paille. Tout cela ne m'a pas empêché de grandir et de maigrir, comme vous voyez. L'hiver je me chauffais au soleil, sous le porche de l'hôtel de Sens[3], et je trouvais fort ridicule que le feu de la Saint-Jean fût

---

1. Au nord-est de Paris, entre Saint-Denis et Roissy, au milieu de cette plaine de « France » qui faisait la meilleure farine pour le pain de Paris. Les tabellions expédiaient en grosse écriture les actes rédigés par les notaires. Par sa situation et sa « patte d'oie », Gonesse fait assez bien milieu entre Picards et Bourguignons. Les massacres ne cessèrent pas avant la fin de la guerre du Bien Public (1465). Les « vingt ans » de Gringoire sont approximatifs. 2. Artisan en pâte cuite, différent du boulanger, selon Du Breul (402) : ils prennent la farine à domicile, la travaillent et cuisent le pain chez eux, mais ne peuvent en prendre. Ils achètent leur charge au Roi et lui paient 6 sous à la Saint-Martin, et peuvent la revendre. 3. L'hôtel des archevêques de Sens (dont dépendait alors l'évêque de Paris) se trouve au début de la rue du Figuier sur la rive droite de la Seine. Le porche voûté donne au sud-est ; mais la construction n'a été entamée qu'en 1475.

réservé pour la canicule[1]. À seize ans, j'ai voulu prendre un état. Successivement j'ai tâté de tout. Je me suis fait soldat ; mais je n'étais pas assez brave. Je me suis fait moine, mais je n'étais pas assez dévôt ; — et puis, je bois mal. De désespoir, j'entrai apprenti parmi les charpentiers de la grande coignée[2] ; mais je n'étais pas assez fort. J'avais plus de penchant pour être maître d'école ; il est vrai que je ne savais pas lire ; mais ce n'est pas une raison. Je m'aperçus, au bout d'un certain temps, qu'il me manquait quelque chose pour tout ; et voyant que je n'étais bon à rien, je me fis de mon plein gré poète et compositeur de rhythmes. C'est un état qu'on peut toujours prendre quand on est vagabond, et cela vaut mieux que de voler, comme me le conseillaient quelques jeunes fils brigandiniers[3] de mes amis. Je rencontrai par bonheur un beau jour dom Claude Frollo, le révérend archidiacre de Notre-Dame. Il prit intérêt à moi, et c'est à lui que je dois d'être aujourd'hui un véritable lettré, sachant le latin depuis les Offices[4] de Cicéro jusqu'au Mortuologe[5] des pères célestins ; et n'étant barbare ni en scolastique, ni en poétique, ni en rhythmique, ni même en hermétique, cette sophie des sophies[6]. C'est moi qui suis l'auteur du mystère qu'on a représenté aujourd'hui, avec grand triomphe et grand concours de populace, en pleine grand'salle du Palais. J'ai fait aussi un livre qui aura six cents pages sur la comète prodigieuse de 1465[7], dont un homme devint

---

1. Au sens figuré : grande chaleur. La canicule dure un mois et commence peu avant la fin de juillet, un mois après la Saint-Jean. **2.** Hache à long manche pour l'abattage des arbres et ici sans doute pour leur équarrissage. Mais le Prologue du *Quart Livre* de Rabelais n'est pas loin. **3.** Du port militaire de la petite cotte de mailles, on passe aisément au brigandage. **4.** *De Officiis*, traité de Cicéron (106-43) non sur les services religieux mais sur les devoirs de sociabilité, dont la première impression remonte à 1465. **5.** Ou *Nécrologe*, calendrier pour la mémoire des défunts à l'office de prime d'une communauté ecclésiastique et de ses associés et donateurs. L'obituaire le remplace, en donnant plus de place aux mérites de ces confrères. La piété austère des célestins leur a attiré dotations royales et princières. **6.** Sagesse des sagesses. **7.** Sauval mentionne à la suite (II, 533-534) cette « comète » et la bombarde de Jean Maugue, mais c'est la *Chronique* qui date l'une du lundi 18 novembre 1465 et l'autre du lundi 5 janvier 1479 (nouveau style).

fou. J'ai eu encore d'autres succès. Étant un peu menuisier d'artillerie, j'ai travaillé à cette grosse bombarde de Jean Maugue, que vous savez qui a crevé au pont de Charenton, le jour où l'on en a fait l'essai, et tué vingt-quatre curieux. Vous voyez que je ne suis pas un méchant parti de mariage. Je sais bien des façons de tours fort avenants que j'enseignerai à votre chèvre, par exemple, à contrefaire l'évêque de Paris, ce maudit pharisien[1] dont les moulins éclaboussent les passants tout le long du Pont-aux-Meuniers. Et puis, mon mystère me rapportera beaucoup d'argent monnayé, si l'on me le paie. Enfin, je suis à vos ordres, moi, et mon esprit, et ma science, et mes lettres, prêt à vivre avec vous, demoiselle, comme il vous plaira ; chastement ou joyeusement ; mari et femme, si vous le trouvez bon ; frère et sœur, si vous le trouvez mieux.

Gringoire se tut, attendant l'effet de sa harangue sur la jeune fille. Elle avait les yeux fixés à terre.

— *Phœbus*, disait-elle à demi-voix. Puis se tournant vers le poète : *Phœbus*, qu'est-ce que cela veut dire ?

Gringoire, sans trop comprendre quel rapport il pouvait y avoir entre son allocution et cette question, ne fut pas fâché de faire briller son érudition. Il répondit en se rengorgeant : C'est un mot latin qui veut dire *soleil*.

— Soleil ! reprit-elle.

— C'est le nom d'un très[2] bel archer, qui était dieu[3], ajouta Gringoire.

— Dieu ! répéta l'égyptienne, et il y avait dans son accent quelque chose de pensif et de passionné.

En ce moment un de ses bracelets se détacha et tomba. Gringoire se baissa vivement pour le ramasser ; quand il se releva, la jeune fille et la chèvre avaient disparu. Il entendit le bruit d'un verrou. C'était une petite porte communiquant sans doute à une cellule voisine, qui se fermait en dehors.

---

1. Ennemis de Jésus, qui affichent une piété rigoureuse, corrompus au-dedans : sépulcres blanchis. **2.** On a corrigé le malencontreux *tel* (d'un *tel* bel archer) des éditions d'époque. **3.** Apollon qui tua de ses flèches le serpent Python et les Cyclopes. Après le texte premier « C'est un nom de dieu », la correction laisse entendre que les dieux (et les civilisations ?) sont mortels.

— M'a-t-elle au moins laissé un lit ? dit notre philosophe.

Il fit le tour de la cellule. Il n'y avait de meuble propre au sommeil qu'un assez long coffre de bois ; et encore le couvercle en était-il sculpté ; ce qui procura à Gringoire, quand il s'y étendit, une sensation à peu près pareille à celle qu'éprouverait Micromégas en se couchant tout de son long sur les Alpes [1].

— Allons ! dit-il en s'y accommodant de son mieux, il faut se résigner. Mais voilà une étrange nuit de noces. C'est dommage ; il y avait dans ce mariage à la cruche cassée quelque chose de naïf et d'antédiluvien qui me plaisait.

---

1. Micromégas, héros du conte de Voltaire (1752), mesure un peu moins de 40 kilomètres. On en déduira que le relief du coffre de Gringoire est de l'ordre de 2,5 cm.

LIVRE TROISIÈME

I

NOTRE-DAME

Sans doute, c'est encore aujourd'hui un majestueux et sublime édifice que l'église de Notre-Dame de Paris. Mais si belle qu'elle se soit conservée en vieillissant, il est difficile de ne pas soupirer, de ne pas s'indigner devant les dégradations, les mutilations sans nombre que simultanément le temps et les hommes ont fait subir au vénérable monument, sans respect pour Charlemagne, qui en avait posé la première pierre, pour Philippe-Auguste[1], qui en avait posé la dernière.

Sur la face de cette vieille reine de nos cathédrales, à côté d'une ride on trouve toujours une cicatrice. *Tempus edax, homo edacior*[2] *;* ce que je traduirais volontiers ainsi : Le temps est aveugle, l'homme est stupide.

Si nous avions le loisir d'examiner une à une avec le lecteur les diverses traces de destruction imprimées à l'antique église, la part du temps serait la moindre, la pire celle des hommes, surtout des hommes de l'art. Il faut bien que je dise *des hommes de l'art*, puisqu'il y a eu des individus qui ont pris la qualité d'architectes dans les deux derniers siècles.

Et d'abord, pour ne citer que quelques exemples capi-

---

1. Ou plutôt le pape Alexandre III en 1163, Maurice de Sully étant évêque. Mais Du Breul cite Hercandus, 42e évêque, sous Charlemagne. **2.** « Le temps est rongeur et plus rongeur l'homme », d'après un vers d'Ovide (*Métamorphoses*, XV, 234), qui a pu transiter par l'*Essai historique* qu'E.H. Langlois consacra en 1827 à Saint-Wandrille.

taux, il est, à coup sûr, peu de plus belles pages architecturales que cette façade où, successivement et à la fois, les trois portails creusés en ogive, le cordon brodé et dentelé des vingt-huit niches royales, l'immense rosace centrale flanquée de ses deux fenêtres latérales comme le prêtre du diacre et du sous-diacre, la haute et frêle galerie d'arcades à trèfle qui porte une lourde plate-forme sur ses fines colonnettes, enfin les deux noires et massives tours avec leurs auvents d'ardoise ; parties harmonieuses d'un tout magnifique, superposées en cinq étages gigantesques ; se développent à l'œil, en foule et sans trouble, avec leurs innombrables détails de statuaire, de sculpture et de ciselure, ralliés puissamment à la tranquille grandeur de l'ensemble ; vaste symphonie en pierre, pour ainsi dire ; œuvre colossale d'un homme et d'un peuple, tout ensemble une et complexe comme les Iliades et les romanceros dont elle est sœur ; produit prodigieux de la cotisation de toutes les forces d'une époque, où sur chaque pierre on voit saillir en cent façons la fantaisie de l'ouvrier disciplinée par le génie de l'artiste ; sorte de création humaine, en un mot, puissante et féconde comme la création divine dont elle semble avoir dérobé le double caractère : variété, éternité.

Et ce que nous disons ici de la façade, il faut le dire de l'église entière ; et ce que nous disons de l'église cathédrale de Paris, il faut le dire de toutes les églises de la chrétienté au moyen-âge. Tout se tient dans cet art venu de lui-même, logique et bien proportionné. Mesurer l'orteil du pied, c'est mesurer le géant.

Revenons à la façade de Notre-Dame, telle qu'elle nous apparaît encore à présent, quand nous allons pieusement admirer la grave et puissante cathédrale, qui terrifie, au dire de ses chroniqueurs ; *quœ mole sua terrorem incutit spectantibus*[1].

Trois choses importantes manquent aujourd'hui à cette façade : d'abord le degré de onze marches qui l'exhaussait jadis au-dessus du sol ; ensuite la série inférieure de statues qui occupait les niches des trois portails, et la série

1. « Qui de sa masse inocule la terreur aux spectateurs. » C'est le début du livre de Du Breul.

supérieure des vingt-huit plus anciens rois de France [1], qui garnissait la galerie du premier étage, à partir de Childebert jusqu'à Philippe-Auguste, tenant en main « la pomme impériale [2]. »

Le degré, c'est le temps qui l'a fait disparaître en élevant d'un progrès irrésistible et lent le niveau du sol de la Cité ; mais, tout en faisant dévorer une à une, par cette marée montante du pavé de Paris, les onze marches qui ajoutaient à la hauteur majestueuse de l'édifice, le temps a rendu à l'église plus peut-être qu'il ne lui a ôté, car c'est le temps qui a répandu sur la façade cette sombre couleur des siècles qui fait de la vieillesse des monuments l'âge de leur beauté.

Mais qui a jeté bas les deux rangs de statues ? qui a laissé les niches vides ? qui a taillé, au beau milieu du portail central, cette ogive neuve et bâtarde ? qui a osé y encadrer cette fade et lourde porte de bois sculptée à la Louis XV, à côté des arabesques de Biscornette [3] ? Les hommes, les architectes, les artistes de nos jours.

Et, si nous entrons dans l'intérieur de l'édifice, qui a renversé ce colosse de saint Christophe [4], proverbial parmi les statues au même titre que la grand'salle du Palais parmi les halles, que la flèche de Strasbourg parmi les clochers ? et ces myriades de statues qui peuplaient tous les entrecolonnements de la nef et du chœur, à genoux, en pied, équestres, hommes, femmes, enfants, rois, évêques, gendarmes, en pierre, en marbre, en or, en argent, en cuivre, en cire même, qui les a brutalement balayées ? Ce n'est pas le temps.

Et qui a substitué au vieil autel gothique, splendidement encombré de châsses et de reliquaires [5], ce lourd

---

1. C'est ainsi que le peuple interprétait la galerie des Rois de Juda. **2.** Le globe surmonté de la croix. **3.** Auteur des « enroulements multipliés » des pentures en fonte de fer des portails latéraux, au XVIIe siècle. **4.** Hugo a noté la dévotion populaire pour saint Christophe, « préservateur de la mort subite », et son image de 1423 « gravée en bois ». Ce « saint-géant » était ainsi une « espèce de dieu lare ». Le colosse n'a été « renversé » qu'après la mort, en 1781, de l'archevêque Christophe de Beaumont, dont la charité était célèbre. **5.** La châsse est un coffre à reliques ; le reliquaire, moins monumental peut prendre la forme (tête, pied...) de la partie du corps qui a laissé ces restes.

sarcophage[1] de marbre à têtes d'anges et à nuages, lequel semble un échantillon dépareillé du Val-de-Grâce ou des Invalides[2] ? Qui a bêtement scellé ce lourd anachronisme de pierre dans le pavé carlovingien de Hercandus ? N'est-ce pas Louis XIV accomplissant le vœu de Louis XIII[3] ? Et qui a mis de froides vitres blanches à la place de ces vitraux « hauts en couleur » qui faisaient hésiter l'œil émerveillé de nos pères entre la rose du grand-portail et les ogives de l'apside[4] ? Et que dirait un sous-chantre du seizième siècle, en voyant le beau badigeonnage jaune dont nos vandales archevêques ont barbouillé leur cathédrale ? Il se souviendrait que c'était la couleur dont le bourreau brossait les édifices *scélérés*[5] ; il se rappellerait l'hôtel du Petit-Bourbon, tout englué de jaune aussi pour la trahison du connétable ; « jaune après tout de si bonne trempe, dit Sauval, et si bien recommandé, que plus d'un siècle n'a pu encore lui faire perdre sa couleur : » il croirait que le lieu saint est devenu infâme, et s'enfuirait.

Et si nous montons sur la cathédrale, sans nous arrêter à mille barbaries de tout genre, qu'a-t-on fait de ce charmant petit clocher qui s'appuyait sur le point d'intersection de la croisée[6], et qui, non moins frêle et non moins hardi que sa voisine la flèche (détruite aussi) de la Sainte-Chapelle, s'enfonçait dans le ciel plus avant que les tours, élancé, aigu, sonore, découpé à jour ? Un architecte de bon goût (1787[7])

---

1. Comme si l'autel classique était un tombeau destiné à « manger la chair » de la piété médiévale. **2.** L'unité de composition régit aussi bien l'église du couvent élevé au bout de la rue Saint-Jacques par Anne d'Autriche que l'église Saint-Louis à l'Hôtel des Invalides de Louis XIV. **3.** Louis XIII a consacré son royaume à la Vierge en 1638 ; le nouvel autel, dans le réaménagement de la cathédrale par Robert de Cotte sous Louis XV, commémore ou accomplit ce « dévouement ». **4.** Partie terminale de l'église, tournée vers l'est, Jérusalem, le soleil levant. L'orthographe tente en vain de se faire phonétique. **5.** Badigeonnés pour l'infamie de leur propriétaire, condamné pour crime de haute trahison. Le badigeon classique (les archevêques de Paris datent du XVIIe siècle) était plutôt blanc. On admettra que la patine du temps finit par exprimer la scélératesse des prêtres. **6.** De la nef et du transept. Viollet-le-Duc le rétablit sous le Second Empire. **7.** La date signifie « deux ans avant la Révolution », comme si la pression de la sottise historique devait faire sauter la marmite. L'allusion à Denis Papin (1647-1714), héros (protestant) de la force de la vapeur, est éclatante.

l'a amputé, et a cru qu'il suffisait de masquer la plaie avec ce large emplâtre de plomb qui ressemble au couvercle d'une marmite. C'est ainsi que l'art merveilleux du moyen-âge a été traité presque en tout pays, surtout en France. On peut distinguer sur sa ruine trois sortes de lésions, qui toutes trois l'entament à différentes profondeurs : le temps d'abord, qui a insensiblement ébréché çà et là et rouillé partout sa surface ; ensuite, les révolutions politiques et religieuses, lesquelles, aveugles et colères de leur nature, se sont ruées en tumulte sur lui, ont déchiré son riche habillement de sculptures et de ciselures, crevé ses rosaces, brisé ses colliers d'arabesques et de figurines, arraché ses statues, tantôt pour leur mitre, tantôt pour leur couronne [1] ; enfin, les modes, de plus en plus grotesques et sottes, qui, depuis les anarchiques et splendides déviations de la *renaissance* [2], se sont succédé dans la décadence nécessaire de l'architecture. Les modes ont fait plus de mal que les révolutions. Elles ont tranché dans le vif, elles ont attaqué la charpente osseuse de l'art ; elles ont coupé, taillé, désorganisé, tué l'édifice, dans la forme comme dans le symbole, dans sa logique comme dans sa beauté. Et puis, elles ont refait ; prétention que n'avaient eue, du moins, ni le temps, ni les révolutions. Elles ont effrontément ajusté, de par *le bon goût*, sur les blessures de l'architecture gothique, leurs misérables colifichets [3] d'un jour, leurs rubans de marbre, leurs pompons de métal : véritable lèpre d'oves [4], de volutes, d'entournements [5], de draperies, de guirlandes, de franges, de flammes de pierre, de nuages de bronze, d'amours replets, de chérubins bouffis, qui commence à dévorer la face de l'art dans l'oratoire de Catherine de Médicis, et le fait expirer, deux siècles après, tourmenté et grimaçant, dans le boudoir de la Dubarry [6].

Ainsi, pour résumer les points que nous venons d'indi-

1. Parce que symboles de la tyrannie religieuse ou politique. **2.** C'est-à-dire de l'art du XVIe siècle. Le mot, en ce sens, est tout neuf. La révolution de 1830 le met à la mode. **3.** Ornement futile, comme parure de clinquant. **4.** Ornement profilé comme un œuf. **5.** Calqué sur contournement, prend place dans la série de la bourre, de l'empaquetage. **6.** Le XVIe siècle, le Louvre, la Reine, la prière ; le XVIIIe siècle Versailles, la Favorite, le lit.

quer, trois sortes de ravages défigurent aujourd'hui l'architecture gothique. Rides et verrues à l'épiderme ; c'est l'œuvre du temps. Voies de fait, brutalités, contusions, fractures ; c'est l'œuvre des révolutions depuis Luther[1] jusqu'à Mirabeau[2]. Mutilations, amputations, dislocation de la membrure, *restaurations*[3] ; c'est le travail grec, romain et barbare des professeurs selon Vitruve et Vignole[4]. Cet art magnifique que les Vandales[5] avaient produit, les académies l'ont tué. Aux siècles, aux révolutions, qui dévastent du moins avec impartialité et grandeur, est venue s'adjoindre la nuée des architectes d'école, patentés, jurés et assermentés ; dégradant avec le discernement et le choix du mauvais goût ; substituant les chicorées[6] de Louis XV aux dentelles gothiques, pour la plus grande gloire du Parthénon[7]. C'est le coup de pied de l'âne au lion mourant[8]. C'est le vieux chêne qui se couronne[9], et qui, pour comble, est piqué, mordu, déchiqueté par les chenilles.

Qu'il y a loin de là à l'époque où Robert Cenalis[10], comparant Notre-Dame de Paris à ce fameux temple de

---

1. Le Réformateur (1483-1546). **2.** L'homme de 1789 (1749-1791). **3.** Le terme dénonce la prétention des architectes, mais vise obliquement celle des politiques : 1814 et 1815 datent le rétablissement de la monarchie bourbonienne contre l'Empire. **4.** L'architecte latin du Ier siècle avant notre ère et l'italien du XVIe, auteurs de traités momifiés par les pédants, offrent l'avantage d'une allitération plus ou moins triviale. **5.** Population germanique parvenue en Occident au Ve siècle, passée en Espagne puis en Afrique du Nord. L'art de leurs voisins et successeurs, les Wisigoths, qui demeurèrent au pouvoir en Espagne jusqu'à la conquête musulmane, est digne de la plus grande admiration. L'essentiel dans la confusion où l'origine du gothique se cherchait est évidemment le contact de l'Occident avec la source orientale, avec les « barbaries » créatrices de civilisation. Si bien que vandale est ici synonyme de barbare créateur, et académique de destructeur décadent. **6.** Salade aux feuilles torses, qui a donné son nom aux ornements contournés du style Louis XV. **7.** Temple d'Athéna à Athènes, référence absolue du classicisme architectural, mal sauvé de la ruine par la collaboration de lord Elgin et de l'administration turque, dénoncée par Byron, et gravement endommagé dans la guerre d'indépendance grecque (1824-1827). **8.** La Fontaine, *Fables*, III, 14, *Le Lion devenu vieux* : « C'est mourir deux fois que souffrir tes atteintes. » **9.** Dont la tête se dépouille. **10.** Évêque d'Avranches, mort en 1560. L'addition de ce paragraphe doit tout à Du Breul (p. 10), y compris la référence à l'*Histoire des Gaules*.

Diane à Éphèse [1], *tant réclamé par les anciens païens*, qui a immortalisé Érostrate, trouvait la cathédrale gauloise « plus excellente en longueur, largeur, hauteur et structure * ! »

Notre-Dame de Paris n'est point, du reste, ce qu'on peut appeler un monument complet, défini, classé. Ce n'est plus une église romane, ce n'est pas encore une église gothique. Cet édifice n'est pas un type. Notre-Dame de Paris n'a point, comme l'abbaye de Tournus [2], la grave et massive carrure, la ronde et large voûte, la nudité glaciale, la majestueuse simplicité des édifices qui ont le plein-cintre pour générateur. Elle n'est pas, comme la cathédrale de Bourges [3], le produit magnifique, léger, multiforme, touffu, hérissé, efflorescent de l'ogive. Impossible de la ranger dans cette antique famille d'églises sombres, mystérieuses, basses, et comme écrasées par le plein-cintre ; presque égyptiennes au plafond près ; toutes hiéroglyphiques [4], toutes sacerdotales, toutes symboliques ; plus chargées, dans leurs ornements, de losanges et de zigzags que de fleurs, de fleurs que d'animaux, d'animaux que d'hommes ; œuvre de l'architecte moins que de l'évêque ; première transformation de l'art, tout empreinte de discipline théocratique et militaire, qui prend racine dans le Bas-Empire [5], et s'arrête à Guillaume-le-Conquérant [6]. Impossible de placer notre cathédrale dans cette autre famille d'églises hautes, aériennes, riches de vitraux et de sculptures ; aiguës de formes,

---

* *Histoire gallicane*, liv. II, périoche 3e, f ° 130, p. 1.

---

1 Sur la côte occidentale de l'actuelle Turquie (Ionie) ; ce temple était l'une des sept merveilles du monde, incendié en 356 avant notre ère par Érostrate, qui voulait immortaliser son nom. La catastrophe coïncida avec la naissance d'Alexandre. **2.** Sur la Saône, entre Châlon et Mâcon. Hugo l'a visitée le 9 août 1825. **3.** Capitale du Berry, visitée le 2 septembre 1825. **4.** Écriture sacrée des Égyptiens, de type idéogrammatique, où la forme et l'idée ne font qu'un, dans le monde du symbole et la rigueur géométrique. Champollion inventeur en 1822 de son déchiffrement, rentrait de deux ans en Égypte au moment de la publication de *Notre-Dame de Paris*. **5.** Période de la décadence de l'Empire romain, qu'on fait commencer à la fin du IIIe siècle, ou du IVe. **6.** Duc de Normandie (1027-1087), descendant du Viking Rollon (ou Rou). La conquête de l'Angleterre date de 1066.

hardies d'attitudes ; communales et bourgeoises, comme symboles politiques ; libres, capricieuses, effrénées, comme œuvre d'art ; seconde transformation de l'architecture, non plus hiéroglyphique, immuable et sacerdotale, mais artiste, progressive et populaire, qui commence au retour des croisades[1], et finit à Louis XI. Notre-Dame de Paris n'est pas de pure race romane, comme les premières ; ni de pure race arabe, comme les secondes.

C'est un édifice de la transition. L'architecte saxon achevait de dresser les premiers piliers de la nef, lorsque l'ogive, qui arrivait de la croisade, est venue se poser en conquérante sur ces larges chapiteaux romans qui ne devaient porter que des pleins-cintres. L'ogive, maîtresse dès lors, a construit le reste de l'église. Cependant, inexpérimentée et timide à son début, elle s'évase, s'élargit, se contient, et n'ose s'élancer encore en flèches et en lancettes, comme elle l'a fait plus tard dans tant de merveilleuses cathédrales. On dirait qu'elle se ressent du voisinage des lourds piliers romans.

D'ailleurs, ces édifices de la transition du roman au gothique ne sont pas moins précieux à étudier que les types purs. Ils expriment une nuance de l'art, qui serait perdue sans eux. C'est la greffe de l'ogive sur le plein-cintre.

Notre-Dame de Paris est, en particulier, un curieux échantillon de cette variété. Chaque face, chaque pierre du vénérable monument est une page non-seulement de l'histoire du pays, mais encore de l'histoire de la science et de l'art. Ainsi, pour n'indiquer ici que les détails principaux, tandis que la petite Porte-Rouge[2] atteint presque aux limites des délicatesses gothiques du quinzième siècle, les piliers de la nef, par leur volume et leur gravité,

---

1. Les Croisades vers Jérusalem et les pays du Proche-Orient ont occupé les XIIe et XIIIe siècles. La floraison, ou flamboyance, du gothique « arabe » occupe donc les XIVe et XVe siècles. La *Lettre à l'Académie* de Fénelon (1715) est l'une des sources de cette généalogie orientale du gothique ogival. **2.** Au nord du chevet, entre le chœur et le cloître.

reculent jusqu'à l'abbaye carlovingienne[1] de Saint-Germain-des-Prés. On croirait qu'il y a six siècles entre cette porte et ces piliers. Il n'est pas jusqu'aux hermétiques qui ne trouvent dans les symboles du grand portail un abrégé satisfaisant de leur science dont l'église de Saint-Jacques-de-la-Boucherie était un hiéroglyphe si complet. Ainsi, l'abbaye romane, l'église philosophale, l'art gothique, l'art saxon, le lourd pilier rond, qui rappelle Grégoire VII[2], le symbolisme hermétique par lequel Nicolas Flamel préludait à Luther[3], l'unité papale, le schisme, Saint-Germain-des-Prés, Saint-Jacques-de-la-Boucherie, tout est fondu, combiné, amalgamé dans Notre-Dame. Cette église centrale et génératrice est parmi les vieilles églises de Paris une sorte de chimère ; elle a la tête de l'une, les membres de celle-là, la croupe de l'autre, quelque chose de toutes.

Nous le répétons, ces constructions hybrides ne sont pas les moins intéressantes pour l'artiste, pour l'antiquaire, pour l'historien. Elles font sentir à quel point l'architecture est chose primitive, en ce qu'elles démontrent (ce que démontrent aussi les vestiges cyclopéens[4], les pyramides d'Égypte, les gigantesques pagodes hindoues[5]) que les plus grands produits de l'architecture sont moins des œuvres individuelles que des œuvres sociales ; plutôt l'enfantement des peuples en travail[6] que le jet des hommes de génie ; le dépôt que laisse une nation ; les

---

1. Ou carolingienne : la famille de Charlemagne (742-814), « seconde race » des rois de France est restée au pouvoir jusqu'à la fin du xᵉ siècle. **2.** Pape de la fin du xiᵉ siècle, auteur d'une remise en ordre générale de la catholicité. **3.** Réformateur allemand, traducteur de la Bible (1483-1546), adversaire de l'absolutisme papal, héros du schisme protestant. **4.** Murailles formées d'énormes blocs entassés sans mortier et attribuées aux populations pélasges de la Méditerranée centrale et orientale, avant la civilisation hellénique. Petit-Radel, à la bibliothèque Mazarine, avait mis à la mode ces découvertes archéologiques peu avant la rédaction de *Notre-Dame*. **5.** Il s'agit bien plutôt d'excavations sculptées, de temples troglodytes, que de constructions influencées par l'art d'Extrême-Orient. Voir L. Langlès, *Monuments anciens et modernes de l'Hindoustan...*, 1812-1821, 2 vol. in f° ; et, dans *Les Rayons et les Ombres*, les poèmes VI et XIII, d'avril 1839. **6.** Ce terme réunit les deux châtiments dont le Dieu de la Genèse punit le péché originel : le labeur « à la sueur de ton front » et l'accouchement dans la douleur.

entassements que font les siècles ; le résidu des évaporations successives de la société humaine ; en un mot, des espèces de formations[1]. Chaque flot du temps superpose son alluvion, chaque race dépose sa couche sur le monument, chaque individu apporte sa pierre. Ainsi font les castors, ainsi font les abeilles, ainsi font les hommes. Le grand symbole de l'architecture, Babel, est une ruche.

Les grands édifices, comme les grandes montagnes, sont l'ouvrage des siècles. Souvent l'art se transforme qu'ils pendent encore ; *pendent opera interrupta*[2], ils se continuent paisiblement selon l'art transformé. L'art nouveau prend le monument où il le trouve, s'y incruste, se l'assimile, le développe à sa fantaisie, et l'achève s'il peut. La chose s'accomplit sans trouble, sans effort, sans réaction, suivant une loi naturelle et tranquille. C'est une greffe qui survient, une sève qui circule, une végétation qui reprend. Certes, il y a matière à bien gros livres, et souvent histoire universelle de l'humanité, dans ces soudures successives de plusieurs arts à plusieurs hauteurs sur le même monument. L'homme, l'artiste, l'individu, s'effacent sur ces grandes masses sans nom d'auteur ; l'intelligence humaine s'y résume et s'y totalise. Le temps est l'architecte, le peuple est le maçon.

À n'envisager ici que l'architecture européenne chrétienne, cette sœur puînée des grandes maçonneries de l'Orient, elle apparaît aux yeux comme une immense formation divisée en trois zônes bien tranchées qui se superposent : la zône romane*, la zône gothique, la zône de la renaissance, que nous appellerions volontiers

---

* C'est la même qui s'appelle aussi, selon les lieux, les climats et les espèces, lombarde, saxonne et byzantine. Ce sont quatre architectures sœurs et parallèles, ayant chacune leur caractère particulier, mais dérivant de même principe, le plein-cintre.

Facies non omnibus una,
Non diversa tamen, qualem, etc.[3]

---

1. Image proprement géologique, sur quoi pivote ici la naturalité du social. **2.** « Restent en suspens les travaux interrompus » (Virgile, *Énéide*, IV, 88). **3.** « Structure non point unique pour toutes, mais pourtant non différentes, telle, etc. » (Ovide, *Métamorphoses,* II, 13).

græco-romaine. La couche romane, qui est la plus ancienne et la plus profonde, est occupée par le plein-cintre, qui reparaît, porté par la colonne grecque, dans la couche moderne et supérieure de la renaissance. L'ogive est entre deux. Les édifices qui appartiennent exclusivement à l'une de ces trois couches, sont parfaitement distincts, uns et complets. C'est l'abbaye de Jumièges[1], c'est la cathédrale de Reims[2], c'est Sainte-Croix d'Orléans[3]. Mais les trois zônes se mêlent et s'amalgament par les bords, comme les couleurs dans le spectre solaire. De là les monuments complexes, les édifices de nuance et de transition. L'un est roman par les pieds, gothique au milieu, græco-romain par la tête. C'est qu'on a mis six cents ans à le bâtir. Cette variété est rare. Le donjon d'Étampes[4] en est un échantillon. Mais les monuments de deux formations sont plus fréquents. C'est Notre-Dame de Paris, édifice ogival, qui s'enfonce par ses premiers piliers dans cette zône romane où sont plongés le portail de Saint-Denis et la nef de Saint-Germain-des-Prés. C'est la charmante salle capitulaire demi-gothique de Bocherville[5], à laquelle la couche romane vient jusqu'à mi-corps. C'est la cathédrale de Rouen, qui serait entièrement gothique, si elle

---

1. À l'ouest de Rouen, sur la Seine ; abbaye célèbre par la légende des « énervés », fils de Clovis II, et par ses ruines, qui tiennent une place de choix dans la Normandie des *Voyages romantiques et pittoresques* de Nodier et coll. La construction remonte au grand-père de Guillaume le Conquérant. **2.** Cathédrale du Sacre royal. Hugo vint y assister à celui de Charles X en 1825, avec Nodier, comme invité officiel. **3.** Ruinée dans les guerres de Religion à la fin du XVIe siècle, cette cathédrale fut reconstruite tout au long des deux suivants. Le couronnement de colonnes des tours est sans doute pour beaucoup dans cette approximation du « moderne renaissant » qui sent son Chateaubriand. **4.** À 60 km au sud de Paris, la tour Guinette, reste du château de la reine Constance, était rachetée par l'archéologue Auguste de Grandmaison le jour même de la rédaction de ce passage (17 octobre 1830), sans apporter trop de caution à l'« échantillonnage » de Hugo. **5.** Dans l'Eure, à une douzaine de kilomètres à l'ouest d'Elbeuf. La source de Hugo est encore la *Normandie* de Nodier et Taylor, qui avaient été guidés dans leur enquête par Auguste Le Prévost (1787-1859), et l'étude d'Achille Deville sur cette abbaye, en 1827.

ne baignait par l'extrémité de sa flèche centrale dans la zône de la renaissance*.

Du reste, toutes ces nuances, toutes ces différences n'affectent que la surface des édifices. C'est l'art qui a changé de peau. La constitution même de l'église chrétienne n'en est pas attaquée. C'est toujours la même charpente intérieur, la même disposition logique des parties. Quelle que soit l'enveloppe sculptée et brodée d'une cathédrale, on retrouve toujours dessous, au moins à l'état de germe et de rudiment, la basilique romaine[1]. Elle se développe éternellement sur le sol selon la même loi. Ce sont imperturbablement deux nefs qui s'entrecoupent en croix, et dont l'extrémité supérieure, arrondie en apside, forme le chœur ; ce sont toujours des bas-côtés, pour les processions intérieures, pour les chapelles, sortes de promenoirs latéraux où la nef principale se dégorge par les entrecolonnements. Cela posé, le nombre des chapelles, des portails, des clochers, des aiguilles, se modifie à l'infini, suivant la fantaisie du siècle, du peuple, de l'art. Le service du culte une fois pourvu et assuré, l'architecture fait ce que bon lui semble. Statues, vitraux, rosaces, arabesques, dentelures, chapiteaux, bas-reliefs, elle combine toutes ces imaginations selon le logarithme[2] qui lui convient. De là la prodigieuse variété extérieure de ces édifices au fond desquels réside tant d'ordre et d'unité. Le tronc de l'arbre est immuable ; la végétation est capricieuse.

---

* Cette partie de la flèche, qui était en charpente, est précisément celle qui a été consumée par le feu du ciel[3] en 1823.

---

1. Bâtiment rectangulaire où l'on rendait la justice et négociait les affaires. Le transept et la configuration en croix sont postérieurs à l'époque romaine. **2.** Système de simplification des calculs inventé à la fin du XVIe siècle par Neper, et qui repose sur la mise en rapport d'une progression arithmétique et d'une progression géométrique. Il est possible que Hugo vise ici la spirale logarithmique, caractérisée par un angle constant, à moins qu'il ne confonde avec algorithme : il s'agit en tout cas de l'identité d'un procédé d'engendrement, le caprice se bornant au choix de la règle. **3.** Nodier dit le 15 janvier 1822. Le « feu du ciel », qui s'abat sur Sodome, donne son titre à la première pièce des *Orientales*, datée d'octobre 1828.

II

PARIS À VOL D'OISEAU

Nous venons d'essayer de réparer pour le lecteur cette admirable église de Notre-Dame de Paris. Nous avons indiqué sommairement la plupart des beautés qu'elle avait au quinzième siècle et qui lui manquent aujourd'hui ; mais nous avons omis la principale, c'est la vue du Paris qu'on découvrait alors du haut de ses tours.

C'était en effet, quand, après avoir tâtonné longtemps dans la ténébreuse spirale qui perce perpendiculairement l'épaisse muraille des clochers, on débouchait enfin brusquement sur l'une des deux hautes plates-formes inondées de jour et d'air ; c'était un beau tableau que celui qui se déroulait à la fois de toutes parts sous vos yeux ; un spectacle *sui generis* [1], dont peuvent aisément se faire idée ceux de nos lecteurs qui ont eu le bonheur de voir une ville gothique, entière, complète, homogène, comme il en reste encore quelques-unes, Nuremberg [2] en Bavière, Vittoria [3] en Espagne ; ou même de plus petits échantillons, pourvu qu'ils soient bien conservés, Vitré [4] en Bretagne, Nordhausen [5] en Prusse.

Le Paris d'il y a trois cent cinquante ans, le Paris du quinzième siècle, était déjà une ville géante. Nous nous trompons en général, nous autres Parisiens, sur le terrain que nous croyons avoir gagné depuis. Paris, depuis

---

1. Unique en son genre. **2.** La disparition quasi totale des réalités médiévales n'affecte pas la conservation d'*ensemble* de la ville. **3.** Capitale de l'Alava, au Pays basque espagnol. Le 21 juin 1813 Wellington y battit l'armée du roi Joseph, et le général Hugo (par ailleurs bon connaisseur de la ville et du château) prit bonne part dans l'organisation de la retraite, faute d'avoir pu réaliser son rêve d'enlever le chef anglais. Le jeune Hugo avait traversé Vittoria en 1811 et s'y était trouvé bloqué au retour d'Espagne, en mars 1812, après sa « première rencontre avec l'échafaud » et le spectacle d'un jeune homme crucifié en morceaux. **4.** À une quarantaine de kilomètres à l'est de Rennes, vieille ville médiévale « bizarre et fantastique », encore peu entamée par le vandalisme en 1830. **5.** Ancienne ville libre de Saxe, entre Göttingen et Halle.

Louis XI, ne s'est pas accru de beaucoup plus d'un tiers [1]. Il a, certes, bien plus perdu en beauté qu'il n'a gagné en grandeur.

Paris est né, comme on sait, dans cette vieille île de la Cité qui a la forme d'un berceau. La grève de cette île fut sa première enceinte, la Seine son premier fossé. Paris demeura plusieurs siècles à l'état d'île, avec deux ponts, l'un au nord, l'autre au midi, et deux têtes de pont, qui étaient à la fois ses portes et ses forteresses : le Grand-Châtelet sur la rive droite, le Petit-Châtelet sur la rive gauche. Puis, dès les rois de la première race, trop à l'étroit dans son île, et ne pouvant plus s'y retourner, Paris passa l'eau. Alors, au-delà du grand, au-delà du petit Châtelet, une première enceinte de murailles et de tours commença à entamer la campagne des deux côtés de la Seine. De cette ancienne clôture il restait encore au siècle dernier quelques vestiges ; aujourd'hui il n'en reste que le souvenir et çà et là une tradition, la porte Baudets ou Baudoyer, *porta Bagauda*. Peu à peu, le flot des maisons, toujours poussé du cœur de la ville au dehors, déborde, ronge, use et efface cette enceinte. Philippe-Auguste lui fait une nouvelle digue. Il emprisonne Paris dans une chaîne circulaire de grosses tours, hautes et solides. Pendant plus d'un siècle, les maisons se pressent, s'accumulent et haussent leur niveau dans ce bassin, comme l'eau dans un réservoir. Elles commencent à devenir profondes ; elles mettent étages sur étages ; elles montent les unes sur les autres ; elles jaillissent en hauteur comme toute sève comprimée, et c'est à qui passera la tête par-dessus ses voisines pour avoir un peu d'air. La rue de plus en plus se creuse et se rétrécit ; toute place se comble et disparaît. Les maisons enfin sautent par-dessus le mur de Philippe-Auguste, et s'éparpillent joyeusement dans la plaine, sans ordre et tout de travers, comme des échappées. Là, elles se carrent, se taillent des jardins dans les

1. L'erreur est manifeste si l'on s'en tient à la superficie des terrains. Mais vers 1830 les accroissements d'un Paris limité par le tracé actuel du métro semi-aérien (Étoile-Nation) laissent encore beaucoup d'espace libre entre les hôtels nobles et les couvents. Enfermé dans les enceintes de Philippe-Auguste et de Charles V, Paris était peut-être la ville la plus populeuse de la chrétienté.

champs, prennent leurs aises. Dès 1367, la ville se répand tellement dans le faubourg qu'il faut une nouvelle clôture, surtout sur la rive droite : Charles V la bâtit. Mais une ville comme Paris est dans une crue perpétuelle. Il n'y a que ces villes-là qui deviennent capitales. Ce sont des entonnoirs où viennent aboutir tous les versants géographiques, politiques, moraux, intellectuels d'un pays, toutes les pentes naturelles d'un peuple ; des puits de civilisation, pour ainsi dire, et aussi des égouts, où commerce, industrie, intelligence, population, tout ce qui est sève, tout ce qui est vie, tout ce qui est âme dans une nation, filtre et s'amasse sans cesse, goutte à goutte, siècle à siècle. L'enceinte de Charles V a donc le sort de l'enceinte de Philippe-Auguste. Dès la fin du quinzième siècle, elle est enjambée, dépassée, et le faubourg court plus loin. Au seizième, il semble qu'elle recule à vue d'œil et s'enfonce de plus en plus dans la vieille ville, tant une ville neuve s'épaissit déjà au dehors. Ainsi, dès le quinzième siècle, pour nous arrêter là, Paris avait déjà usé les trois cercles concentriques de murailles qui, du temps de Julien l'Apostat [1], étaient, pour ainsi dire, en germe dans le Grand-Châtelet et le Petit-Châtelet. La puissante ville avait fait craquer successivement ses quatre ceintures de murs comme un enfant qui grandit, et qui crève ses vêtements de l'an passé. Sous Louis XI, on voyait, par places, percer, dans cette mer de maisons, quelques groupes de tours en ruine des anciennes enceintes, comme les pitons des collines dans une inondation, comme des archipels du vieux Paris submergé sous le nouveau.

Depuis lors, Paris s'est encore transformé, malheureusement pour nos yeux ; mais il n'a franchi qu'une enceinte de plus, celle de Louis XV [2], ce misérable mur

---

1. L'empereur Julien (331-363) avait renié le christianisme, écrivait en grec et aimait Paris. On lui attribuait les thermes romains qui jouxtent le musée de Cluny. **2.** Le mur des Fermiers généraux, pour la perception des droits d'octroi, sur l'emplacement de nos actuels « grands boulevards ». Il datait de 1785, sous Louis XVI. Mais le grand-père passait pour responsable de la Révolution, donc de la décapitation du petit-fils. L'alexandrin célèbre construit sur un jeu de mots et une quasi onomatopée est anonyme. Hugo se livre ici à une « exécration ».

de boue et de crachat, digne du roi qui l'a bâti, digne du poète qui l'a chanté :

Le mur murant Paris rend Paris murmurant.

Au quinzième siècle Paris était encore divisé en trois villes tout-à-fait distinctes et séparées, ayant chacune leur physionomie, leur spécialité, leurs mœurs, leurs coutumes, leurs priviléges, leur histoire : la Cité, l'Université, la Ville. La Cité, qui occupait l'île, était la plus ancienne, la moindre et la mère des deux autres, resserrée entre elles (qu'on nous passe la comparaison) comme une petite vieille entre deux grandes belles filles. L'Université couvrait la rive gauche de la Seine, depuis la Tournelle jusqu'à la tour de Nesle, points qui correspondent, dans le Paris d'aujourd'hui, l'un à la Halle-aux-Vins [1], l'autre à la Monnaie [2]. Son enceinte échancrait assez largement cette campagne où Julien avait bâti ses thermes. La montagne de Sainte-Geneviève y était renfermée. Le point culminant de cette courbe de murailles était la porte Papale, c'est-à-dire à peu près l'emplacement actuel du Panthéon. La Ville, qui était le plus grand des trois morceaux de Paris, avait la rive droite. Son quai, rompu toutefois ou interrompu en plusieurs endroits, courait le long de la Seine, de la tour de Billy à la tour du Bois, c'est-à-dire de l'endroit où est aujourd'hui le Grenier-d'Abondance [3] à l'endroit où sont aujourd'hui les Tuileries [4]. Ces quatre points, où la Seine coupait l'enceinte de la capitale, la Tournelle et la tour de Nesle à gauche, la tour de Billy et la tour du Bois à droite, s'appelaient par excellence *les quatre tours de Paris*. La Ville entrait dans les terres plus profondément encore que l'Université. Le point culminant de la clôture de la Ville (celle de Charles V) était aux portes Saint-Denis et Saint-Martin, dont l'emplacement n'a pas changé.

---

1. Actuellement les Universités du Centre Jussieu. **2.** Entre le Pont-Neuf et la bibliothèque Mazarine. **3.** Boulevard Bourdon, le long du bassin de l'Arsenal. **4.** Incendié lors de l'écrasement de la Commune, le palais communiquait avec la galerie du Louvre par le pavillon de Flore, à hauteur du Pont-Royal.

Comme nous venons de le dire, chacune de ces trois grandes divisions de Paris était une ville, mais une ville trop spéciale pour être complète, une ville qui ne pouvait se passer des deux autres. Aussi trois aspects parfaitement à part. Dans la Cité abondaient les églises, dans la Ville les palais, dans l'Université les colléges. Pour négliger ici les originalités secondaires du vieux Paris et les caprices du droit de voirie [1], nous dirons d'un point de vue général, en ne prenant que les ensembles et les masses dans le chaos des juridictions communales, que l'île était à l'évêque, la rive droite au prevôt des marchands, la rive gauche au recteur. Le prevôt de Paris, officier royal et non municipal, sur le tout. La Cité avait Notre-Dame, la Ville le Louvre et l'Hôtel-de-Ville, l'Université la Sorbonne. La Ville avait les Halles, la Cité l'Hôtel-Dieu, l'Université le Pré-aux-Clercs. Le délit que les écoliers commettaient sur la rive gauche, dans leur Pré-aux-Clercs, on le jugeait dans l'île, au Palais de Justice, et on le punissait sur la rive droite, à Montfaucon ; à moins que le recteur, sentant l'Université forte et le roi faible, n'intervînt ; car c'était un privilége des écoliers d'être pendus chez eux.

(La plupart de ces priviléges, pour le noter en passant, et il y en avait de meilleurs que celui-ci, avaient été extorqués aux rois par révoltes et mutineries. C'est la marche immémoriale : le roi ne lâche que quand le peuple arrache. Il y a une vieille charte qui dit la chose naïvement, à propos de fidélité : — *Civibus fidelitas in reges, quœ tamen aliquoties seditionibus interrupta, multa peperit privilegia* [2].)

Au quinzième siècle, la Seine baignait cinq îles dans l'enceinte de Paris : l'île Louviers [3], où il y avait alors des arbres et où il n'y a plus que du bois ; l'île aux Vaches et l'île Notre-Dame, toutes deux désertes, à une masure près, toutes deux fiefs de l'évêque (au dix-septième

---

1. Au sens le plus général, police des rues. **2.** « La fidélité aux rois, non pourtant sans quelques interruptions séditieuses, a engendré bien des privilèges pour les citoyens. » **3.** Servant de chantier de bois de chauffage, l'île fut rattachée à la rive droite en 1843, quartier de l'Arsenal.

siècle, de ces deux îles on en a fait une, qu'on a bâtie, et que nous appelons l'île Saint-Louis) ; enfin la Cité, et à sa pointe l'îlot du Passeur-aux-Vaches, qui s'est abîmé depuis sous le terre-plein du Pont-Neuf[1]. La Cité alors avait cinq ponts : trois à droite, le pont Notre-Dame et le Pont-au-Change, en pierre, le Pont-aux-Meuniers, en bois ; deux à gauche, le Petit-Pont, en pierre, le pont Saint-Michel, en bois, tous chargés de maisons. L'Université avait six portes, bâties par Philippe-Auguste ; c'était, à partir de la Tournelle, la porte Saint-Victor, la porte Bordelle, la porte Papale, la porte Saint-Jacques, la porte Saint-Michel, la porte Saint-Germain. La Ville avait six portes, bâties par Charles V ; c'était, à partir de la tour de Billy, la porte Saint-Antoine, la porte du Temple, la porte Saint-Martin, la porte Saint-Denis, la porte Montmartre, la porte Saint-Honoré. Toutes ces portes étaient fortes[2], et belles aussi, ce qui ne gâte pas la force. Un fossé large, profond, à courant vif dans les crues d'hiver, lavait le pied des murailles tout autour de Paris ; la Seine fournissait l'eau. La nuit on fermait les portes, on barrait la rivière aux deux bouts de la ville avec de grosses chaînes de fer, et Paris dormait tranquille.

Vus à vol d'oiseau, ces trois bourgs, la Cité, l'Université, la Ville, présentaient chacun à l'œil un tricot inextricable de rues bizarrement brouillées. Cependant, au premier aspect, on reconnaissait que ces trois fragments de cité formaient un seul corps. On voyait tout de suite deux longues rues parallèles, sans rupture, sans perturbation, presque en ligne droite, qui traversaient à la fois les trois villes d'un bout à l'autre, du midi au nord, perpendiculairement à la Seine, les liaient, les mêlaient, infusaient, versaient, transvasaient sans relâche le peuple de l'une dans les murs de l'autre, et des trois n'en faisaient qu'une. La première de ces deux rues allait de la porte Saint-Jacques à la porte Saint-Martin ; elle s'appelait rue Saint-

---

1. Le pont fut achevé fin 1605, le cheval installé sur le piédestal du terre-plein en 1614, et l'effigie équestre de Henri IV en 1635. Brisée en 1792, la statue fut « rétablie » en 1818 : le jeune Hugo était là, dans sa ferveur arriviste et royaliste. Le square du Vert-Galant donne le niveau ancien de la Cité. **2.** Fortifiées.

Jacques dans l'Université, rue de la Juiverie dans la Cité, rue Saint-Martin dans la Ville ; elle passait l'eau deux fois sous le nom de Petit-Pont et de pont Notre-Dame. La seconde, qui s'appelait rue de la Harpe sur la rive gauche, rue de la Barillerie dans l'île, rue Saint-Denis sur la rive droite, pont Saint-Michel sur un bras de la Seine, Pont-au-Change sur l'autre, allait de la porte Saint-Michel dans l'Université à la porte Saint-Denis dans la Ville. Du reste, sous tant de noms divers, ce n'étaient toujours que deux rues, mais les deux rues mères, les deux rues génératrices, les deux artères de Paris. Toutes les autres veines de la triple ville venaient y puiser ou s'y dégorger.

Indépendamment de ces deux rues principales, diamétrales, perçant Paris de part en part dans sa largeur, communes à la capitale entière, la Ville et l'Université avaient chacune leur grande rue particulière, qui courait dans le sens de leur longueur, parallèlement à la Seine, et en passant coupait à angle droit les deux rues *artérielles*. Ainsi, dans la Ville, on descendait en droite ligne de la porte Saint-Antoine à la porte Saint-Honoré ; dans l'Université, de la porte Saint-Victor à la porte Saint-Germain. Ces deux grandes voies, croisées avec les deux premières, formaient le canevas sur lequel reposait, noué et serré en tout sens, le réseau dédaléen des rues de Paris. Dans le dessin inintelligible de ce réseau on distinguait en outre, en examinant avec attention, comme deux gerbes élargies l'une dans l'Université, l'autre dans la Ville, deux trousseaux de grosses rues qui allaient s'épanouissant des ponts aux portes.

Quelque chose de ce plan géométral subsiste encore aujourd'hui.

Maintenant sous quel aspect cet ensemble se présentait-il vu du haut des tours de Notre-Dame, en 1482 ? C'est ce que nous allons tâcher de dire.

Pour le spectateur qui arrivait essoufflé sur ce faîte, c'était d'abord un éblouissement de toits, de cheminées, de rues, de ponts, de places, de flèches, de clochers. Tout vous prenait aux yeux à la fois, le pignon taillé, la toiture aiguë, la tourelle suspendue aux angles des murs, la pyramide de pierre du onzième siècle, l'obélisque d'ardoise du quinzième, la tour ronde et nue du donjon, la tour carrée et brodée de l'église, le grand, le petit, le massif, l'aérien. Le regard se perdait long-temps à toute profondeur dans ce labyrinthe, où il n'y avait rien qui n'eût son originalité, sa raison, son génie, sa beauté, rien qui ne vînt de l'art, depuis la moindre maison à devanture peinte et sculptée, à charpente extérieure, à porte surbaissée, à étages en surplomb, jusqu'au royal Louvre, qui avait alors une colonnade de tours[1]. Mais voici les principales masses qu'on distinguait lorsque l'œil commençait à se faire à ce tumulte d'édifices.

D'abord la Cité. L'île de la Cité, comme dit Sauval, qui, à travers son fatras, a quelquefois de ces bonnes fortunes de style, *l'île de la Cité est faite comme un grand navire enfoncé dans la vase et échoué au fil de l'eau vers le milieu de la Seine*. Nous venons d'expliquer qu'au quinzième siècle ce navire était amarré aux deux rives du fleuve par cinq ponts. Cette forme de vaisseau avait aussi frappé les scribes héraldiques[2] ; car c'est de là, et non du siège des Normands, que vient, selon Favyn et Pasquier[3], le navire qui blasonne le vieil écusson de Paris. Pour qui sait le déchiffrer, le blason est une algèbre, le blason est une langue. L'histoire entière de la seconde moitié du moyen-âge est écrite dans le blason, comme l'histoire de la première moitié dans le symbolisme des églises romanes. Ce sont les hiéroglyphes de la féodalité après ceux de la théocratie.

La Cité donc s'offrait d'abord aux yeux avec sa poupe au levant et sa proue au couchant. Tourné vers la proue, on avait devant soi un innombrable troupeau de vieux toits, sur lesquels s'arrondissait largement le chevet plombé de la Sainte-Chapelle, pareil à une croupe d'éléphant chargée de sa tour. Seulement ici cette tour était la flèche la plus hardie, la plus ouvrée, la plus menuisée, la

---

1. Et non la colonnade classique de Perrault. **2.** Chargés de veiller à l'application des règles du blason dans les armoiries. **3.** André Favyn, historien parisien, auteur du *Théâtre d'honneur et de chevalerie* (1620) ; Étienne Pasquier (1529-1615) juriste élève de Cujas, historien et magistrat célèbre, dont l'argumentation contre les Jésuites et pour l'État a longtemps fait autorité. Ses *Recherches sur la France* et ses *Lettres* ont été largement exploitées par les historiens que consulte Hugo.

plus déchiquetée qui ait jamais laissé voir le ciel à travers son cône de dentelle. Devant Notre-Dame, au plus près, trois rues se dégorgeaient dans le parvis, belle place à vieilles maisons. Sur le côté sud de cette place se penchait la façade ridée et rechignée de l'Hôtel-Dieu, et son toit qui semble couvert de pustules et de verrues. Puis, à droite, à gauche, à l'orient, à l'occident, dans cette enceinte si étroite pourtant de la Cité se dressaient les clochers de ses vingt-une églises de toute date, de toute forme, de toute grandeur, depuis la basse et vermoulue campanule romane de Saint-Denis-du-Pas (*carcer Glaucini* [1]) jusqu'aux fines aiguilles de Saint-Pierre-aux-Bœufs et de Saint-Landry [2]. Derrière Notre-Dame se déroulaient, au nord, le cloître avec ses galeries gothiques ; au sud, le palais demi-roman de l'évêque ; au levant, la pointe déserte du Terrain. Dans cet entassement de maisons, l'œil distinguait encore, à ces hautes mitres de pierre percées à jour qui couronnaient alors sur le toit même les fenêtres les plus élevées des palais, l'hôtel donné par la ville, sous Charles VI, à Juvénal des Ursins [3] ; un peu plus loin, les baraques goudronnées du marché Palus [4] ; ailleurs encore, l'apside neuve de Saint-Germain-le-Vieux, rallongée en 1458 avec un bout de la rue aux Febves [5] ; et puis, par places, un carrefour encombré de peuple ; un pilori dressé à un coin de rue ; un beau morceau du pavé de Philippe-Auguste, magnifique dallage rayé pour les pieds des chevaux au milieu de la voie, et si mal remplacé au seizième siècle par le misérable cailloutage

---

1. « Prison de Glaucin », étymologie pour la rue Glatigny, à l'emplacement de l'actuel Hôtel-Dieu. La prison de saint Denis était revendiquée par Saint-Denis de la Chartre. Quand à cette « campanule » que les dictionnaires ne connaissent qu'en botanique, sans doute faut-il y voir une campanille, doublet féminin du campanile des cloches. **2.** Dans des rues parallèles à la rue Glatigny. Le portail de Saint-Pierre-aux-Bœufs a été remonté à l'église Saint-Séverin en 1837. **3.** Prévôt des marchands (1350-1431), ferme soutien de la monarchie contre les Bourguignons et les empiétements de l'Église. Charles VI lui avait donné l'hôtel dont il prit le nom. **4.** Au débouché du Petit-Pont. **5.** Rue nord-sud, immédiatement à l'ouest de la précédente.

dit *pavé de la ligue*[1] ; une arrière-cour déserte avec une de ces diaphanes tourelles de l'escalier comme on en faisait au quinzième siècle, comme on en voit encore une rue des Bourdonnais[2]. Enfin, à droite de la Sainte-Chapelle, vers le couchant, le Palais de Justice asseyait au bord de l'eau son groupe de tours. Les futaies des jardins du roi qui couvraient la pointe occidentale de la Cité masquaient l'îlot du Passeur. Quant à l'eau, du haut des tours de Notre-Dame, on ne la voyait guère des deux côtés de la Cité : la Seine disparaissait sous les ponts, les ponts sous les maisons.

Et quand le regard passait ces ponts, dont les toits verdissaient à l'œil, moisis avant l'âge par les vapeurs de l'eau, s'il se dirigeait à gauche vers l'Université, le premier édifice qui le frappait, c'était une grosse et basse gerbe de tours, le Petit-Châtelet, dont le porche béant dévorait le bout du Petit-Pont ; puis, si votre vue parcourait la rive du levant au couchant, de la Tournelle à la tour de Nesle, c'était un long cordon de maisons à solives sculptées, à vitres de couleur, surplombant d'étage en étage sur le pavé, un interminable zigzag de pignons bourgeois, coupé fréquemment par la bouche d'une rue, et de temps en temps aussi par la face ou par le coude d'un grand hôtel de pierre, se carrant à son aise, cours et jardins, ailes et corps de logis, parmi cette populace de maisons serrées et étriquées, comme un grand seigneur dans un tas de manants. Il y avait cinq ou six de ces hôtels sur le quai, depuis le logis de Lorraine[3], qui partageait avec les Bernardins le grand enclos voisin de la Tournelle, jusqu'à l'hôtel de Nesle dont la tour principale bor-

---

1. Le parti des Guise, à peu près constamment maître de Paris, pâtit, jusque dans ses réalisations municipales, des risques qu'il a fait courir sous les derniers Valois à la monarchie. De Louis XI à Henri IV, la construction de l'État-Nation rejette les privilèges tant bourgeois que féodaux. **2.** La rue remonte au XIIIe siècle, mais la tourelle dans la cour du n° 39, au coin de l'impasse, date du XVIIe. **3.** Le château de la Tournelle servit aux XVIIe et XVIIIe siècles de dépôt pour les condamnés aux galères. Le collège cistercien des bernardins les recueillit dans ses murs de 8 mètres de haut en 1790. La maison de Lorraine a deux tiges : la maison d'Autriche et les Guise. Quant à l'hôtel de Nesle, auquel succéda l'hôtel de Nevers, il est synonyme de débauche.

nait Paris, et dont les toits pointus étaient en possession pendant trois mois de l'année d'échancrer de leurs triangles noirs le disque écarlate du soleil couchant.

Ce côté de la Seine, du reste, était le moins marchand des deux ; les écoliers y faisaient plus de bruit et de foule que les artisans, et il n'y avait, à proprement parler, de quai que du pont Saint-Michel à la tour de Nesle. Le reste du bord de la Seine était tantôt une grève nue, comme au-delà des Bernardins, tantôt un entassement de maisons qui avaient le pied dans l'eau, comme entre les deux ponts.

Il y avait grand vacarme de blanchisseuses ; elles criaient, parlaient, chantaient du matin au soir le long du bord, et y battaient fort le linge, comme de nos jours. Ce n'est pas la moindre gaîté de Paris.

L'Université faisait un bloc à l'œil. D'un bout à l'autre c'était un tout homogène et compacte. Ces mille toits, drus, anguleux, adhérents, composés presque tous du même élément géométrique, offraient, vus de haut, l'aspect d'une cristallisation de la même substance. Le capricieux ravin des rues ne coupait pas ce pâté de maisons en tranches trop disproportionnées. Les quarante-deux colléges y étaient disséminés d'une manière assez égale, et il y en avait partout. Les faîtes variés et amusants de ces beaux édifices étaient le produit du même art que les simples toits qu'ils dépassaient, et n'étaient en définitive qu'une multiplication au carré ou au cube de la même figure géométrique. Ils compliquaient donc l'ensemble sans le troubler, le complétaient sans le charger. La géométrie est une harmonie. Quelques beaux hôtels faisaient aussi çà et là de magnifiques saillies sur les greniers pittoresques de la rive gauche ; le logis de Nevers, le logis de Rome, le logis de Reims, qui ont disparu ; l'hôtel de Cluny [1], qui subsiste encore pour la consolation de l'artiste, et dont on a si bêtement découronné la tour il y a quelques années. Près de Cluny, ce palais romain, à belles arches cintrées, c'étaient les Thermes de Julien. Il y avait aussi force abbayes d'une beauté plus dévote, d'une grandeur plus grave que les hôtels, mais non moins belles, non

1. Actuel musée du Moyen Âge.

moins grandes. Celles qui éveillaient d'abord l'œil, c'étaient les Bernardins avec leurs trois clochers ; Sainte-Geneviève, dont la tour carrée, qui existe encore[1], fait tant regretter le reste ; la Sorbonne, moitié collége, moitié monastère, dont il survit une si admirable nef ; le beau cloître quadrilatéral des Mathurins[2] ; son voisin le cloître de Saint-Benoît, dans les murs duquel on a eu le temps de bâcler un théâtre entre la septième et la huitième édition de ce livre[3] ; les Cordeliers[4] avec leurs trois énormes pignons juxta-posés ; les Augustins, dont la gracieuse aiguille faisait, après la tour de Nesle, la deuxième dentelure de ce côté de Paris, à partir de l'occident. Les colléges, qui sont en effet l'anneau intermédiaire du cloître au monde, tenaient le milieu dans la série monumentale entre les hôtels et les abbayes avec une sévérité pleine d'élégance, une sculpture moins évaporée que les palais, une architecture moins sérieuse que les couvents. Il ne reste malheureusement presque rien de ces monuments où l'art gothique entrecoupait avec tant de précision la richesse et l'économie. Les églises (et elles étaient nombreuses et splendides dans l'Université ; et elles s'échelonnaient là aussi dans tous les âges de l'architecture, depuis les pleins-cintres de Saint-Julien jusqu'aux ogives de Saint-Severin[5]), les églises dominaient le tout ; et, comme une harmonie de plus dans cette masse d'harmonies, elles perçaient à chaque instant la découpure multiple des pignons de flèches tailladées, de clochers à jour, d'aiguilles déliées dont la ligne n'était aussi qu'une magnifique exagération de l'angle aigu des toits.

Le sol de l'Université était montueux. La montagne

---

1. Dans les murs du lycée Henri-IV. **2.** La rue des Mathurins était à l'emplacement de la rue du Sommerard, en bordure des Thermes et de l'hôtel de Cluny ; le cloître Saint-Benoît et le théâtre du Panthéon ont disparu sous les constructions de la Sorbonne actuelle. **3.** Approximativement, pendant l'année 1832. **4.** Ordre de franciscains apôtres de la pauvreté, dont le couvent, sur la rue de l'École de Médecine, abrita le célèbre club révolutionnaire de Danton et des hébertistes. Le pignon du réfectoire des moines se dresse encore à cette limite ouest du Paris de Philippe-Auguste. **5.** De part et d'autre du commencement de la rue Saint-Jacques, au débouché sud du Petit-Pont. Le début de Saint-Julien-le-Pauvre est du XIIe siècle, et la fin de Saint-Séverin du XVe.

Sainte-Geneviève y faisait au sud-est une ampoule énorme ; et c'était une chose à voir du haut de Notre-Dame que cette foule de rues étroites et tortues (aujourd'hui *le pays latin*), ces grappes de maisons qui, répandues en tout sens du sommet de cette éminence, se précipitaient en désordre et presque à pic sur ses flancs jusqu'au bord de l'eau, ayant l'air, les unes de tomber, les autres de regrimper, toutes de se retenir les unes aux autres. Un flux continuel de mille points noirs qui s'entrecroisaient sur le pavé faisait tout remuer aux yeux : c'était le peuple vu ainsi de haut et de loin.

Enfin, dans les intervalles de ces toits, de ces flèches, de ces accidents d'édifices sans nombre qui pliaient, tordaient et dentelaient d'une manière si bizarre la ligne extrême de l'Université, on entrevoyait, d'espace en espace, un gros pan de mur moussu, une épaisse tour ronde, une porte de ville crénelée, figurant la forteresse : c'était la clôture de Philippe-Auguste. Au-delà verdoyaient les prés, au-delà s'enfuyaient les routes, le long desquelles traînaient encore quelques maisons de faubourg, d'autant plus rares qu'elles s'éloignaient plus. Quelques-uns de ces faubourgs avaient de l'importance : c'était d'abord, à partir de la Tournelle, le bourg Saint-Victor avec son pont d'une arche sur la Bièvre [1], son abbaye, où on lisait l'épitaphe de Louis-le-Gros [2], *epitaphium Ludovici Grossi*, et son église à flèche octogone flanquée de quatre clochetons du onzième siècle (on en peut voir une pareille à Étampes [3] ; elle n'est pas encore abattue) ; puis le bourg Saint-Marceau, qui avait déjà trois églises et un couvent ; puis, en laissant à gauche le moulin des Gobelins et ses quatre murs blancs, c'était le faubourg Saint-Jacques avec la belle croix sculptée de son carrefour ; l'église de Saint-Jacques du Haut-Pas, qui était alors gothique, pointue et charmante ; Saint-Magloire [4], belle nef du quatorzième siècle, dont Napoléon fit un gre-

---

1. Rivière à castors qui drainait le sud de Paris depuis les environs de Versailles et que les moines de Saint-Victor avaient dérivée au profit de leur abbaye, au XIIe siècle. **2.** Louis VI (1081-1137), roi en 1108. **3.** L'église Notre-Dame. **4.** Ancienne commanderie-hôpital, actuellement les Sourds-muets.

nier à foin ; Notre-Dame-des-Champs [1], où il y avait des mosaïques byzantines. Enfin, après avoir laissé en plein champ le monastère des Chartreux, riche édifice contemporain du Palais de Justice, avec ses petits jardins à compartiments et les ruines mal hantées de Vauvert, l'œil tombait, à l'occident, sur les trois aiguilles romanes de Saint-Germain-des-Prés. Le bourg Saint-Germain, déjà une grosse commune, faisait quinze ou vingt rues derrière ; le clocher aigu de Saint-Sulpice marquait un des coins du bourg. Tout à côté on distinguait l'enceinte quadrilatérale de la Foire Saint-Germain, où est aujourd'hui le marché ; puis le pilori de l'abbé, jolie petite tour ronde, bien coiffée d'un cône de plomb ; la tuilerie était plus loin, et la rue du Four, qui menait au four banal, et le moulin sur sa butte, et la maladerie [2], maisonnette isolée et mal vue. Mais ce qui attirait surtout le regard, et le fixait longtemps sur ce point, c'était l'Abbaye elle-même. Il est certain que ce monastère, qui avait une grande mine et comme église et comme seigneurie, ce palais abbatial, où les évêques de Paris s'estimaient heureux de coucher une nuit, ce réfectoire, auquel l'architecte avait donné l'air, la beauté et la splendide rosace d'une cathédrale, cette élégante chapelle de la Vierge, ce dortoir monumental, ces vastes jardins, cette herse, ce pont-levis, cette enveloppe de créneaux qui entaillait aux yeux la verdure des prés d'alentour, ces cours où reluisaient des hommes d'armes mêlés à des chapes d'or, le tout groupé et rallié autour des trois hautes flèches à pleins-cintres, bien assises sur une apside gothique, faisaient une magnifique figure à l'horizon.

Quand enfin, après avoir long-temps considéré l'Université, vous vous tourniez vers la rive droite, vers la Ville, le spectacle changeait brusquement de caractère. La Ville, en effet, beaucoup plus grande que l'Université, était aussi moins une. Au premier aspect, on la voyait

---

1. Crypte romane sous le Carmel, entre les rues P.-Nicole et H.-Barbusse. **2.** Hospice de lépreux et moulin, vers les rues de la Chaise, Saint-Guillaume, Perronet et des Saints-Pères. C'est pour Hugo le quartier des années de collège et de jeunesse, vers la banlieue de Vaugirard.

se diviser en plusieurs masses singulièrement distinctes. D'abord, au levant, dans cette partie de la ville qui reçoit encore aujourd'hui son nom du marais où Camulogène embourba César[1], c'était un entassement de palais. Le pâté venait jusqu'au bord de l'eau. Quatre hôtels presque adhérents, Jouy, Sens, Barbeau, le logis de la Reine, miraient dans la Seine leurs combles d'ardoise coupés de sveltes tourelles. Ces quatre édifices emplissaient l'espace de la rue des Nonaindières[2] à l'abbaye des Célestins, dont l'aiguille relevait gracieusement leur ligne de pignons et de créneaux. Quelques masures verdâtres penchées sur l'eau devant ces somptueux hôtels, n'empêchaient pas de voir les beaux angles de leurs façades, leurs larges fenêtres carrées à croisées de pierre, leurs porches-ogives surchargés de statues, les vives arêtes de leurs murs toujours nettement coupés, et tous ces charmants hasards d'architecture qui font que l'art gothique a l'air de recommencer ses combinaisons à chaque monument. Derrière ces palais courait dans toutes les directions, tantôt refendue[3], palissadée et crénelée comme une citadelle, tantôt voilée de grands arbres comme une chartreuse, l'enceinte immense et multiforme de ce miraculeux hôtel de Saint-Pol, où le roi de France avait de quoi loger superbement vingt-deux princes de la qualité du dauphin et du duc de Bourgogne avec leurs domestiques et leurs suites, sans compter les grands seigneurs, et l'empereur quand il venait voir Paris, et les lions, qui avaient leur hôtel à part dans l'hôtel royal. Disons ici qu'un appartement de prince ne se composait pas alors de moins de onze salles, depuis la chambre de parade jusqu'au priez-Dieu, sans parler des galeries, des bains, des étuves et autres « lieux superflus » dont chaque appartement était pourvu ; sans parler des jardins particuliers de chaque hôte du roi ; sans parler des cuisines, des celliers, des offices, des réfectoires généraux de la maison, des basses-

---

1. Localisation traditionnelle et douteuse de la bataille perdue en 52 av. J.-C. par les Parisiens contre Labiénus, selon César (*Guerre des Gaules*, VII, 57-58). **2.** Ou Nonnains d'Hyères, au débouché nord du pont Marie. Les Célestins, au bout du pont Sully. **3.** Étayée de murs perpendiculaires.

cours où il y avait vingt-deux laboratoires généraux, depuis la fourille jusqu'à l'échansonnerie[1] ; des jeux de mille sortes, le mail[2], la paume[3], la bague[4] ; les volières, des poissonneries, des ménageries, des écuries, des étables, des bibliothèques, des arsenaux et des fonderies. Voilà ce que c'était alors qu'un palais de roi, un Louvre, un hôtel Saint-Pol. Une cité dans la cité.

De la tour où nous nous sommes placés, l'hôtel Saint-Pol, presque à demi caché par les quatre grands logis dont nous venons de parler, était encore fort considérable et fort merveilleux à voir. On y distinguait très-bien, quoique habilement soudés au bâtiment principal par de longues galeries à vitraux et à colonnettes, les trois hôtels que Charles V avait amalgamés à son palais : l'hôtel du Petit-Muce[5], avec la balustrade en dentelle qui ourlait gracieusement son toit ; l'hôtel de l'abbé de Saint-Maur[6], ayant le relief d'un château-fort, une grosse tour, des machicoulis, des meurtrières, des moineaux[7] de fer, et sur la large porte saxonne l'écusson de l'abbé entre les deux entailles[8] du pont-levis ; l'hôtel du comte d'Étampes[9], dont le donjon, ruiné à son sommet, s'arrondissait aux yeux, ébréché comme une crête de coq ; çà et là, trois ou quatre vieux chênes faisant touffe ensemble comme d'énormes choux-fleurs ; des ébats de cygnes dans les claires eaux des viviers, toutes plissées d'ombre et de lumière ; force cours dont on voyait des bouts pittoresques ; l'hôtel des Lions avec ses ogives basses sur de courts piliers saxons, ses herses de fer et son rugissement perpétuel ; tout à travers cet ensemble la flèche écaillée

---

1. Services de la fourniture (fourie) des subsistances et des breuvages (*cf.* Sauval, II, 78). **2.** Longue allée où l'on jouait avec boules de bois et maillets. **3.** Jeu où l'on se renvoie la balle par-dessus un filet, en une salle close où il s'agit de la faire entrer, de volée ou de premier rebond, dans l'une des deux ouvertures pratiquées à cet effet. La balle fut lancée ou renvoyée d'abord avec la paume de la main, puis au gant et enfin à la raquette. C'est l'ancêtre du tennis. **4.** Consiste à enfiler et enlever au galop, à la lance ou à l'épée, des anneaux suspendus. **5.** Rue de « la pute y musse ». **6.** L'abbé de Saint-Maur (au sud-est de Paris, dans la boucle de la Marne) disposait d'un hôtel parisien, à la limite de la Ville. **7.** Petite fortification en saillie au milieu d'une courtine. **8.** Par lesquelles sortent les leviers du pont. **9.** À l'angle actuel des rues Saint-Antoine et Castex.

de l'Ave-Maria[1] ; à gauche, le logis du prevôt de Paris, flanqué de quatre tourelles finement évidées ; au milieu, au fond, l'hôtel Saint-Pol, proprement dit, avec ses façades multipliées, ses enrichissements successifs depuis Charles V, les excroissances hybrides dont la fantaisie des architectes l'avait chargé depuis deux siècles, avec toutes les apsides de ses chapelles, tous les pignons de ses galeries, mille girouettes aux quatre vents, et ses deux hautes tours contiguës dont le toit conique, entouré de créneaux à sa base, avait l'air de ces chapeaux pointus dont le bord est relevé.

En continuant de monter les étages de cet amphithéâtre de palais développé au loin sur le sol, après avoir franchi un ravin profond creusé dans les toits de la Ville, lequel marquait le passage de la rue Saint-Antoine, l'œil arrivait au logis d'Angoulême[2], vaste construction de plusieurs époques où il y avait des parties toutes neuves et très-blanches, qui ne se fondaient guère mieux dans l'ensemble qu'une pièce rouge à un pourpoint bleu. Cependant le toit singulièrement aigu et élevé du palais moderne, hérissé de gouttières ciselées, couvert de lames de plomb où se roulaient en mille arabesques fantasques d'étincelantes incrustations de cuivre doré, ce toit si curieusement damasquiné[3] s'élançait avec grâce du milieu des brunes ruines de l'ancien édifice, dont les vieilles grosses tours, bombées par l'âge comme des futailles, s'affaissant sur elles-mêmes de vétusté et se déchirant du haut en bas, ressemblaient à de gros ventres déboutonnés. Derrière, s'élevait la forêt d'aiguilles du palais des Tournelles. Pas de coup-d'œil au monde, ni à

---

1. Couvent de franciscaines cloîtrées, fondé par Louis XI en 1480, en rapport avec la récitation obligatoire de la salutation angélique chaque midi. Une rue en indique l'emplacement, au lycée Charlemagne. *Écaillée* : couverte d'ardoises taillées en écailles de poisson. **2.** Au croisement de la rue de Rivoli et de la rue des Écouffles. Charles d'Orléans, comte d'Angoulême (1391-1465), champion du parti des Armagnacs, était petit-fils de Charles V, et père de Louis XII. **3.** Art oriental (Damas) qui consiste en incrustations de métaux précieux dans le fer ou l'acier.

Chambord[1] ni à l'Alhambra, plus magique, plus aérien, plus prestigieux[2] que cette futaie de flèches, de clochetons, de cheminées, de girouettes, de spirales, de vis, de lanternes trouées par le jour qui semblaient frappées à l'emporte-pièce, de pavillons, de tourelles en fuseaux, ou, comme on disait alors, de tournelles[3], toutes diverses de formes, de hauteur et d'attitude. On eût dit un gigantesque échiquier de pierre.

À droite des Tournelles, cette botte d'énormes tours d'un noir d'encre, entrant les unes dans les autres, et ficelées pour ainsi dire par un fossé circulaire ; ce donjon beaucoup plus percé de meurtrières que de fenêtres, ce pont-levis toujours dressé, cette herse toujours tombée, c'est la Bastille. Ces espèces de becs noirs qui sortent d'entre les créneaux, et que vous prenez de loin pour des gouttières, ce sont des canons.

Sous leur boulet, au pied du formidable édifice, voici la porte Saint-Antoine, enfouie entre ses deux tours.

Au-delà des Tournelles, jusqu'à la muraille de Charles V, se déroulait, avec de riches compartiments de verdure et de fleurs, un tapis velouté de cultures et de parcs royaux, au milieu desquels on reconnaissait, à son labyrinthe d'arbres et d'allées, le fameux jardin Dédalus que Louis XI avait donné à Coictier. L'observatoire du docteur s'élevait au-dessus du dédale comme une grosse colonne isolée ayant une maisonnette pour chapiteau. Il s'est fait dans cette officine de terribles astrologies.

Là est aujourd'hui la place Royale[4].

Comme nous venons de le dire, le quartier de palais, dont nous avons tâché de donner quelque idée au lecteur,

---

1. Château de François Ier à l'est de Blois, au milieu d'une vaste forêt, et particulièrement célèbre pour l'élancement de ses toitures. Hugo l'avait visité le 6 mai 1825, avant de se rendre au sacre de Reims, et comparé au foisonnement mauresque du palais de l'Alhambra à Grenade. **2.** Au sens propre : qui ouvre au monde de la fantasmagorie. **3.** Étymologie discutable (comme on tourne le fuseau), mais qui scelle le mouvement même de ce palais quintessence d'hôtels et de logis, et qui donnerait le tournis si l'image de l'échiquier ne fixait le moment de Louis XI. **4.** Aujourd'hui place des Vosges, où Hugo s'installa le 25 octobre 1832, dans l'hôtel de Guéménée, entre le coin de la place et le cul-de-sac du Ha-Ha.

en n'indiquant néanmoins que les sommités, emplissait l'angle que l'enceinte de Charles V faisait avec la Seine à l'orient. Le centre de la Ville était occupé par un monceau de maisons à peuple. C'était là en effet que se dégorgeaient les trois ponts de la Cité sur la rive droite, et les ponts font des maisons avant des palais. Cet amas d'habitations bourgeoises pressées comme les alvéoles dans la ruche, avait sa beauté. Il en est des toits d'une capitale comme des vagues d'une mer, cela est grand. D'abord les rues, croisées et brouillées, faisaient dans le bloc cent figures amusantes ; autour des halles c'était comme une étoile à mille rais. Les rues Saint-Denis et Saint-Martin, avec leurs innombrables ramifications, montaient l'une auprès de l'autre comme deux gros arbres qui mêlent leurs branches ; et puis, des lignes tortues, les rues de la Plâtrerie, de la Verrerie, de la Tixeranderie, etc. [1], serpentaient sur le tout. Il y avait aussi de beaux édifices qui perçaient l'ondulation pétrifiée de cette mer de pignons. C'était, à la tête du Pont-aux-Changeurs, derrière lequel on voyait mousser la Seine sous les roues du Pont-aux-Meuniers, c'était le Châtelet, non plus tour romaine comme sous Julien-l'Apostat, mais tour féodale du treizième siècle, et d'une pierre si dure, que le pic en trois heures n'en levait pas l'épaisseur du poing ; c'était le riche clocher carré de Saint-Jacques-de-la-Boucherie, avec ses angles tout émoussés de sculptures, déjà admirable quoiqu'il ne fût pas achevé au quinzième siècle [2]. (Il lui manquait en particulier ces quatre monstres qui, aujourd'hui encore, perchés aux encoignures de son toit, ont l'air de quatre sphynx [3] qui donnent à deviner au nouveau Paris l'énigme de l'ancien. Rault, le sculpteur, ne les posa qu'en 1526, et il eut vingt francs pour sa peine.)

---

1. La rue de la Tixeranderie, la plus « serpentante », a disparu dans le percement de la rue de Rivoli. **2.** L'addition contourne la bévue de Sauval, mais la construction de la tour ne remonte pas avant 1508, en gothique flamboyant, pour remplacer l'ancien clocher. **3.** Ce sont les figures emblématiques des évangélistes : ange, lion ailé, taureau et aigle pour Matthieu, Marc, Luc et Jean. Le Sphinx de Thèbes dévorait les voyageurs qui ne pouvaient répondre à ses énigmes. Œdipe, en trouvant la bonne réponse, débarrassa de ce monstre la ville dont il devint roi.

C'était la Maison-aux-Piliers, ouverte sur cette place de Grève dont nous avons donné quelque idée au lecteur ; c'était Saint-Gervais, qu'un portail *de bon goût* a gâté depuis ; Saint-Méry, dont les vieilles ogives étaient presque encore des pleins-cintres ; Saint-Jean [1], dont la magnifique aiguille était proverbiale ; c'étaient vingt autres monuments qui ne dédaignaient pas d'enfouir leurs merveilles dans ce chaos de rues noires, étroites et profondes. Ajoutez les croix de pierre sculptées, plus prodiguées encore dans les carrefours que les gibets ; le cimetière des Innocents, dont on apercevait au loin, par-dessus les toits, l'enceinte architecturale ; le pilori des Halles, dont on voyait le faîte entre deux cheminées de la rue de la Cossonnerie ; l'échelle de la Croix-du-Trahoir dans son carrefour toujours noir de peuple ; les masures circulaires de la Halle-au-Blé ; les tronçons de l'ancienne clôture de Philippe-Auguste, qu'on distinguait çà et là, noyés dans les maisons, tours rongées de lierre, portes ruinées, pans de murs croulants et déformés ; le quai avec ses mille boutiques et ses écorcheries saignantes ; la Seine chargée de bateaux, du Port-au-Foin au For-l'Évêque, et vous aurez une image confuse de ce qu'était en 1482 le trapèze central de la Ville.

Avec ces deux quartiers, l'un d'hôtels, l'autre de maisons, le troisième élément de l'aspect qu'offrait la Ville, c'était une longue zône d'abbayes qui la bordait dans presque tout son pourtour, du levant au couchant, et, en arrière de l'enceinte de fortifications qui fermait Paris, lui faisait une seconde enceinte intérieure de couvents et de chapelles. Ainsi, immédiatement à côté du parc des Tournelles, entre la rue Saint-Antoine et la vieille rue du Temple, il y avait Sainte-Catherine avec son immense culture, qui n'était bornée que par la muraille de Paris. Entre la vieille et la nouvelle rue du Temple, il y avait le Temple, sinistre faisceau de tours, haut, debout et isolé au milieu d'un vaste enclos crénelé. Entre la rue Neuve du Temple et la rue Saint-Martin, c'était l'abbaye de Saint-

1. Vers la rue Bourg-Tibourg ; devenu cimetière au XVIe siècle, puis marché.

Martin[1], au milieu de ses jardins, superbe église fortifiée, dont la ceinture de tours, dont la tiare de clochers, ne le cédaient en force et en splendeur qu'à Saint-Germain-des-Prés. Entre les deux rues Saint-Martin et Saint-Denis, se développait l'enclos de la Trinité[2]. Enfin, entre la rue Saint-Denis et la rue Montorgueil, les Filles-Dieu[3]. À côté, on distinguait les toits pourris et l'enceinte dépavée de la Cour des Miracles. C'était le seul anneau profane qui se mêlât à cette dévote chaîne de couvents.

Enfin, le quatrième compartiment qui se dessinait de lui-même dans l'agglomération des toits de la rive droite, ce qui occupait l'angle occidental de la clôture et le bord de l'eau en aval, c'était un nouveau nœud de palais et d'hôtels serré au pied du Louvre. Le vieux Louvre de Philippe-Auguste, cet édifice démesuré dont la grosse tour ralliait vingt-trois maîtresses tours autour d'elle, sans compter les tourelles, semblait de loin enchâssé dans les combles gothiques de l'hôtel d'Alençon et du Petit-Bourbon. Cette hydre[4] de tours, gardienne géante de Paris, avec ses vingt-quatre têtes toujours dressées, avec ses croupes monstrueuses, plombées ou écaillées d'ardoises, et toutes ruisselantes de reflets métalliques, terminait d'une manière surprenante la configuration de la Ville au couchant.

Ainsi, un immense pâté, ce que les Romains appelaient *insula*, de maisons bourgeoises, flanqué à droite et à gauche de deux blocs de palais, couronnés, l'un par le Louvre, l'autre par les Tournelles, bordé au nord d'une longue ceinture d'abbayes et d'enclos cultivés, le tout amalgamé et fondu au regard ; sur ces mille édifices dont les toits de tuiles et d'ardoises découpaient les uns sur les autres tant de chaînes bizarres, les clochers tatoués, gauffrés et guillochés[5] des quarante-quatre églises de la rive droite ; des myriades de rues au travers ; pour limite, d'un côté, une clôture de hautes murailles à tours carrées

1. Sur l'emplacement du Conservatoire des Arts et Métiers. **2.** Vers le carrefour Réaumur-Sébastopol. **3.** Dans le quartier du Caire, où ce couvent de prostituées repenties en religieuses mendiantes fait plus que côtoyer la Cour des Miracles. **4.** Il fallut Hercule pour venir à bout de ce monstre dont on ne pouvait couper l'une des sept têtes sans qu'elle repoussât. **5.** Ornés d'un système de fines entailles ondulées.

(celle de l'Université était à tours rondes), de l'autre, la Seine coupée de ponts et charriant force bateaux, voilà la Ville au quinzième siècle.

Au-delà des murailles, quelques faubourgs se pressaient aux portes, mais moins nombreux et plus épars que ceux de l'Université. C'étaient, derrière la Bastille, vingt masures pelotonnées autour des curieuses sculptures de la Croix-Faubin [1] et des arcs-boutants de l'abbaye Saint-Antoine-des-Champs [2] ; puis Popincourt [3], perdu dans les blés ; puis la Courtille [4], joyeux village de cabarets ; le bourg Saint-Laurent avec son église dont le clocher, de loin, semblait s'ajouter aux tours pointues de la porte Saint-Martin ; le faubourg Saint-Denis avec le vaste enclos de Saint-Ladre [5] ; hors de la porte Montmartre, la Grange-Batelière [6], ceinte de murailles blanches ; derrière elle, avec ses pentes de craie, Montmartre, qui avait alors presque autant d'églises que de moulins, et qui n'a gardé que les moulins, car la société ne demande plus maintenant que le pain du corps. Enfin, au-delà du Louvre on voyait s'allonger dans les prés le faubourg Saint-Honoré, déjà fort considérable alors, et verdoyer la Petite-Bretagne [7], et se dérouler le Marché-aux-Pourceaux [8], au centre duquel s'arrondissait l'horrible fourneau à bouillir les faux-monnoyeurs. Entre la Courtille et Saint-Laurent, votre œil avait déjà remarqué au couronnement d'une hauteur accroupie sur des plaines désertes, une espèce d'édifice qui ressemblait de loin à une colonnade en ruine debout sur un soubassement déchaussé. Ce n'était ni un

---

1. Entre la Roquette et la rue de Charonne. **2.** Couvent cistercien de femmes repenties régnant sur le faubourg du même nom et l'est du Paris actuel. Aujourd'hui hôpital et université. **3.** Village sous Ménilmontant, autour du manoir construit au XVe siècle par Jean de Popincourt, originaire de Picardie. **4.** Au bout du faubourg du Temple, au bas de la montée de Belleville. C'est aux temps modernes que les cabarets comme celui de Ramponneau jouissaient de leur situation hors les murs, et qu'on organisait le lendemain du mardi gras la « descente de la Courtille ». **5.** Ou Saint-Lazare, au pied de la gare de l'Est, en face de Saint-Laurent. **6.** Sur l'emplacement de l'hôtel Drouot, une ferme crénelée datant du XIIIe siècle. **7.** Entre Louvre et Tuileries. **8.** Au pied de la butte Saint-Roch.

Parthénon, ni un temple de Jupiter Olympien[1] ; c'était Montfaucon.

Maintenant, si le dénombrement de tant d'édifices, quelque sommaire que nous l'ayons voulu faire, n'a pas pulvérisé, à mesure que nous la construisions, dans l'esprit du lecteur, l'image générale du vieux Paris, nous la résumerons en quelques mots. Au centre, l'île de la Cité, ressemblant par sa forme à une énorme tortue, et faisant sortir ses ponts écaillés de tuiles, comme des pattes, de dessous sa grise carapace de toits. À gauche, le trapèze monolithe[2], ferme, dense, hérissé, de l'Université ; à droite, le vaste demi-cercle de la Ville, beaucoup plus mêlé de jardins et de monuments. Les trois blocs, Cité, Université, Ville, marbrés de rues sans nombre. Tout au travers, la Seine, « la nourricière Seine », comme le dit le P. Du Breul, obstruée d'îles, de ponts et de bateaux. Tout autour une plaine immense, rapiécée de mille sortes de cultures, semée de beaux villages ; à gauche, Issy, Vanves, Vaugirard, Montrouge, Gentilly avec sa tour ronde et sa tour carrée[3], etc. ; à droite, vingt autres, depuis Conflans jusqu'à la Ville-l'Évêque[4]. À l'horizon, un ourlet de collines disposées en cercle comme le rebord du bassin. Enfin, au loin, à l'orient Vincennes et ses sept tours quadrangulaires ; au sud, Bicêtre et ses tourelles pointues ; au septentrion, Saint-Denis et son aiguille ; à l'occident, Saint-Cloud et son donjon[5]. Voilà le Paris que voyaient du haut des tours de Notre-Dame les corbeaux qui vivaient en 1482.

---

1. Le panoramique s'est achevé, non sans un coup de pouce, sur un « lieu patibulaire ». Le retour en arrière somme toute la « Ville » du plus monumental de ces lieux de supplice, dans sa grimace analogique avec les plus célèbres colonnades d'Athènes, que Hugo lui impose, non sans rappel du jeu sur le Louvre et ses colonnades.**2.** Comme d'une seule pierre. **3.** Tendre souvenir d'un séjour en avril 1822, six mois avant son mariage, chez les parents de sa fiancée. Voir les *Odes et Ballades*, V, 10. La tour carrée est celle de l'église. **4.** Au nord de la Seine, depuis le confluent avec l'Oise jusqu'aux abords du quartier de la Madeleine. **5.** Ces points cardinaux ont tous un rapport étroit avec les rois de France, leur justice, leur traitement des gueux, leur sépulture profanée et leur abdication, de Saint Louis à Charles X en passant par Louis XIV et Louis XVI.

C'est pourtant de cette ville que Voltaire[1] a dit qu'*avant Louis XIV, elle ne possédait que quatre beaux monuments :* le dôme de la Sorbonne, le Val-de-Grâce, le Louvre moderne, et je ne sais plus le quatrième, le Luxembourg peut-être. Heureusement Voltaire n'en a pas moins fait *Candide*, et n'en est pas moins, de tous les hommes qui se sont succédé dans la longue série de l'humanité, celui qui a le mieux eu le rire diabolique. Cela prouve d'ailleurs qu'on peut être un beau génie et ne rien comprendre à un art dont on n'est pas. Molière[2] ne croyait-il pas faire beaucoup d'honneur à Raphaël et Michel-Ange en les appelant : *ces Mignards de leur âge ?*

Revenons à Paris et au quinzième siècle.

Ce n'était pas alors seulement une belle ville ; c'était une ville homogène[3], un produit architectural et historique du moyen-âge, une chronique de pierre. C'était une cité fermée de deux couches seulement, la couche romane et la couche gothique, car la couche romaine avait disparu depuis long-temps, excepté aux Thermes de Julien, où elle perçait encore la croûte épaisse du moyen-âge. Quant à la couche celtique, on n'en trouvait même plus d'échantillons en creusant des puits.

Cinquante ans plus tard, lorsque la renaissance vint mêler à cette unité si sévère et pourtant si variée le luxe éblouissant de ses fantaisies et de ses systèmes, ses débauches de pleins-cintres romains, de colonnes grecques et de surbaissements[4] gothiques, sa sculpture si tendre et si idéale, son goût particulier d'arabesques et d'acanthes, son paganisme architectural contemporain de Luther, Paris fut peut-être plus beau encore, quoique moins harmonieux à l'œil et à la pensée. Mais ce splendide moment dura peu, la renaissance ne fut pas impartiale ; elle ne se contenta pas d'édifier, elle voulut jeter bas : il est vrai qu'elle avait besoin de place. Aussi le Paris gothique ne fut-il complet qu'une minute. On achevait

1. Dans l'introduction du *Siècle de Louis XIV :* « Paris ne contenait pas quatre cents mille hommes, et n'était pas décoré de quatre beaux édifices. » Citation inexacte donc, qui mobilise à tort Sorbonne et Val-de-Grâce, mais se souvient du Luxembourg et de la colonnade du Louvre, façade selon laquelle Voltaire réclamait alors le remaniement du palais. **2.** Dans *La Gloire du Val-de-Grâce.* **3.** Faite d'une même substance. **4.** Arcs comme l'anse de panier ou l'accolade.

à peine Saint-Jacques-de-la-Boucherie[1] qu'on commençait la démolition du Vieux-Louvre[2].

Depuis, la grande ville a été se déformant de jour en jour. Le Paris gothique, sous lequel s'effaçait le Paris roman, s'est effacé à son tour ; mais peut-on dire quel Paris l'a remplacé ?

Il y a le Paris de Catherine de Médicis, aux Tuileries* ; le Paris de Henri II, à l'Hôtel-de-Ville : deux édifices encore d'un grand goût ; le Paris de Henri IV, à la place royale : façades de briques à coins de pierre et à toits d'ardoise, des maisons tricolores[5] ; le Paris de Louis XIII, au Val-de-Grâce : une architecture écrasée et trapue, des voûtes en anse de panier, je ne sais quoi de ventru dans la colonne et de bossu dans le dôme ; le Paris de Louis XIV, aux Invalides : grand, riche, doré et froid ; le Paris de Louis XV, à Saint-Sulpice : des volutes, des nœuds de rubans, des nuages, des vermicelles et des chicorées, le tout en pierre ; le Paris de Louis XVI, au Panthéon[6] : Saint-Pierre de Rome

---

* Nous avons vu avec une douleur mêlée d'indignation qu'on songeait à agrandir, à refondre, à remanier, c'est-à-dire, à détruire cet admirable palais. Les architectes de nos jours ont la main trop lourde pour toucher à cette délicate œuvre de la renaissance. Nous espérons toujours qu'ils ne l'oseront pas. D'ailleurs, cette démolition des Tuileries maintenant ne serait pas seulement une voie de fait brutale dont rougirait un Vandale ivre, ce serait un acte de trahison. Les Tuileries ne sont plus simplement un chef-d'œuvre de l'art du seizième siècle, c'est une page de l'histoire du dix-neuvième siècle. Ce palais n'est plus au roi, mais au peuple. Laissons-le tel qu'il est. Notre révolution l'a marqué deux fois au front. Sur l'une de ses deux façades, il a les boulets du 10 août[3] ; sur l'autre, les boulets du 29 juillet. Il est saint.

Paris, 7 avril 1831.

Note de la cinquième édition[4]

---

1. En 1522. **2.** À partir de 1527. **3.** Le 10 août 1792, journée insurrectionnelle qui aboutit à la déchéance de Louis XVI ; le 29 juillet 1830, première des « Trois Glorieuses » qui mettent fin au règne de Charles X. L'unité de la révolution populaire et républicaine de 1792 à 1830 laisse en suspens les sentiments de Hugo sur le régime de Louis-Philippe, roi des Français. **4.** Dite « revue et corrigée », 4 vol. in-12, mai 1831. **5.** Rouge-blanc-bleu, ou l'inverse. **6.** Le plan et les premiers travaux datent de Louis XV, mais on n'a cessé de remanier l'édifice. La suppression des grandes baies n'a pas empêché le tassement. Louis-Philippe venait de rendre cette église Sainte-Geneviève au culte des grands hommes.

mal copié (l'édifice s'est tassé gauchement, ce qui n'en a pas raccommodé les lignes) ; le Paris de la république, à l'École-de-Médecine : un pauvre goût grec et romain, qui ressemble au Colisée ou au Parthénon comme la constitution de l'an III aux lois de Minos[1] ; on l'appelle en architecture *le goût messidor*[2] ; le Paris de Napoléon, à la place Vendôme : celui-là est sublime, une colonne de bronze faite avec des canons[3] ; le Paris de la restauration, à la Bourse : une colonnade fort blanche supportant une frise fort lisse ; le tout est carré et a coûté vingt millions.

À chacun de ces monuments caractéristiques se rattache par une similitude de goût, de façon et d'attitude, une certaine quantité de maisons éparses dans divers quartiers et que l'œil du connaisseur distingue et date aisément. Quand on sait voir, on retrouve l'esprit d'un siècle et la physionomie d'un roi jusque dans un marteau de porte.

Le Paris actuel n'a donc aucune physionomie générale. C'est une collection d'échantillons de plusieurs siècles, et les plus beaux ont disparu. La capitale ne s'accroît qu'en maisons, et quelles maisons ! Du train dont va Paris, il se renouvellera tous les cinquante ans. Aussi la signification historique de son architecture s'efface-t-elle tous les jours. Les monuments y deviennent de plus en plus rares, et il semble qu'on les voie s'engloutir peu à peu, noyés dans les maisons. Nos pères avaient un Paris de pierre, nos fils auront un Paris de plâtre.

Quant aux monuments modernes du Paris neuf, nous nous dispenserons volontiers d'en parler. Ce n'est pas que nous ne les admirions comme il convient. La Sainte-Geneviève de M. Soufflot[4] est certainement le plus beau

---

1. La Constitution du 5 messidor an III (1795) instaure le régime du Directoire qui s'efface cinq ans plus tard devant Bonaparte. Minos, légendaire roi de Crète et juge des Enfers est la figure originelle du droit de la civilisation hellénique. **2.** Mois des moissons dans le calendrier républicain. Ce goût Directoire s'inspire de la simplicité antique. **3.** Colonne d'Austerlitz à la gloire des soldats de la campagne de 1805 contre Autrichiens et Russes, dont les canons furent fondus. **4.** Architecte initial de ce qui est devenu le Panthéon, mort désespéré en 1780.

gâteau de Savoie[1] qu'on ait jamais fait en pierre. Le palais de la Légion-d'Honneur[2] est aussi un morceau de pâtisserie fort distingué. Le dôme de la Halle-au-Blé est une casquette de jockey anglais sur une grande échelle[3]. Les tours Saint-Sulpice sont deux grosses clarinettes, et c'est une forme comme une autre ; le télégraphe, tortu et grimaçant, fait un aimable accident sur leur toiture[4]. Saint-Roch[5] a un portail qui n'est comparable, pour la magnificence, qu'à Saint-Thomas-d'Aquin[6]. Il a aussi un calvaire en ronde-bosse dans une cave et un soleil de bois doré. Ce sont là des choses tout-à-fait merveilleuses. La lanterne du labyrinthe[7] du Jardin des Plantes est aussi fort ingénieuse. Quant au palais de la Bourse, qui est grec par sa colonnade, romain par le plein-cintre de ses portes et fenêtres, de la renaissance par sa grande voûte surbaissée, c'est indubitablement un monument très-correct et très-pur : la preuve, c'est qu'il est couronné d'un attique[8] comme on n'en voyait pas à Athènes, belle ligne droite gracieusement coupée çà et là par des tuyaux de poêle. Ajoutons que s'il est de règle que l'architecture d'un édifice soit adaptée à sa destination de telle façon que cette

---

1. Biscuit très léger à base de jaunes d'œuf sucrés, de blancs en neige, de farine ou de fécule ; cuisson douce dans un moule haut ; glaçage au sucre recommandé. **2.** Devant le musée d'Orsay, ancien hôtel de Salm. **3.** Dans d'énormes proportions. **4.** La construction de Saint-Sulpice dura plus d'un siècle et s'interrompit plus qu'elle ne s'acheva à la veille de la Révolution. D'où deux tours dépareillées, sur l'une desquelles la Convention installa la machine inventée par Chappe. **5.** Hugo, jeune ultra, s'était emparé de cette sorte de sémaphore qui est à l'origine de nos télécommunications, pour une vigoureuse satire, en 1819, des libéraux et du régime de Decazes. **6.** L'église de la rue Saint-Honoré, dont la mode fut grande au XVIIIe siècle, a eu une façade richement ornée, œuvre des de Cotte père et fils, fondée sur la superposition de deux ordres, dont celle de Saint-Thomas d'Aquin, au faubourg Saint-Germain, est une pâle réplique dans le pur style jésuite, quoique œuvre d'un dominicain. À Saint-Roch au-delà du maître-autel, la célèbre *Gloire divine* de Falconet et la chapelle du Calvaire (massif de rochers, Christ en croix, de marbre, haut de deux mètres, lumière qui tombe d'une fenêtre invisible, toutes merveilles ravalées ici en petit décor de théâtre). **7.** À l'extrémité sud-ouest du jardin, au sommet de l'ancienne butte Coupeaux. **8.** Petit étage supérieur qui joue avec le toit. Hugo ruse avec ce terme d'architecture et l'Attique, domaine d'Athènes. La Bourse, commencée en 1808 sous l'Empire, a été inaugurée en 1826.

destination se dénonce d'elle-même au seul aspect de l'édifice, on ne saurait trop s'émerveiller d'un monument qui peut être indifféremment un palais de roi, une chambre des communes[1], un hôtel-de-ville, un collége, un manége[2], une académie[3], un entrepôt, un tribunal, un musée, une caserne, un sépulcre, un temple, un théâtre. En attendant, c'est une Bourse. Un monument doit en outre être approprié au climat. Celui-ci est évidemment construit exprès pour notre ciel froid et pluvieux. Il a un toit presque plat comme en Orient, ce qui fait que l'hiver, quand il neige, on balaie le toit ; et il est certain qu'un toit est fait pour être balayé. Quant à cette destination dont nous parlions tout-à-l'heure, il la remplit à merveille ; il est Bourse en France, comme il eût été temple en Grèce. Il est vrai que l'architecte a eu assez de peine à cacher le cadran de l'horloge, qui eût détruit la pureté des belles lignes de la façade ; mais en revanche on a cette colonnade qui circule autour du monument, et sous laquelle, dans les grands jours de solennité religieuse, peut se développer majestueusement la théorie[4] des agents de change et des courtiers de commerce[5].

Ce sont là sans aucun doute de très-superbes monuments. Joignons-y force belles rues, amusantes et variées, comme la rue de Rivoli[6], et je ne désespère pas que Paris, vu à vol de ballon, ne présente aux yeux cette richesse de lignes, cette opulence de détails, cette diversité d'aspects, ce je ne sais quoi de grandiose dans le simple et d'inattendu dans le beau, qui caractérise un damier.

Toutefois, si admirable que vous semble le Paris d'à présent, refaites le Paris du quinzième siècle, reconstruisez-le dans votre pensée ; regardez le jour à travers cette haie surprenante d'aiguilles, de tours et de clochers ;

---

1. Nom de la chambre basse du Parlement britannique. **2.** Salle agencée pour les exercices de dressage des chevaux. **3.** École d'escrime, ou de peinture. **4.** Défilé ou plutôt procession. **5.** Les agents de change avaient, comme officiers ministériels, le monopole de la négociation des effets publics ou commerciaux (actions, obligations, etc.). Les courtiers pouvaient leur servir d'intermédiaires avec le public. **6.** Voie rectiligne ouverte à partir de 1802 le long du jardin des Tuileries. Façades toutes identiques à rez-de-chaussée et entresol d'arcades commerçantes.

répandez au milieu de l'immense ville, déchirez à la pointe des îles, plissez aux arches des ponts la Seine avec ses larges flaques vertes et jaunes, plus changeante qu'une robe de serpent ; détachez nettement sur un horizon d'azur le profil gothique de ce vieux Paris ; faites-en flotter le contour dans une brume d'hiver qui s'accroche à ses innombrables cheminées ; noyez-le dans une nuit profonde, et regardez le jeu bizarre des ténèbres et des lumières dans ce sombre labyrinthe d'édifices ; jetez-y un rayon de lune qui le dessine vaguement et fasse sortir du brouillard les grandes têtes des tours ; ou reprenez cette noire silhouette, ravivez d'ombre les mille angles aigus des flèches et des pignons, et faites-la saillir, plus dentelée qu'une mâchoire de requin, sur le ciel de cuivre du couchant. — Et puis, comparez.

Et si vous voulez recevoir de la vieille ville une impression que la moderne ne saurait plus vous donner, montez, un matin de grande fête, au soleil levant de Pâques[1] ou de la Pentecôte[2], montez sur quelque point élevé d'où vous dominiez la capitale entière ; et assistez à l'éveil des carillons. Voyez, à un signal parti du ciel, car c'est le soleil qui le donne, ces mille églises tressaillir à la fois. Ce sont d'abord des tintements épars, allant d'une église à l'autre, comme lorsque des musiciens s'avertissent qu'on va commencer. Puis, tout-à-coup, voyez, car il semble qu'en certains instants l'oreille aussi a sa vue, voyez s'élever au même moment de chaque clocher comme une colonne de bruit, comme une fumée d'harmonie. D'abord, la vibration de chaque cloche monte droite, pure, et pour ainsi dire isolée des autres, dans le ciel splendide du matin ; puis, peu à peu, en grossissant, elles se fondent, elles se mêlent, elles s'effacent l'une dans l'autre, elles s'amalgament dans un magnifique concert. Ce n'est plus qu'une masse de vibrations sonores qui se dégage sans cesse des innombrables clochers, qui flotte, ondule, bondit, tourbillonne sur la ville, et prolonge bien

1. Commémore la résurrection du Christ, trois jours après la Pâque juive, au moment du printemps. **2.** Sept semaines après Pâques, le Saint-Esprit descend en langues de feu sur les disciples de Jésus et les investit du don des langues pour l'évangélisation des nations.

au-delà de l'horizon le cercle assourdissant de ces oscillations. Cependant cette mer d'harmonie n'est point un chaos. Si grosse et si profonde qu'elle soit, elle n'a point perdu sa transparence : vous y voyez serpenter à part chaque groupe de notes qui s'échappe des sonneries. Vous y pouvez suivre le dialogue, tour-à-tour grave et criard, de la crecelle et du bourdon ; vous y voyez sauter les octaves d'un clocher à l'autre ; vous les regardez s'élancer ailées, légères et sifflantes de la cloche d'argent, tomber cassées et boiteuses de la cloche de bois ; vous admirez au milieu d'elles la riche gamme qui descend et remonte sans cesse les sept cloches de Saint-Eustache [1] ; vous voyez courir tout au travers des notes claires et rapides qui font trois ou quatre zigzags lumineux, et s'évanouissent comme des éclairs. Là-bas, c'est l'abbaye Saint-Martin, chanteuse aigre et fêlée ; ici, la voix sinistre et bourrue de la Bastille ; à l'autre bout, la grosse tour du Louvre, avec sa basse-taille. Le royal carillon du Palais [2] jette sans relâche de tous côtés des trilles resplendissantes, sur lesquelles tombent à temps égaux les lourdes coupetées [3] du beffroi de Notre-Dame, qui les font étinceler comme l'enclume sous le marteau. Par intervalle vous voyez passer des sons de toute forme qui viennent de la triple volée de Saint-Germain-des-Prés. Puis encore, de temps en temps, cette masse de bruits sublimes s'entr'ouvre et donne passage à la strette de l'Ave-Maria [4], qui éclate et pétille comme une aigrette d'étoiles. Au-dessous, au plus profond du concert, vous distinguez confusément le chant intérieur des églises qui transpire à

---

1. Paroisse des Halles depuis 1303, qui sera reconstruite de 1532 à 1637, dans une belle alliance du gothique et de la Renaissance. L'invocation primitive de Sainte-Agnès lui reste associée. **2.** À la tour de l'Horloge, qui date du XIVe siècle et sonne le tocsin de la ville, ou à la Sainte-Chapelle ? **3.** Coup du battant donné sur la cloche immobile, pour le tocsin, sonnerie municipale d'alarme. D'où, pour la cathédrale, le terme de beffroi. **4.** La strette est le resserrement des entrées de la fugue quand elle se hâte vers sa fin, ce qui ne s'applique que fort métaphoriquement à l'*Angélus* de midi, fondé au couvent de la rue des Barres par Louis XI en 1480. Mais il s'agit ici de hâter la conclusion de cette page et d'en donner le plein sujet : ce « chant intérieur » face auquel l'opéra, genre dominant de la musique au XIXe siècle, fait piètre figure.

travers les pores vibrants de leurs voûtes. — Certes, c'est là un opéra qui vaut la peine d'être écouté. D'ordinaire, la rumeur qui s'échappe de Paris le jour, c'est la ville qui parle, la nuit, c'est la ville qui respire : ici, c'est la ville qui chante. Prêtez donc l'oreille à ce tutti [1] des clochers ; répandez sur l'ensemble le murmure d'un demi-million d'hommes, la plainte éternelle du fleuve, les souffles infinis du vent, le quatuor grave et lointain des quatre forêts [2] disposées sur les collines de l'horizon comme d'immenses buffets d'orgue ; éteignez-y, ainsi que dans une demi-teinte, tout ce que le carillon central aurait de trop rauque et de trop aigu, et dites si vous connaissez au monde quelque chose de plus riche, de plus joyeux, de plus doré, de plus éblouissant que ce tumulte de cloches et de sonneries ; que cette fournaise de musique ; que ces dix mille voix d'airain chantant à la fois dans des flûtes [3] de pierre hautes de trois cents pieds ; que cette cité qui n'est plus qu'un orchestre ; que cette symphonie qui fait le bruit d'une tempête.

---

1. Indication d'orchestre : tous les instruments. **2.** Approximativement Montmorency, Bondy, Vincennes ou Sénart, Saint-Germain ou Meudon. **3.** La flûte s'amalgame l'image concertante des tuyaux d'orgue et des clochers, non sans grossissement épique : 300 pieds = 100 mètres.

« ... vaste symphonie en pierre, pour ainsi dire ;
œuvre colossale d'un homme et d'un peuple... » (p. 190)

Dom Michel Félibien : Façade de Notre-Dame de Paris.

LIVRE QUATRIÈME

I

LES BONNES ÂMES

Il y avait seize ans, à l'époque où se passe cette histoire, que par un beau matin de dimanche de la Quasimodo une créature vivante avait été déposée, après la messe, dans l'église de Notre-Dame, sur le bois de lit scellé dans le parvis, à main gauche, vis-à-vis ce *grand image* de saint Christophe[1], que la figure sculptée en pierre de messire Antoine des Essarts, chevalier, regardait à genoux depuis 1413, lorsqu'on s'est avisé de jeter bas et le saint et le fidèle. C'est sur ce bois de lit qu'il était d'usage d'exposer les enfants trouvés à la charité publique. Les prenait là qui voulait. Devant le bois de lit était un bassin de cuivre pour les aumônes.

L'espèce d'être vivant qui gisait sur cette planche le matin de la Quasimodo, en l'an du Seigneur 1467, paraissait exciter à un haut degré la curiosité du groupe assez considérable qui s'était amassé autour du bois du lit. Le groupe était formé en grande partie de personnes du beau sexe. Ce n'était presque que des vieilles femmes.

Au premier rang et les plus inclinées sur le lit, on en remarquait quatre qu'à leur cagoule grise, sorte de soutane, on devinait attachées à quelque confrérie dévote. Je ne vois point pourquoi l'histoire ne transmettrait pas à la postérité les noms de ces quatre discrètes et vénérables damoiselles. C'étaient Agnès la Herme, Jehanne de la

---

1. Qui subsista de 1413 à 1784. L'image de piété imprimée, très répandue, préservait de male mort. A. des Essarts était chambellan de Charles VI (Du Breul, 12).

Tarme, Henriette la Gaultière, Gauchère la Violette, toutes quatre veuves, toutes quatre bonnes-femmes de la chapelle Étienne-Haudry[1], sorties de leur maison, avec la permission de leur maîtresse et conformément aux statuts[2] de Pierre d'Ailly, pour venir entendre le sermon.

Du reste, si ces braves haudriettes observaient pour le moment les statuts de Pierre d'Ailly, elles violaient, certes, à cœur joie ceux de Michel de Brache et du cardinal de Pise, qui leur prescrivaient si inhumainement le silence.

— Qu'est-ce que c'est que cela, ma sœur ? disait Agnès à Gauchère, en considérant la petite créature exposée qui glapissait[3] et se tordait sur le lit de bois, effrayée de tant de regards.

— Qu'est-ce que nous allons devenir, disait Jehanne, si c'est comme cela qu'ils font les enfants à présent ?

— Je ne me connais pas en enfants, reprenait Agnès, mais ce doit être un péché de regarder celui-ci.

— Ce n'est pas un enfant, Agnès.

— C'est un singe manqué, observait Gauchère.

— C'est un miracle, reprenait Henriette la Gaultière.

— Alors, remarquait Agnès, c'est le troisième depuis le dimanche du *Lœtare*[4] ; car il n'y a pas huit jours que nous avons eu le miracle du moqueur de pélerins puni divinement par Notre-Dame d'Aubervilliers[5], et c'était le second miracle du mois.

---

1. Fondée en 1306 près de la Grève par le panetier de Philippe le Bel, Pierre d'Ailly (1350-1420), théologien, chancelier de l'Université, aumônier de Charles VI, cardinal-légat, champion des réformations nécessaires. **2.** Selon Du Breul (975-976), les statuts de ces « femmes hospitalières » datent de 1414. C'est l'année du concile de Constance et de l'exécution de Jean Huss. **3.** Cri des renards ou des petits chiens. **4.** Dans la liturgie catholique, le quatrième dimanche du Carême, sur le thème de la réjouissance dans le lait de la nouvelle Jérusalem (Isaïe, LXVI, 10), proche de la régénération de la *Quasimodo* (I Pierre, II, 2). Il y a quatre semaines du *Laetare* à la *Quasimodo*. L'allusion au *Laetare* corrige « depuis un mois ». **5.** Ou Notre-Dame des Vertus, important pèlerinage entre La Villette et La Chapelle. Le récit en vers de ces miracles de mai 1338 est cité par Du Breul (1268).

— C'est un vrai monstre d'abomination que ce soi-disant[1] enfant trouvé, reprenait Jehanne.

— Il braille à faire sourd un chantre, poursuivait Gauchère. — Tais-toi donc, petit hurleur !

— Dire que c'est monsieur de Reims[2] qui envoie cette énormité à monsieur de Paris ! ajoutait la Gaultière en joignant les mains.

— J'imagine, disait Agnès la Herme, que c'est une bête, un animal, le produit d'un juif avec une truie ; quelque chose enfin qui n'est pas chrétien, et qu'il faut jeter à l'eau ou au feu.

— J'espère bien, reprenait la Gaultière, qu'il ne sera postulé[3] par personne.

— Ah ! mon Dieu, s'écriait Agnès, ces pauvres nourrices qui sont là dans le logis des enfants trouvés qui fait le bas de la ruelle, en descendant à la rivière, tout à côté de monseigneur l'évêque ! si on allait leur apporter ce petit monstre à allaiter ! j'aimerais mieux donner à téter à un vampire.

— Est-elle innocente cette pauvre la Herme ! reprenait Jehanne ; vous ne voyez pas, ma sœur, que ce petit monstre a au moins quatre ans, et qu'il aurait moins appétit de votre tétine que d'un tourne-broche[4].

En effet, ce n'était pas un nouveau-né que « ce petit monstre. » (Nous serions fort empêché nous-même de le qualifier autrement.) C'était une petite masse fort anguleuse et fort remuante, emprisonnée dans un sac de toile imprimé au chiffre de messire Guillaume Chartier[5], pour lors évêque de Paris, avec une tête qui sortait. Cette tête était chose assez difforme ; on n'y voyait qu'une forêt de cheveux roux, un œil, une bouche et des dents. L'œil pleurait, la bouche criait et les dents ne paraissaient demander qu'à mordre. Le tout se débattait dans le sac, au grand ébahissement de la foule qui grossissait et se renouvelait sans cesse à l'entour.

---

1. Ou prétendu ? **2.** On ne saura pas d'où la Gaultière sait que l'expéditeur est l'archevêque de Reims. **3.** Demandé. Le mot vient de Du Breul (52). **4.** Garni de son rôti. **5.** Né vers 1400, évêque de Paris de 1447 à 1472, ne rentra pas dans les bonnes grâces de Louis XI après sa compromission avec le « Bien public ».

Dame Aloïse de Gondelaurier, une femme riche et noble qui tenait une jolie fille d'environ six ans à la main, et qui traînait un long voile à la corne d'or de sa coiffe, s'arrêta en passant devant le lit, et considéra un moment la malheureuse créature, pendant que sa charmante petite fille Fleur-de-Lys de Gondelaurier, toute vêtue de soie et de velours, épelait avec son joli doigt l'écriteau permanent accroché au bois de lit : ENFANTS-TROUVÉS.

— En vérité, dit la dame en se détournant avec dégoût, je croyais qu'on n'exposait ici que des enfants.

Elle tourna le dos, en jetant dans le bassin un florin d'argent[1] qui retentit parmi les liards, et fit ouvrir de grands yeux aux pauvres bonnes-femmes de la chapelle Étienne-Haudry.

Un moment après le grave et savant Robert Mistricolle, protonotaire[2] du roi, passa avec un énorme missel sous un bras et sa femme sous l'autre (damoiselle Guillemette la Mairesse), ayant de la sorte à ses côtés ses deux régulateurs, spirituel et temporel[3].

— Enfant trouvé ! dit-il après avoir examiné l'objet, trouvé apparemment sur le parapet du fleuve Phlégéto[4] !

— On ne lui voit qu'un œil, observa damoiselle Guillemette ; il a sur l'autre une verrue.

— Ce n'est pas une verrue, reprit maître Robert Mistricolle, c'est un œuf qui renferme un autre démon tout pareil, lequel porte un autre petit œuf qui contient un autre diable, et ainsi de suite[5].

— Comment savez-vous cela ? demanda Guillemette la Mairesse.

— Je le sais pertinemment[6], répondit le protonotaire.

— Monsieur le protonotaire, demanda Gauchère, que pronostiquez-vous de ce prétendu enfant trouvé ?

---

1. Monnaie qui n'avait plus cours en France sous Louis XI, mais qui était courante au XIXe siècle dans les pays germaniques, au change très variable de 2 à 3 francs. Le terme renvoie à Florence et à la fleur de lys : l'aumône est munificente. **2.** Premier des secrétaires, greffier en chef du Parlement. **3.** Opposition traditionnelle entre les affaires du monde et celles de Dieu. **4.** Fleuve des Enfers, dont le nom dit qu'il roule des flammes. **5.** Type de ce que la science du blason nomme mise en abyme. **6.** Pertinence qui exprime la suffisance.

— Les plus grands malheurs, répondit Mistricolle.

— Ah ! mon Dieu ! dit une vieille dans l'auditoire, avec cela qu'il y a eu une considérable pestilence l'an passé, et qu'on dit que les Anglais vont débarquer en compagnie à Harefleu[1].

— Cela empêchera peut-être la reine de venir à Paris au mois de septembre[2], reprit une autre ; la marchandise va déjà si mal !

— Je suis d'avis, s'écria Jehanne de la Tarme, qu'il vaudrait mieux, pour les manants de Paris, que ce petit magicien-là fût couché sur un fagot que sur une planche.

— Un beau fagot flambant ! ajouta la vieille.

— Cela serait plus prudent, dit Mistricolle.

Depuis quelques moments un jeune prêtre écoutait le raisonnement des haudriettes et les sentences du protonotaire. C'était une figure sévère, un front large, un regard profond. Il écarta silencieusement la foule, examina le *petit magicien*, et étendit la main sur lui. Il était temps, car toutes les dévotes se léchaient déjà les barbes du *beau fagot flambant*.

— J'adopte cet enfant, dit le prêtre.

Il le prit dans sa soutane, et l'emporta. L'assistance le suivit d'un œil effaré. Un moment après il avait disparu par la Porte-Rouge qui conduisait alors de l'église au cloître.

Quand la première surprise fut passée, Jehanne de la Tarme se pencha à l'oreille de la Gaultière.

— Je vous avais bien dit, ma sœur, que ce jeune clerc monsieur Claude Frollo est un sorcier.

---

1. Harfleur, non loin du Havre, sur la rive nord de l'estuaire de la Seine, face à Honfleur. **2.** En cette année 1467, la *Chronique*... note l'arrivée de la Reine au Terrain, derrière la cathédrale, accueillie par les enfants de chœur de la Sainte Chapelle. Le 14 septembre, il y eut revue générale des forces de la Ville : 60 à 80 000 hommes, après le cri public d'armement contre les Anglais.

II

CLAUDE FROLLO

En effet, Claude Frollo n'était pas un personnage vulgaire.

Il appartenait à l'une de ces familles moyennes qu'on appelait indifféremment, dans le langage impertinent du siècle dernier, haute bourgeoisie ou petite noblesse. Cette famille avait hérité des frères Paclet le fief de Tirechappe, qui relevait[1] de l'évêque de Paris, et dont les vingt-une maisons avaient été au treizième siècle l'objet de tant de plaidoiries par-devant l'official[2]. Comme possesseur de ce fief, Claude Frollo était un des *sept vingt-un*[3] seigneurs prétendant censive[4] dans Paris et ses faubourgs ; et l'on a pu voir long-temps son nom inscrit en cette qualité, entre l'hôtel de Tancarville, appartenant à maître François Le Rez, et le collége de Tours, dans le cartulaire[5] déposé à Saint-Martin-des-Champs.

Claude Frollo avait été destiné dès l'enfance par ses parents à l'état ecclésiastique. On lui avait appris à lire dans du latin ; il avait été élevé à baisser les yeux et à parler bas. Tout enfant, son père l'avait cloîtré au collège de Torchi[6] en l'Université. C'est là qu'il avait grandi sur le missel et le lexicon[7].

C'était d'ailleurs un enfant triste, grave, sérieux, qui étudiait ardemment et apprenait vite ; il ne jetait pas grand cri dans les récréations, se mêlait peu aux bacchanales de

---

1. *Relever* ou *mouvoir* : dépendre, dans le système féodal. En 1830, la rue Tirechappe existait encore entre les Halles et le Louvre. **2.** Juge du tribunal de l'évêque. **3.** Un des restes du compte par vingt, comme 80. Ici : 141. **4.** Droit payé au seigneur par le possesseur roturier d'une terre, sans lien de vassalité. **5.** Recueil des titres des droits temporels d'une église, abbaye, etc. Celui-ci respecte l'ordre alphabétique et place le modeste fief parisien entre hôtel et collège dépendant de hautes et puissantes seigneuries. Du Breul (806) tient son information d'un religieux de Saint-Martin. **6.** Ou de Lisieux, près de la porte Saint-Jacques, fondé au début du siècle par la famille d'Estouteville. **7.** Dictionnaire de grec.

la rue du Fouarre[1], ne savait ce que c'était que *dare alapas et capillos laniare*[2] et n'avait fait aucune figure dans cette mutinerie de 1463 que les annalistes enregistrent gravement sous le titre de : « Sixième trouble de l'Université[3]. » Il lui arrivait rarement de railler les pauvres écoliers de Montaigu pour les *cappettes*[4] dont ils tiraient leur nom, ou les boursiers du collége de Dormans pour leur tonsure rase et leur surtout tri-parti de drap pers, bleu et violet, *azurini coloris et bruni*[5], comme dit la charte du cardinal des Quatre-Couronnes[6].

En revanche, il était assidu aux grandes et petites écoles de la rue Saint-Jean-de-Beauvais. Le premier écolier que l'abbé de Saint-Pierre-de-Val, au moment de commencer sa lecture de droit canon, apercevait toujours collé vis-à-vis de sa chaire à un pilier de l'école Saint-Vendregesile, c'était Claude Frollo, armé de son écritoire de corne, mâchant sa plume, griffonnant sur son genou usé, et l'hiver, soufflant dans ses doigts. Le premier auditeur que messire Miles d'Isliers[7], docteur en décret, voyait arriver chaque lundi matin, tout essoufflé, à l'ouverture des portes de l'école du Chef-Saint-Denis, c'était Claude Frollo. Aussi, à seize ans, le jeune clerc eût pu tenir tête, en théologie mystique, à un père de l'Église ; en

---

1. À côté de Saint-Julien-le-Pauvre. La Faculté des Arts y enseignait en plein air au XIVe siècle, et tâchait d'en chasser les filles. **2.** « Donner des claques et arracher les cheveux », à propos d'un tumulte du XIIIe siècle. **3.** Du Breul, historien et non annaliste, place l'événement en 1498. Mais il faut inventer pour Claude Frollo une chronologie cohérente. **4.** « Pauvres écoliers, nommés vulgairement *cappettes*, à cause des manteaux qu'ils portent, faits en forme de cappes à l'antique »... (Sauval, II, 375). Du Breul est moins explicite. En fait, il s'agit de redressement. **5.** « Bleu et violet » explique *pers*, comme le dit le latin, que Du Breul traduit correctement : « bleu *ou* violet couvert ». Il ne s'agit donc ni de trois, ni de deux couleurs, mais d'une teinte qui hésite entre bleu et brun, mauve et marron, gris. **6.** Jean de Dormans, cardinal des Quatre-Couronnes, fonda le collège de Beauvais en 1370 et mourut en 1373, chancelier de France. Dans la rue Jean-de-Beauvais, subsiste la chapelle de ce collège. On y enseignait surtout le Décret ou Droit canon. **7.** Le registre qu'exploite Du Breul (749) date de 1415, mais le 95e évêque de Chartres mourut en 1493.

théologie canonique, à un père des conciles ; en théologie scolastique, à un docteur de Sorbonne [1].

La théologie dépassée, il s'était précipité dans le décret. Du *Maître des Sentences* [2] il était tombé aux *Capitulaires de Charlemagne* [3] ; et successivement il avait dévoré, dans son appétit de science, décrétales sur décrétales [4], celles de Théodore, évêque d'Hispale ; celles de Bouchard, évêque de Worms ; celles d'Yves, évêque de Chartres ; puis le décret de Gratien qui succéda aux capitulaires de Charlemagne ; puis le recueil de Grégoire IX ; puis l'épître *Super specula* d'Honorius III. Il se fit claire, il se fit familière cette vaste et tumultueuse période du droit civil et du droit canon en lutte et en travail dans le chaos du moyen-âge, période que l'évêque Théodore ouvre en 618 et que ferme en 1227 le pape Grégoire.

Le décret digéré, il se jeta sur la médecine, sur les arts libéraux [5]. Il étudia la science des herbes, la science des onguents ; il devint expert aux fièvres et aux contusions, aux navrures [6] et aux aposthumes [7]. Jacques d'Espars l'eût reçu médecin physicien ; Richard Hellain, médecin chirurgien [8]. Il parcourut également tous les degrés de la

---

1. Du Breul (p. 595-598), distingue les trois âges de la théologie : celui des premiers chrétiens et des Pères de l'Église (Ambroise, Jérôme, Augustin, Grégoire le Grand) du IVe au VIe siècle, puis celui des docteurs à l'œuvre sur les textes des papes et des conciles, et enfin, à partir du schisme et des controverses du XIe siècle avec les orthodoxes, l'âge moderne qui nécessite l'adjonction de la philosophie (Duns Scot et Thomas d'Aquin au XIIe s.). « Et tout finit en Sorbonne » disait Paul Valéry. **2.** Pierre Lombard, mort en 1164, prédécesseur de Maurice de Sully au siège épiscopal de Paris, disciple d'Abélard, inspirateur de Thomas d'Aquin, premier « docteur » de l'Université de Paris. **3.** Recueil des ordonnances royales : il s'agit de droit civil. **4.** Textes émanant de la papauté, dont Du Breul trace l'histoire : « Isidore (Hugo a mal lu) évêque de Hispale, environ l'an 618,... Bouchard, en 1008..., Yves, en 1102, Gratien, en 1130..., Grégoire IX, en 1227. » Quant à Honorius III, pape en 1216, « sa décrétale *Super specula*... fit défense de lire le Droit Civil à Paris ». **5.** Grammaire, Rhétorique, Philosophie, Arithmétique, Géométrie, Astronomie, Musique. **6.** Blessures. **7.** Abcès. **8.** Noms et fonctions pris à Du Breul (596-599 et 752-753) autour de la construction d'écoles de médecine en 1472.

licence, maîtrise et doctorerie[1] des arts. Il étudia les langues, le latin, le grec, l'hébreu, triple sanctuaire alors bien peu fréquenté. C'était une véritable fièvre d'acquérir et de thésauriser[2] en fait de science. À dix-huit ans, les quatre facultés[3] y avaient passé ; il semblait au jeune homme que la vie avait un but unique : savoir.

Ce fut vers cette époque environ que l'été excessif de 1466 fit éclater cette grande peste[4] qui enleva plus de quarante mille créatures dans la vicomté de Paris, et entre autres, dit Jean de Troyes, « maître Arnoul, astrologien du roi, qui était fort homme de bien, sage et plaisant. » Le bruit se répandit dans l'Université que la rue Tirechappe était en particulier dévastée par la maladie. C'est là que résidaient, au milieu de leur fief, les parents de Claude. Le jeune écolier courut fort alarmé à la maison paternelle. Quand il y entra, son père et sa mère étaient morts de la veille. Un tout jeune frère qu'il avait au maillot[5] vivait encore et criait abandonné dans son berceau. C'était tout ce qu'il restait à Claude de sa famille ; le jeune homme prit l'enfant sous son bras, et sortit pensif. Jusque là il n'avait vécu que dans la science ; il commençait à vivre dans la vie.

Cette catastrophe fut une crise dans l'existence de Claude. Orphelin, aîné, chef de famille à dix-neuf ans, il se sentit rudement rappelé des rêveries de l'école aux réalités de ce monde. Alors, ému de pitié, il se prit de passion et de dévouement pour cet enfant, son frère ; chose étrange et douce qu'une affection humaine, à lui qui n'avait encore aimé que des livres.

Cette affection se développa à un point singulier : dans une âme aussi neuve, ce fut comme un premier amour. Séparé depuis l'enfance de ses parents, qu'il avait à peine connus, cloîtré et comme muré dans ses livres, avide

---

1. Ce sont encore les trois grades universitaires, après le baccalauréat. **2.** Accumuler en un trésor, sans dépenser. **3.** Théologie, Décret, Médecine, Arts. **4.** La pestilence avait duré de juillet à novembre. On avait fait venir de Soissons les châsses des saints Crespin et Crespinien, et quêté pour leur retour. Jean de Roye est l'auteur anonyme de la *Chronique...* dite scandaleuse. **5.** On a longtemps emmailloté dans des langes poitrine, bassin et jambes des enfants au berceau.

avant tout d'étudier et d'apprendre, exclusivement attentif jusqu'alors à son intelligence, qui se dilatait dans la science, à son imagination, qui grandissait dans les lettres, le pauvre écolier n'avait pas encore eu le temps de sentir la place de son cœur. Ce jeune frère, sans père ni mère, ce petit enfant qui lui tombait brusquement du ciel sur les bras, fit de lui un homme nouveau. Il s'aperçut qu'il y avait autre chose dans le monde que les spéculations de la Sorbonne et les vers d'Homérus ; que l'homme avait besoin d'affections ; que la vie sans tendresse et sans amour n'était qu'un rouage sec, criard et déchirant. Seulement il se figura, car il était dans l'âge où les illusions ne sont encore remplacées que par des illusions, que les affections de sang et de famille étaient les seules nécessaires, et qu'un petit frère à aimer suffisait pour remplir toute une existence.

Il se jeta donc dans l'amour de son petit Jehan avec la passion d'un caractère déjà profond, ardent, concentré. Cette pauvre frêle créature, jolie, blonde, rose et frisée, cet orphelin sans autre appui qu'un orphelin, le remuait jusqu'au fond des entrailles ; et, grave penseur qu'il était, il se mit à réfléchir sur Jehan avec une miséricorde infinie. Il en prit souci et soin comme de quelque chose de très-fragile et de très-recommandé. Il fut à l'enfant plus qu'un frère : il lui devint une mère.

Le petit Jehan avait perdu sa mère, qu'il tétait encore ; Claude le mit en nourrice. Outre le fief de Tirechappe, il avait eu en héritage de son père le fief du Moulin, qui relevait de la tour carrée de Gentilly[1] : c'était un moulin sur une colline, près du château de Winchestre (Bicêtre). Il y avait la meunière qui nourrissait un bel enfant ; ce n'était pas loin de l'Université. Claude lui porta lui-même son petit Jehan.

Dès-lors, se sentant un fardeau à traîner, il prit la vie très au sérieux. La pensée de son petit frère devint non-

---

1. Une rue du Moulin-de-la-Roche rappelle encore la colline qui séparait l'église de Gentilly et sa tour de l'hôpital de Bicêtre où l'on « renfermait » les fous et les galériens en partance pour le bagne. Dans la mémoire de jeune homme de Hugo, ces lieux sont essentiels pour les deux œuvres que sépare et relie *Notre-Dame* : *Le Dernier Jour d'un condamné* et *Le roi s'amuse*.

seulement la récréation, mais encore le but de ses études. Il résolut de se consacrer tout entier à un avenir dont il répondait devant Dieu, et de n'avoir jamais d'autre épouse, d'autre enfant que le bonheur et la fortune[1] de son frère. Il se rattacha donc plus que jamais à sa vocation cléricale[2]. Son mérite, sa science, sa qualité de vassal immédiat[3] de l'évêque de Paris, lui ouvraient toutes grandes les portes de l'Église. À vingt ans, par dispense spéciale du Saint-Siége[4], il était prêtre, et desservait, comme le plus jeune des chapelains de Notre-Dame, l'autel qu'on appelle, à cause de la messe tardive qui s'y dit, *altare pigrorum*[5].

Là, plus que jamais plongé dans ses chers livres, qu'il ne quittait que pour courir une heure au fief du Moulin, ce mélange de savoir et d'austérité, si rare à son âge, l'avait rendu promptement le respect et l'admiration du cloître[6]. Du cloître, sa réputation de savant avait été au peuple, où elle avait un peu tourné, chose fréquente alors, au renom de sorcier.

C'est au moment où il revenait, le jour de la Quasimodo, de dire sa messe des paresseux à leur autel, qui était à côté de la porte du chœur tendant à la nef, à droite, proche l'image de la Vierge, que son attention avait été éveillée par le groupe de vieilles glapissant autour du lit des enfants trouvés.

C'est alors qu'il s'était approché de la malheureuse petite créature si haïe et si menacée. Cette détresse, cette difformité, cet abandon, la pensée de son jeune frère, la chimère[7] qui frappa tout-à-coup son esprit que, s'il mou-

---

1. La bonne chance, le succès : ce « dévouement » n'est pas forcément en accord avec la vocation religieuse. **2.** De science autant que d'église. **3.** Par Tirechappe. **4.** Les services du Saint-Père, le pape, à Rome. Sans dispense, on ne pouvait être prêtre avant 24 ans. **5.** « Autel des paresseux », « près de la porte du chœur, tendant à la nef à main dextre, proche de l'image de Notre Dame » (Du Breul, 29). **6.** Le plus souvent, cour-jardin avec galeries couvertes, attenant à une église mais le sens s'est étendu à l'ensemble du quartier clos des serviteurs du culte et principalement, pour les collégiales et cathédrales, aux chanoines formant le chapitre. **7.** Le terme désigne d'abord toute bête légendaire formée d'emprunts à divers animaux, puis une idée qui compose le réel avec l'imaginaire, voire le fantastique.

rait, son cher petit Jehan pourrait bien aussi, lui, être jeté misérablement sur la planche des enfants trouvés, tout cela lui était venu au cœur à la fois : une grande pitié s'était remuée en lui, et il avait emporté l'enfant.

Quand il tira cet enfant du sac, il le trouva bien difforme en effet. Le pauvre petit diable avait une verrue sur l'œil gauche, la tête dans les épaules, la colonne vertébrale arquée, le sternum proéminent, les jambes torses ; mais il paraissait vivace ; et, quoiqu'il fût impossible de savoir quelle langue il bégayait, son cri annonçait quelque force et quelque santé. La compassion de Claude s'accrut de cette laideur ; et il fit vœu dans son cœur d'élever cet enfant pour l'amour de son frère, afin que, quelles que fussent dans l'avenir les fautes du petit Jehan, il eût pardevers lui cette charité faite à son intention. C'était une sorte de placement de bonnes œuvres qu'il effectuait sur la tête de son jeune frère ; c'était une pacotille de bonnes actions qu'il voulait lui amasser d'avance, pour le cas où le petit drôle un jour se trouverait à court de cette monnaie, la seule qui soit reçue au péage du paradis [1].

Il baptisa son enfant adoptif, et le nomma *Quasimodo* [2], soit qu'il voulût marquer par là le jour où il l'avait trouvé, soit qu'il voulût caractériser par ce nom à quel point la pauvre petite créature était incomplète et à peine ébauchée. En effet, Quasimodo, borgne, bossu, cagneux [3], n'était guère qu'un *à peu près*.

---

1. C'est l'intention qui transforme l'aumône en acte de charité, exercice de la troisième vertu théologale. Mais détourné de l'enfant trouvé, l'acte d'amour dérive en prudence financière (placement) et en basse marchandise (pacotille). **2.** L'alternative (soit que..., soit que...) est trompeuse : elle affiche l'incertitude du narrateur, mais réunit dans ce doute la grâce (ouverture liturgique du temps de la régénération le dimanche d'après Pâques, résurrection du Christ) et la disgrâce d'un infirme. Voir le texte de saint Pierre (Épîtres, I, II, 2-5) sur les enfants nouveau-nés, la pierre d'achoppement et les « pierres vives ». *Quasi modo* ne veut pas dire *à peu près*, mais *comme à la manière de.* **3.** Qui a les genoux en dedans, et les pieds écartés.

III

IMMANIS PECORIS CUSTOS, IMMANIOR IPSE[1]

Or, en 1482, Quasimodo avait grandi. Il était devenu, depuis plusieurs années, sonneur de cloches de Notre-Dame, grâce à son père adoptif Claude Frollo, lequel était devenu archidiacre de Josas, grâce à son suzerain messire Louis de Beaumont, lequel était devenu évêque de Paris en 1472, à la mort de Guillaume Chartier, grâce à son patron Olivier le Daim, barbier du roi Louis XI par la grâce de Dieu[2].

Quasimodo était donc carillonneur de Notre-Dame.

Avec le temps, il s'était formé je ne sais quel lien intime qui unissait le sonneur à l'église. Séparé à jamais du monde par la double fatalité de sa naissance inconnue et de sa nature difforme, emprisonné dès l'enfance dans ce double cercle infranchissable, le pauvre malheureux s'était accoutumé à ne rien voir dans ce monde au-delà des religieuses murailles qui l'avaient recueilli à leur ombre. Notre-Dame avait été successivement pour lui, selon qu'il grandissait et se développait, l'œuf, le nid, la maison, la patrie, l'univers.

Et il est sûr qu'il y avait une sorte d'harmonie mystérieuse et préexistante[3] entre cette créature et cet édifice. Lorsque, tout petit encore, il se traînait tortueusement et par soubresauts sous les ténèbres de ses voûtes, il semblait, avec sa face humaine et sa membrure bestiale, le reptile naturel de cette dalle humide et sombre sur

---

1. « Gardien d'un troupeau monstre, et plus monstre lui-même », alexandrin démarqué d'un hexamètre de Virgile (*Bucoliques*, V, 44) : « D'un beau troupeau gardien plus bel encor. » Il s'agit de l'inscription funéraire du berger Daphnis, célèbre « depuis ses forêts jusqu'aux étoiles ». L'interprétation classique y voit une flatteuse allusion à César. **2.** Cette cascade de « patronages » transforme en pirouette ironique la traditionnelle formule « roi de France par la grâce de Dieu ». **3.** Allusion à l'*harmonie préétablie* à laquelle Leibniz recourt pour rendre compte des apparents rapports de cause à effet, et en particulier des rapports entre l'âme et le corps.

laquelle l'ombre des chapiteaux romans projetait tant de formes bizarres.

Plus tard, la première fois qu'il s'accrocha machinalement à la corde des tours, et qu'il s'y pendit, et qu'il mit la cloche en branle, cela fit à Claude, son père adoptif, l'effet d'un enfant dont la langue se délie et qui commence à parler.

C'est ainsi que peu à peu, se développant toujours dans le sens de la cathédrale, y vivant, y dormant, n'en sortant presque jamais, en subissant à toute heure la pression mystérieuse, il arriva à lui ressembler, à s'y incruster, pour ainsi dire, à en faire partie intégrante. Ses angles saillants s'emboîtaient (qu'on nous passe cette figure) aux angles rentrants de l'édifice, et il en semblait non-seulement l'habitant, mais encore le contenu naturel. On pourrait presque dire qu'il en avait pris la forme, comme le colimaçon[1] prend la forme de sa coquille. C'était sa demeure, son trou, son enveloppe. Il y avait entre la vieille église et lui une sympathie instinctive si profonde, tant d'affinités magnétiques[2], tant d'affinités matérielles, qu'il y adhérait en quelque sorte comme la tortue à son écaille. La rugueuse cathédrale était sa carapace.

Il est inutile d'avertir le lecteur de ne pas prendre au pied de la lettre les figures que nous sommes obligé d'employer ici pour exprimer cet accouplement singulier, symétrique, immédiat, presque cosubstantiel, d'un homme et d'un édifice. Il est inutile de dire également à quel point il s'était fait familière toute la cathédrale, dans une si longue et si intime[3] cohabitation. Cette demeure lui était propre. Elle n'avait pas de profondeur que Quasi-

---

1. Escargot. **2.** Mesmer (1734-1815) imagina, d'après les effets de l'aimant, un fluide universel, le magnétisme animal, à vertus thérapeutiques. L'emballement fut tel qu'il fallut réprimer les « convulsionnaires ». Encore en 1825, une commission de l'Académie des Sciences s'appliquait à réfuter ces théories. L'affinité, de son côté, tend à expliquer comme par une métaphore amoureuse la combinaison et les réactions des corps chimiques. La traduction des *Wahlverwandtschaften* de Goethe (1809) par *Affinités électives* indique assez ces interférences de la science qui se fait, avec les sentiments, les mœurs et les institutions. Le caractère symétrique renvoie à Étienne Geoffroy-Saint-Hilaire (1772-1844), qui nourrit en 1830 à l'Académie un éclatant débat avec Cuvier. **3.** Superlatif d'intérieur.

modo n'eût pénétrée, pas de hauteur qu'il n'eût escaladée. Il lui arrivait bien des fois de gravir la façade à plusieurs élévations [1] et s'aidant seulement des aspérités de la sculpture. Les tours, sur la surface extérieure desquelles on le voyait souvent ramper comme un lézard qui glisse sur un mur à pic, ces deux géantes jumelles, si hautes, si menaçantes, si redoutables, n'avaient pour lui ni vertige, ni terreur, ni secousses d'étourdissement. À les voir si douces sous sa main, si faciles à escalader, on eût dit qu'il les avait apprivoisées. À force de sauter, de grimper, de s'ébattre au milieu des abîmes de la gigantesque cathédrale, il était devenu en quelque façon singe et chamois, comme l'enfant calabrois qui nage avant de marcher, et joue, tout petit, avec la mer [2].

Du reste, non-seulement son corps semblait s'être façonné selon la cathédrale, mais encore son esprit. Dans quel état était cette âme ? Quel pli avait-elle contracté, quelle forme avait-elle prise sous cette enveloppe nouée, dans cette vie sauvage ? c'est ce qu'il serait difficile de déterminer. Quasimodo était né borgne, bossu, boiteux [3]. C'est à grande peine et à grande patience que Claude Frollo était parvenu à lui apprendre à parler. Mais une fatalité était attachée au pauvre enfant trouvé. Sonneur de Notre-Dame à quatorze ans [4], une nouvelle infirmité était venue le parfaire ; les cloches lui avaient brisé le tympan : il était devenu sourd. La seule porte que la nature lui eût laissée toute grande ouverte sur le monde s'était brusquement fermée à jamais.

En se fermant, elle intercepta l'unique rayon de joie et de lumière qui pénétrât encore dans l'âme de Quasimodo. Cette âme tomba dans une nuit profonde. La mélancolie du misérable devint incurable et complète comme sa difformité. Ajoutons que sa surdité le rendit en quelque façon muet. Car, pour ne pas donner à rire aux autres, du

---

1. Ensemble vertical séparé du suivant par un changement d'ordre, un entablement, etc. La façade de Notre-Dame est à trois élévations.
2. À l'extrémité sud-ouest de l'Italie, la Calabre maintenait des mœurs antiques et sauvages. Vers 5-6 ans Hugo à séjourné entre Naples et les bandits du Sud que son père pourchassait. Calabrois concurrençait encore Calabrais au XIXe s. **3.** Allitération reprise comme titre de IX, 2. **4.** L'ajustement de la chronologie ne néglige pas la puberté.

moment où il se vit sourd, il se détermina résolument à un silence qu'il ne rompait guère que lorsqu'il était seul. Il lia volontairement cette langue que Claude Frollo avait eu tant de peine à délier. De là il advenait que, quand la nécessité le contraignait de parler, sa langue était engourdie, maladroite, et comme une porte dont les gonds sont rouillés.

Si maintenant nous essayions de pénétrer jusqu'à l'âme de Quasimodo à travers cette écorce épaisse et dure ; si nous pouvions sonder les profondeurs de cette organisation mal faite ; s'il nous était donné de regarder avec un flambeau derrière ces organes sans transparence, d'explorer l'intérieur ténébreux de cette créature opaque, d'en élucider les recoins obscurs, les culs-de-sacs absurdes, et de jeter tout-à-coup une vive lumière sur la psyché[1] enchaînée au fond de cet antre, nous trouverions sans doute la malheureuse dans quelque attitude pauvre, rabougrie et rachitique, comme ces prisonniers des plombs[2] de Venise qui vieillissaient ployés en deux dans une boîte de pierre trop basse et trop courte.

Il est certain que l'esprit s'atrophie dans un corps manqué. Quasimodo sentait à peine se mouvoir aveuglément au-dedans de lui une âme faite à son image. Les impressions des objets subissaient une réfraction[3] considérable, avant d'arriver à sa pensée. Son cerveau était un milieu particulier : les idées qui le traversaient en sortaient toutes tordues. La réflexion[4] qui provenait de cette réfraction était nécessairement divergente et déviée.

De là mille illusions d'optique, mille aberrations de jugement, mille écarts où divaguait sa pensée, tantôt folle, tantôt idiote.

Le premier effet de cette fatale organisation, c'était de troubler le regard qu'il jetait sur les choses. Il n'en rece-

---

1. Terme grec que la chrétienté traduit par l'âme (sans accent circonflexe vers 1830), et que le freudisme arrachera à la spiritualité. **2.** Prison de Venise, à côté du Palais de Doges, sous les toits. **3.** Terme d'optique : changement de direction du rayon lumineux au point où il passe d'un milieu à un autre. **4.** Terme d'optique : le rayon lumineux est renvoyé par le miroir selon un angle double de son angle d'incidence. Mais il y a jeu ici avec l'autre sens du terme : action de réfléchir pour sentir et penser.

vait presque aucune perception immédiate. Le monde extérieur lui semblait beaucoup plus loin qu'à nous.

Le second effet de son malheur, c'était de le rendre méchant.

Il était méchant en effet, parce qu'il était sauvage ; il était sauvage, parce qu'il était laid. Il y avait une logique dans sa nature comme dans la nôtre.

Sa force, si extraordinairement développée, était une cause de plus de méchanceté. *Malus puer robustus*, dit Hobbes[1].

D'ailleurs, il faut lui rendre cette justice : la méchanceté n'était peut-être pas innée en lui. Dès ses premiers pas parmi les hommes, il s'était senti, puis il s'était vu conspué[2], flétri[3], repoussé. La parole humaine pour lui, c'était toujours une raillerie ou une malédiction. En grandissant, il n'avait trouvé que la haine autour de lui. Il l'avait prise. Il avait gagné la méchanceté générale. Il avait ramassé l'arme dont on l'avait blessé.

Après tout, il ne tournait qu'à regret sa face du côté des hommes ; sa cathédrale lui suffisait. Elle était peuplée de figures de marbre, rois, saints, évêques, qui du moins ne lui éclataient pas de rire au nez et n'avaient pour lui qu'un regard tranquille et bienveillant. Les autres statues, celles des monstres et des démons, n'avaient pas de haine pour lui Quasimodo. Il leur ressemblait trop pour cela. Elles raillaient bien plutôt les autres hommes. Les saints étaient ses amis, et le bénissaient ; les monstres étaient ses amis, et le gardaient. Aussi avait-il de longs épanchements avec eux. Aussi passait-il quelquefois des heures entières, accroupi devant une de ces statues, à causer solitairement avec elle. Si quelqu'un survenait, il s'enfuyait comme un amant surpris dans sa sérénade[4].

Et la cathédrale ne lui était pas seulement la société, mais encore l'univers, mais encore toute la nature. Il ne

---

1. « Le méchant est (comme) un enfant vigoureux » dit Hobbes (1588-1679) dans la préface de son traité *Du Citoyen*, cité et combattu par Rousseau dans le *Discours sur... l'inégalité* et dans l'*Émile*. Hugo retourne ici la formule. **2.** Couvert de crachats ou d'insultes. **3.** Marqué au fer rouge, signe d'une condamnation infamante. **4.** Concert ou chant, le soir, la nuit, sous les fenêtres d'une personne honorée, aimée.

rêvait pas d'autres espaliers[1] que les vitraux toujours en fleur, d'autre ombrage que celui de ces feuillages de pierre, qui s'épanouissent chargés d'oiseaux dans la touffe de chapiteaux saxons[2], d'autres montagnes que les tours colossales de l'église, d'autre océan que Paris qui bruissait à leurs pieds.

Ce qu'il aimait avant tout dans l'édifice maternel, ce qui réveillait son âme, et lui faisait ouvrir ses pauvres ailes qu'elle tenait si misérablement reployées dans sa caverne, ce qui le rendait parfois heureux, c'était les cloches. Il les aimait, les caressait, leur parlait, les comprenait. Depuis le carillon de l'aiguille de la croisée, jusqu'à la grosse cloche du portail, il les avait toutes en tendresse. Le clocher de la croisée, les deux tours, étaient pour lui comme trois grandes cages, dont les oiseaux, élevés par lui, ne chantaient que pour lui. C'était pourtant ces mêmes cloches qui l'avaient rendu sourd ; mais les mères aiment souvent le mieux l'enfant qui les a fait le plus souffrir.

Il est vrai que leur voix était la seule qu'il pût entendre encore. À ce titre, la grosse cloche était sa bien-aimée. C'est elle qu'il préférait dans cette famille de filles bruyantes qui se trémoussaient autour de lui, les jours de fête. Cette grande cloche s'appelait Marie[3]. Elle était seule dans la tour méridionale avec sa sœur Jacqueline, cloche de moindre taille, enfermée dans une cage moins grande à côté de la sienne. Cette Jacqueline était ainsi nommée du nom de la femme de Jean Montagu, lequel l'avait donnée à l'église ; ce qui ne l'avait pas empêché d'aller figurer sans tête à Montfaucon[4]. Dans la deuxième tour il y avait six autres cloches, et enfin les six plus

---

1. Arbres fruitiers conduits sur un seul plan le long d'un mur. **2.** Gothiques. Voir, quelque dix ans plus tard, la pièce *Au statuaire David* (*Les Rayons et les Ombres*, XX, 6) : *Et dans l'obscurité de ton cerveau végète / La profonde forêt, qu'on ne voit point ailleurs / Des chapiteaux touffus pleins d'oiseaux et de fleurs.* **3.** Selon Du Breul, que Hugo suit et cite, elle aurait été refondue en 1397. **4.** Ministre de Charles VI, décapité en 1409 au pilori des Halles par le pouvoir bourguignon sévissant à Paris. Il avait construit le splendide château de Marcoussis et y avait doté l'abbaye des deux statues que Hugo déplace à Notre-Dame en X, 3. *Cf.* Du Breul, 952.

petites habitaient le clocher sur la croisée avec la cloche de bois, qu'on ne sonnait que depuis l'après-dîner du jeudi absolut, jusqu'au matin de la veille de Pâques[1]. Quasimodo avait donc quinze cloches dans son sérail ; mais la grosse Marie était la favorite.

On ne saurait se faire une idée de sa joie les jours de grande volée. Au moment où l'archidiacre l'avait lâché et lui avait dit : Allez, il montait la vis du clocher plus vite qu'un autre ne l'eût descendue. Il entrait tout essoufflé dans la chambre aérienne de la grosse cloche ; il la considérait un moment avec recueillement et amour ; puis il lui adressait doucement la parole ; il la flattait de la main, comme un bon cheval qui va faire une longue course. Il la plaignait de la peine qu'elle allait avoir. Après ces premières caresses, il criait à ses aides, placés à l'étage inférieur de la tour, de commencer. Ceux-ci se pendaient aux câbles, le cabestan[2] criait, et l'énorme capsule[3] de métal s'ébranlait lentement. Quasimodo, palpitant, la suivait du regard. Le premier choc du battant et de la paroi d'airain faisait frissonner la charpente sur laquelle il était monté. Quasimodo vibrait avec la cloche. Vah[4] ! criait-il avec un éclat de rire insensé. Cependant le mouvement du bourdon[5] s'accélérait, et à mesure qu'il parcourait un angle plus ouvert, l'œil de Quasimodo s'ouvrait aussi de plus en plus phosphorique[6] et flamboyant. Enfin la grande volée commençait ; toute la tour tremblait ; charpentes, plombs, pierres de taille, tout grondait à la fois, depuis les pilotis de la fondation jusqu'aux trèfles du couronnement. Quasimodo alors bouillait à grosse écume ; il allait, venait ; il tremblait avec la tour de la tête aux pieds. La cloche déchaînée et furieuse pré-

---

1. Pure citation de Du Breul, 11 : du soir du jeudi saint jusqu'au matin du samedi saint. Du XIVe siècle au milieu du XXe, la première messe du dimanche pascal était en effet anticipée le samedi matin. **2.** Par analogie avec le treuil vertical des navires, le tambour de bois qui transmet à la cloche l'impulsion de la corde. **3.** Comme si la cloche *renfermait* le son qu'elle va émettre. **4.** Entre l'ordre d'aller, l'effort du bûcheron et l'explosion de bonheur. **5.** La grosse cloche, qui sonne le grave. **6.** Non seulement phosphorescent, mais qui appartient au phosphore, élément isolé au XVIIe siècle par un alchimiste à la recherche de la pierre philosophale.

sentait alternativement aux deux parois de la tour sa gueule de bronze, d'où s'échappait ce souffle de tempêtes qu'on entend à quatre lieues[1]. Quasimodo se plaçait devant cette gueule ouverte ; il s'accroupissait, se relevait avec les retours de la cloche, aspirait ce souffle renversant, regardait tour à tour la place profonde qui fourmillait à deux cents pieds[2] au-dessous de lui, et l'énorme langue de cuivre[3] qui venait de seconde en seconde lui hurler dans l'oreille. C'était la seule parole qu'il entendît, le seul son qui troublât pour lui le silence universel. Il s'y dilatait comme un oiseau au soleil. Tout-à-coup la frénésie de la cloche le gagnait ; son regard devenait extraordinaire ; il attendait le bourdon au passage, comme l'araignée attend la mouche, et se jetait brusquement sur lui à corps perdu. Alors, suspendu sur l'abîme, lancé dans le balancement formidable de la cloche, il saisissait le monstre d'airain aux oreillettes, l'étreignait de ses deux genoux, l'éperonnait de ses deux talons, et redoublait de tout le choc et de tout le poids de son corps la furie de la volée. Cependant la tour vacillait, lui, criait et grinçait des dents, ses cheveux roux se hérissaient, sa poitrine faisait le bruit d'un soufflet de forge, son œil jetait des flammes, la cloche monstrueuse hennissait[4] toute haletante sous lui ; et alors ce n'était plus ni le bourdon de Notre-Dame ni Quasimodo : c'était un rêve, un tourbillon, une tempête ; le vertige à cheval sur le bruit ; un esprit cramponné à une croupe volante ; un étrange centaure[5] moitié homme, moitié cloche ; une espèce d'Astolphe[6] horrible, emporté sur un prodigieux hippogriffe[7] de bronze vivant.

La présence de cet être extraordinaire faisait circuler dans toute la cathédrale je ne sais quel souffle de vie. Il

---

1. Plus de seize kilomètres. **2.** Les tours culminent à 68 mètres. **3.** Le battant de bronze, qui pèse près de 500 kg. **4.** Comme un cheval. **5.** Monstre de l'Antiquité, homme et cheval à la fois, célèbre pour ses capacités de rapt et de rut. **6.** L'un des héros du *Roland furieux* de l'Arioste (1474-1533), célèbre pour le cor magique dont nul ne pouvait soutenir la fureur, et pour le cheval ailé à tête de griffon qui doit l'emmener dans la lune, où il cherche la fiole qui restituera la raison à Roland. **7.** Le ms. porte en marge une identité remarquable laissée en suspens : « $(a + b)^2 = a^2 + 2ab + b^2$ » « $(\text{cheval} + \text{cavalier})^{\text{enfer}} = \text{hipp.}/$ »

semblait qu'il s'échappât de lui, du moins au dire des superstitions grossissantes de la foule, une émanation mystérieuse qui animait toutes les pierres de Notre-Dame et faisait palpiter les profondes entrailles de la vieille église. Il suffisait qu'on le sût là pour que l'on crût voir vivre et remuer les mille statues des galeries et des portails. Et de fait, la cathédrale semblait une créature docile et obéissante sous sa main ; elle attendait sa volonté pour élever sa grosse voix ; elle était possédée et remplie de Quasimodo comme d'un génie familier[1]. On eût dit qu'il faisait respirer l'immense édifice. Il y était partout en effet, il se multipliait sur tous les points du monument. Tantôt on apercevait avec effroi au plus haut d'une des tours un nain bizarre qui grimpait, serpentait, rampait à quatre pattes, descendait en dehors sur l'abîme, sautelait de saillie en saillie, et allait fouiller dans le ventre de quelque gorgone[2] sculptée : c'était Quasimodo dénichant des corbeaux. Tantôt on se heurtait dans un coin obscur de l'église à une sorte de chimère vivante, accroupie et renfrognée : c'était Quasimodo pensant. Tantôt on avisait sous un clocher une tête énorme et un paquet de membres désordonnés se balançant avec fureur au bout d'une corde : c'était Quasimodo sonnant les vêpres[3] ou l'angelus[4]. Souvent la nuit on voyait errer une forme hideuse sur la frêle balustrade découpée en dentelle qui couronne les tours et borde le pourtour de l'apside : c'était encore le bossu de Notre-Dame. Alors, disaient les voisines, toute l'église prenait quelque chose de fantastique, de surnaturel, d'horrible ; des yeux et des bouches s'y ouvraient çà et là ; on entendait aboyer les chiens, les guivres[5], les

---

1. Un commentateur de Virgile explique qu'il n'y a pas de lieu sans son génie. La référence glisse ici à Socrate, et à son célèbre *démon* qui selon les commentateurs varie entre la laïcisation en conscience et la spiritualisation en ange gardien. **2.** Les trois sœurs de la Fable qui « médusaient » de leur seul regard prêtent ici leur nom aux gargouilles de la cathédrale. **3.** Office du soir, qui se disait à l'origine vers la tombée de la nuit. **4.** Récitation de l'*Ave Maria*, c'est-à-dire des paroles de l'Annonciation, par l'archange Gabriel à Marie, de la venue de Jésus, fils de son ventre. Cette dévotion du début, du milieu et de la fin de la journée de travail fut particulièrement observée le midi selon les ordonnances de Louis XI. **5.** Serpent dévorant un enfant, qui figure dans les armes de Milan.

tarasques[1] de pierre qui veillent jour et nuit, le cou tendu et la gueule ouverte autour de la monstrueuse cathédrale. Et si c'était une nuit de Noël, tandis que la grosse cloche, qui semblait râler, appelait les fidèles à la messe ardente[2] de minuit, il y avait un tel air répandu sur la sombre façade qu'on eût dit que le grand portail dévorait la foule et que la rosace la regardait. Et tout cela venait de Quasimodo. L'Égypte l'eût pris pour le dieu de ce temple ; le moyen-âge l'en croyait le démon : il en était l'âme[3].

A tel point que, pour ceux qui savent que Quasimodo a existé, Notre-Dame est aujourd'hui déserte, inanimée, morte. On sent qu'il y a quelque chose de disparu. Ce corps immense est vide ; c'est un squelette ; l'esprit l'a quitté, on en voit la place, et voilà tout. C'est comme un crâne où il y a encore des trous pour les yeux ; mais plus de regard.

IV

LE CHIEN ET SON MAÎTRE

Il y avait pourtant une créature humaine que Quasimodo exceptait de sa malice[4] et de sa haine pour les autres, et qu'il aimait autant, plus peut-être, que sa cathédrale ; c'était Claude Frollo.

La chose était simple. Claude Frollo l'avait recueilli, l'avait adopté, l'avait nourri, l'avait élevé. Tout petit, c'est dans les jambes de Claude Frollo qu'il avait coutume de se réfugier quand les chiens et les enfants aboyaient après lui. Claude Frollo lui avait appris à parler, à lire, à écrire. Claude Frollo enfin l'avait fait sonneur de

---

1. Monstre éponyme de Tarascon, fêté à la Pentecôte et à la Sainte-Marthe, le 29 juillet. **2.** La messe de minuit célèbre la naissance du Christ au solstice d'hiver, saluant le renouveau par grand luminaire. **3.** Esprit vivifique au moins autant que spirituel, vu le contexte. **4.** Méchanceté, mauvaiseté.

cloches. Or, donner la grosse cloche en mariage à Quasimodo, c'était donner Juliette à Roméo [1].

Aussi la reconnaissance de Quasimodo était-elle profonde, passionnée, sans bornes ; et quoique le visage de son père adoptif fût souvent brumeux et sévère, quoique sa parole fût habituellement brève, dure, impérieuse, jamais cette reconnaissance ne s'était démentie un seul instant. L'archidiacre avait en Quasimodo l'esclave le plus soumis, le valet le plus docile, le dogue le plus vigilant. Quand le pauvre sonneur de cloches était devenu sourd, il s'était établi entre lui et Claude Frollo une langue de signes, mystérieuse et comprise d'eux seuls. De cette façon l'archidiacre était le seul être humain avec lequel Quasimodo eût conservé communication. Il n'était en rapport dans ce monde qu'avec deux choses : Notre-Dame et Claude Frollo.

Rien de comparable à l'empire de l'archidiacre sur le sonneur, à l'attachement du sonneur pour l'archidiacre. Il eût suffi d'un signe de Claude, et de l'idée de lui faire plaisir, pour que Quasimodo se précipitât du haut des tours de Notre-Dame. C'était une chose remarquable que toute cette force physique, arrivée chez Quasimodo à un développement si extraordinaire, et mise aveuglément par lui à la disposition d'un autre. Il y avait là sans doute dévouement filial, attachement domestique ; il y avait aussi fascination d'un esprit par un autre esprit. C'était une pauvre, gauche et maladroite organisation qui se tenait la tête basse et les yeux suppliants devant une intelligence haute et profonde, puissante et supérieure. Enfin, et par-dessus tout, c'était reconnaissance. Reconnaissance tellement poussée à sa limite extrême que nous ne saurions à quoi la comparer. Cette vertu n'est pas de celles dont les plus beaux exemples sont parmi les hommes. Nous dirons donc que Quasimodo aimait l'archidiacre comme jamais chien, jamais cheval, jamais éléphant n'a aimé son maître.

---

1. Héros du drame de Shakespeare, séparés par la haine réciproque de leurs familles.

V

SUITE DE CLAUDE FROLLO

En 1482, Quasimodo avait environ vingt ans, Claude Frollo environ trente-six. L'un avait grandi, l'autre avait vieilli.

Claude Frollo n'était plus le simple écolier du collége Torchi ; le tendre protecteur d'un petit enfant ; le jeune et rêveur philosophe qui savait beaucoup de choses et qui en ignorait beaucoup. C'était un prêtre austère, grave, morose [1] ; un chargé d'âmes ; monsieur l'archidiacre de Josas, le second acolyte de l'évêque, ayant sur les bras les deux décanats de Montlhéry et de Châteaufort [2], et cent soixante-quatorze curés ruraux. C'était un personnage imposant et sombre, devant lequel tremblaient les enfants de chœur en aube et en jaquette [3], les machicos [4], les confrères de saint Augustin [5], les clercs matutinels [6] de Notre-Dame, quand il passait lentement sous les hautes ogives du chœur, majestueux, pensif, les bras croisés, et la tête tellement ployée sur la poitrine qu'on ne voyait de sa face que son grand front chauve.

Dom Claude Frollo n'avait abandonné, du reste, ni la science ni l'éducation de son jeune frère, ces deux occupations de sa vie. Mais avec le temps il s'était mêlé quelque amertume à ces choses si douces. À la longue, dit Paul Diacre [7], le meilleur lard rancit. Le petit Jehan Frollo, surnommé *du Moulin* à cause du lieu où il avait été nourri, n'avait pas grandi dans la direction que Claude

---

1. Chagrin. **2.** Le diocèse de Paris comprenait trois archidiaconés (Paris, Josas et Brie), avec six *doyennés*, dont Montlhéry à 25 km au sud et Châteaufort à 20 km au sud-ouest. *Cf.* Du Breul, 1085. **3.** Vêtement de chœur, blanc. Il est vraisemblable que la jaquette est ici la robe de l'enfant. **4.** Bas-officiers du chœur, au-dessus des chantres. Ils remplacent les diacres absents. *Cf.* Du Breul, 87. **5.** Les confréries pieuses étaient ouvertes aux laïcs. **6.** Chargés de l'office de matines, première des « heures » de la journée liturgique. Il se disait à minuit ; on y allait par la Porte Rouge. *Cf.* Du Breul, 35-36. **7.** Warnefried (740-801), historien des Lombards, passé de la cour de Charlemagne au monastère du Mont-Cassin, où il fut ordonné diacre.

avait voulu lui imprimer. Le grand frère comptait sur un élève pieux, docile, docte, honorable. Or, le petit frère, comme ces jeunes arbres qui trompent l'effort du jardinier, et se tournent opiniâtrément du côté d'où leur vient l'air et le soleil, le petit frère ne croissait et ne multipliait, ne poussait de belles branches touffues et luxuriantes que du côté de la paresse, de l'ignorance et de la débauche. C'était un vrai diable, fort désordonné, ce qui faisait froncer le sourcil à dom Claude, mais fort drôle et fort subtil, ce qui faisait sourire le grand frère. Claude l'avait confié à ce même collége de Torchi où il avait passé ses premières années dans l'étude et le recueillement ; et c'était une douleur pour lui que ce sanctuaire autrefois édifié[1] du nom de Frollo en fût scandalisé aujourd'hui. Il en faisait quelquefois à Jehan de fort sévères et de fort longs sermons, que celui-ci essuyait[2] intrépidement. Après tout, le jeune vaurien avait bon cœur, comme cela se voit dans toutes les comédies. Mais, le sermon passé, il n'en reprenait pas moins tranquillement le cours de ses séditions[3] et de ses énormités. Tantôt c'était un *béjaune*[4] (on appelait ainsi les nouveau-débarqués à l'Université) qu'il avait houspillé[5] pour sa bienvenue ; tradition précieuse qui s'est soigneusement perpétuée jusqu'à nos jours. Tantôt il avait donné le branle à une bande d'écoliers, lesquels s'étaient classiquement jetés sur un cabaret, *quasi classicò excitati*[6], puis avaient battu le tavernier « avec bâtons offensifs, » et joyeusement pillé la taverne jusqu'à effondrer les muids[7] de vin dans la cave. Et puis, c'était un beau rapport en latin que le sous-moniteur de Torchi apportait piteusement à dom Claude avec cette douloureuse émargination : *Rixa ; prima causa vinum optimum*

1. Conduit à la sagesse par l'exemple de... **2.** Comme un navire essuie une bordée (canonnade). **3.** Menaces ou actes contre l'ordre établi. **4.** À cause du bec encore jaune des tout jeunes faucons. **5.** À l'origine : en tiraillant le manteau. **6.** « Comme lancés à l'assaut par la trompette. » Hugo joue du sens scolaire et du sens militaire du mot. Du Breul (610), qui cite cette épigramme de Fortunatus (530-609), poète en latin et évêque de Poitiers, parle d'un zèle de dévotion. **7.** Tonneau (d'environ 270 litres, à Paris).

potatum[1]. Enfin on disait, horreur dans un enfant de seize ans, que ses débordements allaient souventes fois jusqu'à la rue de Glatigny[2].

De tout cela Claude, contristé et découragé dans ses affections humaines, s'était jeté avec plus d'emportement dans les bras de la science, cette sœur qui du moins ne vous rit pas au nez, et vous paie toujours, bien qu'en monnaie quelquefois un peu creuse[3], les soins qu'on lui a rendus. Il devint donc de plus en plus savant, et en même temps, par une conséquence naturelle, de plus en plus rigide comme prêtre, de plus en plus triste comme homme. Il y a, pour chacun de nous, de certains parallélismes entre notre intelligence, nos mœurs et notre caractère, qui se développent sans discontinuité, et ne se rompent qu'aux grandes perturbations de la vie.

Comme Claude Frollo avait parcouru dès sa jeunesse le cercle presqu'entier des connaissances humaines, positives, extérieures et licites, force lui fut, à moins de s'arrêter *ubi defuit orbis*[4], force lui fut d'aller plus loin et de chercher d'autres aliments à l'activité insatiable de son intelligence. L'antique symbole du serpent qui se mord la queue convient surtout à la science. Il paraît que Claude Frollo l'avait éprouvé. Plusieurs personnes graves affirmaient qu'après avoir épuisé le *fas* du savoir humain, il avait osé pénétrer dans le *nefas*[5]. Il avait, disait-on, goûté successivement toutes les pommes de l'arbre de l'intelligence[6], et, faim ou dégoût, il avait fini par mordre au fruit défendu. Il avait pris place tour à tour, comme nos lecteurs l'ont vu, aux conférences des théologiens en Sorbonne[7], aux assemblées des artiens[8] à l'image Saint-

---

1. « Rixe ; première cause, l'excellent vin qu'on avait bu » (Du Breul, *ibid.*). **2.** Dans la Cité ; quartier réservé. **3.** Allusion aux ravages de l'imagination chez les songe-creux ? **4.** « Là où l'orbe (de la terre) lui manqua. » Référence probable à la manière dont Cérès, à la recherche de sa fille Proserpine enlevée par Pluton, dut la poursuivre aux Enfers (*cf.* Ovide, *Métamorphoses*, V, 463). **5.** Le permis et l'interdit. **6.** Dans la Genèse, le péché originel consiste pour Ève et Adam à avoir enfreint l'interdiction de consommer les fruits de l'arbre « de la connaissance du bien et du mal », c'est-à-dire de la faculté de distinguer. Hugo est plus philosophe que moral ou religieux. **7.** Faculté de théologie. **8.** Élèves de la faculté des Arts (Lettres).

Hilaire[1], aux disputes des décrétistes à l'image Saint-Martin[2], aux congrégations des médecins au bénitier de Notre-Dame, *ad cupam Nostrœ-Dominœ.* Tous les mets permis et approuvés que ces quatre grandes cuisines appelées les quatre facultés pouvaient élaborer et servir à une intelligence, il les avait dévorés, et la satiété lui en était venue avant que sa faim fût apaisée. Alors il avait creusé plus avant, plus bas, dessous toute cette science finie, matérielle, limitée ; il avait risqué peut-être son âme, et s'était assis dans la caverne à cette table mystérieuse des alchimistes, des astrologues, des hermétiques, dont Averroès, Guillaume de Paris[3] et Nicolas Flamel tiennent le bout dans le moyen-âge, et qui se prolonge dans l'Orient, aux clartés du chandelier à sept branches[4], jusqu'à Salomon, Pythagore et Zoroastre[5].

C'était du moins ce que l'on supposait, à tort ou à raison.

Il est certain que l'archidiacre visitait souvent le cimetière des Saints-Innocents, où son père et sa mère avaient été enterrés, il est vrai, avec les autres victimes de la peste de 1466 ; mais qu'il paraissait beaucoup moins dévot à la croix de leur fosse qu'aux figures étranges dont était chargé le tombeau de Nicolas Flamel et de Claude Pernelle[6], construit tout à côté !

---

1. Évêque de Poitiers au IVe siècle, « le Rhône de l'éloquence latine ». **2.** Évêque de Tours au IVe siècle, qui partagea son manteau pour un pauvre ; patron des meuniers. Ces « images » ou statues servaient d'adresses. **3.** Averrohès (1126-1198) de Cordoue, commentateur arabe d'Aristote, censuré par l'Université et la Papauté. Guillaume d'Auvergne, évêque de Paris de 1228 à 1249, fut suspect de rétablir la philosophie dans ses droits. **4.** Signe du peuple juif dans son histoire depuis Moïse jusqu'à la destruction du Temple par les Romains, le chandelier est associé à la science talmudique des interprétations et des philosophies orientales. **5.** Salomon, au Xe siècle avant notre ère, constructeur du Temple (donc patron de la maçonnerie) ; Pythagore, au VIe siècle, pour qui les nombres sont la raison des choses ; Zoroastre, dont on ne savait trop, vers 1830, ni le lieu ni le temps (VIIe-VIe s.), réformateur optimiste du manichéisme mazdéen, auquel on attribue un grand rôle dans la constitution de l'*Avesta*. Il passe pour le fondateur du magisme, qui portera ses présents à l'enfant-Dieu de Béthléem (le jour des Rois mages). **6.** Femme de Flamel, commune en biens et en charités avec lui, morte vers 1395. Les œuvres

Il est certain qu'on l'avait vu souvent longer la rue des Lombards, et entrer furtivement[1] dans une petite maison qui faisait le coin de la rue des Écrivains et de la rue Marivaulx[2]. C'était la maison que Nicolas Flamel avait bâtie, où il était mort vers 1417, et qui, toujours déserte depuis lors, commençait déjà à tomber en ruine ; tant les hermétiques et les souffleurs[3] de tous les pays en avaient usé les murs, rien qu'en y gravant leurs noms. Quelques voisins même affirmaient avoir vu une fois, par un soupirail, l'archidiacre Claude creusant, remuant et bêchant la terre dans ces deux caves, dont les jambes étrières[4] avaient été barbouillées de vers et d'hiéroglyphes sans nombre par Nicolas Flamel lui-même. On supposait que Flamel avait enfoui la pierre philosophale dans ces caves ; et les alchimistes, pendant deux siècles depuis Magistri[5] jusqu'au père Pacifique[6], n'ont cessé d'en tourmenter le sol que lorsque la maison, si cruellement fouillée et retournée, a fini par s'en aller en poussière sous leurs pieds.

Il est certain encore que l'archidiacre s'était épris d'une passion singulière pour le portail symbolique de Notre-Dame[7], cette page de grimoire écrite en pierre par l'évêque Guillaume de Paris, lequel a sans doute été damné pour avoir attaché un si infernal frontispice au

---

hermétiques prêtées à Flamel ont été discutées au milieu du XVIIe par Artephius et Synesius (*Figures hiéroglyphiques... du charnier des Innocents*) et par l'abbé Villain (*Histoire critique...*, 1661).

1. Comme un voleur. **2.** Actuellement au croisement des rues N.-Flamel et Pernelle, juste au nord de la tour Saint-Jacques. **3.** Alchimistes. **4.** Pilier en tête d'un mur mitoyen. Le terme, comme tout le passage, provient de Sauval (I, 237). **5.** Aumônier de Louis XI, natif de Tours ; victime à Cléry, en 1482, de la « grande mortalité ». **6.** Missionnaire (1575-1653) qui avait passé au crible le sol de ces caves en 1624, selon Sauval. **7.** Guigniault a commencé à publier sa traduction de la *Symbolique* de Creuzer en 1825 sous le titre de *Religions de l'Antiquité considérées dans leurs formes symboliques*. Il s'agit d'une sorte de structuralisme historique, remontant aux religions de l'Inde, qui s'attache à décrypter, sous la matérialité de la représentation religieuse, la signification intellectuelle, voire mystique. Il s'agit ici du portail central de Notre-Dame où, entre l'allégorie antithétique des vertus et des vices et la démonologie du Jugement dernier, près de Job et d'Abraham, deux bas-reliefs passaient au Moyen Âge pour guider la recherche alchimique.

saint poème que chante éternellement le reste de l'édifice. L'archidiacre Claude passait aussi pour avoir approfondi le colosse[1] de saint Christophe, et cette longue statue énigmatique qui se dressait alors à l'entrée du parvis, et que le peuple appelait dans ses dérisions *Monsieur Legris*[2]. Mais, ce que tout le monde avait pu remarquer, c'était les interminables heures qu'il employait souvent, assis sur le parapet du parvis, à contempler les sculptures du portail, examinant tantôt les vierges folles avec leurs lampes renversées, tantôt les vierges sages avec leurs lampes droites ; d'autres fois, calculant l'angle du regard de ce corbeau qui tient au portail de gauche et qui regarde dans l'église un point mystérieux où est certainement cachée la pierre philosophale, si elle n'est pas dans la cave de Nicolas Flamel. C'était, disons-le en passant, une destinée singulière pour l'église Notre-Dame à cette époque que d'être ainsi aimée à deux degrés différents, et avec tant de dévotion, par deux êtres aussi dissemblables que Claude et Quasimodo. Aimée par l'un, sorte de demi-homme instinctif et sauvage, pour sa beauté, pour sa stature, pour les harmonies qui se dégagent de son magnifique ensemble ; aimée par l'autre, imagination savante et passionnée, pour sa signification, pour son mythe, pour le sens qu'elle renferme, pour le symbole épars sous les sculptures de sa façade comme le premier texte sous le second dans un palimpseste[3], en un mot, pour l'énigme qu'elle propose éternellement à l'intelligence.

Il est certain enfin que l'archidiacre s'était accommodé dans celle des deux tours qui regarde sur la Grève, tout à côté de la cage aux cloches, une petite cellule fort secrète où nul n'entrait, pas même l'évêque, disait-on, sans son

---

1. De 9 mètres de haut. **2.** Sauval (II, 615) plaisante de cette énigme : « je n'ai pas dit l'origine... parce qu'on ne la sait pas ». En III, 55, à propos des hermétiques, il propose d'identifier cette « statue longue et mal faite avec serpents aux pieds », « à l'entrée du parvis devant l'Hôtel Dieu », comme de l'évêque Guillaume de Paris ou de Mercure. On y envoyait au fort de l'hiver les nouveaux venus demander « M. Le Gris », « pour les déniaiser » **3.** Parchemin réemployé, le nouveau texte recouvrant les traces du premier.

congé. Cette cellule avait été jadis pratiquée, presque au sommet de la tour parmi les nids de corbeaux, par l'évêque Hugo de Besançon*[1], qui y avait maléficié dans son temps. Ce que renfermait cette cellule, nul ne le savait ; mais on avait vu souvent des grèves du Terrain[2], la nuit, à une petite lucarne qu'elle avait sur le derrière de la tour, paraître, disparaître et reparaître à intervalles courts et inégaux, une clarté rouge intermittente, bizarre, qui semblait suivre les aspirations haletantes d'un soufflet, et venir plutôt d'une flamme que d'une lumière. Dans l'ombre, à cette hauteur, cela faisait un effet singulier ; et les bonnes femmes disaient : Voilà l'archidiacre qui souffle ! l'enfer pétille là-haut.

Il n'y avait pas dans tout cela, après tout, grandes preuves de sorcellerie, mais c'était bien toujours autant de fumée qu'il en fallait pour supposer du feu ; et l'archidiacre avait un renom assez formidable. Nous devons dire pourtant que les sciences d'Égypte, que la nécromancie[3], que la magie, même la plus blanche[4] et la plus innocente, n'avaient pas d'ennemi plus acharné, pas de dénonciateur plus impitoyable par-devant messieurs de l'officialité[5] de Notre-Dame. Que ce fût sincère horreur ou jeu joué du larron qui crie *au voleur !* cela n'empêchait pas l'archidiacre d'être considéré par les doctes têtes du chapitre[6] comme une âme aventurée dans le vestibule de l'enfer, perdue dans les antres de la cabale[7], tâtonnant dans les ténèbres des sciences occultes. Le peuple ne s'y méprenait pas non plus : chez quiconque avait un peu de sagacité, Quasimodo passait pour le démon, Claude Frollo pour le sorcier. Il était évident que le sonneur devait servir

---

* *Hugo II de Bisuncio*, 1326-1332.

---

1. Victor Hugo, né à Besançon, cherche-t-il ici un répondant des maléfices historiques de son temps d'ultra ? **2.** Extrémité orientale de la Cité, derrière la cathédrale **3.** Divination par l'évocation des morts. **4.** Qui utilise les lois de la physique, comme l'illusionnisme, par opposition à la magie noire, qui recourt aux services des démons. **5.** Le tribunal de l'évêque. **6.** Ensemble des religieux administrant la cathédrale. **7.** Ensemble des systèmes d'interprétation de la Bible hébraïque, que son symbolisme cryptique fit accuser de commerce avec les démons.

l'archidiacre pendant un temps donné, au bout duquel il emporterait son âme en guise de paiement [1]. Aussi l'archidiacre était-il, malgré l'austérité excessive de sa vie, en mauvaise odeur parmi les bonnes âmes ; et il n'y avait pas nez de dévote si inexpérimentée qui ne le flairât magicien.

Et si, en vieillissant, il s'était formé des abîmes dans sa science, il s'en était aussi formé dans son cœur. C'est du moins ce qu'on était fondé à croire en examinant cette figure sur laquelle on ne voyait reluire son âme qu'à travers un sombre nuage. D'où lui venait ce large front chauve, cette tête toujours penchée, cette poitrine toujours soulevée de soupirs ? Quelle secrète pensée faisait sourire sa bouche avec tant d'amertume au même moment où ses sourcils froncés se rapprochaient comme deux taureaux qui vont lutter ? Pourquoi son reste de cheveux étaient-ils déjà gris ? Quel était ce feu intérieur qui éclatait parfois dans son regard, au point que son œil ressemblait à un trou percé dans la paroi d'une fournaise ?

Ces symptômes d'une violente préoccupation morale avaient surtout acquis un haut degré d'intensité à l'époque où se passe cette histoire. Plus d'une fois un enfant de chœur s'était enfui effrayé de le trouver seul dans l'église, tant son regard était étrange et éclatant. Plus d'une fois, dans le chœur, à l'heure des offices, son voisin de stalle l'avait entendu mêler au plain-chant *ad omnem tonum* des parenthèses inintelligibles. Plus d'une fois la buandière du Terrain, chargée de « laver le chapitre, » avait observé, non sans effroi, des marques d'ongles et de doigts crispés dans le surplis de monsieur l'archidiacre de Josas.

D'ailleurs il redoublait de sévérité et n'avait jamais été plus exemplaire. Par état comme par caractère, il s'était toujours tenu éloigné des femmes ; il semblait les haïr plus que jamais. Le seul frémissement d'une cotte-hardie [2] de soie faisait tomber son capuchon sur ses yeux. Il était sur ce point tellement jaloux d'austérité et de réserve, que

---

1. C'est le couple maudit de Méphisto et de Faust qui fit en 1791 la gloire de Goethe. La traduction française de Stapfer (1825) illustrée par Delacroix (1826-1827) précède l'adaptation de Nerval (1827). **2.** La cotte-hardie, long vêtement de dessus, commun aux deux sexes, était d'étoffe assez rude. La soie la féminise et restitue à hardi son sens provocateur.

lorsque la dame de Beaujeu, fille du roi, vint, au mois de décembre 1481, visiter le cloître de Notre-Dame, il s'opposa gravement à son entrée, rappelant à l'évêque le statut du Livre Noir [1], daté de la vigile Saint-Barthélemy [2] 1334, qui interdit l'accès du cloître à toute femme « quelconque, vieille ou jeune, maîtresse ou chambrière. » Sur quoi l'évêque avait été contraint de lui citer l'ordonnance du légat Odo [3], qui excepte certaines grandes dames, *aliquæ magnates mulieres, quæ sine scandalo evitari non possunt* [4]. Et encore l'archidiacre protesta-t-il, objectant que l'ordonnance du légat, laquelle remontait à 1207, était antérieure de cent vingt-sept ans au Livre Noir, et par conséquent abrogée de fait par lui. Et il avait refusé de paraître devant la princesse.

On remarquait en outre que son horreur pour les égyptiennes et les zingari semblait redoubler depuis quelque temps. Il avait sollicité de l'évêque un édit qui fît expresse défense aux bohémiennes de venir danser et tambouriner sur la place du Parvis ; et il compulsait depuis le même temps les archives moisies de l'official, afin de réunir les cas de sorciers et de sorcières condamnés au feu ou à la corde pour complicité de maléfices [5] avec des boucs, des truies ou des chèvres.

---

1. Sauval (II, 633) à propos du « lettrain de fer treillissé » du bréviaire public, signale trois autres cages, portatives, dans le petit cloître, ou « étaient enfermés le Livre noir, avec le grand et le petit Pastoral », manuscrits composés de chartes, qu'on pouvait y consulter ou copier. Le pastoral réglemente prières et cérémonies de l'évêque. **2.** Donc du 23 août, 238 ans avant le massacre des protestants sous Charles IX. **3.** Odon de Châteauroux, cardinal, compagnon de croisade de Saint Louis : deux fois légat du pape en France, mort en 1273. **4.** « Quelques grandes dames, qu'on ne peut écarter sans scandale. » Hugo suit Du Breul, mais la date de 1207 pose problème. **5.** Le maléfice consiste en pratiques de sorcellerie destinées à nuire à autrui. Le chat noir y est plus souvent employé que boucs, truies ou chèvres, propres à d'autres genres de « démérite ».

VI

IMPOPULARITÉ

L'archidiacre et le sonneur, nous l'avons déjà dit, étaient médiocrement aimés du gros et menu peuple des environs de la cathédrale. Quand Claude et Quasimodo sortaient ensemble, ce qui arrivait maintes fois, et qu'on les voyait traverser de compagnie, le valet suivant le maître, les rues fraîches, étroites et sombres du pâté Notre-Dame, plus d'une mauvaise parole, plus d'un fredon ironique, plus d'un quolibet insultant les harcelait au passage, à moins que Claude Frollo, ce qui arrivait rarement, ne marchât la tête droite et levée, montrant son front sévère et presque auguste aux goguenards interdits.

Tous deux étaient dans leur quartier comme les « poètes » dont parle Regnier[1],

> Toutes sortes de gens vont après les poètes,
> Comme après les hiboux vont criant les fauvettes.

Tantôt c'était un marmot sournois qui risquait sa peau et ses os pour avoir le plaisir ineffable d'enfoncer une épingle dans la bosse de Quasimodo. Tantôt une belle jeune fille, gaillarde et plus effrontée qu'il n'aurait fallu, frôlait la robe noire du prêtre, en lui chantant sous le nez la chanson sardonique : *niche, niche, le diable est pris*. Quelquefois un groupe squalide[2] de vieilles, échelonné et accroupi dans l'ombre sur les degrés d'un porche, bougonnait avec bruit au passage de l'archidiacre et du carillonneur, et leur jetait en maugréant cette encourageante bienvenue : « Hum ! en voici un qui a l'âme faite comme l'autre a le corps ! » Ou bien c'était une bande d'écoliers

---

1. Mathurin Régnier (1573-1613), *Satires*, XII, 49-50. Hugo cite d'après la malheureuse correction de La Monnoye : il s'agit non pas des chouettes, mais des chuettes, sorte de petit choucas, qui protège ses petits du prédateur. **2.** Hérissé de crasse.

et de pousse-cailloux jouant aux merelles[1] qui se levait en masse et les saluait classiquement de quelque huée en latin : *Eia ! eia ! Claudius cum claudo*[2] *!*

Mais le plus souvent, l'injure passait inaperçue du prêtre et du sonneur. Pour entendre toutes ces gracieuses choses, Quasimodo était trop sourd et Claude trop rêveur.

1. Jeu de la marelle : soit à cloche-pied en poussant le palet ; soit sur une trame pour l'alignement de trois pions. La levée en masse équivaut à la mobilisation générale. **2.** « Allez ! allez ! Claude et son claudicant », écho assourdi de « Solus cum sola... ».

LIVRE CINQUIÈME

I

ABBAS BEATI MARTINI [1]

La renommée de dom Claude s'était étendue au loin. Elle lui valut, à peu près vers l'époque où il refusa de voir madame de Beaujeu, une visite dont il garda longtemps le souvenir.

C'était un soir. Il venait de se retirer après l'office dans sa cellule canonicale [2] du cloître Notre-Dame. Celle-ci, hormis peut-être quelques fioles de verre, reléguées dans un coin, et pleines d'une poudre assez équivoque, qui ressemblait fort à la poudre de projection [3], n'offrait rien d'étrange ni de mystérieux. Il y avait bien çà et là quelques inscriptions sur le mur, mais c'était de pures sentences de science ou de piété extraites des bons auteurs. L'archidiacre venait de s'asseoir à la clarté d'un trois-becs [4] de cuivre devant un vaste bahut chargé de manuscrits. Il avait appuyé son coude sur le livre tout grand ouvert d'Honorius d'Autun, *de Prœdestinatione et libero Arbitrio* [5], et il feuilletait avec une réflexion pro-

1. « L'abbé du bienheureux Martin. » **2.** De chanoine. **3.** Poudre avec laquelle les alchimistes tentaient de transmuer les métaux en or. **4.** Lampe à huile à trois mèches. **5.** « De la prédestination et du libre arbitre » ; le titre exact est *L'Inévitable ou du libre arbitre*. Question centrale de la théologie de la Grâce, la prédestination oppose protestants, jansénistes et papistes tout au long des temps modernes, qui édifient progressivement une idéologie de la liberté. Honorius Augustodunensis (mort à Regensburg et non à Autun vers 1157), très célèbre au Moyen Âge, représente, plutôt qu'un précurseur de la scolastique, un théologien des rapports symboliques entre les réalités sensibles et la spiritualité.

fonde un in-folio [1] imprimé qu'il venait d'apporter, le seul produit de la presse que renfermât sa cellule. Au milieu de sa rêverie, on frappa à sa porte. — Qui est là ? cria le savant du ton gracieux d'un dogue affamé qu'on dérange de son os. Une voix répondit du dehors : — Votre ami Jacques Coictier. — Il alla ouvrir.

C'était en effet le médecin du roi ; un personnage d'une cinquantaine [2] d'années, dont la physionomie dure n'était corrigée que par un regard rusé. Un autre homme l'accompagnait. Tous deux portaient une longue robe couleur ardoise fourrée de petit gris [3], ceinturonnée et fermée, avec le bonnet de même étoffe et de même couleur. Leurs mains disparaissaient sous leurs manches, leurs pieds sous leurs robes, leurs yeux sous leurs bonnets.

— Dieu me soit en aide, messieurs ! dit l'archidiacre en les introduisant, je ne m'attendais pas à si honorable visite à pareille heure. Et tout en parlant de cette façon courtoise, il promenait du médecin à son compagnon un regard inquiet et scrutateur.

— Il n'est jamais trop tard pour venir visiter un savant aussi considérable que dom Claude Frollo de Tirechappe, répondit le docteur Coictier, dont l'accent franc-comtois [4] faisait traîner toutes ses phrases avec la majesté d'une robe à queue.

Alors commença entre le médecin et l'archidiacre un de ces prologues congratulateurs [5] qui précédaient à cette époque, selon l'usage, toutes conversations entre savants, et qui ne les empêchaient pas de se détester le plus cordialement du monde. Au reste, il en est encore de même aujourd'hui, toute bouche de savant qui complimente un autre savant est un vase de fiel [6] emmiellé [7].

Les félicitations de Claude Frollo à Jacques Coictier avaient trait surtout aux nombreux avantages temporels que le digne médecin avait su extraire, dans le cours de sa carrière si enviée, de chaque maladie du roi, opération

---

1. Volume reliant des feuilles d'impression pliées une seule fois. **2.** Mort en 1505, il pouvait avoir une dizaine d'années de moins que Louis XI. **3.** Variété d'écureuil. **4.** Il était originaire de Poligny, dans le Jura (comté de Bourgogne). **5.** Échangeant compliments et félicitations. **6.** Bile, amertume, méchanceté. **7.** Adouci par du miel. Miel et fiel réalisent dans la langue l'unité des contraires.

d'une alchimie meilleure et plus certaine que la poursuite de la pierre philosophale.

— En vérité, monsieur le docteur Coictier, j'ai eu grande joie d'apprendre l'évêché de votre neveu, mon révérend seigneur Pierre Versé. N'est-il pas évêque d'Amiens ?

— Oui, monsieur l'archidiacre ; c'est une grâce et miséricorde de Dieu.

— Savez-vous que vous aviez bien grande mine le jour de Noël, à la tête de votre compagnie de la chambre des comptes, monsieur le président !

— Vice-président, dom Claude. Hélas ! rien de plus.

— Où en est votre superbe maison de la rue Saint-André-des-Arcs ? C'est un Louvre. J'aime fort l'abricotier qui est sculpté sur la porte avec ce jeu de mots, qui est plaisant : À L'ABRI-COTIER.

— Hélas, maître Claude, toute cette maçonnerie me coûte gros. À mesure que la maison s'édifie je me ruine.

— Ho ! n'avez-vous pas vos revenus de la geôle et du bailliage du Palais et la rente de toutes les maisons, étaux, loges, échoppes de la clôture ? C'est traire une belle mamelle.

— Ma châtellenie de Poissy[1] ne m'a rien rapporté cette année.

— Mais vos péages de Triel[2], de Saint-James[3], de Saint-Germain-en-Laye, sont toujours bons.

— Six-vingts livres, pas même parisis.

— Vous avez votre office de conseiller du roi. C'est fixe, cela.

— Oui, confrère Claude ; mais cette maudite seigneurie de Poligny, dont on fait bruit, ne me vaut pas soixante écus d'or, bon an mal an.

Il y avait dans les compliments que dom Claude adressait à Jacques Coictier cet accent sardonique[4], aigre et

---

1. Sur la Seine, à une vingtaine de km à l'ouest de Paris. **2.** Sur la Seine, quelque deux lieues au-delà de Poissy. **3.** Sauval (III, 451) indique Sainte-James : il s'agit de Sainte-Gemme, à 10 km au sud-ouest de Poissy, entre Feucherolles et la forêt de Marly. Les trois péages sont à peu près équidistants de la châtellenie. **4.** Le contexte donne l'ensemble des sens ; à l'origine, il s'agit d'un rire provoqué par une intoxication mortelle.

sourdement railleur, ce sourire triste et cruel d'un homme supérieur et malheureux qui joue un moment par distraction avec l'épaisse prospérité d'un homme vulgaire. L'autre ne s'en apercevait pas.

— Sur mon âme, dit enfin Claude en lui serrant la main, je suis aise de vous voir en si grande santé.

— Merci, maître Claude.

— À propos, s'écria dom Claude, comment va votre royal malade ?

— Il ne paie pas assez son médecin, répondit le docteur en jetant un regard de côté à son compagnon.

— Vous trouvez, compère Coictier ? dit le compagnon.

Cette parole, prononcée du ton de la surprise et du reproche, ramena sur ce personnage inconnu l'attention de l'archidiacre qui, à vrai dire, ne s'en était pas complétement détournée un seul moment depuis que cet étranger avait franchi le seuil de la cellule. Il avait même fallu les mille raisons qu'il avait de ménager le docteur Jacques Coictier, le tout puissant médecin du roi Louis XI, pour qu'il le reçût ainsi accompagné. Aussi sa mine n'eut-elle rien de bien cordial quand Jacques Coictier lui dit :

— À propos, dom Claude, je vous amène un confrère qui vous a voulu voir sur votre renommée.

— Monsieur est de la science [1] ? demanda l'archidiacre en fixant sur le compagnon de Coictier son œil pénétrant. Il ne trouva pas sous les sourcils de l'inconnu un regard moins perçant et moins défiant que le sien. C'était, autant que la faible clarté de la lampe permettait d'en juger, un vieillard d'environ soixante ans, et de moyenne taille, qui paraissait assez malade et cassé. Son profil, quoique d'une ligne très-bourgeoise, avait quelque chose de puissant et de sévère ; sa prunelle étincelait sous une arcade sourcilière très-profonde, comme une lumière au fond d'un antre ; et sous le bonnet rabattu qui lui tombait sur le nez on sentait tourner les larges plans d'un front de génie.

Il se chargea de répondre lui-même à la question de l'archidiacre : — Révérend [2] maître, dit-il d'un ton grave,

---

1. L'alchimie. **2.** Titre de respect pour un religieux, étendu ici au savant.

votre renom est venu jusqu'à moi, et j'ai voulu vous consulter. Je ne suis qu'un pauvre gentilhomme de province qui ôte ses souliers avant d'entrer chez les savants. Il faut que vous sachiez mon nom. Je m'appelle le compère Tourangeau[1].

— Singulier nom pour un gentilhomme ! pensa l'archidiacre. Cependant il se sentait devant quelque chose de fort et de sérieux. L'instinct de sa haute intelligence lui en faisait deviner une non moins haute sous le bonnet fourré du compère Tourangeau, et en considérant cette grave figure, le rictus ironique que la présence de Jacques Coictier avait fait éclore sur son visage morose s'évanouit peu à peu, comme le crépuscule à un horizon de nuit. Il s'était rassis morne et silencieux sur son grand fauteuil, son coude avait repris sa place accoutumée sur la table, et son front sur sa main. Après quelques moments de méditation, il fit signe aux deux visiteurs de s'asseoir, et adressa la parole au compère Tourangeau.

— Vous venez me consulter, maître, et sur quelle science ?

— Révérend, répondit le compère Tourangeau, je suis malade, très-malade. On vous dit grand Esculape[2], et je suis venu vous demander un conseil de médecine.

— Médecine ! dit l'archidiacre en hochant la tête. Il sembla se recueillir un instant, et reprit : — Compère Tourangeau, puisque c'est votre nom, tournez la tête. Vous trouverez ma réponse toute écrite sur le mur.

Le compère Tourangeau obéit, et lut au-dessus de sa tête cette inscription gravée sur la muraille : — *La médecine est fille des songes*. — JAMBLIQUE[3]. —

Cependant le docteur Jacques Coictier avait entendu la question de son compagnon avec un dépit que la réponse de dom Claude avait redoublé. Il se pencha à l'oreille du compère Tourangeau, et lui dit, assez bas pour ne pas être

---

1. Les deux termes expriment ici, comme chez Balzac, la connivence populaire et la finesse rusée. Entre ses multiples déplacements, Louis XI, se méfiant de Paris, résidait le plus souvent au Plessis-lès-Tours. **2.** Dieu de la médecine. **3.** Philosophe grec du début du IVe siècle, néoplatonicien et pythagoricien, avide des mystères de la Chaldée.

entendu de l'archidiacre : — Je vous avais prévenu que c'était un fou. Vous l'avez voulu voir !

— C'est qu'il se pourrait fort bien qu'il eût raison, ce fou, docteur Jacques ! répondit le compère du même ton, et avec un sourire amer.

— Comme il vous plaira, répliqua Coictier sèchement. Puis, s'adressant à l'archidiacre : — Vous êtes preste en besogne, dom Claude, et vous n'êtes guère plus empêché d'Hippocratès qu'un singe d'une noisette. La médecine un songe ! Je doute que les pharmacopoles et les maîtres-myrrhes[1] se tinssent[2] de vous lapider s'ils étaient là. Donc vous niez l'influence des philtres[3] sur le sang, des onguents sur la chair ! Vous niez cette éternelle pharmacie de fleurs et de métaux qu'on appelle le monde, faite exprès pour cet éternel malade qu'on appelle l'homme !

— Je ne nie, dit froidement dom Claude, ni la pharmacie, ni le malade. Je nie le médecin.

— Donc il n'est pas vrai, reprit Coictier avec chaleur, que la goutte[4] soit une dartre[5] en dedans, qu'on guérisse une plaie d'artillerie par l'application d'une souris rôtie, qu'un jeune sang convenablement infusé rende la jeunesse à de vieilles veines ; il n'est pas vrai que deux et deux font quatre, et que l'emprostathonos succède à l'opistathonos[6] ?

L'archidiacre répondit sans s'émouvoir : — Il y a certaines choses dont je pense d'une certaine façon.

Coictier devint rouge de colère.

— Là, là, mon bon Coictier, ne nous fâchons pas, dit le compère Tourangeau. Monsieur l'archidiacre est notre ami.

Coictier se calma en grommelant à demi-voix : — Après tout, c'est un fou !

— Pasquedieu, maître Claude, reprit le compère Tou-

---

1. Pharmaciens et médecins. **2.** Subjonctif imparfait de tenir (= retenir). **3.** Potions. **4.** Maladie qui se traduit par la vive inflammation d'une articulation, généralement à l'extrémité des membres. **5.** Jadis terme générique pour les affections de la peau, et particulièrement pour les exfoliantes. **6.** Termes grecs qui désignent la tétanisation vers l'avant (emprosthotonos) et vers l'arrière (opisthotonos). Les erreurs d'orthographe n'ont pas été redressées à la correction des épreuves.

rangeau après un silence, vous me gênez fort. J'avais deux consultations à requérir de vous, l'une touchant ma santé, l'autre touchant mon étoile [1].

— Monsieur, repartit l'archidiacre, si c'est là votre pensée, vous auriez aussi bien fait de ne pas vous essouffler aux degrés de mon escalier. Je ne crois pas à la médecine. Je ne crois pas à l'astrologie.

— En vérité ! dit le compère avec surprise.

Coictier riait d'un rire forcé. — Vous voyez bien qu'il est fou, dit-il tout bas au compère Tourangeau. Il ne croit pas à l'astrologie !

— Le moyen d'imaginer, poursuivit dom Claude, que chaque rayon d'étoile est un fil qui tient à la tête d'un homme !

— Et à quoi croyez-vous donc ? s'écria le compère Tourangeau.

L'archidiacre resta un moment indécis, puis il laissa échapper un sombre sourire qui semblait démentir sa réponse : — *Credo in Deum.*

— *Dominum nostrum* [2], ajouta le compère Tourangeau avec un signe de croix.

— *Amen*, dit Coictier.

— Révérend maître, reprit le compère, je suis charmé dans l'âme de vous voir en si bonne religion. Mais, grand savant que vous êtes, l'êtes-vous donc à ce point de ne plus croire à la science ?

— Non, dit l'archidiacre en saisissant le bras du compère Tourangeau, et un éclair d'enthousiasme se ralluma dans sa terne prunelle, non, je ne nie pas la science. Je n'ai pas rampé si long-temps à plat-ventre et les ongles dans la terre à travers les innombrables embranchements de la caverne sans apercevoir, au loin devant moi, au bout de l'obscure galerie, une lumière, une flamme, quelque chose, le reflet sans doute de l'éblouissant laboratoire central où les patients et les sages ont surpris Dieu.

— Et enfin, interrompit le Tourangeau, quelle chose tenez-vous vraie et certaine ?

— L'alchimie.

---

1. Comme médecin et comme astrologue. **2.** « Je crois en Dieu. — Notre Seigneur. »

Coictier se récria : — Pardieu, dom Claude, l'alchimie a sa raison sans doute, mais pourquoi blasphémer la médecine et l'astrologie ?

— Néant, votre science de l'homme ! néant, votre science du ciel ! dit l'archidiacre avec empire.

— C'est mener grand train Epidaurus et la Chaldée[1], répliqua le médecin en ricanant.

— Écoutez, messire Jacques. Ceci est dit de bonne foi. Je ne suis pas médecin du roi et sa majesté ne m'a pas donné le jardin Dédalus pour y observer les constellations. — Ne vous fâchez pas et écoutez-moi. — Quelle vérité avez-vous tirée, je ne dis pas de la médecine, qui est chose par trop folle, mais de l'astrologie ? Citez-moi les vertus du boustrophédon vertical[2], les trouvailles du nombre ziruph et celles du nombre zephirod.

— Nierez-vous, dit Coictier, la force sympathique de la clavicule[3] et que la cabalistique en dérive ?

— Erreur, messire Jacques ! aucune de vos formules n'aboutit à la réalité. Tandis que l'alchimie a ses découvertes. Contesterez-vous des résultats comme ceux-ci ? La glace enfermée sous terre pendant mille ans se transforme en cristal de roche. — Le plomb est l'aïeul de tous les métaux. — Car l'or n'est pas un métal, l'or est la lumière. — Il ne faut au plomb que quatre périodes de deux cents ans chacune pour passer successivement de l'état de plomb à l'état d'arsenic rouge[4], de l'arsenic

---

1. Épidaure, temple d'Esculape ; la Babylonie, pays natal de l'astronomie. **2.** Ancien mode grec d'écriture et de lecture : le sens des lignes successives alterne de gauche à droite puis de droite à gauche. Il n'est pas impossible qu'il s'agisse ici du procédé cabalistique d'interprétation de la Bible qui consiste à remplacer chacune des 22 lettres de l'alphabet hébreu par sa symétrique : la première par la dernière, la onzième par la douzième, etc. Ce procédé (ath basch) est l'un des trois qui constituent le système des permutations, le *tséruph* (adjonction, épuration). Les *dix* séphirots (nombres) décrivent les trois fois trois émanations successives par lesquelles l'En Soph originaire s'engendre lui-même et s'accomplit en Adam Kadmon, et les dix phases par lesquelles il engendre l'univers. **3.** Ou « petit clé », livre de magie, dont on crédite gratuitement le fils de David (Xe siècle avant notre ère), célèbre pour sa « sagesse », et la construction du Temple. **4.** Hugo recopie ses notes apparemment sans vérifier le compte des « périodes ». L'arsenic rouge est vraisemblablement le sulfure d'arsenic commercialisé sous le nom de réalgar, d'un grand emploi en Chine.

rouge à l'étain, de l'étain à l'argent. — Sont-ce là des faits ? Mais croire à la clavicule, à la ligne pleine [1] et aux étoiles, c'est aussi ridicule que de croire, avec les habitants du Grand-Cathay [2], que le loriot se change en taupe et les grains de blé en poissons du genre cyprin [3] !

— J'ai étudié l'hermétique, s'écria Coictier, et j'affirme...

Le fougueux archidiacre ne le laissa pas achever. — Et moi j'ai étudié la médecine, l'astrologie et l'hermétique. Ici seulement est la vérité ! (en parlant ainsi il avait pris sur le bahut une fiole pleine de cette poudre dont nous avons parlé plus haut), ici seulement est la lumière Hippocratès, c'est un rêve, Urania [4], c'est un rêve, Hermès [5], c'est une pensée. L'or, c'est le soleil ; faire de l'or, c'est être Dieu. Voilà l'unique science. J'ai sondé la médecine et l'astrologie, vous dis-je ! néant, néant. Le corps humain, ténèbres ! les astres, ténèbres !

Et il retomba sur son fauteuil dans une attitude puissante et inspirée. Le compère Tourangeau l'observait en silence. Coictier s'efforçait de ricaner, haussait imperceptiblement les épaules, et répétait à voix basse : Un fou !

— Et, dit tout-à-coup le Tourangeau, le but mirifique, l'avez-vous touché ? avez-vous fait de l'or ?

— Si j'en avais fait, répondit l'archidiacre en articulant lentement ses paroles comme un homme qui réfléchit, le roi de France s'appellerait Claude et non Louis.

Le compère fronça le sourcil.

— Qu'est-ce que je dis là ? reprit dom Claude avec un sourire de dédain. Que me ferait le trône de France quand je pourrais rebâtir l'empire d'Orient [6] !

— À la bonne heure ! dit le compère.

— Oh ! le pauvre fou, murmura Coictier.

---

1. Il est possible que de nouvelles recherches sur Charles Robelin (1797-1887), architecte et franc-maçon, aident à l'éclaircissement de cette énigme. **2.** La Chine. **3.** Poissons rouges. **4.** Muse de l'astronomie. **5.** Le Mercure latin mais surtout le Toth (Hermès trismégiste) égyptien. **6.** L'empire romain, moribond en Occident dès la fin du IVe siècle, se prolongea à Constantinople jusqu'à la prise de la ville par les Turcs (1453). Mais la dénomination orientale exprime le rêve indien depuis Alexandre jusqu'à l'impérialisme britannique.

L'archidiacre poursuivit, paraissant ne plus répondre qu'à ses pensées.

— Mais non, je rampe encore ; je m'écorche la face et les genoux aux cailloux de la voie souterraine. J'entrevois, je ne contemple pas ! je ne lis pas, j'épèle !

— Et quand vous saurez lire, demanda le compère, ferez-vous de l'or ?

— Qui en doute ? dit l'archidiacre.

— En ce cas, Notre-Dame sait que j'ai grande nécessité d'argent, et je voudrais bien apprendre à lire dans vos livres. Dites-moi, révérend maître, votre science est-elle pas ennemie ou déplaisante à Notre-Dame ?

À cette question du compère, dom Claude se contenta de répondre avec une tranquille hauteur : — De qui suis-je archidiacre ?

— Cela est vrai, mon maître. Eh bien ! vous plairait-il m'initier ? Faites-moi épeler avec vous ?

Claude prit l'attitude majestueuse et pontificale d'un Samuel[1].

— Vieillard, il faut de plus longues années qu'il ne vous en reste pour entreprendre ce voyage à travers les choses mystérieuses. Votre tête est bien grise ! On ne sort de la caverne qu'avec des cheveux blancs, mais on n'y entre qu'avec des cheveux noirs. La science sait bien toute seule creuser, flétrir et dessécher les faces humaines ; elle n'a pas besoin que la vieillesse lui apporte des visages tout ridés. Si cependant l'envie vous possède de vous mettre en discipline[2] à votre âge et de déchiffrer l'alphabet redoutable des sages, venez à moi, c'est bien, j'essaierai. Je ne vous dirai pas, à vous pauvre vieux, d'aller visiter les chambres sépulcrales des pyramides dont parle l'ancien Hérodotus[3], ni la tour de brique de Babylone, ni l'immense sanctuaire de marbre blanc du temple indien d'Eklinga[4]. Je n'ai pas vu plus que vous les maçonneries chaldéennes

---

1. Dernier Juge et premier Prophète des Hébreux, auteur des sacres de Saül et de David : comme pour la Cabale, la question de la « royauté » est l'horizon de la recherche. **2.** À l'étude, sous des maîtres. **3.** Voyageur grec du ve siècle avant notre ère, « Père de l'histoire ». Il décrit Chéops et Chéphren (*Histoires*, II, 124-127) et (I, 181) la grande tour de Babylone, qui passe pour Babel. **4.** Le « *lingam* unique », forme phallique de Shiva.

construites suivant la forme sacrée du Sikra[1], ni le temple de Salomon[2], qui est détruit, ni les portes de pierre du sépulcre des rois d'Israël[3], qui sont brisées. Nous nous contenterons des fragments du livre d'Hermès que nous avons ici. Je vous expliquerai la statue de saint Christophe, le symbole du semeur, et celui des deux anges qui sont au portail de la Sainte-Chapelle, et dont l'un a sa main dans un vase et l'autre dans une nuée[4]...

Ici, Jacques Coictier, que les répliques fougueuses de l'archidiacre avaient désarçonné, se remit en selle, et l'interrompit du ton triomphant d'un savant qui en redresse un autre : — *Erras, amice Claudî*. Le symbole n'est pas le nombre. Vous prenez Orpheus pour Hermès[5].

— C'est vous qui errez, répliqua gravement l'archidiacre. Dedalus[6], c'est le soubassement, Orpheus, c'est la muraille, Hermès, c'est l'édifice, c'est le tout. — Vous viendrez quand vous voudrez, poursuivit-il en se tournant vers le Tourangeau, je vous montrerai les parcelles d'or restées au fond du creuset de Nicolas Flamel et vous les comparerez à l'or de Guillaume de Paris. Je vous apprendrai les vertus secrètes du mot grec *peristera*[7]. Mais avant

---

1. Ou *zigghourat* mésopotamienne ? Les premières notes se réfèrent bien aux « pagodes des hindous ». **2.** À Jérusalem. **3.** De Jéroboam (962) à Osée (718), le royaume d'Israël, en conflit permanent avec celui de Juda, avait pour capitale Samarie. Le schisme samaritain fut un objet d'opprobre dont le christianisme tira parti pour l'universalisation de son message. **4.** Allusion aux pages de Sauval (III, 55-57) consacrées aux interprètes des symboles de la façade de la cathédrale. **5.** « Tu te trompes, ami Claude ». Début de la parole de l'empereur d'Autriche Joseph II, agonisant en 1790, au médecin qui tentait de lui prendre le pouls au poignet sous le drap. En latin, la suite ne manque pas de grandeur : *« Hoc est membrum nostrum imperiale, sacrocaesareum »*. **6.** Dédale, constructeur du labyrinthe de Crète, c'est l'architecte ; Orphée, héros et quasi dieu de la musique, agit avec sa lyre sur les bêtes sauvages et, comme Amphion, sur les pierres ; introducteur présumé des mystères égyptiens, inspirateur de rites dionysiaques de purification, il est le chant qui met en branle la quête de la Sagesse. L'hermétisme pythagoricien tend à trouver dans les nombres la raison du grand Tout. **7.** Qui signifie la colombe, figure du Saint-Esprit. L'addition des valeurs numériques de ces lettres donne 801, comme la somme de la première et de la dernière lettre de l'alphabet grec, l'*alpha* et l'*ômega*. Jésus ayant dit qu'il était l'alpha et l'ômega, (Apocalypse de Jean), l'hérésie gnostique de Marc en

tout, je vous ferai lire l'une après l'autre les lettres de marbre de l'alphabet, les pages de granit du livre. Nous irons du portail de l'évêque Guillaume et de Saint-Jean-le-Rond[1] à la Sainte-Chapelle, puis à la maison de Nicolas Flamel, rue Marivaulx, à son tombeau, qui est aux Saints-Innocents, à ses deux hôpitaux rue de Montmorency[2]. Je vous ferai lire les hiéroglyphes dont sont couverts les quatre gros chenets de fer du portail de l'hôpital Saint-Gervais[3] et de la rue de la Ferronnerie. Nous épèlerons encore ensemble les façades de Saint-Côme[4], de Sainte-Geneviève-des-Ardents[5], de Saint-Martin, de Saint-Jacques-de-la-Boucherie...

Il y avait déjà long-temps que le Tourangeau, si intelligent que fût son regard, paraissait ne plus comprendre dom Claude. Il l'interrompit : — Pasquedieu ! qu'est-ce que c'est donc que vos livres ?

— En voici un, dit l'archidiacre.

Et ouvrant la fenêtre de la cellule, il désigna du doigt l'immense église de Notre-Dame, qui, découpant sur un ciel étoilé la silhouette noire de ses deux tours, de ses côtes de pierre et de sa croupe monstrueuse, semblait un énorme sphynx à deux têtes assis au milieu de la ville.

L'archidiacre considéra quelque temps en silence le gigantesque édifice, puis étendant avec un soupir sa main droite vers le livre imprimé qui était ouvert sur sa table et sa main gauche vers Notre-Dame, et promenant un triste regard du livre à l'église : — Hélas, dit-il ! ceci tuera cela.

Coictier, qui s'était approché du livre avec empressement, ne put s'empêcher de s'écrier : — Hé mais ! qu'y a-t-il donc de si redoutable en ceci : GLOSSA IN EPISTOLAS

---

concluait au IIe siècle l'identité du Fils et de l'Esprit. Mais la vertu de cette arithmosophie était d'entrer en communication avec les esprits et de les faire servir à des transmutations magiques autant que mystiques.

1. Accoté à la tour nord de la cathédrale. **2.** L'un d'entre eux existe encore, depuis 1407, au 51 de la rue. **3.** Entre le chevet de Saint-Gervais et la place Baudet. **4.** Au carrefour des actuelles rues Racine et de l'École de Médecine : c'était l'église de la confrérie des Barbiers-Chirurgiens. **5.** Près de Notre-Dame.

D. PAULI. *Norimbergæ, Antonius Koburger.* 1474[1]. Ce n'est nouveau. C'est un livre de Pierre Lombard, le maître des sentences. Est-ce parce qu'il est imprimé ?

— Vous l'avez dit, répondit Claude, qui semblait absorbé dans une profonde méditation et se tenait debout, appuyant son index reployé sur l'in-folio sorti des presses fameuses de Nuremberg. Puis il ajouta ces paroles mystérieuses : Hélas ! hélas ! les petites choses viennent à bout des grandes : une dent triomphe d'une masse. Le rat du Nil tue le crocodile, l'espadon tue la baleine, le livre tuera l'édifice !

Le couvre-feu du cloître sonna au moment où le docteur Jacques répétait tout bas à son compagnon son éternel refrain : *il est fou.* — À quoi le compagnon répondit cette fois : Je crois que oui.

C'était l'heure où aucun étranger ne pouvait rester dans le cloître. Les deux visiteurs se retirèrent. — Maître, dit le compère Tourangeau en prenant congé de l'archidiacre, j'aime les savants et les grands esprits, et je vous tiens en estime singulière. Venez demain au palais des Tournelles, et demandez l'abbé de Saint-Martin-de-Tours.

L'archidiacre rentra chez lui stupéfait, comprenant enfin quel personnage c'était que le compère Tourangeau, et se rappelant ce passage du cartulaire de Saint-Martin-de-Tours : *Abbas beati Martini,* SCILICET REX FRANCIÆ, *est canonicus de consuetudine et habet parvam præbendam quam habet sanctus Venantius et debet sedere in sede thesaurarii*[2].

On affirmait que depuis cette époque l'archidiacre avait de fréquentes conférences avec Louis XI, quand sa majesté venait à Paris, et que le crédit de dom Claude

---

1. Ce *Commentaire sur les épîtres de S. Paul* est daté du 10 mai 1481. Mais la rare édition princeps du *Livre des Sentences* à Nuremberg remonte bien à 1474. Cette question de cohérence chronologique ne suffit pas à expliquer la substitution d'un titre à l'autre : éviter la répétition d'un terme et tendre à présenter saint Paul comme l'essentiel inventeur du christianisme, l'apôtre des nations ? **2.** « L'abbé du bienheureux Martin, c'est-à-dire le roi de France, est chanoine selon la coutume et a la petite prébende de Saint-Venant et doit siéger au siège du trésorier. »

faisait ombre à Olivier-le-Daim et à Jacques Coictier, lequel, selon sa manière, en rudoyait fort le roi.

II

CECI TUERA CELA

Nos lectrices[1] nous pardonneront de nous arrêter un moment pour chercher quelle pouvait être la pensée qui se dérobait sous ces paroles énigmatiques de l'archidiacre : *Ceci tuera cela. Le livre tuera l'édifice.*

À notre sens, cette pensée avait deux faces. C'était d'abord une pensée de prêtre. C'était l'effroi du sacerdoce devant un agent nouveau, l'imprimerie. C'était l'épouvante et l'éblouissement de l'homme du sanctuaire devant la presse lumineuse de Guttemberg. C'était la chaire et le manuscrit, la parole parlée et la parole écrite, s'alarmant de la parole imprimée ; quelque chose de pareil à la stupeur d'un passereau[2] qui verrait l'ange Légion ouvrir ses six millions d'ailes[3]. C'était le cri du prophète[4] qui entend déjà bruire et fourmiller l'humanité émancipée, qui voit dans l'avenir l'intelligence saper la foi, l'opinion détrôner la croyance, le monde secouer Rome[5]. Pronostic du philosophe qui voit la pensée humaine, volatilisée[6] par la presse, s'évaporer du récipient théocratique. Terreur du soldat qui examine le bélier d'airain[7] et qui dit : La tour croulera. Cela signifiait qu'une puissance allait succéder à une autre puissance. Cela voulait dire : La presse tuera l'église.

---

1. Censées principales destinataires des romans, attachées à la seule intrigue sentimentale. Adèle Hugo punira son père de cette condescendance. **2.** Ordre d'oiseaux de petite taille, comme le moineau. **3.** Hyperbole inverse du démon Légion (Marc, V, 2-13) qui se compte, en porcs, au nombre de 2 000, ou vision d'Apocalypse ? **4.** Celui qui par inspiration divine annonce plus qu'il ne prédit le déroulement des temps. **5.** La Papauté, triomphant de l'Empire. **6.** Échappée, énergisée, allégée, accélérée. Les feuilles d'imprimerie s'envolent de la presse. **7.** Poutre d'assaut, à l'extrémité renforcée de métal.

Mais sous cette pensée, la première et la plus simple sans doute, il y en avait à notre avis une autre, plus neuve, un corollaire [1] de la première moins facile à apercevoir et plus facile à contester, une vue tout aussi philosophique, non plus du prêtre seulement, mais du savant et de l'artiste. C'était pressentiment que la pensée humaine en changeant de forme allait changer de mode d'expression, que l'idée capitale de chaque génération ne s'écrirait plus avec la même matière et de la même façon, que le livre de pierre, si solide et si durable, allait faire place au livre de papier, plus solide et plus durable encore. Sous ce rapport, la vague formule de l'archidiacre avait un second sens ; elle signifiait qu'un art allait détrôner un autre art. Elle voulait dire : L'imprimerie tuera l'architecture.

En effet, depuis l'origine des choses jusqu'au quinzième siècle de l'ère chrétienne inclusivement, l'architecture est le grand livre de l'humanité, l'expression principale de l'homme à ses divers états de développement, soit comme force, soit comme intelligence.

Quand la mémoire des premières races [2] se sentit surchargée, quand le bagage des souvenirs du genre humain devint si lourd et si confus que la parole, nue et volante, risqua d'en perdre en chemin, on les transcrivit sur le sol de la façon la plus visible, la plus durable et la plus naturelle à la fois. On scella chaque tradition [3] sous un monument [4].

Les premiers monuments furent de simples quartiers de roche *que le fer n'avait pas touchés*, dit Moïse [5]. L'architecture commença comme toute écriture. Elle fut d'abord alphabet. On plantait une pierre debout, et c'était une lettre, et chaque lettre était un hiéroglyphe, et sur chaque hiéroglyphe reposait un groupe d'idées comme le chapiteau sur la colonne. Ainsi firent les premières races, partout, au même moment, sur la surface du monde entier.

---

1. Conséquence mathématique. **2.** Populations. **3.** Ce que transmettent les générations successives. **4.** Construction destinée à rappeler les réalités ou les gloires du passé. **5.** Ce qui fait remonter le judaïsme au néolithique. Caïn, inventeur de l'agriculture, est le père des forgerons. *Cf.* Exode, XX, 2.

On retrouve la *pierre levée* des Celtes dans la Sibérie d'Asie, dans les pampas [1] d'Amérique.

Plus tard on fit des mots. On superposa la pierre à la pierre, on accoupla ces syllabes de granit, le verbe essaya quelques combinaisons. Le dolmen et le cromlech celtes [2], le tumulus étrusque [3], le galgal hébreu [4] sont des mots. Quelques-uns, le tumulus surtout, sont des noms propres. Quelquefois même, quand on avait beaucoup de pierre et une vaste plage, on écrivait une phrase. L'immense entassement de Karnac [5] est déjà une formule tout entière.

Enfin on fit des livres. Les traditions avaient enfanté des symboles, sous lesquels elles disparaissaient comme le tronc de l'arbre sous son feuillage ; tous ces symboles, auxquels l'humanité avait foi, allaient croissant, se multipliant, se croisant, se compliquant de plus en plus ; les premiers monuments ne suffisaient plus à les contenir ; ils en étaient débordés de toutes parts ; à peine ces monuments exprimaient-ils encore la tradition primitive, comme eux simple, nue et gisante sur le sol. Le symbole avait besoin de s'épanouir dans l'édifice. L'architecture alors se développa avec la pensée humaine ; elle devint géante à mille têtes et à mille bras, et fixa sous une forme éternelle, visible, palpable, tout ce symbolisme flottant. Tandis que Dédale qui est la force, mesurait, tandis qu'Orphée qui est l'intelligence, chantait, le pilier qui est une lettre, l'arcade qui est une syllabe, la pyramide qui est un mot, mis en mouvement à la fois par une loi de géométrie et par une loi de poésie, se groupaient, se combinaient, s'amalgamaient, descendaient, montaient, se juxta-posaient sur le sol, s'étageaient dans le ciel, jusqu'à ce qu'ils eussent écrit, sous la dictée de l'idée générale d'une époque, ces livres merveilleux qui étaient aussi de

---

1. Steppes de l'Argentine où, de 1827 à 1829, une nouvelle guerre civile avait succédé à l'insurrection de 1810 contre l'Espagne. **2.** On sait maintenant que ces pierres tabulaires et ces pierres en cercle sont antérieures à la présence celte. **3.** Ottfried Müller (1797-1840) avait publié en 1828 sa célèbre synthèse sur les Étrusques et leurs monuments entre Florence et Rome. **4.** Tumulus à crypte ou ossuaire, religieux et militaire, le galgal celte a-t-il un équivalent en Palestine ? **5.** En Bretagne, sur la baie de Quiberon.

merveilleux édifices : la pagode d'Eklinga, le Rhamseïon d'Égypte[1], le temple de Salomon.

L'idée-mère, le verbe, n'était pas seulement au fond de tous ces édifices, mais encore dans la forme[2]. Le temple de Salomon, par exemple, n'était point simplement la reliure du livre saint, il était le livre saint lui-même. Sur chacune de ses enceintes concentriques les prêtres pouvaient lire le verbe traduit et manifesté aux yeux, et ils suivaient ainsi ses transformations de sanctuaire en sanctuaire jusqu'à ce qu'ils le saisissent dans son dernier tabernacle sous sa forme la plus concrète, qui était encore de l'architecture : l'arche[3]. Ainsi le verbe était enfermé dans l'édifice, mais son image était sur son enveloppe comme la figure humaine sur le cercueil d'une momie.

Et non-seulement la forme des édifices mais encore l'emplacement qu'ils se choisissaient révélait la pensée qu'ils représentaient. Selon que le symbole à exprimer était gracieux ou sombre, la Grèce couronnait ses montagnes d'un temple harmonieux à l'œil, l'Inde éventrait les siennes pour y ciseler ces difformes pagodes souterraines portées par de gigantesques rangées d'éléphants de granit[4].

Ainsi, durant les six mille premières années du monde, depuis la pagode la plus immémoriale de l'Indoustan jusqu'à la cathédrale de Cologne[5], l'architecture a été la grande écriture du genre humain. Et cela est tellement vrai que non-seulement tout symbole religieux, mais encore toute pensée humaine a sa page dans ce livre immense et son monument.

Toute civilisation commence par la théocratie et finit par la démocratie. Cette loi de la liberté succédant à

---

1. À Thèbes (Louxor), le temple de Ramsès II et ses annexes. **2.** La consubstantialité de la forme et du fond est à la base de l'esthétique hugolienne. **3.** L'arche d'alliance pour enfermer les tables de la Loi, selon les instructions détaillées par Dieu à Moïse sur le Sinaï (Exode, XXV, 10-22). **4.** Il s'agit du temple d'Ellora, que les Indous faisaient remonter à au moins 6 000 ans avant notre ère. **5.** La construction de la cathédrale de Cologne, sur le Rhin, interrompue en 1509, fut reprise le 4 septembre 1820, sous l'impulsion du roi de Prusse et sur le gothisme du plan initial, agrémenté des commodités industrielles du XIXe siècle.

l'unité est écrite dans l'architecture. Car, insistons sur ce point, il ne faut pas croire que la maçonnerie ne soit puissante qu'à édifier le temple, qu'à exprimer le mythe et le symbolisme sacerdotal, qu'à inscrire en hiéroglyphes sur ses pages de pierre les tables mystérieuses de la loi. S'il en était ainsi, comme il arrive dans toute société humaine un moment où le symbole sacré s'use et s'oblitère sous la libre pensée, où l'homme se dérobe au prêtre, où l'excroissance des philosophies et des systèmes ronge la face de la religion, l'architecture ne pourrait reproduire ce nouvel état de l'esprit humain, ses feuillets, chargés au recto, seraient vides au verso, son œuvre serait tronquée, son livre serait incomplet. Mais non.

Prenons pour exemple le moyen-âge, où nous voyons plus clair parce qu'il est plus près de nous. Durant sa première période, tandis que la théocratie organise l'Europe, tandis que le Vatican rallie et reclasse autour de lui les éléments d'une Rome faite avec la Rome qui gît écroulée autour du Capitole, tandis que le christianisme s'en va recherchant dans les décombres de la civilisation antérieure tous les étages de la société et rebâtit avec ses ruines un nouvel univers hiérarchique[1] dont le sacerdoce est la clef de voûte[2], on entend sourdre d'abord dans ce chaos, puis on voit peu à peu sous le souffle du christianisme, sous la main des barbares, surgir des déblais des architectures mortes, grecque et romaine, cette mystérieuse architecture romane, sœur des maçonneries[3] théocratiques de l'Égypte et de l'Inde, emblème inaltérable du catholicisme pur, immuable hiéroglyphe de l'unité papale. Toute la pensée d'alors est écrite en effet dans ce sombre style roman. On y sent partout l'autorité, l'unité, l'impénétrable, l'absolu, Grégoire VII ; partout le prêtre, jamais l'homme ; partout la caste, jamais le peuple. Mais les croisades arrivent. C'est un grand mouvement populaire ; et tout grand mouvement populaire, quels qu'en

---

1. Selon les ordres de la subordination, qui participe du sacré. **2.** Pierre centrale d'un arc ou d'une coupole qui domine toutes les autres et assure leur solidarité. **3.** Les corporations de maçons, avec leurs secrets, leurs symboles, leurs mystères. La franc-maçonnerie se réclame d'Hiram, bâtisseur du Temple de Jérusalem. Hugo pouvait en avoir connaissance par son père, et par son ami l'architecte Robelin.

soient la cause et le but, dégage toujours de son dernier précipité [1] l'esprit de liberté. Des nouveautés vont se faire jour. Voici que s'ouvre la période orageuse des Jacqueries [2], des Pragueries [3] et des Ligues [4]. L'autorité s'ébranle, l'unité se bifurque. La féodalité demande à partager avec la théocratie, en attendant le peuple qui surviendra inévitablement et qui se fera, comme toujours, la part du lion. *Quia nominor leo* [5]. La seigneurie perce donc sous le sacerdoce, la commune sous la seigneurie. La face de l'Europe est changée. Eh bien ! la face de l'architecture est changée aussi. Comme la civilisation elle a tourné la page, et l'esprit nouveau des temps la trouve prête à écrire sous sa dictée. Elle est revenue des croisades avec l'ogive, comme les nations avec la liberté [6]. Alors, tandis que Rome se démembre peu à peu, l'architecture romane meurt. L'hiéroglyphe déserte la cathédrale et s'en va blasonner [7] le donjon pour faire un prestige [8] à la féodalité. La cathédrale elle-même, cet édifice autrefois si dogmatique, envahie désormais par la bourgeoisie, par la commune, par la liberté, échappe au prêtre et tombe au pouvoir de l'artiste. L'artiste la bâtit à sa guise. Adieu le mystère, le mythe, la loi. Voici la fantaisie et le caprice. Pourvu que le prêtre ait sa basilique et son autel, il n'a rien à dire. Les quatre murs sont à l'artiste. Le livre architectural n'appartient plus au sacerdoce, à la religion, à Rome ; il est à l'imagination, à la poésie, au peuple. De là les transformations rapides et innombrables de cette architecture qui n'a que trois siècles, si frappantes après l'immobilité stagnante de l'architecture romane qui en a six ou

---

1. Terme de chimie : apparition du corps solide qui se sépare du milieu dans lequel il était dissous. **2.** Insurrection paysanne du printemps 1358, en Ile de France. **3.** Révolte nobiliaire de 1440 contre les réformes de Charles VII. **4.** La Ligue du Bien public (1464-1465) des grands seigneurs contre le nouveau roi Louis XI, et celle que les Guises, à partir de 1576, opposèrent à Henri III et à l'accession au trône d'Henri de Navarre. **5.** « Parce que mon nom est Lion », selon la fable de Phèdre (I, 5). **6.** Les trois siècles (XIe-XIIIe) de l'impérialisme occidental chrétien se soldent par un échec positif pour l'art et pour l'organisation politique des peuples. L'échec de Napoléon en 1815 ouvrira aussi l'ère de la liberté des peuples. **7.** Sceller d'armoiries, figures symboliques de la continuité et des alliances de pouvoirs. **8.** Signe magique ou trompeur du droit à l'autorité.

sept. L'art cependant marche à pas de géant. Le génie et l'originalité populaires font la besogne que faisaient les évêques. Chaque race [1] écrit en passant sa ligne sur le livre ; elle rature les vieux hiéroglyphes romans sur le frontispice des cathédrales, et c'est tout au plus si l'on voit encore le dogme percer çà et là sous le nouveau symbole qu'elle y dépose. La draperie populaire laisse à peine deviner l'ossement religieux. On ne saurait se faire une idée des licences que prennent alors les architectes même envers l'église. Ce sont des chapiteaux tricotés de moines et de nonnes honteusement accouplés, comme à la Salle-des-Cheminées du Palais de Justice à Paris [2]. C'est l'aventure de Noë sculptée *en toutes lettres*, comme sous le grand portail de Bourges [3]. C'est un moine bachique à oreilles d'âne et le verre en main riant au nez de toute une communauté, comme sur le lavabo de l'abbaye de Bocherville [4]. Il existe à cette époque, pour la pensée écrite en pierre, un privilége tout-à-fait comparable à notre liberté actuelle [5] de la presse. C'est la liberté de l'architecture.

Cette liberté va très-loin. Quelquefois un portail, une façade, une église tout entière présente un sens symbolique absolument étranger au culte, ou même hostile à l'église. Dès le treizième siècle Guillaume de Paris, Nicolas Flamel au quinzième, ont écrit de ces pages séditieuses. Saint-Jacques-de-la-Boucherie était toute une église d'opposition.

La pensée alors n'était libre que de cette façon ; aussi ne s'écrivait-elle tout entière que sur ces livres qu'on appelait édifices. Sans cette forme édifice, elle se serait vu brûler en place publique par la main du bourreau sous la forme manuscrite, si elle avait été assez imprudente pour s'y risquer. Ainsi n'ayant que cette voie pour se faire jour, elle s'y précipitait de toutes parts. De là l'immense

---

1. Génération, ou ensemble de générations. **2.** Dite, à tort, cuisines de Saint Louis. **3.** Inventeur du vin, Noé sombra dans le sommeil de l'ivresse, qui découvrit sa nudité à son fils Cham. D'où la malédiction sur Canaan, descendance de Cham (Genèse, IX, 20-27). **4.** Il s'agit en fait de Saint-Wandrille. **5.** C'est en grande partie les restrictions à la liberté de la presse garantie par la Charte qui avaient entraîné l'insurrection de Juillet 1830.

quantité de cathédrales qui ont couvert l'Europe, nombre si prodigieux qu'on y croit à peine, même après l'avoir vérifié. Toutes les forces matérielles, toutes les forces intellectuelles de la société convergeaient au même point : l'architecture. De cette manière, sous prétexte de bâtir des églises à Dieu, l'art se développait dans des proportions magnifiques.

Alors, quiconque naissait poète se faisait architecte. Le génie épars dans les masses, comprimé de toutes parts sous la féodalité comme sous une *testudo*[1] de boucliers d'airain, ne trouvant issue que du côté de l'architecture, débouchait par cet art, et ses Iliades prenaient la forme de cathédrales. Tous les autres arts obéissaient et se mettaient en discipline sous l'architecture. C'était les ouvriers du grand œuvre. L'architecte, le poète, le maître totalisait en sa personne la sculpture qui lui ciselait ses façades, la peinture qui lui enluminait ses vitraux, la musique qui mettait sa cloche en branle et soufflait dans ses orgues. Il n'y avait pas jusqu'à la pauvre poésie proprement dite, celle qui s'obstinait à végéter dans les manuscrits, qui ne fût obligée pour être quelque chose de venir s'encadrer dans l'édifice sous la forme d'hymne ou de *prose*[2] ; le même rôle, après tout, qu'avaient joué les tragédies d'Eschyle[3] dans les fêtes sacerdotales de la Grèce, la Genèse[4] dans le temple de Salomon.

Ainsi, jusqu'à Guttemberg, l'architecture est l'écriture principale, l'écriture universelle. Ce livre granitique[5] commencé par l'Orient, continué par l'antiquité grecque et romaine, le moyen-âge en a écrit la dernière page. Du reste, ce phénomène d'une architecture de peuple succédant à une architecture de caste que nous venons d'observer dans le moyen-âge, se reproduit avec tout mouvement analogue dans l'intelligence humaine aux autres grandes époques de l'histoire. Ainsi, pour n'énoncer ici que sommairement une

---

1. Formation de la *tortue* : les soldats progressent au pied des fortifications en se serrant sous la carapace de leurs boucliers. **2.** L'hymne (au féminin) obéit à la versification latine ; la prose, rimée, règle ses vers sur le nombre de leurs syllabes. **3.** Ou, pour Hugo, « Shakespeare l'ancien », père de la tragédie grecque (525-456). **4.** Premier des cinq livres attribués à Moïse dans la Bible. **5.** Le granit, roche très dure, date de l'ère primaire.

loi qui demanderait à être développée en des volumes, dans le haut Orient, berceau des temps primitifs, après l'architecture hindoue, l'architecture phénicienne [1], cette mère opulente de l'architecture arabe ; dans l'antiquité, après l'architecture égyptienne dont le style étrusque et les monuments cyclopéens ne sont qu'une variété, l'architecture grecque, dont le style romain n'est qu'un prolongement surchargé du dôme carthaginois ; dans les temps modernes, après l'architecture romane, l'architecture gothique. Et en dédoublant ces trois séries [2], on retrouvera sur les trois sœurs aînées, l'architecture hindoue, l'architecture égyptienne, l'architecture romane, le même symbole : c'est-à-dire, la théocratie, la caste, l'unité, le dogme, le mythe, Dieu ; et pour les trois sœurs cadettes, l'architecture phénicienne, l'architecture grecque, l'architecture gothique, quelle que soit du reste la diversité de forme inhérente à leur nature, la même signification aussi : c'est-à-dire, la liberté, le peuple, l'homme.

Qu'il s'appelle bramine, mage ou pape, dans les maçonneries hindoue, égyptienne ou romane, on sent toujours le prêtre, rien que le prêtre. Il n'en est pas de même dans les architectures de peuple. Elles sont plus riches et moins saintes. Dans la phénicienne, on sent le marchand ; dans la grecque, le républicain [3] ; dans la gothique, le bourgeois.

Les caractères généraux de toute architecture théocratique sont l'immutabilité, l'horreur du progrès, la conservation des lignes traditionnelles, la consécration des types primitifs, le pli [4] constant de toutes les formes de l'homme et de la nature aux caprices incompréhensibles du sym-

---

1. Installés au bord oriental de la Méditerranée, les Phéniciens se sont faits les transmetteurs des civilisations babyloniennes, considérées comme héritières de la haute Asie. **2.** Selon la généalogie ; le terme de sœurs, qui surdétermine la parenté de façon harmonique, risque de brouiller l'opération, qui doit tout à l'actualité savante des séries au XIXe siècle, depuis l'algèbre (Jean-Baptiste Fourier) jusqu'à la sociologie (Charles Fourier) en passant par les sciences de la nature. **3.** Le citoyen. **4.** Le fait de se plier à.

bole. Ce sont des livres ténébreux que les initiés[1] seuls savent déchiffrer. Du reste toute forme, toute difformité même y a un sens qui la fait inviolable. Ne demandez pas aux maçonneries hindoue, égyptienne, romane, qu'elles réforment leur dessin ou améliorent leur statuaire. Tout perfectionnement leur est impiété. Dans ces architectures, il semble que la roideur du dogme se soit répandue sur la pierre comme une seconde pétrification. — Les caractères généraux des maçonneries populaires au contraire sont la variété, le progrès, l'originalité, l'opulence, le mouvement perpétuel. Elles sont déjà assez détachées de la religion pour songer à leur beauté, pour la soigner, pour corriger sans relâche leur parure de statues ou d'arabesques. Elles sont du siècle. Elles ont quelque chose d'humain qu'elles mêlent sans cesse au symbole divin sous lequel elles se produisent encore. De là des édifices pénétrables à toute âme, à toute intelligence, à toute imagination, symboliques encore, mais faciles à comprendre comme la nature. Entre l'architecture théocratique et celle-ci, il y a la différence d'une langue sacrée à une langue vulgaire[2], de l'hiéroglyphe à l'art, de Salomon à Phidias.

Si l'on résume ce que nous avons indiqué jusqu'ici très-sommairement en négligeant mille preuves et aussi mille objections de détail, on est amené à ceci : que l'architecture a été jusqu'au quinzième siècle le registre principal de l'humanité ; que dans cet intervalle il n'est pas apparu dans le monde une pensée un peu compliquée qui ne se soit faite édifice ; que toute idée populaire comme toute loi religieuse a eu ses monuments ; que le genre humain enfin n'a rien pensé d'important qu'il ne l'ait écrit en pierre. Et pourquoi ? c'est que toute pensée, soit religieuse, soit philosophique, est intéressée à se perpétuer ; c'est que l'idée qui a remué une génération veut en remuer d'autres, et laisser trace. Or, quelle immortalité

---

1. Ceux qui ont été choisis, éprouvés et acceptés selon les règles et les rites de chaque ésotérisme. **2.** C'est-à-dire du monde, par opposition à la cléricature : la vogue des études indianistes familiarise l'opposition du sanskrit et du prakrit. Et le latin, langue d'Église, est depuis longtemps pour le peuple une sorte de langue magique, sacramentelle.

précaire que celle du manuscrit ! Qu'un édifice est un livre bien autrement solide, durable et résistant ! Pour détruire la parole écrite il suffit d'une torche et d'un Turc[1]. Pour démolir la parole construite il faut une révolution sociale, une révolution terrestre. Les barbares ont passé sur le Colisée[2], le déluge peut-être sur les Pyramides[3].

Au quinzième siècle tout change.

La pensée humaine découvre un moyen de se perpétuer non-seulement plus durable et plus résistant que l'architecture, mais encore plus simple et plus facile. L'architecture est détrônée. Aux lettres de pierre d'Orphée vont succéder les lettres de plomb de Guttemberg.

Le livre va tuer l'édifice.

L'invention de l'imprimerie est le plus grand événement de l'histoire. C'est la révolution-mère. C'est le mode d'expression de l'humanité qui se renouvelle totalement, c'est la pensée humaine qui dépouille une forme et qui en revêt une autre, c'est le complet et définitif changement de peau de ce serpent symbolique qui, depuis Adam, représente l'intelligence[4].

Sous la forme imprimerie, la pensée est plus impérissable que jamais ; elle est volatile, insaisissable, indestructible. Elle se mêle à l'air. Du temps de l'architecture, elle se faisait montagne et s'emparait puissamment d'un siècle et d'un lieu. Maintenant elle se fait troupe d'oiseaux, s'éparpille aux quatre vents, et occupe à la fois tous les points de l'air et de l'espace.

Nous le répétons, qui ne voit que de cette façon elle est bien plus indélébile ? De solide qu'elle était elle devient vivace. Elle passe de la durée à l'immortalité. On peut

---

1. On a beaucoup critiqué l'imputation aux Arabes de l'incendie de la Bibliothèque d'Alexandrie en 641. Le calife Omar n'était pas turc, mais l'actualité de l'indépendance grecque favorisait l'amalgame raciste. **2.** Construit à Rome dans la seconde moitié du Ier siècle. **3.** Idée assez répandue chez les mauvais esprits du XIXe siècle, qui pouvaient comparer la dizaine de milliers d'années de la chronologie égyptienne transmise par Hérodote et les quelque cinq mille ans de la cosmogonie biblique. **4.** Car la Tentation n'est pas entre le Bien et le Mal, mais dans la capacité même d'établir toute distinction.

démolir une masse, comment extirper l'ubiquité[1] ? Vienne un déluge, la montagne aura disparu depuis longtemps sous les flots, que les oiseaux voleront encore ; et qu'une seule arche flotte à la surface du cataclysme[2], ils s'y poseront, surnageront avec elle, assisteront avec elle à la décrue des eaux, et le nouveau monde qui sortira de ce chaos verra en s'éveillant planer au-dessus de lui, ailée et vivante, la pensée du monde englouti.

Et quand on observe que ce mode d'expression est non-seulement le plus conservateur, mais encore le plus simple, le plus commode, le plus praticable à tous, lorsqu'on songe qu'il ne traîne pas un gros bagage et ne remue pas un lourd attirail, quand on compare la pensée obligée pour se traduire en un édifice de mettre en mouvement quatre ou cinq autres arts et des tonnes d'or, toute une montagne de pierres, toute une forêt de charpentes, tout un peuple d'ouvriers, quand on la compare à la pensée qui se fait livre, et à qui il suffit d'un peu de papier, d'un peu d'encre et d'une plume, comment s'étonner que l'intelligence humaine ait quitté l'architecture pour l'imprimerie ? Coupez brusquement le lit primitif d'un fleuve, d'un canal creusé au-dessous de son niveau, le fleuve désertera son lit.

Ainsi voyez comme à partir de la découverte de l'imprimerie, l'architecture se dessèche peu à peu, s'atrophie et se dénude. Comme on sent que l'eau baisse, que la sève s'en va, que la pensée des temps et des peuples se retire d'elle ! Le refroidissement est à peu près insensible au quinzième siècle, la presse est trop débile encore, et soutire tout au plus à la puissante architecture une surabondance de vie. Mais dès le seizième siècle, la maladie de l'architecture est visible ; elle n'exprime déjà plus essentiellement la société ; elle se fait misérablement art classique ; de gauloise, d'européenne, d'indigène, elle devient grecque et romaine, de vraie et de moderne,

---

1. Le fait d'être à la fois ici et là, partout. 2. Noé encore, le Déluge, inondation qui lave, l'arche flottante, le chaos béance de l'abîme, et la colombe du Saint-Esprit comme résurrection intellectuelle et spirituelle des victimes : la théologie de Hugo est trop manifestement métaphorique pour être docile.

pseudo-antique. C'est cette décadence qu'on appelle la renaissance[1]. Décadence magnifique pourtant, car le vieux génie gothique, ce soleil qui se couche derrière la gigantesque presse de Mayence[2] pénètre encore quelque temps de ses derniers rayons tout cet entassement hybride d'arcades[3] latines et de colonnades corinthiennes[4].

C'est ce soleil couchant que nous prenons pour une aurore.

Cependant, du moment où l'architecture n'est plus qu'un art comme un autre, dès qu'elle n'est plus l'art total, l'art souverain, l'art tyran, elle n'a plus la force de retenir les autres arts. Ils s'émancipent donc, brisent le joug de l'architecte, et s'en vont chacun de leur côté. Chacun d'eux gagne à ce divorce. L'isolement grandit tout. La sculpture devient statuaire, l'imagerie[5] devient peinture, le canon[6] devient musique. On dirait un empire qui se démembre à la mort de son Alexandre et dont les provinces se font royaumes.

De là Raphaël, Michel-Ange, Jean Goujon, Palestrina[7], ces splendeurs de l'éblouissant seizième siècle.

En même temps que les arts, la pensée s'émancipe de tous côtés. Les hérésiarques[8] du moyen-âge avaient déjà fait de larges entailles au catholicisme. Le seizième siècle brise l'unité religieuse. Avant l'imprimerie, la réforme n'eût été qu'un schisme[9], l'imprimerie la fait révolution.

---

1. Dans cette acception historique et esthétique, en français, le terme est strictement contemporain de la genèse de *Notre-Dame*. **2.** Sur la rive gauche du Rhin, la patrie de Gutenberg prend ici des allures d'Arc de Triomphe de l'Étoile. **3.** Plein cintre romain. **4.** Grecques, cannelées, à chapiteau de feuilles d'acanthe. **5.** La gravure, coloriée ou non, et l'enluminure des manuscrits. L'art de la peinture religieuse ne peut se ranger sous ce terme que de façon péjorative, anticléricale. **6.** Composition en contrepoint où plusieurs voix font entrer successivement, au même intervalle, la mélodie. Ex : « Frère Jacques... » Très riche aux XIVe et XVe siècles, ce genre, scolaire et minutieusement réglé, se démode à la Renaissance au bénéfice de l'invention musicale. **7.** Dans l'ordre, Sanzio principalement peintre (1483-1520) ; Buonarroti, architecte, sculpteur et peintre (1475-1564) ; architecte et sculpteur (1510 ?-1567 ?) ; Pierluigi da, maître incontesté de la polyphonie religieuse (1526-1594). **8.** Chefs d'hérésies comme celles des Albigeois ou des Vaudois. **9.** Séparation d'avec l'Église. Pour l'orthodoxie, le catholicisme romain est un schisme, essentiellement sur la question du Saint-Esprit, qu'il fait procéder du Fils, autant que du Père.

Ôtez la presse, l'hérésie est énervée. Que ce soit fatal ou providentiel, Guttemberg est le précurseur de Luther[1].

Cependant, quand le soleil du moyen-âge est tout-à-fait couché, quand le génie gothique s'est à jamais éteint à l'horizon de l'art, l'architecture va se ternissant, se décolorant, s'effaçant de plus en plus. Le livre imprimé, ce ver rongeur[2] de l'édifice, la suce et la dévore. Elle se dépouille, elle s'effeuille, elle maigrit à vue d'œil. Elle est mesquine[3], elle est pauvre, elle est nulle. Elle n'exprime plus rien, pas même le souvenir de l'art d'un autre temps. Réduite à elle-même, abandonnée des autres arts parce que la pensée humaine l'abandonne, elle appelle des manœuvres à défaut d'artistes. La vitre remplace le vitrail. Le tailleur de pierre succède au sculpteur. Adieu toute sève, toute originalité, toute vie, toute intelligence. Elle se traîne, lamentable mendiante d'atelier, de copie en copie. Michel-Ange, qui dès le seizième siècle la sentait sans doute mourir, avait eu une dernière idée, une idée de désespoir. Ce Titan de l'art avait entassé le Panthéon sur le Parthénon, et fait Saint-Pierre-de-Rome. Grande œuvre qui méritait de rester unique, dernière originalité de l'architecture, signature d'un artiste géant au bas du colossal registre de pierre qui se fermait. Michel-Ange mort, que fait cette misérable architecture qui se survivait à elle-même à l'état de spectre et d'ombre ? Elle prend Saint-Pierre-de-Rome, et le calque, et le parodie. C'est une manie. C'est une pitié. Chaque siècle a son Saint-Pierre-de-Rome ; au dix-septième siècle le Val-de-Grâce, au dix-huitième Sainte-Geneviève. Chaque pays a son Saint-Pierre-de-Rome. Londres a le sien[4]. Pétersbourg a le sien[5]. Paris en a deux ou trois[6]. Testa-

---

1. Moine réformateur, traducteur de la Bible en allemand, le plus célèbre sinon l'un des premiers des initiateurs du protestantisme (1483-1546). **2.** Comme les termites, et le ver du tombeau. **3.** Sans grandeur, pauvre, avare. **4.** Saint-Paul. **5.** La cathédrale N.-D. de Kazan, qui multiplie les colonnades, ou Saint-Isaac, inaugurée en 1802, d'un gigantisme à coupoles et d'un luxe mégalomaniaque, en grande partie démolie vers 1825 et péniblement reconstruite tout au long du siècle. **6.** Saint-Louis des Invalides, Sainte-Geneviève devenue le Panthéon, et quelques « sots dômes » comme celui de l'Assomption.

ment insignifiant, dernier radotage d'un grand art décrépit qui retombe en enfance avant de mourir.

Si au lieu de monuments caractéristiques comme ceux dont nous venons de parler, nous examinons l'aspect général de l'art du seizième au dix-huitième siècle, nous remarquons les mêmes phénomènes de décroissance et d'étisie [1]. À partir de François II [2], la forme architecturale de l'édifice s'efface de plus en plus et laisse saillir la forme géométrique, comme la charpente osseuse d'un malade amaigri. Les belles lignes de l'art font place aux froides et inexorables lignes du géomètre. Un édifice n'est plus un édifice, c'est un polyèdre. L'architecture cependant se tourmente pour cacher cette nudité. Voici le fronton grec qui s'inscrit dans le fronton romain et réciproquement. C'est toujours le Panthéon dans le Parthénon, Saint-Pierre-de-Rome. Voici les maisons de brique de Henri IV à coins de pierre ; la Place-Royale [3], la Place-Dauphine [4]. Voici les églises de Louis XIII, lourdes, trapues, surbaissées, ramassées, chargées d'un dôme comme d'une bosse. Voici l'architecture mazarine, le mauvais pasticcio [5] italien des Quatre-Nations [6]. Voici les palais de Louis XIV, longues casernes à courtisans, roides, glaciales, ennuyeuses [7]. Voici enfin Louis XV, avec les chicorées et les vermicelles et toutes les verrues et tous les fungus [8] qui défigurent cette vieille architecture caduque, édentée et coquette. De François II à Louis XV, le mal a crû en progression géométrique [9]. L'art n'a plus que la peau sur les os. Il agonise misérablement.

Cependant que devient l'imprimerie ? Toute cette vie qui s'en va de l'architecture vient chez elle. À mesure

---

1. Amaigrissement comme dans les phases terminales des cancers ou de la tuberculose. **2.** Fils aîné d'Henri II, roi à seize ans, mort à dix-sept (1560) au moment où vont éclater les guerres civiles sous couleur de religion. **3.** Actuelle place des Vosges : Hugo s'y installe le 8 octobre 1832, quittant la rue Jean-Goujon (quartier dit de François-Ier, aux Champs-Élysées). **4.** À la pointe occidentale de la Cité. **5.** Ce mot italien a donné pastiche, mais il signifie d'abord pâté. **6.** L'actuel palais de l'Institut, collège fondé par Mazarin. **7.** Flèche contre Versailles, par détournement de sens de sa célèbre Galerie des Glaces. **8.** En dermatologie, excroissance semblable à du champignon. **9.** Par multiplication à chaque phase.

que l'architecture baisse, l'imprimerie s'enfle et grossit. Ce capital de forces que la pensée humaine dépensait en édifices, elle le dépense désormais en livres. Aussi dès le seizième siècle la presse, grandie au niveau de l'architecture décroissante, lutte avec elle et la tue. Au dix-septième elle est déjà assez souveraine, assez triomphante, assez assise dans sa victoire pour donner au monde la fête d'un grand siècle littéraire. Au dix-huitième, long-temps reposée[1] à la cour de Louis XIV, elle ressaisit la vieille épée de Luther, en arme Voltaire[2], et court, tumultueuse, à l'attaque de cette ancienne Europe dont elle a déjà tué l'expression architecturale. Au moment où le dix-huitième s'achève, elle a tout détruit. Au dix-neuvième, elle va reconstruire.

Or, nous le demandons maintenant, lequel des deux arts représente réellement depuis trois siècles la pensée humaine ? Lequel la traduit ? Lequel exprime, non pas seulement ses manies littéraires et scolastiques, mais son vaste, profond, universel mouvement ? Lequel se superpose constamment, sans rupture et sans lacune, au genre humain qui marche, monstre à mille pieds ? L'architecture ou l'imprimerie ?

L'imprimerie. Qu'on ne s'y trompe pas, l'architecture est morte, morte sans retour, tuée par le livre imprimé, tuée parce qu'elle dure moins, tuée parce qu'elle coûte plus cher. Toute cathédrale est un milliard. Qu'on se représente maintenant quelle mise de fonds il faudrait pour récrire le livre architectural ; pour faire fourmiller de nouveau sur le sol des milliers d'édifices ; pour revenir à ces époques où la foule des monuments était telle qu'au dire d'un témoin oculaire « on eût dit que le monde en se secouant avait rejeté ses vieux habillements pour se couvrir d'un blanc vêtement d'églises. » *Erat enim ut si mundus, ipse excutiendo semet, rejectâ vetustate, candidam ecclesiarum vestem indueret* (GLABER RADULPHUS[3].)

---

1. La transformation louisquatorzienne de la Cour a pour objet de réduire les Grands à la figuration et à l'obéissance, après les guerres calamiteuses de la Fronde. **2.** La rime soutient la continuité des polémistes. **3.** Ce Raoul le Glabre, pittoresque moine de Cluny, a vécu jusqu'au milieu du XIe siècle. Il s'est fait le chroniqueur du siècle précédent et du sien jusqu'à l'an 1046. Hugo tient son information de

Un livre est si tôt fait, coûte si peu, et peut aller si loin. Comment s'étonner que toute la pensée humaine s'écoule par cette pente ? Ce n'est pas à dire que l'architecture n'aura pas encore çà et là un beau monument, un chef-d'œuvre isolé. On pourra bien encore avoir de temps en temps, sous le règne de l'imprimerie, une colonne faite, je suppose, par toute une armée, avec des canons amalgamés[1], comme on avait, sous le règne de l'architecture, des iliades et des romanceros, des Mahabâhrata[2] et des Nibelungen[3], faits par tout un peuple avec des rapsodies[4] amoncelées et fondues. Le grand accident d'un architecte de génie pourra survenir au vingtième siècle, comme celui de Dante au treizième[5]. Mais l'architecture ne sera plus l'art social, l'art collectif, l'art dominant. Le grand poème, le grand édifice, la grande œuvre de l'humanité ne se bâtira plus, elle s'imprimera.

Et désormais, si l'architecture se relève accidentellement, elle ne sera plus maîtresse. Elle subira la loi de la littérature qui la recevait d'elle autrefois. Les positions respectives des deux arts seront interverties. Il est certain que dans l'époque architecturale les poèmes, rares, il est vrai, ressemblent aux monuments. Dans l'Inde, Vyasa[6] est touffu, étrange, impénétrable comme une pagode. Dans l'orient égyptien, la poésie a, comme les édifices, la grandeur et la tranquillité des lignes ; dans la Grèce antique, la beauté, la sérénité, le calme ; dans l'Europe chrétienne, la majesté catholique, la naïveté populaire, la riche et luxuriante végétation d'une époque de renouvellement. La Bible ressemble aux Pyramides, l'Iliade au

---

la monographie de Deville sur Saint-Georges de Boscherville ; Glaber est l'une des sources de Michelet, qui popularise le « blanc manteau d'églises » dans son *Histoire de France* (1833), juste à la suite du fameux Tableau de la France.

1. Au sens propre, l'amalgame est l'union du mercure avec un autre métal, qui se fait au mortier. On imagine ici le pilonnage géant destiné à la colonne Vendôme. **2.** Épopée sanscrite qui remonte au XVe ou XVIe siècle avant notre ère. **3.** Épopée allemande écrite vers 1200, dont Wagner devait s'emparer pour son *Ring*. **4.** Fragments cousus les uns aux autres, et chantés de cité en cité. **5.** Les trois parties de la *Divine Comédie* n'ont été composées que dans les dernières années de Dante (1265-1321) et publiées à la fin du XVe siècle. **6.** Auteur légendaire du *Mahabahrata*, compilateur des *Védas*.

Parthénon, Homère à Phidias. Dante au treizième siècle, c'est la dernière église romane ; Shakspeare au seizième, la dernière cathédrale gothique.

Ainsi, pour résumer ce que nous avons dit jusqu'ici d'une façon nécessairement incomplète et tronquée, le genre humain a deux livres, deux registres, deux testaments, la maçonnerie et l'imprimerie, la Bible de pierre et la Bible de papier. Sans doute quand on contemple ces deux Bibles, si largement ouvertes dans les siècles, il est permis de regretter la majesté visible de l'écriture de granit, ces gigantesques alphabets formulés en colonnades, en pilones[1], en obélisques, ces espèces de montagnes humaines qui couvrent le monde et le passé depuis la pyramide jusqu'au clocher, de Chéops à Strasbourg[2]. Il faut relire le passé sur ces pages de marbre[3]. Il faut admirer et refeuilleter sans cesse le livre écrit par l'architecture ; mais il ne faut pas nier la grandeur de l'édifice qu'élève à son tour l'imprimerie.

Cet édifice est colossal. Je ne sais quel faiseur de statistique[4] a calculé qu'en superposant l'un à l'autre tous les volumes sortis de la presse depuis Guttemberg on comblerait l'intervalle de la terre à la lune ; mais ce n'est pas de cette sorte de grandeur que nous voulons parler. Cependant quand on cherche à recueillir dans sa pensée une image totale de l'ensemble des produits de l'imprimerie jusqu'à nos jours, cet ensemble ne nous apparaît-il pas comme une immense construction, appuyée sur le monde entier, à laquelle l'humanité travaille sans relâche, et dont la tête monstrueuse se perd dans les brumes profondes de l'avenir ? C'est la fourmilière des intelligences. C'est la ruche où toutes les imaginations, ces abeilles dorées, arrivent avec leur miel. L'édifice a mille étages. Çà et là, on

---

1. Massifs en tronc de pyramide pour le portail d'un monument d'Égypte. **2.** La cathédrale de Strasbourg, commencée dès le XIIIe siècle, ne fut achevée qu'au milieu du XVe, avec une seule flèche. **3.** Même si les pyramides étaient revêtues d'un appareil de pierre très dure et brillante, le marbre n'est ici que le matériau traditionnel de l'inscription commémorative, faite pour défier le temps, comme l'airain parmi les métaux. **4.** La statistique n'est pas alors le calcul des moyennes, mais le rassemblement de toutes les données numériques nécessaires à l'économie et d'une manière générale aux sciences.

voit déboucher sur ses rampes les cavernes ténébreuses de la science qui s'entrecoupent dans ses entrailles. Partout sur sa surface l'art fait luxurier[1] à l'œil ses arabesques, ses rosaces et ses dentelles. Là chaque œuvre individuelle, si capricieuse et si isolée qu'elle semble, a sa place et sa saillie. L'harmonie résulte du tout. Depuis la cathédrale de Shakspeare jusqu'à la mosquée de Byron[2], mille clochetons s'encombrent pêle-mêle sur cette métropole de la pensée universelle. À sa base on a récrit quelques anciens titres de l'humanité que l'architecture n'avait pas enregistrés. À gauche de l'entrée on a scellé le vieux bas-relief en marbre blanc[3] d'Homère, à droite la Bible polyglotte[4] dresse ses sept têtes. L'hydre du romancero se hérisse plus loin, et quelques autres formes hybrides[5], les Védas et les Nibelungen. Du reste, le prodigieux édifice demeure toujours inachevé. La presse, cette machine géante, qui pompe sans relâche toute la sève intellectuelle[6] de la société, vomit incessamment de nouveaux matériaux pour son œuvre. Le genre humain tout entier est sur l'échafaudage. Chaque esprit est maçon. Le plus humble bouche son trou ou met sa pierre. Rétif de la Bretonne[7] apporte sa hottée de plâtras[8]. Tous les jours une nouvelle assise[9] s'élève. Indépendam-

---

1. Proliférer. **2.** Inspirateur du romantisme de la révolte, lord Byron (1788-1824) joua un rôle de premier plan dans la mode de l'orientalisme gréco-turc. **3.** Le plus beau marbre de la Grèce, celui de Paros. **4.** Parmi les différentes Bibles polyglottes, qui ajoutent à l'hébreu, au grec et au latin, celle d'Élie Hutter imprimée en 1599 à Nuremberg rassemble au moins six « têtes » (hébreu, chaldéen, grec, latin, allemand et slave, français ou italien). Les sept têtes sont allusion à la Bête de l'Apocalypse au moins autant qu'à l'hydre de Lerne. **5.** Engendrées par des cultures différentes, des civilisations métissées, comme la synthèse hispano-mauresque et non plus par une apparente pureté hellénique ou juive. **6.** L'adjectif mettra quelque soixante ans à se substantiver, à l'occasion de l'affaire Dreyfus, mais Frollo, clerc indigne, est sans doute la première figure de l'intellectuel. **7.** Ouvrier imprimeur maniaque de sexe et d'écriture, observateur voyeur du Paris nocturne, réformateur utopique de la prostitution comme de la langue (1734-1806), auquel le jeune Hugo a pu s'initier dans le cabinet de lecture du bonhomme Royol. **8.** Gravois du plâtre gâché et inemployé dans la construction. La blancheur de Paris tient à la forte teneur en gypse de son site. **9.** Rangée de pierres et mortier de hauteur constante.

ment du versement original et individuel de chaque écrivain, il y a des contingents collectifs. Le dix-huitième siècle donne l'Encyclopédie[1], la révolution donne le Moniteur[2]. Certes, c'est là aussi une construction qui grandit et s'amoncèle en spirales sans fin ; là aussi il y a confusion des langues[3], activé incessante, labeur infatigable, concours acharné de l'humanité tout entière, refuge promis à l'intelligence contre un nouveau déluge[4], contre une submersion de barbares. C'est la seconde tour de Babel du genre humain.

---

1. Publiée par Diderot et d'Alembert dans les quinze premières années de la seconde moitié du XVIIIe siècle. **2.** Inventé en 1789 dès la convocation des États Généraux par le libraire Panckoucke, le journal in-folio s'illustra par l'importance de ses comptes rendus de l'Assemblée, l'étendue de ses curiosités, et son soutien intrépide des pouvoirs successifs. Il ne devint Journal officiel qu'avec le coup d'État de Napoléon Bonaparte, jusqu'en 1868, et disparut avec la chute du Second Empire, dont il avait soutenu l'ultime phase, dite libérale. **3.** Hugo transforme le châtiment de la verticalité aspirant à Dieu (Genèse, X-XI) en apologie de la civilisation, conditionnée par le principe de différence et d'articulation, qui est à l'origine de ce que nous appelons les langues. **4.** Voir Genèse, VI à VIII.

« C'étaient des gueux et des truands qui cheminaient dans le pays, conduits par leur duc et par leurs comtes. » (p. 331)

Jacques Callot : *Les Bohémiens en marche.*

LIVRE SIXIÈME

I

COUP D'ŒIL IMPARTIAL SUR L'ANCIENNE MAGISTRATURE

C'était un fort heureux personnage, en l'an de grâce 1482, que noble homme Robert d'Estouteville[1], chevalier, sieur de Beyne, baron d'Ivry et Saint-Andry en la Marche, conseiller et chambellan du roi, et garde de la prevôté de Paris. Il y avait déjà près de dix-sept ans qu'il avait reçu du roi, le 7 novembre 1465, l'année de la comète*, cette belle charge de prévôt de Paris, qui était réputée plutôt seigneurie qu'office, *Dignitas*, dit Joannes Lœm-

* Cette comète, contre laquelle le pape Calixte, oncle de Borgia, ordonna des prières publiques, est la même qui reparaîtra en 1835[2].

1. Issu d'une puissante famille normande qui resserrera sous François Ier son alliance aux Bourbons, il mourut en 1479, mais se survécut dans la charge de prévôt en la personne de son fils Jacques. Le 4 (selon la *Chronique...*) novembre 1465, il avait été *re*nommé dans la charge dont la guerre du Bien public l'avait fait sortir. Villon lui a adressé, pour sa femme Ambroise de Loré, la fameuse ballade « Et c'est la fin pour quoi sommes ensemble ». Beynes : entre Neauphles-le-Château et Flins ; Ivry (sans doute la Bataille), au sud d'Évreux ; Saint-André de la Marche, à 8 km au nord-ouest de Cholet (Maine-et-Loire). **2.** Il ne s'agit pas de la comète annoncée pour 1759 par Halley en 1705, et réapparue le 16 novembre 1835 avec seulement trois jours de retard sur les calculs d'Arago, secrétaire perpétuel de l'Académie des Sciences depuis 1830. D'une période approximative de 76 ans, identifiée à celle de 1531, la comète de Halley a dû paraître vers 1455, et non en 1465. D'ailleurs Calixte III Borgia, oncle du futur Alexandre VI et promoteur de la révision du procès de Jeanne d'Arc, ne fut pape que de 1455 à 1458. L'événement du 18 nov. 1465 fut la chute d'une météorite.

nœus, *quœ cum non exigua potestate politiam concernente, atque prœrogativis multis et juribus conjuncta est*[1]. La chose était merveilleuse en 82 qu'un gentilhomme ayant commission du roi et dont les lettres d'institution[2] remontaient à l'époque du mariage de la fille naturelle de Louis XI avec monsieur le bâtard de Bourbon[3]. Le même jour où Robert d'Estouteville avait remplacé Jacques de Villiers dans la prevôté de Paris, maître Jehan Dauvet[4] remplaçait messire Hélye de Thorrettes dans la première présidence de la cour de parlement, Jehan Jouvenel des Ursins[5] supplantait Pierre de Morvilliers[6] dans l'office de chancelier de France, Regnault des Dormans désappointait[7] Pierre Puy de la charge de maître des requêtes ordinaire de l'hôtel du roi. Or sur combien de têtes la présidence, la chancellerie et la maîtrise s'étaient-elles promenées depuis que Robert d'Estouteville avait la prevôté de Paris ! Elle lui avait été *baillée en garde*, disaient les lettres patentes ; et certes, il la gardait bien. Il s'y était cramponné, il s'y était incorporé, il s'y était identifié si bien, qu'il avait échappé à cette furie de changement qui possédait Louis XI, roi défiant, taquin et travailleur, qui tenait à entretenir, par des institutions et des révocations

---

1. « Dignité qui est jointe à un pouvoir de police qui n'est pas mince et à bon nombre de prérogatives et de droits » ; il s'agit en fait (Sauval, III, 244) de la prévôté des marchands. **2.** De nomination. **3.** Louis, fils légitimé du cinquième duc de Bourbon, épousa en 1467 (nouveau style) Jeanne, née de Marguerite Sassenage ; mais le contrat de mariage est du 7 novembre 1465. Il mourut en 1488. Obligé de composer en 1465 avec les princes ligueurs du « Bien public », Louis XI ne cessa de reconquérir sur eux les moyens d'une politique centralisatrice. La famille de Bourbon intervient ici comme tête et symbole de cette féodalité archaïque, mais aussi comme souche de la monarchie des temps modernes, qui ne sut, ni en 1789 ni en 1830, sauver son régime face aux menées de sa branche cadette, d'Orléans. **4.** Magistrat mort en 1471, tristement connu pour avoir, comme procureur, lancé les poursuites contre Jacques Cœur en 1453. **5.** Ou Juvénal (1388-1473), évêque de Reims qui sacra Louis XI. C'est son frère Guillaume (1400-1472) qui, après avoir été chancelier sous Charles VII en 1445, et disgracié par Louis XI, revint dans sa charge en 1465. **6.** Chancelier depuis le 3 septembre 1461, passé au service de Bretagne après sa disgrâce, mort en 1476. Voir Comines, I, 12. **7.** Le terme (mettre fin aux fonctions de) est, comme la liste des noms, emprunté à la *Chronique*...

fréquentes, l'élasticité de son pouvoir. Il y a plus : le brave chevalier avait obtenu pour son fils la survivance de sa charge, et il y avait déjà deux ans que le nom de noble homme Jacques d'Estouteville, écuyer, figurait à côté du sien en tête du registre de l'ordinaire de la prevôté de Paris. Rare, certes, et insigne faveur ! Il est vrai que Robert d'Estouteville était un bon soldat, qu'il avait loyalement levé le pennon contre *la ligue du bien public*, et qu'il avait offert à la reine un très-merveilleux cerf en confitures [1] le jour de son entrée à Paris en 14... [2] Il avait de plus la bonne amitié de messire Tristan l'Hermite [3], prévôt des maréchaux de l'hôtel du roi. C'était donc une très-douce et plaisante existence que celle de messire Robert. D'abord, de fort bons gages, auxquels se rattachaient, et pendaient comme des grappes de plus à sa vigne, les revenus des greffes civil et criminel de la prevôté, plus les revenus civils et criminels des auditoires d'Embas [4] du Châtelet, sans compter quelque petit péage au pont de Mante et de Corbeil, et les profits du tru [5] sur l'esgrin de Paris, sur les mouleurs de bûches et les mesureurs de sel. Ajoutez à cela le plaisir d'étaler dans les chevauchées de la ville et de faire ressortir sur les robes mi-parties rouge et tanné des échevins et des quarteniers [6] son bel habit de guerre que vous pouvez encore admirer aujourd'hui sculpté sur son tombeau, à l'abbaye de Valmont [7] en Normandie, et son morion tout bosselé à Montlhéry [8]. Et puis, n'était-ce rien que d'avoir toute suprématie sur les sergents de la douzaine, le concierge

---

1. La *Chronique...* dit « un beau cerf fait de confiture », ce qui peut désigner aussi bien le mode de préparation de la viande que son accompagnement de diverses confiseries. **2.** 1467 ; Hugo n'a pas eu le loisir de vérifier la date. **3.** Louis Tristan, homme de guerre sous Charles VII, exécuteur des justices expéditives de Louis XI. **4.** Ou En Bas ; emprunt à Sauval (III, 383). **5.** Hugo a noté que ce terme de « péage, tribut » a donné naissance à truand. **6.** Officiers chargés de la gestion municipale, chacun pour l'un des seize quartiers de la ville. Le costume est dans Du Breul (1006-1007). **7.** À 10 km à l'est de Fécamp ; fief de la famille d'Estouteville ; abbaye en ruines depuis la Révolution. **8.** Casque à crête et à bords relevés devant et derrière, qui date du XVIe siècle plutôt que du XVe. De l'incertaine bataille de Montlhéry sort, au compromis de Conflans, la fin de la guerre du Bien public, d'où la politique de Louis XI prend son essor.

et guette du Châtelet, les deux auditeurs du Châtelet, *auditores Castelleti*, les seize commissaires des seizes quartiers, le geôlier du Châtelet, les quatre sergents fieffés, les cent vingt sergents à cheval, les cent vingt sergents à verge, le chevalier du guet avec son guet, son sous-guet, son contre-guet et son arrière-guet ? N'était-ce rien que d'exercer haute et basse justice, droit de tourner, de pendre et de traîner, sans compter la menue juridiction en premier ressort (*in prima instantia*, comme disent les chartes), sur cette vicomté de Paris, si glorieusement apanagée de sept nobles bailliages [1] ? Peut-on rien imaginer de plus suave que de rendre arrêts et jugements, comme faisait quotidiennement messire Robert d'Estouteville, dans le Grand-Châtelet, sous les ogives larges et écrasées de Philippe-Auguste ? et d'aller, comme il avait coutume chaque soir, en cette charmante maison sise rue Galilée, dans le pourpris [2] du Palais-Royal, qu'il tenait du chef de sa femme, madame Ambroise de Loré [3], se reposer de la fatigue d'avoir envoyé quelque pauvre diable passer la nuit de son côté dans « cette petite logette de la rue de l'Escorcherie, en laquelle les prévôts et échevins de Paris soulaient [4] faire leur prison ; contenant icelle onze pieds de long, sept pieds et quatre pouces de lez et onze pieds de haut [*] [5] ? »

Et non-seulement messire Robert d'Estouteville avait sa justice particulière de prévôt et vicomte de Paris ; mais encore il avait part, coup d'œil et coup de dent dans la grande justice du roi. Il n'y avait pas de tête un peu haute qui ne lui eût passé par les mains avant d'échoir au bour-

---

* Comptes du domaine, 1383.

---

1. Territoire placé sous l'autorité du bailli d'épée ou bailli royal. **2.** Enclos. C'est cette rue du Palais qui a donné son nom à « l'Empire » de la Basoche de la Chambre des Comptes. **3.** Qui doit être la fille du prévôt de Charles VII, compagnon de Jeanne d'Arc, « juge et général réformateur sur les malfaiteurs du royaume » (1396-1446). L'ombre de Villon n'est pas loin. **4.** Avaient l'habitude de. Encore ici Hugo fait passer le prévôt des marchands pour le prévôt du Palais, puisque Sauval (III, 261) lui fournit un nom de rue propre à la boucherie. **5.** Environ 3,5 m sur 2,5 m. On peut douter d'une hauteur égale à la longueur, à moins d'y voir une sorte de fosse.

reau. C'est lui qui avait été quérir à la Bastille Saint-Antoine, pour le mener aux Halles, M. de Nemours ; pour le mener en Grève, M. de Saint-Pol[1], lequel rechignait et se récriait, à la grande joie de monsieur le prévôt, qui n'aimait pas monsieur le connétable.

En voilà, certes, plus qu'il n'en fallait pour faire une vie heureuse et illustre, et pour mériter un jour une page notable dans cette intéressante histoire des prévôts de Paris, où l'on apprend que Oudard de Villeneuve avait une maison rue des Boucheries, que Guillaume de Hangest acheta la grande et petite Savoie, que Guillaume Thiboust donna aux religieuses de Sainte-Geneviève ses maisons de la rue Clopin, que Hugues Aubriot demeurait à l'hôtel du Porc-Épic, et autres faits domestiques[2].

Toutefois, avec tant de motifs de prendre la vie en patience et en joie, messire Robert d'Estouteville s'était éveillé le matin du 7 janvier 1482, fort bourru et de massacrante humeur. D'où venait cette humeur ? c'est ce qu'il n'aurait pu dire lui-même. Était-ce que le ciel était gris ? que la boucle de son vieux ceinturon de Montlhéry était mal serrée, et sanglait trop militairement son embonpoint de prévôt ? qu'il avait vu passer dans la rue sous sa fenêtre des ribauds lui faisant nargue, allant quatre de bande, pourpoint sans chemise, chapeau sans fond, bissac et bouteille au côté ? Était-ce pressentiment vague des trois cent soixante-dix livres seize sols huit deniers que

---

1. Voir note 5, p. 97. **2.** Liste empruntée à Sauval (II, 154). Les Savoies : dans l'Université, à hauteur du quai des Grands-Augustins, autour de l'hôtel de Savoie-Nemours ? La rue des Boucheries, entre Saint-Germain-des-Prés et la porte de Buci ; la rue Clopin, au bas de la montagne Sainte-Geneviève, derrière l'abbaye, actuellement dans l'enceinte de l'ancienne École Polytechnique, débouchant sur la rue du Cardinal-Lemoine ; la famille de Hangest de Genlis a donné un chambellan à Louis XI, mort en 1490, mais pousse ses alliances jusqu'à la préceptrice de Louis-Philippe ; une famille de Thiboust, typographes, a chanté l'excellence de l'imprimerie au XVIIIe siècle ; Hugues Aubriot, prévôt de Paris sous Charles V, mort un siècle avant la date de l'action de *Notre-Dame de Paris*, constructeur de la Bastille, homme d'ordre et d'humanité, victime après la mort du roi du tribunal ecclésiastique. Il est revendiqué par le Tiers État parisien comme l'un des héros de son émancipation. Le porc-épic, emblème des ducs d'Orléans, devint celui du roi Louis XII, dit « le père du peuple ». Ces « faits domestiques » ne manquent pas d'intérêt public.

le futur roi Charles VIII devait, l'année suivante, retrancher des revenus de la prevôté ? Le lecteur peut choisir ; quant à nous, nous inclinerions à croire tout simplement qu'il était de mauvaise humeur parce qu'il était de mauvaise humeur.

D'ailleurs, c'était un lendemain de fête, jour d'ennui pour tout le monde, et surtout pour le magistrat chargé de balayer toutes les ordures, au propre et au figuré, que fait une fête à Paris. Et puis, il devait tenir séance au Grand-Châtelet. Or nous avons remarqué que les juges s'arrangent en général de manière à ce que leur jour d'audience soit aussi leur jour d'humeur, afin d'avoir toujours quelqu'un sur qui s'en décharger commodément, de par le roi, la loi et justice.

Cependant l'audience avait commencé sans lui. Ses lieutenants, au civil, au criminel et au particulier[1], faisaient sa besogne, selon l'usage ; et dès huit heures du matin, quelques dizaines de bourgeois et de bourgeoises, entassés et foulés dans un coin obscur de l'auditoire d'Embas du Châtelet, entre une forte barrière de chêne et le mur, assistaient avec béatitude au spectacle varié et réjouissant de la justice civile et criminelle, rendue par maître Florian Barbedienne, auditeur au Châtelet, lieutenant de M. le prévôt, un peu pêle-mêle et tout-à-fait au hasard.

La salle était petite, basse, voûtée. Une table fleurdelisée était au fond, avec un grand fauteuil de bois de chêne sculpté, qui était au prévôt et vide, et un escabeau à gauche pour l'auditeur, maître Florian. Au-dessous se tenait le greffier, griffonnant. En face était le peuple ; et devant la porte, et devant la table, force sergents de la prevôté, et hoquetons de camelot violet à croix blanches. Deux sergents du Parloir-aux-Bourgeois[2], vêtus de leurs jacquettes de la Toussaint[3], mi-parties rouge et bleu, fai-

---

1. Sous François Ier, les lieutenants civil et criminel seront émancipés de la tutelle prévôtale, réduite sans doute à ce « particulier » de son statut : le prévôt de Paris, successeur de la vicomté royale, premier lieutenant du souverain, avait autorité sur l'ensemble du royaume. **2.** Donc du prévôt des marchands, aux couleurs de la Ville (Du Breul, 1007). **3.** Adjonction climatique et institutionnelle à la couleur locale ?

saient sentinelle devant une porte basse fermée, qu'on apercevait au fond derrière la table. Une seule fenêtre ogive, étroitement encaissée dans l'épaisse muraille, éclairait d'un rayon blême de janvier deux grotesques figures : le capricieux démon de pierre sculpté en cul-de-lampe dans la clef de la voûte, et le juge assis au fond de la salle sur les fleurs-de-lis[1].

En effet, figurez-vous à la table prévôtale, entre deux liasses de procès, accroupi sur ses coudes, le pied sur la queue de sa robe de drap brun plain, la face dans sa fourrure d'agneau blanc, dont ses sourcils semblaient détachés, rouge, revêche, clignant de l'œil, portant avec majesté la graisse de ses joues, lesquelles se rejoignaient sous son menton, maître Florian Barbedienne, auditeur[2] au Châtelet.

Or l'auditeur était sourd. Léger défaut pour un auditeur. Maître Florian n'en jugeait pas moins sans appel et très-congrument. Il est certain qu'il suffit qu'un juge ait l'air d'écouter ; et le vénérable auditeur remplissait d'autant mieux cette condition, la seule essentielle en bonne justice, que son attention ne pouvait être distraite par aucun bruit.

Du reste, il avait dans l'auditoire un impitoyable contrôleur de ses faits et gestes dans la personne de notre ami Jehan Frollo du Moulin, ce petit écolier d'hier, ce *piéton*[3] qu'on était toujours sûr de rencontrer partout dans Paris, excepté devant la chaire des professeurs.

— Tiens, disait-il tout bas à son compagnon Robin Poussepain, qui ricanait à côté de lui, tandis qu'il commentait les scènes qui se déroulaient sous leurs yeux, voilà Jehanneton du Buisson. La belle fille du Cagnard-au-Marché-Neuf[4] ! — Sur mon âme, il la condamne, le

---

1. Le coussin aux armes de la monarchie désignait la justice royale, dans sa longue absorption des justices particulières. **2.** Magistrat en charge d'une juridiction particulière. **3.** Le terme désignait l'arrière-ban de l'infanterie, troupe indisciplinée à l'armement disparate, voire hétéroclite. Entre ces marcheurs à la traîne et les badauds des boulevards, Hugo construit la figure du gamin, praticien de la rue. **4.** Abri, recoin où l'on peut espérer un peu de chaleur, et de paresse. Le Marché-Neuf, dans la Cité, entre le pont Saint-Michel et le Petit-Pont, corrige « du Petit-Musc » : Pute y musse.

vieux ! il n'a donc pas plus d'yeux que d'oreilles. Quinze sols quatre deniers parisis, pour avoir porté deux patenôtres[1] ! C'est un peu cher. *Lex duri carminis*[2]. — Qu'est celui-là ! Robin Chief-de-Ville, haubergier[3] ! — Pour avoir été passé et reçu maître audit métier ? — C'est son dernier d'entrée. — Hé ! deux gentilshommes parmi ces marauds ! Aiglet de Soins, Hutin de Mailly[4]. Deux écuyers, *corpus-Christi*[5] ! Ah ! ils ont joué aux dés. Quand verrai-je ici notre recteur ! Cent livres parisis d'amende envers le roi ! Le Barbedienne frappe comme un sourd, — qu'il est ! — Je veux être mon frère l'archidiacre, si cela m'empêche de jouer ; de jouer le jour, de jouer la nuit, de vivre au jeu, de mourir au jeu, et de jouer mon âme après ma chemise ! — Sainte Vierge, que de filles ! l'une après l'autre, mes brebis ! Ambroise Lécuyère ! Isabeau-la-Paynette ! Berarde Gironin ! Je les connais toutes, par Dieu ! à l'amende ! à l'amende ! Voilà qui vous apprendra à porter des ceintures dorées ! dix sols parisis, coquettes ! — Oh ! le vieux museau de juge, sourd et imbécille ! Oh ! Florian le lourdaud ! Oh ! Barbedienne le butor ! le voilà à table ! il mange du plaideur, il mange du procès, il mange, il mâche, il se gave, il s'emplit. Amendes, épaves[6], taxes, frais, loyaux coûts[7], salaires, dommages et intérêts, gehenne, prison et geôle et ceps[8] avec dépens, lui sont camichons de Noël et massepains de la Saint-Jean[9] ! Regarde-le, le porc ! — Allons ! bon ! encore une femme amoureuse ! Thibaud-la-Thibaude, ni plus, ni moins ! — Pour être sortie de la rue Glatigny ! — Quel est ce fils ? Gieffroy Mabonne, gendarme cranequinier[10] à main. Il a maugréé

---

1. Chapelet pour égrener la prière du Notre Père. En porter plus d'un est signe de racolage, comme ceinture dorée vaut mauvaise réputation. *Cf.* Sauval, 1, 174 et III, 370, comptes de 1463. **2.** « Loi d'une rude teneur », référence possible à Tite-Live, I, 26. **3.** Fabricant de haubert, cotte de mailles pour le cou et le haut du torse. **4.** Soings en Sologne, Mailly entre Somme et Yonne, dans un arc nord-est. Hutin : entêté, querelleur, comme le roi Louis X. Aiglet : masculin de aiglette, terme de blason pour ce noble rapace. **5.** Corps du Christ ! **6.** Biens perdus et non réclamés, dévolus au seigneur haut justicier. **7.** Frais légitimes. **8.** Entraves, de bois, fer ou corde. **9.** Friandises des deux solstices de l'année. **10.** Arbalétrier dont l'arme se bande par une mécanique à cliquet.

le nom du Père. À l'amende, la Thibaude ! à l'amende le Gieffroy ! à l'amende tous les deux ! Le vieux sourd ! il a dû brouiller les deux affaires ! Dix contre un, qu'il fait payer le juron à la fille et l'amour au gendarme ! — Attention, Robin Poussepain ! Que vont-ils introduire ? Voilà bien des sergents ! par Jupiter ! tous les levriers de la meute y sont. Ce doit être la grosse pièce de la chasse. Un sanglier. — C'en est un, Robin, c'en est un. — Et un beau encore ! — *Hercle*[1] *!* c'est notre prince d'hier, notre pape des fous, notre sonneur de cloches, notre borgne, notre bossu, notre grimace ! C'est Quasimodo !... —

Ce n'était rien moins.

C'était Quasimodo, sanglé, cerclé, ficelé, garrotté[2] et sous bonne garde. L'escouade de sergents qui l'environnait était assistée du chevalier du guet en personne, portant brodées les armes de France sur la poitrine et les armes de la ville sur le dos[3]. Il n'y avait rien du reste dans Quasimodo, à part sa difformité, qui pût justifier cet appareil de hallebardes[4] et d'arquebuses[5] ; il était sombre, silencieux et tranquille. À peine son œil unique jetait-il de temps à autre sur les liens qui le chargeaient un regard sournois et colère.

Il promena ce même regard autour de lui, mais si éteint et si endormi que les femmes ne se le montraient du doigt que pour en rire.

Cependant maître Florian l'auditeur feuilleta avec attention le dossier de la plainte dressée contre Quasimodo, que lui présenta le greffier, et, ce coup d'œil jeté, parut se recueillir un instant. Grâce à cette précaution qu'il avait toujours soin de prendre au moment de procéder à un interrogatoire, il savait d'avance les noms, qualités, délits du prévenu, faisait des répliques prévues à des réponses prévues, et parvenait à se tirer de toutes les sinuosités de l'interrogatoire, sans trop laisser deviner sa

---

1. Par Hercule ! **2.** Entravé par torsion de la corde. **3.** Les lys de la royauté et la nef de Paris. **4.** Pique pourvue d'un fer de hache à double effet, tranchant et perçant. **5.** Ancêtre du fusil, qu'on calait sur l'épaule et sur une fourche, et qu'on allumait avec une mèche, jusqu'au début du XVIe siècle.

surdité. Le dossier du procès était pour lui le chien de l'aveugle. S'il arrivait par hasard que son infirmité se trahît çà et là par quelque apostrophe incohérente ou quelque question inintelligible, cela passait pour profondeur parmi les uns, et pour imbécillité parmi les autres. Dans les deux cas, l'honneur de la magistrature ne recevait aucune atteinte ; car il vaut encore mieux qu'un juge soit réputé imbécille ou profond, que sourd. Il mettait donc grand soin à dissimuler sa surdité aux yeux de tous, et il y réussissait d'ordinaire si bien qu'il était arrivé à se faire illusion à lui-même. Ce qui est du reste plus facile qu'on ne le croit. Tous les bossus vont tête haute, tous les bègues pérorent, tous les sourds parlent bas. Quant à lui, il se croyait tout au plus l'oreille un peu rebelle. C'était la seule concession qu'il fît sur ce point à l'opinion publique, dans ses moments de franchise et d'examen de conscience.

Ayant donc bien ruminé l'affaire de Quasimodo, il renversa sa tête en arrière et ferma les yeux à demi, pour plus de majesté et d'impartialité, si bien qu'il était tout à la fois en ce moment sourd et aveugle. Double condition sans laquelle il n'est pas de juge parfait. C'est dans cette magistrale attitude qu'il commença l'interrogatoire.

— Votre nom ?

Or voici un cas qui n'avait été « prévu par la loi, » celui où un sourd aurait à interroger un sourd.

Quasimodo, que rien n'avertissait de la question à lui adressée, continua de regarder le juge fixement et ne répondit pas. Le juge, sourd et que rien n'avertissait de la surdité de l'accusé, crut qu'il avait répondu, comme faisaient en général tous les accusés, et poursuivit avec son aplomb mécanique et stupide.

— C'est bien : Votre âge ?

Quasimodo ne répondit pas davantage à cette question. Le juge la crut satisfaite, et continua :

— Maintenant, votre état ?

Toujours même silence. L'auditoire cependant commençait à chuchoter et à s'entre-regarder.

— Il suffit, reprit l'imperturbable auditeur, quand il supposa que l'accusé avait consommé sa troisième réponse. Vous êtes accusé, par-devant nous : *primo*, de trouble nocturne ; *secundo*, de voie de fait[1] déshonnête sur la personne d'une femme folle, *in prœjudicium meretricis*[2] ; *tertio*, de rébellion et déloyauté envers les archers de l'ordonnance du roi, notre sire. Expliquez-vous sur tous ces points. — Greffier, avez-vous écrit ce que l'accusé a dit jusqu'ici ?

À cette question malencontreuse un éclat de rire s'éleva, du greffe à l'auditoire, si violent, si fou, si contagieux, si universel que force fut bien aux deux sourds de s'en apercevoir. Quasimodo se retourna en haussant sa bosse avec dédain ; tandis que maître Florian, étonné comme lui, et supposant que le rire des spectateurs avait été provoqué par quelque réplique irrévérente de l'accusé, rendue visible pour lui par ce haussement d'épaules, l'apostropha avec indignation :

— Vous avez fait là, drôle, une réponse qui mériterait la hart[3] ! savez-vous à qui vous parlez ?

Cette sortie n'était pas propre à arrêter l'explosion de la gaîté générale. Elle parut à tous si hétéroclite et si cornue[4] que le fou rire gagna jusqu'aux sergents du Parloir-aux-Bourgeois, espèce de valets de pique[5] chez qui la stupidité était d'uniforme. Quasimodo seul conserva son sérieux, par la bonne raison qu'il ne comprenait rien à ce qui se passait autour de lui. Le juge, de plus en plus irrité, crut devoir continuer sur le même ton, espérant par là frapper l'accusé d'une terreur qui réagirait sur l'auditoire et le ramènerait au respect.

— C'est donc à dire, maître pervers et rapinier que vous êtes, que vous vous permettez de manquer à l'auditeur du Châtelet, au magistrat commis à la police populaire[6] de Paris, chargé de faire rechercher des crimes, délits et mauvais trains[7] ; de contrôler tous métiers et

---

1. Acte de violence, étranger au droit. **2.** Au préjudice d'une prostituée. **3.** La corde de la pendaison. **4.** Extravagante. **5.** C'est l'as de pique, métaphore du croupion des volailles, qui indique la stupidité et le désordre vestimentaire. Mais notre « chien de pique » porte le nom d'un paladin dressé contre Charlemagne, Ogier le Danois (ou l'Ardennois) dont les tribulations sont assez peu héroïques. **6.** Du petit peuple. **7.** Allures, conduites.

interdire le monopole[1] ; d'entretenir les pavés ; d'empêcher les regratiers[2] de poulailles, volailles et sauvagine ; de faire mesurer la bûche et autres sortes de bois ; de purger la ville des boues et l'air des maladies contagieuses ; de vaquer continuellement au fait du public, en un mot, sans gages ni espérances de salaire ! Savez-vous que je m'appelle Florian Barbedienne, propre lieutenant de monsieur le prevôt, et de plus commissaire, enquesteur, contrerolleur et examinateur avec égal pouvoir en prevôté, bailliage, conservation[3] et présidial[4] !

Il n'y a pas de raison pour qu'un sourd qui parle à un sourd s'arrête. Dieu sait où et quand aurait pris terre maître Florian, ainsi lancé à toutes rames dans la haute éloquence, si la porte basse du fond ne s'était ouverte tout-à-coup et n'avait donné passage à monsieur le prevôt en personne.

À son entrée, maître Florian ne resta pas court, mais faisant un demi-tour sur ses talons, et pointant brusquement sur le prevôt la harangue dont il foudroyait Quasimodo le moment d'auparavant : — Monseigneur, dit-il, je requiers telle peine qu'il vous plaira contre l'accusé ci-présent, pour grave et mirifique manquement à la justice.

Et il se rassit tout essoufflé, essuyant de grosses gouttes de sueur qui tombaient de son front et trempaient comme larmes les parchemins étalés devant lui. Messire Robert d'Estouteville fronça le sourcil, et fit à Quasimodo un geste d'attention tellement impérieux et significatif que le sourd en comprit quelque chose.

Le prevôt lui adressa la parole avec sévérité : — Qu'est-ce que tu as donc fait pour être ici, maraud ?

Le pauvre diable, supposant que le prevôt lui demandait son nom, rompit le silence qu'il gardait habituellement, et répondit avec une voix rauque et gutturale : — Quasimodo.

La réponse coïncidait si peu avec la question que le fou rire recommença à circuler, et que messire Robert

---

1. Assurer la concurrence malgré le système des corporations. **2.** Revendeurs de morceaux restant. **3.** Juridiction du commerce. **4.** Juridiction sans appel dans des cas déterminés. Toute la tirade adaptée de Du Breul, 1039-1040.

s'écria rouge de colère : — Te railles-tu aussi de moi, drôle fieffé ?

— Sonneur de cloches à Notre-Dame, répondit Quasimodo, croyant qu'il s'agissait d'expliquer au juge qui il était.

— Sonneur de cloches ! reprit le prevôt, qui s'était éveillé le matin d'assez mauvaise humeur, comme nous l'avons dit, pour que sa fureur n'eût pas besoin d'être attisée par de si étranges réponses. Sonneur de cloches ! Je te ferai faire sur le dos un carillon de houssines[1] par les carrefours de Paris. Entends-tu, maraud ?

— Si c'est mon âge que vous voulez savoir, dit Quasimodo, je crois que j'aurai vingt ans à la Saint-Martin.

Pour le coup c'était trop fort ; le prevôt n'y put tenir.

— Ah ! tu nargues la prevôté, misérable ! Messieurs les sergents à verge, vous me menerez ce drôle au pilori de la Grève, vous le battrez et vous le tournerez une heure. Il me le paiera, tête-Dieu ! et je veux qu'il soit fait un cri du présent jugement, avec assistance de quatre trompettes-jurés, dans les sept châtellenies de la vicomté de Paris.

Le greffier se mit à rédiger incontinent le jugement.

— Ventre-Dieu ! que voilà qui est bien jugé ! s'écria de son coin le petit écolier Jehan Frollo du Moulin.

Le prevôt se retourna, et fixa de nouveau sur Quasimodo ses yeux étincelants. — Je crois que le drôle a dit *ventre-Dieu !* Greffier, ajoutez douze deniers parisis d'amende pour jurement, et que la fabrique de Saint-Eustache en aura la moitié. J'ai une dévotion particulière à Saint-Eustache.

En quelques minutes, le jugement fut dressé. La teneur en était simple et brève. La coutume de la prevôté et vicomté de Paris n'avait pas encore été travaillée par le président Thibaut Baillet et par Roger Barmne[2], l'avocat

---

1. Baguettes flexibles comme les branches du houx. **2.** Sauval (III, 514) donne aux comptes de 1511 le nom de ces deux commissaires du Parlement chargés « d'arrester les coutumes générales et locales » : l'époque codifie le droit coutumier en droit écrit qui rationalise les symboles. La position de Hugo, hostile à l'administration et aux règlements, est à l'opposé de Michelet, qui voit au XVIe siècle la désymbolisation religieuse suivre celle du droit entamée au XIVe par la mise en rédaction du taillis des coutumes.

du roi ; elle n'était pas obstruée alors par cette haute futaie de chicanes et de procédures que les deux jurisconsultes y plantèrent au commencement du seizième siècle. Tout y était clair, expéditif, explicite. On y cheminait droit au but, et l'on apercevait tout de suite au bout de chaque sentier, sans broussailles et sans détour, la roue, le gibet ou le pilori. On savait du moins où l'on allait.

Le greffier présenta la sentence au prevôt, qui y apposa son sceau et sortit pour continuer sa tournée dans les auditoires, avec une disposition d'esprit qui dut peupler, ce jour-là, toutes les geôles de Paris. Jehan Frollo et Robin Poussepain riaient sous cape. Quasimodo regardait le tout d'un air indifférent et étonné.

Cependant le greffier, au moment où maître Florian Barbedienne lisait à son tour le jugement pour le signer, se sentit ému de pitié pour le pauvre diable de condamné, et, dans l'espoir d'obtenir quelque diminution de peine, il s'approcha le plus près qu'il put de l'oreille de l'auditeur, et lui dit en lui montrant Quasimodo : — Cet homme est sourd.

Il espérait que cette communauté d'infirmité éveillerait l'intérêt de maître Florian en faveur du condamné. Mais d'abord, nous avons déjà observé que maître Florian ne se souciait pas qu'on s'aperçût de sa surdité. Ensuite, il avait l'oreille si dure qu'il n'entendit pas un mot de ce que lui dit le greffier ; pourtant, il voulut avoir l'air d'entendre, et répondit : — Ah ! ah ! c'est différent ; je ne savais pas cela. Une heure de pilori de plus, en ce cas.

Et il signa la sentence ainsi modifiée.

— C'est bien fait, dit Robin Poussepain, qui gardait une dent à Quasimodo ; cela lui apprendra à rudoyer les gens.

II

LE TROU AUX RATS

Que le lecteur nous permette de le ramener à la place de Grève, que nous avons quittée hier avec Gringoire pour suivre la Esmeralda.

Il est dix heures du matin ; tout y sent le lendemain de fête. Le pavé est couvert de débris ; rubans, chiffons, plumes des panaches, gouttes de cire des flambeaux, miettes de la ripaille publique. Bon nombre de bourgeois *flanent*, comme nous disons, çà et là, remuant du pied les tisons éteints du feu de joie, s'extasiant devant la Maison-aux-Piliers, au souvenir des belles tentures de la veille, et regardant aujourd'hui les clous, dernier plaisir. Les vendeurs de cidre et de cervoise roulent leur barrique à travers les groupes. Quelques passants affairés vont et viennent. Les marchands causent et s'appellent du seuil des boutiques. La fête, les ambassadeurs, Coppenole, le pape des fous, sont dans toutes les bouches ; c'est à qui glosera le mieux et rira le plus. Et cependant quatre sergents à cheval, qui viennent de se poster aux quatre côtés du pilori, ont déjà concentré autour d'eux une bonne portion du *populaire* épars sur la place qui se condamne à l'immobilité et à l'ennui, dans l'espoir d'une petite exécution.

Si maintenant le lecteur, après avoir contemplé cette scène vive et criarde qui se joue sur tous les points de la place, porte ses regards vers cette antique maison demi-gothique, demi-romane, de la Tour-Roland, qui fait le coin du quai au couchant, il pourra remarquer à l'angle de la façade un gros bréviaire public à riches enluminures [1], garanti de la pluie par un petit auvent, et des voleurs par un grillage qui permet toutefois de le feuilleter. À côté de ce bréviaire est une étroite lucarne ogive, fermée de deux barreaux de fer en croix, donnant sur la place ; seule

1. Illustrations en couleurs des manuscrits sur parchemin ; l'importance accordée aux initiales permettait un repérage commode des parties du texte.

ouverture qui laisse arriver un peu d'air et de jour à une petite cellule sans porte pratiquée au rez-de-chaussée dans l'épaisseur du mur de la vieille maison, et pleine d'une paix d'autant plus profonde, d'un silence d'autant plus morne qu'une place publique, la plus populeuse et la plus bruyante de Paris, fourmille et glapit à l'entour.

Cette cellule était célèbre dans Paris depuis près de trois siècles que madame Rolande de la Tour-Roland, en deuil de son père, mort à la croisade[1], l'avait fait creuser dans la muraille de sa propre maison pour s'y enfermer à jamais, ne gardant de son palais que ce logis dont la porte était murée et la lucarne ouverte, hiver comme été, donnant tout le reste aux pauvres et à Dieu. La désolée demoiselle avait en effet attendu vingt ans la mort dans cette tombe anticipée, priant nuit et jour pour l'âme de son père, dormant dans la cendre, sans même avoir une pierre pour oreiller, vêtue d'un sac noir, et ne vivant que de ce que la pitié des passants déposait de pain et d'eau sur le rebord de sa lucarne, recevant ainsi la charité après l'avoir faite. À sa mort, au moment de passer dans l'autre sépulcre, elle avait légué à perpétuité celui-ci aux femmes affligées, mères, veuves ou filles, qui auraient beaucoup à prier pour autrui ou pour elles, et qui voudraient s'enterrer vives dans une grande douleur ou dans une grande pénitence. Les pauvres de son temps lui avaient fait de belles funérailles de larmes et de bénédictions ; mais, à leur grand regret, la pieuse fille n'avait pu être canonisée sainte[2], faute de protections. Ceux d'entre eux qui étaient un peu impies avaient espéré que la chose se ferait en paradis plus aisément qu'à Rome, et avaient tout bonnement prié Dieu pour la défunte à défaut du pape. La plupart s'étaient contentés de tenir la mémoire de Rolande pour sacrée et de faire reliques de ses haillons. La ville, de son côté, avait fondé, à l'intention de la damoiselle,

---

1. Le XIIe siècle est en effet l'époque héroïque des Croisades.
2. Ce quasi pléonasme est dû non pas à l'ignorance de Hugo, mais à son souci de faire entendre la « naïveté » des pauvres, face à la morgue des doctes. Une variante du manuscrit, au beau moment des difficultés de Lamennais, indique le lieu du blocage : « à Rome ».

un bréviaire public[1] qu'on avait scellé près de la lucarne de la cellule, afin que les passants s'y arrêtassent de temps à autre, ne fût-ce que pour prier, que la prière fît songer à l'aumône, et que les pauvres recluses, héritières du caveau de madame Rolande, n'y mourussent pas tout-à-fait de faim et d'oubli.

Ce n'était pas du reste chose très-rare dans les villes du moyen-âge que cette espèce de tombeaux. On rencontrait souvent, dans la rue la plus fréquentée, dans le marché le plus bariolé et le plus assourdissant, tout au beau milieu, sous les pieds des chevaux, sous la roue des charrettes en quelque sorte, une cave, un puits, un cabanon muré et grillé au fond duquel priait jour et nuit un être humain, volontairement dévoué à quelque lamentation éternelle, à quelque grande expiation. Et toutes les réflexions qu'éveillerait en nous aujourd'hui cet étrange spectacle ; cette horrible cellule, sorte d'anneau intermédiaire de la maison et de la tombe, du cimetière et de la cité ; ce vivant retranché de la communauté humaine et compté désormais chez les morts ; cette lampe consumant sa dernière goutte d'huile dans l'ombre ; ce reste de vie vacillant dans une fosse ; ce souffle, cette voix, cette prière éternelle dans une boîte de pierre ; cette face à jamais tournée vers l'autre monde, cet œil déjà illuminé d'un autre soleil ; cette oreille collée aux parois de la tombe ; cette âme prisonnière dans ce corps, ce corps prisonnier dans ce cachot, et sous cette double enveloppe de chair et de granit le bourdonnement de cette âme en peine ; rien de tout cela n'était perçu par la foule. La piété peu raisonneuse et peu subtile de ce temps-là ne voyait pas tant de facettes à un acte de religion. Elle prenait la chose en bloc ; et honorait, vénérait, sanctifiait au besoin le sacrifice, mais n'en analysait pas les souffrances et s'en apitoyait médiocrement. Elle apportait de temps en temps quelque pitance au misérable pénitent, regardait par le trou s'il vivait encore, ignorait son nom, savait à peine depuis combien d'années il avait commencé à mourir, et

---

1. Sauval (II, 635) est la source de ces bréviaires publics, mais à l'intérieur de la cathédrale et du cloître, pour « chapelains et pauvres prêtres ».

à l'étranger qui les questionnait sur le squelette vivant qui pourrissait dans cette cave, les voisins répondaient simplement, si c'était un homme : — « C'est le reclus ; » si c'était une femme : — « C'est la recluse. »

On voyait tout ainsi alors, sans métaphysique, sans exagération, sans verre grossissant, à l'œil nu. Le microscope n'avait pas encore été inventé, ni pour les choses de la matière, ni pour les choses de l'esprit.

D'ailleurs, bien qu'on s'en émerveillât peu, les exemples de cette espèce de claustration au sein des villes étaient, en vérité, fréquents, comme nous le disions tout-à-l'heure. Il y avait dans Paris assez bon nombre de ces cellules à prier Dieu et à faire pénitence ; elles étaient presque toutes occupées. Il est vrai que le clergé ne se souciait pas de les laisser vides, ce qui impliquait tiédeur dans les croyants, et qu'on y mettait des lépreux quand on n'avait pas de pénitents [1]. Outre la logette de la Grève, il y en avait une à Montfaucon, une au Charnier des Innocents ; une autre je ne sais plus où, au logis Clichon, je crois ; d'autres encore à beaucoup d'endroits où l'on en retrouve la trace dans les traditions, à défaut des monuments. L'Université avait aussi les siennes. Sur la montagne Sainte-Geneviève une espèce de Job [2] du moyen-âge chanta pendant trente ans les sept psaumes de la pénitence [3] sur un fumier au fond d'une citerne, recommençant quand il avait fini, psalmodiant plus haut la nuit, *magna voce per umbras* [4], et aujourd'hui

---

1. L'histoire religieuse et sociale d'aujourd'hui ne contredit pas cette ouverture polémique sur les rapports entre la réclusion volontaire et les rituels sociologiques de ségrégation. Aux XIVe et XVe siècles, l'endémicité de la lèpre s'est estompée devant les ravages de la peste (et de la tuberculose). **2.** Dans la Bible, patriarche abandonné de tout et de tous, qui ne cesse de chanter sa foi. Le livre de Job précède immédiatement les Psaumes. **3.** La Pénitence est l'un des sept sacrements de l'Église catholique, celui de la confession et de l'absolution des péchés. Parmi les Psaumes, principalement attribués par la tradition à David, l'Église en affecte sept à cette supplication de la pitié de Dieu (6, 31, 37, 50, 101, 129, 142). **4.** « De sa grande voix au travers des ombres » ; souvenir de Virgile (*Énéide*, VI, 619), où Phlégyas, père des Lapithes, et le plus malheureux d'entre eux pour avoir incendié le temple de Delphes, clame aux Enfers son avertissement de craindre la vengeance des dieux.

l'antiquaire[1] croit entendre encore sa voix en entrant dans la rue du *Puits-qui-parle*[2].

Pour nous en tenir à la loge de la Tour-Roland, nous devons dire qu'elle n'avait jamais chômé de recluses. Depuis la mort de madame Rolande, elle avait été rarement une année ou deux vacante. Maintes femmes étaient venues y pleurer jusqu'à la mort des parents, des amants, des fautes. La malice parisienne, qui se mêle de tout, même des choses qui la regardent le moins, prétendait qu'on y avait vu peu de veuves.

Selon la mode de l'époque, une légende latine, inscrite sur le mur, indiquait au passant lettré la destination pieuse de cette cellule. L'usage s'est conservé jusqu'au milieu du seizième siècle d'expliquer un édifice par une brève devise écrite au-dessus de la porte. Ainsi on lit encore en France, au-dessus du guichet de la prison de la maison seigneuriale de Tourville[3] : *Sileto et spera* ; en Irlande, sous l'écusson qui surmonte la grande porte du château de Fortescue : *Forte scutum, salus ducum*[4] ; en Angleterre, sur l'entrée principale du manoir hospitalier des comtes Cowper : *Tuum est*[5]. C'est qu'alors tout édifice était une pensée.

Comme il n'y avait pas de porte à la cellule murée de la Tour-Roland, on avait gravé en grosses lettres romanes, au-dessus de la fenêtre, ces deux mots :

TU, ORA[6].

Ce qui fait que le peuple, dont le bon sens ne voit pas tant de finesse dans les choses, et traduit volontiers *Ludovico*

---

1. Historien, archéologue, curieux, attaché à la restitution des réalités du passé. **2.** Actuellement rue Amyot, au sud du lycée Henri-IV. **3.** Il ne s'agit pas de la famille de l'amiral qui réorganisa la marine sous Louis XIV, et qui était normand, mais des seigneurs d'un bourg bien conservé, Le Crozet, près de La Pacaudière, à une vingtaine de km au nord-ouest de Roanne, qui avait ébloui Hugo en août 1825. Devise : « Silence ! Et espère ! » **4.** « Fort Écu, salut des ducs » : Robert le Fort, compagnon de Guillaume le Conquérant, duc de Normandie, l'avait sauvé à Hastings en le couvrant de son bouclier, et avait reçu de lui son nouveau nom. L'un de ses descendants fut vice-roi d'Irlande (1839-1841). **5.** « Il est à toi. » L'un des comtes Cowper fut grand chancelier de la reine Anne, et se signala autant par son humanité et sa droiture que par son habileté. **6.** « Toi, prie ! »

Magno par *Porte Saint-Denis*, avait donné à cette cavité noire, sombre et humide, le nom de *Trou-aux-Rats*. Explication moins sublime peut-être que l'autre, mais en revanche plus pittoresque[1].

III

HISTOIRE D'UNE GALETTE AU LEVAIN DE MAÏS [2]

À l'époque où se passe cette histoire, la cellule de la Tour-Roland était occupée. Si le lecteur désire savoir par qui, il n'a qu'à écouter la conversation de trois braves commères qui, au moment où nous avons arrêté son attention sur le Trou-aux-Rats, se dirigeaient précisément du même côté, en remontant du Châtelet vers la Grève, le long de l'eau.

Deux de ces femmes étaient vêtues en bonnes bourgeoises de Paris. Leur fine gorgerette[3] blanche, leur jupe de tiretaine rayée, rouge et bleue ; leurs chausses de tricot blanc, à coins[4] brodés en couleur, bien tirées sur la jambe ; leurs souliers carrés de cuir fauve à semelles noires, et surtout leur coiffure, cette espèce de corne de clinquant surchargée de rubans et de dentelles que les Champenoises portent encore, concurremment avec les grenadiers de la garde impériale russe[5], annonçaient qu'elles appar-

---

1. Il y a sans doute de la sublimité dans l'aspiration de la prière à Dieu (comme dans la dédicace de la Porte Saint-Denis à Louis XIV ?), mais le réalisme sociologique des trous aux rats (ou des enceintes et limites des villes et faubourgs) fait du pittoresque une voie de vérité. **2.** Ce titre a remplacé *Histoire de l'enfant de la fille de joie*. La galette peut faire songer au *Petit Chaperon rouge* et à son loup, avenir du « gros lion » Eustache. Le levain de maïs reste énigmatique : ironie de l'exotisme éventuellement anachronique, turc, indien ou américain ? **3.** Collerette, avec ce qu'il faut de prolongement vers la gorge. **4.** Ornement du bas, en forme de pointe, à hauteur de la cheville. **5.** Satire cocasse des temps et des lieux (le XVe siècle, l'invasion de 1815, l'époque contemporaine, Reims, la Russie), et de l'éternité du désir de mode. Peut-être une source de la casquette de Charles Bovary, chez Flaubert.

tenaient à cette classe de riches marchandes qui tient le milieu entre ce que les laquais appelle *une femme* et ce qu'ils appellent *une dame*. Elles ne portaient ni bagues, ni croix d'or, et il était aisé de voir que ce n'était pas chez elles pauvreté, mais tout ingénument peur de l'amende. Leur compagne était attifée[1] à peu près de la même manière, mais il y avait dans sa mise et dans sa tournure ce je ne sais quoi qui sent la femme de notaire de province. On voyait, à la manière dont sa ceinture lui remontait au-dessus des hanches, qu'elle n'était pas depuis long-temps à Paris. Ajoutez à cela une gorgerette plissée, des nœuds de rubans sur les souliers, que les raies de la jupe étaient dans la largeur et non dans la longueur, et mille autres énormités dont s'indignait le bon goût.

Les deux premières marchaient de ce pas particulier aux Parisiennes qui font voir Paris à des provinciales. La provinciale tenait à sa main un gros garçon qui tenait à la sienne une grosse galette.

Nous sommes fâché d'avoir à ajouter que, vu la rigueur de la saison, il faisait de sa langue son mouchoir.

L'enfant se faisait traîner, *non passibus œquis*[2] comme dit Virgile, et trébuchait à chaque moment, au grand récri de sa mère. Il est vrai qu'il regardait plus la galette que le pavé. Sans doute quelque grave motif l'empêchait d'y mordre (à la galette), car il se contentait de la considérer tendrement. Mais la mère eût dû se charger de la galette. Il y avait cruauté à faire un Tantale[3] du gros joufflu.

Cependant les trois damoiselles (car le nom de *dames* était réservé alors aux femmes nobles) parlaient à la fois.

— Dépêchons-nous, damoiselle Mahiette[4], disait la plus jeune des trois, qui était aussi la plus grosse, à la provinciale. J'ai grand'peur que nous n'arrivions trop

---

1. L'attifet est au XVIe siècle un bonnet à corne sur le devant. *Attifer* s'applique à tout ornement de la coiffure. Par extension, à tout l'habillement. Par métaphore, à tout ornement. Régnier, dans sa Satire IX contre Malherbe et son école, a probablement inspiré à Hugo ce terme de caricature. **2.** « À pas inégaux », comme le petit Iule trébuchant à suivre son père Énée qui fuit l'incendie de Troie (Virgile, *Énéide*, II, 274). **3.** Dont le supplice aux Enfers consiste en la présence d'une eau qu'il ne peut boire et de fruits qu'il ne peut manger. **4.** Féminin de Mathieu.

tard ; on nous disait, au Châtelet, qu'on allait le mener tout de suite au pilori.

— Ah, bah ! que dites-vous donc là, damoiselle Oudarde Musnier ? reprenait l'autre parisienne. Il restera deux heures au pilori. Nous avons le temps. — Avez-vous jamais vu pilorier, ma chère Mahiette ?

— Oui, dit la provinciale, à Reims.

— Ah, bah ! qu'est-ce que c'est que ça, votre pilori de Reims ? Une méchante cage où l'on ne tourne que des paysans. Voilà grand'chose !

— Que des paysans ! dit Mahiette, au Marché-aux-Draps ! à Reims ! Nous y avons vu de fort beaux criminels, et qui avaient tué père et mère ! Des paysans ! pour qui nous prenez-vous, Gervaise ?

Il est certain que la provinciale était sur le point de se fâcher, pour l'honneur de son pilori. Heureusement la discrète damoiselle Oudarde Musnier détourna à temps la conversation.

— À propos, damoiselle Mahiette, que dites-vous de nos ambassadeurs flamands ? en avez-vous d'aussi beaux à Reims ?

— J'avoue, répondit Mahiette, qu'il n'y a que Paris pour voir des flamands comme ceux-là.

— Avez-vous vu dans l'ambassade ce grand ambassadeur qui est chaussetier ? demanda Oudarde.

— Oui, dit Mahiette. Il a l'air d'un Saturne[1].

— Et ce gros dont la figure ressemble à un ventre nu ? reprit Gervaise. Et ce petit qui a de petits yeux bordés d'une paupière rouge, ébarbillonnée[2] et déchiquetée comme une tête de chardon[3] ?

— Ce sont leurs chevaux qui sont beaux à voir, dit Oudarde, vêtus comme ils sont à la mode de leur pays !

— Ah ! ma chère, interrompit la provinciale Mahiette, prenant à son tour un air de supériorité, qu'est-ce que vous diriez donc si vous aviez vu, en 61, au sacre de

---

1. Fils du Ciel et de la Terre, ce Kronos grec, père des dieux de l'Olympe, devait les dévorer à leur naissance. **2.** Comme déchirée à l'hameçon. **3.** Emprunt désinvolte à la description de la porte de l'hôtel de Bourbon, dont le maître avait fondé l'ordre du Chardon (Sauval, II, 210).

Reims, il y a dix-huit ans[1], les chevaux des princes et de la compagnie du roi ? Des houssures et caparaçons[2] de toutes sortes ; les uns de drap de Damas, de fin drap d'or, fourrés[3] de martres zibelines ; les autres, de velours, fourrés de pennes[4] d'hermine ; les autres, tout chargés d'orfévrerie et de grosses campanes[5] d'or et d'argent ! Et la finance que cela avait coûté ! Et les beaux enfants pages qui étaient dessus !

— Cela n'empêche pas, répliqua sèchement damoiselle Oudarde, que les flamands ont de fort beaux chevaux, et qu'ils ont fait hier un souper superbe chez monsieur le prevôt des marchands, à l'Hôtel-de-Ville, où on leur a servi des dragées, de l'hypocras[6], des épices[7] et autres singularités.

— Que dites-vous là, ma voisine ! s'écria Gervaise. C'est chez monsieur le cardinal, au Petit-Bourbon, que les flamands ont soupé.

— Non pas. À l'Hôtel-de-Ville !

— Si fait. Au Petit-Bourbon.

— C'est si bien à l'Hôtel-de-Ville, reprit Oudarde avec aigreur, que le docteur Scourable leur a fait une harangue en latin, dont ils sont demeurés fort satisfaits. C'est mon mari, qui est libraire-juré, qui me l'a dit.

— C'est si bien au Petit-Bourbon, répondit Gervaise non moins vivement, que voici ce que leur a présenté le procureur de monsieur le cardinal : Douze doubles quarts d'hypocras blanc, clairet et vermeil ; vingt-quatre layettes[8] de massepain double de Lyon doré ; autant de torches de deux livres pièce ; et six demi-queues[9] de vin de Beaune, blanc et clairet[10], le meilleur qu'on ait pu trou-

---

1. L'exactitude de la date du sacre rend impossible ici une erreur du romancier. Il y a bien en 1482 ou 1483 vingt et un ou vingt-deux ans que Louis XI est roi ; on ne peut imaginer que Mahiette ne sache pas compter ; on en conclut qu'elle rêve à ses propres dix-huit ans, qui la font presque contemporaine de la Chantefleurie de 1461, alors qu'elle a « deux fois dix-huit ans ». **2.** Quasi synonymes pour désigner les harnachements de tournois ou de cérémonie pour les chevaux, le second plus relevé, se rapprochant plutôt de l'armure. **3.** Doublés de fourrure. **4.** Queues noires. **5.** Passementeries en forme de clochettes. **6.** Vin sucré de miel et épicé. **7.** Friandises d'après repas, comme dragées et confitures. **8.** Boîtes. **9.** Tonneau qui contient environ 230 litres. **10.** Rouge assez clair.

ver. J'espère que cela est positif. Je le tiens de mon mari, qui est cinquantenier[1] au Parloir-aux-Bourgeois, et qui faisait ce matin la comparaison des ambassadeurs flamands avec ceux du Prete-Jan[2] et de l'empereur de Trébisonde[3], qui sont venus de Mésopotamie à Paris, sous le dernier roi, et qui avaient des anneaux aux oreilles.

— Il est si vrai qu'ils ont soupé à l'Hôtel-de-Ville, répliqua Oudarde, peu émue de cet étalage, qu'on n'a jamais vu un tel triomphe de viandes et de dragées.

— Je vous dis, moi, qu'ils ont été servis par le Sec, sergent de la ville, à l'Hôtel du Petit-Bourbon, et que c'est là ce qui vous trompe.

— À l'Hôtel-de-Ville, vous dis-je !

— Au Petit-Bourbon, ma chère ! si bien qu'on avait illuminé en verres magiques le mot *Espérance* qui est écrit sur le grand portail.

— À l'Hôtel-de-Ville ! à l'Hôtel-de-Ville ! Même que Husson-le-Voir jouait de la flûte !

— Je vous dis que non !

— Je vous dis que si.

— Je vous dis que non.

La bonne grosse Oudarde se préparait à répliquer, et la querelle en fût peut-être venue aux coiffes, si Mahiette ne se fût écriée tout-à-coup : Voyez donc ces gens qui sont attroupés là-bas au bout du pont ! Il y a au milieu d'eux quelque chose qu'ils regardent.

— En vérité, dit Gervaise, j'entends tambouriner. Je

---

1. Chef d'une troupe municipale de cinquante hommes. Il y en avait deux par quartier. **2.** Le Prêtre Jean, souverain légendaire d'un empire asiatique plus ou moins mongol ou indien, chef d'une chrétienté nestorienne aux XIIe et XIIIe siècles. Le nom s'est ensuite appliqué au souverain d'Éthiopie, qui se voulait descendant de Salomon et de la reine de Saba. L'ambassadeur du Prete-Jan était Hanse, « grand clerc et bon astronomien ». **3.** Au nord-est de la Turquie, sur la mer Noire, capitale de l'empire des Comnène de 1204 à 1461, au carrefour des routes de l'Orient. Cette accumulation baroque d'exotismes historiques est de l'ordre de la comédie de mœurs comme de l'histoire des mentalités. Mais la source est Sauval, II, 86, qui rapporte l'ambassade bien réelle, en mai 1461, auprès de Charles VII, de cette constellation de princes d'Orient autour de Louis de Boulogne, patriarche d'Antioche, demandant en vain, avec le pape Pie II, de l'aide contre le Turc, mais comblés de présents et d'honneurs.

crois que c'est la petite Smeralda qui fait ses momeries avec sa chèvre. Eh vite, Mahiette ! doublez le pas, et traînez votre garçon. Vous êtes venue ici pour visiter les curiosités de Paris. Vous avez vu hier les flamands ; il faut voir aujourd'hui l'égyptienne.

— L'égyptienne ! dit Mahiette en rebroussant brusquement chemin, et en serrant avec force le bras de son fils. Dieu m'en garde ! elle me volerait mon enfant ! — Viens, Eustache !

Et elle se mit à courir sur le quai vers la Grève, jusqu'à ce qu'elle eût laissé le pont bien loin derrière elle. Cependant l'enfant, qu'elle traînait, tomba sur les genoux : elle s'arrêta essoufflée. Oudarde et Gervaise la rejoignirent.

— Cette égyptienne vous voler votre enfant ! dit Gervaise. Vous avez là une singulière fantaisie.

Mahiette hochait la tête d'un air pensif.

— Ce qui est singulier, observa Oudarde, c'est que la sachette a la même idée des égyptiennes.

— Qu'est-ce que c'est que la sachette[1] ? dit Mahiette.

— Hé ! dit Oudarde, sœur Gudule[2].

— Qu'est-ce que c'est, reprit Mahiette, que sœur Gudule ?

— Vous êtes bien de votre Reims, de ne pas savoir cela ! répondit Oudarde. C'est la recluse du Trou-aux-Rats.

---

1. La congrégation des Frères de la Pénitence de Jésus-Christ, instituée par Saint Louis et supprimée dès le XIVe siècle, dits Frères sachets à cause du dénuement de leur habit, a donné ce nom à une communauté de femmes installée près du cimetière Saint-André, qui n'a jamais été reconnue. « Sœur Gudule », recluse toute individuelle, est donc comme une survivance des austérités pénitentielles de jadis. *Cf.* Du Breul, 345-346. **2.** Patronne de Bruxelles, sainte Gudule, morte en 712, se signala par d'extrêmes austérités, qui empêchèrent le diable d'éteindre sa petite lanterne. L'Église la fêtait le 8 janvier — en même temps que sainte Adèle de Flandres, patronne de Mme V. Hugo —, deux jours après les Rois. Son corps fut transféré en 1047 dans l'église Saint-Michel, dont la reconstruction s'étendit jusqu'à la fin du XVe siècle, époque où Philippe le Bon, duc de Bourgogne, avait établi sa résidence à Bruxelles, lui ouvrant un destin de capitale, que sanctionnèrent la révolution belge de 1830 et l'indépendance de 1831. Collin de Plancy la fait parente de Charlemagne et fille de sainte Amalberge. Il date sa mort de 670, et la nomme Gaule.

— Comment ! demanda Mahiette, cette pauvre femme à qui nous portons cette galette ?

Oudarde fit un signe de tête affirmatif.

— Précisément. Vous allez la voir tout-à-l'heure à sa lucarne sur la Grève. Elle a le même regard que vous sur ces vagabonds d'Égypte qui tambourinent et disent la bonne aventure au public. On ne sait pas d'où lui vient cette horreur des zingari[1] et des égyptiens. Mais vous, Mahiette, pourquoi donc vous sauvez-vous ainsi, rien qu'à les voir ?

— Oh ! dit Mahiette en saisissant entre ses deux mains la tête ronde de son enfant, je ne veux pas qu'il m'arrive ce qui est arrivé à Paquette-la-Chantefleurie.

— Ah ! voilà une histoire que vous allez nous conter, ma bonne Mahiette, dit Gervaise en lui prenant le bras.

— Je veux bien, répondit Mahiette ; mais il faut que vous soyez bien de votre Paris, pour ne pas savoir cela ! Je vous dirai donc, — mais il n'est pas besoin de nous arrêter pour conter la chose, — que Paquette-la-Chantefleurie était une jolie fille de dix-huit ans quand j'en étais une aussi, c'est-à-dire, il y a dix-huit ans, et que c'est sa faute si elle n'est pas aujourd'hui comme moi, une bonne grosse fraîche mère de trente-six ans, avec un homme et un garçon. Au reste, dès l'âge de quatorze ans, il n'était plus temps ! — C'était donc la fille de Guybertaut, menestrel de bateaux à Reims, le même qui avait joué devant le roi Charles VII, à son sacre[2], quand il descendit notre rivière de Vesle depuis Sillery jusqu'à Muison[3] ; que même madame la Pucelle était dans le bateau. Le vieux père mourut que Paquette était encore tout enfant ; elle n'avait donc plus que sa mère, sœur de monsieur Matthieu Pradon, maître dinandinier et chaudronnier, à Paris, rue Parin-Garlin, lequel est mort l'an passé. Vous voyez qu'elle était de famille[4]. La mère était une bonne femme, par malheur, et n'apprit rien à Paquette qu'un peu

---

1. Ou Tsiganes, en italien. Leurs rapports mystiques avec l'Égypte et ses mystères leur donnent en anglais le nom de gypsies. **2.** En 1430, avec Jeanne d'Arc. **3.** Une bonne vingtaine de kilomètres d'est en ouest, d'amont en aval de Reims. **4.** Institution cohérente avec celle des métiers, des corporations.

de doreloterie et de bimbeloterie[1] qui n'empêchait pas la petite de devenir fort grande et de rester fort pauvre. Elles demeuraient toutes deux à Reims, le long de la rivière, rue de Folle-Peine. Notez ceci ; je crois que c'est ce qui porta malheur à Paquette. En 61, l'année du sacre de notre roi Louis onzième que Dieu garde, Paquette était si gaie et si jolie qu'on ne l'appelait partout que la Chantefleurie. — Pauvre fille ! — Elle avait de jolies dents, elle aimait à rire pour les faire voir. Or, fille qui aime à rire s'achemine à pleurer ; les belles dents perdent les beaux yeux. C'était donc la Chantefleurie. Elle et sa mère gagnaient durement leur vie ; elles étaient bien déchues depuis la mort du ménétrier ; leur doreloterie ne leur rapportait guère plus de six deniers par semaine, ce qui ne fait pas tout-à-fait deux liards-à-l'aigle. Où était le temps que le père Guybertaut gagnait douze sols parisis dans un seul sacre avec une chanson ? Un hiver, — c'était en cette même année 61, — que les deux femmes n'avaient ni bûches ni fagots, et qu'il faisait très-froid, cela donna de si belles couleurs à la Chantefleurie, que les hommes l'appelaient : Paquette[2] ! que plusieurs l'appelèrent Paquerette ! et qu'elle se perdit. — Eustache ! que je te voie mordre dans la galette ! — Nous vîmes tout de suite qu'elle était perdue, un dimanche qu'elle vint à l'église avec une croix d'or au cou. — À quatorze ans ! Voyez-vous cela ? — Ce fut d'abord le jeune vicomte de Cormontreuil, qui a son clocher à trois quarts de lieue de Reims[3] ; puis messire Henri de Triancourt[4], chevaucheur du roi ; puis, moins que cela, Chiart de Beaulion, sergent d'armes ; puis, en descendant toujours, Guery Aubergeon,

---

1. Hugo joue des fragilités de la vertu d'enfance : la *doreloterie* était un genre de passementerie, la *bimbeloterie* est la fabrication des jouets, tout cela dans l'hypocoristique. **2.** Autre nom de la pâquerette, en pleine floraison vers Pâques. **3.** Au sud. Hugo se complaît dans la topographie de son voyage à Reims pour le sacre de Charles X. Les autres noms sont empruntés à Sauval, III, 529-530, comptes de 1355, non sans quelque complaisance dans la dégradation des noms et des fonctions, jusqu'au cuisinier, au bateleur violoneux peut-être ancêtre de l'idole des classiques, et à ce Thierry qui a été, avec Jehan Moubon, entrepreneur de travaux forcés (*ibid*, 480). **4.** Ou Tria*u*court (Meuse) ?

valet tranchant du roi ; puis, Macé de Frépus, barbier de monsieur le dauphin ; puis, Thévenin-le-Moine, queux-le-roi ; puis, toujours ainsi de moins jeune en moins noble, elle tomba à Guillaume Racine, menestrel de vielle ; et à Thierry-de-Mer, lanternier. Alors, pauvre Chantefleurie ! elle fut toute à tous ; elle était arrivée au dernier sou de sa pièce d'or[1]. Que vous dirai-je, mesdamoiselles ? Au sacre, dans la même année 61, c'est elle qui fit le lit du roi des ribauds ! — Dans la même année !

Mahiette soupira, et essuya une larme qui roulait dans ses yeux.

— Voilà une histoire qui n'est pas très-extraordinaire, dit Gervaise, et je ne vois pas en tout cela d'égyptiens ni d'enfants.

— Patience ! reprit Mahiette ; d'enfant, vous allez en voir un. — En 66, il y aura seize ans ce mois-ci à la Sainte-Paule[2], Paquette accoucha d'une petite fille. La malheureuse ! elle eut une grande joie ; elle désirait un enfant depuis long-temps. Sa mère, bonne femme qui n'avait jamais su que fermer les yeux, sa mère était morte. Paquette n'avait plus rien à aimer au monde, plus rien qui l'aimât. Depuis cinq ans qu'elle avait failli, c'était une pauvre créature que la Chantefleurie. Elle était seule, seule dans cette vie, montrée au doigt, criée par les rues, battue des sergents, moquée des petits garçons en guenilles. Et puis, les vingt ans étaient venus ; et vingt ans, c'est la vieillesse pour les femmes amoureuses. La folie commençait à ne pas lui rapporter plus que la doreloterie autrefois : pour une ride qui venait, un écu[3] s'en allait ; l'hiver lui redevenait dur, le bois se faisait derechef rare dans son cendrier[4] et le pain dans sa huche. Elle ne pouvait plus travailler, parce qu'en devenant voluptueuse elle était devenue paresseuse, et elle souffrait beaucoup plus, parce qu'en devenant paresseuse elle était devenue voluptueuse. — C'est du moins comme cela que monsieur le

---

1. Métaphore probable pour ce qui était « le bien le plus précieux d'une jeune fille ». **2.** Le 26 janvier. **3.** Trois francs, ou même six, somme considérable. **4.** Le terme, au manuscrit, remplace *âtre*, comme si la cendre avait pris possession de la cheminée.

curé de Saint-Remy[1] explique pourquoi ces femmes-là ont plus froid et plus faim que d'autres pauvresses, quand elles sont vieilles.

— Oui, observa Gervaise ; mais les égyptiens ?

— Un moment donc, Gervaise ! dit Oudarde, dont l'attention était moins impatiente. Qu'est-ce qu'il y aurait à la fin, si tout était au commencement ? Continuez, Mahiette, je vous prie. Cette pauvre Chantefleurie !

Mahiette poursuivit.

— Elle était donc bien triste, bien misérable, et creusait ses joues avec ses larmes. Mais dans sa honte, dans sa folie et dans son abandon, il lui semblait qu'elle serait moins honteuse, moins folle et moins abandonnée, s'il y avait quelque chose au monde ou quelqu'un qu'elle pût aimer ou qui pût l'aimer. Il fallait que ce fût un enfant, parce qu'un enfant seul pouvait être assez innocent pour cela. — Elle avait reconnu ceci après avoir essayé d'aimer un voleur, le seul homme qui pût vouloir d'elle ; mais au bout de peu de temps elle s'était aperçu que le voleur la méprisait. — À ces femmes d'amour il faut un amant ou un enfant pour leur remplir le cœur. Autrement elles sont bien malheureuses. Ne pouvant avoir d'amant, elle se tourna tout au désir d'un enfant, et, comme elle n'avait pas cessé d'être pieuse, elle en fit son éternelle prière au bon Dieu. Le bon Dieu eut donc pitié d'elle, et lui donna une petite fille. Sa joie, je ne vous en parle pas ; ce fut une furie de larmes, de caresses et de baisers. Elle allaita elle-même son enfant, lui fit des langes avec sa couverture, la seule qu'elle eût sur son lit, et ne sentit plus ni le froid ni la faim. Elle en redevint belle. Vieille fille fait jeune mère. La galanterie reprit ; on revint voir la Chantefleurie, elle retrouva chalands[2] pour sa marchandise, et de toutes ces horreurs elle fit des layettes, béguins[3] et baverolles[4], des brassières[5] de dentelles et des petits bonnets de satin, sans même songer à se racheter une couverture. — Monsieur Eustache, je vous ai déjà dit de ne pas manger la galette. — Il est sûr que la petite Agnès,

---

1. La plus ancienne des églises de Reims, avec le mausolée du saint qui baptisa Clovis. **2.** Clients. **3.** Bonnet qui ne laisse à découvert que le visage. **4.** Bavoirs. **5.** Chemise fine et courte.

— c'était le nom de l'enfant : nom de baptême ; car de nom de famille, il y a long-temps que la Chantefleurie n'en avait plus. — Il est certain que cette petite était plus emmaillotée de rubans et de broderies qu'une dauphine du Dauphiné[1] ! — Elle avait entre autres une paire de petits souliers, que le roi Louis XI n'en a certainement pas eu de pareils ! Sa mère les lui avait cousus et brodés elle-même, elle y avait mis toutes ses finesses de dorelotière et toutes les passequilles[2] d'une robe de bonne Vierge. — C'étaient bien les deux plus mignons souliers roses qu'on pût voir. Il étaient longs tout au plus comme mon pouce, et il fallait en voir sortir les petits pieds de l'enfant pour croire qu'ils avaient pu y entrer. Il est vrai que ces petits pieds étaient si petits, si jolis, si roses ! plus roses que le satin des souliers ! — Quand vous aurez des enfants, Oudarde, vous saurez que rien n'est plus joli que ces petits pieds et ces petites mains-là.

— Je ne demande pas mieux, dit Oudarde en soupirant, mais j'attends que ce soit le bon plaisir de monsieur Andry Musnier.

— Au reste, reprit Mahiette, l'enfant de Paquette n'avait pas que les pieds de joli. Je l'ai vue quand elle n'avait que quatre mois ; c'était un amour ! Elle avait les yeux plus grands que la bouche, et les plus charmants fins cheveux noirs, qui frisaient déjà. Cela aurait fait une fière brune, à seize ans ! Sa mère en devenait de plus en plus folle tous les jours. Elle la caressait, la baisait, la chatouillait, la lavait, l'attifait, la mangeait ! Elle en perdait la tête, elle en remerciait Dieu. Ses jolis pieds roses surtout, c'était un ébahissement sans fin, c'était un délire de joie ! elle y avait toujours les lèvres collées, et ne pouvait revenir de leur petitesse. Elle les mettait dans les petits souliers, les retirait, les admirait, s'en émerveillait, regardait le jour au travers, s'apitoyait de les essayer à la marche sur son lit, et eût volontiers passé sa vie à genoux, à chausser et à déchausser ces pieds-là comme ceux d'un Enfant-Jésus.

---

1. Le Dauphiné, annexé par Philippe VI en 1349, devint apanage du fils aîné du roi. Le titre de dauphin signifia essentiellement héritier présomptif du trône. Ici la féminisation et la remontée à la source jouent du « vrai de vrai », sorte de quintessence. **2.** Ou pampilles, éléments de surcharge de la broderie ?

— Le conte est bel et bon, dit à demi-voix la Gervaise ; mais où est l'Égypte dans tout cela ?

— Voici, répliqua Mahiette. Il arriva un jour à Reims des espèces de cavaliers fort singuliers. C'étaient des gueux et des truands qui cheminaient dans le pays, conduits par leur duc et par leurs comtes. Ils étaient basanés, avaient les cheveux tout frisés, et des anneaux d'argent aux oreilles. Les femmes étaient encore plus laides que les hommes. Elles avaient le visage plus noir et toujours découvert, un méchant roquet[1] sur le corps, un vieux drap tissu de cordes lié sur l'épaule, et la chevelure en queue de cheval. Les enfants qui se vautraient dans leurs jambes auraient fait peur à des singes. Une bande d'excommuniés. Tout cela venait en droite ligne de la Basse-Égypte à Reims par la Pologne. Le pape les avait confessés[2], à ce qu'on disait, et leur avait donné pour pénitence d'aller sept ans de suite dans le monde, sans coucher dans des lits ; aussi ils s'appelaient penanciers et puaient. Il paraît qu'ils avaient été autrefois Sarrasins, ce qui fait qu'ils croyaient à Jupiter, et qu'ils réclamaient dix livres tournois de tous archevêques, évêques et abbés crossés et mitrés. C'est une bulle du pape qui leur valait cela. Ils venaient à Reims dire la bonne aventure au nom du roi d'Alger et de l'empereur d'Allemagne. Vous pensez bien qu'il n'en fallut pas davantage pour qu'on leur interdît l'entrée de la ville. Alors toute la bande campa de bonne grâce près la porte de Braine[3], sur cette butte où il y a un moulin, à côté des trous des anciennes crayères. Et ce fut dans Reims à qui les irait voir. Ils vous regardaient dans la main et vous disaient des prophéties merveilleuses ; ils étaient de force à prédire à Judas[4] qu'il serait pape. Il courait

---

1. Ou rochet, qui désignait à l'origine une sorte de sarrau, tunique ou casaque. L'homonymie avec une variété de chien ajoute au mordant de la misère. **2.** Admis dans la confession catholique, en 1427. *Cf.* Sauval, I, 517-518. **3.** Vers l'ouest, en direction de Soissons. Mais le ms. donne « la Porte Dieu-de-lumière » (de Dieu-li-Mire, Dieu médecin, du nom de l'hôpital hors les murs) qui est tout à l'opposé, effectivement vers la butte au moulin de la Housse, en direction de Châlons. La « correction » fautive peut être due soit à un anticléricalisme sauvage, soit à une allusion scatologique au bren, à la brenne, soit au besoin de faire place aux monuments de Braine, entre Soissons et Reims, où Hugo soupa et coucha le 26 mai 1825. **4.** Le disciple roux qui vendit Jésus.

cependant sur eux de méchants bruits d'enfants volés, de bourses coupées et de chair humaine mangée. Les gens sages disaient aux fous : N'y allez pas, et y allaient de leur côté en cachette. C'était donc un emportement. Le fait est qu'ils disaient des choses à étonner un cardinal. Les mères faisaient grand triomphe de leurs enfants depuis que les égyptiennes leur avaient lu dans la main toutes sortes de miracles écrits en païen et en turc. L'une avait un empereur, l'autre un pape, l'autre un capitaine. La pauvre Chantefleurie fut prise de curiosité ; elle voulut savoir ce qu'elle avait, et si sa jolie petite Agnès ne serait pas un jour impératrice d'Arménie[1] ou d'autre chose. Elle la porta donc aux égyptiens ; et les égyptiennes d'admirer l'enfant, de la caresser, de la baiser avec leurs bouches noires, et de s'émerveiller sur sa petite main, hélas ! à la grande joie de la mère. Elles firent fête surtout aux jolis pieds et aux jolis souliers. L'enfant n'avait pas encore un an. Elle bégayait déjà, riait à sa mère comme une petite folle, était grasse et toute ronde, et avait mille charmants petits gestes des anges du paradis. Elle fut très-effarouchée des égyptiennes, et pleura. Mais la mère la baisa plus fort et s'en alla ravie de la bonne aventure que les devineresses avaient dite à son Agnès. Ce devait être une beauté, une vertu, une reine. Elle retourna donc dans son galetas[2] de la rue Folle-Peine, toute fière d'y rapporter une reine. Le lendemain elle profita d'un moment où l'enfant dormait sur son lit (car elle la couchait toujours avec elle), laissa tout doucement la porte entr'ouverte, et courut raconter à une voisine de la rue de la Séchesserie[3] qu'il viendrait un jour où sa fille Agnès serait servie à table par le roi d'Angleterre et l'archiduc d'Éthiopie, et cent autres surprises. À son retour, n'entendant pas de cris en montant son escalier, elle se dit : Bon ! l'enfant dort toujours. Elle trouva sa porte plus grande ouverte qu'elle ne l'avait laissée, elle entra pourtant, la pauvre mère, et courut au lit... — L'enfant n'y était plus, la place était vide. Il n'y avait

---

1. Sorte de bout du monde de la chrétienté, au-delà de l'empire Byzantin, soumise comme la Perse à la conquête islamique, dotée d'une active diaspora, l'Arménie, premier royaume christianisé, est le rêve oriental d'un empire à ressusciter. **2.** Logement sous les combles. **3.** Dans le prolongement ouest de la rue Folle-Peine.

plus rien de l'enfant, sinon un de ses jolis petits souliers. Elle s'élança hors de la chambre, se jeta au bas de l'escalier, et se mit à battre les murailles avec sa tête, en criant : — Mon enfant ! qui a mon enfant ? qui m'a pris mon enfant ? — La rue était déserte, la maison isolée ; personne ne put lui rien dire. Elle alla par la ville, elle fureta toutes les rues, courut çà et là la journée entière, folle, égarée, terrible, flairant aux portes et aux fenêtres comme une bête farouche qui a perdu ses petits. Elle était haletante, échevelée, effrayante à voir, et elle avait dans les yeux un feu qui séchait ses larmes. Elle arrêtait les passants et criait : — Ma fille ! ma fille ! ma jolie petite fille ! celui qui me la rendra ma fille, je serai sa servante, la servante de son chien, et il me mangera le cœur, s'il veut. — Elle rencontra monsieur le curé de Saint-Remy, et lui dit : Monsieur le curé, je labourerai la terre avec mes ongles, mais rendez-moi mon enfant ! — C'était déchirant, Oudarde ; et j'ai vu un homme bien dur, maître Ponce Lacabre, le procureur, qui pleurait. — Ah ! la pauvre mère ! — Le soir, elle rentra chez elle. Pendant son absence, une voisine avait vu deux égyptiennes y monter en cachette avec un paquet dans leurs bras, puis redescendre après avoir refermé la porte, et s'enfuir en hâte. Depuis leur départ, on entendait chez Paquette des espèces de cris d'enfant. La mère rit aux éclats, monta l'escalier comme avec des ailes, enfonça sa porte comme avec un canon d'artillerie, et entra... — Une chose affreuse, Oudarde ! Au lieu de sa gentille petite Agnès, si vermeille et si fraîche, qui était un don du bon Dieu, une façon de petit monstre, hideux, boiteux, borgne, contrefait, se traînait en piaillant sur le carreau. Elle cacha ses yeux avec horreur. — Oh ! dit-elle, est-ce que les sorcières auraient métamorphosé ma fille en cet animal effroyable ? — On se hâta d'emporter le petit pied-bot ; il l'aurait rendue folle. C'était un monstrueux enfant de quelque égyptienne donnée[1] au diable. Il paraissait avoir quatre ans environ, et parlait une langue qui n'était point une langue humaine ; c'était des mots qui ne sont pas possibles. — La Chantefleurie s'était jetée sur le petit soulier, tout ce qui lui restait de tout ce qu'elle avait aimé. Elle y demeura si long-temps immobile,

---

1. Adonnée.

muette, sans souffle, qu'on crut qu'elle y était morte. Tout-à-coup elle trembla de tout son corps, couvrit sa relique de baisers furieux, et se dégorgea en sanglots comme si son cœur venait de crever. Je vous assure que nous pleurions toutes aussi. Elle disait : Oh ! ma petite fille ! ma jolie petite fille ! où es-tu ? et cela vous tordait les entrailles. Je pleure encore d'y songer. Nos enfants, voyez-vous ? C'est la moelle de nos os. — Mon pauvre Eustache ! tu es si beau, toi ! Si vous saviez comme il est gentil ! Hier il me disait : je veux être gendarme, moi. Ô mon Eustache ! si je te perdais ! — La Chantefleurie se leva tout-à-coup, et se mit à courir dans Reims, en criant : — Au camp des égyptiens ! au camp des égyptiens ! Des sergents pour brûler les sorcières ! — Les égyptiens étaient partis. — Il faisait nuit noire. On ne put les poursuivre. Le lendemain, à deux lieues de Reims, dans une bruyère entre Gueux et Tilloy[1], on trouva les restes d'un grand feu, quelques rubans qui avaient appartenu à l'enfant de Paquette, des gouttes de sang et des crottins de bouc. La nuit qui venait de s'écouler était précisément celle d'un samedi. On ne douta plus que les égyptiens n'eussent fait le sabbat dans cette bruyère, et qu'ils n'eussent dévoré l'enfant en compagnie de Belzébuth, comme cela se pratique chez les mahométans. Quand la Chantefleurie apprit ces choses horribles, elle ne pleura pas, elle remua les lèvres comme pour parler, mais ne put. Le lendemain, ses cheveux étaient gris. Le surlendemain, elle avait disparu.

— Voilà en effet une effroyable histoire, dit Oudarde, et qui ferait pleurer un Bourguignon !

— Je ne m'étonne plus, ajouta Gervaise, que la peur des égyptiens vous talonne si fort !

— Et vous avez d'autant mieux fait, reprit Oudarde, de vous sauver tout-à-l'heure avec votre Eustache, que ceux-ci aussi sont des égyptiens de Pologne.

— Non pas, dit Gervaise. On dit qu'ils viennent d'Espagne et de Catalogne.

— Catalogne ? c'est possible, répondit Oudarde.

---

1. 5 km à l'ouest de Reims.

Pologne, Catalogne, Valogne[1], je confonds toujours ces trois provinces-là. Ce qui est sûr, c'est que ce sont des égyptiens.

— Et qui ont certainement, ajouta Gervaise, les dents assez longues pour manger des petits enfants. Et je ne serais pas surprise que la Sméralda en mangeât aussi un peu, tout en faisant la petite bouche. Sa chèvre blanche a des tours trop malicieux pour qu'il n'y ait pas quelque libertinage là-dessous.

Mahiette marchait silencieusement. Elle était absorbée dans cette rêverie qui est en quelque sorte le prolongement d'un récit douloureux, et qui ne s'arrête qu'après en avoir propagé l'ébranlement, de vibration en vibration, jusqu'aux dernières fibres du cœur. Cependant Gervaise lui adressa la parole : — Et l'on n'a pu savoir ce qu'est devenue la Chantefleurie ? Mahiette ne répondit pas. Gervaise répéta sa question en lui secouant le bras et en l'appelant par son nom. Mahiette parut se réveiller de ses pensées.

— Ce qu'est devenue la Chantefleurie ? dit-elle en répétant machinalement les paroles dont l'impression était toute fraîche dans son oreille ; puis faisant effort pour ramener son attention au sens de ces paroles : Ah ! reprit-elle vivement, on ne l'a jamais su.

Elle ajouta après une pause :

— Les uns ont dit l'avoir vue sortir de Reims à la brune[2] par la Porte-Fléchembault[3] ; les autres, au point du jour, par la vieille Porte-Basée[4]. Un pauvre a trouvé sa croix d'or accrochée à la croix de pierre dans la culture où se fait la foire[5]. C'est ce joyau qui l'avait perdue, en 61. C'était un don du beau vicomte de Cormontreuil, son premier amant. Paquette n'avait jamais voulu s'en défaire, si misérable qu'elle eût été. Elle y tenait comme

---

1. En Normandie, une vingtaine de kilomètres au sud de Cherbourg, ville jadis importante reprise par les Anglais en 1450, tout à fait déchue au XIXe siècle. **2.** À la fin du jour. **3.** Vers le sud, en direction de Cormontreuil. **4.** Ou Bazée, porte sud-sud-est de l'enceinte du Bas-Empire, absorbée dans la ville à la construction de la muraille du XIVe siècle. Ses vestiges sont dans le collège, à la jonction des rues de l'Université et du Barbâtre. **5.** Longue place au nord-ouest de la ville.

à la vie. Aussi, quand nous vîmes l'abandon de cette croix, nous pensâmes toutes qu'elle était morte. Cependant il y a des gens du Cabaret-les-Vautes[1] qui dirent l'avoir vue passer sur le chemin de Paris, marchant pieds nus sur les cailloux. Mais il faudrait alors qu'elle fût sortie par la porte de Vesle[2], et tout cela n'est pas d'accord. Ou, pour mieux dire, je crois bien qu'elle est sortie en effet par la porte de Vesle, mais sortie de ce monde.

— Je ne vous comprends pas, dit Gervaise.

— La Vesle, répondit Mahiette avec un sourire mélancolique, c'est la rivière.

— Pauvre Chantefleurie ! dit Oudarde en frissonnant, noyée !

— Noyée ! reprit Mahiette, et qui eût dit au bon père Guybertaut quand il passait sous le pont de Tinqueux[3] au fil de l'eau, en chantant dans sa barque, qu'un jour sa chère petite Paquette passerait aussi sous ce pont-là, mais sans chanson et sans bateau ?

— Et le petit soulier ? demanda Gervaise.

— Disparu avec la mère, répondit Mahiette.

— Pauvre petit soulier ! dit Oudarde.

Oudarde, grosse et sensible femme, se serait fort bien satisfaite à soupirer en compagnie avec Mahiette. Mais Gervaise, plus curieuse, n'était pas au bout de ses questions.

— Et le monstre ? dit-elle tout-à-coup à Mahiette.

— Quel monstre ? demanda celle-ci.

— Le petit monstre égyptien laissé par les sorcières chez la Chantefleurie en échange de sa fille. Qu'en avez-vous fait ? J'espère bien que vous l'avez noyé aussi.

— Non pas, répondit Mahiette.

— Comment ! brûlé alors ? Au fait, c'est plus juste. Un enfant sorcier !

— Ni l'un ni l'autre, Gervaise. Monsieur l'archevêque s'est intéressé à l'enfant de l'Égypte, l'a exorcisé, l'a

---

1. L'auberge des Vautes (crêpes épaisses) existait depuis le XVe siècle sur la commune de Muizon, à une dizaine de kilomètres à l'ouest de Reims, sur la route de Braine et de Soissons. **2.** Entre la cathédrale et la rivière. **3.** À la sortie de Reims vers Braine et Soissons.

béni, lui a ôté bien soigneusement le diable du corps, et l'a envoyé à Paris pour être exposé sur le lit de bois, à Notre-Dame, comme enfant trouvé [1].

— Ces évêques ! dit Gervaise en grommelant, parce qu'ils sont savants ils ne font rien comme les autres. Je vous demande un peu, Oudarde, mettre le diable aux enfants-trouvés ! car c'était bien sûr le diable que ce petit monstre. — Hé bien, Mahiette, qu'est-ce qu'on en a fait à Paris ? Je compte bien que pas une personne charitable n'en a voulu.

— Je ne sais pas, répondit la Rémoise ; c'est justement dans ce temps-là que mon mari a acheté le tabellionage de Beru [2], à deux lieues de la ville, et nous ne nous sommes plus occupés de cette histoire ; avec cela que devant Beru il y a les deux buttes de Cernay, qui vous font perdre de vue les clochers de la cathédrale de Reims.

Tout en parlant ainsi, les trois dignes bourgeoises étaient arrivées à la place de Grève. Dans leur préoccupation, elles avaient passé, sans s'y arrêter, devant le bréviaire public de la Tour-Roland, et se dirigeaient machinalement vers le pilori autour duquel la foule grossissait à chaque instant. Il est probable que le spectacle qui y attirait en ce moment tous les regards, leur eût fait complètement oublier le Trou-aux-Rats, et la station qu'elles s'étaient proposé d'y faire, si le gros Eustache de six ans, que Mahiette traînait à sa main, ne leur en eût rappelé brusquement l'objet : — Mère, dit-il, comme si quelque instinct l'avertissait que le Trou-aux-Rats était derrière lui, à présent puis-je manger le gâteau ?

Si Eustache eût été plus adroit, c'est-à-dire moins gourmand, il aurait encore attendu, et ce n'est qu'au retour, dans l'Université, au logis, chez maître Andry Musnier, rue Madame-la-Valence [3], lorsqu'il y aurait eu les deux bras de la Seine et les cinq ponts de la Cité entre le Trou-

---

1. Ce passage ayant été rédigé avant le livre IV, Hugo n'a pas effectué le raccord nécessaire au chapitre des « bonnes âmes ». **2.** Ou Berru, à une dizaine de km vers l'est ; Cernay à mi-chemin. **3.** Cette indication (Sauval, III, 126) corrige la mention, fautive, d'une « rue du bâtonnier », qui n'était que la rue du battouer » (= battoir). Elle donnait sur la Seine, entre les Augustins et le pont Saint-Michel.

aux-Rats et la galette, qu'il eût hasardé cette question timide : — Mère, à présent, puis-je manger le gâteau ?

Cette même question, imprudente au moment où Eustache la fit, réveilla l'attention de Mahiette.

— À propos, s'écria-t-elle, nous oublions la récluse ! Montrez-moi donc votre Trou-aux-Rats, que je lui porte son gâteau.

— Tout de suite, dit Oudarde, c'est une charité.

Ce n'était pas là le compte d'Eustache.

— Tiens, ma galette ! dit-il en heurtant alternativement ses deux épaules de ses deux oreilles, ce qui est en pareil cas le signe suprême du mécontentement.

Les trois femmes revinrent sur leurs pas, et arrivées près de la maison de la Tour-Roland, Oudarde dit aux deux autres : — Il ne faut pas regarder toutes trois à la fois dans le trou, de peur d'effaroucher la sachette. Faites semblant, vous deux, de lire *dominus* dans le bréviaire pendant que je mettrai le nez à la lucarne ; la sachette me connaît un peu. Je vous avertirai quand vous pourrez venir.

Elle alla seule à la lucarne. Au moment où sa vue y pénétra, une profonde pitié se peignit sur tous ses traits, et sa gaie et franche physionomie changea aussi brusquement d'expression et de couleur, que si elle eût passé d'un rayon de soleil à un rayon de lune ; son œil devint humide, sa bouche se contracta comme lorsqu'on va pleurer. Un moment après, elle mit un doigt sur ses lèvres et fit signe à Mahiette de venir voir.

Mahiette vint, émue, en silence et sur la pointe des pieds, comme lorsqu'on approche du lit d'un mourant.

C'était en effet un triste spectacle, que celui qui s'offrait aux yeux des deux femmes, pendant qu'elles regardaient sans bouger ni souffler à la lucarne grillée du Trou-aux-Rats.

La cellule était étroite, plus large que profonde, voûtée en ogive, et vue à l'intérieur ressemblait assez à l'alvéole d'une grande mître d'évêque. Sur la dalle nue qui en formait le sol, dans un angle, une femme était assise ou plutôt accroupie. Son menton était appuyé sur ses genoux, que ses deux bras croisés serraient fortement contre sa poitrine. Ainsi ramassée sur elle-même, vêtue d'un sac brun, qui l'enveloppait tout entière à larges plis, ses longs cheveux gris rabattus par devant, tombant sur son visage, le long de ses jambes jusqu'à ses pieds, elle ne présentait au premier aspect qu'une forme étrange, découpée sur le fond ténébreux de la cellule, une espèce de triangle noirâtre, que le rayon de jour venant de la lucarne tranchait crûment en deux nuances, l'une sombre, l'autre éclairée. C'était un de ces spectres mi-parties d'ombre et de lumière, comme on en voit dans les rêves et dans l'œuvre extraordinaire de Goya[1], pâles, immobiles, sinistres, accroupis sur une tombe ou adossés à la grille d'un cachot. Ce n'était ni une femme, ni un homme, ni un être vivant, ni une forme définie : c'était une figure ; une sorte de vision sur laquelle s'entrecoupaient le réel et le fantastique, comme l'ombre et le jour. À peine sous ses cheveux répandus jusqu'à terre distinguait-on un profil amaigri et sévère ; à peine sa robe laissait-elle passer l'extrémité d'un pied nu, qui se crispait sur le pavé rigide et gelé. Le peu de forme humaine qu'on entrevoyait sous cette enveloppe de deuil faisait frissonner.

Cette figure, qu'on eût crue scellée dans la dalle, paraissait n'avoir ni mouvement, ni pensée, ni haleine. Sous ce mince sac de toile, en janvier, gisante à nu sur un pavé de granit, sans feu, dans l'ombre d'un cachot dont le soupirail oblique ne laissait arriver du dehors que la bise et jamais le soleil, elle ne semblait pas souffrir, pas même sentir. On eût dit qu'elle s'était faite pierre avec le cachot, glace avec la saison. Ses mains étaient jointes, ses yeux étaient fixes. À la première vue on la prenait pour un spectre, à la seconde pour une statue.

Cependant par intervalles ses lèvres bleues s'entr'ouvraient à un souffle, et tremblaient ; mais aussi mortes et aussi machinales que des feuilles qui s'écartent au vent.

Cependant de ses yeux mornes s'échappait un regard, un regard ineffable, un regard profond, lugubre, imperturbable, incessamment fixé à un angle de la cellule qu'on ne pouvait voir du dehors ; un regard qui semblait ratta-

1. Peintre et graveur espagnol (1746-1828) ; la description de la sachette est faite d'après sa fameuse *Prisonnière*, plus ou moins contaminée par deux planches des *Caprices*.

cher toutes les sombres pensées de cette âme en détresse à je ne sais quel objet mystérieux.

Telle était la créature qui recevait de son habitacle le nom de *recluse* et de son vêtement le nom de *sachette*.

Les trois femmes, car Gervaise s'était réunie à Mahiette et à Oudarde, regardaient par la lucarne. Leur tête interceptait le faible jour du cachot, sans que la misérable qu'elles en privaient ainsi parût faire attention à elles. — Ne la troublons pas, dit Oudarde à voix basse, elle est dans son extase : elle prie.

Cependant Mahiette considérait avec une anxiété toujours croissante cette tête hâve, flétrie, échevelée, et ses yeux se remplissaient de larmes. — Voilà qui serait bien singulier, murmurait-elle.

Elle passa sa tête à travers les barreaux du soupirail, et parvint à faire arriver son regard jusque dans l'angle où le regard de la malheureuse était invariablement attaché.

Quand elle retira sa tête de la lucarne, son visage était inondé de larmes.

— Comment appelez-vous cette femme ? demanda-t-elle à Oudarde.

Oudarde répondit : — Nous la nommons sœur Gudule.

— Et moi, reprit Mahiette, je l'appelle Paquette-la-Chantefleurie.

Alors, mettant un doigt sur sa bouche, elle fit signe à Oudarde stupéfaite de passer sa tête par la lucarne et de regarder.

Oudarde regarda, et vit, dans l'angle où l'œil de la recluse était fixé avec cette sombre extase, un petit soulier de satin rose, brodé de mille passequilles d'or et d'argent.

Gervaise regarda après Oudarde, et alors les trois femmes, considérant la malheureuse mère, se mirent à pleurer.

Ni leurs regards cependant, ni leurs larmes n'avaient distrait la recluse. Ses mains restaient jointes, ses lèvres muettes, ses yeux fixes, et pour qui savait son histoire, ce petit soulier regardé ainsi fendait le cœur.

Les trois femmes n'avaient pas encore proféré une parole ; elles n'osaient parler, même à voix basse. Ce grand silence, cette grande douleur, ce grand oubli, où tout avait disparu hors une chose, leur faisait effet d'un maître-autel de Pâques ou de Noël. Elles se taisaient, elles se recueillaient, elles étaient prêtes à s'agenouiller. Il leur semblait qu'elles venaient d'entrer dans une église le jour de Ténèbres[1].

Enfin Gervaise, la plus curieuse des trois, et par conséquent la moins sensible, essaya de faire parler la recluse :
— Sœur ! sœur Gudule !

Elle répéta cet appel jusqu'à trois fois, en haussant la voix chaque fois. La recluse ne bougea pas ; pas un mot, pas un regard, pas un soupir, pas un signe de vie.

Oudarde à son tour d'une voix plus douce et plus caressante : — Sœur ! dit-elle, sœur Sainte-Gudule !

Même silence, même immobilité.

— Une singulière femme ! s'écria Gervaise, et qui ne serait pas émue d'une bombarde !

— Elle est peut-être sourde, dit Oudarde en soupirant.

— Peut-être aveugle, ajouta Gervaise.

— Peut-être morte, reprit Mahiette.

Il est certain que si l'âme n'avait pas encore quitté ce corps inerte, endormi, léthargique, du moins s'y était-elle retirée et cachée à des profondeurs où les perceptions des organes extérieurs n'arrivaient plus.

— Il faudra donc, dit Oudarde, laisser le gâteau sur la lucarne ; quelque fils le prendra. Comment faire pour la réveiller ?

Eustache, qui jusqu'à ce moment avait été distrait par une petite voiture traînée par un gros chien, laquelle venait de passer, s'aperçut tout-à-coup que ses trois conductrices regardaient quelque chose à la lucarne, et la curiosité le prenant à son tour, il monta sur une borne, se dressa sur la pointe des pieds, et appliqua son gros visage vermeil à l'ouverture, en criant : Mère, voyons donc que je voie !

À cette voix d'enfant, claire, fraîche, sonore, la recluse

---

1. Office de nuit des mercredi, jeudi et vendredi de la Semaine Sainte, pour préparer le jeûne du lendemain. À chaque psaume, on y éteignait l'un des quinze cierges de cette liturgie toute tendue vers le Vendredi Saint, qui commémore la mort du Christ, l'eclipse et le tremblement de terre qui l'accompagnèrent selon l'Écriture. L'à-peu-près liturgique dérive en destin mortel un christianisme dont les deux fêtes principales sont naissance à Noël et résurrection à Pâques.

tressaillit. Elle tourna la tête avec le mouvement sec et brusque d'un ressort d'acier, ses deux longues mains décharnées vinrent écarter ses cheveux sur son front, et elle fixa sur l'enfant des yeux étonnés, amers, désespérés. Ce regard ne fut qu'un éclair. — Ô mon Dieu ! cria-t-elle tout-à-coup en cachant sa tête dans ses genoux, et il semblait que sa voix rauque déchirait sa poitrine en passant, au moins ne me montrez pas ceux des autres !

— Bonjour, madame, dit l'enfant avec gravité.

Cependant cette secousse avait, pour ainsi dire, réveillé la recluse. Un long frisson parcourut tout son corps de la tête aux pieds ; ses dents claquèrent, elle releva à demi sa tête et dit en serrant ses coudes contre ses hanches et en prenant ses pieds dans ses mains comme pour les réchauffer : — Oh ! le grand froid !

— Pauvre femme ! dit Oudarde en grande pitié, voulez-vous un peu de feu ?

Elle secoua la tête en signe de refus.

— Eh bien, reprit Oudarde en lui présentant un flacon, voici de l'hypocras qui vous réchauffera : buvez.

Elle secoua de nouveau la tête, regarda Oudarde fixement et répondit :

— De l'eau.

Oudarde insista. — Non, sœur, ce n'est pas là une boisson de janvier. Il faut boire un peu d'hypocras et manger cette galette au levain de maïs, que nous avons cuite pour vous.

Elle repoussa le gâteau que Mahiette lui présentait et dit : — Du pain noir [1].

— Allons, dit Gervaise, prise à son tour de charité, et défaisant son roquet de laine, voici un surtout un peu plus chaud que le vôtre. Mettez ceci sur vos épaules.

Elle refusa le surtout comme le flacon et le gâteau, et répondit : — Un sac.

— Mais il faut bien, reprit la bonne Oudarde, que vous vous aperceviez un peu que c'était hier fête.

— Je m'en aperçois, dit la recluse. Voilà deux jours que je n'ai plus d'eau dans ma cruche.

---

1. Le pain des prisonniers, avant les améliorations humanitaires du XIXe siècle. Voir *Châtiments*, I, 10.

Elle ajouta après un silence : — C'est fête ; on m'oublie. On fait bien. Pourquoi le monde songerait-il à moi, qui ne songe pas à lui ? à charbon éteint cendre froide.

Et comme fatiguée d'en avoir tant dit, elle laissa tomber sa tête sur ses genoux. La simple et charitable Oudarde, qui crut comprendre à ses dernières paroles qu'elle se plaignait encore du froid, lui répondit naïvement : — Alors, voulez-vous un peu de feu ?

— Du feu ! dit la sachette avec un accent étrange ; et en ferez-vous aussi un peu avec la pauvre petite qui est sous terre depuis quinze ans ?

Tous ses membres tremblèrent, sa parole vibrait, ses yeux brillaient, elle s'était levée sur les genoux ; elle étendit tout-à-coup sa main blanche et maigre vers l'enfant qui la regardait avec un regard étonné : — Emportez cet enfant ! cria-t-elle. L'égyptienne va passer !

Alors elle tomba la face contre terre, et son front frappa la dalle avec le bruit d'une pierre sur une pierre. Les trois femmes la crurent morte. Un moment après pourtant, elle remua, et elles la virent se traîner sur les coudes et sur les genoux jusqu'à l'angle où était le petit soulier. Alors elles n'osèrent regarder ; elles ne la virent plus ; mais elles entendirent mille baisers et mille soupirs, mêlés à des cris déchirants et à des coups sourds comme ceux d'une tête qui heurte une muraille ; puis, après un de ces coups, tellement violent qu'elles en chancelèrent toutes les trois, elles n'entendirent plus rien.

— Se serait-elle tuée ? dit Gervaise en se risquant à passer sa tête au soupirail. — Sœur ! sœur Gudule !

— Sœur Gudule ! répéta Oudarde.

— Ah ! mon Dieu ! elle ne bouge plus ! reprit Gervaise, est-ce qu'elle est morte ? Gudule ! Gudule !

Mahiette, suffoquée jusque-là à ne pouvoir parler, fit un effort. — Attendez, dit-elle ; puis se penchant vers la lucarne : — Paquette ! dit-elle, Paquette-la-Chantefleurie !

Un enfant qui souffle ingénument sur la mèche mal allumée d'un pétard et se le fait éclater dans les yeux, n'est pas plus épouvanté que ne le fut Mahiette, à l'effet de ce nom brusquement lancé dans la cellule de sœur Gudule.

La recluse tressaillit de tout son corps, se leva debout sur ses pieds nus, et sauta à la lucarne avec des yeux si flamboyants, que Mahiette et Oudarde, et l'autre femme et l'enfant, reculèrent jusqu'au parapet du quai.

Cependant la sinistre figure de la recluse apparut collée à la grille du soupirail. — Oh ! oh ! criait-elle avec un rire effrayant, c'est l'égyptienne qui m'appelle !

En ce moment une scène qui se passait au pilori arrêta son œil hagard. Son front se plissa d'horreur, elle étendit hors de sa loge ses deux bras de squelette, et s'écria avec une voix qui ressemblait à un râle : — C'est donc encore toi, fille d'Égypte ! c'est toi qui m'appelles, voleuse d'enfants ! Eh bien ! maudite sois-tu ! maudite ! maudite ! maudite !

IV

UNE LARME POUR UNE GOUTTE D'EAU

Ces paroles étaient, pour ainsi dire, le point de jonction de deux scènes qui s'étaient jusque là développées parallèlement dans le même moment, chacune sur son théâtre particulier : l'une, celle qu'on vient de lire, dans le Trou-aux-Rats ; l'autre, qu'on va lire, sur l'échelle du pilori. La première n'avait eu pour témoins que les trois femmes avec lesquelles le lecteur vient de faire connaissance ; la seconde avait eu pour spectateurs tout le public que nous avons vu plus haut s'amasser sur la place de Grève, autour du pilori et du gibet.

Cette foule, à laquelle les quatre sergents qui s'étaient postés dès neuf heures du matin aux quatre coins du pilori avaient fait espérer une exécution telle quelle, non pas sans doute une pendaison, mais un fouet, un essorillement[1], quelque chose enfin, cette foule s'était si rapidement accrue que les quatre sergents, investis[2] de trop près, avaient eu plus d'une fois besoin de la *serrer*,

1. Mutilation des oreilles. 2. Assiégés.

comme on disait alors, à grands coups de boullaye et de croupe de cheval.

Cette populace, disciplinée à l'attente des exécutions publiques, ne manifestait pas trop d'impatience. Elle se divertissait à regarder le pilori, espèce de monument fort simple composé d'un cube de maçonnerie de quelque dix pieds de haut, creux à l'intérieur. Un degré fort roide en pierre brute, qu'on appelait par excellence *l'échelle*, conduisait à la plate-forme supérieure, sur laquelle on apercevait une roue horizontale en bois de chêne plein [1]. On liait le patient sur cette roue, à genoux et les bras derrière le dos. Une tige en charpente, que mettait en mouvement un cabestan caché dans l'intérieur du petit édifice, imprimait une rotation à la roue toujours maintenue dans le plan horizontal, et présentait de cette façon la face du condamné successivement à tous les points de la place. C'est ce qu'on appelait tourner un criminel.

Comme on voit, le pilori de la Grève était loin d'offrir toutes les récréations du pilori des Halles. Rien d'architectural. Rien de monumental. Pas de toit à croix de fer, pas de lanterne octogone, pas de frêles colonnettes allant s'épanouir au bord du toit en chapiteaux d'acanthes et de fleurs, pas de gouttières chimériques et monstrueuses, pas de charpente ciselée, pas de fine sculpture profondément fouillée dans la pierre.

Il fallait se contenter de ces quatre pans de moellon [2] avec deux contre-cœurs [3] de grès, et d'un méchant gibet de pierre, maigre et nu, à côté.

Le régal eût été mesquin pour des amateurs d'architecture gothique. Il est vrai que rien n'était moins curieux de monuments que les braves badauds du moyen-âge et qu'ils se souciaient médiocrement de la beauté d'un pilori.

Le patient arriva enfin lié au cul d'une charrette, et quand il eut été hissé sur la plate-forme, quand on put le voir de tous les points de la place ficelé à cordes et à courroies sur la roue du pilori, une huée prodigieuse,

---

1. Non en rayons. **2.** Pierre de contours irréguliers, à noyer dans le mortier. **3.** Pierre taillée dans la proportion des plaques de cheminée ?

mêlée de rires et d'acclamations, éclata dans la place. On avait reconnu Quasimodo.

C'était lui en effet. Le retour était étrange. Pilorié sur cette même place où la veille il avait été salué, acclamé et conclamé pape et prince des fous, en cortége du duc d'Égypte, du roi de Thunes et de l'empereur de Galilée. Ce qu'il y a de certain, c'est qu'il n'y avait pas un esprit dans la foule, pas même lui, tour-à-tour le triomphant et le patient, qui dégageât nettement ce rapprochement dans sa pensée. Gringoire et sa philosophie manquaient à ce spectacle.

Bientôt Michel Noiret, trompette-juré du roi notre sire, fit faire silence aux manants, et cria l'arrêt, suivant l'ordonnance et commandement de monsieur le prevôt. Puis il se replia derrière la charrette avec ses gens en hoquetons de livrée[1].

Quasimodo, impassible, ne sourcillait pas. Toute résistance lui était rendue impossible par ce qu'on appelait alors, en style de chancellerie criminelle, *la véhémence et la fermeté des attaches*, ce qui veut dire que les lanières et les chaînettes lui entraient probablement dans la chair. C'est au reste une tradition de geôle et de chiourme[2] qui ne s'est pas perdue, et que les menottes conservent encore précieusement parmi nous, peuple civilisé, doux, humain (le bagne et la guillotine entre parenthèses).

Il s'était laissé mener, pousser, porter, jucher, lier et relier. On ne pouvait rien deviner sur sa physionomie qu'un étonnement de sauvage ou d'idiot. On le savait sourd, on l'eût dit aveugle.

On le mit à genoux sur la planche circulaire : il s'y laissa mettre. On le dépouilla de chemise et de pourpoint jusqu'à la ceinture : il se laissa faire. On l'enchevêtra sous un nouveau système de courroies et d'ardillons[3] : il se laissa boucler et ficeler. Seulement de temps à autre il soufflait bruyamment, comme un veau dont la tête pend et ballotte au rebord de la charrette du boucher.

— Le butor, dit Jehan Frollo du Moulin à son ami

---

1. Aux armes du Roi. **2.** De prison et de galères (bagne). Goya abonde en représentations de ces garrottages. **3.** Pointe de la boucle d'une courroie, ou ceinture.

Robin Poussepain (car les deux écoliers avaient suivi le patient, comme de raison), il ne comprend pas plus qu'un hanneton enfermé dans une boîte !

Ce fut un fou rire dans la foule quand on vit à nu la bosse de Quasimodo, sa poitrine de chameau, ses épaules calleuses et velues. Pendant toute cette gaîté, un homme à la livrée de la ville, de courte taille et de robuste mine, monta sur la plate-forme et vint se placer près du patient. Son nom circula bien vite dans l'assistance. C'était maître Pierrat Torterue, tourmenteur-juré du Châtelet.

Il commença par déposer sur un angle du pilori un sablier noir dont la capsule supérieure était pleine de sable rouge qu'elle laissait fuir dans le récipient inférieur ; puis il ôta son surtout mi-parti, et l'on vit pendre à sa main droite un fouet mince et effilé de longues lanières blanches, luisantes, noueuses, tressées, armées d'ongles de métal. De la main gauche il repliait négligemment sa chemise autour de son bras droit, jusqu'à l'aisselle.

Cependant Jehan Frollo criait, en élevant sa tête blonde et frisée au-dessus de la foule (il était monté pour cela sur les épaules de Robin Poussepain) : — Venez voir, messieurs, mesdames ! voici qu'on va flageller péremptoirement[1] maître Quasimodo, le sonneur de mon frère monsieur l'archidiacre de Josas, une drôle d'architecture orientale, qui a le dos en dôme et les jambes en colonnes torses !

Et la foule de rire, surtout les enfants et les jeunes filles.

Enfin le tourmenteur frappa du pied. La roue se mit à tourner. Quasimodo chancela sous ses liens. La stupeur qui se peignit brusquement sur son visage difforme fit redoubler à l'entour les éclats de rire.

Tout-à-coup, au moment où la roue dans sa révolution présenta à maître Pierrat le dos montueux de Quasimodo, maître Pierrat leva le bras ; les fines lanières sifflèrent aigrement dans l'air comme une poignée de couleuvres, et retombèrent avec furie sur les épaules du misérable.

Quasimodo sauta sur lui-même, comme réveillé en sursaut. Il commençait à comprendre. Il se tordit dans ses

1. Sans réplique possible, ni discussion.

liens ; une violente contraction de surprise et de douleur décomposa les muscles de sa face ; mais il ne jeta pas un soupir. Seulement il tourna la tête en arrière, à droite, puis à gauche, en la balançant comme fait un taureau piqué au flanc par un taon[1].

Un second coup suivit le premier, puis un troisième, et un autre, et un autre, et toujours. La roue ne cessait pas de tourner ni les coups de pleuvoir. Bientôt le sang jaillit, on le vit ruisseler par mille filets sur les noires épaules du bossu ; et les grêles lanières, dans leur rotation qui déchirait l'air, l'éparpillaient en gouttes dans la foule.

Quasimodo avait repris, en apparence du moins, son impassibilité première. Il avait essayé, d'abord sourdement et sans grande secousse extérieure, de rompre ses liens. On avait vu son œil s'allumer, ses muscles se roidir, ses membres se ramasser, et les courroies et les chaînettes se tendre. L'effort était puissant, prodigieux, désespéré ; mais les vieilles gênes[2] de la prevôté résistèrent. Elles craquèrent, et voilà tout. Quasimodo retomba épuisé. La stupeur fit place, sur ses traits, à un sentiment d'amer et profond découragement. Il ferma son œil unique, laissa tomber sa tête sur sa poitrine, et fit le mort.

Dès lors il ne bougea plus. Rien ne put lui arracher un mouvement. Ni son sang, qui ne cessait de couler, ni les coups qui redoublaient de furie, ni la colère du tourmenteur qui s'excitait lui-même et s'enivrait de l'exécution, ni le bruit des horribles lanières plus acérées et plus sifflantes que des pattes de bigailles.

Enfin un huissier du Châtelet vêtu de noir, monté sur un cheval noir, en station à côté de l'échelle depuis le commencement de l'exécution, étendit sa baguette d'ébène[3] vers le sablier. Le tourmenteur s'arrêta. La roue s'arrêta. L'œil de Quasimodo se rouvrit lentement.

La flagellation était finie. Deux valets du tourmenteur-juré lavèrent les épaules saignantes du patient, les frottèrent de je ne sais quel onguent qui ferma sur-le-champ toutes les plaies, et lui jetèrent sur le dos une sorte de

---

1. Grosse mouche qui se nourrit du sang des bovins, à la piqûre cruelle. **2.** Instrument de torture, infernal. **3.** Bois très dense, de couleur noire.

pagne[1] jaune taillée en chasuble[2]. Cependant Pierrat Torterue faisait dégoutter sur le pavé les lanières rouges et gorgées de sang.

Tout n'était pas fini pour Quasimodo. Il lui restait encore à subir cette heure de pilori que maître Florian Barbedienne avait si judicieusement ajoutée à la sentence de messire Robert d'Estouteville ; le tout à la plus grande gloire du vieux jeu de mots physiologique et psychologique de Jean de Cumène[3]. *Surdus absurdus*[4].

On retourna donc le sablier et on laissa le bossu attaché sur la planche pour que justice fût faite jusqu'au bout.

Le peuple, au moyen-âge surtout, est dans la société ce qu'est l'enfant dans la famille. Tant qu'il reste dans cet état d'ignorance première, de minorité morale et intellectuelle, on peut dire de lui comme de l'enfant :

Cet âge est sans pitié[5].

Nous avons déjà fait voir que Quasimodo était généralement haï, pour plus d'une bonne raison, il est vrai. Il y avait à peine un spectateur dans cette foule qui n'eût ou ne crût avoir sujet de se plaindre du mauvais bossu de Notre-Dame. La joie avait été universelle de le voir paraître au pilori ; et la rude exécution qu'il venait de subir et la piteuse posture où elle l'avait laissé, loin d'attendrir la populace, avaient rendu sa haine plus méchante en l'armant d'une pointe de gaîté.

Aussi, une fois la *vindicte*[6] *publique* satisfaite, comme jargonnent encore aujourd'hui les bonnets carrés[7], ce fut le tour des mille vengeances particulières. Ici comme

---

1. Au sens de morceau d'étoffe fruste, sans couture. Il est possible que le terme soit amené par le souvenir du métis difforme, Habibrah, dans *Bug-Jargal* (1826). Le jaune est couleur d'infamie. **2.** Vêtement du prêtre à la messe : un pan devant, un pan derrière, un trou pour la tête. **3.** Jean Coménius (1592-1671), de la secte protestante des Frères moraves, théoricien de l'apprentissage des langues, réformateur de l'instruction, auquel Michelet réservera une place de choix entre Rabelais et Montaigne, et Pestalozzi. **4.** « Le sourd est absurde » ou plutôt « L'idiot n'est qu'un sourd ». **5.** La Fontaine, *Fables*, IX, 2, Les Deux Pigeons. **6.** L'étymologie trahit que la poursuite légale du crime est vengeance. **7.** Réservés aux docteurs : théologiens, enseignants, médecins et juristes.

dans la grand'salle, les femmes surtout éclataient. Toutes lui gardaient quelque rancune, les unes de sa malice, les autres de sa laideur. Les dernières étaient les plus furieuses.

— Oh ! masque de l'Antechrist[1] ! disait l'une.

— Chevaucheur de manche à balai ! criait l'autre.

— La belle grimace tragique, hurlait une troisième, et qui le ferait pape des fous, si c'était aujourd'hui hier !

— C'est bon, reprenait une vieille. Voilà la grimace du pilori. A quand celle du gibet ?

— Quand seras-tu coiffé de ta grosse cloche à cent pieds sous terre, maudit sonneur ?

— C'est pourtant ce diable qui sonne l'angelus[2] ?

— Oh ! le sourd ! le borgne ! le bossu ! le monstre !

— Figure à faire avorter une grossesse mieux que toutes médecines et pharmaques !

Et les deux écoliers, Jehan du Moulin, Robin Poussepain, chantaient à tue-tête le vieux refrain populaire :

Une hart
Pour le pendard,
Un fagot
Pour le magot[3] !

Mille autres injures pleuvaient, et les huées, et les imprécations, et les rires, et les pierres çà et là.

Quasimodo était sourd, mais il voyait clair, et la fureur publique n'était pas moins énergiquement peinte sur les visages que dans les paroles. D'ailleurs les coups de pierre expliquaient les éclats de rire.

Il tint bon d'abord. Mais peu à peu cette patience, qui s'était roidie sous le fouet du tourmenteur, fléchit et lâcha

---

1. Ennemi du Christ, qui doit apparaître et ravager le monde, selon l'Apocalypse, peu avant le triomphe final de l'Agneau et la fin des Temps. **2.** Commémoration de l'annonce faite à Marie par Gabriel, c'est-à-dire du mystère de l'Incarnation. Cet *Ave Maria* du matin, du midi et du soir dut beaucoup à la dévotion de Louis XI, et à son intelligence socio-politique. **3.** Dérivé des Gog et Magog d'Ézéchiel, envahisseurs suscités du Nord par Jéhovah pour faire éclater sa victoire, ce terme passe-partout trahit le malaise que provoque le semblable, étranger : singe, Chinois, homme laid, sorcier.

pied à toutes ces piqûres d'insectes. Le bœuf des Asturies[1], qui s'est peu ému des attaques du picador, s'irrite des chiens et des vanderilles.

Il promena d'abord lentement un regard de menace sur la foule. Mais, garrotté comme il l'était, son regard fut impuissant à chasser ces mouches qui mordaient sa plaie. Alors il s'agita dans ses entraves, et ses soubresauts furieux firent crier sur ses ais[2] la vieille roue du pilori. De tout cela les dérisions et les huées s'accrurent.

Alors le misérable, ne pouvant briser son collier de bête fauve enchaînée, redevint tranquille ; seulement par intervalles un soupir de rage soulevait toutes les cavités de sa poitrine. Il n'y avait sur son visage ni honte ni rougeur. Il était trop loin de l'état de société et trop près de l'état de nature[3] pour savoir ce que c'est que la honte. D'ailleurs, à ce point de difformité, l'infamie est-elle chose sensible ? Mais la colère, la haine, le désespoir abaissaient lentement sur ce visage hideux un nuage de plus en plus sombre, de plus en plus chargé d'une électricité qui éclatait en mille éclairs dans l'œil du cyclope.

Cependant ce nuage s'éclaircit un moment au passage d'une mule qui traversait la foule et qui portait un prêtre. Du plus loin qu'il aperçut cette mule et ce prêtre, le visage du pauvre patient s'adoucit. À la fureur qui le contractait succéda un sourire étrange, plein d'une douceur, d'une mansuétude, d'une tendresse ineffables. À mesure que le prêtre approchait, ce sourire devenait plus net, plus distinct, plus radieux. C'était comme la venue d'un sauveur que le malheureux saluait. Toutefois, au moment où la mule fut assez près du pilori pour que son cavalier pût reconnaître le patient, le prêtre baissa les yeux, rebroussa brusquement chemin, piqua des deux[4], comme s'il avait eu hâte de se débarrasser de réclamations humiliantes, et fort peu de souci d'être salué et reconnu d'un pauvre diable en pareille posture.

---

1. Province maritime du nord de l'Espagne, autour d'Oviedo. Dans les « courses de taureaux », le picador travaille à la pique, à cheval ; les banderilles enrubannées sont plantées à pied. **2.** Planche épaisse. **3.** Référence à Rousseau, et à toute la discussion anthropologique qui conditionne l'étude du contrat social. **4.** Des deux talons, éperons.

Ce prêtre était l'archidiacre dom Claude Frollo.

Le nuage retomba plus sombre sur le front de Quasimodo. Le sourire s'y mêla encore quelque temps, mais amer, découragé, profondément triste.

Le temps s'écoulait. Il était là depuis une heure et demie au moins, déchiré, maltraité, moqué sans relâche et presque lapidé.

Tout-à-coup il s'agita de nouveau dans ses chaînes avec un redoublement de désespoir dont trembla toute la charpente qui le portait, et rompant le silence qu'il avait obstinément gardé jusqu'alors, il cria avec une voix rauque et furieuse qui ressemblait plutôt à un aboiement qu'à un cri humain et qui couvrit le bruit des huées : — À boire !

Cette exclamation de détresse, loin d'émouvoir les compassions, fut un surcroît d'amusement au bon populaire parisien qui entourait l'échelle, et qui, il faut le dire, pris en masse et comme multitude, n'était alors guère moins cruel et moins abruti que cette horrible tribu des truands chez laquelle nous avons déjà mené le lecteur, et qui était tout simplement la couche la plus inférieure du peuple. Pas une voix ne s'éleva autour du malheureux patient, si ce n'est pour lui faire raillerie de sa soif. Il est certain qu'en ce moment il était grotesque et repoussant plus encore que pitoyable, avec sa face empourprée et ruisselante, son œil égaré, sa bouche écumante de colère et de souffrance, et sa langue à demi tirée. Il faut dire encore que, se fût-il trouvé dans la cohue quelque bonne âme charitable de bourgeois ou de bourgeoise qui eût été tentée d'apporter un verre d'eau à cette misérable créature en peine, il régnait autour des marches infâmes du pilori un tel préjugé de honte et d'ignominie qu'il eût suffi pour repousser le bon Samaritain[1].

Au bout de quelques minutes, Quasimodo promena sur la foule un regard désespéré, et répéta d'une voix plus déchirante encore : — À boire !

---

1. Celui qui, repoussé par les Juifs, n'hésite pas à porter secours à l'un d'entre eux, laissé pour mort par des brigands, et abandonné des prêtres de sa religion ; celui-là est votre prochain, dit Jésus (Luc, X, 29-37).

Et tous de rire.

— Bois ceci ! criait Robin Poussepain en lui jetant par la face une éponge traînée dans le ruisseau[1]. Tiens, vilain sourd ! je suis ton débiteur.

Une femme lui lançait une pierre à la tête : — Voilà qui t'apprendra à nous réveiller la nuit avec ton carillon de damné.

— Hé bien ! fils, hurlait un perclus en faisant effort pour l'atteindre de sa béquille, nous jetteras-tu encore des sorts du haut des tours de Notre-Dame ?

— Voici une écuelle pour boire ! reprenait un homme en lui décochant[2] dans la poitrine une cruche cassée[3]. C'est toi qui, rien qu'en passant devant elle, as fait accoucher ma femme d'un enfant à deux têtes !

— Et ma chatte d'un chat à six pattes ! glapissait une vieille en lui lançant une tuile.

— À boire ! répéta pour la troisième fois Quasimodo pantelant.

En ce moment il vit s'écarter la populace. Une jeune fille bizarrement vêtue sortit de la foule. Elle était accompagnée d'une petite chèvre blanche, à cornes dorées, et portait un tambour de basque à la main.

L'œil de Quasimodo étincela. C'était la bohémienne qu'il avait essayé d'enlever la nuit précédente, algarade[4] pour laquelle il sentait confusément qu'on le châtiait en cet instant même ; ce qui du reste n'était pas le moins du monde, puisqu'il n'était puni que du malheur d'être sourd et d'avoir été jugé par un sourd. Il ne douta pas qu'elle ne vînt se venger aussi, et lui donner son coup comme tous les autres.

Il la vit en effet monter rapidement l'échelle. La colère et le dépit le suffoquaient. Il eût voulu pouvoir faire crouler le pilori, et si l'éclair de son œil eût pu foudroyer, l'égyptienne eût été mise en poudre avant d'arriver sur la plate-forme.

Elle s'approcha, sans dire une parole, du patient qui

---

1. Allusion à la Passion du Christ, et à l'éponge de vinaigre, réponse à la question « pourquoi m'as-tu abandonné ? » (Matthieu, XXVII, 46). **2.** Comme une flèche. **3.** Voir II, 6 et le ressort de l'impossible mariage. **4.** Le manuscrit donne « tentative ». Coup de main.

se tordait vainement pour lui échapper, et, détachant une gourde de sa ceinture, elle la porta doucement aux lèvres arides du misérable.

Alors dans cet œil jusque-là si sec et si brûlé, on vit rouler une grosse larme qui tomba lentement le long de ce visage difforme et long-temps contracté par le désespoir. C'était la première peut-être que l'infortuné eût jamais versée.

Cependant il oubliait de boire. L'égyptienne fit sa petite moue avec impatience, et appuya, en souriant, le gouleau à la bouche dentue de Quasimodo. Il but à longs traits. Sa soif était ardente.

Quand il eut fini, le misérable allongea ses lèvres noires, sans doute pour baiser la belle main qui venait de l'assister. Mais la jeune fille, qui n'était pas sans défiance peut-être, et se souvenait de la violente tentative de la nuit, retira sa main avec le geste effrayé d'un enfant qui craint d'être mordu par une bête.

Alors le pauvre sourd fixa sur elle un regard plein de reproche et d'une tristesse inexprimable.

C'eût été partout un spectacle touchant que cette belle fille, fraîche, pure, charmante, et si faible en même temps, ainsi pieusement accourue au secours de tant de misère, de difformité et de méchanceté. Sur un pilori, ce spectacle était sublime.

Ce peuple lui-même en fut saisi, et se mit à battre des mains en criant : Noël ! Noël !

C'est dans ce moment que la recluse aperçut, de la lucarne de son trou, l'égyptienne sur le pilori, et lui jeta son imprécation sinistre : — Maudite sois-tu, fille d'Égypte ! maudite ! maudite !

V

FIN DE L'HISTOIRE DE LA GALETTE

La Esmeralda pâlit, et descendit du pilori en chancelant. La voix de la recluse la poursuivit encore :

— Descends ! descends ! larronnesse d'Égypte, tu y remonteras !

— La sachette est dans ses lubies, dit le peuple en murmurant ; et il n'en fut rien de plus. Car ces sortes de femmes étaient redoutées ; ce qui les faisait sacrées. On ne s'attaquait pas volontiers alors à qui priait jour et nuit.

L'heure était venue de remener Quasimodo. On le détacha, et la foule se dispersa.

Près du Grand-Pont, Mahiette, qui s'en revenait avec ses deux compagnes, s'arrêta brusquement : — À propos, Eustache ! qu'as-tu fait de la galette ?

— Mère, dit l'enfant, pendant que vous parliez avec cette dame qui était dans le trou, il y avait un gros chien qui a mordu dans ma galette, alors j'en ai mangé aussi.

— Comment, monsieur, reprit-elle, vous avez tout mangé ?

— Mère, c'est le chien. Je le lui ai dit, il ne m'a pas écouté. Alors j'ai mordu aussi, tiens !

— C'est un enfant terrible, dit la mère souriant et grondant à la fois. — Voyez-vous ! Oudarde ? il mange déjà à lui seul tout le cerisier de notre clos de Charlerange[1]. Aussi son grand-père dit que ce sera un capitaine. — Que je vous y reprenne, monsieur Eustache ! — Va, gros lion !

---

1. Ou plutôt Challerange, ferme ancienne sur la commune de Taissy, entre Cormontreuil et Sillery ; château construit en 1633 par Jean du Terron, contrôleur général des gabelles, oncle du grand Colbert. Il fut racheté après les vicissitudes de la Révolution en 1817-1818, par Anne-Marie Groville de Saint-André et son mari François Gabreau, héritier de la famille de Renty. On ne sait pas (encore) comment Hugo a glané cette allusion rémoise aux stratégies matrimoniales et patrimoniales de la bourgeoisie terrienne, de l'aristocratie champenoise et des grands serviteurs de l'État.

« ...une espèce de triangle noirâtre, que le rayon de jour venant de la lucarne tranchait crûment en deux nuances, l'une sombre, l'autre éclairée. » (p. 339)

Manuscrit de *Notre-Dame de Paris*. La Sachette.

LIVRE SEPTIÈME

I

DU DANGER DE CONFIER SON SECRET À UNE CHÈVRE

Plusieurs semaines s'étaient écoulées.

On était aux premiers jours de mars. Le soleil, que Dubartas[1], ce classique ancêtre de la périphrase, n'avait pas encore nommé *le grand-duc des chandelles*, n'en était pas moins joyeux et rayonnant pour cela. C'était une de ces journées de printemps[2] qui ont tant de douceur et de beauté que tout Paris, répandu dans les places et les promenades, les fêtes comme des dimanches. Dans ces jours de clarté, de chaleur et de sérénité, il y a une certaine heure, surtout, où il faut aller admirer le portail de Notre-Dame. C'est le moment où le soleil, déjà incliné vers le couchant, regarde presque en face la cathédrale. Ses rayons, de plus en plus horizontaux, se retirent lentement du pavé de la place, et remontent le long de la façade à pic dont ils font saillir les mille rondes bosses[3] sur leur ombre, tandis que la grande rose centrale flam-

---

1. Guillaume du Bartas, auteur de la *Création du Monde* (*La Semaine*) (1544-1590). C'est le recueil d'*ana* du cardinal du Perron qui accrédite la formule, qui n'est pas loin du « phébus », et à quoi le Larousse consacre une entrée. Le duc de Bourgogne était dénommé « grand duc d'Occident ». On peut se demander si la périphrase ne sous-entend pas autre chose que le soleil, vu l'emploi populaire de *chandelle.* **2.** Ce printemps précoce au début de mars n'est probablement pas une inadvertance. **3.** Sculpture détachée de la paroi, sur laquelle le couchant projette horizontalement l'ombre : technique du clair-obscur.

boie comme un œil de cyclope[1] enflammé des réverbérations de la forge.

On était à cette heure-là.

Vis-à-vis la haute cathédrale, rougie par le couchant, sur le balcon de pierre pratiqué au-dessus du porche d'une riche maison gothique qui faisait l'angle de la place et de la rue du Parvis, quelques belles jeunes filles riaient et devisaient avec toute sorte de grâce et de folie. À la longueur du voile qui tombait du sommet de leur coiffe pointue, enroulée de perles, jusqu'à leurs talons, à la finesse de la chemisette brodée qui couvrait leurs épaules en laissant voir, selon la mode engageante d'alors, la naissance de leurs belles gorges de vierge, à l'opulence de leurs jupes de dessous, plus précieuses encore que leur surtout (recherche merveilleuse !), à la gaze[2], à la soie, au velours dont tout cela était étoffé, et surtout à la blancheur de leurs mains qui les attestait oisives et paresseuses, il était aisé de deviner de nobles et riches héritières. C'était en effet damoiselle Fleur-de-Lys de Gondelaurier et ses compagnes, Diane de Christeuil, Amelotte de Montmichel, Colombe de Gaillefontaine, et la petite de Champchevrier[3] ; toutes filles de bonne maison, réunies en ce moment chez la dame veuve de Gondelaurier, à cause de monseigneur de Beaujeu et de madame sa femme[4], qui devaient venir au mois d'avril à Paris, et y choisir des accompagneresses d'honneur pour madame la dauphine Marguerite, lorsqu'on l'irait recevoir en Picardie des mains des Flamands. Or tous les hobereaux de trente lieues[5] à la ronde briguaient cette faveur pour leurs filles, et bon nombre d'entre eux les avaient déjà amenées ou envoyées à Paris. Celles-ci avaient été confiées par leurs parents à la garde discrète et vénérable de madame Aloïse

1. Les Cyclopes, géants à l'œil unique, secondaient Vulcain pour forger les foudres de Jupiter. **2.** Étoffe fine, légère et transparente, qui sert à faire voir autant qu'à cacher. **3.** Il y a un Gaillefontaine à 9 km au nord-est de Forges-les-Eaux, et un château de Champchevrier entre Château-la-Vallière et Noyant. Mais le romancier travaille sur les noms que lui fournit ou suggère sa documentation. **4.** La fille de Louis XI, princesse du sang, future régente : Madame, Anne de Beaujeu. **5.** Entre 120 et 150 km : l'Île de France, qui commence à s'élargir.

de Gondelaurier, veuve d'un ancien maître des arbalétriers du roi, retirée, avec sa fille unique, en sa maison de la place du Parvis-Notre-Dame, à Paris.

Le balcon où étaient ces jeunes filles s'ouvrait sur une chambre richement tapissée d'un cuir de Flandre de couleur fauve, imprimé à rinceaux[1] d'or. Les solives qui rayaient parallèlement le plafond, amusaient l'œil par mille bizarres sculptures peintes et dorées. Sur des bahuts[2] ciselés de splendides émaux[3] châtoyaient çà et là ; une hure de sanglier en faïence[4] couronnait un dressoir[5] magnifique, dont les deux degrés annonçaient que la maîtresse du logis était femme ou veuve d'un chevalier banneret[6]. Au fond, à côté d'une haute cheminée armoriée et blasonnée[7] du haut en bas, était assise, dans un riche fauteuil de velours rouge, la dame de Gondelaurier, dont les cinquante-cinq ans n'étaient pas moins écrits sur son vêtement que sur son visage. À côté d'elle se tenait debout un jeune homme d'assez fière mine, quoiqu'un peu vaine et bravache, un de ces beaux garçons dont toutes les femmes tombent d'accord, bien que les hommes graves et physionomistes[8] en haussent les épaules. Ce jeune cavalier portait le brillant habit de capitaine des archers de l'ordonnance du roi, lequel ressemble beaucoup trop au costume de Jupiter, qu'on a déjà pu admirer au premier livre de cette histoire, pour que nous en fatiguions le lecteur d'une seconde description.

Les damoiselles étaient assises, partie dans la chambre, partie sur le balcon, les unes sur les carreaux de velours

---

1. Ornement figurant l'enroulement d'un rameau feuillu. **2.** Le mot ne prend qu'au XIXe siècle le sens de meuble à vêtements, voire à vaisselle ; c'était à l'origine un coffre de voyage, léger, au couvercle bombé. Le terme prend vite une connotation d'antiquité ou de rusticité. Le ms. donne d'abord *huches*. **3.** Pièces d'orfèvrerie faites de la vitrification de substances variées. **4.** La forme de cette terrine dit à quel contenu elle est destinée, en même temps que la noblesse sauvage de la chasse. **5.** Meuble à étagères pour disposer la vaisselle. Toute la phrase est d'adjonction. **6.** Capable de former une « bannière » avec les vassaux de son ban. L'étendard de cette troupe perd alors la pointe de son pennon et devient quadrangulaire. **7.** Par crainte du pléonasme, on pourrait borner le blasonnement à la figuration interne de l'écu... **8.** Celui à qui « le premier aspect d'un homme dit tout » selon Lamennais.

d'Utrecht[1] à cornières[2] d'or, les autres sur des escabeaux de bois de chêne sculptés à fleurs et à figures. Chacune d'elles tenait sur ses genoux un pan d'une grande tapisserie à l'aiguille[3], à laquelle elles travaillaient en commun, et dont un bon bout traînait sur la natte[4] qui recouvrait le plancher.

Elles causaient entre elles avec cette voix chuchotante et ces demi-rires étouffés d'un conciliabule de jeunes filles au milieu desquelles il y a un jeune homme. Le jeune homme, dont la présence suffisait pour mettre en jeu tous ces amours-propres féminins, paraissait, lui, s'en soucier médiocrement ; et tandis que c'était parmi les belles filles à qui attirerait son attention, il paraissait surtout occupé à fourbir[5], avec son gant de peau de daim, l'ardillon de son ceinturon.

De temps en temps la vieille dame lui adressait la parole tout bas, et il lui répondait de son mieux avec une sorte de politesse gauche et contrainte. Aux sourires, aux petits signes d'intelligence de madame Aloïse, aux clins d'yeux qu'elle détachait vers sa fille Fleur-de-Lys, en parlant bas au capitaine, il était facile de voir qu'il s'agissait de quelque fiançaille consommée, de quelque mariage, prochain sans doute, entre le jeune homme et Fleur-de-Lys. Et à la froideur embarrassée de l'officier, il était facile de voir que, de son côté du moins, il ne s'agissait plus d'amour. Toute sa mine exprimait une pensée de gêne et d'ennui que nos sous-lieutenants[6] de garnison[7] traduiraient admirablement aujourd'hui par : Quelle chienne de corvée[8] !

La bonne dame, fort entêtée[9] de sa fille, comme une

---

1. Velours de mobilier, à poils drus et à figures. **2.** Larousse ne donne que cet exemple-ci ; ganse de bord ou de coin. Le ms. porte *crépine* (frange tissée par le haut). **3.** Sur un canevas. **4.** Tissu de sol, fait par entrelacement ou tressage de textile plus ou moins grossier. **5.** Nettoyer et faire reluire un objet de métal. Hugo a estompé la vigueur du trait en supprimant au manuscrit l'*acier* de l'ardillon. **6.** Grade de début des officiers subalternes. **7.** Ensemble de la troupe cantonnée dans une ville et dont l'occupation essentielle n'est guère que son propre entretien. **8.** Travaux courants effectués à l'armée à tour de rôle et par équipes, fastidieux. Le terme est hérité des travaux obligatoires et gratuits dus au seigneur avant la Révolution. **9.** Plus que fière.

pauvre mère qu'elle était, ne s'apercevait pas du peu d'enthousiasme de l'officier, et s'évertuait à lui faire remarquer tout bas les perfections infinies avec lesquelles Fleur-de-Lys piquait son aiguille ou dévidait son écheveau.

— Tenez, petit cousin, lui disait-elle en le tirant par la manche pour lui parler à l'oreille. Regardez-la donc ! la voilà qui se baisse [1].

— En effet, répondait le jeune homme ; et il retombait dans son silence distrait et glacial.

Un moment après il fallait se pencher de nouveau, et dame Aloïse lui disait : — Avez-vous jamais vu figure plus avenante et plus égayée que votre accordée [2] ? Est-on plus blanche et plus blonde ? ne sont-ce pas là des mains accomplies ? et ce cou-là ne prend-il pas, à ravir, toutes les façons d'un cygne ? Que je vous envie par moments ! et que vous êtes heureux d'être homme, vilain libertin que vous êtes ! N'est-ce pas que ma Fleur-de-Lys est belle par adoration et que vous en êtes éperdu ?

— Sans doute, répondait-il tout en pensant à autre chose.

— Mais parlez-lui donc, dit tout-à-coup madame Aloïse en le poussant par l'épaule ; dites-lui donc quelque chose ; vous êtes devenu bien timide.

Nous pouvons affirmer à nos lecteurs [3] que la timidité n'était ni la vertu ni le défaut du capitaine. Il essaya pourtant de faire ce qu'on lui demandait.

— Belle cousine, dit-il en s'approchant de Fleur-de-Lys, quel est le sujet de cet ouvrage de tapisserie que vous façonnez ?

— Beau cousin, répondit Fleur-de-Lys avec un accent de dépit, je vous l'ai déjà dit trois fois : c'est la grotte de Neptunus [4].

Il était évident que Fleur-de-Lys voyait beaucoup plus clair que sa mère aux manières froides et distraites du capitaine. Il sentit la nécessité de faire quelque conversation.

---

1. Ce qui n'est pas sans effet sur le décolleté. **2.** Fiancée, mais plus au sens de contrat de famille qu'au sens religieux. **3.** Le ms. portait *lectrices*. **4.** Dieu de la mer.

— Et pour qui toute cette neptunerie ? demanda-t-il.

— Pour l'abbaye Saint-Antoine-des-Champs [1], dit Fleur-de-Lys sans lever les yeux.

Le capitaine prit un coin de la tapisserie :

— Qu'est-ce que c'est, ma belle cousine, que ce gros gendarme qui souffle à pleines joues dans une trompette ?

— C'est Trito [2], répondit-elle.

Il y avait toujours une intonation un peu boudeuse dans les brèves paroles de Fleur-de-Lys. Le jeune homme comprit qu'il était indispensable de lui dire quelque chose à l'oreille, une fadaise, une galanterie, n'importe quoi. Il se pencha donc, mais il ne put rien trouver dans son imagination de plus tendre et de plus intime que ceci : — Pourquoi votre mère porte-t-elle toujours une cotte-hardie armoriée comme nos grand's-mères du temps de Charles VII [3] ? Dites-lui donc, belle cousine, que ce n'est plus l'élégance d'à présent, et que son gond et son laurier brodés en blason sur sa robe lui donnent l'air d'un manteau de cheminée qui marche. En vérité, on ne s'assied plus ainsi sur sa bannière [4], je vous jure.

Fleur-de-Lys leva sur lui ses beaux yeux pleins de reproche : — Est-ce là tout ce que vous me jurez ? dit-elle à voix basse.

Cependant la bonne dame Aloïse, ravie de les voir ainsi penchés et chuchotant, disait en jouant avec les fermoirs de son livre d'heures [5] :

— Touchant tableau d'amour !

Le capitaine, de plus en plus gêné, se rabattit sur la

---

1. Actuellement hôpital, au bout du faubourg qui commence à la Bastille. **2.** Fils et accompagnateur quasi obligé de Neptune, cet être mi-homme mi-poisson l'annonçait en soufflant dans sa conque, qui calmait les flots. **3.** Mort depuis une vingtaine d'années à la date de l'action du roman, Charles VII était né en 1403 et n'avait guère régné avant le sacre de Reims (1430). **4.** Cette affaire de gond est évidemment ridicule (bannière signifie aussi au XIXe siècle le pan arrière, carré, de la chemise d'homme, qui tombe jusqu'aux genoux), mais les noms de famille commençant par « Gond- » remontaient à la plus haute antiquité bourguignonne. **5.** Prières qui scandent la journée liturgique, pour l'essentiel toutes les trois heures. Le livre qui les contient pouvait comporter les plus riches des enluminures, illustrant le cycle annuel du temps liturgique, et des travaux.

tapisserie : — C'est vraiment un charmant travail, s'écria-t-il.

À ce propos, Colombe de Gaillefontaine, une autre belle blonde à peau blanche, bien colletée de damas bleu, hasarda timidement une parole qu'elle adressa à Fleur-de-Lys, dans l'espoir que le beau capitaine y répondrait : — Ma chère Gondelaurier, avez-vous vu les tapisseries de l'hôtel de la Roche-Guyon[1] ?

— N'est-ce pas l'hôtel où est enclos le jardin de la Lingère du Louvre ? demanda en riant Diane de Christeuil, qui avait de belles dents et par conséquent riait à tout propos. — Et où il y a cette grosse vieille tour de l'ancienne muraille de Paris ? ajouta Amelotte de Montmichel, jolie brune bouclée et fraîche, qui avait l'habitude de soupirer comme l'autre riait, sans savoir pourquoi.

— Ma chère Colombe, reprit dame Aloïse, voulez-vous pas parler de l'hôtel qui était à monsieur de Bacqueville, sous le roi Charles VI[2] ? il y a en effet de bien superbes tapisseries de haute lice[3].

— Charles VI ! le roi Charles VI ! grommela le jeune capitaine en retroussant sa moustache. Mon Dieu ! que la bonne dame a souvenir de vieilles choses !

Madame de Gondelaurier poursuivait : — Belles tapisseries, en vérité. Un travail si estimé qu'il passe pour singulier !

En ce moment Bérangère de Champchevrier, svelte petite fille de sept ans, qui regardait dans la place par les trèfles du balcon, s'écria : — Oh ! voyez, belle marraine

---

1. Sauval (II, 234) : « Guillaume Martel, seigneur de Bacqueville, chambellan de Charles VI, acheta l'hôtel de la Roche Guion de la rue du Louvre, accompagné d'un jardin de vingt-cinq toises de long, sur dix de large ; et pour l'agrandir, le roi lui donna en 1408, le jardin de la Lingère du Louvre, avec une tour des anciennes murailles pour dix-huit sols parisis de rente. » **2.** Il y a un Bacqueville près d'Ecouis, au nord de la Seine, non loin de la grande route de Rouen, et un autre au sud de Dieppe. Mais les tapisseries doivent venir du séjour de Hugo en 1821 au château de la Roche-Guyon, sur la boucle de la Seine au-delà de Mantes, auprès du duc, et futur cardinal, lointain descendant d'une héroïque patriote, fille d'un chambellan de Charles VI. **3.** Tissées sur un métier vertical.

Fleur-de-Lys ! la jolie danseuse qui danse là sur le pavé, et qui tambourine au milieu des bourgeois manants[1] !

En effet, on entendait le frissonnement sonore d'un tambour de basque.

— Quelque égyptienne de Bohême, dit Fleur-de-Lys en se détournant nonchalamment vers la place.

— Voyons ! voyons ! crièrent ses vives compagnes ; et elles coururent toutes au bord du balcon, tandis que Fleur-de-Lys, rêveuse de la froideur de son fiancé, les suivait lentement, et que celui-ci, soulagé par cet incident qui coupait court à une conversation embarrassée, s'en revenait au fond de l'appartement de l'air satisfait d'un soldat relevé de service[2]. C'était pourtant un charmant et gentil service que celui de la belle Fleur-de-Lys, et il lui avait paru tel autrefois ; mais le capitaine s'était blasé peu à peu ; la perspective d'un mariage prochain le refroidissait davantage de jour en jour. D'ailleurs, il était d'humeur inconstante, et, faut-il le dire ? de goût un peu vulgaire. Quoique de fort noble naissance, il avait contracté sous le harnois plus d'une habitude de soudard. La taverne lui plaisait, et ce qui s'ensuit. Il n'était à l'aise que parmi les gros mots, les galanteries militaires, les faciles beautés et les faciles succès. Il avait pourtant reçu de sa famille quelque éducation et quelques manières ; mais il avait trop jeune couru le pays, trop jeune tenu garnison, et tous les jours le vernis du gentilhomme s'effaçait au dur frottement de son baudrier de gendarme. Tout en la visitant encore de temps en temps par un reste de respect humain[3], il se sentait doublement gêné chez Fleur-de-Lys ; d'abord parce qu'à force de disperser son amour dans toutes sortes de lieux il

---

1. Au XVe siècle, le terme n'a pas encore pris son sens péjoratif, mais le manant, résident d'une paroisse soumis au droit du seigneur, ne jouit pas du droit de bourgeoisie. Faut-il entendre, chez cette fille à la limite de l'âge de raison, une confusion naïve des classes inférieures, ou chez le Hugo de 1830 la revendication des racines populaires de la bourgeoisie ? **2.** Dont un autre a pris la relève. **3.** Crainte de l'opinion et du jugement des autres. Cette locution est devenue au XIXe siècle et jusque vers 1945 la valeur principale de la bonne conscience bourgeoise, par perte de sens.

en avait fort peu réservé pour elle ; ensuite parce qu'au milieu de tant de belles dames roides, épinglées et décentes, il tremblait sans cesse que sa bouche habituée aux jurons ne prît tout d'un coup le mors aux dents et s'échappât en propos de taverne. Qu'on se figure le bel effet !

Du reste, tout cela se mêlait chez lui à de grandes prétentions d'élégance, de toilette et de belle mine. Qu'on arrange ces choses comme on pourra. Je ne suis qu'historien.

Il se tenait donc depuis quelques moments, pensant ou ne pensant pas, appuyé en silence au chambranle sculpté de la cheminée, quand Fleur-de-Lys, se tournant soudain, lui adressa la parole. Après tout, la pauvre jeune fille ne le boudait qu'à son cœur défendant.

— Beau cousin, ne nous avez-vous pas parlé d'une petite bohémienne que vous avez sauvée, il y a deux mois, en faisant le contre-guet la nuit, des mains d'une douzaine de voleurs ?

— Je crois que oui, belle cousine, dit le capitaine.

— Eh bien ! reprit-elle, c'est peut-être cette bohémienne qui danse là dans le parvis. Venez voir si vous la reconnaissez, beau cousin Phœbus.

Il perçait un secret désir de réconciliation dans cette douce invitation qu'elle lui adressait de venir près d'elle, et dans ce soin de l'appeler par son nom. Le capitaine Phœbus de Châteaupers (car c'est lui que le lecteur a sous les yeux depuis le commencement de ce chapitre) s'approcha à pas lents du balcon. — Tenez, lui dit Fleur-de-Lys en posant tendrement sa main sur le bras de Phœbus. Regardez cette petite qui danse là dans ce rond. Est-ce votre bohémienne ?

Phœbus regarda, et dit :

— Oui, je la reconnais à sa chèvre.

— Oh ! la jolie petite chèvre en effet ! dit Amelotte en joignant les mains d'admiration.

— Est-ce que ses cornes sont en or de vrai ? demanda Bérangère.

Sans bouger de son fauteuil, dame Aloïse prit la

parole : — N'est-ce pas une de ces bohémiennes qui sont arrivées l'an passé, par la porte Gibard[1] ?

— Madame ma mère, dit doucement Fleur-de-Lys, cette porte s'appelle aujourd'hui porte d'Enfer.

Mademoiselle de Gondelaurier savait à quel point le capitaine était choqué des façons de parler surannées de sa mère. En effet il commençait à ricaner en disant entre ses dents : Porte Gibard ! Porte Gibard ! C'est pour faire passer le roi Charles VI !

— Marraine, s'écria Bérangère dont les yeux sans cesse en mouvement s'étaient levés tout-à-coup vers le sommet des tours de Notre-Dame. Qu'est-ce que c'est que cet homme noir qui est là-haut ?

Toutes les jeunes filles levèrent les yeux. Un homme en effet était accoudé sur la balustrade culminante de la tour septentrionale, donnant sur la Grève. C'était un prêtre. On distinguait nettement son costume, et son visage appuyé sur ses deux mains. Du reste, il ne bougeait non plus qu'une statue. Son œil fixe plongeait dans la place. C'était quelque chose de l'immobilité d'un milan qui vient de découvrir un nid de moineaux et qui le regarde.

— C'est monsieur l'archidiacre de Josas, dit Fleur-de-Lys.

Vous avez de bons yeux si vous le reconnaissez d'ici ! observa la Gaillefontaine.

— Comme il regarde la petite danseuse ! reprit Diane de Christeuil.

— Gare à l'égyptienne, dit Fleur-de-Lys. Car il n'aime pas l'Égypte.

— C'est bien dommage que cet homme la regarde ainsi, ajouta Amelotte de Montmichel ; car elle danse à éblouir.

— Beau cousin Phœbus, dit tout-à-coup Fleur-de-Lys, puisque vous connaissez cette petite bohémienne, faites-lui donc signe de monter. Cela nous amusera.

---

1. Ou porte Saint-Michel. Mais gibet ou enfer vont comme couleurs de gueuserie, indépendamment de la satire des modes du langage et de la toponymie. *Cf.* Sauval, I, 36.

— Oh oui ! s'écrièrent toutes les jeunes filles en battant des mains.

— Mais c'est une folie, répondit Phœbus. Elle m'a sans doute oublié, et je ne sais seulement pas son nom. Cependant, puisque vous le souhaitez, mesdamoiselles, je vais essayer. Et se penchant à la balustrade du balcon, il se mit à crier : Petite !

La danseuse ne tambourinait pas en ce moment. Elle tourna la tête vers le point d'où lui venait cet appel, son regard brillant se fixa sur Phœbus, et elle s'arrêta tout court.

— Petite ! répéta le capitaine, et il lui fit signe du doigt de venir.

La jeune fille le regarda encore, puis elle rougit comme si une flamme lui était montée dans les joues, et, prenant son tambourin sous son bras, elle se dirigea, à travers les spectateurs ébahis, vers la porte de la maison où Phœbus l'appelait ; à pas lents, chancelante, et avec le regard troublé d'un oiseau qui cède à la fascination d'un serpent.

Un moment après, la portière de tapisserie se souleva, et la bohémienne parut sur le seuil de la chambre, rouge, interdite, essoufflée, ses grands yeux baissés, et n'osant faire un pas de plus.

Bérangère battit des mains.

Cependant la danseuse restait immobile sur le seuil de la porte. Son apparition avait produit sur ce groupe de jeunes filles un effet singulier. Il est certain qu'un vague et indistinct désir de plaire au bel officier les animait toutes à la fois, que le splendide uniforme était le point de mire de toutes leurs coquetteries, et que, depuis qu'il était présent, il y avait entre elles une certaine rivalité secrète, sourde, qu'elles s'avouaient à peine à elles-mêmes, mais qui n'en éclatait pas moins à chaque instant dans leurs gestes et leurs propos. Néanmoins, comme elles étaient toutes à peu près dans la même mesure de beauté, elles luttaient à armes égales, et chacune pouvait espérer la victoire. L'arrivée de la bohémienne rompit brusquement cet équilibre. Elle était d'une beauté si rare que, au moment où elle parut à l'entrée de l'appartement, il sembla qu'elle y répandait une sorte de lumière qui lui était propre. Dans cette chambre resserrée, sous ce sombre encadrement de tentures et de boiseries, elle était incomparablement plus belle et plus rayonnante que dans la place publique. C'était comme un flambeau qu'on venait d'apporter du grand jour dans l'ombre. Les nobles damoiselles en furent malgré elles éblouies. Chacune se sentit en quelque sorte blessée dans sa beauté. Aussi leur front de bataille (qu'on nous passe l'expression) changea-t-il sur-le-champ, sans qu'elles se disent un seul mot. Mais elles s'entendaient à merveille. Les instincts de femmes se comprennent et se répondent plus vite que les intelligences d'hommes. Il venait de leur arriver une ennemie : toutes le sentaient, toutes se ralliaient. Il suffit d'une goutte de vin pour rougir tout un verre d'eau ; pour teindre d'une certaine humeur toute une assemblée de jolies femmes, il suffit de la survenue d'une femme plus jolie, — surtout lorsqu'il n'y a qu'un homme.

Aussi l'accueil fait à la bohémienne fut-il merveilleusement glacial. Elles la considérèrent du haut en bas, puis s'entre-regardèrent, et tout fut dit : elles s'étaient comprises. Cependant la jeune fille attendait qu'on lui parlât, tellement émue qu'elle n'osait lever les paupières.

Le capitaine rompit le silence le premier. — Sur ma parole, dit-il avec son ton d'intrépide fatuité, voilà une charmante créature ! Qu'en pensez-vous, belle cousine ?

Cette observation, qu'un admirateur plus délicat eût du moins faite à voix basse, n'était pas de nature à dissiper les jalousies féminines qui se tenaient en observation devant la bohémienne.

Fleur-de-Lys répondit au capitaine avec une doucereuse affectation de dédain : — Pas mal.

Les autres chuchotaient.

Enfin, madame Aloïse, qui n'était pas la moins jalouse, parce qu'elle l'était pour sa fille, adressa la parole à la danseuse : — Approchez, petite.

— Approchez, petite ! répéta avec une dignité comique Bérangère, qui lui fût venue à la hanche.

L'égyptienne s'avança vers la noble dame.

— Belle enfant, dit Phœbus avec emphase en faisant de son côté quelques pas vers elle, je ne sais si j'ai le suprême bonheur d'être reconnu de vous...

Elle l'interrompit en levant sur lui un sourire et un regard pleins d'une douceur infinie : — Oh ! oui, dit-elle.

— Elle a bonne mémoire, observa Fleur-de-Lys.

— Or çà, reprit Phœbus, vous vous êtes bien prestement échappée l'autre soir. Est-ce que je vous fais peur ?

— Oh ! non, dit la bohémienne.

Il y avait dans l'accent dont cet *oh ! non*, fut prononcé à la suite de cet *oh ! oui*, quelque chose d'ineffable[1] dont Fleur-de-Lys fut blessée.

— Vous m'avez laissé en votre lieu, ma belle, poursuivit le capitaine dont la langue se déliait en parlant à une fille des rues, un assez rechigné drôle, borgne et bossu, le sonneur de cloches de l'évêque, à ce que je crois. On m'a dit qu'il était bâtard d'un archidiacre et diable de naissance. Il a un plaisant nom : il s'appelle Quatre-Temps[2], Pâques-Fleuries[3], Mardi-Gras[4], je ne sais plus ! Un nom de fête carillonnée, enfin ! Il se permettait donc de vous enlever, comme si vous étiez faite pour des bedeaux ! cela est fort. Que diable vous voulait-il donc, ce chat-huant ? Hein, dites !

— Je ne sais, répondit-elle.

— Conçoit-on l'insolence ! un sonneur de cloches enlever une fille, comme un vicomte ! un manant braconner sur le gibier des gentilshommes ! voilà qui est rare. Au demeurant, il l'a payé cher. Maître Pierrat Torterue est le plus rude palefrenier qui ait jamais étrillé un maraud ; et je vous dirai, si cela peut vous être agréable, que le cuir de votre sonneur lui a galamment passé par les mains.

— Pauvre homme ! dit la bohémienne chez qui ces paroles ravivaient le souvenir de la scène du pilori.

Le capitaine éclata de rire. — Corne-de-bœuf ! voilà de la pitié aussi bien placée qu'une plume au cul d'un porc ! Je veux être ventru comme un pape, si...

---

1. Qui ne peut être exprimé par des mots. **2.** Les trois jours de jeûne au début de chacune des quatre saisons. **3.** Les Rameaux, le dimanche qui précède celui de Pâques. **4.** Dernier jour de Carnaval (qui dure depuis le 6 janvier, jour des Rois) avant le premier jour de Carême, le mercredi des Cendres, quarante jours avant Pâques. Ces trois fêtes catholiques avaient en commun moins la pénitence que leur caractère populaire et païen.

Il s'arrêta tout court. — Pardon, mesdames ! je crois que j'allais lâcher quelque sottise.

— Fi, monsieur ! dit la Gaillefontaine.

— Il parle sa langue à cette créature ! ajouta à demi-voix Fleur-de-Lys, dont le dépit croissait de moment en moment. Ce dépit ne diminua point quand elle vit le capitaine, enchanté de la bohémienne et surtout de lui-même, pirouetter sur le talon en répétant avec une grosse galanterie naïve et soldatesque : — Une belle fille, sur mon âme !

— Assez sauvagement vêtue, dit Diane de Christeuil[1], avec son sourire de belles dents.

Cette réflexion fut un trait de lumière pour les autres. Elle leur fit voir le côté attaquable de l'égyptienne : ne pouvant mordre sur sa beauté, elles se jetèrent sur son costume.

— Mais cela est vrai, petite, dit la Montmichel ; où as-tu pris de courir ainsi par les rues sans guimpe[2] ni gorgerette ?

— Voilà une jupe courte à faire trembler, ajouta la Gaillefontaine.

— Ma chère, poursuivit assez aigrement Fleur-de-Lys, vous vous ferez ramasser par les sergents de la douzaine pour votre ceinture dorée[3].

— Petite, petite, reprit la Christeuil avec un sourire implacable, si tu mettais honnêtement une manche sur ton bras, il serait moins brûlé par le soleil.

C'était vraiment un spectacle digne d'un spectateur plus intelligent que Phœbus, de voir comme ces belles filles, avec leurs langues envenimées et irritées, serpentaient, glissaient et se tordaient autour de la danseuse des rues ; elles étaient cruelles et gracieuses ; elles fouillaient, elles furetaient malignement[4] dans sa pauvre et

---

1. Sauval (II, 594) fournit le nom de cette voleuse, « enfouie sous les fourches en 1302 » et qui se prénommait Amelotte. « Diane » fait de cette misère une noble et sinistre chasseresse. **2.** Ancienne coiffure longtemps conservée par les religieuses, qui encadrait le visage et couvrait col et poitrine. **3.** Jadis signe de richesse ou de vaillance, la ceinture dorée était devenue caractéristique de mœurs pour le moins libres, voire rémunératrices, et comme telle interdite par une ordonnance de 1420. **4.** Hugo ajoutera à cet endroit, pour les éditions ultérieures, un prudent « de la parole », qu'il reporte sur le manuscrit.

folle toilette de paillettes et d'oripeaux. C'étaient des rires, des ironies, des humiliations sans fin. Les sarcasmes pleuvaient sur l'égyptienne, et la bienveillance hautaine, et les regards méchants. On eût cru voir de ces jeunes dames romaines qui s'amusaient à enfoncer des épingles d'or dans le sein d'une belle esclave. On eût dit d'élégantes levrettes[1] chasseresses tournant, les narines ouvertes, les yeux ardents, autour d'une pauvre biche des bois que le regard du maître leur interdit de dévorer.

Qu'était-ce, après tout, devant ces filles de grande maison, qu'une misérable danseuse de place publique ? Elles ne semblaient tenir aucun compte de sa présence ; et parlaient d'elle, devant elle, à elle-même, à haute voix, comme de quelque chose d'assez malpropre, d'assez abject et d'assez joli.

La bohémienne n'était pas insensible à ces piqûres d'épingle. De temps en temps une pourpre de honte, un éclair de colère enflammaient ses yeux et ses joues ; une parole dédaigneuse semblait hésiter sur ses lèvres ; elle faisait avec mépris cette petite grimace que le lecteur lui connaît ; mais elle se tenait immobile ; elle attachait sur Phœbus un regard résigné, triste et doux. Il y avait aussi du bonheur et de la tendresse dans ce regard. On eût dit qu'elle se contenait, de peur d'être chassée.

Phœbus, lui, riait, et prenait le parti de la bohémienne avec un mélange d'impertinence et de pitié. — Laissez-les dire, petite ! répétait-il souvent en faisant sonner ses éperons d'or ; sans doute, votre toilette est un peu extravagante et farouche ; mais, charmante fille comme vous êtes, qu'est-ce que cela fait ?

— Mon Dieu ! s'écria la blonde Gaillefontaine en redressant son cou de cygne avec un sourire amer, je vois que messieurs les archers de l'ordonnance du roi prennent aisément feu aux beaux yeux égyptiens.

— Pourquoi non ? dit Phœbus.

À cette réponse, nonchalamment jetée par le capitaine comme une pierre perdue qu'on ne regarde même pas tomber, Colombe se prit à rire, et Diane et Amelotte, et

---

1. Femelle du lévrier, qui a donné son nom à l'une des figures de l'amour.

Fleur-de-Lys, à qui il vint en même temps une larme dans les yeux.

La bohémienne, qui avait baissé à terre son regard aux paroles de Colombe de Gaillefontaine, le releva rayonnant de joie et de fierté, et le fixa de nouveau sur Phœbus. Elle était bien belle en ce moment.

La vieille dame, qui observait cette scène, se sentait offensée et ne comprenait pas.

— Sainte-Vierge ! cria-t-elle tout-à-coup, qu'ai-je donc là qui me remue dans les jambes ? Ahi ! la vilaine bête !

C'était la chèvre qui venait d'arriver à la recherche de sa maîtresse, et qui, en se précipitant vers elle, avait commencé par embarrasser ses cornes dans le monceau d'étoffe que les vêtements de la noble dame entassaient sur ses pieds quand elle était assise.

Ce fut une diversion. La bohémienne, sans dire une parole, la dégagea.

— Oh ! voilà la petite chevrette qui a des pattes d'or, s'écria Bérangère en sautant de joie.

La bohémienne s'accroupit à genoux, et appuya contre sa joue la tête caressante de la chèvre. On eût dit qu'elle lui demandait pardon de l'avoir quittée ainsi.

Cependant Diane s'était penchée à l'oreille de Colombe. — Eh ! mon Dieu ! comment n'y ai-je pas songé plus tôt ? C'est la bohémienne à la chèvre. On la dit sorcière, et que sa chèvre fait des momeries très-miraculeuses.

— Eh bien ! dit Colombe, il faut que la chèvre nous divertisse à son tour et nous fasse un miracle.

Diane et Colombe s'adressèrent vivement à l'égyptienne : — Petite, fais donc faire un miracle à ta chèvre.

— Je ne sais ce que vous voulez dire, répondit la danseuse.

— Un miracle, une magie, une sorcellerie enfin.

— Je ne sais. Et elle se remit à caresser sa jolie bête en répétant : Djali ! Djali !

En ce moment Fleur-de-Lys remarqua un sachet de cuir brodé suspendu au cou de la chèvre. — Qu'est-ce que cela ? demanda-t-elle à l'égyptienne.

L'égyptienne leva ses grands yeux vers elle, et lui répondit gravement : C'est mon secret.

— Je voudrais bien savoir ce que c'est que ton secret, pensa Fleur-de-Lys.

Cependant la bonne dame s'était levée avec humeur.

— Or çà, la bohémienne, si toi ni ta chèvre n'avez rien à nous danser, que faites-vous céans ?

La bohémienne, sans répondre, se dirigea lentement vers la porte. Mais plus elle en approchait, plus son pas se ralentissait. Un invincible aimant semblait la retenir. Tout-à-coup elle tourna ses yeux humides de larmes sur Phœbus, et s'arrêta.

— Vrai Dieu ! s'écria le capitaine, on ne s'en va pas ainsi. Revenez, et dansez-nous quelque chose. À propos, belle d'amour, comment vous appelez-vous !

— La Esmeralda, dit la danseuse sans le quitter du regard.

À ce nom étrange, un fou rire éclata parmi les jeunes filles.

— Voilà, dit Diane, un terrible nom pour une demoiselle.

— Vous voyez bien, reprit Amelotte, que c'est une charmeresse.

— Ma chère, s'écria solennellement dame Aloïse, vos parents ne vous ont pas pêché ce nom-là dans le bénitier du baptême.

Cependant, depuis quelques minutes, sans qu'on fît attention à elle, Bérangère avait attiré la chèvre dans un coin de la chambre avec un massepain. En un instant, elles avaient été toutes deux bonnes amies. La curieuse enfant avait détaché le sachet suspendu au cou de la chèvre, l'avait ouvert, et avait vidé sur la natte ce qu'il contenait : c'était un alphabet dont chaque lettre était inscrite séparément sur une petite tablette de buis[1]. À peine ces joujoux furent-ils étalés sur la natte que l'enfant vit avec surprise la chèvre, dont c'était là sans doute un des *miracles*, tirer certaines lettres avec sa patte d'or et les disposer, en les poussant doucement, dans un ordre parti-

---

1. Bois dont le grain est particulièrement serré, et susceptible d'un poli très homogène.

culier. Au bout d'un instant cela fit un mot que la chèvre semblait exercée à écrire, tant elle hésita peu à le former, et Bérangère s'écria tout-à-coup en joignant les mains avec admiration :

— Marraine Fleur-de-Lys, voyez donc ce que la chèvre vient de faire !

Fleur-de-Lys accourut et tressaillit. Les lettres disposées sur le plancher formaient ce mot :

Phœbus.

— C'est la chèvre qui a écrit cela ? demanda-t-elle d'une voix altérée.

— Oui, marraine, répondit Bérangère. Il était impossible d'en douter ; l'enfant ne savait pas écrire.

— Voilà le secret ! pensa Fleur-de-Lys.

Cependant, au cri de l'enfant, tout le monde était accouru, et la mère, et les jeunes filles, et la bohémienne, et l'officier.

La bohémienne vit la sottise que venait de faire la chèvre. Elle devint rouge, puis pâle, et se mit à trembler comme une coupable devant le capitaine, qui la regardait avec un sourire de satisfaction et d'étonnement.

Phœbus ! chuchotaient les jeunes filles stupéfaites ; c'est le nom du capitaine !

— Vous avez une merveilleuse mémoire ! dit Fleur-de-Lys à la bohémienne pétrifiée. Puis éclatant en sanglots : Oh ! balbutia-t-elle douloureusement en se cachant le visage dans ses deux belles mains, c'est une magicienne ! Et elle entendait une voix plus amère encore lui dire au fond du cœur : C'est une rivale !

Elle tomba évanouie.

— Ma fille ! ma fille ! cria la mère effrayée. Va-t'en, bohémienne de l'enfer.

La Esmeralda ramassa en un clin d'œil les malencontreuses lettres, fit signe à Djali, et sortit par une porte, tandis qu'on emportait Fleur-de-Lys par l'autre.

Le capitaine Phœbus, resté seul, hésita un moment entre les deux portes ; puis il suivit la bohémienne.

II

QU'UN PRÊTRE ET UN PHILOSOPHE SONT DEUX

Le prêtre que les jeunes filles avaient remarqué au haut de la tour septentrionale, penché sur la place et si attentif à la danse de la bohémienne, c'était en effet l'archidiacre Claude Frollo.

Nos lecteurs n'ont pas oublié la cellule mystérieuse que l'archidiacre s'était réservée dans cette tour. (Je ne sais, pour le dire en passant, si ce n'est pas la même dont on peut voir encore aujourd'hui l'intérieur par une petite lucarne carrée, ouverte au levant à hauteur d'homme, sur la plate-forme d'où s'élancent les tours : un bouge[1], à présent nu, vide et délabré, dont les murs mal plâtrés sont *ornés* çà et là, à l'heure qu'il est, de quelques méchantes gravures jaunes représentant des façades de cathédrales. Je présume que ce trou est habité concurremment par les chauve-souris et les araignées, et que par conséquent il s'y fait aux mouches une double guerre d'extermination.)

Tous les jours, une heure avant le coucher du soleil, l'archidiacre montait l'escalier de la tour, et s'enfermait dans cette cellule, où il passait quelquefois des nuits entières. Ce jour-là, au moment où, parvenu devant la porte basse du réduit[2], il mettait dans la serrure la petite clef compliquée qu'il portait toujours sur lui dans l'escarcelle pendue à son côté, un bruit de tambourin et de castagnettes était arrivé à son oreille. Ce bruit venait de la place du Parvis. La cellule, nous l'avons déjà dit, n'avait qu'une lucarne donnant sur la croupe de l'église. Claude Frollo avait repris précipitamment la clef, et un instant après, il était sur le sommet de la tour, dans l'attitude sombre et recueillie où les damoiselles l'avaient aperçu.

Il était là, grave, immobile, absorbé dans un regard et dans une pensée. Tout Paris était sous ses pieds, avec les mille flèches de ses édifices et son circulaire horizon de molles collines, avec son fleuve qui serpente sous ses ponts et son peuple qui ondule dans ses rues, avec le

---

1. Petite pièce toute simple. **2.** Le sens tend vers celui de refuge.

nuage de ses fumées, avec la chaîne montueuse[1] de ses toits qui presse Notre-Dame de ses mailles redoublées ; mais dans toute cette ville, l'archidiacre ne regardait qu'un point du pavé : la place du Parvis ; dans toute cette foule, qu'une figure : la bohémienne.

Il eût été difficile de dire de quelle nature était ce regard, et d'où venait la flamme qui en jaillissait. C'était un regard fixe, et pourtant plein de trouble et de tumulte. Et, à l'immobilité profonde de tout son corps à peine agité par intervalles d'un frisson machinal, comme un arbre au vent, à la roideur de ses coudes, plus marbre que la rampe où ils s'appuyaient, à voir le sourire pétrifié qui contractait son visage, on eût dit qu'il n'y avait plus dans Claude Frollo que les yeux de vivant.

La bohémienne dansait ; elle faisait tourner son tambourin à la pointe de son doigt, et le jetait en l'air en dansant des sarabandes provençales[2] ; agile, légère, joyeuse, et ne sentant pas le poids du regard redoutable qui tombait à plomb[3] sur sa tête.

La foule fourmillait autour d'elle ; de temps en temps, un homme accoutré d'une casaque[4] jaune et rouge faisait faire le cercle, puis revenait s'asseoir sur une chaise à quelques pas de la danseuse, et prenait la tête de la chèvre sur ses genoux. Cet homme semblait être le compagnon de la bohémienne. Claude Frollo, du point élevé où il était placé, ne pouvait distinguer ses traits.

Du moment où l'archidiacre eut aperçu cet inconnu, son attention sembla se partager entre la danseuse et lui, et son visage devint de plus en plus sombre. Tout-à-coup il se redressa, et un tremblement parcourut tout son corps : — Qu'est-ce que c'est que cet homme ? dit-il entre ses dents ; je l'avais toujours vue seule !

Alors il se replongea sous la voûte tortueuse de l'escalier en spirale, et redescendit. En passant devant la porte

---

1. Onduleux, qui monte et qui descend. **2.** La sarabande, sorte de menuet fort grave, passe pour être d'origine espagnole, voire sarrazine. Le terme évolue vers le sens d'endiablé. **3.** À la verticale, mais aussi avec la densité du plomb. **4.** Surtout à manches larges. S'emploie aux courses pour la livrée du jockey. La bigarrure jaune et rouge est signe de folie, mais caractérise aussi les armes de Provence.

de la sonnerie[1], qui était entr'ouverte, il vit une chose qui le frappa : il vit Quasimodo qui, penché à une ouverture de ces auvents d'ardoises qui ressemblent à d'énormes jalousies[2], regardait, aussi lui, dans la place. Il était en proie à une contemplation si profonde qu'il ne prit pas garde au passage de son père adoptif. Son œil sauvage avait une expression singulière : c'était un regard charmé et doux. — Voilà qui est étrange ! murmura Claude. Est-ce que c'est l'égyptienne qu'il regarde ainsi ? — Il continua de descendre. Au bout de quelques minutes le soucieux archidiacre sortit dans la place par la porte qui est au bas de la tour.

— Qu'est donc devenue la bohémienne ? dit-il en se mêlant au groupe de spectateurs que le tambourin avait amassés.

— Je ne sais, répondit un de ses voisins, elle vient de disparaître. Je crois qu'elle est allée faire quelque fandangue[3] dans la maison en face, où ils l'ont appelée.

À la place de l'égyptienne, sur ce même tapis dont les arabesques[4] s'effaçaient le moment d'auparavant sous le dessin capricieux de sa danse, l'archidiacre ne vit plus que l'homme rouge et jaune, qui, pour gagner à son tour quelques testons[5], se promenait autour du cercle, les coudes sur les hanches, la tête renversée, la face rouge, le cou tendu, avec une chaise entre les dents. Sur cette chaise, il avait attaché un chat qu'une voisine avait prêté, et qui jurait[6] fort effrayé.

— Notre-Dame ! s'écria l'archidiacre au moment où le saltimbanque, suant à grosses gouttes, passa devant lui avec sa pyramide de chaise et de chat, que fait là maître Pierre Gringoire ?

La voix sévère de l'archidiacre frappa le pauvre diable

---

1. Pièce d'où l'on sonne les cloches. **2.** Espace oblique entre deux lames de persiennes, qui permet de voir sans être vu, et de cultiver plusieurs péchés, dont celui du même nom. **3.** Ou fandango, danse espagnole, lente, avec castagnettes. **4.** Ornementation de figures souples et capricieuses, comme de la calligraphie arabe. Et l'arabesque est aussi une figure chorégraphique. **5.** Il est douteux qu'il s'agisse ici de la monnaie à la tête royale émise au XVIe siècle à partir de Louis XII, et qui valait plus de la moitié d'une livre. **6.** Bruit de défense et de mise en garde que fait un chat menacé.

d'une telle commotion qu'il perdit l'équilibre avec tout son édifice, et que la chaise et le chat tombèrent pêle-mêle sur la tête des assistants, au milieu d'une huée inextinguible.

Il est probable que maître Pierre Gringoire (car c'était bien lui) aurait eu un fâcheux compte à solder avec la voisine au chat, et toutes les faces contuses et égratignées qui l'entouraient, s'il ne se fût hâté de profiter du tumulte pour se réfugier dans l'église, où Claude Frollo lui avait fait signe de le suivre.

La cathédrale était déjà obscure et déserte ; les contre-nefs[1] étaient pleines de ténèbres, et les lampes des chapelles commençaient à s'étoiler[2], tant les voûtes devenaient noires. Seulement la grande rose de la façade, dont les mille couleurs étaient trempées d'un rayon du soleil horizontal, reluisait dans l'ombre comme un fouillis de diamants, et répercutait à l'autre bout de la nef son spectre[3] éblouissant.

Quand ils eurent fait quelques pas, dom Claude s'adossa à un pilier et regarda Gringoire fixement. Ce regard n'était pas celui que Gringoire craignait, honteux qu'il était d'avoir été surpris par une personne grave et docte dans ce costume de baladin[4]. Le coup d'œil du prêtre n'avait rien de moqueur et d'ironique ; il était sérieux, tranquille et perçant. L'archidiacre rompit le silence le premier.

— Venez çà, maître Pierre. Vous m'allez expliquer bien des choses. Et d'abord, d'où vient qu'on ne vous a pas vu depuis tantôt[5] deux mois, et qu'on vous retrouve dans les carrefours, en bel équipage, vraiment ! mi-parti de jaune et de rouge, comme une pomme de Caudebec[6] ?

— Messire, dit piteusement Gringoire, c'est en effet un prodigieux accoutrement, et vous m'en voyez plus penaud qu'un chat coiffé d'une calebasse[7]. C'est bien mal

---

1. Les collatéraux. **2.** À scintiller, comme les étoiles dans un ciel sans lune ; les chapelles, entre les collatéraux et le mur extérieur, sont éclairées le jour par les vitraux. **3.** Décomposition de la lumière en les couleurs de l'arc-en-ciel. **4.** Saltimbanque, danseur des rues. **5.** Bientôt. **6.** Port normand sur la Seine, au sud d'Yvetot, dans le pays de Caux. **7.** Récipient fait d'une courge plus ou moins capricieuse, séchée.

fait, je le sens, d'exposer messieurs les sergents du guet à bâtonner sous cette casaque l'humérus [1] d'un philosophe pythagoricien [2]. Mais que voulez-vous, mon révérend maître ? la faute en est à mon ancien justaucorps, qui m'a lâchement abandonné au commencement de l'hiver, sous prétexte qu'il tombait en loques et qu'il avait besoin de s'aller reposer dans la hotte du chiffonnier [3]. Que faire ? la civilisation n'en est pas encore arrivée au point que l'on puisse aller tout nu, comme le voulait l'ancien Diogénès [4]. Ajoutez qu'il venait un vent très-froid, et ce n'est pas au mois de janvier qu'on peut essayer avec succès de faire faire ce nouveau pas à l'humanité. Cette casaque s'est présentée, je l'ai prise, et j'ai laissé là ma vieille souquenille noire, laquelle, pour un hermétique comme moi, était fort peu hermétiquement close. Me voilà donc en habit d'histrion [5], comme saint Genest. Que voulez-vous ? c'est une éclipse [6]. Apollo a bien gardé les gorrines chez Admétès [7].

— Vous faites là un beau métier ! reprit l'archidiacre.

— Je conviens, mon maître, qu'il vaut mieux philosopher et poétiser, souffler la flamme dans le fourneau [8] ou la recevoir du ciel [9], que de porter des chats sur le pavois. Aussi, quand vous m'avez apostrophé, ai-je été aussi sot qu'un âne devant un tourne-broche. Mais que voulez-vous, messire ? il faut vivre tous les jours, et les plus beaux vers alexandrins ne valent pas sous la dent un mor-

---

1. Os du haut du bras, de l'épaule au coude. **2.** Revendication de dignité, tant par l'antiquité du maître (VIe siècle avant notre ère) que par l'exigence intellectuelle de la mystique mathématique. Mais la théorie de la métempsycose peut donner quelque caution à ces métamorphoses de l'homme aux expédients. **3.** Jusqu'à la Seconde Guerre mondiale, les ordures ménagères étaient soigneusement triées par les chiffonniers qui en recyclaient tout le récupérable, et tout spécialement le chiffon avec lequel on fabriquait le papier. **4.** Tête de file de l'école cynique (413-323), célèbre pour la portée philosophique de ses incongruités. **5.** Comédien, plutôt bouffon. Saint Genest, martyr sous Dioclétien, est le patron des gens de théâtre, qui l'honorent avec l'Église au lendemain de la Saint-Louis. **6.** Occultation, par exemple du Soleil-Phœbus-Apollon. **7.** L'un des Argonautes, roi de Thessalie, dont Apollon en exil garda les troupeaux, qui n'étaient pas de truies. **8.** L'athanor des alchimistes. **9.** L'inspiration, ou l'enthousiasme, selon la théorie platonicienne de l'*Ion*.

ceau de fromage de Brie[1]. Or j'ai fait pour madame Marguerite de Flandre ce fameux épithalame que vous savez, et la ville ne me le paie pas, sous prétexte qu'il n'était pas excellent, comme si l'on pouvait donner pour quatre écus[2] une tragédie de Sophoclès[3]. J'allais donc mourir de faim. Heureusement je me suis trouvé un peu fort du côté de la mâchoire, et je lui ai dit à cette mâchoire : Fais des tours de force et d'équilibre ; nourris-toi toi-même. *Ale te ipsam*[4]. Un tas de gueux, qui sont devenus mes bons amis, m'ont appris vingt sortes de tours herculéens[5], et maintenant, je donne tous les soirs à mes dents le pain qu'elles ont gagné dans la journée à la sueur de mon front[6]. Après tout, *concedo*, je concède que c'est un triste emploi de mes facultés intellectuelles, et que l'homme n'est pas fait pour passer sa vie à tambouriner et à mordre des chaises. Mais, révérend maître, il ne suffit pas de passer sa vie[7], il faut la gagner.

Dom Claude écoutait en silence. Tout-à-coup son œil enfoncé prit une telle expression sagace et pénétrante, que Gringoire se sentit, pour ainsi dire, fouillé jusqu'au fond de l'âme par ce regard.

— Fort bien, maître Pierre ; mais d'où vient que vous êtes maintenant en compagnie de cette danseuse d'Égypte ?

— Ma foi ! dit Gringoire, c'est qu'elle est ma femme et que je suis son mari.

L'œil ténébreux du prêtre s'enflamma.

— Aurais-tu fait cela, misérable ? cria-t-il en saisissant avec fureur le bras de Gringoire ; aurais-tu été assez abandonné de Dieu pour porter la main sur cette fille ?

— Sur ma part de paradis, monseigneur, répondit

---

1. Entre Paris et la Champagne, principal fournisseur de la capitale en fromages (Melun, Meaux, Coulommiers, Saint-Jacques de Montereau). **2.** 12 francs. **3.** Le grand tragique grec du Ve siècle avant notre ère ; ses œuvres ne furent pas imprimées avant le XVIe siècle. **4.** En latin comme en français, cette injonction devient proverbe si l'on y ajoute « le ciel te nourrira », ce qui réduit le rôle de la foi. **5.** Dignes des *travaux* d'Hercule, et de sa force héroïque. **6.** Emprunt faussement respectueux aux conséquences tirées par Dieu du péché originel. **7.** Allusion ironique au « bien et dûment » de Montaigne.

Gringoire tremblant de tous ses membres, je vous jure que je ne l'ai pas touchée, si c'est là ce qui vous inquiète.

— Et que parles-tu donc de mari et de femme ? dit le prêtre.

Gringoire se hâta de lui conter le plus succinctement possible tout ce que le lecteur sait déjà, son aventure de la Cour des Miracles et son mariage au pot cassé. Il paraît du reste que ce mariage n'avait eu encore aucun résultat, et que chaque soir la bohémienne lui escamotait[1] sa nuit de noces comme le premier jour. — C'est un déboire, dit-il en terminant, mais cela tient à ce que j'ai eu le malheur d'épouser une vierge.

— Que voulez-vous dire ? demanda l'archidiacre, qui s'était apaisé par degrés à ce récit.

— C'est assez difficile à expliquer, répondit le poète. C'est une superstition. Ma femme est, à ce que m'a dit un vieux peigre[2] qu'on appelle chez nous le duc d'Égypte, un enfant trouvé ou perdu, ce qui est la même chose. Elle porte au cou une amulette[3] qui, assure-t-on, lui fera un jour rencontrer ses parents, mais qui perdrait sa vertu[4] si la jeune fille perdait la sienne. Il suit de là que nous demeurons tous deux très-vertueux.

— Donc, reprit Claude, dont le front s'éclaircissait de plus en plus, vous croyez, maître Pierre, que cette créature n'a été approchée d'aucun homme ?

— Que voulez-vous, dom Claude, qu'un homme fasse à une superstition ? Elle a cela dans la tête. J'estime que c'est à coup sûr une rareté que cette pruderie de nonne qui se conserve farouche au milieu de ces filles bohêmes, si facilement apprivoisées. Mais elle a pour se protéger trois choses : le duc d'Égypte, qui l'a prise sous sa sauvegarde, comptant peut-être la vendre à quelque damp[5] abbé ; toute sa tribu, qui la tient en vénération singulière, comme une notre-Dame ; et un certain poignard mignon, que la luronne porte toujours sur elle dans quelque coin,

---

1. Faire disparaître par un tour de passe-passe. **2.** Voleur. **3.** Objet magique qui écarte le malheur. **4.** Jeu satirique sur efficacité et virginité. **5.** Titre seigneurial des chefs d'abbaye, illustré en particulier par le *Petit Jehan de Saintré*, d'Antoine de la Sale, qui fut un des familiers de Louis XI à la cour de Bourgogne.

malgré les ordonnances du prevôt, et qu'on lui fait sortir aux mains en lui pressant la taille. C'est une fière guêpe, allez !

L'archidiacre serra Gringoire de questions.

La Esmeralda était, au jugement de Gringoire, une créature inoffensive et charmante, jolie, à cela près d'une moue qui lui était particulière, une fille naïve et passionnée, ignorante de tout, et enthousiaste de tout ; ne sachant pas encore la différence d'une femme à un homme, même en rêve ; faite comme cela ; folle surtout de danse, de bruit, de grand air ; une espèce de femme abeille, ayant des ailes invisibles aux pieds, et vivant dans un tourbillon. Elle devait cette nature à la vie errante qu'elle avait toujours menée. Gringoire était parvenu à savoir que, tout enfant, elle avait parcouru l'Espagne et la Catalogne, jusqu'en Sicile ; il croyait même qu'elle avait été emmenée par la caravane de zingari dont elle faisait partie, dans le royaume d'Alger, pays situé en Achaïe, laquelle Achaïe touche d'un côté à la petite Albanie et à la Grèce, de l'autre à la mer des Siciles, qui est le chemin de Constantinople. Les Bohêmes, disait Gringoire, étaient vassaux du roi d'Alger, en sa qualité de chef de la nation des maures blancs[1]. Ce qui était certain, c'est que la Esmeralda était venue en France très-jeune encore, par la Hongrie. De tous ces pays, la jeune fille avait rapporté des lambeaux de jargons[2] bizarres, des chants et des idées étrangères, qui faisaient de son langage quelque chose d'aussi bigarré que son costume moitié parisien, moitié africain. Du reste, le peuple des quartiers qu'elle fréquentait, l'aimait pour sa gaîté, pour sa gentillesse, pour ses vives allures, pour ses danses et pour ses chansons. Dans toute la ville, elle ne se croyait haïe que de deux personnes, dont elle parlait souvent avec effroi : la sachette

---

1. Cette géographie démarque Sauval (II, 93), qui moque la « si plaisante carte » faite en 1549 par le greffier de la Ville à l'occasion d'une ambassade du roi d'Alger. Mais le siècle romantique saura entendre les représentations archaïques des temps où l'Espagne et les Siciles, les barbaresques et les Turcs, les marchands et les Croisés s'étaient largement mêlés. **2.** Terme générique pour les langues spéciales, et particulièrement celle des voleurs, terme de mépris et de défense contre la langue de tout étranger.

de la Tour-Roland, une vilaine recluse qui avait on ne sait quelle rancune aux égyptiennes, et qui maudissait la pauvre danseuse chaque fois qu'elle passait devant sa lucarne ; et un prêtre qui ne la rencontrait jamais sans lui jeter des regards et des paroles qui lui faisaient peur. Cette dernière circonstance troubla fort l'archidiacre, sans que Gringoire fît grande attention à ce trouble ; tant il avait suffi de deux mois pour faire oublier à l'insouciant poète les détails singuliers de cette soirée où il avait fait la rencontre de l'égyptienne, et la présence de l'archidiacre dans tout cela. Au demeurant, la petite danseuse ne craignait rien ; elle ne disait pas la bonne aventure, ce qui la mettait à l'abri de ces procès de magie si fréquemment intentés aux bohémiennes. Et puis, Gringoire lui tenait lieu de frère, sinon de mari. Après tout, le philosophe supportait très-patiemment cette espèce de mariage platonique[1]. C'était toujours un gîte et du pain. Chaque matin il partait de la truanderie, le plus souvent avec l'égyptienne ; il l'aidait à faire dans les carrefours sa récolte de targes et de petits-blancs ; chaque soir il rentrait avec elle sous le même toit, la laissait se verrouiller dans sa logette, et s'endormait du sommeil du juste. Existence fort douce, à tout prendre, disait-il, et fort propre à la rêverie. Et puis, en son âme et conscience, le philosophe n'était pas très-sûr d'être éperdument amoureux de la bohémienne. Il aimait presque autant sa chèvre. C'était une charmante bête, douce, intelligente, spirituelle, une chèvre savante. Rien de plus commun au moyen-âge que ces animaux savants dont on s'émerveillait fort, et qui menaient fréquemment leurs instructeurs au fagot[2]. Pourtant les sorcelleries de la chèvre aux pattes dorées étaient de bien innocentes malices. Gringoire les expliqua à l'archidiacre, que ces détails paraissaient vivement intéresser. Il suffisait dans la plupart des cas de présenter le tambourin à la chèvre de telle ou telle façon, pour obtenir d'elle la momerie qu'on souhaitait. Elle avait été dressée à cela par la bohémienne, qui avait à ces finesses un talent si

---

1. Jeu sur le sens banal de l'amour platonique et l'aspiration platonicienne du philosophe. **2.** Matière première du bûcher.

rare qu'il lui avait suffi de deux mois pour enseigner à la chèvre à écrire avec des lettres mobiles le mot *Phœbus*.

— *Phœbus !* dit le prêtre ; pourquoi *Phœbus ?*

— Je ne sais, répondit Gringoire. C'est peut-être un mot qu'elle croit doué de quelque vertu magique et secrète. Elle le répète souvent à demi-voix quand elle se croit seule.

— Êtes-vous sûr, reprit Claude avec son regard pénétrant, que ce n'est qu'un mot et que ce n'est pas un nom ?

— Nom de qui, dit le poète.

— Que sais-je ? dit le prêtre.

— Voilà ce que j'imagine, messire. Ces bohêmes sont un peu guèbres[1] et adorent le soleil. De là Phœbus.

— Cela ne me semble pas si clair qu'à vous, maître Pierre.

— Au demeurant, cela ne m'importe. Qu'elle marmotte son Phœbus à son aise. Ce qui est sûr, c'est que Djali m'aime déjà presque autant qu'elle.

— Qu'est-ce que cette Djali ?

— C'est la chèvre.

L'archidiacre posa son menton sur sa main, et parut un moment rêveur. Tout-à-coup il se retourna brusquement vers Gringoire.

— Et tu me jures que tu ne lui as pas touché ?

— À qui ? dit Gringoire ; à la chèvre ?

— Non, à cette femme.

— À ma femme ? Je vous jure que non.

— Et tu es souvent seul avec elle ?

— Tous les soirs, une bonne heure.

Dom Claude fronça le sourcil.

— Oh ! oh ! *Solus cum sola non cogitabuntur orare Pater noster*[2].

— Sur mon âme, je pourrais dire le *Pater*, et l'*Ave Maria* et le *Credo in Deum patrem omnipotentem*[3], sans

---

1. Perses, adeptes de la religion de Zoroastre. **2.** « Homme seul avec femme seule : on ne pensera pas qu'ils disent leur *Notre Père.* » **3.** Après l'oraison dominicale et la salutation angélique, le *Credo* qui résume les articles du dogme chrétien ; mais Gringoire a oublié l'unicité de ce Dieu Père tout puissant.

qu'elle fît plus d'attention à moi qu'une poule à une église.

— Jure-moi par le ventre de ta mère, répéta l'archidiacre avec violence, que tu n'as pas touché à cette créature du bout du doigt.

— Je le jurerais aussi par la tête de mon père, car les deux choses ont plus d'un rapport. Mais, mon révérend maître, permettez-moi à mon tour une question.

— Parlez, monsieur.

— Qu'est-ce que cela vous fait ?

La pâle figure de l'archidiacre devint rouge comme la joue d'une jeune fille. Il resta un moment sans répondre, puis avec un embarras visible :

— Écoutez, maître Pierre Gringoire. Vous n'êtes pas encore damné, que je sache. Je m'intéresse à vous et vous veux du bien. Or le moindre contact avec cette égyptienne du démon vous ferait vassal de Satanas. Vous savez que c'est toujours le corps qui perd l'âme. Malheur à vous si vous approchez cette femme ! Voilà tout.

— J'ai essayé une fois, dit Gringoire en se grattant l'oreille ; c'était le premier jour : mais je me suis piqué.

— Vous avez eu cette effronterie, maître Pierre ? Et le front du prêtre se rembrunit.

— Une autre fois, continua le poète en souriant, j'ai regardé avant de me coucher par le trou de sa serrure, et j'ai bien vu la plus délicieuse dame en chemise qui ait jamais fait crier la sangle d'un lit sous son pied nu.

— Va-t'en au diable ! cria le prêtre avec un regard terrible, et, poussant par les épaules Gringoire émerveillé, il s'enfonça à grands pas sous les plus sombres arcades de la cathédrale.

III

LES CLOCHES

Depuis la matinée du pilori, les voisins de Notre-Dame avaient cru remarquer que l'ardeur carillonneuse de Quasimodo s'était fort refroidie. Auparavant c'étaient des sonneries à tout propos, de longues aubades[1] qui duraient de Primes à Complies[2], des volées de beffroi pour une grand'messe, de riches gammes promenées sur les clochettes pour un mariage, pour un baptême, et s'entremêlant dans l'air comme une broderie de toute sorte de sons charmants. La vieille église, toute vibrante et toute sonore, était dans une perpétuelle joie de cloches. On y sentait sans cesse la présence d'un esprit de bruit et de caprice qui chantait par toutes ces bouches de cuivre. Maintenant cet esprit semblait avoir disparu ; la cathédrale paraissait morne et garder volontiers le silence ; les fêtes et les enterrements avaient leur simple sonnerie, sèche et nue, ce que le rituel exigeait, rien de plus ; du double bruit que fait une église, l'orgue au dedans, la cloche au dehors, il ne restait que l'orgue. On eût dit qu'il n'y avait plus de musiciens dans les clochers. Quasimodo y était toujours pourtant ; que s'était-il donc passé en lui ? était-ce que la honte et le désespoir du pilori duraient encore au fond de son cœur, que les coups de fouet du tourmenteur se répercutaient sans fin dans son âme, et que la tristesse d'un pareil traitement avait tout éteint chez lui, jusqu'à sa passion pour les cloches ? ou bien, était-ce que Marie avait une rivale dans le cœur du sonneur de Notre-Dame, et que la grosse cloche et ses quatorze sœurs étaient négligées pour quelque chose de plus aimable et de plus beau ?

Il arriva que, dans cette gracieuse année 1482, l'Annonciation tomba un mardi 25 mars[3]. Ce jour-là l'air était si pur et si léger que Quasimodo se sentit revenir quelque amour de ses cloches. Il monta donc dans la tour septentrionale, tandis qu'en bas le bedeau ouvrait toutes larges les portes de l'église, lesquelles étaient alors d'énormes panneaux de fort bois couvert de cuir, bordés de clous de

---

1. Concert donné à l'aube, et, par extension, surprise. **2.** De la première des heures canoniales au dernier accomplissement de la journée liturgique. **3.** La date, neuf mois jour pour jour avant Noël, est fixe ; mais non le jour de la semaine. Or ce chapitre a été ajouté, bien après la rédaction du suivant. La chronologie s'explicite alors : le samedi 29 mars, jour de Sabbat, pour l'*Anankê*, ce qui fait de l'Annonciation, pour « Les cloches », un mardi.

fer doré et encadrés de sculptures « fort artificiellement élabourées[1]. »

Parvenu dans la haute cage de la sonnerie, Quasimodo considéra quelque temps avec un triste hochement de tête les six campanilles[2], comme s'il gémissait de quelque chose d'étranger qui s'était interposé dans son cœur entre elles et lui. Mais quand il les eut mises en branle ; quand il sentit cette grappe de cloches remuer sous sa main[3] ; quand il vit, car il ne l'entendait pas, l'octave palpitante monter et descendre sur cette échelle sonore comme un oiseau qui saute de branche en branche ; quand le diable-Musique, ce démon qui secoue un trousseau étincelant de strettes, de trilles et d'arpéges[4], se fut emparé du pauvre sourd, alors il redevint heureux, il oublia tout, et son cœur qui se dilatait fit épanouir son visage.

Il allait et venait, il frappait des mains, il courait d'une corde à l'autre, il animait les six chanteurs de la voix et du geste, comme un chef d'orchestre qui éperonne des virtuoses intelligents.

— Va, disait-il, va, Gabrielle, verse tout ton bruit dans la place, c'est aujourd'hui fête. — Thibauld, pas de paresse, tu te ralentis ; va, va donc, est-ce que tu t'es rouillé, fainéant ? — C'est bien ! vite ! vite ! qu'on ne voie pas le battant. Rends-les tous sourds comme moi. — C'est cela, Thibauld, bravement ! — Guillaume ! Guillaume ! tu es le plus gros, et Pasquier est le plus petit, et Pasquier va le mieux. Gageons que ceux qui entendent l'entendent mieux que toi. — Bien ! bien ! ma Gabrielle, fort ! plus fort ! — Hé ! que faites-vous donc là-haut tous deux, les Moineaux ? je ne vous vois pas faire le plus

---

1. Hugo contamine le début et la fin de la p. 11 de Du Breul ; il s'agit de la couverture des chapelles, avec « une infinité d'arcades, de canaux et tuiaux en forme de plusieurs animaux fort artificiellement élabourez pour couler l'eau ». **2.** Pour corriger la répétition de *cloches* et amorcer la réduction familière et intime de la scène, Hugo recourt à ce diminutif que les éditions modernes mutilent. **3.** Allusion plus que probable à l'exaltation qui, selon la sagesse populaire, menace les garçons de surdité, comme sonneurs de cloches. **4.** Les trois termes sont de l'ordre de la rapidité d'exécution : pour la fin d'une fugue, pour le battement d'une note avec celle qui lui est immédiatement supérieure, pour un accord dont on joue successivement les notes.

petit bruit. — Qu'est-ce que c'est que ces becs de cuivre-là qui ont l'air de bâiller quand il faut chanter ? Çà, qu'on travaille ! c'est l'Annonciation. Il y a un beau soleil, il faut un beau carillon. — Pauvre Guillaume ! te voilà tout essoufflé, mon gros ?

Il était tout occupé d'aiguillonner ses cloches qui sautaient toutes les six à qui mieux mieux, et secouaient leurs croupes luisantes comme un bruyant attelage de mules espagnoles piqué çà et là par les apostrophes du sagal[1].

Tout-à-coup, en laissant tomber son regard entre les larges écailles ardoisées qui recouvrent à une certaine hauteur le mur à pic du clocher, il vit dans la place une jeune fille bizarrement accoutrée, qui s'arrêtait, qui développait à terre un tapis où une petite chèvre venait se poser ; et un groupe de spectateurs qui s'arrondissait à l'entour. Cette vue changea subitement le cours de ses idées, et figea son enthousiasme musical comme un souffle d'air fige une résine en fusion. Il s'arrêta, tourna le dos au carillon, et s'accroupit derrière l'auvent d'ardoise, en fixant sur la danseuse ce regard rêveur, tendre et doux qui avait déjà une fois étonné l'archidiacre. Cependant les cloches oubliées s'éteignirent brusquement toutes à la fois, au grand désappointement des amateurs de sonnerie, lesquels écoutaient de bonne foi le carillon de dessus le Pont-au-Change, et s'en allèrent stupéfaits comme un chien à qui l'on a montré un os et à qui l'on donne une pierre.

IV

'ANÁΓKH

Il advint que par une belle matinée de ce même mois de mars, je crois que c'était le samedi 29, jour de saint

---

1. Ou *zagal*, coureur au costume bariolé, qui accompagne l'attelage et aide le postillon.

Eustache[1], notre jeune ami l'écolier Jehan Frollo du Moulin s'aperçut en s'habillant que ses grègues[2] qui contenaient sa bourse ne rendaient aucun son métallique.

— Pauvre bourse ! dit-il en la tirant de son gousset, quoi ! pas le moindre petit parisis ! comme les dés, les pots de bière et Vénus t'ont cruellement éventrée ! comme te voilà vide, ridée et flasque ! tu ressembles à la gorge d'une furie[3] ! Je vous le demande, messer Cicero et messer Seneca[4], dont je vois les exemplaires tout racornis épars sur le carreau, que me sert de savoir, mieux qu'un général des monnaies[5] ou qu'un juif du Pont-aux-Changeurs[6], qu'un écu d'or à la couronne vaut trente-cinq unzains de vingt-cinq sous huit deniers parisis chaque, et qu'un écu au croissant vaut trente-six unzains de vingt-six sous et six deniers tournois pièce[7], si je n'ai pas un misérable liard[8] noir à risquer sur le double-six ! Oh ! consul Cicero ! ce n'est pas là une calamité dont on se tire avec des périphrases, des *quemadmodum* et des *verumenimvero*[9] !

---

1. Le manuscrit donne bien le nom d'Eustase, abbé de Luxeuil vers la fin du VIe siècle, mort en 625, que l'Église honore le 29 mars, et qui fit de son abbaye un centre célèbre de copie de manuscrits. On s'explique mal la dérive vers Eustache ; la paroisse des Halles dont la magnifique église est renaissante ? la gravure de Dürer représentant le saint à genoux devant un cerf aux bois sommés de la croix ? le petit couteau à un sou fort à la mode vers 1830 ? le suffixe plus ou moins dépréciatif ? ou simple coquille ? **2.** Haut-de-chausses. **3.** Ou Érinyes chez les Grecs : déesses du châtiment, dont l'une se nomme Mégère. **4.** Cicéron (106-43), avocat, politique et philosophe éclectique, texte de base de l'enseignement rhétorique ; Sénèque (2-66) auteur tragique et philosophe stoïcien, texte de base de l'enseignement moral. **5.** Contrôleur général des monnaies. **6.** Ou Pont de la Marchandise, entre la tour de l'Horloge et le Châtelet ; changeurs et orfèvres tenaient chacun l'une des rangées de maisons. **7.** La *Chronique*... donne ces détails du remplacement, en novembre 1475 de l'écu d'or à la couronne par l'écu d'or au croissant, plus communément dit au soleil. Hugo fait que Jehan s'amuse de la complication du change. **8.** Le liard, qui date de Louis XI, valait trois deniers, le quart du sou. On l'appelait aussi le blanc... Le mot était encore au XIXe s. d'un emploi courant pour désigner la valeur d'un demi-sou (2,5 centimes). Le coup vainqueur de deux six aux dés se nommait *Vénus*. **9.** Locutions qui introduisent la comparaison (de même que) ou la correction (mais en effet de fait) et dont la redondance

Il s'habilla tristement. Une pensée lui était venue tout en ficelant ses bottines, mais il la repoussa d'abord ; cependant elle revint, et il mit son gilet à l'envers, signe évident d'un violent combat intérieur. Enfin, il jeta rudement son bonnet à terre et s'écria : Tant pis ! il en sera ce qu'il pourra. Je vais aller chez mon frère ! j'attraperai un sermon, mais j'attraperai un écu.

Alors il endossa précipitamment sa casaque à mahoîtres[1] fourrées, ramassa son bonnet et sortit en désespéré[2].

Il descendit la rue de la Harpe vers la Cité. En passant devant la rue de la Huchette[3], l'odeur de ces admirables broches qui y tournaient incessamment vint chatouiller son appareil olfactif, et il donna un regard d'amour à la cyclopéenne rôtisserie qui arracha un jour au cordelier Calatagirone cette pathétique exclamation : *Veramente, queste rotisserie sono cosa stupenda*[4] *!* Mais Jehan n'avait pas de quoi déjeuner, et il s'enfonça avec un profond soupir sous la porte du Petit-Châtelet, cet énorme double-trèfle de tours massives qui gardait l'entrée de la Cité.

Il ne prit pas même le temps de jeter une pierre en passant, comme c'était l'usage, à la misérable statue de ce Périnet Leclerc, qui avait livré le Paris de Charles VI aux Anglais[5], crime que son effigie, la face écrasée de pierres et souillée de boue, a expié pendant trois siècles, au coin des rues de la Harpe et de Bussy, comme à un pilori éternel.

---

permet de caricaturer le discours de l'orateur, modèle obligé du thème en latin cicéronien *Cf.* Rabelais, *Gargantua*, XIX, requête de J. de Bragmardo pour les cloches de Notre-Dame.

1. Hugo donne le sens au dos de la page du dictionnaire grec de l'*Anankê* : « de drap d'or à dessins rouges et noirs ». **2.** Comme on se jette à l'eau ? **3.** Au bas du quartier Latin, parallèle à la Seine, rue très élégante qui ne devint qu'au XVIIe siècle le domaine des rôtisseurs. **4.** « Vraiment ces rôtisseries sont chose stupéfiante ! » Cette anecdote de Sauval (I, 142) fournissait quelque aliment à l'anticléricalisme sous la Restauration. **5.** Et aux Bourguignons (Sauval, I, 36 et II, 348), le 28 mai 1418, d'où pillages et massacres. Ce qui était resté à la porte de Buci de la statue lapidée, au coin de la rue Saint-André et de la rue de la Boucherie, servait encore de borne du temps de Sauval devant le pont Saint-Michel. Le paragraphe est en addition au ms. Anicet Bourgeois consacra un drame en cinq actes à ce « Paris en 1418 » (3 novembre 1832).

Le Petit-Pont traversé, la rue neuve Sainte-Geneviève enjambée, Jehan de Molendino se trouva devant Notre-Dame. Alors son indécision le reprit, et il se promena quelques instants autour de la statue de M. Legris, en se répétant avec angoisse : le sermon est sûr, l'écu est douteux !

Il arrêta un bedeau qui sortait du cloître. — Où est monsieur l'archidiacre de Josas ?

— Je crois qu'il est dans sa cachette de la tour, dit le bedeau, et je ne vous conseille pas de l'y déranger, à moins que vous ne veniez de la part de quelqu'un comme le pape ou monsieur le roi.

Jehan frappa dans ses mains. — Bédiable ! voilà une magnifique occasion de voir la fameuse logette aux sorcelleries !

Déterminé par cette réflexion, il s'enfonça résolument sous la petite porte noire, et se mit à monter la vis-de-saint-Gilles[1] qui mène aux étages supérieurs de la tour. — Je vais voir ! se disait-il chemin faisant. Par les corbignolles[2] de la sainte Vierge ! ce doit être chose curieuse que cette cellule que mon révérend frère cache comme son pudendum[3] ! On dit qu'il y allume des cuisines d'enfer, et qu'il y fait cuire à gros feu la pierre philosophale[4]. Bédieu ! je me soucie de la pierre philosophale comme d'un caillou, et j'aimerais mieux trouver sur son fourneau une omelette d'œufs de Pâques[5] au lard que la plus grosse pierre philosophale du monde !

Parvenu sur la galerie des colonnettes, il souffla un moment, et jura contre l'interminable escalier par je ne sais combien de millions de charretées de diables ; puis il reprit son ascension par l'étroite porte de la tour septentrionale, aujourd'hui interdite au public. Quelques

---

1. Du nom de la ville de Provence, entre Nîmes et Arles, où l'on est censé avoir construit au Prieuré le premier de ces escaliers, ou le plus admirable (Sauval II, 308). Après les guerres de religion, sa ruine a été systématiquement visitée par les compagnons du Tour de France. **2.** Peut-être ce qui tient lieu d'encorbellement dans l'architecture du corps de la femme. **3.** Parties dites honteuses. **4.** Pulvérisée en poudre de projection, elle est destinée à transmuter les métaux en or. **5.** À Pâques, saison de la forte ponte, les enfants de chœur allaient recueillir en œufs les offrandes pour la paroisse.

moments après avoir dépassé la cage des cloches, il rencontra un petit pallier pratiqué dans un renfoncement latéral, et sous la voûte une basse-porte ogive, dont une meurtrière, percée en face dans la paroi circulaire de l'escalier, lui permit d'observer l'énorme serrure et la puissante armature de fer. Les personnes qui seraient curieuses aujourd'hui de visiter cette porte la reconnaîtront à cette inscription, gravée en lettres blanches dans la muraille noire : J'ADORE CORALIE. 1823 [1], SIGNÉ UGÈNE. *Signé* est dans le texte.

— Ouf ! dit l'écolier ; c'est sans doute ici. La clef était dans la serrure. La porte était tout contre [2] ; il la poussa mollement, et passa sa tête par l'entre-ouverture.

Le lecteur n'est pas sans avoir feuilleté l'œuvre admirable de Rembrandt, ce Shakspeare de la peinture. Parmi tant de merveilleuses gravures, il y a en particulier une eau-forte qui représente, à ce qu'on suppose, le docteur Faust [3], et qu'il est impossible de contempler sans éblouissement. C'est une sombre cellule ; au milieu est une table chargée d'objets hideux : têtes de mort, sphères, alambics, compas, parchemins hiéroglyphiques. Le docteur est devant cette table, vêtu de sa grosse houppelande [4] et coiffé jusqu'aux sourcils de son bonnet fourré. On ne le voit qu'à mi-corps. Il est à demi levé de son immense fauteuil ; ses poings crispés s'appuient sur la table, et il considère, avec curiosité et terreur, un grand cercle lumineux, formé de lettres magiques, qui brille sur le mur du fond comme le spectre solaire dans la chambre noire. Ce soleil cabalistique [5] semble trembler à l'œil et remplit la blafarde cellule de son rayonnement mystérieux. C'est horrible et c'est beau.

---

1. Le ms. donne 1829. Eugène Hugo, le frère fou, n'a été enfermé définitivement qu'en 1823, et est mort en 1837. Coralie peut renvoyer à une mise en scène de *Faust*, avec Frédéric Lemaître et Marie Dorval, en mars-avril 1829 **2.** Simplement poussée, non fermée. **3.** C'est *l'Alchimiste*. Les *Faust* de Marlowe, de Goethe et de tant d'autres se réfèrent à une légende allemande du début du XVIe siècle, qui interfère parfois avec l'histoire de Jean Fust, inventeur de l'imprimerie (1410-1465). Goethe publiera son « Second Faust » en 1831. **4.** Ample manteau, souvent fourré. **5.** Le terme fait glisser l'herméneutique juive de la Kabbale vers les recettes de la magie.

Quelque chose d'assez semblable à la cellule de Faust s'offrit à la vue de Jehan, quand il eut hasardé sa tête par la porte entrebaillée. C'était de même un réduit sombre et à peine éclairé. Il y avait aussi un grand fauteuil et une grande table, des compas, des alambics, des squelettes d'animaux pendus au plafond, une sphère roulant sur le pavé, des hippocéphales[1] pêle-mêle avec des bocaux où tremblaient des feuilles d'or[2], des têtes de morts posées sur des vélins bigarrés de figures et de caractères, de gros manuscrits empilés tout ouverts, sans pitié pour les angles cassants du parchemin[3] ; enfin, toutes les ordures de la science, et partout sur ce fouillis de la poussière et des toiles d'araignées ; mais il n'y avait point de cercles de lettres lumineuses, point de docteur en extase, contemplant la flamboyante vision, comme l'aigle regarde son soleil[4].

Pourtant la cellule n'était point déserte. Un homme était assis dans le fauteuil et courbé sur la table. Jehan, auquel il tournait le dos, ne pouvait voir que ses épaules et le derrière de son crâne ; mais il n'eut pas de peine à reconnaître cette tête chauve, à laquelle la nature avait fait une tonsure[5] éternelle, comme si elle avait voulu marquer, par ce symbole extérieur, l'irrésistible vocation cléricale de l'archidiacre.

Jehan reconnut donc son frère ; mais la porte s'était ouverte si doucement que rien n'avait averti dom Claude de sa présence. Le curieux écolier en profita pour examiner quelques instants à loisir la cellule. Un large fourneau,

1. Hippocampes ? **2.** Préfiguration de la bouteille de Leyde qui vers la fin du XVIIIe siècle réalisa la première formule du condensateur électrique. **3.** Peau de chèvre ou de mouton préparée pour la confection des manuscrits. **4.** Nerval avait publié en 1830 la traduction d'un sonnet attribué à Bürger, qu'il adapte et publie le 4 décembre 1831 : *Oh ! c'est que l'aigle seul — malheur à nous, malheur ! — / Contemple impunément le Soleil et la Gloire*. Il s'agit du *Point noir* qui figure dans *Les Petits Châteaux de Bohême*. La Gloire, dont le paradigme absolu est Napoléon, interfère ici avec La Rochefoucauld : « Le soleil ni la mort ne se peuvent regarder fixement. » **5.** La tonsure d'un cercle de cheveux (de 3 cm de diamètre jusqu'à 8 pour le prêtre) marquait les degrés successifs de la carrière intellectuelle et sacramentelle des clercs, depuis la confirmation et la maîtrise de la lecture et de l'écriture. La calvitie dispense de l'entretenir.

qu'il n'avait pas remarqué au premier abord, était à gauche[1] du fauteuil, au-dessous de la lucarne. Le rayon du jour qui pénétrait par cette ouverture traversait une ronde toile d'araignée, qui inscrivait avec goût sa rosace délicate dans l'ogive de la lucarne, et au centre de laquelle l'insecte architecte se tenait immobile comme le moyeu de cette roue de dentelle. Sur le fourneau étaient accumulés en désordre toutes sortes de vases, des fioles de grès, des cornues de verre[2], des matras[3] de charbon. Jehan observa, en soupirant, qu'il n'y avait pas un poêlon[4]. — Elle est fraîche, la batterie de cuisine ! pensa-t-il.

Du reste, il n'y avait pas de feu dans le fourneau, et il paraissait même qu'on n'en avait pas allumé depuis longtemps. Un masque de verre, que Jehan remarqua parmi les ustensiles d'alchimie, et qui servait sans doute à préserver le visage de l'archidiacre lorsqu'il élaborait quelque substance redoutable, était dans un coin, couvert de poussière, et comme oublié. À côté gisait un soufflet non moins poudreux, et dont la feuille supérieure portait cette légende, incrustée en lettres de cuivre : SPIRA, SPERA[5].

D'autres légendes étaient écrites, selon la mode des hermétiques, en grand nombre sur les murs ; les unes tracées à l'encre, les autres gravées avec une pointe de métal. Du reste, lettres gothiques, lettres hébraïques, lettres grecques et lettres romaines, pêle-mêle ; les inscriptions débordant au hasard, celles-ci sur celles-là, les plus fraîches effaçant les plus anciennes, et toutes s'enchevêtrant les unes dans les autres comme les branches d'une broussaille, comme les piques d'une mêlée[6]. C'était, en effet, une assez confuse mêlée de toutes les philosophies, de toutes les rêveries, de toutes les sagesses humaines. Il y en avait une çà et là qui brillait sur les autres comme un drapeau parmi les fers de lances. C'était, la plupart du temps, une brève devise latine ou grecque, comme les formulait si bien le moyen-âge :

---

1. Pour pouvoir écrire de la main droite ? **2.** Vase à col étiré et courbé, pour la distillation. **3.** Vase à col long, pour opérations de chimie ou de pharmacie ? mais comment mettre le charbon (de bois) sur le même plan que le grès et le verre ? Sauval (II, 238), fournit le sens : des « fioles... couchées sur des matras de charbon ». **4.** Sorte de casserole en poterie, pour la cuisine. **5.** « Souffle, Espère », traduction de l'intraduisible « Expire, Espère ». **6.** Combat rapproché.

Undè ? indè ? — Homo homini monstrum. — Astra, castra, nomen, numen. — Μέγα βιβλίον, μέγα κακόν. — *Sapere aude. — Flat ubi vult*[1]. — etc. ; quelquefois un mot dénué de tout sens apparent : Αναγκοφαγία[2] ; — ce qui cachait peut-être une allusion amère au régime du cloître ; quelquefois enfin une simple maxime de discipline cléricale formulée en un hexamètre réglementaire : *Cœlestem dominum, terrestrem dicito domnum*[3]. Il y avait aussi *passim*[4] des grimoires hébraïques, auxquels Jehan, déjà fort peu grec, ne comprenait rien, et le tout était traversé à tout propos par des étoiles, des figures d'hommes ou d'animaux et des triangles qui s'intersectaient[5], ce qui ne contribuait pas peu à faire ressembler la muraille barbouillée de la cellule à une feuille de papier sur laquelle un singe aurait promené une plume chargée d'encre.

L'ensemble de la logette, du reste, présentait un aspect général d'abandon et de délabrement ; et le mauvais état des ustensiles laissait supposer que le maître était déjà depuis assez long-temps distrait de ses travaux par d'autres préoccupations.

Ce maître cependant, penché sur un vaste manuscrit orné de peintures bizarres, paraissait tourmenté par une idée qui venait sans cesse se mêler à ses méditations. C'est du moins ce que Jehan jugea en l'entendant s'écrier, avec les intermittences pensives d'un songe creux qui rêve tout haut :

— Oui, Manou[6] le dit et Zoroastre[7] l'enseignait ! le soleil naît du feu, la lune du soleil ; le feu est l'âme du

---

1. D'où ? de là ? — L'homme est pour l'homme un monstre. Constellation le castel, divinité l'identité. — Grand livre, grand mal. — Ose savoir. — Il souffle où il veut. (Il s'agit de l'Esprit, selon l'évangile de Jean, III, 8.) **2.** Hugo a sous les yeux la page de dictionnaire ou figure l'*anankê*, et cette « anankophagia », traduite non pas par le « fait de manger de la nécessité », mais par « régime forcé, comme celui des athlètes ». **3.** « Le Seigneur du ciel a droit au *Domine*, celui de la terre au *dom.* » (Sauval, II, 735.) **4.** Çà et là. **5.** L'étoile à six branches, sceau de Salomon ou bouclier de David, est faite de deux triangles équilatéraux tête-bêche, symboliques de l'entrelacement du microcosme et du macrocosme. **6.** Père des hommes après le déluge, et premier législateur des Aryas de l'Inde. **7.** Réformateur de la religion iranienne, instituteur des mages (fin du VIIe siècle avant notre ère).

grand tout ; ses atômes élémentaires s'épanchent et ruissellent incessamment sur le monde par courants infinis ! Aux points où ces courants s'entrecoupent dans le ciel, ils produisent la lumière ; à leurs points d'intersection dans la terre, ils produisent l'or. — La lumière, l'or ; même chose ! — Du feu à l'état concret. — La différence du visible au palpable, du fluide au solide pour la même substance, de la vapeur d'eau à la glace, rien de plus. — Ce ne sont point là des rêves, — c'est la loi générale de la nature[1]. — Mais comment faire pour soutirer dans la science le secret de cette loi générale ? Quoi ! cette lumière qui inonde ma main, c'est de l'or ! ces mêmes atômes dilatés selon une certaine loi, il ne s'agit que de les condenser selon une certaine autre loi. — Comment faire ? — Quelques-uns ont imaginé d'enfouir un rayon du soleil. — Averroës[2], — oui, c'est Averroës, — Averroës en a enterré un sous le premier pilier de gauche du sanctuaire du koran, dans la grande mahomerie de Cordoue ; mais on ne pourra ouvrir le caveau pour voir si l'opération a réussi que dans huit mille ans.

— Diable, dit Jehan à part lui, voilà qui est long-temps attendre un écu.

—... D'autres ont pensé, continua l'archidiacre rêveur, qu'il valait mieux opérer sur un rayon de Syrius[3]. Mais il est bien malaisé d'avoir ce rayon pur, à cause de la présence simultanée des autres étoiles qui viennent s'y mêler. Flamel estime qu'il est plus simple d'opérer sur le feu terrestre. — Flamel ! quel nom de prédestiné, *Flamma !* — Oui, le feu. Voilà tout. — Le diamant est dans le charbon[4] l'or est dans le feu. — Mais comment l'en tirer ? — Magistri[5] affirme qu'il y a de certains noms de femmes d'un charme si doux et si mystérieux qu'il suffit de les prononcer pendant l'opération... — Lisons ce qu'en

---

1. L'illuminisme panthéiste de Frollo est clairement présenté comme l'intuition de l'atomisme moderne, tel qu'il se cherche et se développe au XIXe siècle. Mais la tentation diabolique est le mirage de la ruée vers l'or. **2.** Aristotélicien arabe d'Espagne (XIIe siècle) dont l'Université et la Papauté ne purent accepter le panthéisme quasi matérialiste. **3.** Sirius, l'étoile la plus brillante de notre ciel, et aussi le soleil originaire du Micromégas de Voltaire. **4.** C'est même une forme de carbone. **5.** *Cf.* note 5 de la p. 260.

dit Manou : « Où les femmes sont honorées, les divinités sont réjouies ; où elles sont méprisées, il est inutile de prier Dieu. — La bouche d'une femme est constamment pure ; c'est une eau courante, c'est un rayon de soleil. — Le nom d'une femme doit être agréable, doux, imaginaire ; finir par des voyelles longues et ressembler à des mots de bénédictions. » — ... Oui, le sage a raison ; en effet, la Maria, la Sophia, la Esmeral[1]... — Damnation ! toujours cette pensée !

Et il ferma le livre avec violence.

Il passa la main sur son front, comme pour chasser l'idée qui l'obsédait ; puis il prit sur la table un clou et un petit marteau dont le manche était curieusement peint de lettres cabalistiques.

— Depuis quelque temps, dit-il avec un sourire amer, j'échoue dans toutes mes expériences ! l'idée fixe me possède, et me flétrit le cerveau comme un trèfle[2] de feu. Je n'ai seulement pu retrouver le secret de Cassiodore[3], dont la lampe brûlait sans mèche et sans huile. Chose simple pourtant !

— Peste ! dit Jehan dans sa barbe.

— ... Il suffit donc, continua le prêtre, d'une seule misérable pensée pour rendre un homme faible et fou ! Oh ! que Claude Pernelle rirait de moi, elle qui n'a pu détourner un moment Nicolas Flamel de la poursuite du grand œuvre ! Quoi ! je tiens dans ma main le marteau magique de Zéchiélé ! à chaque coup que le redoutable rabbin, du fond de sa cellule, frappait sur ce clou avec ce marteau, celui de ses ennemis qu'il avait condamné, eût-il été à deux mille lieues, s'enfonçait d'une coudée[4] dans

---

1. Le nom de la bohémienne s'aligne ainsi avec ceux de la Vierge et de la Sagesse. **2.** Ou fleur de lys dont on marquait les galériens. **3.** Érudit, homme d'État et religieux du VIe siècle, intime du roi Ostrogoth Théodoric. Retiré dans une communauté de savants copistes, il sauva une part considérable des manuscrits anciens ; il avait inventé une lampe pour améliorer le travail au *scriptorium*. L'éclairage au gaz ne connaît ses débuts à Paris que sous la Restauration et suscite un pamphlet de Ch. Nodier et Am. Pichot. Sauval (II, 551) dit « sans huile à la vérité, mais avec une matière qui lui ressemblait assez », à propos du rabbin Zéchiélé (XIIIe siècle) : déjà le pétrole ? **4.** Environ 50 cm. *Cf.* Sauval, II, 526.

la terre qui le dévorait. Le roi de France lui-même, pour avoir un soir heurté inconsidérément à la porte du thaumaturge [1], entra dans son pavé de Paris jusqu'aux genoux. — Ceci s'est passé il n'y a pas trois siècles. — Eh bien ! j'ai le marteau et le clou, et ce ne sont pas outils plus formidables dans mes mains qu'un hutin aux mains d'un taillandier [2]. — Pourtant il ne s'agit que de retrouver le mot magique que prononçait Zéchiélé, en frappant sur son clou.

— Bagatelle ! pensa Jehan.

— Voyons, essayons, reprit vivement l'archidiacre. Si je réussis, je verrai l'étincelle bleue jaillir de la tête du clou. — Emen-Hétan [3] ! Emen-Hétan ! — Ce n'est pas cela. — Sigéani [4] ! Sigéani ! — Que ce clou ouvre la tombe à quiconque porte le nom de Phœbus... ! — Malédiction ! toujours, encore, éternellement la même idée !

Et il jeta le marteau avec colère. Puis il s'affaissa tellement sur le fauteuil et sur la table, que Jehan le perdit de vue derrière l'énorme dossier. Pendant quelques minutes il ne vit plus que son poing convulsif crispé sur un livre. Tout-à-coup dom Claude se leva, prit un compas, et grava en silence sur la muraille en lettres capitales ce mot grec :

'ANÁΓKH

— Mon frère est fou, dit Jehan en lui-même ; il eût été bien plus simple d'écrire : *Fatum* ; tout le monde n'est pas obligé de savoir le grec.

L'archidiacre vint se rasseoir dans son fauteuil, et posa sa tête sur ses deux mains, comme fait un malade dont le front est lourd et brûlant.

L'écolier observait son frère avec surprise. Il ne savait pas, lui qui mettait son cœur en plein air, lui qui n'observait de loi au monde que la bonne loi de nature, lui qui laissait s'écouler ses passions par ses penchants [5], et chez qui le lac des grandes émotions était toujours à sec, tant

---

1. Faiseur de miracle. **2.** Ouvrier qui fabrique les outils tranchants. Le hutinet est un maillet de tonnelier... **3.** « Ici et là » disent les sorcières qui vont au sabbat, selon le *Dictionnaire infernal*. **4.** Nom d'un esprit, de même source. **5.** Le naturalisme rabelaisien s'embarque ici sur une métaphore hydrographique et paysagère : les inclinations du tempérament offrent une pente propice à la purge des crues de l'âme.

il y pratiquait largement[1] chaque matin de nouvelles rigoles[2], il ne savait pas avec quelle furie cette mer des passions humaines fermente et bouillonne lorsqu'on lui refuse toute issue, comme elle s'amasse, comme elle s'enfle, comme elle déborde, comme elle creuse le cœur, comme elle éclate en sanglots intérieurs et en sourdes convulsions, jusqu'à ce qu'elle ait déchiré ses digues et crevé son lit. L'enveloppe austère et glaciale de Claude Frollo, cette froide surface de vertu escarpée[3] et inaccessible, avait toujours trompé Jehan. Le joyeux écolier n'avait jamais songé à ce qu'il y a de lave bouillante, furieuse et profonde sous le front de neige de l'Etna[4].

Nous ne savons s'il se rendit compte subitement de ces idées ; mais tout évaporé[5] qu'il était, il comprit qu'il avait vu ce qu'il n'aurait pas dû voir, qu'il venait de surprendre l'âme de son frère aîné dans une de ses plus secrètes attitudes, et qu'il ne fallait pas que Claude s'en aperçût. Voyant que l'archidiacre était retombé dans son immobilité première, il retira sa tête très-doucement, et fit quelque bruit de pas derrière la porte, comme quelqu'un qui arrive et qui avertit de son arrivée.

— Entrez ! cria l'archidiacre de l'intérieur de la cellule ; je vous attendais. J'ai laissé exprès la clef à la porte ; entrez, maître Jacques.

L'écolier entra hardiment. L'archidiacre, qu'une pareille visite gênait fort en pareil lieu, tressaillit sur son fauteuil. — Quoi ! c'est vous, Jehan ?

— C'est toujours un J, dit l'écolier avec sa face rouge, effrontée et joyeuse.

Le visage de dom Claude avait repris son expression sévère. — Que venez-vous faire ici ?

— Mon frère, répondit l'écolier en s'efforçant d'atteindre à une mine décente, piteuse et modeste, et en tour-

---

1. Cet adverbe ajouté peut laisser entendre le *larga manu* thérapeutique, qui signifie abondamment. **2.** Petit canal d'irrigation ou de drainage. Le terme joue avec le verbe rigoler : faire une petite débauche, faire le diable à quatre. **3.** L'escarpe est la muraille d'une place fortifiée. **4.** Volcan de Sicile qui culmine à plus de 3 000 m. **5.** Étourdi, dont les idées s'envolent sans la moindre conséquence.

nant son bicoquet dans ses mains avec un air d'innocence, je venais vous demander...

— Quoi ?

— Un peu de morale dont j'ai grand besoin. Jehan n'osa ajouter tout haut : et un peu d'argent, dont j'ai plus grand besoin encore. Ce dernier membre de sa phrase resta inédit.

— Monsieur, dit l'archidiacre d'un ton froid, je suis très-mécontent de vous.

— Hélas ! soupira l'écolier.

Dom Claude fit décrire un quart de cercle à son fauteuil, et regarda Jehan fixement. — Je suis bien aise de vous voir.

C'était un exorde redoutable. Jehan se prépara à un rude choc.

— Jehan, on m'apporte tous les jours des doléances de vous. Qu'est-ce que c'est que cette batterie où vous avez contus de bastonnade un petit vicomte Albert de Ramonchamp[1] ?...

— Oh ! dit Jehan, grand'chose ! un méchant page qui s'amusait à escailbotter[2] les écoliers, en faisant courir son cheval dans les boues[3] !

— Qu'est-ce que c'est, reprit l'archidiacre, que ce Mahiet Fargel, dont vous avez déchiré la robe ? *Tunicam dechiraverunt*[4], dit la plainte.

— Ah bah ! une mauvaise cappette de Montaigu[5] ! voilà-t-il pas ?

— La plainte dit *tunicam* et non *cappettam*. Savez-vous le latin ?

Jehan ne répondit pas.

— Oui, poursuivit le prêtre en secouant la tête ! Voilà

---

1. Dans les Vosges, à une dizaine de km. du Ballon d'Alsace où Hugo pensait avoir été engendré. Voltaire avait été « contus de bastonnade » par les soins d'un très grand seigneur, le duc de Rohan. **2.** Le contexte, dans cette anecdote de Du Breul, incline à chercher le sens à la fois du côté de l'escarbot, espèce de bousier, et de escarbouiller, forme encore dominante au XIXe siècle. **3.** Les « eaux usées » s'écoulaient à l'air libre, dans le ruisseau médian des rues. **4.** « Ils ont déchiré la tunique. » **5.** Les pensionnaires de Montaigu étaient ainsi nommés d'après leur costume. C'était un lieu « pour enfants de famille débauchés ».

où en sont les études et les lettres maintenant. La langue latine est à peine entendue, la syriaque[1] inconnue, la grecque tellement odieuse que ce n'est pas ignorance aux plus savants de sauter un mot grec sans le lire, et qu'on dit : *Græcum est, non legitur*[2].

L'écolier releva résolument les yeux. — Monsieur mon frère, vous plaît-il que je vous explique en bon parler français ce mot grec qui est écrit là sur le mur ?

— Quel mot ?

— 'ANÁΓKH.

Une légère rougeur vint s'épanouir sur les joues pommelées de l'archidiacre, comme la bouffée de fumée qui annonce au dehors les secrètes commotions d'un volcan. L'écolier le remarqua à peine.

— Eh bien ! Jehan, balbutia le frère aîné avec effort, qu'est-ce que ce mot veut dire ?

— FATALITÉ.

Dom Claude redevint pâle, et l'écolier poursuivit avec insouciance : — Et ce mot qui est au-dessous, gravé par la même main, *'Αναγνέια*[3], signifie *impureté*. Vous voyez qu'on sait son grec.

L'archidiacre demeurait silencieux. Cette leçon de grec l'avait rendu rêveur. Le petit Jehan, qui avait toutes les finesses d'un enfant gâté, jugea le moment favorable pour hasarder sa requête. Il prit donc une voix extrêmement douce, et commença.

— Mon bon frère, est-ce que vous m'avez en haine à ce point de me faire farouche mine pour quelques méchantes giffles et pugnalades[4] distribuées en bonne guerre à je ne sais quels garçons et marmousets[5], *quibusdam marmosetis ?* — Vous voyez, bon frère Claude, qu'on sait son latin ?

Mais toute cette caressante hypocrisie n'eut point sur

---

1. L'araméen, communément parlé à l'époque du Christ. **2.** « C'est du grec, ça ne se lit pas. » Toute cette déploration est empruntée à Matthieu, *Histoire de Louis XI*, 556. **3.** En grec, *Anagneia*, sur la même page de dictionnaire qu'*Anankê*. **4.** Coups de poing. **5.** Petites figures plus ou moins grotesques, petit garçon, petit homme, homme de peu ; le nom viendrait de la rue des Marmousets dans la Cité, à cause de ses figures de marbre. Mais *cf.* Sauval, II, 350.

le sévère grand frère son effet accoutumé. Cerbère[1] ne mordit pas au gâteau de miel. Le front de l'archidiacre ne se dérida pas d'un pli. — Où voulez-vous en venir ? dit-il d'un ton sec.

— Eh bien, au fait ! voici ! répondit bravement Jehan : j'ai besoin d'argent.

À cette déclaration effrontée, la physionomie de l'archidiacre prit tout-à-fait l'expression pédagogique et paternelle.

— Vous savez, monsieur Jehan, que notre fief de Tirechappe ne rapporte, en mettant en bloc le cens et les rentes des vingt-une maisons, que trente-neuf livres onze sous six deniers parisis[2]. C'est moitié plus que du temps des frères Paclet, mais ce n'est pas beaucoup.

— J'ai besoin d'argent, dit stoïquement Jehan.

— Vous savez que l'official a décidé que nos vingt-une maisons mouvaient[3] en plein fief de l'évêché, et que nous ne pourrions racheter cet hommage qu'en payant au révérend évêque deux marcs[4] d'argent doré du prix de six livres parisis. Or, ces deux marcs, je n'ai encore pu les amasser. Vous le savez.

— Je sais que j'ai besoin d'argent, répéta Jehan pour la troisième fois.

— Et qu'en voulez-vous faire ?

Cette question fit briller une lueur d'espoir aux yeux de Jehan. Il reprit sa mine chatte et doucereuse.

— Tenez, cher frère Claude, je ne m'adresserais pas à vous en mauvaise intention. Il ne s'agit pas de faire le beau dans les tavernes avec vos unzains et de me promener dans les rues de Paris en caparaçon de brocart d'or,

---

1. Le chien à trois têtes, gardien des Enfers, que la Sibylle endort avec un gâteau de miel pour ouvrir la voie à Énée (Virgile, *Énéide*, VI, 417-425). **2.** Sauval (II, 419), à propos des redevances féodales, donne 20 livres et non 39, pour l'année 1285. Le « moitié plus » ressemble ainsi beaucoup au double. Ce chapitre des redevances s'achève par les « ridicules », dont le droit de cuissage. **3.** Relevaient. L'hommage est la cérémonie de reconnaissance de cette dépendance. **4.** Le marc, unité de base de la monnaie, dont l'étalon était gardé sous triple serrure à Paris, était un poids d'environ un demi-kilogramme.

avec mon laquais, *cum meo laquasio*. Non, mon frère, c'est pour une bonne œuvre.

— Quelle bonne œuvre ? demanda Claude un peu surpris.

— Il y a deux de mes amis qui voudraient acheter une layette à l'enfant d'une pauvre veuve haudriette. C'est une charité. Cela coûtera trois florins, et je voudrais mettre le mien.

— Comment s'appellent vos deux amis ?

— Pierre-l'Assommeur et Baptiste-Croque-Oison [1].

— Hum ! dit l'archidiacre ; voilà des noms qui vont à une bonne œuvre comme une bombarde sur un maître-autel.

Il est certain que Jehan avait très-mal choisi ses deux noms d'amis. Il le sentit trop tard.

— Et puis, poursuivit le sagace Claude, qu'est-ce que c'est qu'une layette qui doit coûter trois florins, et cela pour l'enfant d'une haudriette ? Depuis quand les veuves haudriettes ont-elles des marmots au maillot ?

Jehan rompit la glace encore une fois. — Eh bien, oui ! j'ai besoin d'argent pour aller voir ce soir Isabeau-la-Thierrye au Val-d'Amour !

— Misérable impur ! s'écria le prêtre.

— *'Αναγνεία*, dit Jehan.

Cette citation, que l'écolier empruntait, peut-être avec malice, à la muraille de la cellule, fit sur le prêtre un effet singulier. Il se mordit les lèvres, et sa colère s'éteignit dans la rougeur.

— Allez-vous-en, dit-il alors à Jehan. J'attends quelqu'un.

L'écolier tenta encore un effort. — Frère Claude, donnez-moi au moins un petit parisis pour manger.

— Où en êtes-vous des décrétales de Gratien ? demanda dom Claude.

— J'ai perdu mes cahiers.

— Où en êtes-vous des humanités latines ?

---

1. L'un subit le supplice du feu en 1545, et l'autre, « cuisinier du capitaine de la bande des Bonnets Verts », en 1557. C'était un écolier de l'Université, surnommé le Capitaine des Boute-feux (Sauval II, 595).

— On m'a volé mon exemplaire d'Horatius.

— Où en êtes-vous d'Aristoteles ?

— Ma foi ! frère, quel est donc ce père de l'église qui dit que les erreurs des hérétiques ont, de tout temps, eu pour repaire les broussailles de la métaphysique d'Aristoteles ? Foin d'Aristoteles ! je ne veux pas déchirer ma religion à sa métaphysique.

— Jeune homme, reprit l'archidiacre, il y avait à la dernière entrée du Roi un gentilhomme appelé Philippe de Comines, qui portait brodée sur la houssure de son cheval sa devise, que je vous conseille de méditer : *Qui non laborat non manducet*[1].

L'écolier resta un moment silencieux, le doigt à l'oreille, l'œil fixé à terre, et la mine fâchée. Tout-à-coup il se retourna vers Claude avec la vive prestesse d'un hoche-queue.

— Ainsi, bon frère, vous me refusez un sou parisis pour acheter une croûte chez un talmellier ?

— *Qui non laborat non manducet.*

À cette réponse de l'inflexible archidiacre, Jehan cacha sa tête dans ses mains, comme une femme qui sanglotte, et s'écria avec une expression de désespoir : — *O τοτοτοτοτοῖ*[2] !

— Qu'est-ce que cela veut dire, monsieur ? demanda Claude surpris de cette incartade.

— Eh bien quoi ! dit l'écolier ; et il relevait sur Claude des yeux effrontés dans lesquels il venait d'enfoncer ses poings pour leur donner la rougeur des larmes : c'est du grec ! c'est un anapeste d'Eschyles qui exprime parfaitement la douleur.

Et ici il partit d'un éclat de rire si bouffon et si violent

---

1. « Qui ne travaille pas, qu'il ne mange pas ! » Devise de Commynes, qui figurait sur son tombeau. Matthieu, 570. Elle convient aux politiques comme aux fondateurs d'Église : elle est empruntée aux rigueurs de saint Paul (II Thessaloniciens, III, 10). **2.** Ce n'est pas du tout un anapeste (deux brèves suivies d'une longue, dominante caractéristique de la comédie d'Aristophane), mais c'est bien l'amplification du cri de douleur de la tragédie eschylienne : insolence du mélange des genres, directement hérité de la panique de Panurge dans la tempête (*Quart Livre,* XVIII).

qu'il en fit sourire l'archidiacre. C'était la faute de Claude en effet : pourquoi avait-il tant gâté cet enfant ?

— Oh ! bon frère Claude, reprit Jehan, enhardi par ce sourire, voyez mes brodequins percés. Y a-t-il cothurne[1] plus tragique au monde que des bottines dont la semelle tire la langue ?

L'archidiacre était promptement revenu à sa sévérité première. — Je vous enverrai des bottines neuves, mais point d'argent.

— Rien qu'un pauvre petit parisis, frère, poursuivit le suppliant Jehan. J'apprendrai Gratien par cœur, je croirai bien en Dieu, je serai un véritable Pythagoras de science et de vertu. Mais un petit parisis, par grâce ! Voulez-vous que la famine me morde avec sa gueule qui est là, béante, devant moi, plus noire, plus puante, plus profonde qu'un Tartare[2] ou que le nez d'un moine ?

Dom Claude hocha son chef ridé. — *Qui non laborat...*

Jehan ne le laissa pas achever.

— Eh bien, cria-t-il, au diable ! vive la joie ! Je m'entavernerai, je me battrai, je casserai les pots et j'irai voir les filles !

Et sur ce, il jeta son bonnet au mur, et fit claquer ses doigts comme des castagnettes.

L'archidiacre le regarda d'un air sombre.

— Jehan, vous n'avez point d'âme.

— En ce cas, selon Épicurius[3], je manque d'un je ne sais quoi fait de quelque chose qui n'a pas de nom.

— Jehan, il faut songer sérieusement à vous corriger.

— Ah ça, cria l'écolier en regardant tour à tour son frère et les alambics du fourneau, tout est donc cornu ici, les idées et les bouteilles !

— Jehan, vous êtes sur une pente bien glissante. Savez-vous où vous allez ?

— Au cabaret, dit Jehan.

— Le cabaret mène au pilori.

---

1. Chaussure haut perchée, pour la tragédie. **2.** Le fond des Enfers, transformé ici en nom commun. **3.** Philosophe grec, intermédiaire entre Démocrite et Lucrèce parmi les matérialistes antiques (341-270). Hugo a noté cette formule polémique auprès d'autres repères philosophiques.

— C'est une lanterne[1] comme une autre, et c'est peut-être avec celle-là que Diogène eût trouvé son homme.

— Le pilori mène à la potence.

— La potence est une balance qui a un homme à un bout et toute la terre à l'autre. Il est beau d'être l'homme.

— La potence mène à l'enfer.

— C'est un gros feu.

— Jehan, Jehan, la fin sera mauvaise.

— Le commencement aura été bon.

En ce moment le bruit d'un pas se fit entendre dans l'escalier.

— Silence ! dit l'archidiacre en mettant un doigt sur sa bouche, voici maître Jacques. Écoutez, Jehan, ajouta-t-il à voix basse : gardez-vous de parler jamais de ce que vous aurez vu et entendu ici. Cachez-vous vite sous ce fourneau, et ne soufflez pas.

L'écolier se blottit sous le fourneau ; là il lui vint une idée féconde.

— À propos, frère Claude, un florin pour que je ne souffle pas.

— Silence ! je vous le promets.

— Il faut me le donner.

— Prends donc ! dit l'archidiacre en lui jetant avec colère son escarcelle. Jehan se renfonça sous le fourneau, et la porte s'ouvrit[2].

V

LES DEUX HOMMES VÊTUS DE NOIR[3]

Le personnage qui entra avait une robe noire et la mine sombre. Ce qui frappa au premier coup-d'œil notre ami

---

1. Jeu sur le sens architectural et sur le moyen d'éclairage ; Jehan est philosophe : la réflexion sur les pénalités et les supplices est au principe de tout humanisme. **2.** Autre jeu : on est passé de l'espérance alchimique à la prudence d'intrigue. **3.** Tout le début de ce chapitre est en correction au manuscrit. La première version, interrom-

Jehan (qui, comme on s'en doute bien, s'était arrangé dans son coin de manière à pouvoir tout voir et tout entendre selon son bon plaisir), c'était la parfaite tristesse du vêtement et du visage de ce nouveau-venu. Il y avait pourtant quelque douceur répandue sur cette figure, mais une douceur de chat ou de juge, une douceur doucereuse. Il était fort gris, ridé, touchait aux soixante ans, clignait des yeux, avait le sourcil blanc, la lèvre pendante et de grosses mains. Quand Jehan vit que ce n'était que cela, c'est-à-dire sans doute un médecin ou un magistrat, et que cet homme avait le nez très-loin de la bouche, signe de bêtise, il se rencoigna dans son trou, désespéré d'avoir à passer un temps indéfini en si gênante posture et en si mauvaise compagnie.

L'archidiacre cependant ne s'était pas même levé pour ce personnage. Il lui avait fait signe de s'asseoir sur un escabeau voisin de la porte, et après quelques moments d'un silence qui semblait continuer une méditation antérieure, il lui avait dit avec quelque protection : Bonjour, maître Jacques.

— Salut, maître, avait répondu l'homme noir.

Il y avait dans les deux manières dont fut prononcé d'une part ce *maître Jacques*, de l'autre ce *maître* par excellence, la différence de monseigneur au monsieur, du *domine* au *domne*. C'était évidemment l'abord du docteur et du disciple.

— Eh bien ! reprit l'archidiacre après un nouveau silence que maître Jacques se garda de troubler, réussissez-vous ?

— Hélas ! mon maître, dit l'autre avec un sourire triste, je souffle toujours. De la cendre tant que j'en veux. Mais pas une étincelle d'or.

Dom Claude fit un geste d'impatience. — Je ne vous parle pas de cela, maître Jacques Charmolue, mais du procès de votre magicien. N'est-ce pas Marc Cenaine[1] que

---

pue, a donné naissance à l'actuel livre V. À la reprise, Charmolue apparaît comme un double dégradé de Coictier.

1. Il n'est pas évident que ce personnage extirpé des Comptes de la Prévôté (Sauval, III) ait eu dans cette juridiction des fonctions d'échansonnerie qu'on imagine mal. Peut-être était-il le comptable qui tenait les sommiers ?

vous le nommez ? le sommelier de la Cour des comptes ? Avoue-t-il sa magie ? La question[1] vous a-t-elle réussi ?

— Hélas ! non, répondit maître Jacques, toujours avec son sourire triste ; nous n'avons pas cette consolation. Cet homme est un caillou ; nous le ferons bouillir au Marché-aux-Pourceaux[2], avant qu'il ait rien dit. Cependant nous n'épargnons rien pour arriver à la vérité ; il est déjà tout disloqué, nous y mettons toutes les herbes de la Saint-Jean, comme dit le vieux comique Plautus :

Advorsum stimulos, laminas, crucesque, compedesque,
Nervos, catenas, carceres, numellas, pedicas, boias[3].

Rien n'y fait ; cet homme est terrible. J'y perds mon latin.

— Vous n'avez rien trouvé de nouveau dans sa maison ?

— Si fait, dit maître Jacques en fouillant dans son escarcelle : ce parchemin. Il y a des mots dessus que nous ne comprenons pas. Monsieur l'avocat criminel, Philippe Lheulier[4], sait pourtant un peu d'hébreu qu'il a appris dans l'affaire des Juifs de la rue Kantersten à Bruxelles.

En parlant ainsi, maître Jacques déroulait un parchemin. — Donnez, dit l'archidiacre. Et jetant les yeux sur cette pancarte : — Pure magie, maître Jacques ! s'écria-t-il. *Emen-Hétan !* c'est le cri des stryges quand elles arrivent au sabbat. *Per ipsum, et cum ipso, et in ipso*[5] *! c'est le commandement qui recadenasse le diable en enfer. Hax, pax, max !* ceci est de la médecine. Une formule contre la morsure des chiens enragés. Maître Jacques !

---

1. Torture, dans la logique d'une procédure qui tendait toute à l'aveu. **2.** Lieu patibulaire hors les murs, à hauteur de la porte Saint-Honoré ; s'y pratiquait entre autres le supplice des faux-monnayeurs, qu'on ébouillantait. **3.** Plaute, *Asinaria*, 549-550, tiré de Du Breul : *Contre aiguillons, lames rougies, et tourments et entraves, liens, chaînes, cachots, carcans, fers, cangues.* **4.** Ou Lhuilier, comme le note Hugo dans son tableau de l'organisation de la Tournelle. **5.** « Par lui, et avec lui et en lui » : paroles du canon de la messe, auquel le *Dictionnaire infernal* attribue le pouvoir magique de faire rentrer le diable en enfer.

vous êtes procureur du roi en cour d'église : ce parchemin est abominable.

— Nous remettrons l'homme à la question. Voici encore, ajouta maître Jacques en fouillant de nouveau dans sa sacoche, ce que nous avons trouvé chez Marc Cenaine.

C'était un vase de la famille de ceux qui couvraient le fourneau de dom Claude. — Ah ! dit l'archidiacre, un creuset d'alchimie.

— Je vous avouerai, reprit maître Jacques avec son sourire timide et gauche, que je l'ai essayé sur le fourneau, mais je n'ai pas mieux réussi qu'avec le mien.

L'archidiacre se mit à examiner le vase. — Qu'a-t-il gravé sur son creuset ? *Och ! och !* le mot qui chasse les puces ! Ce Marc Cenaine est ignorant ! Je le crois bien, que vous ne ferez pas d'or avec ceci ! c'est bon à mettre dans votre alcôve [1] l'été, et voilà tout !

— Puisque nous en sommes aux erreurs, dit le procureur du roi, je viens d'étudier le portail d'en bas avant de monter ; votre révérence est-elle bien sûre que l'ouverture de l'ouvrage de physique y est figurée du côté de l'Hôtel-Dieu [2], et que, dans les sept figures nues qui sont aux pieds de Notre-Dame, celle qui a des ailes aux talons est Mercurius [3] ?

— Oui, répondit le prêtre ; c'est Augustin Nypho [4] qui l'écrit, ce docteur italien qui avait un démon barbu lequel lui apprenait toute chose. Au reste, nous allons descendre, et je vous expliquerai cela sur le texte.

— Merci, mon maître, dit Charmolue en s'inclinant jusqu'à terre. — À propos, j'oubliais ! Quand vous plaît-il que je fasse appréhender la petite magicienne ?

— Quelle magicienne ?

— Cette bohémienne que vous savez bien, qui vient tous les jours baller [5] sur le parvis malgré la défense de l'official ! Elle a une chèvre possédée qui a des cornes

1. L'endroit où se trouve le « pucier ». **2.** Au sud. **3.** Le métal liquide employé aux amalgames alchimiques porte le nom du dieu latin de la communication, qui est aussi l'Hermès des initiations. Pour les portails, *cf.* Sauval, III, 55-57. **4.** *Cf. Dictionnaire infernal.* **5.** Danser.

du diable, qui lit, écrit, qui sait la mathématique comme Picatrix[1], et qui suffirait à faire pendre toute la bohême. Le procès est tout prêt ; il sera bientôt fait, allez ! Une jolie créature, sur mon âme, que cette danseuse ! les plus beaux yeux noirs ! deux escarboucles[2] d'Égypte ! Quand commençons-nous ?

L'archidiacre était excessivement pâle.

— Je vous dirai cela, balbutia-t-il d'une voix à peine articulée ; puis il reprit avec effort : Occupez-vous de Marc Cenaine.

— Soyez tranquille, dit en souriant Charmolue : je vais le faire reboucler sur le lit de cuir en rentrant. Mais c'est un diable d'homme : il fatigue Pierrat Torterue lui-même, qui a les mains plus grosses que moi. Comme dit ce bon Plautus,

Nudus vinctus, centum pondo, es quando pendes per pedes[3].

La question au treuil[4] ! c'est ce que nous avons de mieux. Il y passera.

Dom Claude semblait plongé dans une sombre distraction. Il se tourna vers Charmolue.

— Maître Pierrat... maître Jacques, veux-je dire, occupez-vous de Marc Cenaine !

— Oui, oui, dom Claude. Pauvre homme ! il aura souffert comme Mummol[5]. Quelle idée aussi, d'aller au sabbat ! un sommelier de la Cour des comptes, qui devrait connaître le texte de Charlemagne, *Stryga vel masca !* — Quant à la petite, — Smeralda, comme ils l'appellent, — j'attendrai vos ordres. — Ah ! en passant sous le portail, vous m'expliquerez aussi ce que veut dire le jardinier de plate peinture[6] qu'on voit en entrant dans l'église.

---

1. Encore au *Dictionnaire infernal*.. **2.** Sorte de grenat particulièrement brillant, modèle allégorique de la pierre philosophale. **3.** Citation de Plaute (*Asinaria*, 301) par Du Breul, avec une erreur de virgule : « Garrotté nu, tu pèses cent livres, quand tu es pendu par les pieds. » **4.** Cylindre sur lequel une manivelle enroule la corde de traction, démultipliant l'effort nécessaire. **5.** Grand seigneur, empalé sous Frédégonde (fin du VIe siècle), sur le simple soupçon d'avoir mis à mort ses enfants par sortilège (Sauval, II, 592). **6.** Par opposition aux sculptures peintes.

N'est-ce pas le Semeur[1] ? — Hé ! maître, à quoi pensez-vous donc ?

Dom Claude, abîmé en lui-même, ne l'écoutait plus. Charmolue, en suivant la direction de son regard, vit qu'il s'était fixé machinalement à la grande toile d'araignée qui tapissait la lucarne. En ce moment, une mouche étourdie, qui cherchait le soleil de mars, vint se jeter à travers ce filet et s'y englua. À l'ébranlement de sa toile, l'énorme araignée fit un mouvement brusque hors de sa cellule centrale, puis d'un bond, elle se précipita sur la mouche, qu'elle plia en deux avec ses antennes de devant, tandis que sa trompe hideuse lui fouillait la tête. — Pauvre mouche ! dit le procureur du roi en cour d'église, et il leva la main pour la sauver. L'archidiacre, comme réveillé en sursaut, lui retint le bras avec une violence convulsive.

— Maître Jacques, cria-t-il, laissez faire la fatalité.

Le procureur se retourna effaré ; il lui semblait qu'une pince de fer lui avait pris le bras. L'œil du prêtre était fixe, hagard, flamboyant, et restait attaché au petit groupe horrible de la mouche et de l'araignée.

— Oh ! oui, continua le prêtre avec une voix qu'on eût dit venir de ses entrailles ; voilà un symbole de tout. Elle vole, elle est joyeuse, elle vient de naître ; elle cherche le printemps, le grand air, la liberté : oh ! oui : mais qu'elle se heurte à la rosace fatale, l'araignée en sort, l'araignée hideuse ! Pauvre danseuse ! pauvre mouche prédestinée ! Maître Jacques, laissez faire ! c'est la fatalité ! — Hélas ! Claude, tu es l'araignée. Claude, tu es la mouche aussi ! — Tu volais à la science, à la lumière, au soleil, tu n'avais souci que d'arriver au grand air, au grand jour de la vérité éternelle ; mais en te précipitant vers la lucarne éblouissante qui donne sur l'autre monde, sur le monde de la clarté, de l'intelligence et de la science, mouche aveugle, docteur insensé, tu n'as pas vu cette subtile toile d'araignée tendue par le destin entre la lumière et toi, tu t'y es jeté à corps perdu, misérable

---

1. Voir les paraboles du semeur (Matthieu, XIII), qui ont trait à la culture de soi, à l'intelligence de la Parole, aux ruses de l'Ennemi, et au Jugement dernier.

fou, et maintenant tu te débats, la tête brisée et les ailes arrachées, entre les antennes de fer de la fatalité ! — Maître Jacques ! maître Jacques ! laissez faire l'araignée !

— Je vous assure, dit Charmolue qui le regardait sans comprendre, que je n'y toucherai pas. Mais lâchez-moi le bras, maître, de grâce ! vous avez une main de tenaille[1].

L'archidiacre ne l'entendait pas. — Oh ! insensé ! reprit-il sans quitter la lucarne des yeux. Et quand tu l'aurais pu rompre, cette toile redoutable, avec tes ailes de moucheron, tu crois que tu aurais pu atteindre à la lumière ! Hélas ! cette vitre qui est plus loin, cet obstacle transparent, cette muraille de cristal plus dur que l'airain[2], qui sépare toutes les philosophies de la vérité, comment l'aurais-tu franchie ? O vanité de la science ! que de sages viennent de bien loin en voletant s'y briser le front ! Que de systèmes pêle-mêle se heurtent en bourdonnant à cette vitre éternelle !

Il se tut. Ces dernières idées, qui l'avaient insensiblement ramené de lui-même à la science, paraissaient l'avoir calmé. Jacques Charmolue le fit tout-à-fait revenir au sentiment de la réalité, en lui adressant cette question. — Or ça, mon maître, quand viendrez-vous m'aider à faire de l'or ? il me tarde de réussir.

L'archidiacre hocha la tête avec un sourire amer. — Maître Jacques, lisez Michel Psellus, *Dialogus de energia et operatione dæmonum*[3]. Ce que nous faisons n'est pas tout-à-fait innocent.

— Plus bas, maître ! Je m'en doute, dit Charmolue. Mais il faut bien faire un peu d'hermétique quand on n'est que procureur du roi en cour d'église, à trente écus tournois par an. Seulement parlons bas.

En ce moment un bruit de mâchoire et de mastication qui partait de dessous le fourneau vint frapper l'oreille inquiète de Charmolue.

---

1. Outil de forgeron, pour saisir le fer. **2.** Bronze, mais surtout terme mythique de la dureté. **3.** « Dialogue sur l'énergie et l'opération des démons », publié en 1828 par Boissonade. Michel Psellus (1018-1078), lumière de la philosophie byzantine, restaurateur de la philosophie platonicienne, mentionna le premier le *Corpus hermeticum*.

— Qu'est cela ? demanda-t-il.

C'était l'écolier qui, fort gêné et fort ennuyé dans sa cachette, était parvenu à y découvrir une vieille croûte et un triangle de fromage moisi, et s'était mis à manger le tout sans façon, en guise de consolation et de déjeûner. Comme il avait grande faim il faisait grand bruit, et il accentuait fortement chaque bouchée, ce qui avait donné l'éveil et l'alarme au procureur.

— C'est un mien chat, dit vivement l'archidiacre, qui se régale, là dessous, de quelque souris.

Cette explication satisfit Charmolue.

— En effet, maître, répondit-il avec un sourire respectueux, tous les grands philosophes ont eu leur bête familière. Vous savez ce que dit Servius : *Nullus enim locus sine genio est*[1].

Cependant dom Claude, qui craignait quelque nouvelle algarade de Jehan, rappela à son digne disciple qu'ils avaient quelques figures du portail à étudier ensemble, et tous deux sortirent de la cellule, au grand *ouf !* de l'écolier, qui commençait à craindre sérieusement que son genou ne prît l'empreinte de son menton.

VI

EFFET QUE PEUVENT PRODUIRE SEPT JURONS EN PLEIN AIR

— *Te Deum laudamus*[2] ! s'écria maître Jehan en sortant de son trou, voilà les deux chats-huants partis. Och ! och ! Hax ! pax ! max ! les puces ! les chiens enragés ! le diable ! j'en ai assez de leur conversation ! la tête me bourdonne comme un clocher. Du fromage moisi par-dessus le marché ! sus ! descendons, prenons l'escarcelle du

---

1. « Car il n'y a pas de lieu qui n'ait son génie », écrit ce commentateur du IVe siècle en marge de Virgile (*Énéide*, V, 85). **2.** « C'est toi, Dieu, que nous louons », hymne de début des messes triomphales.

grand frère, et convertissons toutes ces monnaies en bouteilles !

Il jeta un coup-d'œil de tendresse et d'admiration dans l'intérieur de la précieuse escarcelle, rajusta sa toilette[1], frotta ses bottines, épousseta ses pauvres manches-mahoîtres toutes grises de cendres, siffla un air, pirouetta une gambade, examina s'il ne restait pas quelque chose à prendre dans la cellule, grappilla çà et là sur le fourneau quelque amulette de verroterie, bonne à donner en guise de bijou à Isabeau-la-Thierrye, enfin ouvrit la porte que son frère avait laissée ouverte par une dernière indulgence, et qu'il laissa ouverte à son tour par une dernière malice, et descendit l'escalier circulaire en sautillant comme un oiseau.

Au milieu des ténèbres de la vis, il coudoya quelque chose qui se rangea en grognant ; il présuma que c'était Quasimodo, et cela lui parut si drôle qu'il descendit le reste de l'escalier en se tenant les côtes de rire. En débouchant sur la place, il riait encore.

Il frappa du pied quand il se retrouva à terre. — Oh ! dit-il, bon et honorable pavé de Paris ! maudit escalier à essouffler les anges de l'échelle Jacob[2] ! À quoi pensais-je de m'aller fourrer dans cette vrille de pierre qui perce le ciel ; le tout, pour manger du fromage barbu, et pour voir les clochers de Paris par une lucarne !

Il fit quelques pas, et aperçut les deux chats-huants, c'est-à-dire, dom Claude et maître Jacques Charmolue, en contemplation devant une sculpture du portail. Il s'approcha d'eux sur la pointe des pieds, et entendit l'archidiacre qui disait tout bas à Charmolue : — C'est Guillaume de Paris qui a fait graver un Job sur cette pierre couleur lapis-lazuli[3], dorée par les bords. Job figure la pierre philosophale, qui doit être éprouvée et martyrisée aussi pour

---

1. Sa tenue. **2.** Patriarche biblique, fils d'Isaac et père des douze tribus. Il vit en songe l'échelle qui reliait la terre aux cieux, avec circulation d'anges, et reçut alors de Dieu la promesse de ce lieu, d'une vaste postérité et de la protection divine (Genèse, XXVIII, 12-15). **3.** Pierre d'un bleu assez foncé.

devenir parfaite, comme dit Raymond Lulle : *Sub conservatione formæ specificæ salva anima*[1].

— Cela m'est bien égal, dit Jehan, c'est moi qui ai la bourse.

En ce moment il entendit une voix forte et sonore articuler derrière lui une série formidable de jurons. — Sang-Dieu ! ventre-Dieu ! bédieu ! corps-de-Dieu ! nombril de Belzébuth ! nom d'un pape ! corne et tonnerre !

— Sur mon âme, s'écria Jehan, ce ne peut être que mon ami le capitaine Phœbus !

Ce nom de Phœbus arriva aux oreilles de l'archidiacre au moment où il expliquait au procureur du roi le dragon qui cache sa queue dans un bain d'où sort de la fumée et une tête de roi. Dom Claude tressaillit, s'interrompit, à la grande stupeur de Charmolue, se retourna, et vit son frère Jehan qui abordait un grand officier à la porte du logis Gondelaurier.

C'était en effet monsieur le capitaine Phœbus de Châteaupers. Il était adossé à l'angle de la maison de sa fiancée, et il jurait comme un païen.

— Ma foi ! capitaine Phœbus, dit Jehan en lui prenant la main, vous sacrez[2] avec une verve[3] admirable.

— Corne et tonnerre ! répondit le capitaine.

— Corne et tonnerre vous-même ! répliqua l'écolier. Or çà, gentil capitaine, d'où vous vient ce débordement de belles paroles ?

— Pardon, bon camarade Jehan, s'écria Phœbus en lui secouant la main, cheval lancé ne s'arrête pas court. Or je jurais au grand galop. Je viens de chez ces bégueules, et quand j'en sors, j'ai toujours la gorge pleine de jure-

---

1. « Sous la conservation de la forme spécifique, l'âme est sauve. » La source est Sauval (III, 55-57) pour ces rapports entre l'alchimie et « plusieurs figures d'Église ». Raymond Lulle, philosophe et alchimiste catalan (1232-1316), visionnaire entêté de croisade contre l'aristotélisme averrhoïste, auteur d'un « art général », combinatoire analytique des attributs et des modes, destinée à synthétiser théologie et philosophie en une dialectique universelle de l'Incarnation et de l'Immaculée Conception. Il eut une influence considérable jusque sur Leibniz. **2.** Jurer (par tous les noms de Dieu et de quelques autres). **3.** Chaleur d'inspiration plus ou moins poétique.

ments ; il faut que je les crache, ou j'étoufferais, ventre et tonnerre !

— Voulez-vous venir boire ? demanda l'écolier.

Cette proposition calma le capitaine.

— Je veux bien, mais je n'ai pas d'argent.

— J'en ai, moi !

— Bah ! voyons ?

Jehan étala l'escarcelle aux yeux du capitaine, avec majesté et simplicité. Cependant l'archidiacre, qui avait laissé là Charmolue ébahi, était venu jusqu'à eux et s'était arrêté à quelques pas, les observant tous deux sans qu'ils prissent garde à lui, tant la contemplation de l'escarcelle les absorbait.

Phœbus s'écria : — Une bourse dans votre poche, Jehan ! c'est la lune dans un seau d'eau. On l'y voit, mais elle n'y est pas. Il n'y en a que l'ombre ! Pardieu ! gageons que ce sont des cailloux !

Jehan répondit froidement : — Voilà les cailloux dont je cailloute mon gousset.

Et, sans ajouter une parole, il vida l'escarcelle sur une borne voisine, de l'air d'un Romain sauvant la patrie.

— Vrai-Dieu ! grommela Phœbus, des targes, des grands-blancs, des petits-blancs, des mailles [1] d'un tournois les deux, des deniers parisis, de vrais liards à l'aigle ! C'est éblouissant !

Jehan demeurait digne et impassible. Quelques liards avaient roulé dans la boue ; le capitaine, dans son enthousiasme, se baissa pour les ramasser. Jehan le retint. — Fi, capitaine Phœbus de Châteaupers !

Phœbus compta la monnaie, et se tournant avec solennité vers Jehan : — Savez-vous, Jehan, qu'il y a vingt-trois sous parisis ! Qui avez-vous donc dévalisé cette nuit, rue Coupe-Gueule ?

Jehan rejeta en arrière sa tête blonde et bouclée, et dit en fermant à demi des yeux dédaigneux : — On a un frère archidiacre et imbécile.

— Corne-de-Dieu ! s'écria Phœbus, le digne homme !

— Allons boire, dit Jehan.

---

1. Pièces d'un demi-denier. L'inventaire de ces « 23 sols parisis » trouvés dans une bourse en 1471 vient de Sauval (III, 399).

— Où irons-nous ? dit Phœbus ; *à la Pomme d'Ève*[1] ?

— Non, capitaine, allons *à la Vieille-Science*. Une vieille qui scie une anse, c'est un rébus, j'aime cela.

— Foin des rébus, Jehan ! le vin est meilleur *à la Pomme d'Ève*, et puis, à côté de la porte il y a une vigne au soleil qui m'égaie quand je bois.

— Eh bien ! va pour Ève et sa pomme, dit l'écolier ; et prenant le bras de Phœbus : — À propos, mon cher capitaine, vous avez dit tout-à-l'heure la rue Coupe-Gueule. C'est fort mal parler ; on n'est plus si barbare à présent. On dit la rue Coupe-Gorge.

Les deux amis se mirent en route vers *la Pomme d'Ève*. Il est inutile de dire qu'ils avaient d'abord ramassé l'argent et que l'archidiacre les suivait.

L'archidiacre les suivait, sombre et hagard. Était-ce là le Phœbus dont le nom maudit, depuis son entrevue avec Gringoire, se mêlait à toutes ses pensées ? il ne le savait, mais enfin, c'était un Phœbus, et ce nom magique suffisait pour que l'archidiacre suivît à pas de loup les deux insouciants compagnons, écoutant leurs paroles et observant leurs moindres gestes avec une anxiété attentive. Du reste, rien de plus facile que d'entendre tout ce qu'ils disaient, tant ils parlaient haut, fort peu gênés de mettre les passants de moitié[2] dans leurs confidences. Ils parlaient duels, filles, cruches, folies.

Au détour d'une rue, le bruit d'un tambour de basque leur vint d'un carrefour voisin. Dom Claude entendit l'officier qui disait à l'écolier :

— Tonnerre ! doublons le pas.

— Pourquoi, Phœbus ?

— J'ai peur que la bohémienne ne me voie.

— Quelle bohémienne ?

— La petite qui a une chèvre.

— La Smeralda ?

— Justement, Jehan. J'oublie toujours son diable de nom. Dépêchons, elle me reconnaîtrait. Je ne veux pas que cette fille m'accoste dans la rue.

— Est-ce que vous la connaissez, Phœbus ?

Ici l'archidiacre vit Phœbus ricaner, se pencher à

---

1. C'est le fruit de la tentation (Genèse, III). **2.** Faire participer à.

l'oreille de Jehan, et lui dire quelques mots tout bas ; puis Phœbus éclata de rire et secoua la tête d'un air triomphant.

— En vérité ? dit Jehan.

— Sur mon âme ! dit Phœbus.

— Ce soir ?

— Ce soir.

— Êtes-vous sûr qu'elle viendra ?

— Mais êtes-vous fou, Jehan ? est-ce qu'on doute de ces choses-là ?

— Capitaine Phœbus, vous êtes un heureux gendarme !

L'archidiacre entendit toute cette conversation. Ses dents claquèrent ; un frisson, visible aux yeux, parcourut tout son corps. Il s'arrêta un moment, s'appuya à une borne [1] comme un homme ivre, puis il reprit la piste des deux joyeux drôles.

Au moment où il les rejoignit, ils avaient changé de conversation. Il les entendit chanter à tue-tête le vieux refrain :

> Les enfants des Petits-Carreaux [2]
> Se font pendre comme des veaux.

VII

LE MOINE-BOURRU

L'illustre cabaret de *la Pomme d'Ève* était situé dans l'Université, au coin de la rue de la Rondelle et de la rue

---

1. Des bornes parfois assez hautes écartaient les roues des voitures du pied des murs, protégeant ainsi la construction du choc des moyeux.
2. Dans l'alignement des rues Montorgueil et Poissonnière : chemin de la marée (Sauval, I, 122).

du Bâtonnier[1]. C'était une salle au rez-de-chaussée, assez vaste et fort basse, avec une voûte dont la retombée centrale s'appuyait sur un gros pilier de bois peint en jaune, des tables partout, de luisants brocs d'étain accrochés au mur, toujours force buveurs, des filles à foison, un vitrage sur la rue, une vigne à la porte, et au-dessus de cette porte une criarde planche de tôle, enluminée d'une pomme et d'une femme, rouillée par la pluie et tournant au vent sur une broche de fer. Cette façon de girouette qui regardait le pavé était l'enseigne.

La nuit tombait ; le carrefour était noir ; le cabaret plein de chandelles flamboyait de loin comme une forge dans l'ombre ; on entendait le bruit des verres, des ripailles, des jurements, des querelles, qui s'échappait par les carreaux cassés. À travers la brume que la chaleur de la salle répandait sur la devanture vitrée, on voyait fourmiller cent figures confuses, et de temps en temps un éclat de rire sonore s'en détachait. Les passants qui allaient à leurs affaires longeaient, sans y jeter les yeux, cette vitre tumultueuse. Seulement, par intervalles, quelque petit garçon en guenilles se haussait sur la pointe des pieds jusqu'à l'appui de la devanture, et jetait dans le cabaret la vieille huée goguenarde dont on poursuivait alors les ivrognes : Aux Houls, saouls, saouls, saouls[2] !

Un homme cependant se promenait imperturbablement devant la bruyante taverne, y regardant sans cesse, et ne s'en écartant pas plus qu'un piquier de sa guérite. Il avait un manteau jusqu'au nez. Ce manteau, il venait de l'acheter au fripier qui avoisinait *la Pomme d'Ève*, sans doute pour se garantir du froid des soirées de mars, peut-être pour cacher son costume. De temps en temps il s'arrêtait devant le vitrage trouble à mailles de plomb, il écoutait, regardait, et frappait du pied.

Enfin la porte du cabaret s'ouvrit. C'est ce qu'il paraissait attendre. Deux buveurs en sortirent. Le rayon de lumière qui s'échappait de la porte empourpra un moment

---

1. Au coin de la rue de l'Hirondelle (l'Arondelle) et de la rue du « Batouer » : du Battoir-Saint-André, telle que se nommait encore au milieu du XVIe siècle (plan de Bâle) la rue Gît-le-Cœur. **2.** Huée fournie par Sauval (I, 54).

leurs joviales figures. L'homme au manteau s'alla mettre en observation sous un porche de l'autre côté de la rue.

— Corne et tonnerre ! dit l'un des deux buveurs. Sept heures vont toquer. C'est l'heure de mon rendez-vous.

— Je vous dis, reprenait son compagnon avec une langue épaisse, que je ne demeure pas rue des Mauvaises-Paroles, *indignus qui inter mala verba habitat*[1]. J'ai logis rue Jean-Pain-Mollet, *in vico Johannis-Pain-Mollet*[2]. — Vous êtes plus cornu qu'un unicorne[3] si vous dites le contraire. — Chacun sait que qui monte une fois sur un ours n'a jamais peur ; mais vous avez le nez tourné à la friandise, comme Saint-Jacques-de-l'Hôpital[4].

— Jehan, mon ami, vous êtes ivre, disait l'autre.

L'autre répondit en chancelant : — Cela vous plaît à dire, Phœbus ; mais il est prouvé que Platon avait le profil d'un chien de chasse[5].

Le lecteur a sans doute déjà reconnu nos deux braves amis, le capitaine et l'écolier. Il paraît que l'homme qui les guettait dans l'ombre les avait reconnus aussi, car il suivait à pas lents tous les zigzags que l'écolier faisait faire au capitaine, lequel, buveur plus aguerri, avait conservé tout son sang-froid. En les écoutant attentivement, l'homme au manteau put saisir dans son entier l'intéressante conversation que voici :

— Corbacque ! tâchez donc de marcher droit, monsieur le bachelier[6] ; vous savez qu'il faut que je vous quitte. Voilà sept heures. J'ai rendez-vous avec une femme.

— Laissez-moi donc, vous ! Je vois des étoiles et des

---

1. « Indigne qui habite aux Mauvaises Paroles » : entre la rue des Bourdonnais et la rue des Lavandières-Sainte-Opportune (Sauval, I, 155). **2.** Entre la rue des Arcis et le carrefour Gilori (rue de la Coutellerie), au sud de Saint-Merry (Sauval, I, 144). **3.** Il ne s'agit ni de la licorne ni de divers animaux remarquables par cette particularité, mais de « Cocu qui s'en dédit ! ». **4.** L'hôpital Saint-Jacques, au coin de la rue Saint-Denis et de la rue Mauconseil, faisait face à la rue aux Oues (Oies qu'on y rôtissait), devenue rue aux Ours. *Cf.* Sauval, I, 144. **5.** *Cf. Dictionnaire infernal*, « Physiognomonie » et la planche du t. IV réunissant les têtes de Platon et d'un chien : ne suffit-il pas de flairer le gibier pour être philosophe ? **6.** Plutôt tout jeune chevalier que clerc pourvu du premier grade universitaire, mais peut-être l'un dans l'autre.

lances de feu. Vous êtes comme le château de Dampmartin qui crève de rire[1].

— Par les verrues de ma grand'mère, Jehan, c'est déraisonner avec trop d'acharnement. — À propos, Jehan, est-ce qu'il ne vous reste plus d'argent ?

— Monsieur le recteur, il n'y a pas de faute, la petite boucherie, *parva boucheria*[2].

— Jehan, mon ami Jehan ! vous savez que j'ai donné rendez-vous à cette petite au bout du pont Saint-Michel, que je ne puis la mener que chez la Falourdel, la vilotière[3] du pont, et qu'il faudra payer la chambre. La vieille ribaude à moustaches blanches ne me fera pas crédit. Jehan ! de grâce ! est-ce que nous avons bu toute l'escarcelle du curé ? est-ce qu'il ne vous reste plus un parisis ?

— La conscience d'avoir bien dépensé les autres heures est un juste et savoureux condiment de table[4].

— Ventre et boyaux ! trêve aux billevesées ! Dites-moi, Jehan du diable ! vous reste-t-il quelque monnaie ? Donnez, bédieu ! ou je vais vous fouiller, fussiez-vous lépreux comme Job et galeux comme César !

— Monsieur, la rue Galiache[5] est une rue qui a un bout rue de la Verrerie, et l'autre rue de la Tixeranderie.

— Eh bien, oui ! mon bon ami Jehan, mon pauvre camarade, la rue Galiache, c'est bien, c'est très-bien. Mais, au nom du ciel, revenez à vous. Il ne me faut qu'un sou parisis, et c'est pour sept heures.

---

1. Parce qu'il a résisté à toutes les tentatives de le faire sauter, selon Sauval (II, 309), mais qu'il en reste tout lézardé. Le château de Dammartin-en-Goële, à quelque 20 km au nord-est de Gonesse, était célèbre pour son enceinte de huit tours octogones. **2.** Allusion à la boucherie du Marché Saint-Jean, subordonnée au XVe siècle à la communauté extraordinairement privilégiée de la Grande Boucherie Saint-Jacques, après les vicissitudes consécutives à la collaboration des bouchers avec les Bourguignons ? **3.** Tenancière de maison accueillante. **4.** Citation de Montaigne (III, 13), empruntée à Sauval (I, 162-163), à propos des ripailles de Sorbonne. **5.** La version primitive est peut-être plus scatologiquement évocatrice : « La rue Cul-de-Pet est une rue qui a un bout rue Beaubourg, et l'autre rue Saint-Avoye » (rue du Temple). Entre les rues de la Verrerie et de la Tixeranderie, la rue « Galiache » se trouvait éventuellement du côté des rues des Deux-Portes ou des Mauvais-Garçons, au marché Saint-Jean. Gale ou Lèpre ? Peste ou choléra ?

— Silence à la ronde, et attention au refrain :

Quand les rats mangeront les cas,
Le roi sera seigneur d'Arras ;
Quand la mer qui est grande et lée[1],
Sera à la Saint-Jean gelée,
On verra, par-dessus la glace,
Sortir ceux d'Arras de leur place.

— Eh bien, écolier de l'Ante-Christ, puisses-tu être étranglé avec les tripes de ta mère ! s'écria Phœbus, et il poussa rudement l'écolier ivre, lequel glissa contre le mur et tomba mollement sur le pavé de Philippe-Auguste. Par un reste de cette pitié fraternelle qui n'abandonne jamais le cœur d'un buveur, Phœbus roula Jehan avec le pied sur un de ces oreillers du pauvre que la providence tient prêts au coin de toutes les bornes de Paris, et que les riches flétrissent dédaigneusement du nom de *tas d'ordures*. Le capitaine arrangea la tête de Jehan sur un plan incliné de trognons de choux, et à l'instant même l'écolier se mit à ronfler avec une basse taille magnifique. Cependant toute rancune n'était pas éteinte au cœur du capitaine. — Tant pis si la charrette du diable[2] te ramasse en passant ! dit-il au pauvre clerc endormi, et il s'éloigna.

L'homme au manteau, qui n'avait cessé de le suivre, s'arrêta un moment devant l'écolier gisant, comme si une indécision l'agitait ; puis, poussant un profond soupir, il s'éloigna aussi à la suite du capitaine.

Nous laisserons, comme eux, Jehan dormir sous le regard bienveillant de la belle étoile, et nous les suivrons aussi, s'il plaît au lecteur.

En débouchant dans la rue Saint-André-des-Arcs, le capitaine Phœbus s'aperçut que quelqu'un le suivait. Il vit, en détournant par hasard les yeux, une espèce d'ombre qui rampait derrière lui le long des murs. Il s'arrêta, elle s'arrêta ; il se remit en marche, l'ombre se remit

---

1. Large. Cette chanson citée par Tristan vise le siège de 1476, selon le procédé des « impossibles ». **2.** Selon la tradition celtique, ou du moins bretonne, de l'Ankou.

en marche. Cela ne l'inquiéta que fort médiocrement. — Ah bah ! se dit-il en lui-même, je n'ai pas le sou.

Devant la façade du collége d'Autun[1] il fit halte. C'est à ce collége qu'il avait ébauché ce qu'il appelait ses études, et par une habitude d'écolier taquin qui lui était restée, il ne passait jamais devant la façade, sans faire subir à la statue du cardinal Pierre Bertrand, sculptée à droite du portail, l'espèce d'affront dont se plaint si amèrement Priape dans la satire d'Horace *Olim truncus eram ficulnus*[2]. Il y avait mis tant d'acharnement que l'inscription *Eduensis episcopus* en était presque effacée. Il s'arrêta donc devant la statue comme à son ordinaire. La rue était tout-à-fait déserte. Au moment où il renouait nonchalamment ses aiguillettes[3], le nez au vent, il vit l'ombre qui s'approchait de lui à pas lents, si lents, qu'il eut tout le temps d'observer que cette ombre avait un manteau et un chapeau. Arrivée près de lui, elle s'arrêta et demeura plus immobile que la statue du cardinal Bertrand. Cependant elle attachait sur Phœbus deux yeux fixes pleins de cette lumière vague qui sort la nuit de la prunelle d'un chat.

Le capitaine était brave et se serait fort peu soucié d'un larron l'estoc au poing. Mais cette statue qui marchait, cet homme pétrifié[4], le glacèrent. Il courait alors par le monde je ne sais quelles histoires du moine-bourru[5], rôdeur nocturne des rues de Paris, qui lui revinrent confusément en mémoire. Il resta quelques minutes stupéfait, et rompit enfin le silence, en s'efforçant de rire. — Monsieur, si vous êtes un voleur, comme je l'espère, vous me faites l'effet d'un héron[6] qui s'attaque à une coquille de

---

1. Rue de l'Hirondelle (23-27), collège fondé en 1327 par le futur cardinal, « évêque d'Autun », lointain prédécesseur de Talleyrand. **2.** « Autrefois j'étais un tronc de figuier » (Horace, *Satires*, I, 8). Priape, membre de la génération et Dieu des jardins, peint en rouge, servait d'épouvantail aux oiseaux. **3.** Lacets aux extrémités garnies de métal, pour ajuster les vêtements et fermer les braguettes. **4.** Allusion à l'homme de pierre, le Commandeur du *Dom Juan* de Molière et de Mozart. **5.** Personnage du folklore parisien, sorte de croquemitaine, qui est le point essentiel de la croyance de Sganarelle, le valet de dom Juan. **6.** Voir La Fontaine, *Fables*, VII, 4. La coquille de noix, vide, est le degré zéro du limaçon.

noix. Je suis un fils de famille ruiné, mon cher. Adressez-vous à côté. Il y a dans la chapelle de ce collége, du bois de la vraie croix, qui est dans de l'argenterie [1].

La main de l'ombre sortit de dessous son manteau, et s'abattit sur le bras de Phœbus, avec la pesanteur d'une serre d'aigle. En même temps l'ombre parla : — Capitaine Phœbus de Châteaupers !

— Comment diable ! dit Phœbus, vous savez mon nom !

— Je ne sais pas seulement votre nom, reprit l'homme au manteau avec sa voix de sépulcre. Vous avez un rendez-vous ce soir.

— Oui, répondit Phœbus stupéfait.

— À sept heures.

— Dans un quart d'heure.

— Chez la Falourdel.

— Précisément.

— La vilotière du pont Saint-Michel.

— De Saint-Michel-Archange, comme dit la patenôtre [2].

— Impie ! grommela le spectre. — Avec une femme ?

— *Confiteor.*

— Qui s'appelle...

— La Smeralda, dit Phœbus alègrement. Toute son insouciance lui était revenue par degrés.

À ce nom la serre de l'ombre secoua avec fureur le bras de Phœbus. — Capitaine Phœbus de Châteaupers, tu mens.

Qui eût pu voir en ce moment le visage enflammé du capitaine, le bond qu'il fit en arrière, si violent, qu'il se dégagea de la tenaille qui l'avait saisi, la fière mine dont il jeta sa main à la garde de son épée, et devant cette colère la morne immobilité de l'homme au manteau, qui eût vu cela eût été effrayé. C'était quelque chose du combat de don Juan et de la statue.

---

1. Le métal précieux du reliquaire est ainsi assimilé à celui des couverts de table de la bourgeoisie moderne. **2.** Ce n'est ni par ignorance ni par lapsus que Hugo et Phœbus attribuent au *Pater Noster* ce qui appartient au *Confiteor*, qui implore l'intercession de la Vierge et des saints pour la rémission des péchés et surgit ironiquement à la réplique suivante.

— Christ et Satan ! cria le capitaine. Voilà une parole qui s'attaque rarement à l'oreille d'un Châteaupers ! tu n'oserais pas la répéter ?

— Tu mens ! dit l'ombre froidement.

Le capitaine grinça des dents. Moine-bourru, fantôme, superstitions, il avait tout oublié en ce moment. Il ne voyait plus qu'un homme et qu'une insulte. — Ah ! voilà qui va bien ! balbutia-t-il d'une voix étouffée de rage. Il tira son épée, puis bégayant, car la colère fait trembler comme la peur : — Ici ! tout de suite ! sus[1] ! les épées ! les épées ! du sang sur ces pavés !

Cependant l'autre ne bougeait. Quand il vit son adversaire en garde et prêt à se fendre[2] : — Capitaine Phœbus, dit-il, et son accent vibrait avec amertume, vous oubliez votre rendez-vous.

Les emportements des hommes comme Phœbus sont des soupes au lait, dont une goutte d'eau froide affaisse l'ébullition. Cette simple parole fit baisser l'épée qui étincelait à la main du capitaine.

— Capitaine, poursuivit l'homme, demain, après-demain, dans un mois, dans dix ans, vous me retrouverez prêt à vous couper la gorge ; mais allez d'abord à votre rendez-vous.

— En effet, dit Phœbus, comme s'il cherchait à capituler avec lui-même, ce sont deux choses charmantes à rencontrer en un rendez-vous qu'une épée et qu'une fille ; mais je ne vois pas pourquoi je manquerais l'une pour l'autre, quand je puis avoir les deux.

Il remit l'épée au fourreau.

— Allez à votre rendez-vous, reprit l'inconnu.

— Monsieur, répondit Phœbus avec quelque embarras, grand merci de votre courtoisie. Au fait, il sera toujours temps demain de nous découper à taillades et boutonnières[3] le pourpoint du père Adam[4]. Je vous sais gré de me permettre de passer encore un quart d'heure agréable. J'espérais bien vous coucher dans le ruisseau, et arriver encore à temps

---

1. Cri de poursuite. **2.** Porter le coup par avancée brusque d'une jambe. **3.** Par les coups de taille et d'estoc, transposés en termes de couture. **4.** Avant la chute, Adam n'avait pas d'autre habit que sa peau.

pour la belle, d'autant mieux qu'il est de bon air de faire attendre un peu les femmes en pareil cas. Mais vous m'avez l'air d'un gaillard, et il est plus sûr de remettre la partie à demain. Je vais donc à mon rendez-vous ; c'est pour sept heures, comme vous savez. — Ici Phœbus se gratta l'oreille. — Ah ! corne-Dieu ! j'oubliais ! je n'ai pas un sou pour acquitter le truage du galetas, et la vieille matrulle[1] voudra être payée d'avance. Elle se défie de moi.

— Voici de quoi payer.

Phœbus sentit la main froide de l'inconnu glisser dans la sienne une large pièce de monnaie. Il ne put s'empêcher de prendre cet argent et de serrer cette main.

— Vrai-Dieu ! s'écria-t-il, vous êtes un bon enfant !

— Une condition, dit l'homme. Prouvez-moi que j'ai eu tort et que vous disiez vrai. Cachez-moi dans quelque coin d'où je puisse voir si cette femme est vraiment celle dont vous avez dit le nom.

— Oh ! répondit Phœbus, cela m'est bien égal. Nous prendrons la chambre à Sainte-Marthe[2] ; vous pourrez voir à votre aise du chenil[3] qui est à côté.

— Venez donc, reprit l'ombre.

— À votre service, dit le capitaine. Je ne sais si vous n'êtes pas messer Diabolus en propre personne ; mais soyons bons amis ce soir, demain je vous paierai toutes mes dettes de la bourse et de l'épée[4].

---

1. Tenancière de bordel. **2.** Le manuscrit indique d'abord « la chambre A ». On peut se perdre en conjectures sur la correction. Dans les évangiles de Luc et de Jean (XI), Marthe, sœur de Marie-Madeleine et de Lazare, est la servante active de Jésus, qui obtient la résurrection de son frère. La légende les fait ensuite miraculeusement débarquer en Provence, où elle capture, près d'Avignon, la Tarasque, que les natifs n'ont plus qu'à trucider. Plusieurs ordres de religieuses adonnées au travail se sont mis sous l'invocation de celle qui n'avait pas « pris la meilleure part », et que l'Église honore le 29 juillet, ultime des « Trois glorieuses » de 1830. Sauval (I, 56) mentionne, parmi les douze salles de l'Hôtel-Dieu, la salle de Sainte-Marthe pour les femmes, dite grande salle du Légat. Enfin la famille de sainte Marthe s'illustra aux XVIe et XVIIe siècles d'humanistes, poètes, historiens, magistrats, avocats, bibliothécaires, prêtres, rompus à la critique historique, qui évoluèrent vers le jansénisme et que Sainte-Beuve connaissait bien depuis son étude sur la poésie de la Renaissance. **3.** Logement d'une meute, d'où lieu sale. C'est bien complaisamment que Phœbus traite Frollo comme un chien. **4.** Promesse et menace toutes viriles.

Ils se remirent à marcher rapidement. Au bout de quelques minutes, le bruit de la rivière leur annonça qu'ils étaient sur le pont Saint-Michel, alors chargé de maisons. — Je vais d'abord vous introduire, dit Phœbus à son compagnon, j'irai ensuite chercher la belle qui doit m'attendre près du Petit-Châtelet. Le compagnon ne répondit rien ; depuis qu'ils marchaient côte à côte il n'avait dit mot. Phœbus s'arrêta devant une porte basse et heurta rudement ; une lumière parut aux fentes de la porte. — Qui est là ? cria une voix édentée. — Corps-Dieu ! tête-Dieu ! ventre-Dieu ! répondit le capitaine. La porte s'ouvrit sur-le-champ, et laissa voir aux arrivants une vieille femme et une vieille lampe qui tremblaient toutes deux. La vieille était pliée en deux, vêtue de guenilles, branlante du chef, percée à petits yeux, coiffée d'un torchon, ridée partout, aux mains, à la face, au cou ; ses lèvres rentraient sous ses gencives, et elle avait tout autour de la bouche des pinceaux de poils blancs qui lui donnaient la mine embabouinée[1] d'un chat. L'intérieur du bouge n'était pas moins délabré qu'elle ; c'étaient des murs de craie, des solives noires au plafond, une cheminée démantelée[2], des toiles d'araignées à tous les coins ; au milieu, un troupeau chancelant de tables et d'escabelles boiteuses, un enfant sale dans les cendres, et dans le fond un escalier ou plutôt une échelle de bois, qui aboutissait à une trappe au plafond. En pénétrant dans ce repaire, le mystérieux compagnon de Phœbus haussa son manteau jusqu'à ses yeux. Cependant le capitaine, tout en jurant comme un sarrazin, se hâta de *faire dans un écu reluire le soleil*, comme dit notre admirable Régnier[3]. — La chambre à Sainte-Marthe, dit-il.

La vieille le traita de monseigneur, et serra l'écu dans un tiroir. C'était la pièce que l'homme au manteau noir avait donnée à Phœbus. Pendant qu'elle tournait le dos, le petit garçon chevelu et déguenillé qui jouait dans les

---

1. La caricature s'achève en singerie, dans l'interférence de la gourmandise des babines et de la chatterie trompeuse. **2.** Dont le manteau est effondré. **3.** *Satires*, XI, 24. Boileau reproche à Régnier d'avoir « traîné les Muses au Bordel » dans ce poème où la mésaventure de l'auteur évoque les sévices du moine-bourru. L'écu d'or « au soleil » portait cette figure à huit rayons.

cendres, s'approcha adroitement du tiroir, y prit l'écu, et mit à la place une feuille sèche qu'il avait arrachée d'un fagot.

La vieille fit signe aux deux gentilshommes, comme elle les nommait, de la suivre, et monta l'échelle devant eux. Parvenue à l'étage supérieur, elle posa sa lampe sur un coffre, et Phœbus, en habitué de la maison, ouvrit une porte qui donnait sur un bouge obscur. — Entrez là, mon cher, dit-il à son compagnon. L'homme au manteau obéit sans répondre une parole ; la porte retomba sur lui ; il entendit Phœbus la refermer au verrou, et un moment après redescendre l'escalier avec la vieille. La lumière avait disparu.

VIII

UTILITÉ DES FENÊTRES QUI DONNENT SUR LA RIVIÈRE

Claude Frollo (car nous présumons que le lecteur, plus intelligent que Phœbus, n'a vu dans toute cette aventure d'autre moine-bourru que l'archidiacre), Claude Frollo tâtonna quelques instants dans le réduit ténébreux où le capitaine l'avait verrouillé. C'était un de ces recoins comme les architectes en réservent quelquefois au point de jonction du toit et du mur d'appui. La coupe verticale de ce chenil, comme l'avait si bien nommé Phœbus, eût donné un triangle. Du reste, il n'y avait ni fenêtre ni lucarne, et le plan incliné du toit empêchait qu'on s'y tînt debout. Claude s'accroupit donc dans la poussière et dans les plâtras qui s'écrasaient sous lui ; sa tête était brûlante ; en furetant autour de lui avec ses mains il trouva à terre un morceau de vitre cassée, qu'il appuya sur son front et dont la fraîcheur le soulagea un peu.

Que se passait-il en ce moment dans l'âme obscure de l'archidiacre ? lui et Dieu seul l'ont pu savoir.

Selon quel ordre fatal disposait-il dans sa pensée la Esmeralda, Phœbus, Jacques Charmolue, son jeune frère si aimé, abandonné par lui dans la boue, sa soutane d'archidiacre, sa réputation peut-être, traînée chez la Falourdel, toutes ces images, toutes ces aventures ? Je ne pourrais le dire. Mais il est certain que ces idées formaient dans son esprit un groupe horrible.

Il attendait depuis un quart d'heure ; il lui semblait avoir vieilli d'un siècle. Tout-à-coup il entendit craquer les ais de l'escalier de bois ; quelqu'un montait. La trappe se rouvrit ; une lumière reparut. Il y avait à la porte vermoulue de son bouge une fente assez large : il y colla son visage. De cette façon il pouvait voir tout ce qui se passait dans la chambre voisine. La vieille à face de chat sortit d'abord de la trappe, sa lampe à la main ; puis Phœbus retroussant sa moustache, puis une troisième personne, cette belle et gracieuse figure, la Esmeralda. Le prêtre la vit sortir de terre comme une éblouissante apparition. Claude trembla, un nuage se répandit sur ses yeux, ses artères battirent avec force, tout bruissait et tournait autour de lui ; il ne vit et n'entendit plus rien.

Quand il revint à lui, Phœbus et la Esmeralda étaient seuls, assis sur le coffre de bois à côté de la lampe qui faisait saillir aux yeux de l'archidiacre ces deux jeunes figures, et un misérable grabat au fond du galetas.

À côté du grabat il y avait une fenêtre dont le vitrail, défoncé comme une toile d'araignée sur laquelle la pluie a tombé, laissait voir, à travers ses mailles rompues, un coin du ciel et la lune couchée au loin sur un édredon de molles nuées.

La jeune fille était rouge, interdite, palpitante. Ses longs cils baissés ombrageaient ses joues de pourpre. L'officier, sur lequel elle n'osait lever les yeux, rayonnait. Machinalement, et avec un geste charmant de gaucherie, elle traçait du bout du doigt sur le banc, des lignes incohérentes, et elle regardait son doigt. On ne voyait pas son pied, la petite chèvre était accroupie dessus.

Le capitaine était mis fort galamment ; il avait au col et aux poignets des touffes de doreloterie : grande élégance d'alors.

Dom Claude ne parvint pas sans peine à entendre ce qu'ils se disaient, à travers le bourdonnement de son sang qui bouillait dans ses tempes.

(Chose assez banale qu'une causerie d'amoureux. C'est un *je vous aime* perpétuel. Phrase musicale fort nue et fort insipide pour les indifférents qui écoutent, quand elle n'est pas ornée de quelque *fioriture*[1] ; mais Claude n'écoutait pas en indifférent.)

— Oh ! disait la jeune fille sans lever les yeux, ne me méprisez pas, monseigneur Phœbus. Je sens que ce que je fais est mal.

— Vous mépriser, belle enfant ! répondait l'officier d'un air de galanterie supérieure et distinguée, vous mépriser, tête-Dieu ! et pourquoi ?

— Pour vous avoir suivi.

— Sur ce propos, ma belle, nous ne nous entendons pas. Je ne devrais pas vous mépriser, mais vous haïr.

La jeune fille le regarda avec effroi : — Me haïr ! qu'ai-je donc fait ?

— Pour vous être tant fait prier.

— Hélas ! dit-elle,... c'est que je manque à un vœu... Je ne retrouverai pas mes parents... l'amulette perdra sa vertu. — Mais qu'importe ? qu'ai-je besoin de père et de mère à présent ?

En parlant ainsi, elle fixait sur le capitaine ses grands yeux noirs humides de joie et de tendresse.

— Du diable si je vous comprends ! s'écria Phœbus.

La Esmeralda resta un moment silencieuse, puis une larme sortit de ses yeux, un soupir de ses lèvres, et elle dit : — Oh ! monseigneur, je vous aime.

Il y avait autour de la jeune fille un tel parfum de chasteté, un tel charme de vertu que Phœbus ne se sentait pas complètement à l'aise auprès d'elle. Cependant cette parole l'enhardit. — Vous m'aimez ! dit-il avec transport, et il jeta son bras autour de la taille de l'égyptienne. Il n'attendait que cette occasion.

Le prêtre le vit, et essaya du bout du doigt la pointe d'un poignard qu'il tenait caché dans sa poitrine.

— Phœbus, poursuivit la bohémienne en détachant doucement de sa ceinture les mains tenaces du capitaine, vous êtes bon, vous êtes généreux, vous êtes beau ; vous m'avez sauvée, moi qui ne suis qu'une pauvre enfant per-

---

1. Au sens propre : ornement musical *ad libitum*.

due en Bohême. Il y a long-temps que je rêve d'un officier qui me sauve la vie. C'était de vous que je rêvais avant de vous connaître, mon Phœbus ; mon rêve avait une belle livrée comme vous, une grande mine, une épée ; vous vous appelez Phœbus, c'est un beau nom, j'aime votre nom, j'aime votre épée. Tirez donc votre épée, Phœbus, que je la voie.

— Enfant ! dit le capitaine, et il dégaîna sa rapière en souriant. L'égyptienne regarda la poignée, la lame, examina avec une curiosité adorable le chiffre[1] de la garde, et baisa l'épée en lui disant : — Vous êtes l'épée d'un brave. J'aime mon capitaine.

Phœbus profita encore de l'occasion pour déposer sur son beau cou ployé un baiser qui fit redresser la jeune fille écarlate comme une cerise. Le prêtre en grinça des dents dans ses ténèbres.

— Phœbus, reprit l'égyptienne, laissez-moi vous parler. Marchez donc un peu, que je vous voie tout grand et que j'entende sonner vos éperons. Comme vous êtes beau !

Le capitaine se leva pour lui complaire, en la grondant avec un sourire de satisfaction : — Mais êtes-vous enfant ! — À propos, charmante, m'avez-vous vu en hoqueton de cérémonie ?

— Hélas ! non, répondit-elle.

— C'est cela qui est beau !

Phœbus vint se rasseoir près d'elle, mais beaucoup plus près qu'auparavant.

— Écoutez, ma chère...

L'égyptienne lui donna quelques petits coups de sa jolie main sur la bouche, avec un enfantillage plein de folie, de grâce et de gaîté. — Non, non, je ne vous écouterai pas. M'aimez-vous ? Je veux que vous me disiez si vous m'aimez.

— Si je t'aime, ange de ma vie ! s'écria le capitaine en s'agenouillant à demi. Mon corps, mon sang, mon âme, tout est à toi, tout est pour toi. Je t'aime, et n'ai jamais aimé que toi.

Le capitaine avait tant de fois répété cette phrase en

1. Entrelacement des lettres d'un nom, signe personnel de l'identité.

mainte conjoncture pareille, qu'il la débita tout d'une haleine, sans faire une seule faute de mémoire. À cette déclaration passionnée, l'égyptienne leva au sale plafond qui tenait lieu de ciel un regard plein d'un bonheur angélique. — Oh ! murmura-t-elle, voilà le moment où l'on devrait mourir ! — Phœbus trouva « le moment » bon pour lui dérober un nouveau baiser qui alla torturer dans son coin le misérable archidiacre.

— Mourir ! s'écria l'amoureux capitaine. Qu'est-ce que vous dites donc là, bel ange ? c'est le cas de vivre, ou Jupiter n'est qu'un polisson ! mourir au commencement d'une si douce chose ! Corne-de-bœuf, quelle plaisanterie ! — Ce n'est pas cela. — Écoutez, ma chère Similar... Esmenarda... Pardon ! mais vous avez un nom si prodigieusement sarrazin que je ne puis m'en dépêtrer. C'est une broussaille qui m'arrête tout court.

— Mon dieu, dit la pauvre fille, moi qui croyais ce nom joli pour sa singularité ! Mais puisqu'il vous déplaît, je voudrais m'appeler Goton [1].

— Ah ! ne pleurons pas pour si peu, ma gracieuse ! c'est un nom auquel il faut s'accoutumer, voilà tout. Une fois que je le saurai par cœur, cela ira tout seul. — Écoutez donc, ma chère Similar : je vous adore à la passion. Je vous aime vraiment que c'est miraculeux. Je sais une petite qui en crève de rage...

La jalouse fille l'interrompit : Qui donc ?

— Qu'est-ce que cela nous fait ? dit Phœbus ; m'aimez-vous ?

— Oh !... dit-elle.

— Eh bien ! c'est tout. Vous verrez comme je vous aime aussi. Je veux que le grand diable Neptunus m'enfourche [2] si je ne vous rends pas la plus heureuse créature du monde. Nous aurons une jolie petite logette quelque part. Je ferai parader mes archers sous vos fenêtres. Ils sont tous à cheval et font la nargue à ceux du capitaine Mignon. Il y a des voulgiers, des cranequiniers et des coulevriniers à main. Je vous conduirai aux grandes

---

1. Diminutif du diminutif de Marguerite, devenu synonyme de vile servante. 2. Avec son trident...

monstres[1] des Parisiens à la grange de Rully[2]. C'est très-magnifique. Quatre-vingt mille têtes armées ; trente mille harnois blancs, jaques[3] ou brigandines ; les soixante-sept bannières des métiers ; les étendards du parlement, de la chambre des comptes, du trésor des généraux, des aides des monnaies ; un arroi[4] du diable enfin ! Je vous mènerai voir les lions de l'Hôtel du Roi qui sont des bêtes fauves. Toutes les femmes aiment cela.

Depuis quelques instants la jeune fille, absorbée dans ses charmantes pensées, rêvait au son de sa voix sans écouter le sens de ses paroles.

— Oh ! vous serez heureuse ! continua le capitaine, et en même temps il déboucla doucement le ceinture de l'égyptienne. — Que faites-vous donc ? dit-elle vivement. Cette *voie de fait*[5] l'avait arrachée à sa rêverie.

— Rien, répondit Phœbus ; je disais seulement qu'il faudrait quitter toute cette toilette de folie et de coin de rue quand vous serez avec moi.

— Quand je serai avec toi, mon Phœbus ! dit la jeune fille tendrement.

Elle redevint pensive et silencieuse.

Le capitaine, enhardi par sa douceur, lui prit la taille sans qu'elle résistât, puis se mit à délacer à petit bruit le corsage de la pauvre enfant, et dérangea si fort sa gorgerette que le prêtre haletant vit sortir de la gaze la belle épaule nue de la bohémienne, ronde et brune, comme la lune qui se lève dans la brume à l'horizon.

La jeune fille laissait faire Phœbus. Elle ne paraissait pas s'en apercevoir. L'œil du hardi capitaine étincelait.

Tout-à-coup elle se tourna vers lui : — Phœbus, dit-elle avec une expression d'amour infinie, instruis-moi dans ta religion.

— Ma religion ! s'écria le capitaine éclatant de rire.

---

1. Revue générale des Parisiens mobilisables. Le texte synthétise les éléments fournis par la chronique pour 1465 (le capitaine Mignon et sa compagnie de 200 archers suivie de « huict ribaudes et ung moine noir leur confesseur ») et pour 1467 (ordre d'armer les Parisiens, en juin, et, le 14 septembre, la « monstre »). **2.** Reuilly, hors la Ville, au sud du faubourg Saint-Antoine. **3.** Jaque : cotte d'armes en peau de cerf. **4.** Équipage, appareil. **5.** Terme de droit : acte de violence non licite.

Moi vous instruire dans ma religion ! Corne et tonnerre ! qu'est-ce que vous voulez faire de ma religion ?

— C'est pour nous marier, répondit-elle.

La figure du capitaine prit une expression mélangée de surprise, de dédain, d'insouciance et de passion libertine.
— Ah bah ! dit-il, est-ce qu'on se marie ?

La bohémienne devint pâle, et laissa tristement retomber sa tête sur sa poitrine. — Belle amoureuse, reprit tendrement Phœbus, qu'est-ce que c'est que ces folies-là ? Grand'chose que le mariage ! est-on moins bien-aimant pour n'avoir pas craché du latin dans la boutique d'un prêtre ? En parlant ainsi de sa voix la plus douce, il s'approchait extrêmement près de l'égyptienne, ses mains caressantes avaient repris leur poste autour de cette taille si fine et si souple, son œil s'allumait de plus en plus, et tout annonçait que monsieur Phœbus touchait évidemment à l'un de ces moments où Jupiter lui-même fait tant de sottises que le bon Homère est obligé d'appeler un nuage à son secours [1].

Dom Claude cependant voyait tout. La porte était faite de douves de poinçon [2] toutes pourries, qui laissaient entre elles de larges passages à son regard d'oiseau de proie. Ce prêtre à peau brune et à larges épaules, jusque là condamné à l'austère virginité du cloître, frissonnait et bouillait devant cette scène d'amour, de nuit et de volupté. La jeune et belle fille livrée en désordre à cet ardent jeune homme lui faisait couler du plomb fondu dans les veines. Il se passait en lui des mouvements extraordinaires ; son œil plongeait avec une jalousie lascive sous toutes ces épingles défaites. Qui eût pu voir en ce moment la figure du malheureux collée aux barreaux vermoulus, eût cru voir une face de tigre regardant du fond d'une cage quelque chacal qui dévore une gazelle. Sa prunelle éclatait comme une chandelle à travers les fentes de la porte.

Tout-à-coup Phœbus enleva d'un geste rapide la gorgerette de l'égyptienne. La pauvre enfant, qui était restée pâle et rêveuse, se réveilla comme en sursaut ; elle s'éloigna brusquement de l'entreprenant officier, et, jetant un

---

1. Voir *Iliade*, XIV, 342-351. **2.** Tonneau.

regard sur sa gorge et ses épaules nues, rouge et confuse, et muette de honte, elle croisa ses deux beaux bras sur son sein pour le cacher. Sans la flamme qui embrasait ses joues, à la voir ainsi silencieuse et immobile, on eût dit une statue de la Pudeur. Ses yeux restaient baissés.

Cependant le geste du capitaine avait mis à découvert l'amulette mystérieuse qu'elle portait au cou. — Qu'est-ce que cela ? dit-il en saisissant ce prétexte pour se rapprocher de la belle créature qu'il venait d'effaroucher.

— N'y touchez pas ! répondit-elle vivement, c'est ma gardienne. C'est elle qui me fera retrouver ma famille si j'en reste digne. Oh ! laissez-moi, monsieur le capitaine ! ma mère ! ma pauvre mère ! ma mère ! où es-tu ? à mon secours ! Grâce, monsieur Phœbus ! rendez-moi ma gorgerette !

Phœbus recula et dit d'un ton froid : — Oh ! mademoiselle ! que je vois bien que vous ne m'aimez pas.

— Je ne l'aime pas ! s'écria la pauvre malheureuse enfant, et en même temps elle se pendit au capitaine qu'elle fit asseoir près d'elle. Je ne t'aime pas, mon Phœbus ! Qu'est-ce que tu dis là, méchant, pour me déchirer le cœur ? Oh ! va ! prends-moi, prends tout ! fais ce que tu voudras de moi, je suis à toi. Que m'importe l'amulette ! que m'importe ma mère ! c'est toi qui es ma mère, puisque je t'aime ! Phœbus, mon Phœbus bien-aimé, me vois-tu ? c'est moi, regarde-moi ; c'est cette petite que tu veux bien ne pas repousser, qui vient, qui vient elle-même te chercher. Mon âme, ma vie, mon corps, ma personne, tout cela est une chose qui est à vous, mon capitaine. Eh bien, non ! ne nous marions pas, cela t'ennuie ; et puis, qu'est-ce que je suis, moi ? une misérable fille du ruisseau : tandis que toi, mon Phœbus, tu es gentilhomme. Belle chose vraiment ! une danseuse épouser un officier ! j'étais folle. Non, Phœbus, non ; je serai ta maîtresse, ton amusement, ton plaisir, quand tu voudras, une fille qui sera à toi. Je ne suis faite que pour cela, souillée, méprisée, déshonorée, mais qu'importe ! aimée. Je serai la plus fière et la plus joyeuse des femmes. Et quand je serai vieille ou laide, Phœbus, quand je ne serai plus bonne pour vous aimer, monseigneur, vous me souffrirez encore pour vous servir. D'autres vous broderont des écharpes ;

c'est moi, la servante, qui en aurai soin. Vous me laisserez fourbir vos éperons, brosser votre hoqueton, épousseter vos bottes de cheval. N'est-ce pas, mon Phœbus, que vous aurez cette pitié ? En attendant, prends-moi ! tiens, Phœbus, tout cela t'appartient, aime-moi seulement ! Nous autres égyptiennes, il ne nous faut que cela, de l'air et de l'amour.

En parlant ainsi, elle jetait ses bras autour du cou de l'officier ; elle le regardait du bas en haut, suppliante, et avec un beau sourire tout en pleurs. Sa gorge délicate se frottait au pourpoint de drap et aux rudes broderies. Elle tordait sur ses genoux son beau corps demi-nu. Le capitaine enivré colla ses lèvres ardentes à ces belles épaules africaines. La jeune fille, les yeux perdus au plafond, renversée en arrière, frémissait toute palpitante sous ce baiser.

Tout-à-coup au-dessus de la tête de Phœbus elle vit une autre tête ; une figure livide, verte, convulsive, avec un regard de damné ; près de cette figure il y avait une main qui tenait un poignard. C'était la figure et la main du prêtre ; il avait brisé la porte, et il était là. Phœbus ne pouvait le voir. La jeune fille resta immobile, glacée, muette, sous l'épouvantable apparition, comme une colombe qui lèverait la tête au moment où l'orfraie[1]. regarde dans son nid avec ses yeux ronds.

Elle ne put même pousser un cri. Elle vit le poignard s'abaisser sur Phœbus et se relever fumant.

— Malédiction ! dit le capitaine, et il tomba.

Elle s'évanouit.

Au moment où ses yeux se fermaient, où tout sentiment se dispersait en elle, elle crut sentir s'imprimer sur ses lèvres un attouchement de feu, un baiser plus brûlant que le fer rouge du bourreau.

Quand elle reprit ses sens, elle était entourée de soldats du guet, on emportait le capitaine baigné dans son sang, le prêtre avait disparu ; la fenêtre du fond de la chambre,

---

1. Ou pygargue, grand aigle de mer. On emploie souvent le mot à la place d'effraie, espèce de chouette, sans doute pour joindre l'horreur à l'effroi.

qui donnait sur la rivière, était toute grande ouverte ; on ramassait un manteau qu'on supposait appartenir à l'officier, et elle entendait dire autour d'elle : — C'est une sorcière qui a poignardé un capitaine.

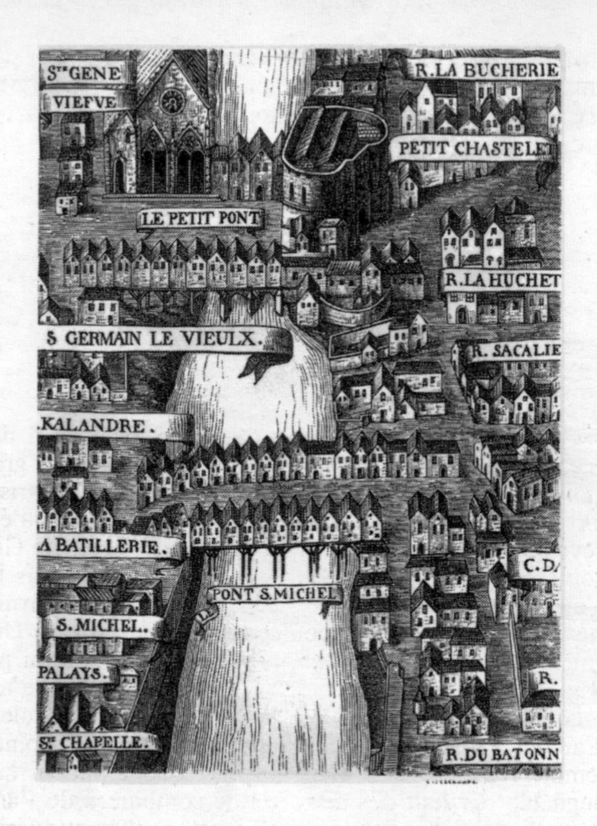

« Au bout de quelques minutes, le bruit de la rivière leur annonça qu'ils étaient sur le Pont Saint-Michel, alors chargé de maisons. » (p. 427)

Fragment du Plan de la Tapisserie, La Cité, vers 1540.

LIVRE HUITIÈME

I

L'ÉCU CHANGÉ EN FEUILLE SÈCHE

Gringoire et toute la Cour des Miracles étaient dans une mortelle inquiétude. On ne savait depuis un grand mois ce qu'était devenue la Esmeralda, ce qui contristait fort le duc d'Égypte et ses amis les truands, ni ce qu'était devenue sa chèvre, ce qui redoublait la douleur de Gringoire. Un soir l'égyptienne avait disparu, et depuis lors n'avait plus donné signe de vie. Toutes recherches avaient été inutiles. Quelques sabouleux taquins disaient à Gringoire l'avoir rencontrée ce soir-là aux environs du pont Saint-Michel, s'en allant avec un officier ; mais ce mari à la mode de Bohême était un philosophe incrédule, et d'ailleurs, il savait mieux que personne à quel point sa femme était vierge. Il avait pu juger quelle pudeur inexpugnable résultait des deux vertus combinées de l'amulette et de l'égyptienne, et il avait mathématiquement calculé la résistance de cette chasteté à la seconde puissance[1]. Il était donc tranquille de ce côté.

Aussi ne pouvait-il s'expliquer cette disparition. C'était un chagrin profond. Il en eût maigri, si la chose eût été possible. Il en avait tout oublié, jusqu'à ses goûts littéraires, jusqu'à son grand ouvrage *de Figuris regularibus et irregularibus*[2], qu'il comptait faire imprimer au premier argent qu'il aurait. (Car il radotait d'imprimerie,

1. Encore l'élévation au carré d'un binôme, qui multiplie les « chiffres » de la magie et de l'honneur, de la famille et de la personne.
2. « Des figures régulières et irrégulières ».

depuis qu'il avait vu le Didascalon[1] de Hugues de Saint-Victor imprimé avec les célèbres caractères de Vindelin de Spire[2].)

Un jour qu'il passait tristement devant la Tournelle criminelle, il aperçut quelque foule à l'une des portes du Palais de Justice. — Qu'est cela ? demanda-t-il à un jeune homme qui en sortait.

— Je ne sais pas, monsieur, répondit le jeune homme. On dit qu'on juge une femme qui a assassiné un gendarme. Comme il paraît qu'il y a de la sorcellerie là-dessous, l'évêque et l'official sont intervenus dans la cause, et mon frère, qui est archidiacre de Josas, y passe sa vie. Or je voulais lui parler, mais je n'ai pu arriver jusqu'à lui à cause de la foule, ce qui me contrarie fort, car j'ai besoin d'argent.

— Hélas, monsieur, dit Gringoire, je voudrais pouvoir vous en prêter ; mais si mes grègues sont trouées, ce n'est pas par les écus.

Il n'osa pas dire au jeune homme qu'il connaissait son frère l'archidiacre, vers lequel il n'était pas retourné depuis la scène de l'église ; négligence qui l'embarrassait.

L'écolier passa son chemin, et Gringoire se mit à suivre la foule qui montait l'escalier de la grand'chambre. Il estimait qu'il n'est rien de tel que le spectacle d'un procès criminel pour dissiper la mélancolie, tant les juges sont ordinairement d'une bêtise réjouissante. Le peuple auquel il s'était mêlé marchait et se coudoyait en silence. Après un lent et insipide piétinement sous un long couloir sombre, qui serpentait dans le palais comme le canal intestinal du vieil édifice, il parvint auprès d'une porte basse qui débouchait sur une salle que sa haute taille lui permit d'explorer du regard par-dessus les têtes ondoyantes de la cohue.

La salle était vaste et sombre, ce qui la faisait paraître

---

1. Ou *Didascalicon*, traité de la manière d'enseigner, par ce fondateur, au XIIe siècle, mort en 1141, de l'école de pensée de la célèbre abbaye parisienne. L'édition de Strasbourg est sans date et sans nom d'éditeur. **2.** Installé à Venise avec son frère Jean, auquel il succède en 1470, il y fonda l'imprimerie, en concurrence avec Nicolas Jenson, diffuseur du caractère romain. Il disparut après la publication d'un Pierre Lombard (10 mars 1477-1478). Ch. Nodier et A. Firmin-Didot ont pu initier Hugo à cette bibliophilie des incunables.

plus vaste encore. Le jour tombait ; les longues fenêtres ogives ne laissaient plus pénétrer qu'un pâle rayon qui s'éteignait avant d'atteindre jusqu'à la voûte, énorme treillis de charpentes sculptées, dont les mille figures semblaient remuer confusément dans l'ombre. Il y avait déjà plusieurs chandelles allumées çà et là sur des tables, et rayonnant sur des têtes de greffiers affaissés dans des paperasses. La partie antérieure de la salle était occupée par la foule ; à droite et à gauche il y avait des hommes de robe à des tables ; au fond, sur une estrade, force juges dont les dernières rangées s'enfonçaient dans les ténèbres ; faces immobiles et sinistres. Les murs étaient semés de fleurs-de-lis sans nombre. On distinguait vaguement un grand christ au-dessus des juges, et partout des piques et des hallebardes au bout desquelles la lumière des chandelles mettait des pointes de feu.

— Monsieur, demanda Gringoire à l'un de ses voisins, qu'est-ce que c'est donc que toutes ces personnes rangées là-bas comme prélats en concile [1] ?

— Monsieur, dit le voisin, ce sont les conseillers de la grand'chambre à droite, et les conseillers des enquêtes à gauche ; les maîtres en robes noires, et les messires en robes rouges [2].

— Là, au-dessus d'eux, reprit Gringoire, qu'est-ce que c'est que ce gros rouge qui sue ?

— C'est monsieur le président.

— Et ces moutons derrière lui ? poursuivit Gringoire, lequel, nous l'avons déjà dit, n'aimait pas la magistrature. Ce qui tenait peut-être à la rancune qu'il gardait au Palais de Justice depuis sa mésaventure dramatique.

— Ce sont messieurs les maîtres des requêtes de l'Hôtel du roi.

---

1. Réunion délibérante des évêques, convoquée par le pape. Il y en eut une dizaine dans la première moitié du XVe siècle. Les conciles nationaux ou provinciaux posent moins de problèmes pour l'aménagement de l'espace. **2.** Hugo s'inspire de Sauval, II, 391 ; les maîtres sont les conseillers clercs, les messires les conseillers laïcs. Pour les procès criminels (à la Tournelle), Hugo a relevé que la chambre est « composée de conseillers de la grand'chambre et des enquêtes à tour de rôle, dont le service est intermittent pour ne pas les endurcir, déjà une sorte de jury ».

— Et devant lui, ce sanglier ?

— C'est monsieur le greffier de la cour de parlement.

— Et à droite, ce crocodile ?

— Maître Philippe Lheulier, avocat du roi extraordinaire.

— Et à gauche, ce gros chat noir ?

— Maître Jacques Charmolue, procureur du roi en cour d'église, avec messieurs de l'officialité.

— Or çà, monsieur, dit Gringoire, que font donc tous ces braves gens-là ?

— Ils jugent.

— Ils jugent qui ? je ne vois pas d'accusé.

— C'est une femme, monsieur. Vous ne pouvez la voir. Elle nous tourne le dos, et elle nous est cachée par la foule. Tenez, elle est là où vous voyez un groupe de pertuisanes [1].

— Qu'est-ce que cette femme ? demanda Gringoire. Savez-vous son nom ?

— Non, monsieur ; je ne fais que d'arriver. Je présume seulement qu'il y a de la sorcellerie, parce que l'official assiste au procès.

— Allons ! dit notre philosophe, nous allons voir tous ces gens de robe manger de la chair humaine. C'est un spectacle comme un autre.

— Monsieur, observa le voisin, est-ce que vous ne trouvez pas que maître Jacques Charmolue a l'air très-doux ?

— Hum ! répondit Gringoire. Je me défie d'une douceur qui a les narines pincées et les lèvres minces.

Ici les voisins imposèrent silence aux deux causeurs. On écoutait une déposition importante.

— Messeigneurs, disait, au milieu de la salle, une vieille dont le visage disparaissait tellement sous ses vêtements qu'on eût dit un monceau de guenilles qui marchait ; messeigneurs, la chose est aussi vraie qu'il est vrai que c'est moi qui suis la Falourdel, établie depuis quarante ans au pont Saint-Michel, et payant exactement rentes, lods [2] et censives, la porte vis-à-vis la maison de Tassin-Caillart, le tein-

---

1. Hallebarde dont la pointe est munie de deux oreillons à sa base.
2. Redevance due au seigneur sur la vente d'un héritage.

turier, qui est du côté d'amont[1] l'eau. — Une pauvre vieille à présent, une jolie fille autrefois, messeigneurs ! — On me disait depuis quelques jours : La Falourdel, ne filez pas trop votre rouet le soir[2] ; le diable aime peigner avec ses cornes la quenouille[3] des vieilles femmes. Il est sûr que le moine-bourru, qui était l'an passé du côté du Temple[4], rôde maintenant dans la Cité. La Falourdel, prenez garde qu'il ne cogne à votre porte. — Un soir, je filais mon rouet ; on cogne à ma porte. Je demande qui. On jure. J'ouvre. Deux hommes entrent. Un noir[5] avec un bel officier. On ne voyait que les yeux du noir, deux braises. Tout le reste était manteau et chapeau. — Voilà qu'ils me disent : La chambre à Sainte-Marthe. — C'est ma chambre d'en haut, messeigneurs, ma plus propre. — Ils me donnent un écu. Je serre[6] l'écu dans mon tiroir, et je dis : Ce sera pour acheter demain des tripes à l'écorcherie de la Gloriette[7]. — Nous montons. — Arrivés à la chambre d'en haut, pendant que je tournais le dos, l'homme noir disparaît. Cela m'ébahit un peu. L'officier, qui était beau comme un grand seigneur, redescend avec moi. Il sort. Le temps de filer un quart d'écheveau, il rentre avec une belle jeune fille, une poupée qui eût brillé comme un soleil si elle eût été coiffée. Elle avait avec elle un bouc, un grand bouc, noir ou blanc, je ne sais plus. Voilà qui me fait songer. La fille, cela ne me regarde pas, mais le bouc !... Je n'aime pas ces bêtes-là, elles

---

1. Utile précision : Frollo se jettera donc en aval du pont, sans risque de se heurter aux piles. **2.** L'image de la fileuse au rouet venait d'être consacrée par la Marguerite du *Faust* de Goethe. **3.** Bâton au haut duquel est accroché, en vrac, l'écheveau de textile à filer. **4.** Au nord de Paris, à l'intérieur de l'enceinte, et au bas de la Courtille, la forteresse des Templiers que Philippe le Bel accusa au début du XIVe siècle de toutes sortes de crimes pour faire supprimer leur ordre et s'emparer de leurs richesses (1307-1314). « Aller au Temple » devint un euphémisme pour aller au bordel. La tour du Temple servit de prison à Louis XVI avant son exécution. **5.** Une syllabe pour dire un brun, un prêtre, un démon, un nègre, un fantôme habillé de noir, etc. **6.** Ranger. **7.** Il n'y a pas besoin de 3 francs pour acheter à l'abattoir des abats de bovin aussi ordinaires, et je ne sais de quelle Gloriette (petite construction de jardin, séparée du logis) il s'agit, à moins que ce ne soit, comme chez Béranger, un diminutif plus ou moins modeste. La vieille apparaît comme dévoratrice de bas étage.

ont une barbe, et des cornes. Cela ressemble à un homme. Et puis, cela sent le samedi [1]. Cependant, je ne dis rien. J'avais l'écu. C'est juste ; n'est-ce pas, monsieur le juge ? Je fais monter la fille et le capitaine à la chambre d'en haut, et je les laisse seuls, c'est-à-dire avec le bouc. Je descends et je me remets à filer. — Il faut vous dire que ma maison a un rez-de-chaussée et un premier ; elle donne par derrière sur la rivière, comme les autres maisons du pont, et la fenêtre du rez-de-chaussée et la fenêtre du premier s'ouvrent sur l'eau. — J'étais donc en train de filer. Je ne sais pourquoi je pensais à ce moine-bourru que le bouc m'avait remis en tête, et puis la belle fille était un peu farouchement attifée. — Tout-à-coup, j'entends un cri en haut, et choir quelque chose sur le carreau, et que la fenêtre s'ouvre [2]. Je cours à la mienne qui est au-dessous, et je vois passer devant mes yeux une masse noire qui tombe dans l'eau. C'était un fantôme habillé en prêtre. Il faisait clair de lune. Je l'ai très-bien vu. Il nageait du côté de la Cité. Alors, toute tremblante, j'appelle le guet. Ces messieurs de la douzaine entrent, et même dans le premier moment, ne sachant pas de quoi il s'agissait, comme ils étaient en joie, ils m'ont battue. Je leur ai expliqué. Nous montons, et qu'est-ce que nous trouvons ? ma pauvre chambre tout en sang, le capitaine étendu de son long avec un poignard dans le cou, la fille faisant la morte, et le bouc tout effarouché. — Bon, dis-je, j'en aurai pour plus de quinze jours à laver le plancher. Il faudra gratter, ce sera terrible. — On a emporté l'officier, pauvre jeune homme ! et la fille toute débraillée. — Attendez. Le pire, c'est que le lendemain, quand j'ai voulu prendre l'écu pour acheter les tripes, j'ai trouvé une feuille sèche à la place.

La vieille se tut. Un murmure d'horreur circula dans l'auditoire. — Ce fantôme, ce bouc, tout cela sent la magie, dit un voisin de Gringoire. — Et cette feuille sèche ! ajouta un autre. — Nul doute, reprit un troisième, c'est une sorcière qui a des commerces avec le moine-

---

1. Jour du repos hebdomadaire chez les Juifs, dont les rites de sabbat passaient pour démoniaques. **2.** Jeu virtuose, volontairement incorrect et expressif, sur les trois constructions grammaticales du verbe *entendre*.

bourru pour dévaliser les officiers. — Gringoire lui-même n'était pas éloigné de trouver tout cet ensemble effrayant et vraisemblable.

— Femme Falourdel, dit monsieur le président avec majesté, n'avez-vous rien de plus à dire à justice ?

— Non, monseigneur, répondit la vieille, sinon que dans le rapport on a traité ma maison de masure tortue et puante ; ce qui est outrageusement parler. Les maisons du pont n'ont pas grande mine, parce qu'il y a foison de peuple, mais néanmoins les bouchers ne laissent pas d'y demeurer, qui sont gens riches et mariés à de belles femmes fort propres [1].

Le magistrat qui avait fait à Gringoire l'effet d'un crocodile se leva. — Paix ! dit-il. Je prie messieurs de ne pas perdre de vue qu'on a trouvé un poignard sur l'accusée. — Femme Falourdel, avez-vous apporté cette feuille en laquelle s'est transformé l'écu que le démon vous avait donné ?

— Oui, monseigneur, répondit-elle ; je l'ai retrouvée. La voici.

Un huissier transmit la feuille morte au crocodile qui fit un signe de tête lugubre, et la passa au président qui la renvoya au procureur du roi en cour d'église, de façon qu'elle fit le tour de la salle. — C'est une feuille de bouleau [2], dit maître Jacques Charmolue. Nouvelle preuve de la magie.

Un conseiller prit la parole. — Témoin, deux hommes sont montés en même temps chez vous. L'homme noir, que vous avez vu d'abord disparaître, puis nager en Seine avec des habits de prêtre, et l'officier. — Lequel des deux vous a remis l'écu ?

La vieille réfléchit un moment et dit : — C'est l'officier.

Une rumeur parcourut la foule.

---

1. « Néanmoins » et « ne laissent pas de » feraient pléonasme si le premier concessif ne renvoyait pas à ce qui précède, et le second à ce qui suit. Le texte est de Sauval, I, 636. **2.** Sans doute à cause du balai que chevauchent les sorcières. Mais voir, pour la rêverie opposée à l'enthousiasme, la fin du poème IV des *Orientales*, daté de 1827.

— Ah ! pensa Gringoire, voilà qui fait hésiter ma conviction.

Cependant maître Philippe Lheulier, l'avocat extraordinaire du roi, intervint de nouveau. — Je rappelle à messieurs que dans sa déposition écrite à son chevet, l'officier assassiné, en déclarant qu'il avait eu vaguement la pensée, au moment où l'homme noir l'avait accosté, que ce pourrait fort bien être le moine-bourru, ajoutait que le fantôme l'avait vivement pressé de s'aller accointer avec l'accusée ; et sur l'observation de lui, capitaine, qu'il était sans argent, lui avait donné l'écu dont ledit officier a payé la Falourdel. Donc l'écu est une monnaie de l'enfer.

Cette observation concluante parut dissiper tous les doutes de Gringoire et des autres sceptiques de l'auditoire.

— Messieurs ont le dossier des pièces, ajouta l'avocat du roi en s'asseyant ; ils peuvent consulter le dire de Phœbus de Châteaupers.

À ce nom l'accusée se leva ; sa tête dépassa la foule. Gringoire épouvanté reconnut la Esmeralda.

Elle était pâle, ses cheveux, autrefois si gracieusement nattés et pailletés de sequins, tombaient en désordre ; ses lèvres étaient bleues, ses yeux creux effrayaient. Hélas !

— Phœbus ! dit-elle avec égarement, où est-il ? Ô messeigneurs ! avant de me tuer, par grâce, dites-moi s'il vit encore !

— Taisez-vous, femme, répondit le président ; ce n'est pas là notre affaire.

— Oh ! par pitié, dites-moi s'il est vivant ! reprit-elle en joignant ses belles mains amaigries ; et l'on entendait ses chaînes frissonner le long de sa robe.

— Eh bien ! dit sèchement l'avocat du roi, il se meurt. — Êtes-vous contente ?

La malheureuse retomba sur sa sellette, sans voix, sans larmes, blanche comme une figure de cire.

Le président se baissa vers un homme placé à ses pieds, qui avait un bonnet d'or et une robe noire, une chaîne au cou et une verge à la main. — Huissier, introduisez la seconde accusée.

Tous les yeux se tournèrent vers une petite porte qui s'ouvrit, et, à la grande palpitation de Gringoire, donna passage à une jolie chèvre aux cornes et aux pieds d'or. L'élégante bête s'arrêta un moment sur le seuil, tendant le cou, comme si, dressée à la pointe d'une roche, elle eût eu sous les yeux un immense horizon. Tout-à-coup elle aperçut la bohémienne, et sautant par-dessus la table et la tête d'un greffier, en deux bonds elle fut à ses genoux ; puis elle se roula gracieusement sur les pieds de sa maîtresse, sollicitant un mot ou une caresse ; mais l'accusée resta immobile, et la pauvre Djali elle-même n'eut pas un regard.

— Eh mais... c'est ma vilaine bête, dit la vieille Falourdel, et je les reconnais bellement toutes deux !

Jacques Charmolue intervint. — S'il plaît à messieurs, nous procéderons à l'interrogatoire de la chèvre.

C'était en effet la seconde accusée. Rien de plus simple alors qu'un procès de sorcellerie intenté à un animal. On trouve, entre autres, dans les Comptes de la prevôté pour 1466, un curieux détail des frais du procès de Gillet-Soulart et de sa truie, *exécutés pour leurs démérites à Corbeil*[1]. Tout y est, le coût des fosses pour mettre la truie, les cinq cents bourrées de cotterets[2] pris sur le port de Morsant[3], les trois pintes[4] de vin et le pain, dernier repas du patient fraternellement partagé par le bourreau, jusqu'aux onze jours de garde et de nourriture de la truie à huit deniers parisis chaque. Quelquefois même on allait plus loin que les bêtes. Les capitulaires de Charlemagne et de Louis-le-Débonnaire infligent de graves peines aux fantômes enflammés qui se permettraient de paraître dans l'air[5].

Cependant le procureur en cour d'église s'était écrié : — Si le démon qui possède cette chèvre et qui a résisté à tous les exorcismes persiste dans ses maléfices, s'il en épouvante la cour, nous le prévenons que nous serons forcés de requérir contre lui le gibet ou le bûcher.

Gringoire eut la sueur froide. Charmolue prit sur une table le tambour de basque de la bohémienne, et, le pré-

---

1. Sauval, III, 387 ; il s'agit d'un procès pour bestialité (ou zoophilie). **2.** Fagots non de javelles, mais de bois moyen. **3.** Morsang-sur-Seine, à 6 km en amont de Corbeil. **4.** Ancienne mesure, de l'ordre du litre. **5.** *Cf. Dictionnaire infernal*, Stryges : « Et ces apparitions lumineuses étaient des aurores boréales. » Tout le procès de la chèvre est en addition au manuscrit.

sentant d'une certaine façon à la chèvre, il lui demanda :
— Quelle heure est-il ?

La chèvre le regarda d'un œil intelligent, leva son pied doré et frappa sept coups. Il était en effet sept heures. Un mouvement de terreur parcourut la foule. Gringoire n'y put tenir.

— Elle se perd ! cria-t-il tout haut, vous voyez bien qu'elle ne sait ce qu'elle fait.

— Silence aux manants du bout de la salle ! dit aigrement l'huissier.

Jacques Charmolue, à l'aide des mêmes manœuvres du tambourin, fit faire à la chèvre plusieurs autres momeries sur la date du jour, le mois de l'année, etc., dont le lecteur a déjà été témoin. Et, par une illusion d'optique propre aux débats judiciaires, ces mêmes spectateurs, qui peut-être avaient plus d'une fois applaudi dans le carrefour aux innocentes malices de Djali, en furent effrayés sous les voûtes du Palais de Justice. La chèvre était décidément le diable.

Ce fut bien pis encore, quand, le procureur du roi ayant vidé sur le carreau un certain sac de cuir plein de lettres mobiles, que Djali avait au cou, on vit la chèvre extraire avec sa patte de l'alphabet épars le nom fatal : *Phœbus*. Les sortilèges dont le capitaine avait été victime parurent irrésistiblement démontrés, et, aux yeux de tous, la bohémienne, cette ravissante danseuse qui avait tant de fois ébloui les passants de sa grâce, ne fut plus qu'une effroyable stryge.

Du reste, elle ne donnait aucun signe de vie ; ni les gracieuses évolutions de Djali, ni les menaces du parquet, ni les sourdes imprécations de l'auditoire, rien n'arrivait plus à sa pensée.

Il fallut, pour la réveiller, qu'un sergent la secouât sans pitié et que le président élevât solennellement la voix :
— Fille, vous êtes de race bohême, adonnée aux maléfices. Vous avez, de complicité avec la chèvre ensorcelée impliquée au procès, dans la nuit du 29 mars dernier, meurtri et poignardé, de concert avec les puissances de ténèbres, à l'aide de charmes et de pratiques, un capitaine des archers de l'ordonnance du roi, Phœbus de Châteaupers. Persistez-vous à nier ?

— Horreur ! cria la jeune fille en cachant son visage de ses mains. Mon Phœbus ! Oh ! c'est l'enfer !

— Persistez-vous à nier ? demanda froidement le président.

— Si je le nie ! dit-elle d'un accent terrible, et elle s'était levée et son œil étincelait.

Le président continua carrément : — Alors comment expliquez-vous les faits à votre charge ?

Elle répondit d'une voix entrecoupée : — Je l'ai déjà dit. Je ne sais pas. C'est un prêtre, un prêtre que je ne connais pas ; un prêtre infernal qui me poursuit !

— C'est cela, reprit le juge : le moine-bourru.

— Ô messeigneurs ! ayez pitié ! je ne suis qu'une pauvre fille...

— D'Égypte, dit le juge.

Maître Jacques Charmolue prit la parole avec douceur : — Attendu l'obstination douloureuse de l'accusée, je requiers l'application de la question.

— Accordé, dit le président.

La malheureuse frémit de tout son corps. Elle se leva pourtant à l'ordre des pertuisaniers, et marcha d'un pas assez ferme, précédée de Charmolue et des prêtres de l'officialité, entre deux rangs de hallebardes, vers une porte bâtarde [1] qui s'ouvrit subitement et se referma sur elle, ce qui fit au triste Gringoire l'effet d'une gueule horrible qui venait de la dévorer.

Quand elle disparut on entendit un bêlement plaintif. C'était la petite chèvre qui pleurait.

L'audience fut suspendue. Un conseiller ayant fait observer que messieurs étaient fatigués, et que ce serait bien long d'attendre jusqu'à la fin de la torture, le président répondit qu'un magistrat doit savoir se sacrifier à son devoir.

— La fâcheuse et déplaisante drôlesse, dit un vieux juge, qui se fait donner la question quand on n'a pas soupé !

---

1. Ni petite ni évidemment cochère, cette porte prend l'adjectif du mélange et de l'illégitimité, qui amorce sa transformation en gueule.

II

SUITE DE L'ÉCU CHANGÉ EN FEUILLE SÈCHE

Après quelques degrés montés et descendus dans des couloirs si sombres qu'on les éclairait de lampes en plein jour, la Esmeralda, toujours entourée de son lugubre cortége, fut poussée par les sergents du palais dans une chambre sinistre. Cette chambre, de forme ronde, occupait le rez-de-chaussée de l'une de ces grosses tours qui percent encore, dans notre siècle, la couche d'édifices modernes dont le nouveau Paris a recouvert l'ancien. Pas de fenêtres à ce caveau ; pas d'autre ouverture que l'entrée, basse, et battue d'une énorme porte de fer. La clarté cependant n'y manquait point ; un four était pratiqué dans l'épaisseur du mur ; un gros feu y était allumé, qui remplissait le caveau de ses rouges réverbérations, et dépouillait de tout rayonnement une misérable chandelle posée dans un coin. La herse de fer qui servait à fermer le four, levée en ce moment, ne laissait voir, à l'orifice du soupirail flamboyant sur le mur ténébreux, que l'extrémité inférieure de ses barreaux, comme une rangée de dents noires, aiguës et espacées ; ce qui faisait ressembler la fournaise à l'une de ces bouches de dragons qui jettent des flammes dans les légendes. À la lumière qui s'en échappait, la prisonnière vit tout autour de la chambre des instruments effroyables dont elle ne comprenait pas l'usage. Au milieu gisait un matelas de cuir presque posé à terre, sur lequel pendait une courroie à boucle, rattachée à un anneau de cuivre que mordait un monstre camard, sculpté dans la clef de la voûte. Des tenailles, des pinces, de larges fers de charrue, encombraient l'intérieur du four et rougissaient pêle-mêle sur la braise. La sanglante lueur de la fournaise n'éclairait dans toute la chambre qu'un fouillis de choses horribles.

Ce Tartare s'appelait simplement *la chambre de la question*.

Sur le lit était nonchalamment assis Pierrat Torterue, le tourmenteur-juré. Ses valets, deux gnomes à face carrée, à tablier de cuir, à brayes[1] de toile, remuaient la ferraille sur les charbons.

La pauvre fille avait eu beau recueillir son courage ; en pénétrant dans cette chambre, elle eut horreur.

Les sergents du bailli du Palais se rangèrent d'un côté, les prêtres de l'officialité de l'autre. Un greffier, une écritoire et une table étaient dans un coin. Maître Jacques Charmolue s'approcha de l'égyptienne avec un sourire très-doux. — Ma chère enfant, dit-il, vous persistez donc à nier ?

— Oui, répondit-elle d'une voix déjà éteinte.

— En ce cas, reprit Charmolue, il sera bien douloureux pour nous de vous questionner avec plus d'instance que nous ne le voudrions. — Veuillez prendre la peine de vous asseoir sur ce lit. — Maître Pierrat, faites place à madamoiselle, et fermez la porte.

Pierrat se leva avec un grognement. — Si je ferme la porte, murmura-t-il, mon feu va s'éteindre.

— Eh bien, mon cher, reprit Charmolue, laissez-la ouverte.

Cependant la Esmeralda restait debout. Ce lit de cuir, où s'étaient tordus tant de misérables, l'épouvantait. La terreur lui glaçait la moelle des os ; elle était là, effarée et stupide. À un signe de Charmolue, les deux valets la prirent et la posèrent assise sur le lit. Ils ne lui firent aucun mal ; mais quand ces hommes la touchèrent, quand ce cuir la toucha, elle sentit tout son sang refluer vers son cœur. Elle jeta un regard égaré autour de la chambre. Il lui sembla voir se mouvoir et marcher de toutes parts vers elle, pour lui grimper le long du corps et la mordre et la pincer, tous ces difformes outils de la torture, qui étaient, parmi les instruments de tout genre qu'elle avait vus jusqu'alors, ce que sont les chauve-souris, les mille-pieds et les araignées parmi les insectes et les oiseaux[2].

— Où est le médecin ? demanda Charmolue.

---

1. Espèce de pantalon. **2.** Lointain écho de La Fontaine, *Fables*, II, 5, *La Chauve-souris et les deux Belettes* : « Je suis Oiseau : voyez mes ailes » ; mais la morale est socio-politique : Le Sage dit, selon les gens : Vive le Roi, vive la Ligue.

— Ici, répondit une robe noire qu'elle n'avait pas encore aperçue.

Elle frissonna.

— Madamoiselle, reprit la voix caressante du procureur en cour d'église, pour la troisième fois persistez-vous à nier les faits dont vous êtes accusée ?

Cette fois elle ne put que faire un signe de tête. La voix lui manqua.

— Vous persistez ! dit Jacques Charmolue. Alors, j'en suis désespéré, mais il faut que je remplisse le devoir de mon office.

— Monsieur le procureur du roi, dit brusquement Pierrat, par où commencerons-nous ?

Charmolue hésita un moment avec la grimace ambiguë d'un poète qui cherche une rime. — Par le brodequin [1], dit-il enfin.

L'infortunée se sentit si profondément abandonnée de Dieu et des hommes que sa tête tomba sur sa poitrine comme une chose inerte qui n'a pas de force en soi.

Le tourmenteur et le médecin s'approchèrent d'elle à la fois. En même temps les deux valets se mirent à fouiller dans leur hideux arsenal. Au cliquetis de cette affreuse ferraille, la malheureuse enfant tressaillit comme une grenouille morte qu'on galvanise. — Oh ! murmura-t-elle, si bas que nul ne l'entendit, ô mon Phœbus ! — Puis elle se replongea dans son immobilité et dans son silence de marbre. Ce spectacle eût déchiré tout autre cœur que des cœurs de juges. On eût dit une pauvre âme pécheresse questionnée par Satan sous l'écarlate guichet de l'enfer. Le misérable corps auquel allait se cramponner cette effroyable fourmilière de scies, de roues et de chevalets, l'être qu'allaient manier ces âpres mains de bourreaux et de tenailles, c'était donc cette douce, blanche et fragile créature, pauvre grain de mil [2] que la justice humaine donnait à moudre aux épouvantables meules de la torture !

Cependant les mains calleuses des valets de Pierrat Torterue avaient brutalement mis à nu cette jambe charmante, ce petit pied qui avaient tant de fois émerveillé

---

1. Sorte d'étau de bois pour la torture des jambes. **2.** Ou millet, céréale proverbiale pour la petitesse de son grain.

les passants de leur gentillesse et de leur beauté dans les carrefours de Paris. — C'est dommage ! grommela le tourmenteur en considérant ces formes si gracieuses et si délicates. Si l'archidiacre eût été présent, certes, il se fût souvenu en ce moment de son symbole de l'araignée et de la mouche. Bientôt la malheureuse vit, à travers un nuage qui se répandait sur ses yeux, approcher le *brodequin*, bientôt elle vit son pied emboîté entre les ais ferrés disparaître sous l'effrayant appareil. Alors la terreur lui rendit de la force.

— Otez-moi cela ! cria-t-elle avec emportement ; et se dressant tout échevelée : Grâce !

Elle s'élança hors du lit pour se jeter aux pieds du procureur du roi, mais sa jambe était prise dans le lourd bloc de chêne et de ferrures, et elle s'affaissa sur le brodequin, plus brisée qu'une abeille qui aurait un plomb sur l'aile.

À un signe de Charmolue, on la replaça sur le lit, et deux grosses mains assujettirent à sa fine ceinture la courroie qui pendait de la voûte.

— Une dernière fois, avouez-vous les faits de la cause ? demanda Charmolue avec son imperturbable bénignité.

— Je suis innocente.

— Alors, madamoiselle, comment expliquez-vous les circonstances à votre charge ?

— Hélas ! monseigneur ! je ne sais.

— Vous niez donc ?

— Tout !

— Faites, dit Charmolue à Pierrat.

Pierrat tourna la poignée du cric, le brodequin se resserra, et la malheureuse poussa un de ces horribles cris qui n'ont d'orthographe dans aucune langue humaine.

— Arrêtez, dit Charmolue à Pierrat. — Avouez-vous ? dit-il à l'égyptienne.

— Tout ! cria la misérable fille. J'avoue ! j'avoue ! grâce !

Elle n'avait pas calculé ses forces en affrontant la question. Pauvre enfant dont la vie jusqu'alors avait été si joyeuse, si suave, si douce, la première douleur l'avait vaincue.

— L'humanité m'oblige à vous dire, observa le procureur du roi, qu'en avouant c'est la mort que vous devez attendre.

— Je l'espère bien, dit-elle. Et elle retomba sur le lit de cuir, mourante, pliée en deux, se laissant pendre à la courroie bouclée sur sa poitrine.

— Sus, ma belle, soutenez-vous un peu, dit maître Pierrat en la relevant. Vous avez l'air du mouton d'or qui est au cou de monsieur de Bourgogne[1].

Jacques Charmolue éleva la voix.

Greffier, écrivez. — Jeune fille bohême, vous avouez votre participation aux agapes[2], sabbats et maléfices de l'enfer, avec les larves, les masques et les stryges[3] ? Répondez.

— Oui, dit-elle, si bas que sa parole se perdait dans son souffle.

— Vous avouez avoir vu le bélier que Béelzébuth fait paraître dans les nuées pour rassembler le sabbat, et qui n'est vu que des sorciers ?

— Oui.

— Vous confessez avoir adoré les têtes de Bophomet[4], ces abominables idoles des templiers ?

— Oui.

— Avoir eu commerce habituel avec le diable sous la forme d'une chèvre familière, jointe au procès ?

— Oui.

— Enfin, vous avouez et confessez avoir, à l'aide du démon, et du fantôme vulgairement appelé le moine-bourru, dans la nuit du vingt-neuvième mars dernier, meurtri et assassiné un capitaine nommé Phœbus de Châteaupers ?

Elle leva sur le magistrat ses grands yeux fixes, et répondit comme machinalement, sans convulsion et sans secousse : — Oui. — Il était évident que tout était brisé en elle.

---

1. Et qui pend au collier de l'ordre de la Toison d'Or, fondé en 1429 par Philippe le Bon. **2.** Repas de communauté philosophique ou religieuse, toujours suspect de débordements divers. **3.** Trois catégories de fantômes, vampires, ou autres féminités nocturnes de l'horreur. **4.** Ou Baphomet, idole prétendue des Templiers, accusés d'avoir été contaminés par le gnosticisme et les sorcelleries imputées aux « mahométans ».

— Écrivez, greffier, dit Charmolue. Et s'adressant aux tortionnaires : — Qu'on détache la prisonnière, et qu'on la ramène à l'audience. Quand la prisonnière fut *déchaussée*, le procureur en cour d'église examina son pied encore engourdi par la douleur. — Allons ! dit-il, il n'y a pas grand mal. Vous avez crié à temps. Vous pourriez encore danser, la belle ! — Puis il se tourna vers ses acolytes[1] de l'officialité. — Voilà enfin la justice éclairée ! Cela soulage, messieurs ! Madamoiselle nous rendra ce témoignage, que nous avons agi avec toute la douceur possible.

III

FIN DE L'ÉCU CHANGÉ EN FEUILLE SÈCHE

Quand elle rentra, pâle et boitant, dans la salle d'audience, un murmure général de plaisir l'accueillit. De la part de l'auditoire, c'était ce sentiment d'impatience satisfaite qu'on éprouve au théâtre, à l'expiration du dernier entr'acte de la comédie, lorsque la toile se relève et que la fin va commencer. De la part des juges, c'était espoir de bientôt souper. La petite chèvre aussi bêla de joie. Elle voulut courir vers sa maîtresse, mais on l'avait attachée au banc.

La nuit était tout-à-fait venue. Les chandelles, dont on n'avait pas augmenté le nombre, jetaient si peu de lumière qu'on ne voyait pas les murs de la salle. Les ténèbres y enveloppaient tous les objets d'une sorte de brume. Quelques faces apathiques de juges y ressortaient à peine. Vis-à-vis d'eux, à l'extrémité de la longue salle, ils pouvaient voir un point de blancheur vague se détacher sur le fond sombre. C'était l'accusée.

Elle s'était traînée à sa place. Quand Charmolue se fut installé magistralement à la sienne, il s'assit, puis se

1. Le clerc revêtu du plus élevé des ordres mineurs ; le sens dérive d'accompagnateur en serviteur, puis en complice.

releva, et dit, sans laisser percer trop de vanité de son succès : — L'accusée a tout avoué.

— Fille bohême, reprit le président, vous avez avoué tous vos faits de magie, de prostitution et d'assassinat sur Phœbus de Châteaupers ?

Son cœur se serra. On l'entendit sangloter dans l'ombre. — Tout ce que vous voudrez, répondit-elle faiblement, mais tuez-moi vite !

— Monsieur le procureur du roi en cour d'église, dit le président, la chambre est prête à vous entendre en vos réquisitions.

Maître Charmolue exhiba un effrayant cahier, et se mit à lire avec force gestes et l'accentuation exagérée de la plaidoirie une oraison [1] en latin où toutes les preuves du procès s'échafaudaient sur des périphrases cicéroniennes, flanquées de citations de Plaute, son comique favori. Nous regrettons de ne pouvoir offrir à nos lecteurs ce morceau remarquable. L'orateur le débitait avec une action [2] merveilleuse. Il n'avait pas achevé l'exorde [3], que déjà la sueur lui sortait du front et les yeux de la tête. Tout-à-coup, au beau milieu d'une période, il s'interrompit, et son regard, d'ordinaire assez doux et même assez bête, devint foudroyant. — Messieurs, s'écria-t-il (cette fois en français, car ce n'était pas dans le cahier), Satan est tellement mêlé dans cette affaire que le voilà qui assiste à nos débats et fait singerie de leur majesté. Voyez ! En parlant ainsi, il désignait de la main la petite chèvre qui, voyant gesticuler Charmolue, avait cru en effet qu'il était à propos d'en faire autant, et s'était assise sur le derrière, reproduisant de son mieux, avec ses pattes de devant et sa tête barbue, la pantomime pathétique du procureur du roi en cour d'église. C'était, si l'on s'en souvient, un de ses plus gentils talents. Cet incident, cette dernière *preuve*, fit grand effet. On lia les pattes à la chèvre, et le procureur du roi reprit le fil de son élo-

---

1. Non prière, mais discours. **2.** Partie traditionnelle de la rhétorique, qui règle les gestes et mouvements de l'orateur. **3.** Première partie du discours, ou de la plaidoirie.

quence. Cela fut très-long, mais la péroraison[1] était admirable. En voici la dernière phrase ; qu'on y ajoute la voix enrouée et le geste essoufflé de maître Charmolue. — *Ideo, Domini, coram stryga demonstrata, crimine patente, intentione criminis existente, in nomine sanctœ Ecclesiœ Nostrœ-Dominœ parisiensis quœ est in saisina habendi omnimodam altam et bassam justitiam in illa hac intemerata Civitatis insula, tenore prœsentium declaramus nos requirere, primo, aliquamdam pecuniariam indemnitatem ; secundo, amendationem honorabilem ante portalium maximum Nostrœ-Dominœ, ecclesiœ cathedralis ; tertio, sententiam in virtute cujus ista stryga cum sua capella, seu in trivio vulgariter dicto* la Grève, *seu in insula exeunte in fluvio Secanœ, juxtà pointam jardini regalis, executatœ sint*[2] *!*

Il remit son bonnet, et se rassit.

— *Eheu !* soupira Gringoire navré, *bassa latinitas !*

Un autre homme en robe noire se leva près de l'accusée ; c'était son avocat. Les juges, à jeun, commencèrent à murmurer.

— Avocat, soyez bref, dit le président.

— Monsieur le président, répondit l'avocat, puisque la défenderesse a confessé le crime, je n'ai plus qu'un mot à dire à messieurs. Voici un texte de la loi salique[3] : « Si une stryge a mangé un homme, et qu'elle en soit

1. Dernière partie, conclusive. Le verbe *pérorer* stigmatise l'emphase. **2.** Ce « bas latin » n'est guère que du français : « C'est pourquoi, Messires, face à une stryge démontrée, le crime patent, l'intention du crime existant, au nom de la sainte église Notre-Dame de Paris, qui est en saisine d'avoir toute sorte de haute et basse justice dans cette intacte île de la Cité, par la teneur des présentes nous déclarons que nous requérons premièrement quelque pécuniaire indemnité ; deuxièmement l'amende honorable devant le portail majeur de Notre-Dame, église cathédrale ; troisièmement une sentence en vertu de laquelle cette stryge avec sa chèvre, ou bien au carrefour vulgairement dit *la Grève*, ou bien à la sortie de l'île sur le fleuve de Seine, jouxte la pointe du jardin royal, exécutées soient ! » **3.** Loi des Francs saliens, baptisée avec Clovis et refondue sous Dagobert, qui énumère les crimes avec les amendes qui les compensent. L'une de ses dispositions servit au début du XIVe siècle de base plus ou moins fictive à l'exclusion des femmes de la succession au trône de France. Aug. Thierry en 1827 et Guizot dans ses cours venaient de mettre à la mode la discussion historique de ces questions. On estime le sou d'or de

convaincue, ıelle paiera une amende de huit mille deniers qui font deux cents sous d'or. » Plaise à la chambre de condamner ma cliente à l'amende.

— Texte abrogé, dit l'avocat du roi extraordinaire.

— *Nego*[1] répliqua l'avocat.

— Aux voix ! dit un conseiller ; le crime est patent, et il est tard.

On alla aux voix sans quitter la salle. Les juges *opinèrent du bonnet*[2] ; ils étaient pressés. On voyait leurs têtes chaperonnées se découvrir l'une après l'autre dans l'ombre, à la question lugubre que leur adressait tout bas le président. La pauvre accusée avait l'air de les regarder, mais son œil trouble ne voyait plus.

Puis le greffier se mit à écrire ; puis il passa au président un long parchemin. Alors la malheureuse entendit le peuple se remuer, les piques s'entrechoquer et une voix glaciale qui disait :

— Fille bohême, le jour qu'il plaira au roi notre sire, à l'heure de midi, vous serez menée dans un tombereau[3], en chemise, pieds nus, la corde au cou, devant le grand portail de Notre-Dame, et y ferez amende honorable avec une torche de cire du poids de deux livres à la main, et de là serez menée en place de Grève, où vous serez pendue et étranglée au gibet de la Ville ; et cette votre chèvre pareillement ; et paierez à l'official trois lions[4] d'or, en réparation des crimes, par vous commis et par vous confessés, de sorcellerie, de magie, de luxure et de meurtre sur la personne du sieur Phœbus de Châteaupers. Dieu ait votre âme !

— Oh ! c'est un rêve ! murmura-t-elle, et elle sentit de rudes mains qui l'emportaient.

Charlemagne à quelque 120 francs or du XIXe siècle, soit entre 2 500 et 5 000 francs d'aujourd'hui, de 400 à 800 « euro ».

1. « Je le nie. » **2.** Soulever son bonnet pour exprimer son acquiescement. **3.** Charrette à parois pleines, sur deux roues, propre au transport des matières viles, et à leur épandage. **4.** Monnaie de la fin du XIVe siècle, sous Philippe VI : les pieds du roi assis sur le trône reposent sur un lion. Valeur au XIXe siècle : en or, moins de 20 F. ; sur le marché, jusqu'à 40 F. De l'ordre d'un millier de francs fin XXe s., ou 150 « euro ».

IV

LASCIATE OGNI SPERANZA[1]

Au moyen-âge, quand un édifice était complet, il y en avait presque autant dans la terre que dehors. À moins d'être bâtis sur pilotis, comme Notre-Dame, un palais, une forteresse, une église avaient toujours un double fond. Dans les cathédrales, c'était en quelque sorte une autre cathédrale souterraine, basse, obscure, mystérieuse, aveugle et muette, sous la nef supérieure qui regorgeait de lumière et retentissait d'orgues et de cloches jour et nuit ; quelquefois c'était un sépulcre. Dans les palais, dans les bastilles, c'était une prison, quelquefois aussi un sépulcre, quelquefois les deux ensemble. Ces puissantes bâtisses, dont nous avons expliqué ailleurs le mode de formation et de *végétation*[2], n'avaient pas simplement des fondations, mais, pour ainsi dire, des racines qui s'allaient ramifiant dans le sol en chambres, en galeries, en escaliers, comme la construction d'en haut. Ainsi, églises, palais, bastilles avaient de la terre à mi-corps. Les caves d'un édifice étaient un autre édifice où l'on descendait au lieu de monter, et qui appliquait ses étages souterrains sous le monceau d'étages extérieurs du monument, comme ces forêts et ces montagnes qui se renversent dans l'eau miroitante[3] d'un lac au-dessous des forêts et des montagnes du bord.

À la bastille Saint-Antoine, au Palais de Justice de Paris, au Louvre, ces édifices souterrains étaient des prisons. Les étages de ces prisons, en s'enfonçant dans le

---

1. « Laissez toute espérance » dit à ceux qui entrent là l'inscription de la porte de l'Enfer dans la *Divine Comédie* (III, 9) de Dante. **2.** Le terme est en III, 1, avec greffe et sève. Faut-il en déduire que ce chapitre *Notre-Dame* est un « ailleurs » du roman ? Qu'il a failli être réservé, comme les éléments du livre V, pour une autre publication, après le refus de l'éditeur d'accorder et de rétribuer un troisième volume ? Que déjà se forment les linéaments d'un recueil qui deviendra en 1834 *Littérature et Philosophie mêlées* ? **3.** Au sens premier : qui donne une image symétrique, probablement sans aucune idée de scintillation.

sol, allaient se rétrécissant et s'assombrissant. C'était autant de zônes où s'échelonnaient les nuances de l'horreur. Dante n'a rien pu trouver de mieux pour son enfer[1]. Ces entonnoirs de cachots aboutissaient d'ordinaire à un cul de basse fosse à fond de cuve où Dante a mis Satan, où la société mettait le condamné à mort. Une fois une misérable existence enterrée là, adieu le jour, l'air, la vie, *ogni speranza* ; elle n'en sortait que pour le gibet ou le bûcher. Quelquefois elle y pourrissait ; la justice humaine appelait cela *oublier*. Entre les hommes et lui, le condamné sentait peser sur sa tête un entassement de pierres et de geôliers ; et la prison tout entière, la massive bastille n'était plus qu'une énorme serrure compliquée qui le cadenassait hors du monde vivant.

C'est dans un fond de cuve de ce genre, dans les oubliettes creusées par saint Louis, dans l'*in pace* de la Tournelle[2], qu'on avait, de peur d'évasion sans doute, déposé la Esmeralda condamnée au gibet, avec le colossal Palais de Justice sur la tête. Pauvre mouche qui n'eût pu remuer le moindre de ses moellons !

Certes, la providence et la société avaient été également injustes, un tel luxe de malheur et de torture n'était pas nécessaire pour briser une si frêle créature.

Elle était là, perdue dans les ténèbres, ensevelie, enfouie, murée. Qui l'eût pu voir en cet état, après l'avoir vue rire et danser au soleil, eût frémi. Froide comme la nuit, froide comme la mort, plus un souffle d'air dans ses cheveux, plus un bruit humain à son oreille, plus une lueur de jour dans ses yeux ; brisée en deux, écrasée de chaînes, accroupie près d'une cruche et d'un pain sur un peu de paille dans la mare d'eau qui se formait sous elle des suintements du cachot, sans mouvement, presque sans haleine ; elle n'en était même plus à souffrir. Phœbus, le soleil, midi, le grand air, les rues de Paris, les danses aux applaudissements, les doux babillages d'amour avec l'officier ; puis le prêtre, la matrulle, le poignard, le sang, la torture, le gibet ; tout cela repassait bien encore dans

---

1. Qui est organisé en « cercles ». **2.** Peut-être ainsi dénommée à cause de la rotation des juges dans cette chambre criminelle du Parlement.

son esprit, tantôt comme une vision chantante et dorée, tantôt comme un cauchemar difforme ; mais ce n'était plus qu'une lutte horrible et vague qui se perdait dans les ténèbres, ou qu'une musique lointaine qui se jouait là-haut sur la terre et qu'on n'entendait plus à la profondeur où la malheureuse était tombée. Depuis qu'elle était là, elle ne veillait ni ne dormait. Dans cette infortune, dans ce cachot, elle ne pouvait pas plus distinguer la veille du sommeil, le rêve de la réalité que le jour de la nuit. Tout cela était mêlé, brisé, flottant, répandu confusément dans sa pensée. Elle ne sentait plus, elle ne savait plus, elle ne pensait plus ; tout au plus elle songeait. Jamais créature vivante n'avait été engagée si avant dans le néant.

Ainsi engourdie, gelée, pétrifiée, à peine avait-elle remarqué deux ou trois fois le bruit d'une trappe qui s'était ouverte quelque part au-dessus d'elle, sans même laisser passer un peu de lumière, et par laquelle une main lui avait jeté une croûte de pain noir. C'était pourtant l'unique communication qui lui restât avec les hommes, la visite périodique du geôlier. Une seule chose occupait encore machinalement son oreille : au-dessus de sa tête l'humidité filtrait à travers les pierres moisies de la voûte, et à intervalles égaux une goutte d'eau s'en détachait. Elle écoutait stupidement le bruit que faisait cette goutte d'eau en tombant dans la mare à côté d'elle.

Cette goutte d'eau tombant dans cette mare, c'était là le seul mouvement qui remuât encore autour d'elle, la seule horloge qui marquât le temps, le seul bruit qui vînt jusqu'à elle de tout le bruit qui se fait sur la surface de la terre.

Pour tout dire, elle sentait aussi de temps en temps, dans ce cloaque[1] de fange et de ténèbres, quelque chose de froid qui lui passait çà et là sur le pied ou sur le bras, et elle frissonnait.

Depuis combien de temps y était-elle ? elle ne le savait. Elle avait souvenir d'un arrêt de mort prononcé quelque part contre quelqu'un, puis qu'on l'avait emportée, elle, et qu'elle s'était réveillée dans la nuit et dans le silence,

---

1. Organe qui recueille et mélange chez les oiseaux les excréments solides et liquides. D'où tout lieu de « fange ».

glacée. Elle s'était traînée sur les mains ; alors des anneaux de fer lui avaient coupé la cheville du pied, et des chaînes avaient sonné. Elle avait reconnu que tout était muraille autour d'elle, qu'il y avait au-dessous d'elle une dalle couverte d'eau, et une botte de paille. Mais ni lampe, ni soupirail. Alors, elle s'était assise sur cette paille et quelquefois, pour changer de posture, sur la dernière marche d'un degré de pierre, qu'il y avait dans son cachot. Un moment elle avait essayé de compter les noires minutes que lui mesurait la goutte d'eau, mais bientôt ce triste travail d'un cerveau malade s'était rompu de lui-même dans sa tête, et l'avait laissée dans la stupeur.

Un jour enfin ou une nuit (car minuit et midi avaient même couleur dans ce sépulcre), elle entendit au-dessus d'elle un bruit plus fort que celui que faisait d'ordinaire le guichetier quand il lui apportait son pain et sa cruche. Elle leva la tête, et vit un rayon rougeâtre passer à travers les fentes de l'espèce de porte ou de trappe pratiquée dans la voûte de l'*in pace*[1]. En même temps la lourde ferrure cria, la trappe grinça sur ses gonds rouillés, tourna, et elle vit une lanterne, une main et la partie inférieure du corps de deux hommes, la porte étant trop basse pour qu'elle pût apercevoir leurs têtes. La lumière la blessa si vivement qu'elle ferma les yeux.

Quand elle les rouvrit, la porte était refermée, le fallot était posé sur un degré de l'escalier, un homme, seul, était debout devant elle. Une cagoule[2] noire lui tombait jusqu'aux pieds, un caffardum de même couleur lui cachait le visage. On ne voyait rien de sa personne, ni sa face ni ses mains. C'était un long suaire[3] noir qui se tenait debout, et sous lequel on sentait remuer quelque chose. Elle regarda fixement quelques minutes cette espèce de spectre. Cependant elle ni lui ne parlaient. On eût dit deux statues qui se confrontaient. Deux choses seulement semblaient vivre dans le caveau : la mèche de la lanterne, qui pétillait à cause de l'humidité de l'atmosphère, et la

---

1. Prison-tombeau, d'après la formule funéraire (R.I.P.) *Requiescat in pace*, « Qu'il repose en paix ». **2.** Hugo a noté le sens « soutane » et, pour *caffardum* « capuchon ». **3.** Le linceul dans lequel le cadavre sue la décomposition de sa chair.

goutte d'eau de la voûte qui coupait cette crépitation irrégulière de son clapotement monotone, et faisait trembler la lumière de la lanterne en moires[1] concentriques sur l'eau huileuse de la mare.

Enfin la prisonnière rompit le silence : — Qui êtes-vous ?

— Un prêtre.

Le mot, l'accent, le son de voix, la firent tressaillir.

Le prêtre poursuivit en articulant sourdement :

— Êtes-vous préparée ?

— À quoi ?

— À mourir.

— Oh ! dit-elle, sera-ce bientôt ?

— Demain.

Sa tête, qui s'était levée avec joie, revint frapper sa poitrine. — C'est encore bien long ! murmura-t-elle ; qu'est-ce que cela leur faisait, aujourd'hui ?

— Vous êtes donc très-malheureuse ? demanda le prêtre après un silence.

— J'ai bien froid, répondit-elle.

Elle prit ses pieds avec ses mains, geste habituel aux malheureux qui ont froid, et que nous avons déjà vu faire à la recluse de la Tour-Roland, et ses dents claquaient.

Le prêtre parut promener, de dessous son capuchon, ses yeux dans le cachot. — Sans lumière ! sans feu ! dans l'eau ! c'est horrible !

— Oui, répondit-elle avec l'air étonné que le malheur lui avait donné. Le jour est à tout le monde. Pourquoi ne me donne-t-on que la nuit ?

— Savez-vous, reprit le prêtre après un nouveau silence, pourquoi vous êtes ici ?

— Je crois que je l'ai su, dit-elle en passant ses doigts maigres sur ses sourcils comme pour aider sa mémoire, mais je ne le sais plus.

Tout-à-coup elle se mit à pleurer comme un enfant. — Je voudrais sortir d'ici, monsieur. J'ai froid, j'ai peur, et il y a des bêtes qui me montent le long du corps.

---

1. Effet d'ondulation et d'irisation produit dans un tissu dont a laminé le grain entre deux cylindres gravés de figures hélicoïdales. En grec, les Moires sont les Destinées.

— Eh bien, suivez-moi.

En parlant ainsi, le prêtre lui prit le bras. La malheureuse était gelée jusque dans les entrailles. Cependant cette main lui fit une impression de froid.

— Oh ! murmura-t-elle, c'est la main glacée de la mort. — Qui êtes-vous donc ?

Le prêtre releva son capuchon ; elle regarda. C'était ce visage sinistre qui la poursuivait depuis si long-temps, cette tête de démon qui lui était apparue chez la Falourdel au-dessus de la tête adorée de son Phœbus, cet œil qu'elle avait vu pour la dernière fois briller près d'un poignard.

Cette apparition, toujours si fatale pour elle, et qui l'avait ainsi poussée de malheur en malheur jusqu'au supplice, la tira de son engourdissement. Il lui sembla que l'espèce de voile qui s'était épaissi sur sa mémoire se déchirait. Tous les détails de sa lugubre aventure depuis la scène nocturne chez la Falourdel jusqu'à sa condamnation à la Tournelle, lui revinrent à la fois dans l'esprit, non pas vagues et confus, comme jusqu'alors, mais distincts, crus, tranchés, palpitants, terribles. Ces souvenirs à demi effacés, et presque oblitérés [1] par l'excès de la souffrance, la sombre figure qu'elle avait devant elle les raviva, comme l'approche du feu fait ressortir toutes fraîches sur le papier blanc les lettres invisibles qu'on y a tracées avec de l'encre sympathique. Il lui sembla que toutes les plaies de son cœur se rouvraient et saignaient à la fois.

— Hah ! cria-t-elle, les mains sur ses yeux et avec un tremblement convulsif, c'est le prêtre !

Puis elle laissa tomber ses bras découragés, et resta assise, la tête baissée, l'œil fixé à terre, muette, et continuant de trembler.

Le prêtre la regardait de l'œil d'un milan qui a long-temps plané en rond du plus haut du ciel autour d'une pauvre alouette [2] tapie dans les blés, qui a long-temps rétréci en silence les cercles formidables de son vol, et

---

1. Supprimés, démunis de leur fonction. **2.** Petit passereau grisâtre qui niche au ras de terre, et fut l'emblème national des Gaulois. Ce sera le surnom de la Cosette des *Misérables*.

tout-à-coup s'est abattu sur sa proie comme la flèche de l'éclair, et la tient pantelante dans sa griffe.

Elle se mit à murmurer tout bas : — Achevez ! achevez ! le dernier coup ! et elle enfonçait sa tête avec terreur entre ses épaules, comme la brebis qui attend le coup de massue du boucher.

— Je vous fais donc horreur ? dit-il enfin. Elle ne répondit pas.

— Est-ce que je vous fais horreur ? répéta-t-il.

Ses lèvres se contractèrent comme si elle souriait.

— Oui, dit-elle, le bourreau raille le condamné. Voilà des mois qu'il me poursuit, qu'il me menace, qu'il m'épouvante ! Sans lui, mon Dieu, que j'étais heureuse ! c'est lui qui m'a jetée dans cet abîme ! Ô ciel ! c'est lui qui a tué... c'est lui qui l'a tué ! mon Phœbus ! Ici, éclatant en sanglots et levant les yeux sur le prêtre : — Oh ! misérable ! qui êtes-vous ? que vous ai-je fait ? vous me haïssez donc bien ? Hélas ! qu'avez-vous contre moi ?

— Je t'aime ! cria le prêtre.

Ses larmes s'arrêtèrent subitement, elle le regarda avec un regard d'idiot. Lui était tombé à genoux et la couvait d'un œil de flamme.

— Entends-tu ? je t'aime ! cria-t-il encore.

— Quel amour ! dit la malheureuse en frémissant.

Il reprit : — L'amour d'un damné.

Tous deux restèrent quelques minutes silencieux, écrasés sous la pesanteur de leurs émotions, lui insensé, elle stupide.

— Écoute, dit enfin le prêtre, et un calme singulier lui était revenu ; tu vas tout savoir. Je vais te dire ce que jusqu'ici j'ai à peine osé me dire à moi-même, lorsque j'interrogeais furtivement ma conscience à ces heures profondes de la nuit où il y a tant de ténèbres qu'il semble que Dieu ne nous voit plus. Écoute. Avant de te rencontrer, jeune fille, j'étais heureux.

— Et moi ! soupira-t-elle faiblement.

— Ne m'interromps pas. — Oui, j'étais heureux ; je croyais l'être, du moins. J'étais pur, j'avais l'âme pleine d'une clarté limpide. Pas de tête qui s'élevât plus fière et plus radieuse que la mienne. Les prêtres me consultaient sur la chasteté, les docteurs sur la doctrine. Oui, la science était tout pour moi ; c'était une sœur, et une sœur me suffisait. Ce n'est pas qu'avec l'âge il ne me fût venu d'autres idées. Plus d'une fois ma chair s'était émue au passage d'une forme de femme. Cette force du sexe et du sang de l'homme que, fol adolescent, j'avais cru étouffer pour la vie, avait plus d'une fois soulevé convulsivement la chaîne des vœux de fer qui me scellent, misérable, aux froides pierres de l'autel. Mais le jeûne, la prière, l'étude, les macérations[1] du cloître, avaient refait l'âme maîtresse du corps. Et puis, j'évitais les femmes. D'ailleurs, je n'avais qu'à ouvrir un livre pour que toutes les impures fumées de mon cerveau s'évanouissent devant la splendeur de la science. En peu de minutes, je sentais fuir au loin les choses épaisses de la terre, et je me retrouvais calme, ébloui et serein en présence du rayonnement tranquille de la vérité éternelle. Tant que le démon n'envoya pour m'attaquer que des vagues ombres de femmes qui passaient éparses sous mes yeux, dans l'église, dans les rues, dans les prés, et qui revenaient à peine dans mes songes, je le vainquis aisément. Hélas ! si la victoire ne m'est pas restée, la faute en est à Dieu, qui n'a pas fait l'homme et le démon de force égale. — Écoute. Un jour...

Ici le prêtre s'arrêta, et la prisonnière entendit sortir de sa poitrine des soupirs qui faisaient un bruit de râle et d'arrachement.

Il reprit :

— ... Un jour, j'étais appuyé à la fenêtre de ma cellule... — Quel livre lisais-je donc[2] ? Oh ! tout cela est un tourbillon dans ma tête. — Je lisais. La fenêtre donnait sur une place. J'entends un bruit de tambour et de musique. Fâché d'être ainsi troublé dans ma rêverie, je regarde dans la place. Ce que je vis, il y en avait d'autres que moi qui le voyaient, et pourtant ce n'était pas un spectacle fait pour des yeux humains. Là, au milieu du pavé, — il était midi, — un grand soleil, — une créature dansait. Une créature[3] si belle que Dieu l'eût préférée à

---

1. Différentes formes de mortification corporelle, comme la haire et la discipline du *Tartuffe*. **2.** Voir *Les Contemplations*, III, 8. **3.** Terme commun à ce que, dans la Création, Dieu fit à son image, et à la pauvresse, à la prostituée.

la Vierge, et l'eût choisie pour sa mère, et eût voulu naître d'elle si elle eût existé quand il se fit homme[1] ! Ses yeux étaient noirs et splendides ; au milieu de sa chevelure noire quelques cheveux, que pénétrait le soleil, blondissaient comme des fils d'or. Ses pieds disparaissaient dans leur mouvement comme les rayons d'une roue qui tourne rapidement. Autour de sa tête, dans ses nattes noires, il y avait des plaques de métal qui pétillaient au soleil et faisaient à son front une couronne d'étoiles. Sa robe, semée de paillettes, scintillait, bleue et piquée de mille étincelles comme une nuit d'été. Ses bras souples et bruns se nouaient et se dénouaient autour de sa taille comme deux écharpes. La forme de son corps était surprenante de beauté. Oh ! la resplendissante figure qui se détachait comme quelque chose de lumineux dans la lumière même du soleil !... — Hélas ! jeune fille, c'était toi. — Surpris, enivré, charmé, je me laissai aller à te regarder. Je te regardai tant que tout-à-coup je frissonnai d'épouvante : je sentis que le sort me saisissait.

Le prêtre, oppressé, s'arrêta encore un moment. Puis il continua :

— Déjà à demi fasciné, j'essayai de me cramponner à quelque chose et de me retenir dans ma chute. Je me rappelai les embûches que Satan m'avait déjà tendues. La créature qui était sous mes yeux avait cette beauté surhumaine qui ne peut venir que du ciel ou de l'enfer. Ce n'était pas là une simple fille faite avec un peu de notre terre, et pauvrement éclairée à l'intérieur par le vacillant rayon d'une âme de femme[2]. C'était un ange ! mais de ténèbres. Mais de flamme, et non de lumière. Au moment où je pensais cela, je vis près de toi une chèvre, une bête du sabbat, qui me regardait en riant. Le soleil de midi lui faisait des cornes de feu. Alors j'entrevis le piège du démon, et je ne doutais plus que tu ne vinsses de l'enfer et que tu n'en vinsses pour ma perdition. Je le crus.

Ici le prêtre regarda en face la prisonnière, et ajouta froidement :

---

1. C'est le centre mystérieux du *Credo*, le Dieu qui se fit homme en la personne de Jésus. **2.** La condescendance masculine est ici fidèle à la dévalorisation de la femme dans la tradition chrétienne.

— Je le crois encore. — Cependant le charme opérait peu à peu ; ta danse me tournoyait dans le cerveau ; je sentais le mystérieux maléfice s'accomplir en moi. Tout ce qui aurait dû veiller s'endormait dans mon âme ; et comme ceux qui meurent dans la neige, je trouvais du plaisir à laisser venir ce sommeil[1]. Tout-à-coup tu te mis à chanter. Que pouvais-je faire, misérable ? Ton chant était plus charmant encore que ta danse. Je voulus fuir. Impossible. J'étais cloué, j'étais enraciné dans le sol. Il me semblait que le marbre de la dalle m'était monté jusqu'aux genoux[2]. Il fallut rester jusqu'au bout. Mes pieds étaient de glace, ma tête bouillonnait. Enfin, tu eus peut-être pitié de moi, tu cessas de chanter, tu disparus. Le reflet de l'éblouissante vision, le retentissement de la musique enchanteresse, s'évanouirent par degrés dans mes yeux et dans mes oreilles. Alors je tombai dans l'encoignure de la fenêtre plus roide et plus faible qu'une statue déscellée. La cloche de vêpres me réveilla. Je me relevai ; je m'enfuis ; mais, hélas ! il y avait en moi quelque chose de tombé qui ne pouvait se relever, quelque chose de survenu que je ne pouvais fuir.

Il fit encore une pause, et poursuivit : — Oui, à dater de ce jour, il y eut en moi un homme que je ne connaissais pas. Je voulus user de tous mes remèdes : le cloître, l'autel, le travail, les livres. Folies ! Oh ! que la science sonne creux quand on y vient heurter avec désespoir une tête pleine de passions ! Sais-tu, jeune fille, ce que je voyais toujours désormais entre le livre et moi ? Toi, ton ombre, l'image de l'apparition lumineuse qui avait un jour traversé l'espace devant moi. Mais cette image n'avait plus la même couleur ; elle était sombre, funèbre, ténébreuse[3],

---

1. La retraite de Russie et la mode des Alpes ont beaucoup fait pour sortir la psychologie de ses abstractions précieuses. **2.** La conscience matérialiste des émotions corporelles rejoint l'architecture mythique des bâtiments à mi-corps souterrains. **3.** Voir chez Nerval *Le Point noir*, poème publié fin 1831 qui provient d'une « traduction de Bürger » de 1830 : *Quiconque a regardé le soleil fixement / Croit voir devant ses yeux voler obstinément / Autour de lui, dans l'air, une tache livide...* Le soleil ni la gloire, dit la chute. La Rochefoucauld avait dit « Le soleil ni la mort... »

comme le cercle noir qui poursuit longtemps la vue de l'imprudent qui a regardé fixement le soleil.

Ne pouvant m'en débarrasser, entendant toujours ta chanson bourdonner dans ma tête, voyant toujours tes pieds danser sur mon bréviaire, sentant toujours la nuit, en songe, ta forme glisser sur ma chair, je voulus te revoir, te toucher, savoir qui tu étais, voir si je te retrouverais bien pareille à l'image idéale qui m'était restée de toi, briser peut-être mon rêve avec la réalité. En tout cas, j'espérais qu'une impression nouvelle effacerait la première, et la première m'était devenue insupportable. Je te cherchai. Je te revis. Malheur ! Quand je t'eus vue deux fois, je voulus te voir mille, je voulus te voir toujours. Alors, — comment enrayer sur cette pente de l'enfer ? — alors, je ne m'appartins plus. L'autre bout du fil que le démon m'avait attaché aux ailes, il l'avait noué à son pied. Je devins vague et errant comme toi. Je t'attendais sous les porches, je t'épiais au coin des rues, je te guettais du haut de ma tour. Chaque soir, je rentrais en moi-même plus charmé, plus désespéré, plus ensorcelé, plus perdu !

J'avais su qui tu étais ; égyptienne, bohémienne, gitane, zingara. Comment douter de la magie ? Écoute. J'espérai qu'un procès me débarrasserait du charme. Une sorcière avait enchanté Bruno d'Ast ; il la fit brûler, et fut guéri. Je le savais. Je voulus essayer du remède. J'essayai d'abord de te faire interdire le Parvis Notre-Dame, espérant t'oublier si tu ne revenais plus. Tu n'en tins compte. Tu revins. Puis il me vint l'idée de t'enlever. Une nuit je le tentai. Nous étions deux. Nous te tenions déjà, quand ce misérable officier survint. Il te délivra. Il commençait ainsi ton malheur, le mien et le sien. Enfin, ne sachant plus que faire et que devenir, je te dénonçai à l'official. Je pensais que je serais guéri, comme Bruno d'Ast[1]. Je pensais aussi, confusément, qu'un procès te livrerait à moi ; que dans une prison je te tiendrais, je t'aurais ; que, là, tu ne pourrais m'échapper ; que tu me possédais depuis assez longtemps pour que je te possédasse aussi à mon tour. Quand on fait le mal, il faut faire tout le mal. Démence de s'arrêter à un milieu dans le monstrueux !

1. Saint théologien piémontais, abbé du mont Cassin, mort an 1123.

L'extrémité du crime a des délires de joie. Un prêtre et une sorcière peuvent s'y fondre en délices sur la botte de paille d'un cachot !

Je te dénonçai donc. C'est alors que je t'épouvantais dans mes rencontres. Le complot que je tramais contre toi, l'orage que j'amoncelais sur ta tête s'échappait de moi en menaces et en éclairs. Cependant j'hésitais encore. Mon projet avait des côtés effroyables qui me faisaient reculer.

Peut-être y aurais-je renoncé ; peut-être ma hideuse pensée se serait-elle desséchée dans mon cerveau, sans porter son fruit. Je croyais qu'il dépendrait toujours de moi de suivre ou de rompre ce procès. Mais toute mauvaise pensée est inexorable et veut devenir un fait ; mais là où je me croyais tout-puissant, la fatalité était plus puissante que moi. Hélas ! hélas ! c'est elle qui t'a prise, et qui t'a livrée au rouage terrible de la machine que j'avais ténébreusement construite ! — Écoute. Je touche à la fin.

Un jour, — par un autre beau soleil, — je vois passer devant moi un homme qui prononce ton nom et qui rit, et qui a la luxure dans les yeux. Damnation ! je l'ai suivi. Tu sais le reste.

Il se tut. La jeune fille ne put trouver qu'une parole.

— Ô mon Phœbus !

— Pas ce nom ! dit le prêtre en lui saisissant le bras avec violence. Ne prononce pas ce nom ! Oh ! misérables que nous sommes, c'est ce nom qui nous a perdus ! — Ou plutôt, nous nous sommes tous perdus les uns les autres, par l'inexplicable jeu de la fatalité[1] ! — Tu souffres, n'est-ce pas ? tu as froid, la nuit te fait aveugle, le cachot t'enveloppe ; mais peut-être as-tu encore quelque lumière au fond de toi, ne fût-ce que ton amour d'enfant pour cet homme vide qui jouait avec ton cœur ! Tandis que moi je porte le cachot au-dedans de moi ; au-dedans de moi est l'hiver, la glace, le désespoir ; j'ai la nuit dans l'âme. Sais-tu tout ce que j'ai souffert ? J'ai assisté à ton procès. J'étais assis sur le banc de l'official. Oui, sous l'un de

---

1. Le caractère dramatique, et non ontologique de la fatalité est ce par quoi la conscience romantique échappe au narcissisme et accède à l'histoire sociale.

ces capuces[1] de prêtre, il y avait les contorsions d'un damné. Quand on t'a amenée, j'étais là ; quand on t'a interrogée, j'étais là. — Caverne de loups ! — C'était mon crime, c'était mon gibet que je voyais se dresser lentement sur ton front. À chaque témoin, à chaque preuve, à chaque plaidoirie, j'étais là, j'ai pu compter chacun de tes pas dans la voie douloureuse[2] ; j'étais là encore quand cette bête féroce... — Oh ! je n'avais pas prévu la torture ! — Écoute. Je t'ai suivie dans la chambre de douleur. Je t'ai vu déshabiller et manier demi-nue par les mains infâmes du tourmenteur. J'ai vu ton pied, ce pied où j'eusse voulu pour un empire déposer un seul baiser et mourir, ce pied sous lequel je sentirais avec tant de délices s'écraser ma tête, je l'ai vu enserrer dans l'horrible brodequin qui fait des membres d'un être vivant une boue sanglante. Oh ! misérable ! pendant que je voyais cela, j'avais sous mon suaire un poignard dont je me labourais la poitrine. Au cri que tu as poussé, je l'ai enfoncé dans ma chair ; à un second cri, il m'entrait dans le cœur ! Regarde. Je crois que cela saigne encore.

Il ouvrit sa soutane. Sa poitrine en effet était déchirée comme par une griffe de tigre, et il avait au flanc une plaie assez large et mal fermée.

La prisonnière recula d'horreur.

— Oh ! dit le prêtre, jeune fille, aie pitié de moi ! Tu te crois malheureuse : hélas ! hélas ! tu ne sais pas ce que c'est que le malheur. Oh ! aimer une femme ! être prêtre ! être haï ! l'aimer de toutes les fureurs de son âme ; sentir qu'on donnerait pour le moindre de ses sourires son sang, ses entrailles, sa renommée, son salut, l'immortalité et l'éternité, cette vie et l'autre ; regretter de ne pas être roi, génie, empereur, archange, Dieu, pour lui mettre un plus grand esclave sous les pieds ; l'étreindre nuit et jour de ses rêves et de ses pensées ; et la voir amoureuse d'une

---

1. Le capuchon évoque ainsi les capucins, cible commode des anticléricaux, mais qui étaient autrefois chargés d'éteindre les incendies.
2. À Jérusalem, la *via dolorosa* est celle du « chemin de croix » de la Passion de Jésus.

livrée[1] de soldat ! et n'avoir à lui offrir qu'une sale soutane de prêtre dont elle aura peur et dégoût ! Être présent, avec sa jalousie et sa rage, tandis qu'elle prodigue à un misérable fanfaron imbécile des trésors d'amour et de beauté ! Voir ce corps dont la forme vous brûle, ce sein qui a tant de douceur, cette chair palpiter et rougir sous les baisers d'un autre ! Ô ciel ! aimer son pied, son bras, son épaule, songer à ses veines bleues, à sa peau brune, jusqu'à s'en tordre des nuits entières sur le pavé de sa cellule, et voir toutes les caresses qu'on a rêvées pour elle aboutir à la torture ! N'avoir réussi qu'à la coucher sur le lit de cuir ! Oh ! ce sont là les véritables tenailles rougies au fer de l'enfer ! Oh ! bienheureux celui qu'on scie entre deux planches, et qu'on écartelle à quatre chevaux[2] ! — Sais-tu ce que c'est que ce supplice que vous font subir, durant les longues nuits, vos artères qui bouillonnent, votre cœur qui crève, votre tête qui rompt, vos dents qui mordent vos mains ; tourmenteurs acharnés qui vous retournent sans relâche, comme sur un gril ardent, sur une pensée d'amour, de jalousie et de désespoir ! Jeune fille, grâce ! trêve un moment ! Un peu de cendre sur cette braise ! Essuie, je t'en conjure, la sueur qui ruisselle à grosses gouttes de mon front ! Enfant ! torture-moi d'une main, mais caresse-moi de l'autre ! Aie pitié, jeune fille ! aie pitié de moi !

Le prêtre se roulait dans l'eau de la dalle et se martelait le crâne aux angles des marches de pierre. La jeune fille l'écoutait, le regardait. Quand il se tut, épuisé et haletant, elle répéta à demi-voix : Ô mon Phœbus !

Le prêtre se traîna vers elle à deux genoux.

— Je t'en supplie, cria-t-il, si tu as des entrailles, ne me repousse pas ! Oh ! je t'aime ! je suis un misérable ! Quand tu dis ce nom, malheureuse, c'est comme si tu broyais entre les dents toutes les fibres de mon cœur ! Grâce ! si tu viens de l'enfer, j'y vais avec toi. J'ai tout

---

1. L'uniforme aux armes royales ; mais le terme évoque la domesticité. **2.** Les régicides, pour l'écartèlement. Le supplice de Damiens, en 1757, avait renouvelé et dépassé l'horreur de l'exécution de Ravaillac en 1610. Le sciage entre planches provient d'une interprétation discutable du Livre de Salomon (XII, 31).

fait pour cela. L'enfer où tu seras, c'est mon paradis ; ta vue est plus charmante que celle de Dieu ! Oh ! dis ! tu ne veux donc pas de moi ? Le jour où une femme repousserait un pareil amour, j'aurais cru que les montagnes remueraient. Oh ! si tu voulais !... Oh ! que nous pourrions être heureux ! Nous fuirions, — je te ferais fuir, — nous irions quelque part, nous chercherions l'endroit sur la terre où il y a le plus de soleil, le plus d'arbres, le plus de ciel bleu. Nous nous aimerions, nous verserions nos deux âmes l'une dans l'autre, et nous aurions une soif inextinguible de nous-mêmes que nous étancherions en commun et sans cesse à cette coupe d'intarissable amour !

Elle l'interrompit avec un rire terrible et éclatant.

— Regardez donc, mon père[1] ! vous avez du sang après les ongles !

Le prêtre demeura quelques instants comme pétrifié, l'œil fixé sur sa main.

— Eh bien, oui ! reprit-il enfin avec une douceur étrange, outrage-moi, raille-moi, accable-moi ! mais viens, viens. Hâtons-nous. C'est pour demain, te dis-je. Le gibet de la Grève, tu sais ? il est toujours prêt. C'est horrible ! te voir marcher dans ce tombereau ! Oh ! grâce ! — Je n'avais jamais senti comme à présent à quel point je t'aimais. — Oh ! suis-moi. Tu prendras le temps de m'aimer après que je t'aurai sauvée. Tu me haïras aussi long-temps que tu voudras. Mais viens. Demain ! demain ! le gibet ! ton supplice ! Oh ! sauve-toi ! épargne-moi.

Il lui prit le bras, il était égaré, il voulut l'entraîner.

Elle attacha sur lui son œil fixe. — Qu'est devenu mon Phœbus ?

— Ah ! dit le prêtre en lui lâchant le bras, vous êtes sans pitié !

— Qu'est devenu Phœbus ? répéta-t-elle froidement.

— Il est mort ! cria le prêtre.

— Mort ! dit-elle toujours glaciale et immobile ; alors que me parlez-vous de vivre ?

Lui ne l'écoutait pas. — Oh, oui ! disait-il comme se parlant à lui-même, il doit être bien mort. La lame est

---

1. Formule courante pour s'adresser à un prêtre.

entrée très-avant. Je crois que j'ai touché le cœur avec la pointe. Oh ! je vivais jusqu'au bout du poignard !

La jeune fille se jeta sur lui comme une tigresse furieuse, et le poussa sur les marches de l'escalier avec une force surnaturelle. — Va-t'en, monstre ! va-t'en, assassin ! laisse-moi mourir ! Que notre sang à tous deux te fasse au front une tache éternelle ! Être à toi, prêtre ! jamais ! Jamais ! rien ne nous réunira ! pas même l'enfer ! Va, maudit ! jamais !

Le prêtre avait trébuché à l'escalier. Il dégagea, en silence, ses pieds des plis de sa robe, reprit sa lanterne, et se mit à monter lentement les marches qui menaient à la porte ; il rouvrit cette porte, et sortit. Tout-à-coup la jeune fille vit reparaître sa tête ; elle avait une expression épouvantable, et il lui cria, avec un râle de rage et de désespoir : — Je te dis qu'il est mort !

Elle tomba la face contre terre, et l'on n'entendit plus, dans le cachot, d'autre bruit que le soupir de la goutte d'eau qui faisait palpiter la mare dans les ténèbres.

V

LA MÈRE

Je ne crois pas qu'il y ait rien au monde de plus riant que les idées qui s'éveillent dans le cœur d'une mère à la vue du petit soulier de son enfant : surtout si c'est le soulier de fête, des dimanches, du baptême [1] ; le soulier brodé jusque sous la semelle ; un soulier avec lequel l'enfant n'a pas encore fait un pas. Ce soulier-là a tant de grâce et de petitesse, il lui est si impossible de marcher, que c'est pour la mère comme si elle voyait son enfant.

---

1. Sacrement de l'entrée dans la communauté des fidèles, qui efface le péché originel. À partir du XIIIe siècle, il est administré aussitôt que possible après la naissance. La création révolutionnaire de l'état civil contribue au XIXe siècle à le différer pour en faire l'occasion d'une agape familiale.

Elle lui sourit, elle le baise, elle lui parle ; elle se demande s'il se peut, en effet, qu'un pied soit si petit ; et, l'enfant fût-il absent, il suffit du joli soulier pour lui remettre sous les yeux la douce et fragile créature. Elle croit le voir, elle le voit, tout entier, vivant, joyeux, avec ses mains délicates, sa tête ronde, ses lèvres pures, ses yeux sereins dont le blanc est bleu. Si c'est l'hiver, il est là, il rampe sur le tapis, il escalade laborieusement un tabouret, et la mère tremble qu'il n'approche du feu. Si c'est l'été, il se traîne dans la cour, dans le jardin, arrache l'herbe d'entre les pavés, regarde naïvement les grands chiens, les grands chevaux, sans peur, joue avec les coquillages, avec les fleurs, et fait gronder le jardinier, qui trouve le sable dans les plates-bandes et la terre dans les allées. Tout rit, tout brille, tout joue autour de lui comme lui, jusqu'au souffle d'air et au rayon de soleil qui s'ébattent à l'envi [1] dans les boucles follettes de ses cheveux. Le soulier montre tout cela à la mère, et lui fait fondre le cœur comme le feu une cire [2].

Mais quand l'enfant est perdu, ces mille images de joie, de charme, de tendresse, qui se pressent autour du petit soulier, deviennent autant de choses horribles. Le joli soulier brodé n'est plus qu'un instrument de torture qui broie éternellement le cœur de la mère. C'est toujours la même fibre qui vibre, la fibre la plus profonde et la plus sensible ; mais au lieu d'un ange qui la caresse, c'est un démon qui la pince.

Un matin, tandis que le soleil de mai se levait dans un de ces ciels bleu foncé où le Garofolo [3] aime à placer ses descentes de croix, la recluse de la Tour-Roland entendit un bruit de roues, de chevaux et de ferrailles dans la place de Grève. Elle s'en éveilla peu, noua ses cheveux sur ses oreilles pour s'assourdir, et se remit à contempler à

---

1. À qui mieux mieux. **2.** D'usage courant pour cacheter un pli. D'où son utilisation par Descartes pour illustrer la constitution philosophique et scientifique de l'espace, et la satire de La Fontaine (*Fables*, IX, 12, Le Cierge). Toute cette scène est en addition. **3.** Il s'agit de Benvenuto Tisi, dit le Garofalo (1481-1559). Il y a de lui des descentes de croix à Rome, Naples et Milan. Au XVIIe siècle, un Charles Garofolo, élève de Luc Giordano, n'est guère connu que comme peintre sur cristaux.

genoux l'objet inanimé[1] qu'elle adorait ainsi depuis quinze ans. Ce petit soulier, nous l'avons déjà dit, était pour elle l'univers. Sa pensée y était enfermée, et n'en devait plus sortir qu'à la mort. Ce qu'elle avait jeté vers le ciel d'imprécations amères, de plaintes touchantes, de prières et de sanglots, à propos de ce charmant hochet[2] de satin rose, la sombre cave de la Tour-Roland seule l'a su. Jamais plus de désespoir n'a été répandu sur une chose plus gentille et plus gracieuse. Ce matin-là, il semblait que sa douleur s'échappait plus violente encore qu'à l'ordinaire ; et on l'entendait du dehors se lamenter avec une voix haute et monotone qui navrait le cœur.

— Ô ma fille, disait-elle, ma fille ! ma pauvre chère petite enfant, je ne te verrai donc plus ! c'est donc fini ! Il me semble toujours que cela s'est fait hier ! Mon Dieu, mon Dieu, pour me la reprendre si vite, il valait mieux ne pas me la donner. Vous ne savez donc pas que nos enfants tiennent à notre ventre, et qu'une mère qui a perdu son enfant ne croit plus en Dieu ? — Ah ! misérable que je suis, d'être sortie ce jour-là ! — Seigneur ! seigneur ! pour me l'ôter ainsi, vous ne m'aviez donc jamais regardée avec elle, lorsque je la réchauffais toute joyeuse à mon feu, lorsqu'elle me riait en me tétant, lorsque je faisais monter ses petits pieds sur ma poitrine jusqu'à mes lèvres ? Oh ! si vous aviez regardé cela, mon Dieu, vous auriez eu pitié de ma joie ; vous ne m'auriez pas ôté le seul amour qui me restât dans le cœur ! Étais-je donc une si misérable créature, Seigneur, que vous ne pussiez me regarder avant de me condamner ? — Hélas ! hélas ! voilà le soulier ; le pied, où est-il ? où est le reste ? où est l'en-

---

1. Souvenir probable de Lamartine (*Harmonies poétiques et religieuses*, III, 2, Milly ou la terre natale) : *Objets inanimés, avez-vous donc une âme / Qui s'attache à notre âme et la force d'aimer ?* Hugo avait remercié Lamartine de ce volume, le 12 juillet 1830, en lui adressant le futur poème IX des *Feuilles d'automne*, daté du 20 juin. C'est le sommet de leur « solidarité sublime ». **2.** Au sens propre, le hochet sert à favoriser la percée des dents chez le bébé. Le sens figuré (babiole dont s'enchante par exemple une jeune mère, comme ici) risque fort de jouer de l'antithèse pour préparer l'horreur de la malédiction maternelle. Le titre primitif du chapitre était « La soif de vengeance ».

fant ? Ma fille, ma fille ! qu'ont-ils fait de toi ? Seigneur, rendez-la-moi. Mes genoux se sont écorchés quinze ans à vous prier, mon Dieu ! est-ce que ce n'est pas assez ? Rendez-la-moi, un jour, une heure, une minute ; une minute, Seigneur ! et jetez-moi ensuite au démon pour l'éternité ! Oh ! si je savais où traîne un pan de votre robe, je m'y cramponnerais de mes deux mains, et il faudrait bien que vous me rendissiez mon enfant ! Son joli petit soulier, est-ce que vous n'en avez pas pitié, Seigneur ? Pouvez-vous condamner une pauvre mère à ce supplice de quinze ans ? Bonne Vierge ! bonne Vierge du ciel ! mon enfant-Jésus à moi, on me l'a pris, on me l'a volé, on l'a mangé sur une bruyère, on a bu son sang, on a mâché ses os ! Bonne Vierge, ayez pitié de moi. Ma fille ! il me faut ma fille ! Qu'est-ce que cela me fait, qu'elle soit dans le paradis ? je ne veux pas de votre ange, je veux mon enfant ! Je suis une lionne, je veux mon lionceau. — Oh ! je me tordrai sur la terre, et je briserai la pierre avec mon front, et je me damnerai, et je vous maudirai, Seigneur ! si vous me gardez mon enfant ! Vous voyez bien que j'ai les bras tout mordus, Seigneur ! est-ce que le bon Dieu n'a pas de pitié ? — Oh ! ne me donnez que du sel et du pain noir, pourvu que j'aie ma fille, et qu'elle me réchauffe comme un soleil ! Hélas ! Dieu mon seigneur, je ne suis qu'une vile pécheresse ; mais ma fille me rendait pieuse. J'étais pleine de religion pour l'amour d'elle ; et je vous voyais à travers son sourire comme par une ouverture du ciel. — Oh ! que je puisse seulement une fois, encore une fois, une seule fois, chausser ce soulier à son joli petit pied rose, et je meurs, bonne Vierge, en vous bénissant ! — Ah ! quinze ans ! elle serait grande maintenant ! — Malheureuse enfant ! quoi ! c'est donc bien vrai, je ne la reverrai plus, pas même dans le ciel ! car, moi, je n'irai pas. Oh ! quelle misère ! dire que voilà son soulier, et que c'est tout !

La malheureuse s'était jetée sur ce soulier, sa consolation et son désespoir depuis tant d'années, et ses entrailles se déchiraient en sanglots comme le premier jour. Car pour une mère qui a perdu son enfant, c'est toujours le premier jour. Cette douleur-là ne vieillit pas. Les habits de deuil ont beau s'user et blanchir : le cœur reste noir.

En ce moment, de fraîches et joyeuses voix d'enfants passèrent devant la cellule. Toutes les fois que des enfants frappaient sa vue ou son oreille, la pauvre mère se précipitait dans l'angle le plus sombre de son sépulcre, et l'on eût dit qu'elle cherchait à plonger sa tête dans la pierre pour ne pas les entendre. Cette fois, au contraire, elle se dressa comme en sursaut, et écouta avidement. Un des petits garçons venait de dire : — C'est qu'on va pendre une égyptienne aujourd'hui.

Avec le brusque soubresaut de cette araignée que nous avons vue se jeter sur une mouche au tremblement de sa toile, elle courut à sa lucarne, qui donnait, comme on sait, sur la place de Grève. En effet, une échelle était dressée près du gibet permanent, et le maître des basses-œuvres s'occupait d'en rajuster les chaînes rouillées par la pluie. Il y avait quelque peuple à l'entour.

Le groupe rieur des enfants était déjà loin. La sachette chercha des yeux un passant qu'elle pût interroger. Elle avisa, tout à côté de sa loge, un prêtre qui faisait semblant de lire dans le bréviaire public, mais qui était beaucoup moins occupé du *lettrain de fer treillissé* que du gibet, vers lequel il jetait de temps à autre un sombre et farouche coup d'œil. Elle reconnut monsieur l'archidiacre de Josas, un saint homme.

— Mon père[1], demanda-t-elle, qui va-t-on pendre là ?

Le prêtre la regarda et ne répondit pas ; elle répéta sa question. Alors il dit :

— Je ne sais pas.

— Il y avait là des enfants qui disaient que c'était une égyptienne, reprit la recluse.

— Je crois qu'oui, dit le prêtre.

Alors Paquette-la-Chantefleurie éclata d'un rire d'hyène[2].

— Ma sœur, dit l'archidiacre, vous haïssez donc bien les égyptiennes ?

— Si je les hais ! s'écria la recluse ; ce sont des

---

1. Formule courante pour s'adresser à un prêtre. 2. Charognard d'Afrique et d'Asie, parfois dénommé loup-tigre, remarquable par la puissance de ses mâchoires et par l'espèce de ricanement de son cri nocturne. Le h initial n'est en effet pas aspiré.

stryges, des voleuses d'enfants ! Elles m'ont dévoré ma petite fille, mon enfant, mon unique enfant ! Je n'ai plus de cœur, elles me l'ont mangé !

Elle était effrayante. Le prêtre la regardait froidement.

— Il y en a une surtout que je hais, et que j'ai maudite, reprit-elle ; c'en est une jeune, qui a l'âge que ma fille aurait, si sa mère ne m'avait pas mangé ma fille. Chaque fois que cette jeune vipère passe devant ma cellule, elle me bouleverse le sang !

— Hé bien ! ma sœur, réjouissez-vous, dit le prêtre, glacial comme une statue de sépulcre ; c'est celle-là que vous allez voir mourir.

Sa tête tomba sur sa poitrine, et il s'éloigna lentement.

La recluse se tordit les bras de joie. — Je le lui avais prédit, qu'elle y monterait ! Merci, prêtre ! cria-t-elle.

Et elle se mit à se promener à grands pas devant les barreaux de sa lucarne, échevelée, l'œil flamboyant, heurtant le mur de son épaule, avec l'air fauve d'une louve en cage qui a faim depuis long-temps et qui sent approcher l'heure du repas.

VI

TROIS CŒURS D'HOMME FAITS DIFFÉREMMENT

Phœbus, cependant, n'était pas mort. Les hommes de cette espèce ont la vie dure. Quand maître Philippe Lheulier, avocat extraordinaire du roi, avait dit à la pauvre Esmeralda, *Il se meurt*, c'était par erreur ou par plaisanterie. Quand l'archidiacre avait répété à la condamnée, *Il est mort*, le fait est qu'il n'en savait rien, mais qu'il le croyait, qu'il y comptait, qu'il n'en doutait pas, qu'il l'espérait bien. Il lui eût été par trop dur de donner à la femme qu'il aimait de bonnes nouvelles de son rival. Tout homme à sa place en eût fait autant.

Ce n'est pas que la blessure de Phœbus n'eût été grave, mais elle l'avait été moins que l'archidiacre ne s'en flattait. Le maître-myrrhe[1], chez lequel les soldats du guet l'avaient transporté dans le premier moment, avait craint huit jours pour sa vie, et le lui avait même dit en latin. Toutefois, la jeunesse avait repris le dessus ; et, chose qui arrive souvent, nonobstant pronostics et diagnostics[2], la nature s'était amusée à sauver le malade à la barbe du médecin. C'est tandis qu'il gisait encore sur le grabat du maître-myrrhe qu'il avait subi les premiers interrogatoires de Philippe Lheulier et des enquêteurs de l'official, ce qui l'avait fort ennuyé. Aussi, un beau matin, se sentant mieux, il avait laissé ses éperons d'or en paiement au pharmacopole[3], et s'était esquivé. Cela, du reste, n'avait apporté aucun trouble à l'instruction de l'affaire. La justice d'alors se souciait fort peu de la netteté et de la propreté d'un procès au criminel. Pourvu que l'accusé fût pendu, c'est tout ce qu'il lui fallait. Or les juges avaient assez de preuves contre la Esmeralda. Ils avaient cru Phœbus mort, et tout avait été dit.

Phœbus, de son côté, n'avait pas fait une grande fuite. Il était allé tout simplement rejoindre sa compagnie, en garnison à Queue-en-Brie, dans l'Île-de-France, à quelques relais de Paris[4].

Après tout, il ne lui agréait nullement de comparaître en personne dans ce procès. Il sentait vaguement qu'il y ferait une mine ridicule. Au fond, il ne savait trop que penser de toute l'affaire. Indévot et superstitieux comme tout soldat qui n'est que soldat, quand il se questionnait sur cette aventure, il n'était pas rassuré sur la chèvre, sur la façon bizarre dont il avait fait rencontre de la Esme-

---

1. Il s'agit d'un maître *mire* ou *mirre*, c'est-à-dire médecin : on croyait le mot dérivé de la myrrhe, onguent. **2.** Termes grecs, donc pédants, relatifs à l'évolution prévisible et à la détermination de la nature d'une pathologie. **3.** Marchand de drogues. **4.** À une vingtaine de km. soit environ 5 lieues à l'est de Paris, sur la gauche de la route de Strasbourg, au nord du Bois Notre-Dame. Divers indices (dont la transformation de *lieues* en *relais* — 4 lieues —) permettent de voir dans cette Queue le camouflage de La Queue-lès-Yvelines, à 50 km à l'ouest de Paris, sur la route de Dreux : lors de son escapade en juillet 1821 vers « la ville des Druides », la saga hugolienne évoque un duel avec un garde du corps cantonné à Versailles. Ce Vallerot, du même âge que le poète, pourrait bien être un des modèles de Phœbus, ainsi intimement lié au souvenir d'un épisode peu glorieux.

ralda, sur la manière non moins étrange dont elle lui avait laissé deviner son amour, sur sa qualité d'égyptienne, enfin sur le moine-bourru. Il entrevoyait dans cette histoire beaucoup plus de magie que d'amour, probablement une sorcière, peut-être le diable ; une comédie enfin, ou, pour parler le langage d'alors, un mystère [1] très-désagréable où il jouait un rôle fort gauche, le rôle des coups et des risées. Le capitaine en était tout penaud ; il éprouvait cette espèce de honte que notre Lafontaine a définie si admirablement :

Honteux comme un renard qu'une poule aurait pris [2].

Il espérait d'ailleurs que l'affaire ne s'ébruiterait pas, que son nom, lui absent, y serait à peine prononcé, et, en tout cas, ne retentirait pas au-delà du plaid [3] de la Tournelle. En cela il ne se trompait point, il n'y avait pas alors de *Gazette des tribunaux* [4], et comme il ne se passait guère de semaine qui n'eût son faux monnoyeur bouilli, ou sa sorcière pendue, ou son hérétique brûlé, à l'une des innombrables *justices* de Paris, on était tellement habitué à voir dans tous les carrefours la vieille thémis [5] féodale, bras nus et manches retroussées, faire sa besogne aux fourches [6], aux échelles et aux piloris, qu'on n'y prenait presque pas garde. Le beau monde de ce temps-là savait à peine le nom du patient qui passait au coin de la rue et la populace tout au plus se régalait de ce mets grossier. Une exécution était un incident habituel de la voie publique, comme la braisière du talmellier ou la tuerie de l'écorcheur. Le bourreau n'était qu'une espèce de boucher un peu plus foncé qu'un autre.

Phœbus se mit donc assez promptement l'esprit en repos sur la charmeresse Esmeralda, ou Similar, comme

---

1. Jeu sur les sens ancien et moderne du mot : les origines religieuses de notre théâtre, et ce dont la raison n'arrive pas à rendre compte. **2.** *Fables* I, 18, Le Renard et la Cigogne. **3.** Audience. **4.** Cette publication commence le 1er novembre 1825, et devient la providence de l'opposition libérale contre les mensonges et les silences de la presse aux gages du gouvernement, et les ravages qu'exercent la censure et les poursuites judiciaires. **5.** Déesse de la Justice. **6.** Gibets à piliers comme Montfaucon.

il disait, sur le coup de poignard de la bohémienne ou du moine-bourru (peu lui importait), et sur l'issue du procès. Mais dès que son cœur fut vacant de ce côté, l'image de Fleur-de-Lys y revint. Le cœur du capitaine Phœbus, comme la physique d'alors, avait horreur du vide[1].

C'était d'ailleurs un séjour fort insipide que Queue-en-Brie, un village de maréchaux-ferrants et de vachères aux mains gercées, un long cordon de masures et de chaumières qui ourle la grande route des deux côtés pendant une demi-lieue ; une *queue* enfin.

Fleur-de-Lys était son avant-dernière passion, une jolie fille, une charmante dot ; donc un beau matin, tout-à-fait guéri, et présumant bien qu'après deux mois l'affaire de la bohémienne devait être finie et oubliée, l'amoureux cavalier arriva en piaffant à la porte du logis Gondelaurier.

Il ne fit pas attention à une cohue assez nombreuse qui s'amassait dans la place du Parvis, devant le portail de Notre-Dame ; il se souvint qu'on était au mois de mai ; il supposa quelque procession, quelque Pentecôte[2], quelque fête, attacha son cheval à l'anneau du porche, et monta joyeusement chez sa belle fiancée.

Elle était seule avec sa mère.

Fleur-de-Lys avait toujours sur le cœur la scène de la sorcière, sa chèvre, son alphabet maudit, et les longues absences de Phœbus. Cependant, quand elle vit entrer son capitaine, elle lui trouva si bonne mine, un hoqueton si neuf, un baudrier[3] si luisant, et un air si passionné qu'elle rougit de plaisir. La noble damoiselle était elle-même plus charmante que jamais. Ses magnifiques cheveux blonds étaient nattés à ravir, elle était toute vêtue de ce bleu-ciel qui va si bien aux blanches, coquetterie que lui avait enseignée Colombe, et avait l'œil noyé dans cette langueur d'amour qui leur va mieux encore.

---

1. Avant Torricelli et Pascal, et leurs expériences barométriques sur l'air et les liquides, ce sentiment de la nature servait d'explication. **2.** On a le choix entre accuser Hugo d'ignorer ce qu'est la Pentecôte, unique descente du Saint-Esprit sur les disciples, sept semaines après Pâques, ce qui est très improbable, ou comprendre que le capitaine s'occupe fort peu du jeu des fêtes mobiles de l'Église, et ne manque ainsi pas d'audace. **3.** Harnachement de cuir qui supporte l'épée.

Phœbus, qui n'avait rien vu en fait de beauté depuis les margotons de Queue-en-Brie, fut enivré de Fleur-de-Lys, ce qui donna à notre officier une manière si empressée et si galante que sa paix fut tout de suite faite. Madame de Gondelaurier elle-même, toujours maternellement assise dans son grand fauteuil, n'eut pas la force de le bougonner. Quant aux reproches de Fleur-de-Lys, ils expirèrent en tendres roucoulements.

La jeune fille était assise près de la fenêtre, brodant toujours sa grotte de Neptunus. Le capitaine se tenait appuyé au dossier de sa chaise, et elle lui adressait à demi-voix ses caressantes gronderies.

— Qu'est-ce que vous êtes donc devenu depuis deux grands mois, méchant ?

— Je vous jure, répondait Phœbus, un peu gêné de la question, que vous êtes belle à faire rêver un archevêque.

Elle ne pouvait s'empêcher de sourire.

— C'est bon, c'est bon, monsieur. Laissez là ma beauté, et répondez-moi. Belle beauté, vraiment !

— Hé bien ! chère cousine, j'ai été rappelé à tenir garnison.

— Et où cela, s'il vous plaît, et pourquoi n'êtes-vous pas venu me dire adieu ?

— À Queue-en-Brie.

Phœbus était enchanté que la première question l'aidât à esquiver la seconde.

— Mais c'est tout près, monsieur. Comment n'être pas venu me voir une seule fois ?

Ici Phœbus fut assez sérieusement embarrassé.

— C'est que... le service... et puis, charmante cousine, j'ai été malade.

— Malade ! reprit-elle effrayée.

— Oui..., blessé.

— Blessé !

La pauvre enfant était toute bouleversée.

— Oh ! ne vous effarouchez pas de cela, dit négligemment Phœbus, ce n'est rien. Une querelle, un coup d'épée ; qu'est-ce que cela vous fait ?

— Qu'est-ce que cela me fait ? s'écria Fleur-de-Lys en levant ses beaux yeux pleins de larmes. Oh ! vous ne dites pas ce que vous pensez en disant cela. Qu'est-ce que ce coup d'épée ? Je veux tout savoir.

— Eh bien ! chère belle, j'ai eu noise avec Mahé Fédy, vous savez ? le lieutenant de Saint-Germain-en-Laye [1] ; et nous nous sommes décousu chacun quelques pouces de la peau. Voilà tout.

Le menteur capitaine savait fort bien qu'une affaire d'honneur fait toujours ressortir un homme aux yeux d'une femme. En effet, Fleur-de-Lys le regardait en face tout émue de peur, de plaisir et d'admiration. Elle n'était cependant pas complétement rassurée.

— Pourvu que vous soyez bien tout-à-fait guéri, mon Phœbus ! dit-elle. Je ne connais pas votre Mahé Fédy, mais c'est un vilain homme. Et d'où venait cette querelle ?

Ici, Phœbus, dont l'imagination n'était que fort médiocrement créatrice, commença à ne savoir plus comment se tirer de sa prouesse.

— Oh ! que sais-je ?... un rien, un cheval, un propos ! — Belle cousine, s'écria-t-il pour changer de conversation, qu'est-ce que c'est donc que ce bruit dans le Parvis ?

Il s'approcha de la fenêtre. — Oh ! mon Dieu, belle cousine, voilà bien du monde sur la place !

— Je ne sais pas, dit Fleur-de-Lys ; il paraît qu'il y a une sorcière qui va faire amende honorable ce matin devant l'église pour être pendue après.

Le capitaine croyait si bien l'affaire de la Esmeralda terminée qu'il s'émut fort peu des paroles de Fleur-de-Lys. Il lui fit cependant une ou deux questions.

— Comment s'appelle cette sorcière ?

— Je ne sais pas, répondit-elle.

— Et que dit-on qu'elle ait fait ?

Elle haussa encore cette fois ses blanches épaules.

— Je ne sais pas.

— Oh ! mon dieu Jésus ! dit la mère, il y a tant de sorciers maintenant qu'on les brûle, je crois, sans savoir leurs noms. Autant vaudrait chercher à savoir le nom de

---

1. Le commandant en second de cette forêt royale et du château qui domine la Seine à une vingtaine de km à l'ouest de Paris. En 1482, Louis XI avait donné le château à Coictier, sa vie durant.

chaque nuée du ciel. Après tout, on peut être tranquille. Le bon Dieu tient son registre[1]. — Ici la vénérable dame se leva et vint à la fenêtre. — Seigneur ! dit-elle, vous avez raison, Phœbus. Voilà une grande cohue de populaire. Il y en a, béni-soit-Dieu ! jusque sur les toits. — Savez-vous, Phœbus ? cela me rappelle mon beau temps. L'entrée du roi Charles VII[2], où il y avait tant de monde aussi. — Je ne sais plus en quelle année. — Quand je vous parle de cela, n'est-ce pas ? cela vous fait l'effet de quelque chose de vieux, et à moi de quelque chose de jeune. — Oh ! c'était un bien plus beau peuple qu'à présent. Il y en avait jusque sur les machicoulis de la porte Saint-Antoine[3].

Le roi avait la reine en croupe, et après leurs altesses venaient toutes les dames en croupe de tous les seigneurs. Je me rappelle qu'on riait fort, parce qu'à côté d'Amanyon de Garlande, qui était fort bref de taille, il y avait le sire Matefelon, un chevalier de stature gigantale, qui avait tué des Anglais à tas. C'était bien beau. Une procession de tous les gentilshommes de France avec leurs oriflammes qui rougeoyaient à l'œil. Il y avait ceux à pennon et ceux à bannière. Que sais-je, moi ? le sire de Calan, à pennon ; Jean de Châteaumorant, à bannière ; le sire de Coucy, à bannière, et plus étoffément que nul des autres, excepté le duc de Bourbon... — Hélas ! que c'est une chose triste de penser que tout cela a existé et qu'il n'en est plus rien !

Les deux amoureux n'écoutaient pas la respectable douairière. Phœbus était revenu s'accouder au dossier de la chaise de sa fiancée ; poste charmant d'où son regard libertin s'enfonçait dans toutes les ouvertures de la colle-

---

1. Écho vraisemblable de la célèbre parole « Tuez-les tous, Dieu reconnaîtra les siens » qu'on attribue à un légat du pape lors d'une extermination d'hérétiques à Béziers à l'époque des Albigeois. **2.** En 1436, six ans après le sacre de Reims, cinq ans après l'exécution de Jeanne d'Arc. **3.** Sauval (II, 758), cite Froissart, et distingue le pennon, étendard en pointe d'un groupe de cavalerie moins important que la « bannière » que peut réunir un plus gros seigneur sous son étendard carré. Charles Ier, cinquième duc de Bourbon avait réussi, l'année précédente, à réconcilier par le traité d'Arras le duc de Bourgogne et le roi de France, au détriment de la cause anglaise.

rette de Fleur-de-Lys. Cette gorgerette bâillait si à propos, et lui laissait voir tant de choses exquises et lui en laissait deviner tant d'autres, que Phœbus, ébloui de cette peau à reflet de satin, se disait en lui-même : Comment peut-on aimer autre chose qu'une blanche ? Tous deux gardaient le silence. La jeune fille levait de temps en temps sur lui des yeux ravis et doux, et leurs cheveux se mêlaient dans un rayon du soleil de printemps.

— Phœbus, dit tout-à-coup Fleur-de-Lys à voix basse, nous devons nous marier dans trois mois ; jurez-moi que vous n'avez jamais aimé d'autre femme que moi.

— Je vous le jure, bel ange ! répondit Phœbus, et son regard passionné se joignait, pour convaincre Fleur-de-Lys, à l'accent sincère de sa voix. Il se croyait peut-être lui-même en ce moment.

Cependant la bonne mère, charmée de voir les fiancés en si parfaite intelligence, venait de sortir de l'appartement pour vaquer à quelque détail domestique. Phœbus s'en aperçut, et cette solitude enhardit tellement l'aventureux capitaine qu'il lui monta au cerveau des idées fort étranges. Fleur-de-Lys l'aimait ; il était son fiancé ; elle était seule avec lui ; son ancien goût pour elle s'était réveillé, non dans toute sa fraîcheur, mais dans toute son ardeur ; après tout, ce n'est pas grand crime de manger un peu son blé en herbe [1] ; je ne sais si ces pensées lui passèrent dans l'esprit ; mais ce qui est certain, c'est que Fleur-de-Lys fut tout-à-coup effrayée de l'expression de son regard. Elle regarda autour d'elle, et ne vit plus sa mère.

— Mon Dieu ! dit-elle rouge et inquiète, j'ai bien chaud !

— Je crois en effet, répondit Phœbus, qu'il n'est pas loin de midi. Le soleil est gênant. Il n'y a qu'à fermer les rideaux.

---

1. Contamination probable de la sagesse des nations (il ne faut pas manger son revenu avant de l'avoir engrangé) par la complicité de La Fontaine : « L'occasion, l'herbe tendre, et je pense
Quelque diable aussi me poussant... » (VII, 1, *Les Animaux malades de la peste*).

— Non, non, cria la pauvre petite, j'ai besoin d'air au contraire.

Et comme une biche qui sent le souffle de la meute, elle se leva, courut à la fenêtre, l'ouvrit, et se précipita sur le balcon.

Phœbus, assez contrarié, l'y suivit.

La place du Parvis Notre-Dame, sur laquelle le balcon donnait, comme on sait, présentait en ce moment un spectacle sinistre et singulier qui fit brusquement changer de nature à l'effroi de la timide Fleur-de-Lys.

Une foule immense, qui refluait dans toutes les rues adjacentes, encombrait la place proprement dite. La petite muraille à hauteur d'appui qui entourait le Parvis n'eût pas suffi à le maintenir libre si elle n'eût été doublée d'une haie épaisse de sergents des onze-vingts et de hacquebutiers, la coulevrine au poing. Grâce à ce taillis de piques et d'arquebuses, le Parvis était vide. L'entrée en était gardée par un gros [1] de hallebardiers aux armes de l'évêque. Les larges portes de l'église étaient fermées, ce qui contrastait avec les innombrables fenêtres de la place, lesquelles, ouvertes jusque sur les pignons, laissaient voir des milliers de têtes entassées à peu près comme les piles de boulets dans un parc d'artillerie.

La surface de cette cohue était grise, sale et terreuse. Le spectacle qu'elle attendait était évidemment de ceux qui ont le privilége d'extraire et d'appeler ce qu'il y a de plus immonde dans la population. Rien de hideux comme le bruit qui s'échappait de ce fourmillement de coiffes jaunes [2] et de chevelures sordides. Dans cette foule, il y avait plus de rires que de cris, plus de femmes que d'hommes.

De temps en temps quelque voix aigre et vibrante perçait la rumeur générale.

....

— Ohé ! Mahiet Baliffre ! est-ce qu'on va la pendre là ?

— Imbécile ! c'est ici l'amende honorable en chemise ! le bon Dieu va lui tousser du latin dans la figure !

---

1. Une troupe. 2. De crasse.

Cela se fait toujours ici, à midi. Si c'est la potence que tu veux, va-t'en à la Grève.

— J'irai après.

....

— Dites donc, la Boucanbry ? est-il vrai qu'elle ait refusé un confesseur ?

— Il paraît que oui, la Bechaigne.

— Voyez-vous, la païenne !

....

— Monsieur, c'est l'usage. Le bailli du Palais est tenu de livrer le malfaiteur tout jugé, pour l'exécution, si c'est un laïc, au prevôt de Paris ; si c'est un clerc [1], à l'official de l'évêché.

— Je vous remercie, monsieur.

....

— Oh ! mon Dieu ! disait Fleur-de-Lys, la pauvre créature !

Cette pensée remplissait de douleur le regard qu'elle promenait sur la populace. Le capitaine, beaucoup plus occupé d'elle que de cet amas de quenaille [2], chiffonnait amoureusement sa ceinture par derrière. Elle se retourna suppliante et souriant.

— De grâce, laissez-moi, Phœbus ! si ma mère rentrait, elle verrait votre main !

En ce moment midi sonna lentement à l'horloge de Notre-Dame. Un murmure de satisfaction éclata dans la foule. La dernière vibration du douzième coup s'éteignait à peine que toutes les têtes moutonnèrent comme les vagues sous un coup de vent, et qu'une immense clameur s'éleva du pavé, des fenêtres et des toits : — La voilà !

Fleur-de-Lys mit ses mains sur ses yeux pour ne pas voir.

— Charmante, lui dit Phœbus, voulez-vous rentrer ?

---

1. Pure citation de Du Breul (201), mais qui omet que le clerc doit être livré *non jugé* au tribunal ecclésiastique. **2.** Chiens, enfants, gueux, gens de peu, canaille.

— Non, répondit-elle ; et ces yeux qu'elle venait de fermer par crainte, elle les rouvrit par curiosité.

Un tombereau, traîné d'un fort limonier normand[1] et tout enveloppé de cavalerie en livrée violette à croix blanches, venait de déboucher sur la place par la rue Saint-Pierre-aux-Bœufs. Les sergents du guet lui frayaient passage dans le peuple à grands coups de boullayes. À côté du tombereau chevauchaient quelques officiers de justice et de police, reconnaissables à leur costume noir et à leur gauche façon de se tenir en selle. Maître Jacques Charmolue paradait à leur tête. Dans la fatale voiture, une jeune fille était assise, les bras liés derrière le dos, sans prêtre à côté d'elle. Elle était en chemise, ses longs cheveux noirs (la mode alors était de ne les couper qu'au pied du gibet) tombaient épars sur sa gorge et sur ses épaules à demi découvertes.

À travers cette ondoyante chevelure, plus luisante qu'un plumage de corbeau, on voyait se tordre et se nouer une grosse corde grise et rugueuse qui écorchait ses fragiles clavicules et se roulait autour du cou charmant de la pauvre fille comme un ver de terre sur une fleur. Sous cette corde brillait une petite amulette ornée de verroteries vertes, qu'on lui avait laissée sans doute parce qu'on ne refuse plus rien à ceux qui vont mourir. Les spectateurs placés aux fenêtres pouvaient apercevoir au fond du tombereau ses jambes nues qu'elle tâchait de dérober sous elle, comme par un dernier instinct de femme. À ses pieds il y avait une petite chèvre garrottée. La condamnée retenait avec ses dents sa chemise mal attachée. On eût dit qu'elle souffrait encore dans sa misère d'être ainsi livrée presque nue à tous les yeux. Hélas ! ce n'est pas pour de pareils frémissements que la pudeur est faite.

— Jésus ! dit vivement Fleur-de-Lys au capitaine. Regardez donc, beau cousin, c'est cette vilaine bohémienne à la chèvre.

En parlant ainsi, elle se retourna vers Phœbus. Il avait les yeux fixés sur le tombereau. Il était très-pâle.

---

1. Cheval de trait, qu'on attelle aux brancards ou au timon d'un véhicule. Ici, un percheron.

— Quelle bohémienne à la chèvre ? dit-il en balbutiant.

— Comment ! reprit Fleur-de-Lys ; est-ce que vous ne vous souvenez pas ?...

Phœbus l'interrompit. — Je ne sais pas ce que vous voulez dire.

Il fit un pas pour rentrer ; mais Fleur-de-Lys, dont la jalousie, naguère si vivement remuée par cette même égyptienne, venait de se réveiller, Fleur-de-Lys lui jeta un coup d'œil plein de pénétration et de défiance. Elle se rappelait vaguement en ce moment avoir ouï parler d'un capitaine mêlé au procès de cette sorcière.

— Qu'avez-vous ? dit-elle à Phœbus ; on dirait que cette femme vous a troublé.

Phœbus s'efforça de ricaner. — Moi ! pas le moins du monde ! Ah ! bien oui !

— Alors restez, reprit-elle impérieusement, et voyons jusqu'à la fin.

Force fut au malencontreux capitaine de demeurer. Ce qui le rassurait un peu, c'est que la condamnée ne détachait pas son regard du plancher de son tombereau. Ce n'était que trop véritablement la Esmeralda. Sur ce dernier échelon de l'opprobre [1] et du malheur, elle était toujours belle ; ses grands yeux noirs paraissaient encore plus grands à cause de l'appauvrissement de ses joues ; son profil livide était pur et sublime. Elle ressemblait à ce qu'elle avait été comme une Vierge du Masaccio [2] ressemble à une Vierge de Raphaël : plus faible, plus mince, plus maigre.

Du reste, il n'y avait rien en elle qui ne ballottât en quelque sorte, et que, hormis sa pudeur, elle ne laissât aller au hasard, tant elle avait été profondément rompue par la stupeur et le désespoir. Son corps rebondissait à tous les cahots du tombereau comme une chose morte ou brisée ; son regard était morne et fou. On voyait encore

---

1. Le déshonneur, la condamnation sociale. **2.** Thomas Guidi di San Giovani (1402-1443), « le premier qui donna de la vie et du mouvement à ses figures », précurseur de l'espoir renaissant. Raphaël s'est inspiré de son célèbre Adam et Ève chassés du Paradis.

une larme dans sa prunelle, mais immobile, et, pour ainsi dire, gelée.

Cependant la lugubre cavalcade avait traversé la foule au milieu des cris de joie et des attitudes curieuses. Nous devons dire toutefois, pour être fidèles historiens, qu'en la voyant si belle et si accablée, beaucoup s'étaient émus de pitié, et des plus durs. Le tombereau était entré dans le parvis.

Devant le portail central, il s'arrêta. L'escorte se rangea en bataille[1] des deux côtés. La foule fit silence, et, au milieu de ce silence plein de solennité et d'anxiété, les deux battants de la grande porte tournèrent, comme d'eux-mêmes, sur leurs gonds qui grincèrent avec un bruit de fifre[2]. Alors on vit dans toute sa longueur la profonde église, sombre, tendue de deuil, à peine éclairée de quelques cierges scintillant au loin sur le maître-autel, ouverte comme une gueule de caverne au milieu de la place éblouissante de lumière. Tout au fond, dans l'ombre de l'abside, on entrevoyait une gigantesque croix d'argent, développée sur un drap noir qui tombait de la voûte au pavé. Toute la nef était déserte. Cependant on voyait remuer confusément quelques têtes de prêtres dans les stalles lointaines du chœur, et au moment où la grande porte s'ouvrit, il s'échappa de l'église un chant grave, éclatant et monotone qui jetait comme par bouffées sur la tête de la condamnée des fragments de psaumes lugubres.

« ... Non timebo millia populi circumdantis me : exsurge, Domine ; salvum me fac, Deus !

... Salvum me fac, Deus, quoniam intraverunt aquæ usque ad animam meam.

... Infixus sum in limo profundi ; et non est substantia. »[3]

En même temps une autre voix, isolée du chœur, entonnait sur le degré du maître-autel ce mélancolique offertoire :

---

1. En ligne. **2.** La plus aiguë des flûtes, d'usage surtout militaire.
3. « Je ne craindrai pas les milliers du peuple qui m'encercle : lève-toi, Seigneur, sauve-moi, Dieu ! » (Psaumes, III, 7). « Sauve-moi, Dieu, puisque les eaux sont entrées jusqu'à mon âme... Je suis enfoncé dans le bourbier de l'abîme, et je n'ai rien pour me soutenir » (Psaumes, LXVIII, 1-2).

« *Qui verbum meum audit, et credit ei qui misit me, habet vitam œternam et in judicium non venit ; sed transit a morte in vitam*[1]. »

Ce chant, que quelques vieillards perdus dans leurs ténèbres chantaient de loin sur cette belle créature, pleine de jeunesse et de vie, caressée par l'air tiède du printemps, inondée de soleil, c'était la messe des morts[2].

Le peuple écoutait avec recueillement.

La malheureuse, effarée, semblait perdre sa vue et sa pensée dans les obscures entrailles de l'église. Ses lèvres blanches remuaient comme si elles priaient, et quand le valet du bourreau s'approcha d'elle pour l'aider à descendre du tombereau, il l'entendit qui répétait à voix basse ce mot : *Phœbus*.

On lui délia les mains, on la fit descendre accompagnée de sa chèvre qu'on avait déliée aussi, et qui bêlait de joie de se sentir libre ; et on la fit marcher pieds nus sur le dur pavé jusqu'au bas des marches du portail. La corde qu'elle avait au cou traînait derrière elle. On eût dit un serpent qui la suivait.

Alors le chant s'interrompit dans l'église. Une grande croix d'or et une file de cierges se mirent en mouvement dans l'ombre. On entendit sonner la hallebarde des suisses bariolés[3] ; et quelques moments après, une longue procession de prêtres en chasubles et de diacres en dalma-

---

1. « Celui qui entend ma parole, et croit en celui qui m'a envoyé, a la vie éternelle et ne vient pas en jugement ; mais il passe de la mort à la vie » (Jean, V, 24). Ce dernier texte inspire l'offertoire (chant qui à l'origine accompagnait les offrandes de pain et de vin) de la messe de commémoration des défunts (2 novembre) : *Fac eas, Domine, de morte transire ad vitam*. **2.** Dont l'évangile (Jean, XI, 25, Jésus à Béthanie auprès de Marthe et Marie, sœurs de Lazare) rapporte la parole du Christ : « Je suis la résurrection et la vie. » On remarquera que Hugo a organisé ses « fragments de psaumes » de manière quasi prophétique : du déni de la peur à la noyade infernale, le prêtre n'échappera pas à l'horreur de l'amende honorable, qu'en 1825 la loi dite du sacrilège avait rétablie. **3.** Je ne sais si ces domestiques chamarrés à l'imitation des gardes suisses de la monarchie, et chargés de précéder le clergé en faisant sonner le manche de leur hallebarde sur le dallage, existaient au XVe siècle. Mais ils ont fait l'orgueil des églises riches jusqu'au milieu du XXe siècle.

tiques[1], qui venait gravement et en psalmodiant[2] vers la condamnée, se développa à sa vue et aux yeux de la foule. Mais son regard s'arrêta à celui qui marchait en tête, immédiatement après le porte-croix : — Oh ! dit-elle tout bas en frissonnant, c'est encore lui ! le prêtre !

C'était en effet l'archidiacre. Il avait à sa gauche le sous-chantre et à sa droite le chantre armé du bâton de son office. Il avançait, la tête renversée en arrière, les yeux fixes et ouverts, en chantant d'une voix forte :

« *De ventre inferi clamavi, et exaudisti vocem meam,*

Et projecisti me in profundum in corde maris, et flumen circumdedit me[3]. »

Au moment où il parut au grand jour sous le haut portail en ogive, enveloppé d'une vaste chape d'argent[4] barrée d'une croix noire, il était si pâle que plus d'un pensa, dans la foule, que c'était un des évêques de marbre agenouillés sur les pierres sépulcrales du chœur, qui s'était levé et qui venait recevoir au seuil de la tombe celle qui allait mourir.

Elle, non moins pâle et non moins statue, elle s'était à peine aperçue qu'on lui avait mis en main un lourd cierge de cire jaune allumé ; elle n'avait pas écouté la voix glapissante du greffier lisant la fatale teneur de l'amende honorable ; quand on lui avait dit de répondre *Amen*[5], elle avait répondu *Amen*. Il fallut, pour lui rendre quelque vie et quelque force, qu'elle vît le prêtre faire signe à ses gardiens de s'éloigner et s'avancer seul vers elle.

Alors elle sentit son sang bouillonner dans sa tête, et

---

1. Sorte de chasuble à manche, propre au service des diacres. **2.** Le chant des psaumes, selon l'apparente monotonie du plain-chant grégorien, avec la forte marque des pauses, était musicalement tombé en décadence et se trouvait en butte, au XIXe siècle, aux attaques modernistes des libéraux. **3.** « Du ventre de l'enfer j'ai crié, et tu as écouté mon cri ; Et tu m'as projeté dans le gouffre au cœur de la mer, et le flot m'a cerné » (Jonas, II, 3-4). Ce texte est au cœur de la liturgie funèbre de l'Église (*De profundis,* Psaumes, CXXXIX) dont la théologie de la résurrection christique repose sur ce *figuratif* de la « baleine ». **4.** La précision a pour effet d'évoquer au travers du vêtement sacerdotal l'écrasement de la « chape de plomb ». **5.** « Ainsi soit-il », formule d'adhésion de la communauté des fidèles à la prière de l'officiant.

un reste d'indignation se ralluma dans cette âme déjà engourdie et froide.

L'archidiacre s'approcha d'elle lentement ; même en cette extrémité, elle le vit promener sur sa nudité un œil étincelant de luxure, de jalousie et de désir. Puis il lui dit à haute voix : — Jeune fille, avez-vous demandé à Dieu pardon de vos fautes et de vos manquements ? Il se pencha à son oreille, et ajouta (les spectateurs croyaient qu'il recevait sa dernière confession) : — Veux-tu de moi ? je puis encore te sauver !

Elle le regarda fixement : — Va-t'en, démon ! ou je te dénonce.

Il se prit à sourire d'un sourire horrible. — On ne te croira pas. — Tu ne feras qu'ajouter un scandale à un crime. — Réponds vite ! veux-tu de moi ?

— Qu'as-tu fait de mon Phœbus ?

— Il est mort ! dit le prêtre.

En ce moment le misérable archidiacre leva la tête machinalement, et vit à l'autre bout de la place, au balcon du logis Gondelaurier, le capitaine debout près de Fleur-de-Lys. Il chancela, passa la main sur ses yeux, regarda encore, murmura une malédiction, et tous ses traits se contractèrent violemment.

— Hé bien ! meurs, toi ! dit-il entre ses dents. Personne ne t'aura. Alors levant la main sur l'égyptienne, il s'écria d'une voix funèbre : — *I nunc, anima anceps, et sit tibi Deus misericors*[1] !

C'était la redoutable formule dont on avait coutume de clore ces sombres cérémonies. C'était le signal convenu du prêtre au bourreau.

Le peuple s'agenouilla.

Kyrie Eleison[2], dirent les prêtres, restés sous l'ogive du portail.

Kyrie Eleison, répéta la foule avec ce murmure qui

1. « Va maintenant, âme double, et que Dieu te soit miséricordieux. » On n'a pu m'indiquer la référence de ce « signal ». 2. Version grecque du psaume LI (*Miserere*) : « Seigneur, aie pitié. » Cette supplication pénitente de David alterne au commencement de la messe avec celle qui s'adresse au Dieu fait homme : « Christe éléison. »

court sur toutes les têtes comme le clapotement d'une mer agitée.

Amen, dit l'archidiacre.

Il tourna le dos à la condamnée, sa tête retomba sur sa poitrine, ses mains se croisèrent, il rejoignit son cortége de prêtres, et un moment après on le vit disparaître, avec la croix, les cierges et les chapes, sous les arceaux brumeux de la cathédrale ; et sa voix sonore s'éteignit par degrés dans le chœur, en chantant ce verset de désespoir.

« *Omnes gurgites tui et fluctus tui super me transierunt*[1] ! »

En même temps le retentissement intermittent de la hampe ferrée des hallebardes des suisses, mourant peu à peu sous les entrecolonnements de la nef, faisait l'effet d'un marteau d'horloge sonnant la dernière heure de la condamnée.

Cependant les portes de Notre-Dame étaient restées ouvertes, laissant voir l'église vide, désolée, en deuil, sans cierges et sans voix.

La condamnée demeurait immobile à sa place, attendant qu'on disposât d'elle. Il fallut qu'un des sergents à verge en avertît maître Charmolue, qui, pendant toute cette scène, s'était mis à étudier le bas-relief du grand portail qui représente, selon les uns le sacrifice d'Abraham[2], selon les autres l'opération philosophale, figurant le soleil par l'ange, le feu par le fagot, l'artisan par Abraham.

On eut assez de peine à l'arracher à cette contemplation, mais enfin il se retourna ; et à un signe qu'il fit, deux hommes vêtus de jaune[3], les valets du bourreau, s'approchèrent de l'égyptienne pour lui rattacher les mains.

La malheureuse, au moment de remonter dans le tombereau fatal et de s'acheminer vers sa dernière station, fut

---

1. « Tous tes tourbillons et tes flots ont passé par-dessus moi » (Jonas, II, 4). **2.** Il s'agit du pacte fondateur du monothéisme juif et de l'universalisme chrétien : Abraham s'apprête à immoler son fils Isaac à la demande de Dieu quand l'ange de Jéhovah l'arrête, fournit un bélier en remplacement, et promet une postérité innombrable, en même temps que la bénédiction de toutes les nations (Genèse, XXII). **3.** Couleur d'infamie.

prise peut-être de quelque déchirant regret de la vie. Elle leva ses yeux rouges et secs vers le ciel, vers le soleil, vers les nuages d'argent coupés çà et là de trapèzes et de triangles bleus ; puis elle les abaissa autour d'elle, sur la terre, sur la foule, sur les maisons... Tout-à-coup, tandis que l'homme jaune lui liait les coudes, elle poussa un cri terrible, un cri de joie. À ce balcon, là-bas, à l'angle de la place, elle venait de l'apercevoir, lui, son ami, son seigneur, Phœbus, l'autre apparition de sa vie ! Le juge avait menti ! le prêtre avait menti ! c'était bien lui, elle n'en pouvait douter ; il était là, beau, vivant, revêtu de son éclatante livrée, la plume en tête, l'épée au côté !

— Phœbus ! cria-t-elle, mon Phœbus !

Et elle voulut tendre vers lui ses bras tremblants d'amour et de ravissement, mais ils étaient attachés.

Alors elle vit le capitaine froncer le sourcil, une belle jeune fille qui s'appuyait sur lui le regarder avec une lèvre dédaigneuse et des yeux irrités ; puis Phœbus prononça quelques mots qui ne vinrent pas jusqu'à elle, et tous deux s'éclipsèrent précipitamment derrière le vitrail du balcon qui se referma.

— Phœbus ! cria-t-elle éperdue, est-ce que tu le crois ?

Une pensée monstrueuse venait de lui apparaître. Elle se souvenait qu'elle avait été condamnée pour meurtre sur la personne de Phœbus de Châteaupers.

Elle avait tout supporté jusque là. Mais ce dernier coup était trop rude. Elle tomba sans mouvement sur le pavé.

— Allons ! dit Charmolue, portez-la dans le tombereau, et finissons !

Personne n'avait encore remarqué dans la galerie des statues des rois, sculptée immédiatement au-dessus des ogives du portail, un spectateur étrange qui avait tout examiné jusqu'alors avec une telle impassibilité, avec un cou si tendu, avec un visage si difforme que, sans son accoutrement mi-parti rouge et violet, on eût pu le prendre pour un de ces monstres de pierre[1] par la gueule desquels se dégorgent depuis six cents ans les longues gouttières de la cathédrale. Ce spectateur n'avait rien perdu de ce qui s'était passé depuis midi devant le portail de Notre-Dame.

---

1. Les gargouilles.

Et dès les premiers instants, sans que personne songeât à l'observer, il avait fortement attaché à l'une des colonnettes de la galerie une grosse corde à nœuds[1], dont le bout allait traîner en bas sur le perron. Cela fait, il s'était mis à regarder tranquillement, et à siffler de temps en temps quand un merle[2] passait devant lui. Tout-à-coup, au moment où les valets du maître des œuvres se disposaient à exécuter l'ordre flegmatique de Charmolue, il enjamba la balustrade de la galerie, saisit la corde des pieds, des genoux et des mains ; puis on le vit couler sur la façade, comme une goutte de pluie qui glisse le long d'une vitre, courir vers les deux bourreaux avec la vitesse d'un chat tombé d'un toit, les terrasser sous deux poings énormes, enlever l'égyptienne d'une main, comme un enfant sa poupée, et d'un seul élan rebondir jusque dans l'église, en élevant la jeune fille au-dessus de sa tête, et en criant d'une voix formidable : Asile[3] !

Cela se fit avec une telle rapidité que, si c'eût été la nuit, on eût pu tout voir à la lumière d'un seul éclair.

— Asile ! asile ! répéta la foule, et dix mille battements de mains firent étinceler de joie et de fierté l'œil unique de Quasimodo.

Cette secousse fit revenir à elle la condamnée. Elle souleva sa paupière, regarda Quasimodo, puis la referma subitement, comme épouvantée de son sauveur.

Charmolue resta stupéfait, et les bourreaux, et toute l'escorte. En effet, dans l'enceinte de Notre-Dame, la condamnée était inviolable. La cathédrale était un lieu de refuge. Toute justice humaine expirait sur le seuil.

Quasimodo s'était arrêté sous le grand portail. Ses larges pieds semblaient aussi solides sur le pavé de l'église que les lourds piliers romans. Sa grosse tête chevelue s'enfonçait dans ses épaules comme celle des lions, qui, eux aussi, ont une crinière et pas de cou. Il tenait la jeune fille toute palpitante, suspendue à ses mains cal-

---

1. Dont on se sert là où l'on peut ou doit se dispenser d'échafauder. **2.** Le merle siffle, et ne refuse pas le dialogue. **3.** Le droit d'asile, qui remonte au IVe siècle s'est largement exercé pendant tout le moyen âge, malgré les restrictions tentées par le pouvoir royal, qui ne l'entame vraiment qu'à partir de la Renaissance, avec Louis XII.

leuses, comme une draperie blanche ; mais il la portait avec tant de précaution qu'il paraissait craindre de la briser ou de la faner. On eût dit qu'il sentait que c'était une chose délicate, exquise et précieuse, faite pour d'autres mains que les siennes. Par moments il avait l'air de n'oser la toucher, même du souffle. Puis, tout-à-coup, il la serrait avec étreinte dans ses bras, sur sa poitrine anguleuse, comme son bien, comme son trésor, comme eût fait la mère de cette enfant. Son œil de gnome, abaissé sur elle, l'inondait de tendresse, de douleur et de pitié, et se relevait subitement plein d'éclairs. Alors les femmes riaient et pleuraient, la foule trépignait d'enthousiasme, car en ce moment-là Quasimodo avait vraiment sa beauté. Il était beau, lui, cet orphelin, cet enfant trouvé, ce rebut, il se sentait auguste et fort, il regardait en face cette société dont il était banni, et dans laquelle il intervenait si puissamment, cette justice humaine à laquelle il avait arraché sa proie, tous ces tigres forcés de mâcher à vide, ces sbires [1], ces juges, ces bourreaux, toute cette force du roi qu'il venait de briser, lui infime, avec la force de Dieu.

Et puis c'était une chose touchante que cette protection tombée d'un être si difforme sur un être si malheureux, qu'une condamnée à mort sauvée par Quasimodo. C'était les deux misères extrêmes de la nature et de la société, qui se touchaient et qui s'entr'aidaient [2].

Cependant, après quelques minutes de triomphe, Quasimodo s'était brusquement enfoncé dans l'église avec son fardeau. Le peuple, amoureux de toute prouesse [3], le cherchait des yeux, sous la sombre nef, regrettant qu'il se fût si vite dérobé à ses acclamations. Tout-à-coup on le vit reparaître à l'une des extrémités de la galerie des rois de France ; il la traversa en courant comme un insensé, en élevant sa conquête dans ses bras et en criant : Asile ! La foule éclata de nouveau en applaudissements. La galerie parcourue, il se replongea dans l'intérieur de l'église.

---

1. Au sens propre : les archers de la Prévôté, les hommes de la police. **2.** En vertu du principe que les extrêmes se touchent. L'antithèse étant doublée d'un chiasme, figure de l'échange, ils peuvent s'entraider. **3.** Action d'un preux, d'un chevalier, à quoi peut se comparer tel tour d'adresse, de force, de courage.

Un moment après il reparut sur la plate-forme supérieure, toujours l'égyptienne dans ses bras, toujours courant avec folie, toujours criant : Asile ! Et la foule applaudissait. Enfin, il fit une troisième apparition sur le sommet de la tour du bourdon ; de là il sembla montrer avec orgueil à toute la ville celle qu'il avait sauvée, et sa voix tonnante, cette voix qu'on entendait si rarement et qu'il n'entendait jamais, répéta trois fois avec frénésie jusque dans les nuages : Asile ! asile ! asile !

— Noël ! Noël [1] ! criait le peuple de son côté, et cette immense acclamation allait étonner sur l'autre rive la foule de la Grève et la recluse qui attendait toujours, l'œil fixé sur le gibet.

---

1. Ce cri de la joie populaire, saluant la Nativité de Jésus, est interprété par la documentation de Hugo comme la déformation d'*Emmanuel !* (Dieu est avec nous !).

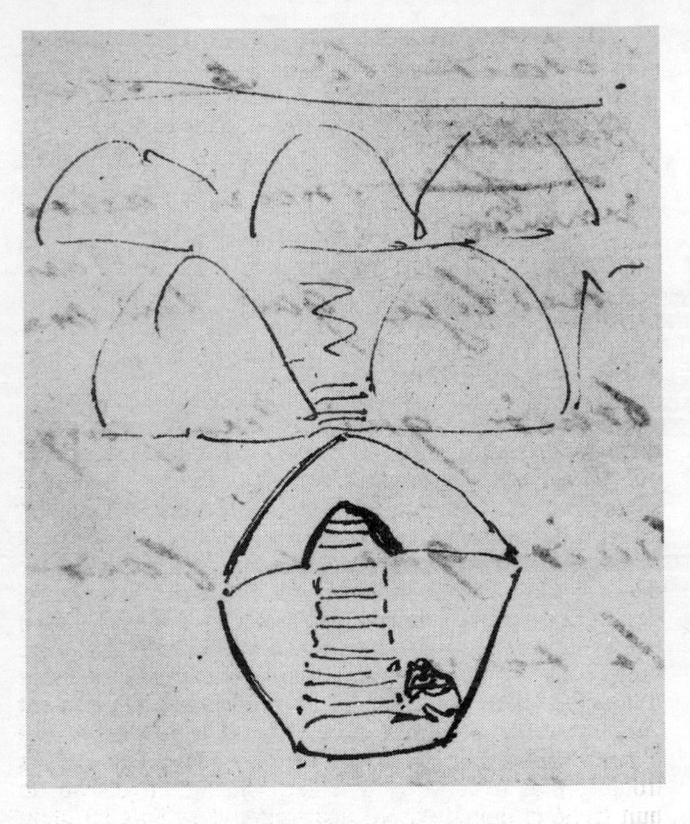

« Ces entonnoirs de cachots aboutissaient d'ordinaire à un cul de basse fosse à fond de cuve où Dante a mis Satan... » (p. 460)

Manuscrit de *Notre-Dame de Paris* : l'entonnoir.

LIVRE NEUVIÈME

I

FIÈVRE

Claude Frollo n'était plus dans Notre-Dame, pendant que son fils adoptif tranchait si brusquement le nœud fatal où le malheureux archidiacre avait pris l'égyptienne et s'était pris lui-même. Rentré dans la sacristie, il avait arraché l'aube, la chape et l'étole[1], avait tout jeté aux mains du bedeau stupéfait, s'était échappé par la porte dérobée du cloître, avait ordonné à un batelier du Terrain de le transporter sur la rive gauche de la Seine, et s'était enfoncé dans les rues montueuses[2] de l'Université, ne sachant où il allait, rencontrant à chaque pas des bandes d'hommes et de femmes qui se pressaient joyeusement vers le pont Saint-Michel dans l'espoir *d'arriver encore à temps* pour voir pendre la sorcière, pâle, égaré, plus troublé, plus aveugle et plus farouche qu'un oiseau de nuit lâché et poursuivi par une troupe d'enfants en plein jour. Il ne savait plus où il était, ce qu'il pensait, s'il rêvait. Il allait, il marchait, il courait, prenant toute rue au hasard, ne choisissant pas, seulement toujours poussé en avant par la Grève, par l'horrible Grève qu'il sentait confusément derrière lui.

Il longea ainsi la montagne Sainte-Geneviève, et sortit

---

1. L'aube, tunique blanche de l'officiant, est recouverte par la chape, sur laquelle, autour du col, pendent les extrémités élargies de l'étole. **2.** La propriété incertaine du terme décèle une contamination entre une formule de Montaigne (« chemin montueux et malaisé » et ce début de La Fontaine (*Fables*, VII, 8, *Le Coche et la Mouche)* : Dans un chemin montant, sablonneux, malaisé...

enfin de la ville par la porte Saint-Victor[1]. Il continua de s'enfuir, tant qu'il put voir en se retournant l'enceinte de tours de l'Université et les rares maisons du faubourg ; mais lorsque enfin un pli du terrain lui eut dérobé en entier cet odieux Paris, quand il put s'en croire à cent lieues, dans les champs, dans un désert, il s'arrêta, et il lui sembla qu'il respirait.

Alors des idées affreuses se pressèrent dans son esprit. Il revit clair dans son âme, et frissonna. Il songea à cette malheureuse fille qui l'avait perdu et qu'il avait perdue. Il promena un œil hagard sur la double voie tortueuse que la fatalité avait fait suivre à leurs deux destinées, jusqu'au point d'intersection où elle les avait impitoyablement brisées l'une contre l'autre. Il pensa à la folie des vœux éternels, à la vanité de la chasteté, de la science, de la religion, de la vertu, à l'inutilité de Dieu. Il s'enfonça à cœur-joie dans les mauvaises pensées, et à mesure qu'il y plongeait plus avant, il sentait éclater en lui-même un rire de Satan.

Et en creusant ainsi son âme, quand il vit quelle large place la nature y avait préparée aux passions, il ricana plus amèrement encore. Il remua au fond de son cœur toute sa haine, toute sa méchanceté ; et il reconnut, avec le froid coup d'œil d'un médecin qui examine un malade, que cette haine, que cette méchanceté n'étaient que de l'amour vicié ; que l'amour, cette source de toute vertu chez l'homme, tournait en choses horribles dans un cœur de prêtre, et qu'un homme constitué comme lui, en se faisant prêtre, se faisait démon. Alors il rit affreusement, et tout-à-coup il redevint pâle, en considérant le côté le plus sinistre de sa fatale passion, de cet amour corrosif, venimeux, haineux, implacable, qui n'avait abouti qu'au gibet pour l'une, à l'enfer pour l'autre : elle condamnée, lui damné.

Et puis le rire lui revint, en songeant que Phœbus était vivant ; qu'après tout le capitaine vivait, était alègre et

---

1. Au pied de la Montagne Sainte-Geneviève, au bout de la rue Saint-Victor (grande route d'Italie à partir de la place Maubert et à l'emplacement de la rue des Écoles) et face à l'abbaye du même nom (Jussieu).

content, avait de plus beaux hoquetons que jamais, et une nouvelle maîtresse qu'il menait voir pendre l'ancienne. Son ricanement redoubla quand il réfléchit que, des êtres vivants dont il avait voulu la mort, l'égyptienne, la seule créature qu'il ne haït pas, était la seule qu'il n'eût pas manquée.

Alors du capitaine sa pensée passa au peuple, et il lui vint une jalousie d'une espèce inouie. Il songea que le peuple aussi, le peuple tout entier, avait eu sous les yeux la femme qu'il aimait, en chemise, presque nue. Il se tordit les bras en pensant que cette femme, dont la forme entrevue dans l'ombre par lui seul lui eût été le bonheur suprême, avait été livrée en plein jour, en plein midi, à tout un peuple, vêtue comme pour une nuit de volupté. Il pleura de rage sur tous ces mystères d'amour profanés, souillés, dénudés, flétris à jamais. Il pleura de rage en se figurant combien de regards immondes avaient trouvé leur compte à cette chemise mal nouée ; et que cette belle fille, ce lis vierge, cette coupe de pudeur et de délices dont il n'eût osé approcher ses lèvres qu'en tremblant, venait d'être transformée en une sorte de gamelle publique, où la plus vile populace de Paris, les voleurs, les mendiants, les laquais, étaient venus boire en commun un plaisir effronté, impur et dépravé.

Et quand il cherchait à se faire une idée du bonheur qu'il eût pu trouver sur la terre si elle n'eût pas été bohémienne et s'il n'eût pas été prêtre, si Phœbus n'eût pas existé et si elle l'eût aimé ; quand il se figurait qu'une vie de sérénité et d'amour lui eût été possible aussi à lui, qu'il y avait en ce même moment çà et là sur la terre des couples heureux, perdus en longues causeries sous les orangers[1], au bord des ruisseaux, en présence d'un soleil

---

1. Leur fleur, au parfum entêtant et sensuel, fait au XIXe siècle la couronne virginale des mariées. L'allusion à l'épisode de Mignon — qui est une des références essentielles de *Notre-Dame de Paris* — et à sa célèbre chanson « Connais-tu le pays... » marque l'importance du *Wilhelm Meister* de Goethe, dont une traduction de Th. Toussenel venait d'être publiée en 1829 : Mme de Staël avait consacré deux pages inspirées dans *De l'Allemagne* (II, 28), publié en 1813, à cette nostalgie de l'Italie. Depuis « Alors du capitaine... », ces deux paragraphes sont en addition au ms.

couchant, d'une nuit étoilée ; et que si Dieu l'eût voulu, il eût pu faire avec elle un de ces couples de bénédictions, son cœur se fondait en tendresse et en désespoir.

Oh ! elle ! c'est elle ! C'est cette idée fixe qui revenait sans cesse, qui le torturait, qui lui mordait la cervelle et lui déchiquetait les entrailles. Il ne regrettait pas, il ne se repentait pas ; tout ce qu'il avait fait, il était prêt à le faire encore ; il aimait mieux la voir aux mains du bourreau qu'aux bras du capitaine. Mais il souffrait ; il souffrait tant que par instants il s'arrachait des poignées de cheveux, pour voir s'ils ne blanchissaient pas.

Il y eut un moment entre autres où il lui vint à l'esprit que c'était là peut-être la minute où la hideuse chaîne qu'il avait vue le matin resserrait son nœud de fer autour de ce cou si frêle et si gracieux. Cette pensée lui fit jaillir la sueur de tous les pores.

Il y eut un autre moment où, tout en riant diaboliquement sur lui-même, il se représenta à la fois la Esmeralda comme il l'avait vue le premier jour, vive, insouciante, joyeuse, parée, dansante, ailée, harmonieuse, et la Esmeralda du dernier jour, en chemise, la corde au cou, montant lentement, avec ses pieds nus, l'échelle anguleuse [1] du gibet ; il se figura ce double tableau d'une telle façon qu'il poussa un cri terrible.

Tandis que cet ouragan de désespoir bouleversait, brisait, arrachait, courbait, déracinait tout dans son âme, il regarda la nature autour de lui. À ses pieds, quelques poules fouillaient les broussailles en becquetant, les scarabées d'émail couraient au soleil ; au-dessus de sa tête quelques groupes de nuées gris-pommelé fuyaient dans un ciel bleu ; à l'horizon, la flèche de l'abbaye Saint-Victor perçait la courbe du coteau de son obélisque d'ardoise ; et le meunier de la butte Copeaux regardait en sifflant tourner les ailes travailleuses de son moulin. Toute cette vie active, organisée, tranquille, reproduite autour de lui sous mille formes, lui fit mal. Il recommença à fuir.

---

1. Parce qu'elle fait un angle avec le gibet, ce qui offre quelque analogie avec les majuscules grecques de l'ANAΓKH, et parce que ce terme évoque l'angoisse.

Il courut ainsi à travers champs jusqu'au soir. Cette fuite de la nature, de la vie, de lui-même, de l'homme, de Dieu, de tout, dura tout le jour. Quelquefois il se jetait la face contre terre, et il arrachait avec ses ongles les jeunes blés[1]. Quelquefois il s'arrêtait dans une rue de village[2] déserte ; et ses pensées étaient si insupportables qu'il prenait sa tête à deux mains et tâchait de l'arracher de ses épaules pour la briser sur le pavé.

Vers l'heure où le soleil déclinait, il s'examina de nouveau, et il se trouva presque fou. La tempête qui durait en lui depuis l'instant où il avait perdu l'espoir et la volonté de sauver l'égyptienne, cette tempête n'avait pas laissé dans sa conscience une seule idée saine, une seule pensée debout. Sa raison y gisait, à peu près entièrement détruite. Il n'avait plus que deux images distinctes dans l'esprit, la Esmeralda et la potence : tout le reste était noir. Ces deux images rapprochées lui présentaient un groupe effroyable ; et plus il y fixait ce qui lui restait d'attention et de pensée, plus il les voyait croître, selon une progression fantastique, l'une en grâce, en charme, en beauté, en lumière, l'autre en horreur ; de sorte qu'à la fin, la Esmeralda lui apparaissait comme une étoile, le gibet comme un énorme bras décharné.

Une chose remarquable, c'est que pendant toute cette torture il ne lui vint pas l'idée sérieuse de mourir. Le misérable était ainsi fait. Il tenait à la vie. Peut-être voyait-il réellement l'enfer derrière.

Cependant le jour continuait de baisser. L'être vivant qui existait encore en lui songea confusément au retour. Il se croyait loin de Paris, mais, en s'orientant, il s'aperçut qu'il n'avait fait que tourner l'enceinte de l'Université. La flèche de Saint-Sulpice et les trois hautes aiguilles de Saint-Germain-des-Prés dépassaient l'horizon à sa droite[3]. Il se dirigea de ce côté. Quand il entendit le qui-vive des hommes-d'armes de l'abbé autour de la circonvalla-

---

1. La moisson ne se faisait pas avant août, et l'on est en mai. Mais le « blé en herbe » a d'autres vertus que de calendrier. **2.** Les localités de banlieue, que Paris n'a annexées qu'en 1860. **3.** Puisqu'il va d'est en ouest.

tion crénelée[1] de Saint-Germain, il se détourna, prit un sentier qui s'offrit à lui entre le moulin de l'Abbaye et la Maladerie du bourg, et au bout de quelques instants se trouva sur la lisière du Pré-aux-Clercs. Ce pré était célèbre par les tumultes qui s'y faisaient nuit et jour ; c'était l'*hydre* des pauvres moines de Saint-Germain : *Quod monachis Sancti-Germani pratensis hydra fuit, clericis nova semper dissidiorum capita suscitantibus*[2]. L'archidiacre craignit d'y rencontrer quelqu'un ; il avait peur de tout visage humain ; il venait d'éviter l'Université, le bourg Saint-Germain ; il voulait ne rentrer dans les rues que le plus tard possible. Il longea le Pré-aux-Clercs, prit le sentier désert qui le séparait du Dieu-Neuf[3], et arriva enfin au bord de l'eau. Là, dom Claude trouva un batelier qui, pour quelques deniers parisis, lui fit remonter la Seine jusqu'à la pointe de la Cité, et le déposa sur cette langue de terre abandonnée où le lecteur a déjà vu rêver Gringoire, et qui se prolongeait au-delà des jardins du roi, parallèlement à l'île du Passeur-aux-Vaches[4].

Le bercement monotone du bateau et le bruissement de l'eau avaient en quelque sorte engourdi le malheureux Claude. Quand le batelier se fut éloigné, il resta stupidement debout sur la grève, regardant devant lui et ne percevant plus les objets qu'à travers des oscillations grossissantes qui lui faisaient de tout une sorte de fantasmagorie[5]. Il n'est pas rare que la fatigue d'une grande douleur produise cet effet sur l'esprit.

---

1. Hors du mur d'enceinte, qui passait à l'actuel carrefour de l'Odéon. La maladrerie était proche de l'actuel carrefour Sèvres-Babylone, et le moulin sur une butte, à l'emplacement de la rue Saint-Guillaume. Le Pré-aux-Clercs, que se disputaient l'abbaye et l'Université, longeait la Seine. **2.** « Ce qui fut pour les moines de Saint-Germain aux prés une hydre, car les clercs suscitaient toujours de nouveaux chefs de discordes. » Du Breul (615) à propos du « sixième trouble », en 1498, joue sur les chefs (têtes) de l'hydre de Lerne, qui repoussaient sitôt coupées. **3.** Le couvent des Grands-Augustins, reconstruit au milieu du XIVe siècle, à l'emplacement de l'actuelle rue Dauphine. **4.** L'île aux Juifs et l'île du Passeur n'ont été rattachées à la Cité qu'au début du XVIIe siècle. **5.** Montage de physique amusante qui consiste par des effets d'optique à donner l'illusion de fantômes en mouvement dans une salle où le public est plongé dans l'obscurité. L'inventeur du « fantascope », Étienne Robert dit Robertson (1763-1837), célèbre pour son évocation du spectre de Marat en 1798, avait commencé à publier ses

Le soleil était couché derrière la haute tour de Nesle[1]. C'était l'instant du crépuscule. Le ciel était blanc, l'eau de la rivière était blanche. Entre ces deux blancheurs, la rive gauche de la Seine, sur laquelle il avait les yeux fixés, projetait sa masse sombre, et, de plus en plus amincie par la perspective, s'enfonçait dans les brumes de l'horizon comme une flèche noire. Elle était chargée de maisons, dont on ne distinguait que la silhouette obscure, vivement relevée en ténèbres sur le fond clair du ciel et de l'eau. Çà et là des fenêtres commençaient à y scintiller comme des trous de braise. Cet immense obélisque noir ainsi isolé entre les deux nappes blanches du ciel et de la rivière, fort large en cet endroit, fit à dom Claude un effet singulier, comparable à ce qu'éprouverait un homme qui, couché à terre sur le dos au pied du clocher de Strasbourg, regarderait l'énorme aiguille s'enfoncer au-dessus de sa tête dans les pénombres du crépuscule. Seulement ici c'était Claude qui était debout et l'obélisque qui était couché ; mais comme la rivière, en réflétant le ciel, prolongeait l'abîme au-dessous de lui, l'immense promontoire semblait aussi hardiment élancé dans le vide que toute flèche de cathédrale ; et l'impression était la même. Cette impression avait même cela d'étrange et de plus profond, que c'était bien le clocher de Strasbourg, mais le clocher de Strasbourg haut de deux lieues ; quelque chose d'inoui, de gigantesque, d'incommensurable ; un édifice comme nul œil humain n'en a vu ; une tour de Babel. Les cheminées des maisons, les créneaux des murailles, les pignons taillés des toits, la flèche des Augustins, la tour de Nesle, toutes ces saillies qui ébréchaient le profil du colossal obélisque, ajoutaient à l'illusion en jouant bizarrement à l'œil les découpures d'une sculpture touffue et fantastique. Claude, dans l'état de hallucination où il se trou-

---

Mémoires en 1830, date de l'arrivée de Robert Houdin à Paris. Les impressions d'avancée et de recul des images produites par cette illusion pouvaient sans doute être plus ou moins analogues au malaise visionnaire que Hugo prête à son personnage.

1. Au bord de la Seine, rive gauche, à hauteur de l'actuelle Bibliothèque Mazarine, cette tour de l'enceinte, haute de 40 m, cristallisait la légende des infamies royales, et valut à Alexandre Dumas son triomphe du 29 mai 1832 au théâtre.

vait, crut voir, voir de ses yeux vivants, le clocher de l'enfer ; les mille lumières répandues sur toute la hauteur de l'épouvantable tour lui parurent autant de porches de l'immense fournaise intérieure ; les voix et les rumeurs qui s'en échappaient, autant de cris, autant de râles. Alors il eut peur, il mit ses mains sur ses oreilles pour ne plus entendre, tourna le dos pour ne plus voir, et s'éloigna à grands pas de l'effroyable vision.

Mais la vision était en lui.

Quand il rentra dans les rues, les passants, qui se coudoyaient aux lueurs des devantures de boutiques, lui faisaient l'effet d'une éternelle allée et venue de spectres autour de lui. Il avait des fracas étranges dans l'oreille ; des fantaisies[1] extraordinaires lui troublaient l'esprit. Il ne voyait ni les maisons, ni le pavé, ni les chariots, ni les hommes et les femmes ; mais un chaos d'objets indéterminés qui se fondaient par les bords les uns dans les autres. Au coin de la rue de la Barillerie[2], il y avait une boutique d'épicerie, dont l'auvent était, selon l'usage immémorial, garni dans son pourtour de ces cerceaux de fer-blanc auxquels pend un cercle de chandelles de bois, qui s'entrechoquent au vent en claquant comme des castagnettes. Il crut entendre s'entreheurter dans l'ombre le trousseau de squelettes de Montfaucon.

— Oh ! murmura-t-il, le vent de la nuit les chasse les uns contre les autres, et mêle le bruit de leurs chaînes au bruit de leurs os ! Elle est peut-être là, parmi eux !

Éperdu, il ne sut où il allait. Au bout de quelques pas, il se trouva sur le pont Saint-Michel. Il y avait une lumière à une fenêtre d'un rez-de-chaussée : il s'approcha. À travers un vitrage fêlé, il vit une salle sordide, qui réveilla un souvenir confus dans son esprit. Dans cette salle, mal éclairée d'une lampe maigre, il y avait un jeune homme blond et frais, à figure joyeuse, qui embrassait, avec de grands éclats de rire, une jeune fille fort effrontément parée ; et, près de la lampe, il y avait une vieille femme qui filait et qui chantait d'une voix chevrotante. Comme

1. Au sens ancien, et encore en allemand : pulsions de l'imagination. 2. Joint le Pont-au-Change au Pont Saint-Michel, en passant devant le Palais de Justice.

le jeune homme ne riait pas toujours, la chanson de la vieille arrivait par lambeaux jusqu'au prêtre ; c'était quelque chose d'inintelligible et d'affreux.

> Grève, aboye, Grève, grouille !
> File, file, ma quenouille,
> File sa corde au bourreau
> Qui siffle dans le préau [1].
> Grève, aboye, Grève, grouille !
>
> La belle corde de chanvre !
> Semez d'Issy jusqu'à Vanvre [2]
> Du chanvre et non pas de blé.
> Le voleur n'a pas volé
> La belle corde de chanvre.
>
> Grève, grouille, Grève, aboye !
> Pour voir la fille de joie
> Pendre au gibet chassieux [3],
> Les fenêtres sont des yeux.
> Grève, grouille, Grève, aboye !

Là-dessus le jeune homme riait et caressait la fille. La vieille, c'était la Falourdel ; la fille, c'était une fille publique ; le jeune homme, c'était son frère Jehan.

Il continua de regarder. Autant ce spectacle qu'un autre.

Il vit Jehan aller à une fenêtre qui était au fond de la salle, l'ouvrir, jeter un coup d'œil sur le quai, où brillaient au loin mille croisées éclairées, et il l'entendit dire en refermant la fenêtre : — Sur mon âme ! voilà qu'il se fait nuit. Les bourgeois allument leurs chandelles et le bon Dieu ses étoiles.

---

1. Dans les prisons avant d'être dans les écoles. **2.** Vanves, village limitrophe d'Issy-les-Moulineaux, au sud-sud-ouest de Paris ; c'est la rime de ces heptasyllabes qui fait la raison : il n'y a pas plus d'espace d'Issy à Vanves que d'ici à la potence, et moins de blé à gagner que de chanvre. **3.** La chassie est le pus qui coule des yeux malades. Le gibet est purulent de la fonte des cadavres, qu'on voit d'abord aux yeux. On a là une sorte d'hommage tacite à Villon.

Puis, Jehan revint vers la ribaude, et cassa une bouteille qui était sur une table, en s'écriant : — Déjà vide, corbœuf ! et je n'ai plus d'argent ! Isabeau, ma mie, je ne serai content de Jupiter que lorsqu'il aura changé vos deux tétins blancs en deux noires bouteilles, où je téterai du vin de Beaune jour et nuit.

Cette belle plaisanterie fit rire la fille de joie, et Jehan sortit.

Dom Claude n'eut que le temps de se jeter à terre pour ne pas être rencontré, regardé en face et reconnu par son frère. Heureusement la rue était sombre, et l'écolier était ivre. Il avisa cependant l'archidiacre couché sur le pavé dans la boue. — Oh ! oh ! dit-il ; en voilà un qui a mené joyeuse vie aujourd'hui.

Il remua du pied dom Claude, qui retenait son souffle.

— Ivre-mort, reprit Jehan. Allons, il est plein. Une vraie sangsue détachée d'un tonneau. Il est chauve, ajouta-t-il en se baissant ; c'est un vieillard ! *Fortunate senex*[1] *!*

Puis, dom Claude l'entendit s'éloigner, en disant : — C'est égal : la raison est une belle chose, et mon frère l'archidiacre est bien heureux d'être sage et d'avoir de l'argent.

L'archidiacre alors se releva, et courut, tout d'une haleine, vers Notre-Dame, dont il voyait les tours énormes surgir dans l'ombre au-dessus des maisons.

À l'instant où il arriva tout haletant sur la place du Parvis, il recula, et n'osa lever les yeux sur le funeste édifice. — Oh ! dit-il à voix basse, est-il donc bien vrai qu'une telle chose se soit passée ici, aujourd'hui, ce matin même ?

Cependant il se hasarda à regarder l'église. La façade était sombre ; le ciel derrière étincelait d'étoiles. Le croissant de la lune, qui venait de s'envoler de l'horizon, était arrêté en ce moment au sommet de la tour de droite, et semblait s'être perché, comme un oiseau lumineux, au bord de la balustrade découpée en trèfles noirs.

---

1. « Heureux vieillard » dit Mélibée sur la route de l'exil à Tityre, qui jouit paisiblement de sa campagne après les assurances reçues à Rome, dans la première *Bucolique* de Virgile.

La porte du cloître était fermée ; mais l'archidiacre avait toujours sur lui la clef de la tour où était son laboratoire. Il s'en servit pour pénétrer dans l'église.

Il trouva dans l'église une obscurité et un silence de caverne. Aux grandes ombres qui tombaient de toutes parts à larges pans, il reconnut que les tentures de la cérémonie du matin n'avaient pas encore été enlevées. La grande croix d'argent scintillait au fond des ténèbres, saupoudrée de quelques points étincelants, comme la voie lactée[1] de cette nuit de sépulcre. Les longues fenêtres du chœur montraient au-dessus de la draperie noire l'extrémité supérieure de leurs ogives, dont les vitraux, traversés d'un rayon de lune, n'avaient plus que les couleurs douteuses de la nuit, une espèce de violet, de blanc et de bleu, dont on ne retrouve la teinte que sur la face des morts. L'archidiacre, en apercevant tout autour du chœur ces blêmes pointes d'ogives, crut voir des mitres d'évêques damnés. Il ferma les yeux, et quand il les rouvrit, il crut que c'était un cercle de visages pâles qui le regardaient.

Il se mit à fuir à travers l'église. Alors il lui sembla que l'église aussi s'ébranlait, remuait, s'animait, vivait ; que chaque grosse colonne devenait une patte énorme qui battait le sol de sa large spatule de pierre, et que la gigantesque cathédrale n'était plus qu'une sorte d'éléphant prodigieux, qui soufflait et marchait avec ses piliers pour pieds, ses deux tours pour trompes et l'immense drap noir pour caparaçon.

Ainsi, la fièvre ou la folie était arrivée à un tel degré d'intensité que le monde extérieur n'était plus pour l'infortuné qu'une sorte d'Apocalypse[2], visible, palpable, effrayante.

Il fut un moment soulagé. En s'enfonçant sous les bas-côtés, il aperçut, derrière un massif de piliers, une lueur rougeâtre. Il y courut comme à une étoile. C'était la

---

1. Traînée blanchâtre dans le ciel nocturne, faite de l'apparente densité des étoiles dans cette vue de profil de notre galaxie. **2.** Ou « Révélation », texte canonique attribué à l'évangéliste Jean, et qui est fait d'une série de visions prophétiques, décrivant les ultimes victoires de l'Antéchrist et le triomphe de Dieu à la fin des temps.

pauvre lampe qui éclairait jour et nuit le bréviaire public de Notre-Dame, sous son treillis de fer. Il se jeta avidement sur le saint livre, dans l'espoir d'y trouver quelque consolation ou quelque encouragement. Le livre était ouvert à ce passage de Job, sur lequel son œil fixe se promena : — « Et un esprit passa devant ma face, et j'entendis un petit souffle, et le poil de ma chair se hérissa[1]. »

À cette lecture lugubre, il éprouva ce qu'éprouve l'aveugle qui se sent piquer par le bâton[2] qu'il a ramassé. Ses genoux se dérobèrent sous lui, et il s'affaissa sur le pavé, songeant à celle qui était morte dans le jour. Il sentait passer et se dégorger dans son cerveau tant de fumées monstrueuses qu'il lui semblait que sa tête était devenue une des cheminées de l'enfer.

Il paraît qu'il resta long-temps dans cette attitude, ne pensant plus, abîmé et passif sous la main du démon. Enfin, quelque force lui revint ; il songea à s'aller réfugier dans la tour, près de son fidèle Quasimodo. Il se leva ; et comme il avait peur, il prit, pour s'éclairer, la lampe du bréviaire. C'était un sacrilége ; mais il n'en était plus à regarder à si peu de chose.

Il gravit lentement l'escalier des tours, plein d'un secret effroi que devait propager jusqu'aux rares passants du Parvis la mystérieuse lumière de sa lampe montant si tard de meurtrière en meurtrière au haut du clocher.

Tout-à-coup il sentit quelque fraîcheur sur son visage, et se trouva sous la porte de la plus haute galerie. L'air était froid ; le ciel charriait des nuages, dont les larges lames blanches débordaient les unes sur les autres en s'écrasant par les angles, et figuraient une débâcle[3] de fleuve en hiver. Le croissant de la lune, échoué au milieu des nuées, semblait un navire céleste pris dans ces glaçons de l'air.

Il baissa la vue, et contempla un instant, entre la grille

---

1. Job, IV, 12 et 15 (Discours d'Éliphas) : « Puis me fut dite une parole cachée, et, comme furtivement, mon oreille saisit le sens de son chuchotement... Et comme un esprit, moi présent, passait, se hérissèrent les poils de ma chair. » **2.** Un bâton de hasard peut bien être épineux, mais on peut aussi se souvenir de la verge de Moïse qui, jetée à terre, se changea en serpent (Exode, IV, 3). **3.** Quand se défait l'embâcle et que le courant dissocie les glaces.

de colonnettes qui unit les deux tours, au loin, à travers une gaze de brumes et de fumées, la foule silencieuse des toits de Paris, aigus, innombrables, pressés et petits comme les flots d'une mer tranquille dans une nuit d'été.

La lune jetait un faible rayon, qui donnait au ciel et à la terre une teinte de cendre.

En ce moment l'horloge éleva sa voix grêle et fêlée. Minuit sonna. Le prêtre pensa à midi ; c'étaient les douze heures qui revenaient [1]. — Oh ! se dit-il tout bas, elle doit être froide à présent !

Tout-à-coup un coup de vent éteignit sa lampe, et presque en même temps il vit paraître, à l'angle opposé de la tour, une ombre, une blancheur, une forme, une femme. Il tressaillit. À côté de cette femme, il y avait une petite chèvre, qui mêlait son bêlement au dernier bêlement de l'horloge.

Il eut la force de regarder. C'était elle.

Elle était pâle, elle était sombre. Ses cheveux tombaient sur ses épaules comme le matin ; mais plus de corde au cou, plus de mains attachées : elle était libre, elle était morte.

Elle était vêtue de blanc et avait un voile blanc sur la tête.

Elle venait vers lui, lentement, en regardant le ciel. La chèvre surnaturelle la suivait. Il se sentait de pierre et trop lourd pour fuir. À chaque pas qu'elle faisait en avant, il en faisait un en arrière, et c'était tout. Il rentra ainsi sous la voûte obscure de l'escalier. Il était glacé de l'idée qu'elle allait peut-être y entrer aussi ; si elle l'eût fait, il serait mort de terreur.

Elle arriva en effet devant la porte de l'escalier, s'y arrêta quelques instants, regarda fixement dans l'ombre, mais sans paraître y voir le prêtre, et passa. Elle lui parut plus grande que lorsqu'elle vivait ; il vit la lune à travers sa robe blanche ; il entendit son souffle.

Quand elle fut passée, il se mit à redescendre l'escalier, avec la lenteur qu'il avait vue au spectre, se croyant

---

1. Nerval se souviendra-t-il, dans le sonnet « Artémis » des *Chimères* qui n'a pas oublié sainte Gudule, du retour de ces douze coups par quoi revient la Treizième heure ?

spectre lui-même, hagard, les cheveux tout droits, sa lampe éteinte toujours à la main ; et tout en descendant les degrés en spirale, il entendait distinctement dans son oreille une voix qui riait et qui répétait : « ... Un esprit passa devant ma face, et j'entendis un petit souffle, et le poil de ma chair se hérissa. »

II

BOSSU, BORGNE, BOITEUX[1]

Toute ville au moyen-âge, et jusqu'à Louis XII, toute ville en France avait ses lieux d'asile. Ces lieux d'asile, au milieu du déluge de lois pénales et de juridictions barbares qui inondaient la Cité, étaient des espèces d'îles qui s'élevaient au-dessus du niveau de la justice humaine. Tout criminel qui y abordait était sauvé. Il y avait dans une banlieue presque autant de lieux d'asile que de lieux patibulaires. C'était l'abus de l'impunité à côté de l'abus des supplices, deux choses mauvaises qui tâchaient de se corriger l'une par l'autre. Les palais du roi, les hôtels des princes, les églises surtout avaient droit d'asile. Quelquefois d'une ville tout entière qu'on avait besoin de repeupler on faisait temporairement un lieu de refuge. Louis XI fit Paris asile en 1467[2].

Une fois le pied dans l'asile, le criminel était sacré ; mais il fallait qu'il se gardât d'en sortir : un pas hors du sanctuaire, il retombait dans le flot. La roue, le gibet, l'estrapade[3] faisaient bonne garde à l'entour du lieu de refuge, et guettaient sans cesse leur proie comme les requins autour du vaisseau. On a vu des condamnés qui blanchissaient ainsi dans un cloître, sur l'escalier d'un

---

1. Emprunté à Rabelais, V, 3 (abandon des enfants difformes à L'Île-« Bossart »). **2.** La *Chronique*... mentionne ce statut de « ville franche » qui à Paris comme ailleurs intégra les délinquants de tout genre à l'essor de la nation, à plusieurs reprises. **3.** Supplice qui consiste à précipiter le condamné, dûment ficelé et suspendu, de bonne hauteur jusqu'au ras de terre. A sa place à Paris, près du Panthéon !

palais[1], dans la culture[2] d'une abbaye, sous un porche d'église ; de cette façon l'asile était une prison comme une autre. Il arrivait quelquefois qu'un arrêt solennel du parlement violait le refuge et restituait le condamné au bourreau ; mais la chose était rare. Les parlements s'effarouchaient des évêques, et quand ces deux robes-là en venaient à se froisser, la simarre[3] n'avait pas beau jeu avec la soutane. Parfois, cependant, comme dans l'affaire des assassins de Petit-Jean, bourreau de Paris[4], et dans celle d'Emery Rousseau, meurtrier de Jean Valleret, la justice sautait par-dessus l'église et passait outre à l'exécution de ses sentences[5] ; mais, à moins d'un arrêt du parlement, malheur à qui violait à main armée un lieu d'asile ! On sait quelle fut la mort de Robert de Clermont, maréchal de France, et de Jean de Châlons, maréchal de Champagne[6] ; et pourtant il ne s'agissait que d'un certain Perrin Marc, garçon d'un changeur, un misérable assassin ; mais les deux maréchaux avaient brisé les portes de Saint-Méry. Là était l'énormité.

Il y avait autour des refuges un tel respect, qu'au dire de la tradition, il prenait parfois jusqu'aux animaux.

---

1. La notion de dépendance, d'appendice, de sas entre le dedans et le dehors commande cette séquence, ici peut-être avec un écho de la chanson du petit cordonnier « aux marches du palais ». **2.** Ou couture : le jardin, potager, fruitier, pharmaceutique et floral du couvent. **3.** Robe du juge. **4.** La *Chronique...* narre les suites du guet-apens : les assassins se sont réfugiés chez les Célestins, en ont été extraits par Robert d'Estouteville ; réclamés par les Célestins devant le Parlement, ils ont été requis comme clercs par l'Université, mais renvoyés à la justice du prévôt, ils ont été pendus par Henri Cousin, père de leur victime (août 1477). **5.** Passait outre à l'église et faisait exécuter ses sentences. **6.** C'est dans la Grand Salle qu'Étienne Marcel, au dire de Sauval (II, 5), fit assassiner « en 1357 » (le 22 février 1358 nouveau style) Clermont et non pas Châlons mais Conflans. L'erreur provient sans doute de la mention par la *Chronique...*, en 1477, de la destitution de Jehan de Chalon, prince d'Orange, qui voisine avec l'exécution aux Halles de Jacques d'Armignac, duc de Nemours, et avec le châtiment des assassins de Petit-Jehan. Perrin Marc ou Macé avait assassiné le 25 janvier le trésorier du Dauphin, futur Charles V, et s'était réfugié à Saint-Jacques-la-Boucherie ou à Saint-Méry, selon les sources. Clermont l'en avait tiré pour le pendre. La coalition de l'évêque, de la Ville et de l'Université contre l'autorité royale précipite le malheur du maréchal, excommunié pour son crime contre l'asile.

Aymoin[1] conte qu'un cerf, chassé par Dagobert, s'étant réfugié près du tombeau de saint Denis, la meute s'arrêta tout court en aboyant.

Les églises avaient d'ordinaire une logette préparée pour recevoir les suppliants. En 1407, Nicolas Flamel leur fit bâtir, sur les voûtes de Saint-Jacques-de-la-Boucherie, une chambre qui lui coûta quatre livres six sols seize deniers parisis.

À Notre-Dame, c'était une cellule établie sur les combles des bas-côtés sous les arcs-boutants, en regard du cloître, précisément à l'endroit où la femme du concierge actuel des tours s'est pratiqué un jardin, qui est aux jardins suspendus de Babylone ce qu'une laitue est à un palmier, ce qu'une portière est à Sémiramis[2].

C'est là qu'après sa course effrénée et triomphale sur les tours et les galeries, Quasimodo avait déposé la Esmeralda. Tant que cette course avait duré, la jeune fille n'avait pu reprendre ses sens, à demi assoupie, à demi éveillée, ne sentant plus rien sinon qu'elle montait dans l'air, qu'elle y flottait, qu'elle y volait, que quelque chose l'enlevait au-dessus de la terre. De temps en temps, elle entendait le rire éclatant, la voix bruyante de Quasimodo à son oreille ; elle entr'ouvrait ses yeux ; alors au-dessous d'elle elle voyait confusément Paris marqueté de ses mille toits d'ardoises et de tuiles comme une mosaïque rouge et bleue[3], au-dessus de sa tête la face effrayante et joyeuse de Quasimodo. Alors sa paupière retombait ; elle croyait que tout était fini, qu'on l'avait exécutée pendant son évanouissement, et que le difforme esprit qui avait présidé à sa destinée l'avait reprise et l'emportait. Elle n'osait le regarder et se laissait aller.

Mais quand le sonneur de cloches échevelé et haletant l'eût déposée dans la cellule du refuge, quand elle sentit ses grosses mains détacher doucement la corde qui lui

---

1. Aimoin de Fleury, moine germanopratin, mort en 889, auteur de *Gesta Francorum* et d'un traité sur les miracles de saint Germain, cité par Du Breul (1092), qui l'avait édité. **2.** Fondatrice légendaire de Babylone, au XIIIe siècle avant notre ère, célèbre pour la puissance de son empire et pour sa beauté. **3.** Justification des couleurs héraldiques de la ville par celles de ses toits. L'ardoise devait y être encore assez rare.

meurtrissait les bras, elle éprouva cette espèce de secousse qui réveille en sursaut les passagers d'un navire qui touche[1] au milieu d'une nuit obscure. Ses pensées se réveillèrent aussi, et lui revinrent une à une. Elle vit qu'elle était dans Notre-Dame ; elle se souvint d'avoir été arrachée des mains du bourreau ; que Phœbus était vivant, que Phœbus ne l'aimait plus ; et ces deux idées, dont l'une répandait tant d'amertume sur l'autre, se présentant ensemble à la pauvre condamnée, elle se tourna vers Quasimodo qui se tenait debout devant elle, et qui lui faisait peur ; elle lui dit : — Pourquoi m'avez-vous sauvée ?

Il la regarda avec anxiété, comme cherchant à deviner ce qu'elle lui disait. Elle répéta sa question. Alors il lui jeta un coup d'œil profondément triste, et s'enfuit.

Elle resta étonnée.

Quelques moments après il revint, apportant un paquet qu'il jeta à ses pieds. C'étaient des vêtements que des femmes charitables avaient déposés pour elle au seuil de l'église. Alors elle abaissa ses yeux sur elle-même, se vit presque nue, et rougit. La vie revenait.

Quasimodo parut éprouver quelque chose de cette pudeur. Il voila son regard de sa large main, et s'éloigna encore une fois, mais à pas lents.

Elle se hâta de se vêtir. C'était une robe blanche avec un voile blanc. Un habit de novice de l'Hôtel-Dieu[2].

Elle achevait à peine qu'elle vit revenir Quasimodo. Il portait un panier sous un bras et un matelas sous l'autre. Il y avait dans le panier une bouteille, du pain, et quelques provisions. Il posa le panier à terre, et dit : — Mangez. Il étendit le matelas sur la dalle, et dit : — Dormez. C'était son propre repas, c'était son propre lit que le sonneur de cloches avait été chercher.

L'égyptienne leva les yeux sur lui pour le remercier ; mais elle ne put articuler un mot. Le pauvre diable était vraiment horrible. Elle baissa la tête avec un tressaillement d'effroi.

Alors il lui dit : — Je vous fais peur. Je suis bien

---

1. Le fond. **2.** Sur la Seine, le long du parvis de la cathédrale ; les novices sont les religieuses qui n'ont pas encore prononcé leurs vœux définitifs.

laid, n'est-ce pas ? ne me regardez point ; écoutez-moi seulement. — Le jour, vous resterez ici ; la nuit, vous pouvez vous promener par toute l'église. Mais ne sortez de l'église ni jour ni nuit. Vous seriez perdue. On vous tuerait, et je mourrais.

Émue, elle leva la tête pour lui répondre. Il avait disparu. Elle se retrouva seule, rêvant aux paroles singulières de cet être presque monstrueux, et frappée du son de sa voix qui était si rauque et pourtant si douce.

Puis, elle examina sa cellule. C'était une chambre de quelque six pieds carrés [1], avec une petite lucarne et une porte sur le plan légèrement incliné du toit en pierres plates. Plusieurs gouttières à figures d'animaux semblaient se pencher autour d'elle et tendre le cou pour la voir par la lucarne. Au bord de son toit, elle apercevait le haut de mille cheminées qui faisaient monter sous ses yeux les fumées de tous les feux de Paris. Triste spectacle pour la pauvre égyptienne, enfant trouvé, condamnée à mort, malheureuse créature, sans patrie, sans famille, sans foyer.

Au moment où la pensée de son isolement lui apparaissait ainsi, plus poignante que jamais, elle sentit une tête velue et barbue se glisser dans ses mains, sur ses genoux. Elle tressaillit (tout l'effrayait maintenant), et regarda. C'était la pauvre chèvre, l'agile Djali [2], qui s'était échappée à sa suite, au moment où Quasimodo avait dispersé la brigade [3] de Charmolue, et qui se répandait en caresses à ses pieds depuis près d'une heure, sans pouvoir obtenir un regard. L'égyptienne la couvrit de baisers. — Oh ! Djali, disait-elle, comme je t'ai oubliée ! tu songes donc toujours à moi ! Oh ! tu n'es pas ingrate, toi ! — En même temps, comme si une main invisible eût soulevé le poids qui comprimait ses larmes dans son cœur depuis si long-temps, elle se mit à pleurer, et à mesure que ses larmes coulaient, elle sentait s'en aller avec elles ce qu'il y avait de plus âcre et de plus amer dans sa douleur.

Le soir venu, elle trouva la nuit si belle, la lune si

---

1. Six pieds au carré : environ deux mètres sur deux. **2.** Le nom et l'adjectif sont en quasi anagramme. **3.** Escouade d'environ cinq hommes.

douce, qu'elle fit le tour de la galerie élevée qui enveloppe l'église[1]. Elle en éprouva quelque soulagement, tant la terre lui parut calme, vue de cette hauteur.

III

SOURD

Le lendemain matin, elle s'aperçut en s'éveillant qu'elle avait dormi. Cette chose singulière l'étonna. Il y avait si long-temps qu'elle était déshabituée du sommeil. Un joyeux rayon du soleil levant entrait par sa lucarne et lui venait frapper le visage. En même temps que le soleil, elle vit à cette lucarne un objet qui l'effraya, la malheureuse figure de Quasimodo. Involontairement elle referma les yeux, mais en vain ; elle croyait toujours voir à travers sa paupière rose ce masque de gnome, borgne et brèche-dent. Alors, tenant toujours ses yeux fermés, elle entendit une rude voix qui disait très-doucement : — N'ayez pas peur. Je suis votre ami. J'étais venu vous voir dormir. Cela ne vous fait pas de mal, n'est-ce pas, que je vienne vous voir dormir ? Qu'est-ce que cela vous fait que je sois là quand vous avez les yeux fermés ? Maintenant je vais m'en aller. Tenez, je me suis mis derrière le mur. Vous pouvez rouvrir les yeux.

Il y avait quelque chose de plus plaintif encore que ces paroles, c'était l'accent dont elles étaient prononcées. L'égyptienne touchée ouvrit les yeux. Il n'était plus en effet à la lucarne. Elle alla à cette lucarne, et vit le pauvre bossu blotti dans un angle de mur, dans une attitude douloureuse et résignée. Elle fit un effort pour surmonter la répugnance qu'il lui inspirait. — Venez, lui dit-elle doucement. Au mouvement des lèvres de l'égyptienne, Quasimodo crut qu'elle le chassait ; alors il se leva et se retira en boitant, lentement, la tête baissée, sans même oser lever sur la jeune fille son regard plein de désespoir.

---

1. Tout autour de la toiture.

— Venez donc, cria-t-elle. Mais il continuait de s'éloigner. Alors elle se jeta hors de sa cellule, courut à lui, et lui prit le bras. En se sentant touché par elle, Quasimodo trembla de tous ses membres. Il releva son œil suppliant, et voyant qu'elle le ramenait près d'elle, toute sa face rayonna de joie et de tendresse. Elle voulut le faire entrer dans sa cellule ; mais il s'obstina à rester sur le seuil.

— Non, non, dit-il ; le hibou[1] n'entre pas dans le nid de l'alouette[2].

Alors elle s'accroupit gracieusement sur sa couchette avec sa chèvre endormie à ses pieds. Tous deux restèrent quelques instants immobiles, considérant en silence, lui tant de grâce, elle tant de laideur. À chaque moment, elle découvrait en Quasimodo quelques difformités de plus. Son regard se promenait des genoux cagneux au dos bossu, du dos bossu à l'œil unique. Elle ne pouvait comprendre qu'un être si gauchement ébauché existât. Cependant il y avait sur tout cela tant de tristesse et de douceur répandue qu'elle commençait à s'y faire.

Il rompit le premier ce silence. — Vous me disiez donc de revenir ?

Elle fit un signe de tête affirmatif, en disant : — Oui.

Il comprit le signe de tête. — Hélas ! dit-il comme hésitant à achever, c'est que... je suis sourd.

— Pauvre homme ! s'écria la bohémienne avec une expression de bienveillante pitié.

Il se mit à sourire douloureusement. — Vous trouvez qu'il ne me manquait que cela, n'est-ce pas ? Oui, je suis sourd. C'est comme cela que je suis fait. C'est horrible, n'est-il pas vrai ? Vous êtes si belle, vous !

Il y avait dans l'accent du misérable un sentiment si profond de sa misère qu'elle n'eut pas la force de dire

---

1. Terme générique pour beaucoup d'oiseaux nocturnes, auxquels on a fait réputation de laideur et de sauvagerie solitaire. Voir La Fontaine, *Fables*, V, 18 : De petits monstres fort hideux, Rechignés, un air triste, une voix de Mégère. **2.** Voir l'association de la légèreté de l'alouette avec la précipitation génésiaque du printemps chez La Fontaine (IV, 22) : *Les alouettes font leur nid / Dans les blés, quand ils sont en herbe, / C'est-à-dire environ le temps / Que tout aime et que tout pullule dans le monde.*

une parole. D'ailleurs il ne l'aurait pas entendue. Il poursuivit :

— Jamais je n'ai vu ma laideur comme à présent. Quand je me compare à vous, j'ai bien pitié de moi, pauvre malheureux monstre que je suis ! Je dois vous faire l'effet d'une bête, dites. — Vous, vous êtes un rayon de soleil, une goutte de rosée, un chant d'oiseau ! — Moi, je suis quelque chose d'affreux, ni homme, ni animal, un je ne sais quoi plus dur, plus foulé aux pieds et plus difforme qu'un caillou !

Alors il se mit à rire, et ce rire était ce qu'il y a de plus déchirant au monde. Il continua :

— Oui, je suis sourd ; mais vous me parlerez par gestes, par signes. J'ai un maître qui cause avec moi de cette façon. Et puis, je saurai bien vite votre volonté au mouvement de vos lèvres, à votre regard.

— Hé bien ! reprit-elle en souriant, dites-moi pourquoi vous m'avez sauvée.

Il la regarda attentivement tandis qu'elle parlait.

— J'ai compris, répondit-il. Vous me demandez pourquoi je vous ai sauvée. Vous avez oublié un misérable qui a tenté de vous enlever une nuit, un misérable à qui le lendemain même vous avez porté secours sur leur infâme pilori. Une goutte d'eau et un peu de pitié, voilà plus que je n'en paierai avec ma vie. Vous avez oublié ce misérable ; lui, il s'est souvenu.

Elle l'écoutait avec un attendrissement profond. Une larme roulait dans l'œil du sonneur, mais elle n'en tomba pas. Il parut mettre une sorte de point d'honneur à la dévorer.

— Écoutez, reprit-il quand il ne craignit plus que cette larme s'échappât : nous avons là des tours bien hautes ; un homme qui en tomberait serait mort avant de toucher le pavé ; quand il vous plaira que j'en tombe, vous n'aurez pas même un mot à dire, un coup d'œil suffira.

Alors il se leva. Cet être bizarre, si malheureuse que fût la bohémienne, éveillait encore quelque compassion en elle. Elle lui fit signe de rester.

— Non, non, dit-il, je ne dois pas rester trop longtemps. Je ne suis pas à mon aise. C'est par pitié que vous ne détournez pas les yeux. Je vais quelque part d'où je vous verrai sans que vous me voyiez : ce sera mieux.

Il tira de sa poche un petit sifflet de métal. — Tenez, dit-il : quand vous aurez besoin de moi, quand vous voudrez que je vienne, quand vous n'aurez pas trop d'horreur à me voir, vous sifflerez avec ceci. J'entends ce bruit-là.

Il déposa le sifflet à terre, et s'enfuit.

IV

GRÈS ET CRISTAL

Les jours se succédèrent.

Le calme revenait peu à peu dans l'âme de la Esmeralda. L'excès de la douleur, comme l'excès de la joie, est une chose violente qui dure peu. Le cœur de l'homme ne peut rester long-temps dans une extrémité. La bohémienne avait tant souffert qu'il ne lui en restait plus que l'étonnement.

Avec la sécurité, l'espérance lui était revenue. Elle était hors de la société, hors de la vie, mais elle sentait vaguement qu'il ne serait peut-être pas impossible d'y rentrer. Elle était comme une morte qui tiendrait en réserve une clef de son tombeau.

Elle sentait s'éloigner d'elle peu à peu les images terribles qui l'avaient si long-temps obsédée. Tous les fantômes hideux, Pierrat Torterue, Jacques Charmolue, s'effaçaient dans son esprit, tous, le prêtre lui-même.

Et puis, Phœbus vivait ; elle en était sûre, elle l'avait vu. La vie de Phœbus, c'était tout. Après la série de secousses fatales qui avaient tout fait écrouler en elle, elle n'avait retrouvé debout dans son âme qu'une chose, qu'un sentiment, son amour pour le capitaine. C'est que l'amour est comme un arbre : il pousse de lui-même, jette profondément ses racines dans tout notre être, et continue souvent de verdoyer sur un cœur en ruines.

Et ce qu'il y a d'inexplicable, c'est que plus cette passion est aveugle, plus elle est tenace. Elle n'est jamais plus solide que lorsqu'elle n'a pas de raison en elle.

Sans doute la Esmeralda ne songeait pas au capitaine sans amertume. Sans doute il était affreux qu'il eût été trompé aussi, lui, qu'il eût cru cette chose impossible, qu'il eût pu comprendre un coup de poignard venu de celle qui eût donné mille vies pour lui. Mais enfin il ne fallait pas trop lui en vouloir : n'avait-elle pas avoué *son crime* ? n'avait-elle pas cédé, faible femme, à la torture ? Toute la faute était à elle. Elle aurait dû se laisser arracher les ongles plutôt qu'une telle parole. Enfin, qu'elle revît Phœbus une seule fois, une seule minute, il ne faudrait qu'un mot, qu'un regard, pour le détromper, pour le ramener. Elle n'en doutait pas. Elle s'étourdissait aussi sur beaucoup de choses singulières, sur le hasard de la présence de Phœbus le jour de l'amende honorable, sur la jeune fille avec laquelle il était. C'était sa sœur sans doute. Explication déraisonnable, mais dont elle se contentait, parce qu'elle avait besoin de croire que Phœbus l'aimait toujours et n'aimait qu'elle. Ne le lui avait-il pas juré ? Que lui fallait-il de plus, naïve et crédule qu'elle était ? Et puis, dans cette affaire, les apparences n'étaient-elles pas bien plutôt contre elle que contre lui ? Elle attendait donc. Elle espérait.

Ajoutons que l'église, cette vaste église, qui l'enveloppait de toutes parts, qui la gardait, qui la sauvait, était elle-même un souverain calmant. Les lignes solennelles de cette architecture, l'attitude religieuse de tous les objets qui entouraient la jeune fille, les pensées pieuses et sereines qui se dégageaient, pour ainsi dire, de tous les pores de cette pierre, agissaient sur elle à son insu. L'édifice avait aussi des bruits d'une telle bénédiction et d'une telle majesté qu'ils assoupissaient cette âme malade. Le chant monotone des officiants, les réponses du peuple aux prêtres, quelquefois inarticulées, quelquefois tonnantes, l'harmonieux tressaillement des vitraux, l'orgue éclatant comme cent trompettes, les trois clochers bourdonnant comme des ruches de grosses abeilles, tout cet orchestre sur lequel bondissait une gamme gigantesque montant et descendant sans cesse d'une foule à un clocher, assourdissaient sa mémoire, son imagination, sa douleur. Les cloches surtout la berçaient. C'était comme un magnétisme[1] puissant que ces vastes appareils répandaient sur elle à larges flots.

Aussi chaque soleil levant la trouvait plus apaisée, respirant mieux, moins pâle. À mesure que ses plaies intérieures se fermaient, sa grâce et sa beauté refleurissaient sur son visage, mais plus recueillies et plus reposées. Son ancien caractère lui revenait aussi, quelque chose même de sa gaîté, sa jolie moue, son amour de sa chèvre, son goût de chanter, sa pudeur. Elle avait soin de s'habiller le matin dans l'angle de sa logette, de peur que quelque habitant des greniers voisins ne la vît par la lucarne.

Quand la pensée de Phœbus lui en laissait le temps, l'égyptienne songeait quelquefois à Quasimodo. C'était le seul lien, le seul rapport, la seule communication qui lui restât avec les hommes, avec les vivants. La malheureuse ! elle était plus hors du monde que Quasimodo. Elle ne comprenait rien à l'étrange ami que le hasard lui avait donné. Souvent elle se reprochait de ne pas avoir une reconnaissance qui fermât les yeux, mais décidément elle ne pouvait s'accoutumer au pauvre sonneur. Il était trop laid.

Elle avait laissé à terre le sifflet qu'il lui avait donné. Cela n'empêcha pas Quasimodo de reparaître de temps en temps les premiers jours. Elle faisait son possible pour ne pas se détourner avec trop de répugnance quand il venait lui apporter le panier de provisions ou la cruche d'eau, mais il s'apercevait toujours du moindre mouvement de ce genre, et alors il s'en allait tristement.

Une fois, il survint au moment où elle caressait Djali. Il resta quelques moments pensif devant ce groupe gracieux de la chèvre et de l'égyptienne, enfin il dit en secouant sa tête lourde et mal faite : — Mon malheur c'est que je ressemble encore trop à l'homme. Je voudrais être tout-à-fait une bête, comme cette chèvre.

---

1. Le bercement a été ajouté, faisant transition quasi mimétique entre l'émoussement de l'ouïe et l'hypnose du magnétisme, dont la réfutation par les Académies des sciences et de médecine en 1784 et la reprise de la polémique savante en 1825 n'ont pas empêché la vogue tout au long du XIXe siècle.

de secouer la tête douloureusement. — Je vais vous l'amener, dit-il d'une voix faible. Puis il tourna la tête, et se précipita à grands pas sous l'escalier, étouffé de sanglots.

Quand il arriva sur la place, il ne vit plus rien que le beau cheval attaché à la porte du logis Gondelaurier ; le capitaine venait d'y entrer.

Il leva son regard vers le toit de l'église. La Esmeralda y était toujours à la même place, dans la même posture. Il lui fit un triste signe de tête ; puis il s'adossa à l'une des bornes du porche Gondelaurier, déterminé à attendre que le capitaine sortît.

C'était, dans le logis Gondelaurier, un de ces jours de gala [1] qui précèdent les noces. Quasimodo vit entrer beaucoup de monde et ne vit sortir personne. De temps en temps il regardait vers le toit : l'égyptienne ne bougeait pas plus que lui. Un palefrenier vint détacher le cheval, et le fit entrer à l'écurie du logis.

La journée entière se passa ainsi, Quasimodo sur la borne, la Esmeralda sur le toit, Phœbus sans doute aux pieds de Fleur-de-Lys.

Enfin la nuit vint ; une nuit sans lune, une nuit obscure. Quasimodo eut beau fixer son regard sur la Esmeralda ; bientôt ce ne fut plus qu'une blancheur dans le crépuscule ; puis rien. Tout s'effaça ; tout était noir.

Quasimodo vit s'illuminer, du haut en bas de la façade, les fenêtres du logis Gondelaurier ; il vit s'allumer, l'une après l'autre, les autres croisées de la place ; il les vit aussi s'éteindre jusqu'à la dernière, car il resta toute la soirée à son poste. L'officier ne sortait pas. Quand les derniers passants furent rentrés chez eux, quand toutes les croisées des autres maisons furent éteintes, Quasimodo demeura tout-à-fait seul, tout-à-fait dans l'ombre. Il n'y avait pas alors de luminaire dans le parvis de Notre-Dame.

Cependant les fenêtres du logis Gondelaurier étaient restées éclairées, même après minuit. Quasimodo, immobile et attentif, voyait passer sur les vitraux de mille couleurs une foule d'ombres vives et dansantes. S'il n'eût

---

1. Réceptions et réjouissances non sans cérémonie.

pas été sourd, à mesure que la rumeur de Paris endormi s'éteignait, il eût entendu de plus en plus distinctement, dans l'intérieur du logis Gondelaurier, un bruit de fête, de rires et de musique.

Vers une heure du matin les conviés commencèrent à se retirer. Quasimodo, enveloppé de ténèbres, les regardait tous passer sous le porche éclairé de flambeaux. Aucun n'était le capitaine.

Il était plein de pensées tristes ; par moments il regardait en l'air, comme ceux qui s'ennuient. De grands nuages noirs, lourds, déchirés, crevassés, pendaient comme des hamacs de crêpe sous le cintre étoilé de la nuit. On eût dit les toiles d'araignées de la voûte du ciel.

Dans un de ces moments il vit tout-à-coup s'ouvrir mystérieusement la porte-fenêtre du balcon dont la balustrade de pierre se découpait au-dessus de sa tête. La frêle porte de vitre donna passage à deux personnes derrière lesquelles elle se referma sans bruit : c'était un homme et une femme. Ce ne fut pas sans peine que Quasimodo parvint à reconnaître dans l'homme le beau capitaine, dans la femme la jeune dame qu'il avait vue le matin souhaiter la bienvenue à l'officier, du haut de ce même balcon. La place était parfaitement obscure, et un double rideau cramoisi[1], qui était retombé derrière la porte au moment où elle s'était refermée, ne laissait guère arriver sur le balcon la lumière de l'appartement.

Le jeune homme et la jeune fille autant qu'en pouvait juger notre sourd qui n'entendait pas une de leurs paroles, paraissaient s'abandonner à un fort tendre tête-à-tête. La jeune fille semblait avoir permis à l'officier de lui faire une ceinture de son bras, et résistait doucement à un baiser.

Quasimodo assistait d'en bas à cette scène d'autant plus gracieuse à voir qu'elle n'était pas faite pour être vue. Il contemplait ce bonheur, cette beauté, avec amertume. Après tout la nature n'était pas muette chez le pauvre diable, et sa colonne vertébrale, toute méchamment tordue qu'elle était, n'était pas moins frémissante qu'une autre. Il songeait à la misérable part que la Provi-

1. Rouge foncé, intense, obtenu avec la cochenille.

dence lui avait faite ; que la femme, l'amour, la volupté[1] lui passeraient éternellement sous les yeux, et qu'il ne ferait jamais que voir la félicité des autres. Mais ce qui le déchirait le plus dans ce spectacle, ce qui mêlait de l'indignation à son dépit, c'était de penser à ce que devait souffrir l'égyptienne si elle voyait. — Il est vrai que la nuit était bien noire, que la Esmeralda, si elle était restée à sa place (et il n'en doutait pas), était fort loin, et que c'était tout au plus s'il pouvait distinguer lui-même les amoureux du balcon. Cela le consolait.

Cependant leur entretien devenait de plus en plus animé. La jeune dame paraissait supplier l'officier de ne rien lui demander de plus. Quasimodo ne distinguait de tout cela que les belles mains jointes, les sourires mêlés de larmes, les regards levés aux étoiles de la jeune fille, les yeux du capitaine ardemment abaissés sur elle.

Heureusement, car la jeune fille commençait à ne plus lutter que faiblement, la porte du balcon se rouvrit subitement, une vieille dame parut : la belle sembla confuse, l'officier prit un air dépité, et tous trois rentrèrent.

Un moment après un cheval piaffa[2] sous le porche, et le brillant officier, enveloppé de son manteau de nuit, passa rapidement devant Quasimodo.

Le sonneur lui laissa doubler l'angle de la rue, puis il se mit à courir après lui avec son agilité de singe, en criant : — Hé ! le capitaine !

Le capitaine s'arrêta.

— Que me veut ce maraud ? dit-il en avisant dans l'ombre cette espèce de figure déhanchée qui accourait vers lui en cahotant.

Quasimodo cependant était arrivé à lui, et avait pris hardiment la bride[3] de son cheval : — Suivez-moi, capitaine ; il y a ici quelqu'un qui veut vous parler.

— Cornemahom ! grommela Phœbus, voilà un vilain oiseau ébouriffé qu'il me semble avoir vu quelque part. — Holà ! maître, veux-tu bien laisser la bride de mon cheval ?

---

1. Plaisir des sens et particulièrement du sexe. **2.** Frapper le sol des antérieurs, signe d'impatience, ou figure d'énergie. **3.** Parties du harnais qui fixent et gouvernent le mors.

— Capitaine, répondit le sourd, ne me demandez-vous pas qui ?

— Je te dis de lâcher mon cheval, repartit Phœbus impatienté. Que veut ce drôle qui se pend au chanfrein[1] de mon destrier ? Est-ce que tu prends mon cheval pour une potence ?

Quasimodo, loin de quitter la bride du cheval, se disposait à lui faire rebrousser chemin. Ne pouvant s'expliquer la résistance du capitaine, il se hâta de lui dire : — Venez, capitaine ; c'est une femme qui vous attend. Il ajouta avec effort : Une femme qui vous aime.

— Rare faquin[2] ! dit le capitaine, qui me croit obligé d'aller chez toutes les femmes qui m'aiment ! ou qui le disent. — Et si par hasard elle te ressemble, face de chat-huant ? — Dis à celle qui t'envoie que je vais me marier, et qu'elle aille au diable !

— Écoutez, s'écria Quasimodo croyant vaincre d'un mot son hésitation, venez, monseigneur ! C'est l'égyptienne que vous savez !

Ce mot fit en effet une grande impression sur Phœbus, mais non celle que le sourd en attendait. On se rappelle que notre galant officier s'était retiré avec Fleur-de-Lys quelques moments avant que Quasimodo ne sauvât la condamnée des mains de Charmolue. Depuis, dans toutes ses visites au logis Gondelaurier, il s'était bien gardé de reparler de cette femme dont le souvenir, après tout, lui était pénible ; et de son côté Fleur-de-Lys n'avait pas jugé politique[3] de lui dire que l'égyptienne vivait. Phœbus croyait donc la pauvre *Similar* morte, et qu'il y avait déjà un ou deux mois de cela. Ajoutons que depuis quelques instants le capitaine songeait à l'obscurité profonde de la nuit, à la laideur surnaturelle, à la voix sépulcrale de l'étranger messager, que minuit était passé, que la rue était déserte comme le soir où le moine-bourru l'avait accosté, et que son cheval soufflait en regardant Quasimodo.

— L'égyptienne ! s'écria-t-il presque effrayé. Or çà, viens-tu de l'autre monde ?

---

1. Partie verticale de la tête du cheval rassemblé. **2.** Homme de peine, proche de la bête de somme, et prétentieux. **3.** Habile.

Et il mit la main sur la poignée de sa dague[1].

— Vite, vite, dit le sourd cherchant à entraîner le cheval ; par ici !

Phœbus lui asséna un vigoureux coup de botte dans la poitrine.

L'œil de Quasimodo étincela. Il fit un mouvement pour se jeter sur le capitaine. Puis il dit en se roidissant : — Oh ! que vous êtes heureux qu'il y ait quelqu'un qui vous aime !

Il appuya sur le mot *quelqu'un*, et lâchant la bride du cheval : — Allez-vous-en !

Phœbus piqua des deux en jurant. Quasimodo le regarda s'enfoncer dans le brouillard de la rue. — Oh ! disait tout bas le pauvre sourd, refuser cela !

Il rentra dans Notre-Dame, alluma sa lampe, et remonta dans la tour. Comme il l'avait pensé, la bohémienne était toujours à la même place. Du plus loin qu'elle l'aperçut, elle courut à lui. — Seul ! s'écria-t-elle en joignant douloureusement ses belles mains.

— Je n'ai pu le retrouver, dit froidement Quasimodo.

— Il fallait l'attendre toute la nuit, reprit-elle avec emportement.

Il vit son geste de colère, et comprit le reproche. — Je le guetterai mieux une autre fois, dit-il en baissant la tête.

— Va-t'en ! lui dit-elle.

Il la quitta. Elle était mécontente de lui. Il avait mieux aimé être maltraité par elle que de l'affliger. Il avait gardé toute la douleur pour lui.

À dater de ce jour, l'égyptienne ne le vit plus. Il cessa de venir à sa cellule. Tout au plus entrevoyait-elle quelquefois au sommet d'une tour la figure du sonneur mélancoliquement fixée sur elle. Mais dès qu'elle l'apercevait, il disparaissait.

Nous devons dire qu'elle était peu affligée de cette absence volontaire du pauvre bossu. Au fond du cœur, elle lui en savait gré. Au reste, Quasimodo ne se faisait pas illusion à cet égard.

Elle ne le voyait plus, mais elle sentait la présence d'un bon génie autour d'elle. Ses provisions étaient renouve-

---

1. Courte épée à lame large.

lées par une main invisible pendant son sommeil. Un matin elle trouva sur sa fenêtre une cage d'oiseaux. Il y avait au-dessus de sa cellule une sculpture qui lui faisait peur. Elle l'avait témoigné plus d'une fois devant Quasimodo. Un matin (car toutes ces choses-là se faisaient la nuit), elle ne la vit plus, on l'avait brisée. Celui qui avait grimpé jusqu'à cette sculpture avait dû risquer sa vie.

Quelquefois, le soir, elle entendait une voix, cachée sous les abat-vent [1] du clocher, chanter comme pour l'endormir une chanson triste et bizarre. C'était des vers sans rime [2] comme un sourd en peut faire.

Ne regarde pas la figure.
Jeune fille, regarde le cœur.

Le cœur d'un beau jeune homme est souvent difforme.
Il y a des cœurs où l'amour ne se conserve pas.

Jeune fille, le sapin n'est pas beau,
N'est pas beau comme le peuplier,
Mais il garde son feuillage l'hiver.

Hélas ! à quoi bon dire cela ?
Ce qui n'est pas beau a tort d'être ;
La beauté n'aime que la beauté,
Avril tourne le dos à janvier.
La beauté est parfaite,
La beauté peut tout,
La beauté est la seule chose qui n'existe pas à demi.

Le corbeau ne vole que le jour.
Le hibou ne vole que la nuit,
Le cygne vole la nuit et le jour.

Un matin, elle vit, en s'éveillant, sur sa fenêtre deux

---

1. Les abat-son ; *abat-vent* n'est pas une inexactitude mais s'infléchit dans le sens du calfeutrage. **2.** Et sans observer aucune des règles de la prosodie (nombre, rythme, hiatus) mais avec une belle préparation du décasyllabe de la chute.

vases pleins de fleurs. L'un était un vase de cristal fort beau et fort brillant, mais fêlé. Il avait laissé fuir l'eau dont on l'avait rempli, et les fleurs qu'il contenait étaient fanées. L'autre était un pot de grès, grossier et commun, mais qui avait conservé toute son eau, et dont les fleurs étaient restées fraîches et vermeilles.

Je ne sais pas si ce fut avec intention, mais la Esmeralda prit le bouquet fané, et le porta tout le jour sur son sein.

Ce jour-là, elle n'entendit pas la voix de la tour chanter.

Elle s'en soucia médiocrement. Elle passait ses journées à caresser Djali, à épier la porte du logis Gondelaurier, à s'entretenir tout bas de Phœbus, et à émietter son pain aux hirondelles.

Elle avait du reste tout-à-fait cessé de voir, cessé d'entendre Quasimodo. Le pauvre sonneur semblait avoir disparu de l'église. Une nuit pourtant, comme elle ne dormait pas et songeait à son beau capitaine, elle entendit soupirer près de sa cellule. Effrayée, elle se leva, et vit à la lumière de la lune une masse informe couchée en travers devant sa porte. C'était Quasimodo qui dormait là sur la pierre.

V

LA CLEF DE LA PORTE-ROUGE

Cependant la voix publique avait fait connaître à l'archidiacre de quelle manière miraculeuse l'égyptienne avait été sauvée. Quand il apprit cela, il ne sut ce qu'il en éprouvait. Il s'était arrangé de la mort de la Esmeralda. De cette façon il était tranquille : il avait touché le fond de la douleur possible. Le cœur humain (dom Claude avait médité sur ces matières) ne peut contenir qu'une certaine quantité de désespoir. Quand l'éponge est imbibée, la mer peut passer dessus sans y faire entrer une larme de plus.

Or, la Esmeralda morte, l'éponge était imbibée, tout

était dit pour dom Claude sur cette terre. Mais la sentir vivante, et Phœbus aussi, c'étaient les tortures qui recommençaient, les secousses, les alternatives, la vie. Et Claude était las de tout cela.

Quand il sut cette nouvelle, il s'enferma dans sa cellule du cloître. Il ne parut ni aux conférences capitulaires [1], ni aux offices. Il ferma sa porte à tous, même à l'évêque. Il resta muré de cette sorte plusieurs semaines. On le crut malade. Il l'était en effet.

Que faisait-il ainsi enfermé ? Sous quelles pensées l'infortuné se débattait-il ? Livrait-il une dernière lutte à sa redoutable passion ? Combinait-il un dernier plan de mort pour elle et de perdition pour lui ?

Son Jehan, son frère chéri, son enfant gâté, vint une fois à sa porte, frappa, jura, supplia, se nomma dix fois. Claude n'ouvrit pas.

Il passait des journées entières la face collée aux vitres de sa fenêtre. De cette fenêtre, située dans le cloître, il voyait la logette de la Esmeralda ; il la voyait souvent elle-même avec sa chèvre, quelquefois avec Quasimodo. Il remarquait les petits soins du vilain sourd, ses obéissances, ses façons délicates et soumises avec l'égyptienne. Il se rappelait, car il avait bonne mémoire, lui, et la mémoire est la tourmenteuse des jaloux ; il se rappelait le regard singulier du sonneur sur la danseuse un certain soir. Il se demandait quel motif avait pu pousser Quasimodo à la sauver. Il fut témoin de mille petites scènes entre la bohémienne et le sourd, dont la pantomime, vue de loin et commentée par sa passion, lui parut fort tendre. Il se défiait de la singularité des femmes. Alors il sentit confusément s'éveiller en lui une jalousie à laquelle il ne se fût jamais attendu, une jalousie qui le faisait rougir de honte et d'indignation. — Passe encore pour le capitaine, mais celui-ci ! — Cette pensée le bouleversait.

Ses nuits étaient affreuses. Depuis qu'il savait l'égyptienne vivante, les froides idées de spectre et de tombe qui l'avaient obsédé un jour entier s'étaient évanouies, et la chair revenait l'aiguillonner. Il se tordait sur son lit de sentir la brune jeune fille si près de lui.

---

1. Du chapitre.

Chaque nuit, son imagination délirante lui représentait la Esmeralda dans toutes les attitudes qui avaient le plus fait bouillir ses veines. Il la voyait étendue sur le capitaine poignardé, les yeux fermés, sa belle gorge nue couverte du sang de Phœbus, à ce moment de délice où l'archidiacre avait imprimé sur ses lèvres pâles ce baiser dont la malheureuse, quoique à demi morte, avait senti la brûlure. Il la revoyait déshabillée par les mains sauvages des tortionnaires, laissant mettre à nu et emboîter dans le brodequin aux vis de fer son petit pied, sa jambe fine et ronde, son genou souple et blanc. Il revoyait encore ce genou d'ivoire resté seul en dehors de l'horrible appareil de Torterue. Il se figurait enfin la jeune fille, en chemise, la corde au cou, épaules nues, pieds nus, presque nue, comme il l'avait vue le dernier jour. Ces images de volupté faisaient crisper ses poings et courir un frisson le long de ses vertèbres.

Une nuit entre autres, elles échauffèrent si cruellement dans ses artères son sang de vierge et de prêtre qu'il mordit son oreiller, sauta hors de son lit, jeta un surplis sur sa chemise, et sortit de sa cellule, sa lampe à la main, à demi nu, effaré, l'œil en feu.

Il savait où trouver la clef de la Porte-Rouge qui communiquait du cloître à l'église, et il avait toujours sur lui, comme on sait, une clef de l'escalier des tours.

VI

SUITE DE LA CLEF DE LA PORTE-ROUGE

Cette nuit-là, la Esmeralda s'était endormie dans sa logette, pleine d'oubli, d'espérance et de douces pensées. Elle dormait depuis quelque temps, rêvant, comme toujours, de Phœbus, lorsqu'il lui sembla entendre du bruit autour d'elle. Elle avait un sommeil léger et inquiet, un sommeil d'oiseau ; un rien la réveillait. Elle ouvrit les yeux. La nuit était très-noire. Cependant elle vit à la lucarne une figure qui la regardait ; il y avait une lampe qui éclairait cette apparition. Au moment où elle se vit aperçue de la Esmeralda, cette figure souffla la lampe. Néanmoins la jeune fille avait eu le temps de l'entrevoir ; ses paupières se refermèrent de terreur. — Oh ! dit-elle d'une voix éteinte, le prêtre !

Tout son malheur passé lui revint comme dans un éclair. Elle retomba sur son lit, glacée.

Un moment après, elle sentit le long de son corps un contact qui la fit tellement frémir qu'elle se dressa réveillée et furieuse sur son séant.

Le prêtre venait de se glisser près d'elle. Il l'entourait de ses deux bras.

Elle voulut crier, et ne put.

— Va-t'en, monstre ! va-t'en, assassin ! dit-elle d'une voix tremblante et basse à force de colère et d'épouvante.

— Grâce ! grâce ! murmura le prêtre en lui imprimant ses lèvres sur ses épaules.

Elle lui prit sa tête chauve à deux mains par son reste de cheveux, et s'efforça d'éloigner ses baisers comme si c'eût été des morsures.

— Grâce ! répétait l'infortuné. Si tu savais ce que c'est que mon amour pour toi ! c'est du feu, du plomb fondu, mille couteaux dans mon cœur !

Et il arrêta ses deux bras avec une force surhumaine. Éperdue : — Lâche-moi, lui dit-elle, ou je te crache au visage !

Il la lâcha. — Avilis-moi, frappe-moi, sois méchante ! fais ce que tu voudras ! Mais grâce ! aime-moi !

Alors elle le frappa avec une fureur d'enfant. Elle roidissait ses belles mains pour lui meurtrir la face.

— Va-t'en, démon !

— Aime-moi ! aime-moi ! pitié ! criait le pauvre prêtre en se roulant sur elle et en répondant à ses coups par des caresses.

Tout-à-coup, elle le sentit plus fort qu'elle. — Il faut en finir ! dit-il en grinçant des dents.

Elle était subjuguée, palpitante, brisée, entre ses bras, à sa discrétion. Elle sentait une main lascive s'égarer sur elle. Elle fit un dernier effort, et se mit à crier : — Au secours ! à moi ! un vampire ! un vampire !

Rien ne venait. Djali seule était éveillée, et bêlait avec angoisse.

— Tais-toi ! disait le prêtre haletant.

Tout-à-coup, en se débattant, en rampant sur le sol, la main de l'égyptienne rencontra quelque chose de froid et de métallique. C'était le sifflet de Quasimodo. Elle le saisit avec une convulsion d'espérance, le porta à ses lèvres, et y siffla de tout ce qui lui restait de force. Le sifflet rendit un son clair, aigu, perçant.

— Qu'est-ce que cela ? dit le prêtre.

Presque au même instant il se sentit enlever par un bras vigoureux ; la cellule était sombre. Il ne put distinguer nettement qui le tenait ainsi ; mais il entendit des dents claquer de rage, et il y avait juste assez de lumière éparse dans l'ombre pour qu'il vît briller au-dessus de sa tête une large lame de coutelas[1].

Le prêtre crut apercevoir la forme de Quasimodo. Il supposa que ce ne pouvait être que lui. Il se souvint avoir trébuché en entrant contre un paquet qui était étendu en travers de la porte en dehors. Cependant, comme le nouveau-venu ne proférait pas une parole, il ne savait que croire. Il se jeta sur le bras qui tenait le coutelas en criant : — *Quasimodo !* Il oubliait, en ce moment de détresse, que Quasimodo était sourd.

En un clin d'œil le prêtre fut terrassé, et sentit un genou de plomb s'appuyer sur sa poitrine. À l'empreinte anguleuse de ce genou, il reconnut Quasimodo ; mais que faire ? comment de son côté être reconnu de lui ? la nuit faisait le sourd aveugle.

Il était perdu. La jeune fille, sans pitié, comme une tigresse irritée, n'intervenait pas pour le sauver. Le coutelas se rapprochait de sa tête ; le moment était critique. Tout-à-coup, son adversaire parut pris d'une hésitation. — Pas de sang sur elle ! dit-il d'une voix sourde.

C'était en effet la voix de Quasimodo.

Alors le prêtre sentit la grosse main qui le traînait par le pied hors de la cellule ; c'est là qu'il devait mourir. Heureusement pour lui, la lune venait de se lever depuis quelques instants.

---

1. Couteau de cuisine ou de chasse.

Quand ils eurent franchi la porte de la logette, son pâle rayon tomba sur la figure du prêtre. Quasimodo le regarda en face, un tremblement le prit, il lâcha le prêtre, et recula.

L'égyptienne, qui s'était avancée sur le seuil de la cellule, vit avec surprise les rôles changer brusquement. C'était maintenant le prêtre qui menaçait, Quasimodo qui suppliait.

Le prêtre, qui accablait le sourd de gestes de colère et de reproche, lui fit violemment signe de se retirer.

Le sourd baissa la tête, puis il vint se mettre à genoux devant la porte de l'égyptienne. — Monseigneur, dit-il d'une voix grave et résignée, vous ferez après ce qu'il vous plaira ; mais tuez-moi d'abord.

En parlant ainsi, il présentait au prêtre son coutelas. Le prêtre hors de lui se jeta dessus. Mais la jeune fille fut plus prompte que lui ; elle arracha le couteau des mains de Quasimodo, et éclata de rire avec fureur. — Approche ! dit-elle au prêtre.

Elle tenait la lame haute. Le prêtre demeura indécis. Elle eût certainement frappé. — Tu n'oserais plus approcher, lâche ! lui cria-t-elle. Puis elle ajouta avec une expression impitoyable, et sachant bien qu'elle allait percer de mille fers rouges le cœur du prêtre : — Ah ! je sais que Phœbus n'est pas mort !

Le prêtre renversa Quasimodo à terre d'un coup de pied, et se replongea en frémissant de rage sous la voûte de l'escalier.

Quand il fut parti, Quasimodo ramassa le sifflet qui venait de sauver l'égyptienne. — Il se rouillait, dit-il en le lui rendant ; puis il la laissa seule.

La jeune fille, bouleversée par cette scène violente, tomba épuisée sur son lit, et se mit à pleurer à sanglots. Son horizon redevenait sinistre.

De son côté, le prêtre était rentré à tâtons dans sa cellule.

C'en était fait. Dom Claude était jaloux de Quasimodo !

Il répéta d'un air pensif sa fatale parole : Personne ne l'aura !

LIVRE DIXIÈME

I

GRINGOIRE A PLUSIEURS BONNES IDÉES DE SUITE RUE DES BERNARDINS

Depuis que Pierre Gringoire avait vu comment toute cette affaire tournait, et que décidément il y aurait corde, pendaison et autres désagréments pour les personnages principaux de cette comédie, il ne s'était plus soucié de s'en mêler. Les truands, parmi lesquels il était resté, considérant qu'en dernier résultat c'était la meilleure compagnie de Paris, les truands avaient continué de s'intéresser à l'égyptienne. Il avait trouvé cela fort simple de la part de gens qui n'avaient, comme elle, d'autre perspective que Charmolue et Torterue, et qui ne chevauchaient pas comme lui dans les régions imaginaires entre les deux ailes de Pégasus. Il avait appris par leurs propos que son épousée au pot cassé s'était réfugiée dans Notre-Dame, et il en était bien aise. Mais il n'avait pas même la tentation d'y aller voir. Il songeait quelquefois à la petite chèvre, et c'était tout. Du reste, le jour il faisait des tours de force pour vivre, et la nuit il élucubrait un mémoire contre l'évêque de Paris, car il se souvenait d'avoir été inondé par les roues de ses moulins, et il lui en gardait rancune. Il s'occupait aussi de commenter le bel ouvrage de Baudry-le-Rouge, évêque de Noyon et de Tournay, *de Cupa Petrarum*[1], ce qui lui avait donné un goût violent pour l'architecture, penchant qui avait rem-

---

1. « De la taille des pierres ». Baldéric le Rouge, mort en 1097, évêque et chroniqueur de Cambrai et d'Arras depuis Clovis.

placé dans son cœur sa passion pour l'hermétisme, dont il n'était d'ailleurs qu'un corollaire naturel, puisqu'il y a un lien intime entre l'hermétique et la maçonnerie. Gringoire avait passé de l'amour d'une idée à l'amour de la forme de cette idée.

Un jour, il s'était arrêté près de Saint-Germain-l'Auxerrois à l'angle d'un logis qu'on appelait *le For-l'Évêque*[1], lequel faisait face à un autre qu'on appelait *le For-le-Roi*. Il y avait à ce For-l'Évêque une charmante chapelle du quatorzième siècle dont le chevet donnait sur la rue. Gringoire en examinait dévotement les sculptures extérieures. Il était dans un de ces moments de jouissance égoïste, exclusive, suprême, où l'artiste ne voit dans le monde que l'art et voit le monde dans l'art. Tout-à-coup, il sent une main se poser gravement sur son épaule. Il se retourne. C'était son ancien ami, son ancien maître, monsieur l'archidiacre.

Il resta stupéfait. Il y avait long-temps qu'il n'avait vu l'archidiacre, et dom Claude était un de ces hommes solennels et passionnés dont la rencontre dérange toujours l'équilibre d'un philosophe sceptique.

L'archidiacre garda quelques instants un silence pendant lequel Gringoire eut le loisir de l'observer. Il trouva dom Claude bien changé : pâle comme un matin d'hiver, les yeux caves, les cheveux presque blancs. Ce fut le prêtre qui rompit enfin ce silence en disant, d'un ton tranquille, mais glacial : — Comment vous portez-vous, maître Pierre ?

— Ma santé ? répondit Gringoire. Eh ! eh ! on en peut dire ceci et cela. Toutefois l'ensemble est bon. Je ne prends trop de rien. Vous savez, maître, le secret de se bien porter, selon Hippocrates, *id est : cibi, potus, somni, venus, omnia moderata sint*[2].

— Vous n'avez donc aucun souci, maître Pierre ? reprit l'archidiacre en regardant fixement Gringoire.

---

1. Tribunal et prison de l'évêque, au coin de la rue Saint-Germain l'Auxerrois et de la rue des Bourdonnais. Construit en 1161, rebâti en 1652, annexé par la justice royale en 1674, détruit fin XVIIIe s. **2.** « C'est que : nourritures, boissons, sommeils, vénus, tout soit modéré. » Hippocrate, médecin grec du Ve siècle avant notre ère, dont les *Aphorismes* ont longtemps fait la base des études médicales.

— Ma foi ! non.

— Et que faites-vous maintenant ?

— Vous le voyez, mon maître. J'examine la coupe de ces pierres, et la façon dont est fouillé ce bas-relief.

Le prêtre se mit à sourire, de ce sourire amer qui ne relève qu'une des extrémités de la bouche. — Et cela vous amuse ?

— C'est le paradis ! s'écria Gringoire. Et se penchant sur les sculptures avec la mine éblouie d'un démonstrateur de phénomènes vivants : Est-ce donc que vous ne trouvez pas, par exemple, cette métamorphose de basse-taille exécutée avec beaucoup d'adresse, de mignardise et de patience[1] ? Regardez cette colonnette. Autour de quel chapiteau avez-vous vu feuilles plus tendres et mieux caressées du ciseau ? Voici trois rondes-bosses[2] de Jean Maillevin. Ce ne sont pas les plus belles œuvres de ce grand génie. Néanmoins, la naïveté, la douceur des visages, la gaîté des attitudes et des draperies, et cet agrément inexplicable qui se mêle dans tous les défauts, rendent les figurines bien égayées[3] et bien délicates, peut-être même trop. — Vous trouvez que ce n'est pas divertissant ?

— Si fait ! dit le prêtre.

— Et si vous voyiez l'intérieur de la chapelle ! reprit le poète avec son enthousiasme bavard. Partout des sculptures. C'est touffu comme un cœur de chou ! L'abside est d'une façon fort dévote et si particulière que je n'ai rien vu de même ailleurs !

Dom Claude l'interrompit : — Vous êtes donc heureux ?

Gringoire répondit avec feu :

— En honneur, oui ! J'ai d'abord aimé des femmes, puis des bêtes. Maintenant j'aime des pierres. C'est tout

---

1. Il s'agit de l'ornementation du rampant du grand escalier en vis de Saint-Gilles du château dit de Madrid, selon Sauval (II, 308). Hugo remplace *tendresse* par *mignardise* (emprunté à Sauval, II, 388, à propos d'un crucifix particulièrement réaliste de G. Pilon, et du rendu des muscles, nerfs et veines), sans doute pour éviter la répétition du suffixe, en récupérant *tendre* pour la suite. **2.** Sculpture de plein relief, mais le terme appelle à la caresse. **3.** Rendu gai, riant.

aussi amusant que les bêtes et les femmes, et c'est moins perfide...

Le prêtre mit sa main sur son front. C'était son geste habituel. — En vérité !

— Tenez ! dit Gringoire, on a des jouissances ! Il prit le bras du prêtre qui se laissait aller, et le fit entrer sous la tourelle de l'escalier du For-l'Évêque. — Voilà un escalier ! chaque fois que je le vois, je suis heureux. C'est le degré de la manière la plus simple et la plus rare de Paris. Toutes les marches sont par-dessous délardées [1]. Sa beauté et sa simplicité consistent dans les girons [2] de l'une et de l'autre, portant un pied ou environ, qui sont entrelacés, enclavés, emboîtés, enchaînés, enchâssés, entretaillés l'un dans l'autre, et s'entremordent [3] d'une façon vraiment ferme et gentille !

— Et vous ne désirez rien ?

— Non.

— Et vous ne regrettez rien ?

— Ni regret ni désir. J'ai arrangé ma vie.

— Ce qu'arrangent les hommes, dit Claude, les choses le dérangent.

— Je suis un philosophe pyrrhonien [4], répondit Gringoire ; et je tiens tout en équilibre.

— Et comment la gagnez-vous, votre vie ?

— Je fais encore çà et là des épopées et des tragédies [5] ; mais ce qui me rapporte le plus, c'est l'industrie

---

1. Taille du dessous des marches pour obtenir une surface unie du plafond de l'escalier. **2.** Dessus horizontal de la marche. **3.** Sept termes pratiquement synonymes pour exprimer la solidarité quasi indestructible de cette architecture, qui est celle du couvent des Bernardins, à la limite amont de la ville, rive gauche, à côté de la Tournelle, donc exactement à l'opposé de Saint-Germain l'Auxerrois, de l'hôtel de Bourbon et du Louvre. Hugo suit Sauval, I, 436. **4.** Sceptique, dans la tradition de Pyrrhon, philosophe grec du IVe siècle avant notre ère : les propositions contraires sont également probables, la vérité inaccessible, le bonheur ne se trouve que dans l'abstention, et le philosophe se suspend dans l'ataraxie. **5.** Comme Homère, Virgile, voire Dante pour l'épopée, ou comme Eschyle, Sophocle ou Sénèque pour la tragédie. Mais ni notre héros ni l'authentique Gringoire ne sont épiques ni tragiques : l'anachronisme est ici satirique et vise la constitution dans le décours du XVIe siècle de genres qui seront moribonds à la fin du XVIIIe, et qu'il faudra tuer ou métamorphoser au XIXe.

que vous me connaissez, mon maître : porter des pyramides de chaises sur mes dents.

— Le métier est grossier pour un philosophe.

— C'est encore de l'équilibre, dit Gringoire. Quand on a une pensée, on la retrouve en tout.

— Je le sais, répondit l'archidiacre.

Après un silence, le prêtre reprit : — Vous êtes néanmoins assez misérable.

— Misérable, oui ; malheureux, non.

En ce moment un bruit de chevaux se fit entendre, et nos deux interlocuteurs virent défiler au bout de la rue une compagnie des archers de l'ordonnance du roi, les lances hautes, l'officier en tête. La cavalcade était brillante, et résonnait sur le pavé.

— Comme vous regardez cet officier ! dit Gringoire à l'archidiacre.

— C'est que je crois le reconnaître.

— Comment le nommez-vous ?

— Je crois, dit Claude, qu'il s'appelle Phœbus de Châteaupers.

— Phœbus ! un nom de curiosité [1] ! Il y a aussi Phœbus, comte de Foix [2]. J'ai souvenir d'avoir connu une fille qui ne jurait que par Phœbus.

— Venez-vous-en, dit le prêtre. J'ai quelque chose à vous dire.

Depuis le passage de cette troupe, quelque agitation perçait sous l'enveloppe glaciale de l'archidiacre. Il se mit à marcher. Gringoire le suivait, habitué à lui obéir, comme tout ce qui avait approché une fois cet homme plein d'ascendant. Ils arrivèrent en silence jusqu'à la rue des Bernardins [3] qui était assez déserte. Dom Claude s'y arrêta.

— Qu'avez-vous à me dire, mon maître ? lui demanda Gringoire.

---

1. Rare, digne de susciter une passion d'antiquaire. **2.** Une note de Hugo incline à penser qu'il s'agit de François-Phébus, né en 1471, couronné roi de Navarre à dix ans et mort en 1483, quatrième successeur du blond chasseur Gaston III Phébus, qui avait mis le Soleil dans ses armes et composé le *Miroir* de vénerie dont le style relevé donna naissance au « phébus » du langage ampoulé. **3.** Limite ouest du couvent du même nom.

— Est-ce que vous ne trouvez pas, répondit l'archidiacre d'un air de profonde réflexion, que l'habit de ces cavaliers que nous venons de voir est plus beau que le vôtre et que le mien ?

Gringoire hocha la tête. — Ma foi ! j'aime mieux ma gonelle jaune et rouge que ces écailles de fer et d'acier. Beau plaisir, de faire en marchant le même bruit que le quai de la Ferraille par un tremblement de terre !

— Donc, Gringoire, vous n'avez jamais porté envie à ces beaux fils en hoquetons de guerre ?

— Envie de quoi, monsieur l'archidiacre, de leur force, de leur armure, de leur discipline ? Mieux valent la philosophie et l'indépendance en guenilles. J'aime mieux être tête de mouche que queue de lion [1].

— Cela est singulier, dit le prêtre rêveur. Une belle livrée est pourtant belle.

Gringoire, le voyant pensif, le quitta pour aller admirer le porche d'une maison voisine. Il revint en frappant des mains. — Si vous étiez moins occupé des beaux habits des gens de guerre, monsieur l'archidiacre, je vous prierais d'aller voir cette porte. Je l'ai toujours dit, la maison du sieur Aubry a une entrée la plus superbe du monde.

— Pierre Gringoire, dit l'archidiacre, qu'avez-vous fait de cette petite danseuse égyptienne ?

— La Esmeralda ? Vous changez bien brusquement de conversation.

— N'était-elle pas votre femme ?

— Oui, au moyen d'une cruche cassée. Nous en avions pour quatre ans. — À propos, ajouta Gringoire en regardant l'archidiacre d'un air à demi goguenard, vous y pensez donc toujours ?

— Et vous, vous n'y pensez plus ?

— Peu. — J'ai tant de choses !... Mon Dieu, que la petite chèvre était jolie !

— Cette bohémienne ne vous avait-elle pas sauvé la vie ?

— C'est, pardieu, vrai.

— Eh bien ! qu'est-elle devenue ? qu'en avez-vous fait ?

---

1. Formule empruntée à Pierre Matthieu.

— Je ne vous dirai pas. Je crois qu'ils l'ont pendue.

— Vous croyez ?

— Je n'en suis pas sûr. Quand j'ai vu qu'ils voulaient pendre les gens, je me suis retiré du jeu.

— C'est là tout ce que vous en savez ?

— Attendez donc. On m'a dit qu'elle s'était réfugiée dans Notre-Dame, et qu'elle y était en sûreté, et j'en suis ravi, et je n'ai pu découvrir si la chèvre s'était sauvée avec elle, et c'est tout ce que j'en sais.

— Je vais vous en apprendre davantage, cria dom Claude, et sa voix, jusqu'alors basse, lente et presque sourde, était devenue tonnante. Elle est en effet réfugiée dans Notre-Dame. Mais dans trois jours la justice l'y reprendra, et elle sera pendue en Grève. Il y a arrêt du parlement.

— Voilà qui est fâcheux, dit Gringoire.

Le prêtre, en un clin d'œil, était redevenu froid et calme.

— Et qui diable, reprit le poète, s'est donc amusé à solliciter un arrêt de réintégration [1] ? Est-ce qu'on ne pouvait pas laisser le parlement tranquille ? Qu'est-ce que cela fait qu'une pauvre fille s'abrite sous les arcs-boutants de Notre-Dame, à côté des nids d'hirondelle ?

— Il y a des satans dans le monde, répondit l'archidiacre.

— Cela est diablement mal emmanché [2], observa Gringoire.

L'archidiacre reprit après un silence : — Donc elle vous a sauvé la vie ?

— Chez mes bons amis les truandriers. Un peu plus, un peu moins, j'étais pendu. Ils en seraient fâchés aujourd'hui.

— Est-ce que vous ne voulez rien faire pour elle ?

— Je ne demande pas mieux, dom Claude ; mais si je vais m'entortiller une vilaine affaire autour du corps !

— Qu'importe !

---

1. Sous le pouvoir de la justice royale. Charmolue est-il le seul Satan de cette histoire ? **2.** Image populaire du levier auquel on ne pourra pas se fier.

— Bah ! qu'importe ! Vous êtes bon, vous, mon maître ! J'ai deux grands ouvrages commencés.

Le prêtre se frappa le front. Malgré le calme qu'il affectait, de temps en temps un geste violent révélait ses convulsions intérieures. — Comment la sauver ?

Gringoire lui dit : — Mon maître, je vous répondrai : *Il padelt*, ce qui veut dire en turc : *Dieu est notre espérance*[1].

— Comment la sauver ? répéta Claude rêveur.

Gringoire, à son tour, se frappa le front.

— Écoutez, mon maître, j'ai de l'imagination ; je vais vous trouver des expédients[2]. Si on demandait la grâce au roi ?

— À Louis XI ! une grâce !

— Pourquoi pas ?

— Va prendre son os au tigre !

Gringoire se mit à chercher de nouvelles solutions.

— Eh bien ! tenez ! — Voulez-vous que j'adresse aux matrones[3] une requête avec déclaration que la fille est enceinte ?

Cela fit étinceler la creuse prunelle du prêtre.

— Enceinte ! drôle ! est-ce que tu en sais quelque chose ?

Gringoire fut effrayé de son air. Il se hâta de dire : — Oh ! non pas moi ! Notre mariage était un vrai *forismaritagium*[4]. Je suis resté dehors. Mais enfin on obtiendrait un sursis.

— Folie ! infamie ! tais-toi !

— Vous avez tort de vous fâcher, grommela Gringoire. On obtient un sursis ; cela ne fait de mal à personne, et cela fait gagner quarante deniers parisis aux matrones, qui sont de pauvres femmes.

---

1. Selon Du Breul, 1290. *Turc* corrige *syriaque* au ms. C'était la devise de Jean de Montaigu, dont le cadavre était resté trois ans exposé à Montfaucon entre sa décapitation et sa réhabilitation (1409-1412). **2.** Moyens de se tirer d'affaire. C'est le résidu de toute une partie narrative prévue par le plan primitif : « Gringoire aux expédients ». **3.** Femmes sages ou sages-femmes chargées d'expertiser devant les tribunaux l'intimité des femmes, virginité, grossesse, etc. **4.** « Hors-Mariage » au sens de mariage avec quelqu'un qui dépend d'une autre autorité (Du Breul, 367).

Le prêtre ne l'écoutait pas. — Il faut pourtant qu'elle sorte de là ! murmura-t-il. L'arrêt est exécutoire sous trois jours ! D'ailleurs, il n'y aurait pas d'arrêt ; ce Quasimodo ! Les femmes ont des goûts bien dépravés ! Il haussa la voix : — Maître Pierre, j'y ai bien réfléchi ; il n'y a qu'un moyen de salut pour elle.

— Lequel ? moi, je n'en vois plus.

— Écoutez, maître Pierre, souvenez-vous que vous lui devez la vie. Je vais vous dire franchement mon idée. L'église est guettée jour et nuit ; on n'en laisse sortir que ceux qu'on y a vus entrer. Vous pourrez donc entrer. Vous viendrez. Je vous introduirai près d'elle. Vous changerez d'habits avec elle. Elle prendra votre pourpoint ; vous prendrez sa jupe [1].

— Cela va bien jusqu'à présent, observa le philosophe. Et puis ?

— Et puis ? Elle sortira avec vos habits ; vous resterez avec les siens. On vous pendra peut-être ; mais elle sera sauvée.

Gringoire se gratta l'oreille avec un air très-sérieux.

— Tiens ! dit-il, voilà une idée qui ne me serait jamais venue toute seule.

À la proposition inattendue de dom Claude, la figure ouverte et bénigne du poète s'était brusquement rembrunie, comme un riant paysage d'Italie quand il survient un coup de vent malencontreux qui écrase un nuage sur le soleil.

— Hé bien ! Gringoire, que dites-vous du moyen ?

— Je dis, mon maître, qu'on ne me pendra pas peut-être, mais qu'on me pendra indubitablement.

— Cela ne nous regarde pas.

— La peste ! dit Gringoire.

— Elle vous a sauvé la vie. C'est une dette que vous payez.

— Il y en a bien d'autres que je ne paie pas !

---

1. L'échange de vêtements dans ces circonstances est aussi fréquent dans le roman que dans la fantasmatique. Mais le comte de Lavalette avait ainsi été sauvé en 1815 par sa femme, qui en devint folle. Lui-même devait mourir le 15 février 1830, dix jours avant la première d'*Hernani*.

— Maître Pierre, il le faut absolument.

L'archidiacre parlait avec empire.

— Écoutez, dom Claude, répondit le poète tout consterné. Vous tenez à cette idée, et vous avez tort. Je ne vois pas pourquoi je me ferais pendre à la place d'un autre.

— Qu'avez-vous donc tant qui vous attache à la vie ?

— Ah ! mille raisons.

— Lesquelles, s'il vous plaît ?

— Lesquelles ? L'air, le ciel, le matin, le soir, le clair de lune, mes bons amis les truands, nos gorges-chaudes avec les vilotières, les belles architectures de Paris à étudier, trois gros livres à faire, dont un contre l'évêque et ses moulins ; que sais-je, moi ? Anaxagoras [1] disait qu'il était au monde pour admirer le soleil. Et puis, j'ai le bonheur de passer toutes mes journées, du matin au soir, avec un homme de génie, qui est moi, et c'est fort agréable.

— Tête à faire un grelot ! grommela l'archidiacre. — Eh ! parle, cette vie que tu te fais si charmante, qui te l'a conservée ? À qui dois-tu de respirer cet air, de voir ce ciel, et de pouvoir encore amuser ton esprit d'alouette de billevesées et de folies ? Sans elle, où serais-tu ? Tu veux donc qu'elle meure, elle par qui tu es vivant ? qu'elle meure, cette créature, belle, douce, adorable, nécessaire à la lumière du monde, plus divine que Dieu ; tandis que toi, demi-sage et demi-fou, vaine ébauche de quelque chose, espèce de végétal qui crois marcher et qui crois penser, tu continueras à vivre avec la vie que tu lui as volée, aussi inutile qu'une chandelle en plein midi ? Allons, un peu de pitié, Gringoire ; sois généreux à ton tour ; c'est elle qui a commencé.

Le prêtre était véhément. Gringoire l'écouta d'abord avec un air indéterminé, puis il s'attendrit, et finit par faire une grimace tragique qui fit ressembler sa blême figure à celle d'un nouveau-né qui a la colique.

— Vous êtes pathétique ! dit-il en essuyant une larme. — Hé bien ! j'y réfléchirai. C'est une drôle d'idée que

---

1. Philosophe et astronome grec du ve siècle avant notre ère, penseur d'un universalisme où l'esprit informe la matière. La contemplation du Soleil lui paraissait la seule fonction de l'homme sur terre.

vous avez eue là. — Après tout, poursuivit-il après un silence, qui sait ? peut-être ne me pendront-ils pas. N'épouse pas toujours qui fiance. Quand ils me trouveront dans cette logette, si grotesquement affublé, en jupe et en coiffe, peut-être éclateront-ils de rire. — Et puis, s'ils me pendent, eh bien ! la corde, c'est une mort comme une autre, ou, pour mieux dire, ce n'est pas une mort comme une autre. C'est une mort digne du sage qui a oscillé toute sa vie, une mort qui n'est ni chair ni poisson, comme l'esprit du véritable sceptique, une mort toute empreinte de pyrrhonisme et d'hésitation, qui tient le milieu entre le ciel et la terre, qui vous laisse en suspens. C'est une mort de philosophe, et j'y étais prédestiné peut-être. Il est magnifique de mourir comme on a vécu.

Le prêtre l'interrompit : — Est-ce convenu ?

— Qu'est-ce que la mort, à tout prendre ? poursuivit Gringoire avec exaltation. Un mauvais moment, un péage, le passage de peu de chose à rien. Quelqu'un ayant demandé à Cercidas[1], mégalopolitain, s'il mourrait volontiers : Pourquoi non ? répondit-il ; car après ma mort je verrai ces grands hommes, Pythagoras entre les philosophes, Hecatæus entre les historiens, Homère entre les poètes, Olympe entre les musiciens.

L'archidiacre lui présenta la main. — Donc c'est dit ? vous viendrez demain.

Ce geste ramena Gringoire au positif.

— Ah ! ma foi, non ! dit-il du ton d'un homme qui se réveille. Être pendu ! c'est trop absurde. Je ne veux pas.

— Adieu alors ! Et l'archidiacre ajouta entre ses dents : Je te retrouverai !

— Je ne veux pas que ce diable d'homme me retrouve, pensa Gringoire, et il courut après dom Claude.

— Tenez, monsieur l'archidiacre, pas d'humeur entre vieux amis ! Vous vous intéressez à cette fille, à ma femme, veux-je dire, c'est bien. Vous avez imaginé un

---

1. Poète et législateur de la « Grande Ville » du Péloponnèse au IVe siècle avant notre ère, qu'il contribua à placer sous l'autorité de Philippe de Macédoine. Le propos vient de Mathieu, 442. Hécatée de Milet (vers 550-475 av. J.C.) voyageur, géographe, fut le premier historien avant Hérodote. Olympos, célèbre joueur de flûte cité par Aristophane et Platon.

stratagème pour la faire sortir sauve de Notre-Dame, mais votre moyen est extrêmement désagréable pour moi Gringoire. — Si j'en avais un autre, moi ! — Je vous préviens qu'il vient de me survenir à l'instant une inspiration très-lumineuse. — Si j'avais une idée expédiente pour la tirer du mauvais pas sans compromettre mon cou avec le moindre nœud coulant ? qu'est-ce que vous diriez ? cela ne vous suffirait-il point ? Est-il absolument nécessaire que je sois pendu pour que vous soyez content ?

Le prêtre arrachait d'impatience les boutons de sa soutane. — Ruisseau de paroles ! — Quel est ton moyen ?

— Oui, reprit Gringoire se parlant à lui-même et touchant son nez avec son index en signe de méditation, — c'est cela ! — Les truands sont de braves fils. — La tribu d'Égypte l'aime ! — Ils se lèveront au premier mot ! — Rien de plus facile ! — Un coup de main. — À la faveur du désordre, on l'enlèvera aisément ! — Dès demain soir... — Ils ne demanderont pas mieux.

— Le moyen ! parle ! dit le prêtre en le secouant.

Gringoire se tourna majestueusement vers lui : — Laissez-moi donc ! vous voyez bien que je compose[1]. Il réfléchit encore quelques instants, puis il se mit à battre des mains à sa pensée en criant : — Admirable ! réussite sûre !

— Le moyen ! reprit Claude en colère. Gringoire était radieux.

— Venez, que je vous dise cela tout bas. C'est une contre-mine[2] vraiment gaillarde et qui nous tire tous d'affaire. Pardieu ! il faut convenir que je ne suis pas un imbécile !

Il s'interrompit : — Ah çà ! la petite chèvre est-elle avec la fille ?

— Oui. Que le diable t'emporte !

— C'est qu'ils l'auraient pendue aussi ; n'est-ce pas ?

— Qu'est-ce que cela me fait ?

— Oui, ils l'auraient pendue. Ils ont bien pendu une truie le mois passé. Le bourrel aime cela ; il mange la bête après. Pendre ma jolie Djali ! Pauvre petit agneau !

---

1. Dédoublement ironique du romancier dans le miroir de l'intrigue.
2. Sape tentée pour arrêter le progrès de la sape adverse.

— Malédiction ! s'écria dom Claude. Le bourreau, c'est toi. Quel moyen de salut as-tu donc trouvé, drôle ? faudra-t-il t'accoucher ton idée avec le forceps ?

— Tout beau, maître ! voici.

Gringoire se pencha à l'oreille de l'archidiacre, et lui parla très-bas, en jetant un regard inquiet d'un bout à l'autre de la rue, où il ne passait pourtant personne. Quand il eut fini, dom Claude lui prit la main et lui dit froidement : — C'est bon. À demain.

— À demain, répéta Gringoire. Et tandis que l'archidiacre s'éloignait d'un côté, il s'en alla de l'autre en se disant à demi-voix : — Voilà une fière affaire, monsieur Pierre Gringoire. N'importe ; il n'est pas dit, parce qu'on est petit, qu'on s'effraiera d'une grande entreprise. Biton porta un grand taureau sur ses épaules [1] ; les hochequeues, les fauvettes et les traquets [2] traversent l'Océan.

II

FAITES-VOUS TRUAND

L'archidiacre, en rentrant au cloître, trouva à la porte de sa cellule son frère Jehan du Moulin qui l'attendait et qui avait charmé les ennuis de l'attente en dessinant avec un charbon sur le mur un profil de son frère aîné, enrichi d'un nez démesuré.

Dom Claude regarda à peine son frère ; il avait d'autres songes. Ce joyeux visage de vaurien, dont le rayonnement avait tant de fois rasséréné la sombre physionomie du prêtre, était maintenant impuissant à fondre la brume qui

---

1. Allusion à ce fils d'une prêtresse d'Héra qui suppléa avec son frère Cléobis les taureaux blancs du char sacré, et mérita ainsi « le plus grand bien que les dieux peuvent donner aux mortels », la mort ? ou à un célèbre mais obscur mathématicien du IIIe siècle ? Le contexte de cette fin de chapitre n'est peut-être pas tout-à-fait innocent. **2.** Charmants petits oiseaux aux noms plus ou moins évocateurs de force et de chasse.

s'épaississait chaque jour davantage sur cette âme corrompue, méphitique[1] et stagnante.

— Mon frère, dit timidement Jehan, je viens vous voir.

L'archidiacre ne leva seulement pas les yeux sur lui.

— Après ?

— Mon frère, reprit l'hypocrite, vous êtes si bon pour moi, et vous me donnez de si bons conseils que je reviens toujours à vous.

— Ensuite ?

— Hélas ! mon frère, c'est que vous aviez bien raison quand vous me disiez : — Jehan ! Jehan ! *cessat doctorum doctrina, discipulorum disciplina*[2]. Jehan, soyez sage, Jehan, soyez docte. Jehan, ne pernoctez pas hors le collége sans occasion légitime et congé du maître. Ne battez pas les Picards : *noli, Joannes, verberare Picardos*. Ne pourrissez pas comme un âne illettré, *quasi asinus illiteratus*[3], sur le feurre de l'école. Jehan, laissez-vous punir à la discrétion du maître. Jehan, allez tous les soirs à la chapelle, et chantez-y une antienne avec verset et oraison à madame la glorieuse vierge Marie[4]. Hélas ! que c'étaient là de très-excellents avis !

— Et puis ?

— Mon frère, vous voyez un coupable, un criminel, un misérable, un libertin, un homme énorme ! Mon cher frère, Jehan a fait de vos gracieux conseils paille et fumier à fouler aux pieds. J'en suis bien châtié, et le bon Dieu est extraordinairement juste. Tant que j'ai eu de l'argent, j'ai fait ripaille, folie et vie joyeuse. Oh ! que la débauche, si charmante de face, est laide et rechignée par derrière !

---

1. Caractérise les exhalaisons des marécages et autres bourbiers. **2.** C'est la fin de la discipline chez les disciples, de l'enseignement chez les enseignants (Du Breul, 611), où il s'agit en fait d'une grève des cours, commune aux maîtres et aux élèves contre les empiétements du pouvoir civil sur les franchises de l'Université. *Ibidem*, p. 717, pour « pernocter hors le collége », c'est-à-dire découcher. **3.** Adaptation prudente et cocasse de la formule latine qui fait d'un roi illettré un âne couronné. **4.** Antienne et verset viennent de la nature responsoriale du chant des psaumes dans la liturgie, et particulièrement dans l'office de la Vierge, aux vêpres ou à la fin de complies. L'oraison est une prière soigneusement composée pour que le fidèle y applique l'intimité de sa supplication personnelle. La formule est reprise du P. Du Breul, 718.

Maintenant je n'ai plus un blanc ; j'ai vendu ma nappe, ma chemise et ma touaille[1] ; plus de joyeuse vie ! la belle chandelle est éteinte[2], et je n'ai plus que la vilaine mèche de suif qui me fume dans le nez. Les filles se moquent de moi. Je bois de l'eau. Je suis bourrelé de remords et de créanciers.

— Le reste ? dit l'archidiacre.

— Hélas ! très-cher frère, je voudrais bien me ranger à une meilleure vie. Je viens à vous, plein de contrition[3]. Je suis pénitent. Je me confesse. Je me frappe la poitrine à grands coups de poing. Vous avez bien raison de vouloir que je devienne un jour licencié et sous-moniteur du collége de Torchi. Voici que je me sens à présent une vocation magnifique pour cet état. Mais je n'ai plus d'encre, il faut que j'en rachète ; je n'ai plus de plumes, il faut que j'en rachète ; je n'ai plus de papier, je n'ai plus de livres, il faut que j'en rachète. J'ai grand besoin pour cela d'un peu de finance, et je viens à vous, mon frère, le cœur plein de contrition.

— Est-ce tout ?

— Oui, dit l'écolier. Un peu d'argent.

— Je n'en ai pas.

L'écolier dit alors d'un air grave et résolu en même temps : — Eh bien ! mon frère, je suis fâché d'avoir à vous dire qu'on me fait, d'autre part, de très-belles offres et propositions. Vous ne voulez pas me donner d'argent ? — Non ? — En ce cas, je vais me faire truand.

En prononçant ce mot monstrueux, il prit une mine d'Ajax[4], s'attendant à voir tomber la foudre sur sa tête.

L'archidiacre lui dit froidement : — Faites-vous truand.

---

1. Toile : serviette ou drap de lit. **2.** Sauf le grand luxe de la cire, toutes les chandelles étaient en suif ; l'opposition est avec la simple mèche, qui brûle plus qu'elle n'éclaire, et ne dure pas. L'allusion anachronique à la chanson *Au clair de la lune* est probable. **3.** Repentance motivée non par la crainte mais par le plein amour de Dieu, et qui conduit à la confession, au sacrement de la pénitence. Le poing sur la poitrine scande « ma faute, ma très grand faute ». **4.** Des deux Ajax de l'épopée homérique, il s'agit de celui qui, en pleine tempête, dressait encore le poing contre les dieux.

Jehan le salua profondément et redescendit l'escalier du cloître en sifflant.

Au moment où il passait dans la cour du cloître, sous la fenêtre de la cellule de son frère, il entendit cette fenêtre s'ouvrir, leva le nez et vit passer par l'ouverture la tête sévère de l'archidiacre. — Va-t'en au diable ! disait dom Claude ; voici le dernier argent que tu auras de moi.

En même temps, le prêtre jeta à Jehan une bourse qui fit à l'écolier une grosse bosse au front, et dont Jehan s'en alla à la fois fâché et content, comme un chien qu'on lapiderait avec des os à moelle.

III

VIVE LA JOIE !

Le lecteur n'a peut-être pas oublié qu'une partie de la Cour des Miracles était enclose par l'ancien mur d'enceinte de la ville, dont bon nombre de tours commençaient, dès cette époque, à tomber en ruines. L'une de ces tours avait été convertie en lieu de plaisir par les truands. Il y avait cabaret dans la salle basse, et le reste[1] dans les étages supérieurs. Cette tour était le point le plus vivant et par conséquent le plus hideux de la truanderie. C'était une sorte de ruche monstrueuse qui y bourdonnait nuit et jour. La nuit, quand tout le surplus de la gueuserie dormait, quand il n'y avait plus une fenêtre allumée sur les façades terreuses de la place, quand on n'entendait plus sortir un cri de ces innombrables maisonnées, de ces fourmilières de voleurs, de filles et d'enfants volés ou bâtards, on reconnaissait toujours la joyeuse tour au bruit qu'elle faisait, à la lumière écarlate qui, rayonnant à la fois aux soupiraux, aux fenêtres, aux fissures des murs lézardés, s'échappait pour ainsi dire de tous ses pores.

La cave était donc le cabaret. On y descendait par une

---

1. Rencontre avec La Fontaine, IX, 3, *Les Deux Pigeons* : Bon soupé, bon gîte, et le reste...

porte basse et par un escalier aussi roide qu'un alexandrin classique[1]. Sur la porte, il y avait en guise d'enseigne un merveilleux barbouillage représentant des sols neufs et des poulets tués, avec ce calembourg au-dessous : *Aux sonneurs pour les trépassés*[2].

Un soir, au moment où le couvre-feu sonnait à tous les beffrois[3] de Paris, les sergents du guet, s'il leur eût été donné d'entrer dans la redoutable Cour des Miracles, auraient pu remarquer qu'il se faisait dans la taverne des truands plus de tumulte encore qu'à l'ordinaire, qu'on y buvait plus et qu'on y jurait mieux. Au dehors, il y avait dans la place force groupes qui s'entretenaient à voix basse, comme lorsqu'il se trame un grand dessein, et çà et là un drôle accroupi qui aiguisait une méchante lame de fer sur un pavé[4].

Cependant dans la taverne même, le vin et le jeu étaient une si puissante diversion aux idées qui occupaient ce soir-là la truanderie qu'il eût été difficile de deviner aux propos des buveurs de quoi il s'agissait. Seulement ils avaient l'air plus gai que de coutume, et on leur voyait à tous reluire quelque arme entre les jambes, une serpe[5], une cognée[6], un gros estramaçon[7] ou le croc d'une vieille hacquebute[8].

La salle, de forme ronde, était très-vaste ; mais les tables étaient si pressées et les buveurs si nombreux, que tout ce que contenait la taverne, hommes, femmes, bancs, cruches à bière, ce qui buvait, ce qui dormait, ce qui jouait, les bien-portants, les éclopés, semblaient entassés pêle-mêle avec autant d'ordre et d'harmonie qu'un tas d'écailles d'huîtres. Il y avait quelques suifs allumés sur les tables ; mais le véritable luminaire de la taverne, ce

---

1. Caractérisé par l'obligation de la césure après la sixième syllabe, jusqu'à laquelle la déclamation montait majestueusement pour en redescendre en catastrophe, et par l'horreur des rejets, enjambements, hiatus, etc. **2.** « Aux so(ls) neu(fs) poulets trépassés », venant de Sauval, III, 57. On ne sait pour qui sonne ici le glas. **3.** Tour municipale, pour la surveillance et l'alarme : c'est aussi le rôle laïc du clocher. **4.** Le pavé de Paris était en grès. **5.** Outil à lame large et à l'extrémité recourbée, pour ébrancher et fendre le bois. **6.** Grande hache pour l'abattage des arbres. **7.** Large épée à deux tranchants. **8.** Lourde arquebuse de rempart.

qui remplissait dans le cabaret le rôle du lustre dans une salle d'opéra[1], c'était le feu. Cette cave était si humide qu'on n'y laissait jamais éteindre la cheminée, même en plein été ; une cheminée immense à manteau sculpté, toute hérissée de lourds chenets de fer et d'appareils de cuisine, avec un de ces gros feux mêlés de bois et de tourbe[2] qui, la nuit, dans les rues de village, font saillir si rouge sur les murs d'en face le spectre des fenêtres de forge. Un grand chien, gravement assis dans la cendre, tournait devant la braise une broche chargée de viandes.

Quelle que fût la confusion, après le premier coup d'œil, on pouvait distinguer dans cette multitude trois groupes principaux, qui se pressaient autour de trois personnages que le lecteur connaît déjà. L'un de ces personnages, bizarrement accoutré de maint oripeau oriental, était Mathias Hungadi Spicali, duc d'Égypte et de Bohême. Le maraud était assis sur une table, les jambes croisées, le doigt en l'air, et faisait d'une voix haute distribution de sa science en magie blanche et noire[3] à mainte face béante qui l'entourait. Une autre cohue s'épaississait autour de notre ancien ami, le vaillant roi de Thumes, armé jusqu'aux dents. Clopin Trouillefou, d'un air très-sérieux et à voix basse, réglait le pillage d'une énorme futaille[4] pleine d'armes, largement défoncée devant lui, d'où se dégorgeaient en foule, haches, épées, bassinets[5], cottes de mailles, platers[6], fers de lances et d'archegayes[7], sagettes[8] et viretons[9], comme pommes et raisins d'une corne d'abondance[10]. Chacun

---

1. La comparaison, délibérément choquante, traite sur pied d'égalité gueuserie et beau monde, passé barbare et civilisation moderne. 2. Combustible encore terreux, qui brûle lentement, et qu'on extrait de terrains mouillés. Mais aussi, du latin au français, la foule du bas peuple. Jusqu'au milieu du XXe siècle, il y avait au moins une forge par village, où les hommes tenaient colloque. 3. Blanche : illusionisme ; noire : magie, sorcellerie. 4. Terme collectif, voire dépréciatif, pour tout tonneau. 5. Simple casque dérivé de la calotte de fer d'abord porté sous la protection de mailles de la tête. 6. Sorte de plaque d'armure. 7. Sorte de pique « gauloise », fort archaïque. 8. Flèches. 9. Flèche d'arbalète, que son empennage dote d'un mouvement pénétrant de rotation. 10. Motif allégorique de peinture ou sculpture.

prenait au tas, qui le morion[1], qui l'estoc, qui la miséricorde[2] à poignée en croix. Les enfants eux-mêmes s'armaient, et il y avait jusqu'à des culs-de-jattes qui, bardés et cuirassés, passaient entre les jambes des buveurs comme de gros scarabées[3].

Enfin un troisième auditoire, le plus bruyant, le plus jovial et le plus nombreux, encombrait les bancs et les tables au milieu desquels pérorait et jurait une voix en flûte qui s'échappait de dessous une pesante armure complète du casque aux éperons. L'individu qui s'était ainsi vissé une panoplie[4] sur le corps disparaissait tellement sous l'habit de guerre qu'on ne voyait plus de sa personne qu'un nez effronté, rouge, retroussé, une boucle de cheveux blonds, une bouche rose et des yeux hardis. Il avait la ceinture pleine de dagues et de poignards, une grande épée au flanc, une arbalète rouillée à sa gauche, et un vaste broc de vin devant lui, sans compter à sa droite une épaisse fille débraillée. Toutes les bouches à l'entour de lui riaient, sacraient et buvaient.

Qu'on ajoute vingt groupes secondaires, les filles et les garçons de service courant avec des brocs en tête, les joueurs accroupis sur les billes, sur les merelles[5], sur les dés, sur les vachettes, sur le jeu passionné du tringlet[6], les querelles dans un coin, les baisers dans l'autre, et l'on aura quelque idée de cet ensemble, sur lequel vacillait la clarté d'un grand feu flambant, qui faisait danser sur les murs du cabaret mille ombres démesurées et grotesques.

Quant au bruit, c'était l'intérieur d'une cloche en grande volée.

La lèchefrite[7], où pétillait une pluie de graisse, emplissait de son glapissement continu les intervalles de ces

---

1. Casque pointu, crêté, aux bords relevés devant et derrière. **2.** Dague des chevaliers (pour le coup de grâce ?). **3.** Insectes lamellicornes, aux couleurs métalliques. **4.** Un ensemble d'armes, comme on en voit disposées en panneau. **5.** Ou marelle, pion, palet. Plutôt que du jeu à terre, il s'agit ici pour deux joueurs, de jouter à qui alignera trois pions ou billes sur le réseau formé par trois carrés concentriques et les lignes qui relient l'extrémité et le milieu de leurs côtés. **6.** D'où amendes pour l'Ordinaire de 1454 (Sauval, III, 352) **7.** Plat qui recueille ce qui dégoutte du rôti.

mille dialogues, qui se croisaient d'un bout à l'autre de la salle.

Il y avait parmi ce vacarme, au fond de la taverne, sur le banc intérieur de la cheminée, un philosophe qui méditait, les pieds dans la cendre et l'œil sur les tisons. C'était Pierre Gringoire.

— Allons, vite ! dépêchons, armez-vous ! on se met en marche dans une heure ! disait Clopin Trouillefou à ses argotiers.

Une fille fredonnait :

> Bonsoir, mon père et ma mère,
> Les derniers couvrent le feu[1].

Deux joueurs de cartes se disputaient. — Valet ! criait le plus empourpré des deux, en montrant le poing à l'autre, je vais te marquer au trèfle. Tu pourras remplacer Mistigri[2] dans le jeu de cartes de monseigneur le roi !

— Ouf ! hurlait un Normand, connaissable à son accent nasillard ; on est ici tassé comme les saints de Caillouville[3] !

— Fils, disait à son auditoire le duc d'Égypte, parlant en fausset[4], les sorcières de France vont au sabbat sans balai, ni graisse, ni monture, seulement avec quelques paroles magiques. Les sorcières d'Italie ont toujours un bouc qui les attend à leur porte. Toutes sont tenues de sortir par la cheminée.

La voix du jeune drôle armé de pied en cap dominait le brouhaha. — Noël ! Noël ! criait-il. Mes premières armes aujourd'hui ! truand ! je suis truand, ventre de Christ ! versez-moi à boire ! — Mes amis, je m'appelle Jehan Frollo du Moulin, et je suis gentilhomme. Je suis d'avis que, si Dieu était gendarme, il se ferait pillard. Frères, nous allons faire une belle expédition. Nous sommes des

---

1. Cité par Sauval, II, 634. On couvrait les braises de cendre pour pouvoir les ranimer au matin. **2.** Le valet de trèfle, dans des jeux anciens dont dérivèrent le poker et la belote. **3.** Nodier signale que l'oratoire de Notre-Dame de Caillouville, « sur le bord de la fontaine » à Saint-Wandrille, n'existe plus. Le proverbe est cité dans l'*Essai...* d'E.-H. Langlois sur cette abbaye (1827). **4.** Voix de tête d'un homme, dans un aigu quasi féminin.

vaillants. Assiéger l'église, enfoncer les portes, en tirer la belle fille, la sauver des juges, la sauver des prêtres, démanteler le cloître, brûler l'évêque dans l'évêché[1], nous ferons cela en moins de temps qu'il n'en faut à un bourgmestre pour manger une cuillerée de soupe. Notre cause est juste, nous pillerons Notre-Dame, et tout sera dit. Nous pendrons Quasimodo. Connaissez-vous Quasimodo, mesdamoiselles ? L'avez-vous vu s'essouffler sur le bourdon un jour de grande Pentecôte[2] ? Corne-du-Père ! c'est très-beau ! on dirait un diable à cheval sur une gueule[3]. — Mes amis, écoutez-moi, je suis truand au fond du cœur, je suis argotier dans l'âme, je suis né cagou[4]. J'ai été très-riche, et j'ai mangé mon bien. Ma mère voulait me faire officier, mon père sous-diacre, ma tante conseiller aux enquêtes, ma grand'mère protonotaire du roi, ma grand'tante trésorier de robe courte[5] ; moi, je me suis fait truand. J'ai dit cela à mon père, qui m'a craché sa malédiction au visage, à ma mère, qui s'est mise, la vieille dame, à pleurer et à baver comme cette bûche sur ce chenet. Vive la joie ! je suis un vrai Bicêtre[6] ! Tavernière, ma mie, d'autre vin ! j'ai encore de quoi payer. Je ne veux plus de vin de Surène[7]. Il me chagrine le gosier. J'aimerais autant, corbœuf ! me gargariser d'un panier !

---

1. Le chapitre a été rédigé le 17 décembre 1830. Mais depuis « Frères... » le passage est en addition : il n'est pas tout à fait impossible qu'il soit consécutif au sac de l'archevêché, le 15 février 1831. **2.** Les sept semaines qui séparent Pâques de la Pentecôte sont toutes marquées par l'allégresse de la résurrection et de la régénération, et sont le temps de Pentecôte. Cela justifie peut-être la « grandeur » du dimanche qui accomplit ce temps. **3.** Ou goule, sorte de loup-garou dévorateur de cadavres. Hugo joue sur la gueule, l'ouverture hurlante de la cloche. **4.** Nom donné aux archisuppôts de la Truanderie, à cause de leur cagoule ? **5.** Trésorier militaire, moins digne de considération que ceux dont la robe longue garantit l'intégralité du cursus. Dans cette liste d'ambitions modestes, le protonotaire pourrait jurer, s'il ne s'agissait simplement d'un chef de secrétariat. **6.** « Brisetout » dit Sauval (II, 118 et 263), par référence aux hiboux et voleurs qui hantaient les ruines du château bâti à partir de 1290 par l'évêque de Winchester et démoli en 1411 : « le peuple... croyait que tout était plein d'esprits et que les diables y revenaient ». **7.** Mauvais vin « bleu » qui abreuvait Paris tout proche : Suresnes domine Paris de son coteau sur la Seine, à hauteur du Bois de Boulogne.

Cependant la cohue applaudissait avec des éclats de rire ; et voyant que le tumulte redoublait autour de lui, l'écolier s'écria : — Oh ! le beau bruit ! *Populi debacchantis populosa debacchatio*[1] *!* Alors il se mit à chanter, l'œil comme noyé dans l'extase, du ton d'un chanoine qui entonne vêpres : — *Quœ cantica ! quœ organa ! quœ cantilenœ ! quœ melodiœ hic sine fine decantantur ! sonant melliflua hymnorum organa, suavissima angelorum melodia, cantica canticorum mira*[2] *!...* Il s'interrompit : — Buvetière du diable, donne-moi à souper.

Il y eut un moment de quasi-silence pendant lequel s'éleva à son tour la voix aigre du duc d'Égypte, enseignant ses bohémiens : — La belette s'appelle Aduine, le renard Pied-bleu ou le Coureur-des-bois, le loup Pied-gris ou Pied-doré, l'ours le Vieux ou le Grand-père. — Le bonnet d'un gnome rend invisible, et fait voir les choses invisibles. — Tout crapaud qu'on baptise doit être vêtu de velours rouge ou noir, une sonnette au cou, une sonnette aux pieds. Le parrain tient la tête, la marraine le derrière. — C'est le démon Sidragasum qui a le pouvoir de faire danser les filles toutes nues[3].

— Par la messe ! interrompit Jehan, je voudrais être le démon Sidragasum.

Cependant les truands continuaient de s'armer en chuchotant à l'autre bout du cabaret.

— Cette pauvre Esmeralda ! disait un bohémien. — C'est notre sœur. — Il faut la retirer de là.

— Est-elle donc toujours à Notre-Dame ? reprenait un marcandier à mine de juif.

— Oui, pardieu !

---

1. « D'un peuple s'emportant populeux transport. » 2. « Quels cantiques ! quels instruments ! quelles cantilènes ! quelles mélodies sont ici sans fin chantées ! Résonnent melliflus les instruments des hymnes, les plus suaves mélodies des anges, les cantiques des cantiques, admirables !... » Hugo a noté dans l'*Essai...* de Langlois ce texte du *Manuel* (ch. VI, n° 2) de saint Augustin, sur le Paradis, où les chanteurs sont les « citoyens d'en haut ». 3. Tout le paragraphe est emprunté par morceaux au *Dictionnaire infernal* : la gueuserie satirise la pédagogie des clercs, et fait parler la nature.

— Hé bien, camarades ! s'écriait le marcandier[1], à Notre-Dame ! D'autant mieux qu'il y a à la chapelle des saints Féréol et Ferrution[2] deux statues, l'une de saint Jean-Baptiste, l'autre de saint Antoine, toutes d'or, pesant ensemble dix-sept marcs d'or et quinze estellins, et les sous-pieds d'argent doré dix-sept marcs cinq onces. Je sais cela ; je suis orfèvre.

Ici on servit à Jehan son souper. Il s'écria, en s'étalant sur la gorge de la fille sa voisine : — Par saint Voult-de-Lucques, que le peuple appelle saint Goguelu[3], je suis parfaitement heureux. J'ai là devant moi un imbécile qui me regarde avec la mine glabre[4] d'un archiduc. En voici un à ma gauche qui a les dents si longues qu'elles lui cachent le menton. Et puis, je suis comme le maréchal de Gié au siége de Pontoise[5], j'ai ma droite appuyée à un mamelon. — Ventre-Mahom ! camarade ! tu as l'air d'un marchand d'esteufs[6], et tu viens t'asseoir auprès de moi ! Je suis noble, l'ami. La marchandise est incompatible avec la noblesse. Va-t'en de là. — Holahée ! vous autres ! ne vous battez pas ! Comment, Baptiste Croque-Oison, toi qui as un si beau nez, tu vas le risquer contre les gros poings de ce butor ! Imbécile ! *Non cuiquam datum est habere nasum*[7]. — Tu es vraiment divine, Jacqueline Ronge-Oreille ! c'est dommage que tu n'aies pas de cheveux. — Holà ! je m'appelle Jehan Frollo, et mon frère est archidiacre. Que le diable l'emporte ! Tout ce que je vous dis est la vérité. En

---

1. Mendiants contrefaisant deux par deux des marchands ruinés par diverses calamités. **2.** Deux frères de la fin du IIe-début du IIIe s., honorés par l'Église le 16 juin. Du Breul mentionne leurs trois chapellenies p. 28, et les statues (à Marcoussis et non à Notre-Dame) p. 1281. Ferrution n'est autre que Fargeau. Comme poids, l'esterlin représentait environ 1,5 gramme ; comme monnaie, 4 deniers tournois. Le marcandier est sans doute orfèvre en toutes sortes de matières, mais surtout dans celle de fêter saint Éloi, patron de cette corporation, comme la chanson paillarde le dit. **3.** Saint « Voult » est la sainte « Face » du Christ, en fait sa représentation en croix ; la copie qui était au Saint-Sépulcre de Paris (chapelle de la confrérie des Merciers selon Sauval II, 476) reçut ce nom goguenard et donna naissance au mot godelureau. **4.** Sans barbe. **5.** Le grand siège de Pontoise (trois mois) date de 1441 ; Pierre de Rohan, qui devait devenir maréchal de Gié à vingt-cinq ans, n'aurait eu alors que dix ans ? **6.** Balle du jeu de paume, d'un commerce plus que modeste. **7.** « Il n'est pas donné à tout le monde d'avoir un nez. »

me faisant truand, j'ai renoncé de gaîté de cœur à la moitié d'une maison située dans le paradis, que mon frère m'avait promise. *Dimidiam domum in paradiso* [1]. Je cite le texte. J'ai un fief rue Tirechappe, et toutes les femmes sont amoureuses de moi, aussi vrai qu'il est vrai que saint Éloy était un excellent orfèvre, et que les cinq métiers de la bonne ville de Paris sont les tanneurs, les mégissiers, les baudroyeurs, les boursiers et les sueurs [2], et que saint Laurent [3] a été brûlé avec des coquilles d'œufs. Je vous jure, camarades,

> Que je ne beuvrai de piment [4]
> Devant un an, si je cy ment !

— Ma charmante, il fait clair de lune ; regarde donc là-bas, par le soupirail, comme le vent chiffonne les nuages ! Ainsi je fais ta gorgerette. — Les filles ! mouchez [5] les enfants et les chandelles. — Christ et Mahom ! qu'est-ce que je mange là, Jupiter ! Ohé ! la matrulle ! les cheveux qu'on ne trouve pas sur la tête de tes ribaudes, on les retrouve dans tes omelettes. La vieille ! j'aime les omelettes chauves. Que le diable te fasse camue ! — Belle hôtellerie de Belzébuth, où les ribaudes se peignent avec les fourchettes !

Cela dit, il brisa son assiette sur le pavé et se mit à chanter à tue-tête :

> Et je n'ai, moi,
> Par la sang-Dieu !
> Ni foi, ni loi,
> Ni feu, ni lieu,
> Ni roi,
> Ni Dieu [6] !

---

1. « Une demi-maison sur le parvis » (Du Breul, 53). **2.** Tous métiers de cuirs et peaux selon Sauval (III, 495). **3.** Martyr du IIIe siècle, célèbre pour sa constance sur le gril. Fêté le 10 août, patron d'une foire populaire dans les faubourgs du nord de Paris. **4.** Le piment était une sorte d'hypocras, vin rouge (clairet), miel et épices (Sauval, II, 643). **5.** Entre le pouce et l'index... **6.** Programme de l'anarchisme militant : le moi se constitue par la chanson.

Cependant Clopin Trouillefou avait fini sa distribution d'armes. Il s'approcha de Gringoire, qui paraissait plongé dans une profonde rêverie, les pieds sur un chenet. — L'ami Pierre, dit le roi de Thunes, à quoi diable penses-tu ?

Gringoire se retourna vers lui avec un sourire mélancolique : — J'aime le feu, mon cher seigneur. Non par la raison triviale que le feu réchauffe nos pieds ou cuit notre soupe, mais parce qu'il a des étincelles. Quelquefois je passe des heures à regarder les étincelles. Je découvre mille choses dans ces étoiles qui saupoudrent le fond noir de l'âtre. Ces étoiles-là aussi sont des mondes[1].

— Tonnerre si je te comprends ! dit le truand. Sais-tu quelle heure il est ?

— Je ne sais pas, répondit Gringoire.

Clopin s'approcha alors du duc d'Égypte.

— Camarade Mathias, le quart d'heure n'est pas bon. On dit le roi Louis onzième à Paris.

— Raison de plus pour lui tirer notre sœur des griffes, répondit le vieux bohémien.

— Tu parles en homme, Mathias, dit le roi de Thunes. D'ailleurs nous ferons lestement. Pas de résistance à craindre dans l'église. Les chanoines sont des lièvres[2], et nous sommes en force. Les gens du parlement seront bien attrapés demain quand ils viendront la chercher ! Boyaux du pape ! je ne veux pas qu'on pende la jolie fille !

Clopin sortit du cabaret.

Pendant ce temps-là, Jehan s'écriait d'une voix enrouée : — Je bois, je mange, je suis ivre, je suis Jupiter ! — Eh ! Pierre-l'Assommeur, si tu me regardes encore comme cela, je vais t'épousseter le nez avec des chiquenaudes.

De son côté, Gringoire, arraché de ses méditations, s'était mis à considérer la scène fougueuse et criarde qui l'environnait en murmurant entre ses dents : *Luxuriosa*

---

1. Voir dans *Les Contemplations* les pièces III, 30 et V, 9.
2. Animal emblématique de la couardise, à cause de son aptitude à détaler.

res vinum et tumultuosa ebrietas[1]. Hélas ! que j'ai bien raison de ne pas boire, et que saint Benoît dit excellemment : *Vinum apostatare facit etiam sapientes.*

En ce moment Clopin rentra et cria d'une voix de tonnerre : Minuit !

À ce mot, qui fit l'effet du boute-selle[2] sur un régiment en halte, tous les truands, hommes, femmes, enfants, se précipitèrent en foule hors de la taverne avec un grand bruit d'armes et de ferrailles.

La lune s'était voilée.

La Cour des Miracles était tout-à-fait obscure. Il n'y avait pas une lumière. Elle était pourtant loin d'être déserte. On y distinguait une foule d'hommes et de femmes qui se parlaient bas. On les entendait bourdonner, et l'on voyait reluire toutes sortes d'armes dans les ténèbres. Clopin monta sur une grosse pierre. — À vos rangs, l'Argot ! cria-t-il. À vos rangs, l'Égypte ! À vos rangs, Galilée ! Un mouvement se fit dans l'ombre. L'immense multitude parut se former en colonne. Après quelques minutes le roi de Thunes éleva encore la voix : Maintenant silence pour traverser Paris ! Le mot de passe est : *Petite flambe en baguenaud*[3] ! On n'allumera les torches qu'à Notre-Dame ! En marche !

Dix minutes après, les cavaliers du guet s'enfuyaient épouvantés devant une longue procession d'hommes noirs et silencieux qui descendait vers le Pont-au-Change, à travers les rues tortueuses qui percent en tous sens le massif quartier des halles.

---

1. « Chose luxurieuse que le vin, et tumultueuse que l'ivresse » (Proverbes, XX, 1) cité par Langlois (p. 96), de même que la règle de saint Benoît, 40 : « Le vin fait apostasier même les sages. » **2.** Sonnerie qui commande de préparer la monture pour le départ. **3.** Épée à lame ondulée, de coupe-jarret ou de coupe-bourse. La gousse du baguenaudier, qu'on fait péter, peut être à l'origine de ces amusements vains, sans rime ni raison, qui meublent la poésie grotesque, la promenade le nez en l'air, ou la déambulation faussement innocente.

IV

UN MALADROIT AMI

Cette même nuit, Quasimodo ne dormait pas. Il venait de faire sa dernière ronde dans l'église. Il n'avait pas remarqué, au moment où il en fermait les portes, que l'archidiacre était passé près de lui et avait témoigné quelque humeur en le voyant verrouiller et cadenasser avec soin l'énorme armature de fer qui donnait à leurs larges battants la solidité d'une muraille. Dom Claude avait l'air encore plus préoccupé qu'à l'ordinaire. Du reste, depuis l'aventure nocturne de la cellule, il maltraitait constamment Quasimodo ; mais il avait beau le rudoyer, le frapper même quelquefois, rien n'ébranlait la soumission, la patience, la résignation dévouée du fidèle sonneur. De la part de l'archidiacre il souffrait tout, injures, menaces, coups, sans murmurer un reproche, sans pousser une plainte. Tout au plus le suivait-il des yeux avec inquiétude quand dom Claude montait l'escalier de la tour, mais l'archidiacre s'était de lui-même abstenu de reparaître aux yeux de l'égyptienne.

Cette nuit-là donc, Quasimodo, après avoir donné un coup d'œil à ses pauvres cloches si délaissées, à Jacqueline, à Marie, à Thibaud, était monté jusque sur le sommet de la tour septentrionale, et là, posant sur les plombs sa lanterne sourde[1] bien fermée, il s'était mis à regarder Paris. La nuit, nous l'avons déjà dit, était fort obscure. Paris, qui n'était, pour ainsi dire, pas éclairé à cette époque, présentait à l'œil un amas confus de masses noires, coupé çà et là par la courbe blanchâtre de la Seine. Quasimodo n'y voyait plus de lumière qu'à une fenêtre d'un édifice[2] éloigné dont le vague et sombre profil se dessinait bien au-dessus des toits, du côté de la Porte-Saint-Antoine. Là aussi il y avait quelqu'un qui veillait.

Tout en laissant flotter dans cet horizon de brume et de

---

1. Dont on peut occulter la lumière. 2. La généralité du terme esquisse la gémellité de la forteresse et de la cathédrale, qui se poursuit par le double anonymat du sonneur et du roi.

nuit son unique regard, le sonneur sentait au dedans de lui-même une inexprimable inquiétude. Depuis plusieurs jours il était sur ses gardes. Il voyait sans cesse rôder autour de l'église des hommes à mine sinistre qui ne quittaient pas des yeux l'asile de la jeune fille. Il songeait qu'il se tramait peut-être quelque complot contre la malheureuse réfugiée. Il se figurait qu'il y avait une haine populaire sur elle comme il y en avait une sur lui, et qu'il se pourrait bien qu'il arrivât bientôt quelque chose. Aussi se tenait-il sur son clocher, aux aguets, *rêvant dans son rêvoir*, comme dit Rabelais[1], l'œil tour à tour sur la cellule et sur Paris, faisant sûre garde, comme un bon chien, avec mille défiances dans l'esprit.

Tout-à-coup, tandis qu'il scrutait la grande ville de cet œil que la nature, par une sorte de compensation, avait fait si perçant qu'il pouvait presque suppléer aux autres organes qui manquaient à Quasimodo, il lui parut que la silhouette du quai de la Vieille-Pelleterie[2] avait quelque chose de singulier, qu'il y avait un mouvement sur ce point, que la ligne du parapet détachée en noir sur la blancheur de l'eau n'était pas droite et tranquille semblablement à celle des autres quais, mais qu'elle ondulait au regard comme les vagues d'un fleuve ou comme les têtes d'une foule en marche.

Cela lui parut étrange. Il redoubla d'attention. Le mouvement semblait venir vers la Cité. Aucune lumière d'ailleurs. Il dura quelque temps sur le quai ; puis il s'écoula peu à peu, comme si ce qui passait entrait dans l'intérieur de l'île ; puis il cessa tout-à-fait, et la ligne du quai redevint droite et immobile.

Au moment où Quasimodo s'épuisait en conjectures, il lui sembla que le mouvement reparaissait dans la rue du Parvis qui se prolonge dans la Cité perpendiculairement à la façade de Notre-Dame. Enfin, si épaisse que fût l'obscurité, il vit une tête de colonne déboucher par cette rue,

---

1. *Tiers Livre*, XV. Le contexte tend à interpréter non seulement la tour des cloches comme lieu fait exprès pour la rêverie, mais encore la rêverie elle-même comme une excrétion physiologique.
2. Sur la rive nord de la Cité, entre le Pont-au-Change et le Pont Notre-Dame.

et en un instant se répandre dans la place une foule dont on ne pouvait rien distinguer dans les ténèbres, sinon que c'était une foule.

Ce spectacle avait sa terreur. Il est probable que cette procession singulière, qui semblait si intéressée à se dérober sous une profonde obscurité, ne gardait pas un silence moins profond. Cependant un bruit quelconque devait s'en échapper, ne fût-ce qu'un piétinement. Mais ce bruit n'arrivait même pas à notre sourd, et cette grande multitude, dont il voyait à peine quelque chose, et dont il n'entendait rien, s'agitant et marchant néanmoins si près de lui, lui faisait l'effet d'une cohue de morts, muette, impalpable, perdue dans une fumée. Il lui semblait voir s'avancer vers lui un brouillard plein d'hommes, voir remuer des ombres dans l'ombre.

Alors ses craintes lui revinrent, l'idée d'une tentative contre l'égyptienne se représenta à son esprit. Il sentit confusément qu'il approchait d'une situation violente. En ce moment critique, il tint conseil en lui-même avec un raisonnement meilleur et plus prompt qu'on ne l'eût attendu d'un cerveau si mal organisé. Devait-il éveiller l'égyptienne ? la faire évader ? Par où ? les rues étaient investies, l'église était acculée à la rivière. Pas de bateau ! pas d'issue ! — Il n'y avait qu'un parti : se faire tuer au seuil de Notre-Dame, résister du moins jusqu'à ce qu'il vînt un secours, s'il en devait venir, et ne pas troubler le sommeil de la Esmeralda. La malheureuse serait toujours éveillée assez tôt pour mourir. Cette résolution une fois arrêtée, il se mit à examiner l'*ennemi* avec plus de tranquillité.

La foule semblait grossir à chaque instant dans le parvis. Seulement il présuma qu'elle ne devait faire que fort peu de bruit, puisque les fenêtres des rues et de la place restaient fermées. Tout-à-coup une lumière brilla, et en un instant sept ou huit torches allumées se promenèrent sur les têtes, en secouant dans l'ombre leurs touffes de flammes. Quasimodo vit alors distinctement moutonner dans le parvis un effrayant troupeau d'hommes et de femmes en haillons, armés de faux, de piques, de serpes, de pertuisanes dont les mille pointes étincelaient. Çà et là, des fourches noires faisaient des cornes à ces faces hideuses. Il se ressouvint vaguement de cette populace, il crut reconnaître toutes les têtes qui l'avaient, quelques mois auparavant, salué pape des fous. Un homme, qui tenait une torche d'une main et une boullaye de l'autre, monta sur une borne et parut haranguer. En même temps l'étrange armée fit quelques évolutions, comme si elle prenait poste autour de l'église. Quasimodo ramassa sa lanterne et descendit sur la plate-forme d'entre les tours pour voir de plus près, et aviser aux moyens de défense.

Clopin Trouillefou, arrivé devant le haut portail de Notre-Dame, avait en effet rangé sa troupe en bataille. Quoiqu'il ne s'attendît à aucune résistance, il voulait, en général prudent, conserver un ordre qui lui permît de faire front, au besoin, contre une attaque subite du guet ou des onze-vingts. Il avait donc échelonné sa brigade de telle façon que, vue de haut et de loin, vous eussiez dit le triangle romain de la bataille d'Ecnome [1], la tête-de-porc d'Alexandre [2], ou le fameux coin de Gustave-Adolphe [3]. La base de ce triangle s'appuyait au fond de la place, de manière à barrer la rue du Parvis ; un des côtés regardait l'Hôtel-Dieu, l'autre la rue Saint-Pierre-aux-Bœufs. Clopin Trouillefou s'était placé au sommet, avec le duc d'Égypte, notre ami Jehan, et les sabouleux les plus hardis.

Ce n'était point chose très-rare dans les villes du moyen-âge qu'une entreprise comme celle que les truands tentaient en ce moment sur Notre-Dame. Ce que nous nommons aujourd'hui *police* n'existait pas alors. Dans les cités populeuses, dans les capitales surtout, pas de pouvoir central, un, régulateur. La féodalité avait construit ces grandes communes d'une façon bizarre. Une cité était un assemblage de mille seigneuries, qui la divisaient en compartiments de toutes formes et de toutes grandeurs.

---

1. Bataille navale contre les Carthaginois, sur la côte Sud de la Sicile (256 av. J.-C.) **2.** Roi de Macédoine (356-323), qui étendit son empire jusqu'à l'Égypte et à l'Indus. La tête de porc est la formation du bataillon en coin. **3.** Roi de Suède (1594-1632), champion de la guerre de mouvement, qui triompha dans sa lutte contre la Russie et la Pologne, et surtout, pendant la guerre de Trente Ans, contre l'empire catholique de la maison d'Autriche, en faveur des protestants allemands.

De là, mille polices contradictoires, c'est-à-dire pas de police. À Paris, par exemple, indépendamment des cent quarante-un seigneurs prétendant censive, il y en avait vingt-cinq prétendant justice et censive, depuis l'évêque de Paris, qui avait cent cinq rues, jusqu'au prieur de Notre-Dame-des-Champs, qui en avait quatre. Tous ces justiciers féodaux ne reconnaissaient que nominalement l'autorité suzeraine du roi. Tous avaient droit de voirie [1]. Tous étaient chez eux. Louis XI, cet infatigable ouvrier qui a si largement commencé la démolition de l'édifice féodal, continuée par Richelieu et Louis XIV [2] au profit de la royauté, et achevée par Mirabeau [3] au profit du peuple ; Louis XI avait bien essayé de crever ce réseau de seigneuries qui recouvrait Paris, en jetant violemment tout au travers deux ou trois ordonnances de police générale. Ainsi, en 1465, ordre aux habitants, la nuit venue, d'illuminer de chandelles leurs croisées, et d'enfermer leurs chiens, sous peine de la hart [4] ; même année, ordre de fermer le soir les rues avec des chaînes de fer, et défense de porter dagues ou armes offensives la nuit dans les rues. Mais, en peu de temps, tous ces essais de législation communale tombèrent en désuétude [5]. Les bourgeois laissèrent le vent éteindre leurs chandelles à leurs fenêtres, et leurs chiens errer ; les chaînes de fer ne se tendirent qu'en état de siége ; la défense de porter dagues n'amena d'autres changements que le nom de la *rue Coupe-Gueule* au nom de *rue Coupe-Gorge*, ce qui est un progrès évident. Le vieil échafaudage des juridictions féodales resta debout ; immense entassement de bailliages et de seigneuries, se croisant sur la ville, se gênant, s'enchevêtrant,

---

1. Police des rues, qui assure la communication. Après le coup d'État de 1851, Hugo proposera d'en faire à la limite le seul pouvoir d'État. **2.** Le *Cinq-Mars* de Vigny (1827) venait de déplorer cet abaissement de la noblesse par Richelieu (1585-1642) et c'est en 1661, à la mort de Mazarin, que Louis XIV (1638-1715) parachève l'élaboration de la monarchie absolue. **3.** Figure surtout célèbre par la formule qui oppose « la volonté du peuple » à « la force des baïonnettes » en 1789, à la réunion des États généraux par quoi s'ouvre la Révolution (1749-1791). À cette époque le Tiers État, comme en 1830 la bourgeoisie, n'a aucun doute sur sa représentativité. **4.** Pendaison. **5.** Non application de la loi qui, en droit coutumier, en suspendait l'obligation.

s'emmaillant de travers, s'échancrant les uns les autres ; inutile taillis de guets, de sous-guets et de contre-guets, à travers lequel passaient à main armée le brigandage, la rapine et la sédition. Ce n'était donc pas, dans ce désordre, un événement inoui, que ces coups de main d'une partie de la populace sur un palais, sur un hôtel, sur une maison, dans les quartiers les plus peuplés. Dans la plupart des cas, les voisins ne se mêlaient de l'affaire que si le pillage arrivait jusque chez eux. Ils se bouchaient les oreilles à la mousquetade, fermaient leurs volets, barricadaient leurs portes, laissaient le débat se vider avec ou sans le guet, et le lendemain on se disait dans Paris : — Cette nuit, Étienne Barbette [1] a été forcé ; — le maréchal de Clermont a été pris au corps, etc. Aussi, non-seulement les habitations royales, le Louvre, le Palais, la Bastille, les Tournelles, mais les résidences simplement seigneuriales, le Petit-Bourbon, l'Hôtel de Sens [2], l'Hôtel d'Angoulême, etc., avaient leurs créneaux aux murs et leurs machicoulis au-dessus des portes. Les églises se gardaient par leur sainteté. Quelques-unes pourtant, du nombre desquelles n'était pas Notre-Dame, étaient fortifiées. L'abbé de Saint-Germain-des-Prés était crénelé comme un baron, et il y avait chez lui encore plus de cuivre dépensé en bombardes qu'en cloches. On voyait encore sa forteresse en 1610. Aujourd'hui il reste à peine son église [3].

Revenons à Notre-Dame.

Quand les premières dispositions furent terminées (et nous devons dire, à l'honneur de la discipline truande, que les ordres de Clopin furent exécutés en silence et avec une admirable précision), le digne chef de la bande

---

1. Ce nom corrige au ms. celui d'Hugues Aubriot, grand prévôt de Charles V, qui tomba ensuite sous une fausse accusation d'hérésie. Il s'agit d'un prévôt des marchands sous Philippe le Bel : l'émeute de Noël 1306 ravagea le jardin de son hôtel, au sortir duquel, en 1406, les sbires du duc de Bourgogne assassinèrent Louis, duc d'Orléans. **2.** L'hôtel des archevêques de Sens, dont Paris était alors suffragant, sur le quai des Célestins. **3.** Deux des trois tours ont été abattues en 1822 comme menaçant ruine après les déprédations de 1791-1793, l'incendie en 1794 de la salpêtrière qui y avait été installée, et l'urbanisation de 1802 qui démolit la chapelle de la Vierge et le grand réfectoire. Le démantèlement de la clôture crénelée appartient à la monarchie absolue.

monta sur le parapet du parvis[1], et éleva sa voix rauque et bourrue, se tenant tourné vers Notre-Dame, et agitant sa torche dont la lumière, tourmentée par le vent et voilée à tout moment de sa propre fumée, faisait paraître et disparaître aux yeux la rougeâtre façade de l'église.

— À toi, Louis de Beaumont, évêque de Paris, conseiller en la cour de parlement, moi Clopin Trouillefou, roi de Thunes, grand-coësre, prince de l'argot, évêque des fous, je dis : — Notre sœur, faussement condamnée pour magie, s'est réfugiée dans ton église. Tu lui dois asile et sauvegarde. Or la cour de parlement veut l'y reprendre, et tu y consens ; si bien qu'on la pendrait demain en Grève si Dieu et les truands n'étaient pas là. Donc nous venons à toi, évêque. Si ton église est sacrée, notre sœur l'est aussi ; si notre sœur n'est pas sacrée, ton église ne l'est pas non plus. C'est pourquoi nous te sommons de nous rendre la fille si tu veux sauver ton église, ou que nous reprendrons la fille, et que nous pillerons l'église[2]. Ce qui sera bien. En foi de quoi je plante cy ma bannière, et Dieu te soit en garde, évêque de Paris !

Quasimodo malheureusement ne put entendre ces paroles prononcées avec une sorte de majesté sombre et sauvage. Un truand présenta sa bannière à Clopin, qui la planta solennellement entre deux pavés. C'était une fourche aux dents de laquelle pendait, saignant, un quartier de charogne[3].

Cela fait, le roi de Thunes se retourna et promena ses yeux sur son armée, farouche multitude où les regards brillaient presque autant que les piques. Après une pause d'un instant : — En avant, fils ! cria-t-il. À la besogne les hutins[4].

Trente hommes robustes, à membres carrés, à faces de serruriers, sortirent des rangs, avec des marteaux, des pinces et des barres de fer sur leurs épaules. Ils se dirigèrent vers la principale porte de l'église, montèrent le

---

1. Le parvis était élevé de quelque 2,50 mètres au-dessus du niveau des rues de la Cité et bordé d'un muret. Les onze ou treize marches dont on a à tort crédité la cathédrale proviennent ainsi d'une confusion. **2.** Les deux *que* sont-ils archaïsants ou populaires et intensifs ? **3.** Un grand morceau de viande en décomposition ; en principe, le quart de la bête. **4.** Entêtés.

degré, et bientôt on les vit tous accroupis sous l'ogive, travaillant la porte de pinces et de leviers. Une foule de truands les suivit pour les aider ou les regarder. Les onze marches du portail en étaient encombrées.

Cependant la porte tenait bon. — Diable ! elle est dure et têtue ! disait l'un. — Elle est vieille, et elle a les cartilages racornis, disait l'autre. — Courage, camarades ! reprenait Clopin. Je gage ma tête contre une pantoufle que vous aurez ouvert la porte, pris la fille et déshabillé le maître-autel avant qu'il y ait un bedeau de réveillé. Tenez ! je crois que la serrure se détraque.

Clopin fut interrompu par un fracas effroyable, qui retentit en ce moment derrière lui. Il se retourna. Une énorme poutre venait de tomber du ciel, elle avait écrasé une douzaine de truands sur le degré de l'église, et rebondissait sur le pavé avec le bruit d'une pièce de canon, en cassant encore çà et là des jambes dans la foule des gueux qui s'écartaient avec des cris d'épouvante. En un clin d'œil l'enceinte resserrée du parvis fut vide. Les hutins, quoique protégés par les profondes voussures [1] du portail, abandonnèrent la porte, et Clopin lui-même se replia à distance respectueuse de l'église.

— Je l'ai échappée belle ! criait Jehan. J'en ai senti le vent, tête-bœuf ! mais Pierre-l'Assommeur est assommé !

Il est impossible de dire quel étonnement mêlé d'effroi tomba avec cette poutre sur les bandits. Ils restèrent quelques minutes les yeux fixés en l'air, plus consternés de ce morceau de bois que de vingt mille archers du roi. — Satan ! grommela le duc d'Égypte, voilà qui flaire la magie ! — C'est la lune qui nous jette cette bûche, dit Andry-le-Rouge. — Avec cela, reprit François Chanteprune, qu'on dit la lune amie de la Vierge ! — Mille papes ! s'écria Clopin, vous êtes tous des imbéciles ! Mais il ne savait comment expliquer la chute du madrier.

Cependant on ne distinguait rien sur la façade, au sommet de laquelle la clarté des torches n'arrivait pas. Le pesant madrier gisait au milieu du parvis, et l'on entendait les gémissements des misérables qui avaient reçu son pre-

---

1. Renfoncement voûté.

mier choc, et qui avaient eu le ventre coupé en deux sur l'angle des marches de pierre.

Le roi de Thunes, le premier étonnement passé, trouva enfin une explication, qui sembla plausible à ses compagnons. — Gueule-Dieu ! est-ce que les chanoines se défendent ? Alors à sac ! à sac !

— À sac ! répéta la cohue avec un hourra furieux. Et il se fit une décharge d'arbalètes et de hacquebuttes sur la façade de l'église.

À cette détonation, les paisibles habitants des maisons circonvoisines se réveillèrent : on vit plusieurs fenêtres s'ouvrir, et des bonnets de nuit et des mains tenant des chandelles apparurent aux croisées. — Tirez aux fenêtres, cria Clopin. — Les fenêtres se refermèrent sur-le-champ, et les pauvres bourgeois, qui avaient à peine eu le temps de jeter un regard effaré sur cette scène de lueurs et de tumultes, s'en revinrent suer de peur près de leurs femmes, se demandant si le sabbat se tenait maintenant dans le parvis Notre-Dame, ou s'il y avait assaut de Bourguignons, comme en 64[1]. Alors les maris songeaient au vol, les femmes au viol, et tous tremblaient.

— À sac ! répétaient les argotiers ; mais ils n'osaient approcher. Ils regardaient l'église ; ils regardaient le madrier. Le madrier ne bougeait pas, l'édifice conservait son air calme et désert ; mais quelque chose glaçait les truands.

— À l'œuvre donc les hutins ! cria Trouillefou. Qu'on force la porte.

Personne ne fit un pas.

— Barbe et ventre ! dit Clopin. Voilà des hommes qui ont peur d'une solive[2].

Un vieux hutin lui adressa la parole.

— Capitaine ! ce n'est pas la solive qui nous ennuie, c'est la porte qui est toute cousue de barres de fer. Les pinces n'y peuvent rien.

---

1. Au début de la guerre du Bien public, en datation ancien style.
2. Pièces de bois au plafond sur lesquelles reposent les planchers. D'une section nettement plus petite que les madriers, dont on fait pannes et poutres. Souvenir du roi Soliveau de La Fontaine (*Fables*, III, 4) ?

— Que vous faudrait-il donc pour l'enfoncer ? demanda Clopin.

— Ah ! il nous faudrait un bélier.

Le roi de Thunes courut bravement au formidable madrier et mit le pied dessus. — En voilà un, cria-t-il ; ce sont les chanoines qui vous l'envoient. — Et faisant un salut dérisoire du côté de l'église : — Merci, chanoines !

Cette bravade fit bon effet, le charme du madrier était rompu. Les truands reprirent courage ; bientôt la lourde poutre, enlevée comme une plume par deux cents bras vigoureux, vint se jeter avec furie sur la grande porte qu'on avait déjà essayé d'ébranler. À voir ainsi dans le demi-jour que les rares torches des truands répandaient sur la place, ce long madrier porté par cette foule d'hommes qui le précipitaient en courant sur l'église, on eût cru voir une monstrueuse bête à mille pieds attaquant tête baissée la géante de pierre.

Au choc de la poutre, la porte à demi métallique résonna comme un immense tambour ; elle ne se creva point, mais la cathédrale tout entière tressaillit, et l'on entendit gronder les profondes cavités de l'édifice. Au même instant, une pluie de grosses pierres commença à tomber du haut de la façade sur les assaillants. — Diable ! cria Jehan, est-ce que les tours nous secouent leurs balustrades sur la tête ? — Mais l'élan était donné, le roi de Thunes payait d'exemple. C'était décidément l'évêque qui se défendait, et l'on n'en battit la porte qu'avec plus de rage, malgré les pierres qui faisaient éclater les crânes à droite et à gauche.

Il est remarquable que ces pierres tombaient toutes une à une ; mais elles se suivaient de près. Les argotiers en sentaient toujours deux à la fois, une dans leurs jambes, une sur leurs têtes. Il y en avait peu qui ne portassent coup, et déjà une large couche de morts et de blessés saignait et palpitait sous les pas des assaillants qui, maintenant furieux, se renouvelaient sans cesse. La longue poutre continuait de battre la porte à temps réguliers, comme le mouton [1] d'une cloche, les pierres de pleuvoir, la porte de mugir.

---

1. Grosse pièce de bois qui tient la cloche et commande son balancement.

Le lecteur n'en est sans doute point à deviner que cette résistance inattendue qui avait exaspéré les truands venait de Quasimodo.

Le hasard avait par malheur servi le brave sourd.

Quand il était descendu sur la plate-forme d'entre les tours, ses idées étaient en confusion dans sa tête. Il avait couru quelques minutes le long de la galerie, allant et venant, comme fou, voyant d'en haut la masse compacte des truands prête à se ruer sur l'église, demandant au diable ou à Dieu de sauver l'égyptienne. La pensée lui était venue de monter au beffroi méridional[1] et de sonner le tocsin ; mais avant qu'il eût pu mettre la cloche en branle, avant que la grosse voix de Marie eût pu jeter une seule clameur, la porte de l'église n'avait-elle pas dix fois le temps d'être enfoncée ? C'était précisément l'instant où les hutins s'avançaient vers elle avec leur serrurerie. Que faire ?

Tout d'un coup, il se souvint que des maçons avaient travaillé tout le jour à réparer le mur, la charpente et la toiture de la tour méridionale. Ce fut un trait de lumière. Le mur était en pierre, la toiture en plomb, la charpente en bois. (Cette charpente prodigieuse, si touffue qu'on l'appelait *la forêt.*)

Quasimodo courut à cette tour. Les chambres inférieures étaient en effet pleines de matériaux. Il y avait des piles de moellons, des feuilles de plomb en rouleaux, des faisceaux de lattes[2], de fortes solives déjà entaillées par la scie, des tas de gravois. Un arsenal complet.

L'instant pressait. Les pieux et les marteaux travaillaient en bas. Avec une force que décuplait le sentiment du danger, il souleva une des poutres, la plus lourde, la plus longue ; il la fit sortir par une lucarne, puis la ressaisissant du dehors de la tour, il la fit glisser sur l'angle de la balustrade qui entoure la plate-forme, et la lâcha sur l'abîme. L'énorme charpente, dans cette chute de cent soixante pieds, raclant la muraille, cassant les sculptures, tourna plu-

---

1. La tour des bourdons. Du Breul donne leur nom : Marie et Jacqueline, à la page où il cite « la forêt, pour le grand nombre de bois dont elle est composée ». **2.** Baguettes de bois posées horizontalement, auxquelles on accroche les tuiles.

sieurs fois sur elle-même comme une aile de moulin qui s'en irait toute seule à travers l'espace. Enfin elle toucha le sol, l'horrible cri s'éleva, et la noire poutre, en rebondissant sur le pavé, ressemblait à un serpent qui saute.

Quasimodo vit les truands s'éparpiller à la chute du madrier, comme la cendre au souffle d'un enfant. Il profita de leur épouvante, et tandis qu'ils fixaient un regard superstitieux sur la massue tombée du ciel, et qu'ils éborgnaient les saints de pierre du portail avec une décharge de sagettes et de chevrotines, Quasimodo entassait silencieusement des gravois, des pierres, des moellons, jusqu'aux sacs d'outils des maçons, sur le rebord de cette balustrade, d'où la poutre s'était déjà élancée.

Aussi, dès qu'ils se mirent à battre la grande porte, la grêle de moellons commença à tomber, et il leur sembla que l'église se démolissait d'elle-même sur leur tête.

Qui eût pu voir Quasimodo en ce moment eût été effrayé. Indépendamment de ce qu'il avait empilé de projectiles sur la balustrade, il avait amoncelé un tas de pierres sur la plate-forme même. Dès que les moellons amassés sur le rebord extérieur furent épuisés, il prit au tas. Alors il se baissait, se relevait, se baissait et se relevait encore, avec une activité incroyable. Sa grosse tête de gnome se penchait par-dessus la balustrade, puis une pierre énorme tombait, puis une autre, puis une autre. De temps en temps il suivait une belle pierre de l'œil, et quand elle tuait bien, il disait : Hun !

Cependant les gueux ne se décourageaient pas. Déjà plus de vingt fois l'épaisse porte sur laquelle ils s'acharnaient avait tremblé sous la pesanteur de leur bélier de chêne multiplié par la force de cent hommes. Les panneaux craquaient, les ciselures volaient en éclats, les gonds, à chaque secousse, sautaient en sursaut sur leurs pitons, les ais se détraquaient [1], le bois tombait en poudre broyé entre les nervures de fer. Heureusement pour Quasimodo, il y avait plus de fer que de bois.

Il sentait pourtant que la grande porte chancelait. Quoiqu'il n'entendît pas, chaque coup de bélier se répercutait à la fois dans les cavernes de l'église et dans ses entrailles. Il

1. Les pièces de bois se désassemblaient.

voyait d'en haut les truands, pleins de triomphe et de rage, montrer le poing à la ténébreuse façade ; et il enviait, pour l'égyptienne et pour lui, les ailes des hiboux qui s'enfuyaient au-dessus de sa tête par volées.

Sa pluie de moellons ne suffisait pas à repousser les assaillants.

En ce moment d'angoisse, il remarqua, un peu plus bas que la balustrade d'où il écrasait les argotiers, deux longues gouttières de pierre qui se dégorgeaient immédiatement au-dessus de la grande porte. L'orifice interne de ces gouttières aboutissait au pavé de la plate-forme. Une idée lui vint ; il courut chercher un fagot dans son bouge de sonneur, posa sur ce fagot force bottes de lattes et force rouleaux de plomb, munitions dont il n'avait pas encore usé, et ayant bien disposé ce bûcher devant le trou des deux gouttières, il y mit le feu avec sa lanterne.

Pendant ce temps-là, les pierres ne tombant plus, les truands avaient cessé de regarder en l'air. Les bandits, haletants comme une meute qui force le sanglier dans sa bouge, se pressaient en tumulte autour de la grande porte, toute déformée par le bélier, mais debout encore. Ils attendaient avec un frémissement le grand coup, le coup qui allait l'éventrer. C'était à qui se tiendrait le plus près pour pouvoir s'élancer des premiers quand elle s'ouvrirait, dans cette opulente cathédrale, vaste réservoir où étaient venues s'amonceler les richesses de trois siècles. Ils se rappelaient les uns aux autres, avec des rugissements de joie et d'appétit, les belles croix d'argent, les belles chapes de brocart, les belles tombes de vermeil[1], les grandes magnificences du chœur, les fêtes éblouissantes, les Noëls étincelantes de flambeaux, les Pâques éclatantes de soleil, toutes ces solennités splendides où châsses, chandeliers, ciboires[2], tabernacles[3], reliquaires, bosselaient les autels d'une croûte d'or et de diamants. Certes, en ce beau moment, cagoux et malingreux, archisuppôts et rifodés, songeaient beaucoup moins à la délivrance de l'égyptienne qu'au pillage de Notre-Dame.

---

1. Argent doré. **2.** Réceptacle des hosties consacrées, **3.** Petite armoire où l'on enferme le ciboire ; mais aussi, autrefois, espèce de ciboire.

Nous croirions même volontiers que pour bon nombre d'entre eux la Esmeralda n'était qu'un prétexte, si des voleurs avaient besoin de prétextes.

Tout-à-coup, au moment où ils se groupaient pour un dernier effort autour du bélier, chacun retenant son haleine et roidissant ses muscles afin de donner toute sa force au coup décisif, un hurlement, plus épouvantable encore que celui qui avait éclaté et expiré sous le madrier, s'éleva au milieu d'eux. Ceux qui ne criaient pas, ceux qui vivaient encore, regardèrent. — Deux jets de plomb fondu tombaient du haut de l'édifice au plus épais de la cohue. Cette mer d'hommes venait de s'affaisser sous le métal bouillant qui avait fait, aux deux points où il tombait, deux trous noirs et fumants dans la foule, comme ferait de l'eau chaude dans la neige. On y voyait remuer des mourants à demi calcinés et mugissant de douleur. Autour de ces deux jets principaux, il y avait des gouttes de cette pluie horrible qui s'éparpillaient sur les assaillants, et entraient dans les crânes comme des vrilles [1] de flamme. C'était un feu pesant qui criblait ces misérables de mille grêlons.

La clameur fut déchirante. Ils s'enfuirent pêle-mêle, jetant le madrier sur les cadavres, les plus hardis comme les plus timides, et le parvis fut vide une seconde fois.

Tous les yeux s'étaient levés vers le haut de l'église. Ce qu'ils voyaient était extraordinaire. Sur le sommet de la galerie la plus élevée, plus haut que la rosace centrale, il y avait une grande flamme qui montait entre les deux clochers avec des tourbillons d'étincelles, une grande flamme désordonnée et furieuse dont le vent emportait par moments un lambeau dans la fumée. Au-dessous de cette flamme, au-dessous de la sombre balustrade à trèfles de braises, deux gouttières en gueules de monstres vomissaient sans relâche cette pluie ardente qui détachait son ruissellement argenté sur les ténèbres de la façade inférieure. À mesure qu'ils approchaient du sol, les deux jets de plomb liquide s'élargissaient en gerbes, comme l'eau qui jaillit des mille trous de l'arrosoir. Au-dessus de la flamme, les énormes tours, de chacune desquelles on

1. Outil pour percer un trou dans le bois.

voyait deux faces crues et tranchées, l'une toute noire, l'autre toute rouge, semblaient plus grandes encore de toute l'immensité de l'ombre qu'elles projetaient jusque dans le ciel. Leurs innombrables sculptures de diables et de dragons prenaient un aspect lugubre. La clarté inquiète de la flamme les faisait remuer à l'œil. Il y avait des guivres qui avaient l'air de rire, des gargouilles qu'on croyait entendre japper ; des salamandres [1] qui soufflaient dans le feu, des tarasques qui éternuaient dans la fumée. Et parmi ces monstres ainsi réveillés de leur sommeil de pierre par cette flamme, par ce bruit, il y en avait un qui marchait et qu'on voyait de temps en temps passer sur le front ardent du bûcher comme une chauve-souris devant une chandelle.

Sans doute ce phare étrange allait éveiller au loin le bûcheron des collines de Bicêtre, épouvanté de voir chanceler sur ses bruyères [2] l'ombre gigantesque des tours de Notre-Dame.

Il se fit un silence de terreur parmi les truands, pendant lequel on n'entendit que les cris d'alarmes des chanoines enfermés dans leur cloître et plus inquiets que des chevaux dans une écurie qui brûle, le bruif furtif des fenêtres vite ouvertes et plus vite fermées, le remue-ménage intérieur des maisons et de l'Hôtel-Dieu, le vent dans la flamme, le dernier râle des mourants, et le pétillement continu de la pluie de plomb sur le pavé.

Cependant les principaux truands s'étaient retirés sous le porche du logis Gondelaurier, et tenaient conseil. Le duc d'Égypte, assis sur une borne, contemplait avec une crainte religieuse le bûcher fantasmagorique resplendissant à deux cents pieds en l'air. Clopin Trouillefou se mordait ses gros poings avec rage. — Impossible d'entrer ! murmurait-il dans ses dents.

— Une vieille église fée ! grommelait le vieux bohémien Mathias Hungadi Spicali.

---

1. Sorte de batracien, qui était censé pouvoir vivre dans le feu. **2.** Les Bruyères sont précisément un lieu-dit dans la pente qui monte vers l'hôpital de Bicêtre, l'un des lieux du « grand renfermement » de 1656-1657, où Hugo assista au départ de la « chaîne » des forçats (24 octobre 1827 et 23 octobre 1828).

— Par les moustaches du pape ! reprenait un narquois grisonnant qui avait servi[1], voilà des gouttières d'église qui vous crachent du plomb fondu mieux que les machicoulis de Lectoure[2].

— Voyez-vous ce démon qui passe et repasse devant le feu ? s'écriait le duc d'Égypte.

— Pardieu, dit Clopin, c'est le damné sonneur, c'est Quasimodo.

Le bohémien hochait la tête. — Je vous dis, moi, que c'est l'esprit Sabnac[3], le grand marquis, le démon des fortifications. Il a forme d'un soldat armé, une tête de lion. Quelquefois il monte un cheval hideux. Il change les hommes en pierres, dont il bâtit des tours. Il commande à cinquante légions. C'est bien lui ; je le reconnais. Quelquefois il est habillé d'une belle robe d'or figurée à la façon des Turcs.

— Où est Bellevigne-de-l'Étoile ? demanda Clopin.

— Il est mort, répondit une truande.

Andry-le-Rouge riait d'un rire idiot : — Notre-Dame donne de la besogne à l'Hôtel-Dieu, disait-il.

— Il n'y a donc pas moyen de forcer cette porte ? s'écria le roi de Thunes en frappant du pied.

Le duc d'Égypte lui montra tristement les deux ruisseaux de plomb bouillant qui ne cessaient de rayer la noire façade, comme deux longues quenouilles de phosphore. — On a vu des églises qui se défendaient ainsi d'elles-mêmes, observa-t-il en soupirant. Sainte-Sophie, de Constantinople, il y a quarante ans[4] de cela, a trois fois de suite jeté à terre le croissant de Mahom en secouant ses dômes, qui sont ses têtes. Guillaume de Paris, qui a bâti celle-ci, était un magicien.

— Faut-il donc s'en aller piteusement comme des

---

1. Si les narquois (Sauval, I, 514) « l'épée au côté contrefont les soldats estropiés, ou gens de la petite flambe », celui-ci a réellement été au service armé du roi. **2.** Jean d'Armagnac y soutint en 1473 un long siège contre l'archevêque d'Albi, aux ordres de Louis XI ; il y fut assassiné et ses terres réunies au royaume. **3.** Passage emprunté au *Dictionnaire infernal*, sauf la turquerie qui vient de l'ambassade du roi d'Alger (Sauval, II, 93). Le général Hugo passe pour avoir été l'un des derniers théoriciens de la fortification permanente. **4.** De 1453 à 1483, il n'y a que trente ans. Lapsus de Hugo ou du duc d'Égypte ?

laquais de grand'route ? dit Clopin. Laisser là notre sœur, que ces loups chaperonnés pendront demain !

— Et la sacristie, où il y a des charretées d'or ? ajouta un truand dont nous regrettons de ne pas savoir le nom.

— Barbe-Mahom ! cria Trouillefou.

— Essayons encore une fois, reprit le truand.

Mathias Hungadi hocha la tête. — Nous n'entrerons pas par la porte. Il faut trouver le défaut de l'armure de la vieille fée. Un trou, une fausse poterne, une jointure quelconque.

— Qui en est ? dit Clopin. J'y retourne. — À propos, où est donc le petit écolier Jehan, qui était si enferraillé ?

— Il est sans doute mort, répondit quelqu'un. On ne l'entend plus rire.

Le roi de Thunes fronça le sourcil.

— Tant pis. Il y avait un brave cœur sous cette ferraille. — Et maître Pierre Gringoire ?

— Capitaine Clopin, dit Andry-le-Rouge, il s'est esquivé que nous n'étions encore qu'au Pont-aux-Changeurs.

Clopin frappa du pied. — Gueule-Dieu ! c'est lui qui nous pousse céans, et il nous plante là au beau milieu de la besogne ! — Lâche bavard casqué d'une pantoufle[1] !

— Capitaine Clopin, cria Andry-le-Rouge, qui regardait dans la rue du Parvis, voilà le petit écolier.

— Loué soit Pluto[2] ! dit Clopin. Mais que diable tire-t-il après lui !

C'était Jehan, en effet, qui accourait aussi vite que le lui permettaient ses lourds habits de paladin[3] et une longue échelle qu'il traînait bravement sur le pavé, plus essoufflé qu'une fourmi attelée à un brin d'herbe vingt fois plus long qu'elle.

— Victoire ! *te Deum !* criait l'écolier. Voilà l'échelle des déchargeurs du port Saint-Landry[4].

---

1. Insigne du bourgeois timoré. **2.** Le dieu des Enfers. **3.** Chevalier errant, comme les héros des chansons de geste, ou les seigneurs normands de Sicile. **4.** Au nord du cloître Notre-Dame. Hugo mobilise cette « échelle » que Sauval (II, 602) signale comme emportée par la crue de 1410, et qui était le pilori du chapitre de Notre-Dame.

Clopin s'approcha de lui : — Enfant, que veux-tu faire, cornedieu ! de cette échelle ?

— Je l'ai, répondit Jehan haletant. Je savais où elle était. — Sous le hangar de la maison du lieutenant. — Il y a là une fille que je connais, qui me trouve beau comme un Cupido. — Je m'en suis servi pour avoir l'échelle, et j'ai l'échelle, Pasque-Mahom ! — La pauvre fille est venue m'ouvrir toute en chemise.

— Oui, dit Clopin ; mais que veux-tu faire de cette échelle ?

Jehan le regarda d'un air malin et capable, et fit claquer ses doigts comme des castagnettes. Il était sublime en ce moment. Il avait sur la tête un de ces casques surchargés du quinzième siècle qui épouvantaient l'ennemi de leurs cimiers chimériques. Le sien était hérissé de dix becs de fer, de sorte que Jehan eût pu disputer la redoutable épithète de δεκέμβολος [1] au navire homérique de Nestor.

— Ce que j'en veux faire, auguste roi de Thunes ? Voyez-vous cette rangée de statues qui ont des mines d'imbéciles, là-bas, au-dessus des trois portails ?

— Oui. Hé bien ?

— C'est la galerie des rois de France.

— Qu'est-ce que cela me fait ? dit Clopin.

— Attendez donc ! il y a au bout de cette galerie une porte qui n'est jamais fermée qu'au loquet [2] avec cette échelle j'y monte, et je suis dans l'église.

— Enfant, laisse-moi monter le premier.

— Non pas, camarade, c'est à moi l'échelle. Venez, vous serez le second.

— Que Belzébuth t'étrangle ! dit le bourru Clopin, je ne veux être après personne.

— Alors, Clopin, cherche une échelle !

Jehan se mit à courir par la place tirant son échelle et criant : — À moi les fils !

En un instant l'échelle fut dressée et appuyée à la balustrade de la galerie inférieure au-dessus d'un des portails latéraux. La foule des truands poussant de grandes

---

1. « Armé de dix éperons ». Nestor, le plus âgé des héros grecs de l'*Iliade*, roi de l'antique Pylos (Navarin), avait armé 90 bateaux contre Troie. **2.** Qu'on peut donc ouvrir du doigt.

acclamations se pressa au bas pour y monter. Mais Jehan maintint son droit et posa le premier le pied sur les échelons. Le trajet était assez long. La galerie des rois de France est élevée aujourd'hui d'environ soixante pieds au-dessus du pavé[1]. Les onze marches du perron l'exhaussaient encore. Jehan montait lentement, assez empêché de sa lourde armure, d'une main tenant l'échelon, de l'autre son arbalète. Quand il fut au milieu de l'échelle, il jeta un coup d'œil mélancolique sur les pauvres argotiers morts, dont le degré était jonché. — Hélas ! dit-il, voilà un monceau de cadavres digne du cinquième chant de l'Iliade[2] ! — Puis il continua de monter. Les truands le suivaient. Il y en avait un sur chaque échelon. À voir s'élever en ondulant dans l'ombre cette ligne de dos cuirassés, on eût dit un serpent à écailles d'acier qui se dressait contre l'église. Jehan qui faisait la tête et qui sifflait complétait l'illusion.

L'écolier toucha enfin au balcon de la galerie, et l'enjamba assez lestement aux applaudissements de toute la truanderie. Ainsi maître de la citadelle, il poussa un cri de joie, et tout-à-coup s'arrêta pétrifié. Il venait d'apercevoir, derrière une statue de roi, Quasimodo caché dans les ténèbres et l'œil étincelant.

Avant qu'un second assiégeant eût pu prendre pied sur la galerie, le formidable bossu sauta à la tête de l'échelle, saisit, sans dire une parole, le bout des deux montants de ses mains puissantes, les souleva, les éloigna du mur, balança un moment, au milieu des clameurs d'angoisse, la longue et pliante échelle encombrée de truands du haut en bas, et subitement, avec une force surhumaine[3], rejeta cette grappe d'hommes dans la place. Il y eut un instant où les plus déterminés palpitèrent. L'échelle lancée en arrière resta un moment droite et debout et parut hésiter, puis oscilla, puis tout-à-coup, décrivant un effrayant arc de cercle de quatre-vingts pieds de rayon, s'abattit sur le

---

1. 20 mètres. Le « perron » était entre la rue et le parvis et non entre le parvis et l'église. **2.** Où Homère met en scène les tueries et massacres de Diomède, qui va jusqu'à blesser Vénus. **3.** Hugo, bon élève de physique, a fourni toutes les données pour l'estimation nécessaire de ce grossissement épique : la poussée « surhumaine » de Quasimodo est de l'ordre d'une tonne, ce qui n'a rien de délirant.

pavé avec sa charge de bandits plus rapidement qu'un pont-levis dont les chaînes se cassent. Il y eut une immense imprécation, puis tout s'éteignit, et quelques malheureux mutilés se retirèrent en rampant de dessous le monceau de morts.

Une rumeur de douleur et de colère succéda parmi les assiégeants aux premiers cris de triomphe. Quasimodo impassible, les deux coudes appuyés sur la balustrade, regardait. Il avait l'air d'un vieux roi chevelu à sa fenêtre.

Jehan Frollo était, lui, dans une situation critique. Il se trouvait dans la galerie avec le redoutable sonneur, seul, séparé de ses compagnons par un mur vertical de quatre-vingts pieds. Pendant que Quasimodo jouait avec l'échelle, l'écolier avait couru à la poterne [1] qu'il croyait ouverte. Point. Le sourd en entrant dans la galerie l'avait fermée derrière lui. Jehan alors s'était caché derrière un roi de pierre, n'osant souffler, et fixant sur le monstrueux bossu une mine effarée, comme cet homme qui, faisant la cour à la femme du gardien d'une ménagerie, alla un soir à un rendez-vous d'amour, se trompa de mur dans son escalade, et se trouva brusquement tête à tête avec un ours blanc.

Dans les premiers moments le sourd ne prit pas garde à lui ; mais enfin il tourna la tête et se redressa tout d'un coup. Il venait d'apercevoir l'écolier.

Jehan se prépara à un rude choc, mais le sourd resta immobile ; seulement il était tourné vers l'écolier qu'il regardait.

— Ho ! ho ! dit Jehan, qu'as-tu à me regarder de cet œil borgne et mélancolique ?

Et en parlant ainsi, le jeune drôle apprêtait sournoisement son arbalète.

— Quasimodo ! cria-t-il, je vais changer ton surnom ; on t'appellera l'aveugle.

Le coup partit. Le vireton empenné siffla et vint se

---

1. L'emploi de ce terme n'est pas à faux-sens, mais à image : de même que dans un château l'issue dérobée sur les fossés peut être le point faible de la fortification, de même cette porte avait pu être prise par Jehan pour un bon moyen de tromper les défenses de la cathédrale, qui apparaît ainsi comme une forteresse.

ficher dans le bras gauche du bossu. Quasimodo ne s'en émut pas plus que d'une égratignure au roi Pharamond[1]. Il porta la main à la sagette, l'arracha de son bras et la brisa tranquillement sur son gros genou ; puis il laissa tomber, plutôt qu'il ne jeta à terre, les deux morceaux. Mais Jehan n'eut pas le temps de tirer une seconde fois. La flèche brisée, Quasimodo souffla brusquement, bondit comme une sauterelle[2] et retomba sur l'écolier, dont l'armure s'aplatit du coup contre la muraille.

Alors dans cette pénombre où flottait la lumière des torches, on entrevit une chose terrible.

Quasimodo avait pris de la main gauche les deux bras de Jehan qui ne se débattait pas, tant il se sentait perdu. De la droite le sourd lui détachait l'une après l'autre, en silence, avec une lenteur sinistre, toutes les pièces de son armure, l'épée, les poignards, le casque, la cuirasse, les brassards. On eût dit un singe qui épluche une noix. Quasimodo jetait à ses pieds, morceau à morceau, la coquille de fer de l'écolier.

Quand l'écolier se vit désarmé, déshabillé, faible et nu dans ces redoutables mains, il n'essaya pas de parler à ce sourd, mais il se mit à lui rire effrontément au visage, et à chanter, avec son intrépide insouciance d'enfant de seize ans, la chanson alors populaire :

> Elle est bien habillée
> La ville de Cambrai.
> Marafin[3] l'a pillée.

Il n'acheva pas. On vit Quasimodo debout sur le parapet de la galerie, qui d'une seule main tenait l'écolier par les pieds, en le faisant tourner sur l'abîme comme une fronde ; puis on entendit un bruit comme celui d'une boîte osseuse qui éclate contre un mur, et l'on vit tomber quelque chose qui s'arrêta au tiers de la chute à une saillie

---

1. Souche légendaire de la monarchie franque, dont l'évocation par Chateaubriand avait suscité la vocation d'historien chez le jeune Augustin Thierry. 2. Outre sa puissance de saut, cet insecte est l'une des « plaies d'Égypte », que la Sachette n'ignore pas. 3. Gouverneur de la ville en 1477, pour Louis XI.

de l'architecture. C'était un corps mort qui resta accroché là, plié en deux, les reins brisés, le crâne vide.

Un cri d'horreur s'éleva parmi les truands. — Vengeance ! cria Clopin. — À sac ! répondit la multitude. — Assaut ! Assaut ! — Alors ce fut un hurlement prodigieux, où se mêlaient toutes les langues, tous les patois, tous les accents. La mort du pauvre écolier jeta une ardeur furieuse dans cette foule. La honte la prit, et la colère d'avoir été si long-temps tenue en échec devant une église par un bossu. La rage trouva des échelles, multiplia les torches, et au bout de quelques minutes, Quasimodo, éperdu, vit cette épouvantable fourmilière monter de toutes parts à l'assaut de Notre-Dame. Ceux qui n'avaient pas d'échelles avaient des cordes à nœuds ; ceux qui n'avaient pas de cordes grimpaient aux reliefs des sculptures. Ils se pendaient aux guenilles les uns des autres. Aucun moyen de résister à cette marée ascendante de faces épouvantables ; la fureur faisait rutiler ces figures farouches ; leurs fronts terreux ruisselaient de sueur ; leurs yeux éclairaient ; toutes ces grimaces, toutes ces laideurs investissaient Quasimodo. On eût dit que quelque autre église avait envoyé à l'assaut de Notre-Dame ses gorgones [1], ses dogues, ses drées [2], ses démons, ses sculptures les plus fantastiques. C'était comme une couche de monstres vivants sur les monstres de pierre de la façade.

Cependant, la place s'était étoilée de mille torches. Cette scène désordonnée, jusqu'alors enfouie dans l'obscurité, s'était subitement embrasée de lumière. Le parvis resplendissait et jetait un rayonnement dans le ciel ; le bûcher allumé sur la haute plate-forme brûlait toujours, et illuminait au loin la ville. L'énorme silhouette des deux tours, développée au loin sur les toits de Paris, faisait dans cette clarté une large échancrure d'ombre. La ville

---

1. Monstres mythologiques, au regard pétrifiant. **2.** Monstre fabuleux, proche de la guivre (à laquelle Hugo vient de substituer, au ms., gorgone) et du drac, qui hante les rives du Rhône. Il s'agit d'ondins plus ou moins menaçants, qu'aligne ici l'ondulation des phonèmes. La Drée est à Montlhéry ce que le Graouilli est à Metz.

semblait s'être émue. Des tocsins éloignés se plaignaient. Les truands hurlaient, haletaient, juraient, montaient ; et Quasimodo, impuissant contre tant d'ennemis, frissonnant pour l'égyptienne, voyant les faces furieuses se rapprocher de plus en plus de sa galerie, demandait un miracle au ciel, et se tordait les bras de désespoir.

V

LE RETRAIT OÙ DIT SES HEURES MONSIEUR LOUIS DE FRANCE[1]

Le lecteur n'a peut-être pas oublié qu'un moment avant d'apercevoir la bande nocturne des truands, Quasimodo, inspectant Paris du haut de son clocher, n'y voyait plus briller qu'une lumière, laquelle étoilait une vitre à l'étage le plus élevé d'un haut et sombre édifice, à côté de la porte Saint-Antoine. Cet édifice, c'était la Bastille. Cette étoile, c'était la chandelle de Louis XI.

Le roi Louis XI était en effet à Paris depuis deux jours. Il devait repartir le surlendemain pour sa citadelle de Montilz-lez-Tours[2]. Il ne faisait jamais que de rares et courtes apparitions dans sa bonne ville de Paris, n'y sentant pas autour de lui assez de trappes, de gibets et d'archers écossais[3].

Il était venu, ce jour-là, coucher à la Bastille. La grande chambre de cinq toises carrées[4] qu'il avait au Louvre,

1. Il s'agit dans Sauval (II, 276), non de Louis XI, mais de Louis de France, duc d'Orléans, frère de Charles VI (1371-1407) ; non de la Bastille, mais de l'hôtel de l'abbé de Saint-Maur dans l'hôtel Saint-Pol ; non de la fin du XVe siècle, mais du début de la guerre des Armagnacs et des Bourguignons ; non de la réclusion dévote du « roi de Tours », mais de la non contradiction entre les mœurs les plus licencieuses et « la coutume de prier Dieu de son temps et de réciter réglément certaines prières ». **2.** À la sortie ouest de Tours, entre Cher et Loire. Au bilan de ses *Mémoires* (VI, 11), Commines décrit ce camp retranché du Plessis, et la hantise du soupçon qui tenait Louis XI. **3.** Dont le type est le Quentin Durward de W. Scott. **4.** Plus exactement : au carré (environ 100 m^2).

avec sa grande cheminée chargée de douze grosses bêtes et des treize grands prophètes[1], et son grand lit de onze pieds sur douze[2], lui agréaient peu. Il se perdait dans toutes ses grandeurs. Ce roi bon bourgeois aimait mieux la Bastille avec une chambrette et une couchette. Et puis, la Bastille était plus forte que le Louvre.

Cette *chambrette*, que le roi s'était réservée dans la fameuse prison d'état, était encore assez vaste et occupait l'étage le plus élevé d'une tourelle engagée[3] dans le donjon. C'était un réduit de forme ronde, tapissé de nattes en paille luisante, plafonné à poutres rehaussées de fleurs-de-lis d'étain doré, avec les entrevous[4] de couleur ; lambrissé[5] à riches boiseries semées de rosettes d'étain blanc et peintes de beau vert-gai[6] fait d'orpin[7] et de florée fine.

Il n'y avait qu'une fenêtre, une longue ogive treillissée de fil d'archal[8] et de barreaux de fer, d'ailleurs obscurcie de belles vitres coloriées aux armes du roi et de la reine, dont le panneau revenait à vingt-deux sols.

Il n'y avait qu'une entrée, une porte moderne, à cintre surbaissé, garnie d'une tapisserie en dedans, et en dehors d'un de ces porches de bois d'Irlande[9], frêles édifices de menuiserie curieusement ouvrée, qu'on voyait encore en quantité de vieux logis il y a cent cinquante ans[10]. « Quoiqu'ils défigurent et embarrassent les lieux, dit Sauval avec désespoir, nos vieillards pourtant ne s'en veulent point défaire et les conservent en dépit d'un chacun. »

On ne trouvait dans cette chambre rien de ce qui meublait les appartements ordinaires, ni bancs, ni tréteaux, ni formes[11], ni escabelles communes en forme de caisse[12],

---

1. Le libertinage religieux de Sauval (dans ce « Dedans des maisons royales » (II, 275 *sqq.*) permet à Hugo de faire bon poids : les prophètes de l'Ancien Testament ne dépassent guère quatre grands et douze petits, mais on ne peut donner le même chiffre pour bêtes et prophètes. **2.** Soit près de 4 mètres sur 4. **3.** Faisant saillie. **4.** Espace d'une solive à l'autre. **5.** Le lambris isole la pièce de la maçonnerie. **6.** Joli nom pour la belle couleur jaune d'un pigment toxique, le sulfure d'arsenic (Sauval, II, 281). **7.** Indigo. **8.** Mince fil de laiton. **9.** Toute cette description démarque Sauval (II, 276 *sqq.*), non sans fantaisie : ce « bois d'Irlande » était mentionné pour les bains et étuves de la Reine à l'hôtel Saint-Pol. **10.** Sauval est mort vers 1672. **11.** Banc rembourré, ou espèce de stalle ? **12.** Synonyme d'escabeau, ici (Sauval II, 279) formé de quatre panneaux sous le siège.

ni belles escabelles soutenues de piliers et de contre-piliers, à quatre sols la pièce. On n'y voyait qu'une chaise pliante à bras, fort magnifique : le bois en était peint de roses sur fond rouge, le siége de cordouan vermeil [1], garni de longues franges de soie et piqué de mille clous d'or. La solitude de cette chaise faisait voir qu'une seule personne avait droit de s'asseoir dans la chambre. À côté de la chaise et tout près de la fenêtre, il y avait une table recouverte d'un tapis à figures d'oiseaux. Sur cette table un gallemard [2] taché d'encre, quelques parchemins, quelques plumes, et un hanap [3] d'argent ciselé. Un peu plus loin, un chauffe-doux [4] ; un prie-Dieu [5] de velours cramoisi, relevé de bossettes [6] d'or. Enfin au fond un simple lit de damas jaune et incarnat [7], sans clinquant [8] ni passement [9] : les franges sans façon. C'est ce lit, fameux pour avoir porté le sommeil ou l'insomnie de Louis XI, qu'on pouvait encore contempler, il y a deux cents ans, chez un conseiller d'état, où il a été vu par la vieille madame Pilou, célèbre dans le Cyrus sous le nom d'*Aricidie* et de *la Morale vivante* [10].

Telle était la chambre qu'on appelait « le retrait où dit ses heures monsieur Louis de France. »

Au moment où nous y avons introduit le lecteur, ce retrait était fort obscur. Le couvre-feu était sonné depuis une heure, il faisait nuit, et il n'y avait qu'une vacillante

---

1. Cuir (de Cordoue) rouge (Sauval, II, 279). **2.** Cylindre contenant de quoi écrire. **3.** Grand vase à boire. **4.** Sorte de chaufferette, mais Sauval dit poële. **5.** Meuble sur lequel on s'agenouille pour prier et qui a le forme d'une chaise basse au dossier sommé d'un accoudoir. **6.** Clous de tapissier à tête ronde ? **7.** Entre rose et rouge cerise. **8.** Ornement métallique de broderie. **9.** Ruban tissé en broderie. **10.** Le lit vient de Matthieu, 492. Mme Pilou de Sauval, (I, 189 *sqq.*), mais uniquement à propos du premier carosse à Paris. Cette fille et femme de procureur (1578-1668), bien introduite dans la société de l'Arsenal et à la Cour, était barbue, d'une laideur proverbiale, d'une liberté de parole non moins célèbre et d'une vertu aussi gaie que sincère. Elle se vantait du bonheur de n'avoir, à cause de sa disgrâce, pas eu à vieillir de quinze ans jusqu'à soixante-douze. Tallemant des Réaux lui consacre une de ses *Historiettes*, que Monmerqué n'édite qu'en 1834-1835. Mlle de Scudéry avait publié en 1650 son *Artamène ou le Grand Cyrus*, roman à clés de la haute société précieuse.

chandelle de cire posée sur la table pour éclairer cinq personnages diversement groupés dans la chambre.

Le premier sur lequel tombait la lumière était un seigneur superbement vêtu d'un haut-de-chausses et d'un justaucorps écarlate rayé d'argent, et d'une casaque à mahoîtres de drap d'or à dessins noirs. Ce splendide costume, où se jouait la lumière, semblait glacé de flamme à tous ses plis. L'homme qui le portait avait sur la poitrine ses armoiries brodées de vives couleurs : un chevron[1] accompagné en pointe d'un daim passant[2]. L'écusson était accosté[3] à droite d'un rameau d'olivier, à gauche d'une corne de daim. Cet homme portait à sa ceinture une riche dague dont la poignée, de vermeil, était ciselée en forme de cimier[4] et surmontée d'une couronne comtale[5]. Il avait l'air mauvais, la mine fière et la tête haute. Au premier coup d'œil on voyait sur son visage l'arrogance, au second la ruse.

Il se tenait tête nue, une longue pancarte[6] à la main, debout derrière la chaise à bras sur laquelle était assis, le corps disgracieusement plié en deux, les genoux chevauchant l'un sur l'autre, le coude sur la table, un personnage fort mal accoutré. Qu'on se figure, en effet, sur l'opulent siége de cuir de Cordoue, deux rotules cagneuses[7], deux cuisses maigres pauvrement habillées d'un tricot de laine noire, un torse enveloppé d'un surtout de futaine[8] avec une fourrure dont on voyait moins de poil que de cuir ; enfin, pour couronner, un vieux chapeau gras du plus méchant drap noir, bordé d'un cordon circulaire de figurines de plomb. Voilà, avec une sale calotte qui laissait à peine passer un cheveu, tout ce qu'on distinguait du personnage assis. Il tenait sa tête tellement courbée sur sa poitrine qu'on n'apercevait rien de son visage recouvert d'ombre, si ce n'est le bout de son nez, sur lequel tombait un rayon de lumière, et qui devait être long. À la maigreur

---

1. Pièce de blason en V renversé. **2.** Dressé sur ses postérieurs. **3.** Accompagné sur ses deux côtés. **4.** Figure posée sur le casque qui surmonte l'écu. **5.** À pointes terminées en boule. **6.** Grande feuille récapitulative. **7.** Tournées vers l'intérieur. **8.** Tissu de coton, importé du Caire.

de sa main ridée on devinait un vieillard. C'était Louis XI.

À quelque distance derrière eux causaient à voix basse deux hommes vêtus à la coupe flamande, qui n'étaient pas assez perdus dans l'ombre pour que quelqu'un de ceux qui avaient assisté à la représentation du mystère de Gringoire n'eût pu reconnaître en eux deux des principaux envoyés flamands, Guillaume Rym, le sagace pensionnaire de Gand, et Jacques Coppenole, le populaire chaussetier. On se souvient que ces deux hommes étaient mêlés à la politique secrète de Louis XI.

Enfin, tout au fond, près de la porte, se tenait debout dans l'obscurité, immobile comme une statue, un vigoureux homme à membres trapus, à harnois militaire, à casaque armoriée, dont la face carrée, percée d'yeux à fleur de tête, fendue d'une immense bouche, dérobant ses oreilles sous deux larges abat-vent de cheveux plats, sans front, tenait à la fois du chien et du tigre.

Tous étaient découverts, excepté le roi.

Le seigneur qui était auprès du roi lui faisait lecture d'une espèce de long mémoire que sa majesté semblait écouter avec attention. Les deux Flamands chuchotaient.

— Croix-Dieu ! grommelait Coppenole, je suis las d'être debout ; est-ce qu'il n'y a pas de chaise ici ?

Rym répondait par un geste négatif, accompagné d'un sourire discret.

— Croix-Dieu ! reprenait Coppenole tout malheureux d'être obligé de baisser ainsi la voix, l'envie me démange de m'asseoir à terre, jambes croisées, en chaussetier, comme je fais dans ma boutique [1].

— Gardez-vous-en bien ! maître Jacques.

— Ouais ! maître Guillaume ! ici l'on ne peut donc être que sur les pieds !

— Ou sur les genoux, dit Rym.

En ce moment la voix du roi s'éleva. Ils se turent.

— Cinquante sols les robes de nos valets, et douze livres les manteaux des clercs de notre couronne ! C'est cela ! versez l'or à tonnes ! Êtes-vous fou, Olivier ?

En parlant ainsi, le vieillard avait levé la tête. On voyait

---

1. L'atelier de l'artisan, qui travaille « assis en tailleur ».

reluire à son cou les coquilles d'or du collier de Saint-Michel[1]. La chandelle éclairait en plein son profil décharné et morose. Il arracha le papier des mains de l'autre.

— Vous nous ruinez ! cria-t-il en promenant ses yeux creux sur le cahier. Qu'est-ce que tout cela ? qu'avons-nous besoin d'une si prodigieuse maison ? Deux chapelains à raison de dix livres par mois chacun, et un clerc de chapelle à cent sols ! Un valet de chambre à quatre-vingt-dix livres par an ! Quatre écuyers de cuisine à six-vingts livres par an chacun ! Un hasteur[2], un potager[3], un saussier, un queux[4], un sommelier d'armures[5], deux valets de sommiers[6], à raison de dix livres par mois chaque ! Deux galopins de cuisine à huit livres ! Un palefrenier[7] et ses deux aides à vingt-quatre livres par mois ! Un porteur, un pâtissier, un boulanger, deux charretiers, chacun soixante livres par an ! Et le maréchal des forges, six-vingts livres ! Et le maître de la chambre de nos deniers, douze cents livres ! Et le contrôleur, cinq cents ! — Que sais-je, moi ! C'est une furie ! Les gages de nos domestiques mettent la France au pillage ! Tous les mugots[8] du Louvre fondront à un tel feu de dépense ! Nous y vendrons nos vaisselles[9] ! Et l'an prochain, si Dieu et Notre-Dame (ici il souleva son chapeau) nous prêtent vie, nous boirons nos tisanes dans un pot d'étain !

En disant cela, il jetait un coup d'œil sur le hanap d'argent qui étincelait sur la table. Il toussa, et poursuivit :

— Maître Olivier, les princes qui règnent aux grandes seigneuries, comme rois et empereurs, ne doivent pas laisser engendrer la somptuosité en leurs maisons ; car de là ce feu court par la province. — Donc, maître Olivier,

---

1. Ordre institué par Louis XI en 1469 pour faire pièce à la Toison d'Or, et rétabli par Louis XVIII pour honorer les lettres, les arts et les sciences. L'abbaye du Mont-Saint-Michel motive les coquilles d'argent. **2.** Rôtisseur. **3.** Préparateur de légumes. **4.** Cuisinier. **5.** En charge des armes défensives, telles que cottes de mailles et autres défenses corporelles ? **6.** En charge de la literie ? Plutôt des chevaux de somme. **7.** En charge des chevaux de voyage. Cette accumulation de termes plus ou moins archaïques, voire à double entente, vient de Matthieu, 492-493, qui s'étonne de la modicité de telles dépenses. **8.** Trésors, magots (Sauval, II, 319). **9.** Toute l'argenterie.

tiens-toi ceci pour dit. Notre dépense augmente tous les ans. La chose nous déplaît. Comment, Pasque-Dieu ! jusqu'en 79 elle n'a point passé trente-six mille livres, en 80, elle a atteint quarante-trois mille six cent dix-neuf livres ; — j'ai le chiffre en tête ; — en 81, soixante-six mille six cent quatre-vingts livres ; et cette année, par la foi de mon corps ! elle atteindra quatre-vingt mille livres ! Doublée en quatre ans ! monstrueux !

Il s'arrêta essoufflé, puis il reprit avec emportement :

— Je ne vois autour de moi que gens qui s'engraissent de ma maigreur ! Vous me sucez des écus par tous les pores !

Tous gardaient le silence. C'était une de ces colères qu'on laisse aller. Il continua :

— C'est comme cette requête en latin de la seigneurie de France [1], pour que nous ayons à rétablir ce qu'ils appellent les grandes charges de la couronne ! Charges en effet ! charges qui écrasent ! Ah ! messieurs ! vous dites que nous ne sommes pas un roi, pour régner *dapifero nullo, buticulario nullo* [2] *!* Nous vous le ferons voir, Pasque-Dieu ! si nous ne sommes pas un roi ! —

Ici il sourit dans le sentiment de sa puissance ; sa mauvaise humeur s'en adoucit, et il se tourna vers les Flamands :

— Voyez-vous, compère Guillaume ? le grand-pannetier, le grand-bouteillier, le grand-chambellan, le grand-sénéchal ne valent pas le moindre valet. — Retenez ceci, compère Coppenole. — Ils ne servent à rien. À se tenir ainsi inutiles autour du roi, ils me font l'effet des quatre évangélistes qui environnent le cadran de la grande hor-

---

1. Probablement les grands vassaux qui jouissent de droits seigneuriaux autour du domaine royal dans ce pays de « France » au nord de Paris, entre Saint-Denis et Roissy. On est au moment où, le « Roi des Français » s'étant transformé en « Roi de France », les Anglais boutés hors et les Bourguignons gagnés, royaume et nation émergent l'un par l'autre, au détriment des réalités interpersonnelles complexes qui caractérisaient la seigneurie médiévale. La Révolution accomplira cette évolution de la monarchie. **2.** « Sans écuyer tranchant, sans bouteillier. » Sauval (II, 744) explique qu'il s'agit d'offices non pourvus depuis 1191, mais non supprimés. Le Dapifer était le Sénéchal, surintendant général de l'hôtel du roi.

loge du Palais, et que Philippe Brille vient de remettre à neuf[1]. Ils sont dorés, mais ils ne marquent pas l'heure ; et l'aiguille peut se passer d'eux.

Il demeura un moment pensif, et ajouta en hochant sa vieille tête : — Ho ho ! par Notre-Dame, je ne suis pas Philippe Brille, et je ne redorerai pas les grands vassaux[2]. — Continue, Olivier.

Le personnage qu'il désignait par ce nom reprit le cahier de ses mains, et se remit à lire à haute voix :

« ... À Adam Tenon, commis à la garde des sceaux de la prevôté de Paris : pour l'argent, façon et gravure desdits sceaux qui ont été faits neufs pour ce que les autres précédents, pour leur antiquité et caduqueté, ne pouvaient plus bonnement servir. — Douze livres parisis.

À Guillaume Frère, la somme de quatre livres quatre sols parisis, pour ses peines et salaires d'avoir nourri et alimenté les colombes des deux colombiers de l'hôtel des Tournelles, durant les mois de janvier, février et mars de cette année ; et pour ce a donné sept sextiers[3] d'orge.

À un cordelier, pour confession d'un criminel, quatre sols parisis. »

Le roi écoutait en silence. De temps en temps il toussait ; alors il portait le hanap à ses lèvres, et buvait une gorgée en faisant une grimace.

— « En cette année ont été faits par ordonnance de justice à son de trompe, par les carrefours de Paris, cinquante-six cris. — Compte à régler.

Pour avoir fouillé et cherché en certains endroits, tant dans Paris qu'ailleurs, de la finance qu'on disait y avoir été cachée ; mais rien n'y a été trouvé : — quarante-cinq livres parisis. »

— Enterrer un écu pour déterrer un sou ! dit le roi.

— « ... Pour avoir mis à point, à l'hôtel des Tournelles,

---

1. En 1472 ; elle datait de Charles V (Sauval, III, 407). **2.** Le ms. comporte ici une addition, postérieure à l'édition Furne : « Je suis de l'avis du roi Édouard : sauvez le peuple et tuez les seigneurs. » Il s'agit d'Édouard IV, roi d'Angleterre de 1461 à 1483, à l'époque de la guerre des Deux-Roses. Louis XI lui avait acheté en 1475 à l'entrevue de Picquigny une trêve de sept ans, et a été soupçonné de l'avoir fait empoisonner. « Les seigneurs », comme le comte de Warwick. **3.** Le setier de Paris valait 156 litres de grain.

six panneaux de verre blanc à l'endroit où est la cage de fer, treize sols. — Pour avoir fait et livré, par le commandement du roi, le jour des monstres, quatre écussons aux armes dudit seigneur, enchapessés de chapeaux de roses tout à l'entour, six livres. — Pour deux manches neuves au vieil pourpoint du roi, vingt sols. — Pour une boîte de graisse à graisser les bottes du roi, quinze deniers. Une étable faite de neuf pour loger les pourceaux noirs du roi, trente livres parisis. — Plusieurs cloisons, planches et trappes faites pour enfermer les lions d'emprès Saint-Paul, vingt-deux livres. »

— Voilà des bêtes qui sont chères, dit Louis XI. N'importe ; c'est une belle magnificence de roi. Il y a un grand lion roux que j'aime pour ses gentillesses[1]. — L'avez-vous vu, maître Guillaume ? — Il faut que les princes aient de ces animaux mirifiques. À nous autres rois, nos chiens doivent être des lions, et nos chats des tigres. Le grand va aux couronnes. Du temps des païens de Jupiter, quand le peuple offrait aux églises cent bœufs et cent brebis, les empereurs donnaient cent lions et cent aigles. Cela était farouche et fort beau. Les rois de France ont toujours eu de ces rugissements autour de leur trône. Néanmoins on me rendra cette justice, que j'y dépense encore moins d'argent qu'eux, et que j'ai une plus grande modestie de lions, d'ours, d'éléphants et de léopards. — Allez, maître Olivier. Nous voulions dire cela à nos amis les Flamands.

Guillaume Rym s'inclina profondément, tandis que Coppenole, avec sa mine bourrue, avait l'air d'un de ces ours dont parlait sa majesté. Le roi n'y prit pas garde. Il venait de tremper ses lèvres dans le hanap, et recrachait le breuvage en disant : — Pouah ! la fâcheuse tisane ! — Celui qui lisait continua :

— « Pour nourriture d'un maraud piéton enverrouillé depuis six mois dans la logette de l'écorcherie, en attendant qu'on sache qu'en faire. — Six livres quatre sols. »

— Qu'est-ce cela ? interrompit le roi, nourrir ce qu'il faut pendre ! Pasque-Dieu ! je ne donnerai plus un sol pour cette nourriture. — Olivier, entendez-vous de la

1. Noblesse, mais le pluriel fait glisser au sens moderne.

chose avec monsieur d'Estouteville, et dès ce soir faites-moi le préparatif des noces du galant avec une potence. — Reprenez.

Olivier fit une marque avec le pouce à l'article du *maraud piéton*, et passa outre.

— « À Henriet Cousin, maître exécuteur des hautes-œuvres de la justice de Paris, la somme de soixante sols parisis à lui taxée et ordonnée par monseigneur le prevôt de Paris, pour avoir acheté, de l'ordonnance de mondit sieur le prevôt, une grande épée à feuille[1] servant à exécuter et décapiter les personnes qui par justice sont condamnées pour leurs démérites, et icelle fait garnir de fourreau et de tout ce qui y appartient ; et pareillement a fait remettre à point et rhabiller la vieille épée, qui s'était éclatée et ébréchée en faisant la justice de messire Louis de Luxembourg[2], comme plus à plein peut apparoir... »

Le roi interrompit : — Il suffit ; j'ordonnance la somme de grand cœur. Voilà des dépenses où je ne regarde pas. Je n'ai jamais regretté cet argent-là. — Suivez.

— « Pour avoir fait de neuf une grande cage... »

— Ah ! dit le roi, en prenant de ses deux mains les bras de sa chaise, je savais bien que j'étais venu en cette Bastille pour quelque chose. — Attendez, maître Olivier. Je veux voir moi-même la cage. Vous m'en lirez le coût pendant que je l'examinerai. — Messieurs les Flamands, venez voir cela ; c'est curieux.

Alors il se leva, s'appuya sur le bras de son interlocuteur, fit signe à l'espèce de muet qui se tenait debout devant la porte de le précéder, aux deux Flamands de le suivre, et sortit de la chambre.

La royale compagnie se recruta[3], à la porte du retrait, d'hommes d'armes tout alourdis de fer, et de minces pages qui portaient des flambeaux. Elle chemina quelque temps dans l'intérieur du sombre donjon, percé d'escaliers et de corridors jusque dans l'épaisseur des murailles.

---

1. La feuille est l'instrument de boucherie qui sert à séparer les vertèbres. La plupart de ces « comptes de la prévôté » proviennent de Sauval, III. **2.** Connétable de Saint-Pol, livré à Louis XI par Charles le Téméraire, condamné pour trahisons répétées et exécuté en 1475. **3.** Se renforça.

Le capitaine de la Bastille marchait en tête, et faisait ouvrir les guichets devant le vieux roi malade et voûté, qui toussait en marchant.

À chaque guichet, toutes les têtes étaient obligées de se baisser, excepté celle du vieillard plié par l'âge. — Hum ! disait-il entre ses gencives, car il n'avait plus de dents, nous sommes déjà tout prêt pour la porte du sépulcre. À porte basse, passant courbé.

Enfin, après avoir franchi un dernier guichet si embarrassé de serrures qu'on mit un quart d'heure à l'ouvrir, ils entrèrent dans une haute et vaste salle en ogive, au centre de laquelle on distinguait, à la lueur des torches, un gros cube massif de maçonnerie, de fer et de bois. L'intérieur était creux. C'était une de ces fameuses cages à prisonniers d'état qu'on appelait *les fillettes du roi*[1]. Il y avait aux parois deux ou trois petites fenêtres si étofféement treillissées d'épais barreaux de fer qu'on n'en voyait pas la vitre. La porte était une grande dalle de pierre plate, comme aux tombeaux ; de ces portes qui ne servent jamais que pour entrer. Seulement, ici, le mort était un vivant.

Le roi se mit à marcher lentement autour du petit édifice en l'examinant avec soin, tandis que maître Olivier, qui le suivait, lisait tout haut le mémoire :

— « Pour avoir fait de neuf une grande cage de bois de grosses solives, membrures et sablières[2], contenant neuf pieds de long sur huit de lé[3], et de hauteur sept pieds entre deux planchers, lissée[4] et boujonnée à gros boujons de fer, laquelle a été assise en une chambre étant à l'une des tours de la Bastide Saint-Antoine, en laquelle cage est mis et détenu, par commandement du roi notre Seigneur, un prisonnier qui habitait précédemment une vieille cage caduque et décrépite. — Ont été employées à cette dite cage neuve quatre-vingt-seize solives de couche et cinquante-deux solives debout, dix sablières de

---

1. Commynes (VI, 11) explique qu'il s'agit d'une sorte de carcan de pied, avec chaîne et boulet, le tout en fer et très pesant : « fil à la patte » et antiphrase ? **2.** Pièce de bois horizontale au sommet d'un mur, sur laquelle repose le bas des chevrons d'une charpente. **3.** Largeur. Le volume est celui d'une chambre modeste. **4.** Renforcée de lisses qui assemblent les membrures, et non rabotée.

trois toises de long ; et ont été occupés dix-neuf charpentiers pour équarrir, ouvrer et tailler tout ledit bois en la cour de la Bastide pendant vingt jours... »

— D'assez beaux cœurs de chêne, dit le roi en cognant du poing la charpente.

— « ... Il est entré dans cette cage, poursuivit l'autre, deux cent vingt gros boujons de fer[1], de neuf pieds et de huit, le surplus de moyenne longueur, avec les rouelles, pommelles et contrebandes[2] servant auxdits boujons ; pesant, tout ledit fer, trois mille sept cent trente-cinq livres ; outre huit grosses équières de fer[3] servant à attacher ladite cage, avec les crampons et clous, pesant ensemble deux cent dix-huit livres de fer, sans compter le fer des treillis des fenêtres de la chambre où la cage a été posée, les barres de fer de la porte de la chambre, et autres choses... »

— Voilà bien du fer, dit le roi, pour contenir la légèreté d'un esprit !

— « ... Le tout revient à trois cent dix-sept livres cinq sols sept deniers. »

— Pasque-Dieu ! s'écria le roi.

À ce juron, qui était le favori de Louis XI, il parut que quelqu'un se réveillait dans l'intérieur de la cage ; on entendit des chaînes qui en écorchaient le plancher avec bruit, et il s'éleva une voix faible qui semblait sortir de la tombe ! — Sire ! sire ! grâce ! — On ne pouvait voir celui qui parlait ainsi.

— Trois cent dix-sept livres cinq sols sept deniers ! reprit Louis XI.

La voix lamentable qui était sortie de la cage avait glacé tous les assistants, maître Olivier lui-même. Le roi seul avait l'air de ne pas l'avoir entendue. Sur son ordre, maître Olivier reprit sa lecture, et sa majesté continua froidement l'inspection de la cage.

— « ... Outre cela, il a été payé à un maçon qui a fait

---

1. Barres à tête ronde, qui font l'armature de toute cette charpenterie et lui méritent le nom de cage de fer. **2.** Deux sortes de rondelles et le système de fixation pour bander le tout (clavettes ?). **3.** Équerres, une par sommet : équerres triples ?

les trous pour poser les grilles des fenêtres, et le plancher[1] de la chambre où est la cage, parce que le plancher n'eût pu porter cette cage, à cause de sa pesanteur, vingt-sept livres quatorze sols parisis... »

La voix recommença à gémir.

— Grâce ! sire ! Je vous jure que c'est monsieur le cardinal d'Angers[2] qui a fait la trahison, et non pas moi.

— Le maçon est rude ! dit le roi. Continue, Olivier.

Olivier continua :

— « ... À un menuisier, pour fenêtres, couches, selle percée et autres choses, vingt livres deux sols parisis... »

La voix continuait aussi.

— Hélas ! sire ! ne m'écouterez-vous pas ? Je vous proteste que ce n'est pas moi qui ai écrit la chose à monseigneur de Guyenne[3], mais monsieur le cardinal Balue !

— Le menuisier est cher, observa le roi. — Est-ce tout ?

— Non, sire. — « ... À un vitrier, pour les vitres de ladite chambre, quarante-six sols huit deniers parisis. »

— Faites grâce, sire ! N'est-ce donc pas assez qu'on ait donné tous mes biens à mes juges, ma vaisselle à M. de Torcy[4], ma librairie à maître Pierre Doriolle[5], ma tapisserie au gouverneur du Roussillon[6] ? Je suis innocent. Voilà quatorze ans que je grelotte dans une cage de fer. Faites grâce, sire ! Vous retrouverez cela dans le ciel.

— Maître Olivier, dit le roi, le total ?

— Trois cent soixante-sept livres huit sols trois deniers parisis.

— Notre-Dame ! cria le roi. Voilà une cage outrageuse !

Il arracha le cahier des mains de maître Olivier, et se mit à compter lui-même sur ses doigts, en examinant tour

---

1. Complément d'objet de *poser* plutôt que de *fait*. **2.** La *Chronique...* date de 1469 l'incarcération de Balue à Montbazon, au sud de Tours, pour les échecs de Péronne et de Liège, et pour une lettre de trahison au duc de Bourgogne ; elle cite les noms de ses juges et la distribution de ses biens. **3.** Frère de Louis XI, qui ne sut pas profiter du rapprochement de 1469 et mourut vraisemblablement empoisonné en 1472. **4.** Le frère d'Estouteville. **5.** Ou d'Oriole chargé des Finances sous Charles VII, chancelier de 1472 à mai 1483, rentré en grâce après la mort de Louis XI, mort en 1485. **6.** Tanneguy Du Châtel, favori de Charles VII, mort en 1477.

à tour le papier et la cage. Cependant on entendait sangloter le prisonnier. Cela était lugubre dans l'ombre, et les visages se regardaient en pâlissant.

— Quatorze ans, sire ! Voilà quatorze ans ! depuis le mois d'avril 1469[1]. Au nom de la sainte mère de Dieu, sire, écoutez-moi ! Vous avez joui tout ce temps de la chaleur du soleil. Moi, chétif, ne verrai-je plus jamais le jour ? Grâce, sire ! Soyez miséricordieux. La clémence est une belle vertu royale, qui rompt les courantes[2] de la colère. Croit-elle, votre majesté, que ce soit à l'heure de la mort un grand contentement pour un roi, de n'avoir laissé aucune offense impunie ? D'ailleurs, sire, je n'ai point trahi votre majesté ; c'est monsieur d'Angers. Et j'ai au pied une bien lourde chaîne, et une grosse boule de fer au bout, beaucoup plus pesante qu'il n'est de raison. Eh ! sire ! ayez pitié de moi !

— Olivier, dit le roi en hochant la tête, je remarque qu'on me compte le muid[3] de plâtre à vingt sols, qui n'en vaut que douze. Vous referez ce mémoire.

Il tourna le dos à la cage, et se mit en devoir de sortir de la chambre. Le misérable prisonnier, à l'éloignement des flambeaux et du bruit, jugea que le roi s'en allait. — Sire ! sire ! cria-t-il avec désespoir. La porte se referma. Il ne vit plus rien, et n'entendit plus que la voix rauque du guichetier, qui lui chantait aux oreilles la chanson :

Maître Jean Balue[4]
A perdu la vue
De ses évêchés.
Monsieur de Verdun
N'en a plus pas un ;
Tous sont dépêchés[5].

---

1. La correction consécutive au passage de 1483 à 1482 n'a pas été faite. **2.** Diarrhée, flux. L'addition sur la clémence vient de Matthieu, 497. **3.** Équivalant à 36 sacs. *Cf.* Sauval, III, 428. **4.** Balue (1421-1491) fut évêque d'Évreux, puis d'Angers. Il avait mérité la dignité cardinalice pour avoir réussi à faire abolir la Pragmatique Sanction. Le pape Sixte IV obtint sa libération en 1480 et l'accueillit dans ses États. La chanson est citée dans Tristan. **5.** Expédiés à d'autres titulaires.

Le roi remontait en silence à son retrait, et son cortége le suivait, terrifié des derniers gémissements du condamné. Tout-à-coup sa majesté se tourna vers le gouverneur de la Bastille. — À propos, dit-elle, n'y avait-il pas quelqu'un dans cette cage ?

— Pardieu, sire ! répondit le gouverneur stupéfait de la question.

— Et qui donc ?

— Monsieur l'évêque de Verdun.

Le roi savait cela mieux que personne. Mais c'était une manie.

— Ah ! dit-il avec l'air naïf d'y songer pour la première fois, Guillaume de Harancourt[1], l'ami de monsieur le cardinal Balue. Un bon diable d'évêque !

Au bout de quelques instants, la porte du retrait s'était rouverte, puis reclose sur les cinq personnages que le lecteur y a vus au commencement de ce chapitre, et qui y avaient repris leurs places, leurs causeries à demi-voix, et leurs attitudes.

Pendant l'absence du roi, on avait déposé sur sa table quelques dépêches, dont il rompit lui-même le cachet. Puis il se mit à les lire promptement l'une après l'autre, fit signe à *maître Olivier*, qui paraissait avoir près de lui office de ministre, de prendre une plume, et, sans lui faire part du contenu des dépêches, commença à lui en dicter à voix basse les réponses, que celui-ci écrivait assez incommodément agenouillé devant la table.

Guillaume Rym observait.

Le roi parlait si bas, que les Flamands n'entendaient rien de sa dictée, si ce n'est çà et là quelques lambeaux isolés et peu intelligibles comme : — ... Maintenir les lieux fertiles par le commerce, les stériles par les manufactures... — Faire voir aux seigneurs anglais nos quatre bombardes, la Londres, la Brabant, la Bourg-en-Bresse,

---

1. Ou Haraucourt, famille qui est l'un des « quatre grands chevaux de Lorraine ». Évêque de Verdun en 1456, emprisonné en 1469 comme Balue pour avoir tenté de persuader le frère du roi, d'accord avec le duc de Bourgogne, de prendre Brie et Champagne, menaçant Paris, et non la lointaine Guyenne.

la Saint-Omer[1]... — L'artillerie est cause que la guerre se fait maintenant plus judicieusement... — À monsieur de Bressuire[2] notre ami... — Les armées ne s'entretiennent sans les tributs... — Etc.

Une fois il haussa la voix : — Pasque-Dieu ! monsieur le roi de Sicile[3] scelle ses lettres sur cire jaune, comme un roi de France. Nous avons peut-être tort de le lui permettre. Mon beau cousin de Bourgogne ne donnait pas d'armoiries à champ de gueules[4]. La grandeur des maisons s'assure en l'intégrité des prérogatives[5]. Note ceci, compère Olivier.

Une autre fois : — Oh ! oh ! dit-il, le gros message ! Que nous réclame notre frère l'empereur[6] ? — Et parcourant des yeux la missive en coupant sa lecture d'interjections : — Certes ! les Allemagnes sont si grandes et puissantes qu'il est à peine croyable. — Mais nous n'oublions pas le vieux proverbe : La plus belle comté, est Flandre ; la plus belle duché, Milan ; le plus beau royaume, France. — N'est-ce pas, messieurs les Flamands ?

Cette fois, Coppenole s'inclina avec Guillaume Rym. Le patriotisme du chaussetier était chatouillé.

Une dernière dépêche fit froncer le sourcil à Louis XI. — Qu'est cela ? s'écria-t-il. Des plaintes et quérimonies[7] contre nos garnisons de Picardie ! Olivier, écrivez en diligence à monsieur le maréchal de Rouault[8]. — Que les disciplines se relâchent. — Que les gendarmes des ordonnances, les nobles de ban, les francs-archers, les suisses, font des maux infinis aux manants. — Que l'homme de

---

1. Les noms de ces canons à boulets de pierre, empruntés à la *Chronique*, disent les objectifs de la politique royale. **2.** Jacques de Beaumont, lieutenant du roi en Poitou, mort en 1592. **3.** René d'Anjou, dont les possessions reviendront à la couronne. **4.** Le rouge du blason. **5.** Privilège exclusif. **6.** L'empereur est Frédéric III (1415-1493) ; il prit la devise que son arrière-petit-fils Charles Quint réalisa : A.E.I.O.U., initiales des mots latins qui signifient « il appartient à l'Autriche de commander au monde entier ». La réplique « en proverbe » de Louis XI dessine les efforts de la politique du « royaume » jusqu'aux guerres d'Italie, de Charles VIII à Bonaparte. **7.** Réclamations. **8.** Joachim Rouault de Gamaches, attaché à Louis dès 1437, maréchal de France en 1461, disgracié et condamné en 1476 à de très lourdes peines, n'avait pas eu à les subir, et était mort en 1478. La source est Matthieu, 547-548.

guerre, ne se contentant pas des biens qu'il trouve en la maison des laboureurs, les contraint, à grands coups de bâton ou de voulge[1], à aller querir du vin à la ville, du poisson, des épiceries, et autres choses excessives. — Que monsieur le roi sait cela.— Que nous entendons garder notre peuple des inconvénients, larcins et pilleries. — Que c'est notre volonté, par Notre-Dame ! — Qu'en outre il ne nous agrée pas qu'aucun ménétrier, barbier, ou valet de guerre, soit vêtu comme prince, de velours, de drap de soie et d'anneaux d'or. — Que ces vanités sont haineuses à Dieu. — Que nous nous contentons, nous qui sommes gentilhomme, d'un pourpoint de drap à seize sols l'aune[2] de Paris. — Que messieurs les goujats[3] peuvent bien se rabaisser jusque là, eux aussi. — Mandez et ordonnez. À monsieur de Rouault, notre ami. — Bien.

Il dicta cette lettre à haute voix, d'un ton ferme et par saccades. Au moment où il achevait, la porte s'ouvrit et donna passage à un nouveau personnage, qui se précipita tout effaré dans la chambre en criant : — Sire ! sire ! il y a une sédition de populaire dans Paris !

La grave figure de Louis XI se contracta ; mais ce qu'il y eut de visible dans son émotion passa comme un éclair. Il se contint, et dit avec une sévérité tranquille : — Compère Jacques, vous entrez bien brusquement !

— Sire ! sire ! il y a une révolte ! reprit le compère Jacques essoufflé.

Le roi, qui s'était levé, lui prit rudement le bras et lui dit à l'oreille, de façon à être entendu de lui seul, avec une colère concentrée et un regard oblique sur les Flamands : — Tais-toi ! ou parle bas.

Le nouveau-venu comprit, et se mit à lui faire tout bas une narration très-effarouchée que le roi écoutait avec calme, tandis que Guillaume Rym faisait remarquer à Coppenole le visage et l'habit du nouveau-venu, sa capuce fourrée, *caputia fourrata*, son épitoge courte, *epi-*

---

1. Ou vouge, fer tranchant au bout d'une hampe. **2.** Un peu moins de 1,2 mètre. **3.** Valet d'armée.

togia curta, sa robe de velours noir, qui annonçait un président de la Cour des comptes[1].

À peine ce personnage eut-il donné au roi quelques explications, que Louis XI s'écria en éclatant de rire : — En vérité ! parlez tout haut, compère Coictier ! Qu'avez-vous à parler bas ainsi ? Notre-Dame sait que nous n'avons rien de caché pour nos bons amis Flamands.

— Mais, sire...

— Parlez tout haut !

Le « compère Coictier » demeurait muet de surprise.

— Donc, reprit le roi, — parlez, monsieur, — il y a une émotion de manants dans notre bonne ville de Paris ?

— Oui, sire.

— Et qui se dirige, dites-vous, contre monsieur le bailli du Palais-de-Justice[2] ?

— Il y a apparence, dit *le compère* qui balbutiait encore, tout étourdi du brusque et inexplicable changement qui venait de s'opérer dans les pensées du roi.

Louis XI reprit : — Où le guet a-t-il rencontré la cohue ?

— Cheminant de la grande Truanderie vers le Pont-aux-Changeurs. Je l'ai rencontrée moi-même, comme je venais ici, pour obéir aux ordres de votre majesté. J'en ai entendu quelques-uns qui criaient : À bas le bailli du Palais !

— À quels griefs ont-ils contre le bailli ?

— Ah ! dit le compère Jacques, qu'il est leur seigneur.

— Vraiment !

— Oui, sire. Ce sont des marauds de la Cour-des-Miracles. Voilà long-temps déjà qu'ils se plaignent du bailli, dont ils sont vassaux. Ils ne veulent le reconnaître ni comme justicier ni comme voyer.

— Oui dà ! repartit le roi avec un sourire de satisfaction qu'il s'efforçait en vain de déguiser.

— Dans toutes leurs requêtes au Parlement, reprit le compère Jacques, ils prétendent n'avoir que deux

---

1. La Chambre des Comptes, souveraine en matière de finances, avait été réformée par un édit de 1464. Coictier en fut premier président. *Cf.* Sauval, II, 396, et Du Breul, 219. **2.** Qui n'était autre que Coictier.

maîtres : votre majesté et leur Dieu, qui est, je crois, le diable.

— Eh ! eh ! dit le roi.

Il se frottait les mains, il riait de ce rire intérieur qui fait rayonner le visage ; il ne pouvait dissimuler sa joie, quoiqu'il essayât par instants de se composer. Personne n'y comprenait rien, pas même « maître Olivier. » Il resta un moment silencieux, avec un air pensif, mais content.

— Sont-ils en force ? demanda-t-il tout-à-coup.

— Oui certes, sire, répondit le compère Jacques.

— Combien ?

— Au moins six mille.

Le roi ne put s'empêcher de dire : Bon ! Il reprit : — Sont-ils armés ?

— Des faulx, des piques, des hacquebutes, des pioches. Toutes sortes d'armes fort violentes.

Le roi ne parut nullement inquiet de cet étalage. Le compère Jacques crut devoir ajouter : Si votre majesté n'envoie pas promptement au secours du bailli, il est perdu.

— Nous enverrons, dit le roi avec un faux air sérieux. C'est bon. Certainement nous enverrons. Monsieur le bailli est notre ami. Six mille ! Ce sont de déterminés drôles. La hardiesse est merveilleuse, et nous en sommes fort courroucé. Mais nous avons peu de monde cette nuit autour de nous. — Il sera temps demain matin.

Le compère Jacques s'écria : — Tout de suite, sire ! Le bailliage aura vingt fois le temps d'être saccagé, la seigneurie violée, le bailli pendu. Pour Dieu ! sire, envoyez avant demain matin.

Le roi le regarda en face. — Je vous ai dit demain matin.

C'était un de ces regards auxquels on ne réplique pas.

Après un silence, Louis XI éleva de nouveau la voix : — Mon compère Jacques, vous devez savoir cela. Quelle était... Il se reprit : — Quelle est la juridiction féodale du bailli ?

— Sire, le bailli du Palais a la rue de la Calandre jusqu'à la rue de l'Herberie[1], la place Saint-Michel, et les

---

1. Sur l'emplacement actuel de la Préfecture de Police.

lieux vulgairement nommés les Mureaux[1], assis près de l'église Notre-Dame-des-Champs (ici Louis XI souleva le bord de son chapeau), lesquels hôtels sont au nombre de treize, plus la Cour-des-Miracles, plus la Maladerie appelée la Banlieue, plus toute la chaussée qui commence à cette Maladerie et finit à la porte Saint-Jacques[2]. De ces divers endroits il est voyer, haut, moyen et bas justicier, plein seigneur.

— Ouais ! dit le roi en se grattant l'oreille gauche avec la main droite, cela fait un bon bout de ma ville ! Ah ! monsieur le bailli était roi de tout cela !

Cette fois il ne se reprit point. Il continua rêveur et comme se parlant à lui-même : — Tout beau, monsieur le bailli ! vous aviez là entre les dents un gentil morceau de notre Paris.

Tout-à-coup il fit explosion : — Pasque-Dieu ! qu'est-ce que c'est que ces gens qui se prétendent voyers, justiciers, seigneurs et maîtres chez nous ? qui ont leur péage à tout bout de champ ? leur justice et leur bourreau à tout carrefour parmi notre peuple ? de façon que, comme le Grec se croyait autant de dieux qu'il avait de fontaines[3] et le Persan autant qu'il voyait d'étoiles[4], le Français se compte autant de rois qu'il voit de gibets. Pardieu ! cette chose est mauvaise, et la confusion m'en déplaît. Je voudrais bien savoir si c'est la grâce de Dieu qu'il y ait à Paris un autre voyer que le roi, une autre justice que notre parlement, un autre empereur que nous dans cet empire[5] ! Par la foi de mon âme ! il faudra bien que le jour vienne où il n'y aura en France qu'un roi, qu'un seigneur, qu'un juge, qu'un coupe-tête, comme il n'y a au paradis qu'un Dieu !

---

1. Entre les rues Henri-Barbusse et Pierre-Nicole, près de Port-Royal. Les Mureaux sont hors les murs à cette sortie sud de l'Université. **2.** La banlieue fait une lieue de large autour de Paris. La porte Saint-Jacques était alors immédiatement au sud de l'actuelle rue Soufflot, tandis que la Cour des Miracles était en position diamétralement opposée, près de la porte Saint-Denis. *Cf.* Du Breul 201-202. Peut-être s'agissait-il d'une des nombreuses autres Cours des Miracles. **3.** Mythologie naturaliste du polythéisme antique, nymphes, etc. **4.** Religion astronomique des Mages, adorateurs des Soleils. **5.** En vertu de cette prééminence que « le roi de France est empereur en son royaume ».

Il souleva encore son bonnet, et continua rêvant toujours, avec l'air et l'accent d'un chasseur qui agace et lance sa meute. — Bon ! mon peuple ! bravement ! brise ces faux seigneurs ! fais ta besogne. Sus ! sus ! pille-les, pends-les, saccage-les !... Ah ! vous voulez être rois, messeigneurs ? Va ! peuple ! va !

Ici il s'interrompit brusquement, se mordit les lèvres, comme pour rattraper sa pensée à demi échappée, appuya tour à tour son œil perçant sur chacun des cinq personnages qui l'entouraient, et tout-à-coup saisissant son chapeau à deux mains et le regardant en face, il lui dit : — Oh ! je te brûlerais si tu savais ce qu'il y a dans ma tête [1].

Puis, promenant de nouveau autour de lui le regard attentif et inquiet du renard qui rentre sournoisement à son terrier : — Il n'importe ! nous secourrons monsieur le bailli. Par malheur, nous n'avons que peu de troupe ici, en ce moment, contre tant de populaire. Il faut attendre jusqu'à demain. On remettra l'ordre en la Cité, et l'on pendra vertement tout ce qui sera pris.

— À propos ! sire, dit le compère Coictier, j'ai oublié cela dans le premier trouble, le guet a saisi deux traînards de la bande. Si votre majesté veut voir ces hommes, ils sont là.

— Si je veux les voir ! cria le roi. Comment ! Pasque-Dieu ! tu oublies chose pareille ! — Cours vite, toi, Olivier ! va les chercher.

Maître Olivier sortit et rentra un moment après avec les deux prisonniers, environnés d'archers de l'ordonnance. Le premier avait une grosse face idiote, ivre et étonnée. Il était vêtu de guenilles et marchait en pliant le genou et en traînant le pied [2], le second était une figure blême et souriante, que le lecteur connaît déjà.

Le roi les examina un instant sans mot dire, puis s'adressant brusquement au premier : — Comment t'appelles-tu ?

— Gieffroy Pincebourde.

— Ton métier ?

— Truand.

---

1. *Cf.* Matthieu, 550-551. 2. Par habitude du fer et du boulet.

— Qu'allais-tu faire dans cette damnable sédition ?

Le truand regarda le roi, en balançant ses bras d'un air hébété. C'était une de ces têtes mal conformées, où l'intelligence est à peu près aussi à l'aise que la lumière sous l'éteignoir[1].

— Je ne sais pas, dit-il. On allait, j'allais.

— N'alliez-vous pas attaquer outrageusement et piller votre seigneur le bailli du Palais ?

— Je sais qu'on allait prendre quelque chose chez quelqu'un. Voilà tout.

Un soldat montra au roi une serpe qu'on avait saisie sur le truand. — Reconnais-tu cette arme ? demanda le roi.

— Oui, c'est ma serpe ; je suis vigneron[2].

— Et reconnais-tu cet homme pour ton compagnon ? ajouta Louis XI, en désignant l'autre prisonnier.

— Non. Je ne le connais pas.

— Il suffit, dit le roi. Et faisant un signe du doigt au personnage silencieux, immobile près de la porte, que nous avons déjà fait remarquer au lecteur : — Compère Tristan, voilà un homme pour vous.

Tristan-l'Hermite s'inclina. Il donna un ordre à voix basse à deux archers qui emmenèrent le pauvre truand.

Cependant le roi s'était approché du second prisonnier, qui suait à grosses gouttes. — Ton nom ?

— Sire, Pierre Gringoire.

— Ton métier ?

— Philosophe, sire.

— Comment te permets-tu, drôle, d'aller investir notre ami monsieur le bailli du Palais, et qu'as-tu à dire de cette émotion populaire ?

— Sire, je n'en étais pas.

— Or çà ! paillard, n'as-tu pas été appréhendé par le guet dans cette mauvaise compagnie ?

— Non, sire ; il y a méprise. C'est une fatalité. Je fais des tragédies. Sire, je supplie votre majesté de m'entendre. Je suis poète. C'est la mélancolie des gens de ma

---

1. On éteignait les cierges sous un cône renversé, au bout d'une hampe. **2.** La serpe à tailler du vigneron est beaucoup plus petite que la serpe à ébrancher ou à fendre du forestier.

profession d'aller la nuit par les rues. Je passais par là ce soir. C'est grand hasard. On m'a arrêté à tort ; je suis innocent de cette tempête civile. Votre majesté voit que le truand ne m'a pas reconnu. Je conjure votre majesté...

— Tais-toi ! dit le roi entre deux gorgées de tisane. Tu nous romps la tête.

Tristan-l'Hermite s'avança, et désignant Gringoire du doigt : — Sire, peut-on pendre aussi celui-là ?

C'était la première parole qu'il proférait.

— Peuh ! répondit négligemment le roi. Je n'y vois pas d'inconvénients.

— J'en vois beaucoup, moi ! dit Gringoire.

Notre philosophe était en ce moment plus vert qu'une olive. Il vit à la mine froide et indifférente du roi qu'il n'y avait plus de ressource que dans quelque chose de très-pathétique, et se précipita aux pieds de Louis XI en s'écriant, avec une gesticulation désespérée :

— Sire ! votre majesté daignera m'entendre. Sire ! n'éclatez en tonnerre sur si peu de chose que moi. La grande foudre de Dieu ne bombarde pas une laitue. Sire, vous êtes un auguste monarque très-puissant : ayez pitié d'un pauvre homme honnête, et qui serait plus empêché d'attiser une révolte qu'un glaçon de donner une étincelle ! Très-gracieux sire, la débonnaireté est vertu de lion et de roi. Hélas ! la rigueur ne fait qu'effaroucher les esprits ; les bouffées impétueuses de la bise ne sauraient faire quitter le manteau au passant : le soleil donnant de ses rayons peu à peu, l'échauffe de telle sorte qu'il le fera mettre en chemise. Sire, vous êtes le soleil[1]. Je vous le proteste, mon souverain maître et seigneur, je ne suis pas un compagnon truand, voleur et désordonné. La révolte et les briganderies ne sont pas de l'équipage d'Apollo. Ce n'est pas moi qui m'irai précipiter dans ces nuées qui éclatent en des bruits de séditions. Je suis un fidèle vassal de votre majesté. La même jalousie qu'a le mari pour

---

1. Toute cette harangue s'inspire de diverses citations de Matthieu. Ici, 498.

l'honneur de sa femme, le ressentiment[1] qu'a le fils pour l'amour de son père, un bon vassal les doit avoir pour la gloire de son roi ; il doit sécher pour le zèle de sa maison, pour l'accroissement de son service[2]. Toute autre passion qui le transporterait ne serait que fureur[3]. Voilà, sire, mes maximes d'état[4]. Donc ne me jugez pas séditieux et pillard, à mon habit usé aux coudes. Si vous me faites grâce, sire, je l'userai aux genoux à prier Dieu soir et matin pour vous ! Hélas ! je ne suis pas extrêmement riche, c'est vrai. Je suis même un peu pauvre. Mais non vicieux[5] pour cela. Ce n'est pas ma faute. Chacun sait que les grandes richesses ne se tirent pas des belles-lettres, et que les plus consommés aux bons livres n'ont pas toujours gros feu l'hiver. La seule avocasserie prend tout le grain et ne laisse que la paille aux autres professions scientifiques[6]. Il y a quarante très-excellents proverbes sur le manteau troué des philosophes. Oh ! sire ! la clémence est la seule lumière qui puisse éclairer l'intérieur d'une grande âme. La clémence[7] porte le flambeau devant toutes les autres vertus. Sans elle, ce sont des aveugles qui cherchent Dieu à tâtons. La miséricorde, qui est la même chose que la clémence, fait l'amour des sujets qui est le plus puissant corps-de-garde à la personne du prince. Qu'est-ce que cela vous fait, à vous majesté dont les faces sont éblouies, qu'il y ait un pauvre homme de plus sur la terre ? un pauvre innocent philosophe, barbottant dans les ténèbres de la calamité, avec son gousset vide qui résonne sur son ventre creux ? D'ailleurs, sire, je suis un lettré. Les grands rois se font une perle à leur couronne de protéger les lettres[8]. Hercules ne dédaignait pas le titre de Musagètes[9]. Mathias Corvin[10] favorisait Jean de Monroyal, l'or-

---

1. Reconnaissance. **2.** Les possessifs renvoient ici au roi. **3.** Folie. Matthieu (476), à propos de ce que se doit un prédicateur. **4.** Relatives à ma condition. **5.** Au sens général de mauvais, perverti. **6.** Selon Matthieu, 553. **7.** Matthieu, (509) le disait de la prudence. **8.** Matthieu, 497. **9.** « Conducteur des Muses » : Matthieu (557) espère que les succès d'Henri IV relèveront l'Université. **10.** Roi de Bohême et de Hongrie (1443-1490), protecteur de Jean Müller dit « Regiomontanus » du nom de sa ville de naissance Königsberg (Franconie), qui était mort en 1476. Fondateur de l'astronomie, il avait organisé la fameuse bibliothèque de Mathias Corvin à Bude. *Cf.* Matthieu, 438.

nement des mathématiques. Or c'est une mauvaise manière de protéger les lettres que de pendre les lettrés. Quelle tache à Alexandre s'il avait fait pendre Aristoteles ! Ce trait ne serait pas un petit moucheron[1] sur le visage de sa réputation pour l'embellir, mais bien un malin ulcère pour le défigurer. Sire ! j'ai fait un très-expédient épithalame pour mademoiselle de Flandre et monseigneur le très-auguste dauphin. Cela n'est pas d'un boute-feu de rébellion. Votre majesté voit que je ne suis pas un grimaud[2], que j'ai étudié excellemment, et que j'ai beaucoup d'éloquence naturelle. Faites-moi grâce, sire. Cela faisant, vous ferez une action galante à Notre-Dame, et je vous jure que je suis très-effrayé à l'idée d'être pendu !

En parlant ainsi, le désolé Gringoire baisait les pantoufles du roi, et Guillaume Rym disait tout bas à Coppenole : — Il fait bien de se traîner à terre. Les rois sont comme le Jupiter de Crète[3] ; ils n'ont des oreilles qu'aux pieds. — Et, sans s'occuper de Jupiter de Crète, le chaussetier répondait avec un lourd sourire, l'œil fixé sur Gringoire : — Oh ! que c'est bien cela ! je crois entendre le chancelier Hugonet me demander grâce.

Quand Gringoire s'arrêta enfin tout essoufflé, il leva la tête en tremblant vers le roi qui grattait avec son ongle une tache que ses chausses avaient au genou ; puis sa majesté se mit à boire au hanap de tisane. Du reste, elle ne soufflait mot, et ce silence torturait Gringoire. Le roi le regarda enfin. — Voilà un terrible braillard ! dit-il. Puis se tournant vers Tristan-l'Hermite : — Bah ! lâchez-le !

Gringoire tomba sur le derrière, tout épouvanté de joie.

— En liberté ! grogna Tristan. Votre Majesté ne veut-elle pas qu'on le retienne un peu en cage ?

— Compère, repartit Louis XI, crois-tu que ce soit pour de pareils oiseaux que nous faisons faire des cages de trois cent soixante-sept livres huit sous trois deniers ? — Lâchez-moi incontinent le paillard (Louis XI affec-

---

1. Allusion aux « mouches » dont les belles faisaient ressortir la blancheur de leur teint, et (Matthieu, 507) à l'animosité de Louis contre le Parlement. **2.** Écolier mal dégrossi. **3.** Qui était vénéré au mont Dictê. *Cf.* Matthieu, 512.

tionnait ce mot, qui faisait avec *Pasque-Dieu* le fond de sa jovialité), et mettez-le hors avec une bourrade.

— Ouf ! s'écria Gringoire, que voilà un grand roi !

Et de peur d'un contre-ordre, il se précipita vers la porte que Tristan lui rouvrit d'assez mauvaise grâce. Les soldats sortirent avec lui en le poussant devant eux à grands coups de poing, ce que Gringoire supporta en vrai philosophe stoïcien[1].

La bonne humeur du roi, depuis que la révolte contre le bailli lui avait été annoncée, perçait dans tout. Cette clémence inusitée n'en était pas un médiocre signe. Tristan-l'Hermite dans son coin avait la mine renfrognée d'un dogue qui a vu et qui n'a pas eu.

Le roi cependant battait gaîment avec les doigts sur le bras de sa chaise la marche de Pont-Audemer[2]. C'était un prince dissimulé, mais qui savait beaucoup mieux cacher ses peines que ses joies. Ces manifestations extérieures de joie à toute bonne nouvelle allaient quelquefois très-loin : ainsi, à la mort de Charles-le-Téméraire, jusqu'à vouer des balustrades d'argent à Saint-Martin de Tours ; à son avènement au trône, jusqu'à oublier d'ordonner les obsèques de son père[3].

— Hé ! sire ! s'écria tout-à-coup Jacques Coictier, qu'est devenue la pointe aiguë de maladie pour laquelle votre majesté m'avait fait mander ?

— Oh ! dit le roi, vraiment je souffre beaucoup, mon compère. J'ai l'oreille sibilante[4], et des râteaux de feu qui me râclent la poitrine.

Coictier prit la main du roi, et se mit à lui tâter le pouls avec une mine capable.

— Regardez, Coppenole, disait Rym à voix basse. Le voilà entre Coictier et Tristan. C'est là toute sa cour. Un médecin pour lui, un bourreau pour les autres.

En tâtant le pouls du roi, Coictier prenait un air de plus en plus alarmé. Louis XI le regardait avec quelque anxiété. Coictier se rembrunissait à vue d'œil. Le brave

---

1. Qui peut d'autant mieux endurer la douleur, qu'il sait qu'elle ne dépend pas de lui. **2.** La ville avait été reprise aux Anglais par Dunois en 1449. **3.** Les deux exemples viennent des premières notes prises fin 1828 dans la biographie Michaud. **4.** Qui siffle.

homme n'avait d'autre métairie[1] que la mauvaise santé du roi. Il l'exploitait de son mieux.

— Oh ! oh ! murmura-t-il enfin ; ceci est grave, en effet.

— N'est-ce pas ? dit le roi inquiet.

— *Pulsus creber, anhelans, crepitans, irregularis*[2], continua le médecin.

— Pasque-Dieu !

— Avant trois jours, ceci peut emporter son homme.

— Notre-Dame ! s'écria le roi. Et le remède, compère ?

— J'y songe, sire.

Il fit tirer la langue à Louis XI, hocha la tête, fit la grimace, et tout au milieu de ces simagrées : — Pardieu, sire, dit-il tout-à-coup, il faut que je vous conte qu'il y a une recette des régales[3] vacante, et que j'ai un neveu.

— Je donne ma recette à ton neveu, compère Jacques, répondit le roi ; mais tire-moi ce feu de la poitrine.

— Puisque votre majesté est si clémente, reprit le médecin, elle ne refusera pas de m'aider un peu en la bâtisse de ma maison rue Saint-André-des-Arcs.

— Heuh ! dit le roi.

— Je suis au bout de ma finance, poursuivit le docteur, et il serait vraiment dommage que la maison n'eût pas de toit : non pour la maison, qui est simple et toute bourgeoise ; mais pour les peintures de Jehan Fourbault, qui en égaient le lambris[4]. Il y a une Diane en l'air qui vole, mais si excellente, si tendre, si délicate, d'une action si ingénue, la tête si bien coiffée et couronnée d'un croissant, la chair si blanche, qu'elle donne de la tentation à ceux qui la regardent trop curieusement. Il y a aussi une

---

1. Terre de rapport, avec jeu sur le partage des produits et le verbe exploiter. La scène se fait moliéresque. **2.** « Pouls rapide, difficultueux, bondissant, irrégulier. » **3.** Revenu du temporel épiscopal, acquis au roi pendant la vacance du siège. De quoi se régaler, peut-être. **4.** Le nom du peintre vient de Sauval (III, 442 et 475), mais la décoration de la maison « à l'abri-Cotier » est due au travail sous Louis XIII de Jacques Blanchard pour la galerie basse de l'hôtel de Bullion (II, 194). De cette allégorie des mois, Hugo retient la chasse et la moisson : Diane est vierge, Cérès est mère. La racine du salsifis est un bel et bon légume ; le jaune de ses fleurs est magnifique.

Cérès. C'est encore une très-belle divinité. Elle est assise sur des gerbes de blé, et coiffée d'une guirlande galante d'épis entrelacés de salsifis et autres fleurs. Il ne se peut rien voir de plus amoureux que ses yeux, de plus rond que ses jambes, de plus noble que son air, de mieux drapé que sa jupe. C'est une des beautés les plus innocentes et les plus parfaites qu'ait produites le pinceau.

— Bourreau ! grommela Louis XI, où en veux-tu venir ?

— Il me faut un toit sur ces peintures, sire, et quoique ce soit peu de chose, je n'ai plus d'argent.

— Combien est-ce, ton toit ?

— Mais... un toit de cuivre historié[1] et doré, deux mille livres au plus.

— Ah ! l'assassin ! cria le roi. Il ne m'arrache pas une dent qui ne soit un diamant.

— Ai-je mon toit ? dit Coictier.

— Oui ! et va au diable, mais guéris-moi.

Jacques Coictier s'inclina profondément et dit : — Sire, c'est un répercussif[2] qui vous sauvera. Nous vous appliquerons sur les reins le grand défensif, composé avec le cérat, le bol d'Arménie[3], le blanc d'œuf, l'huile et le vinaigre. Vous continuerez votre tisane, et nous répondons de votre majesté.

Une chandelle qui brille n'attire pas qu'un moucheron. Maître Olivier, voyant le roi en libéralité, et croyant le moment bon, s'approcha à son tour : — Sire...

— Qu'est-ce encore ? dit Louis XI.

— Sire, votre majesté sait que maître Simon Radin est mort.

— Hé bien ?

— C'est qu'il était conseiller du roi sur le fait de la justice du trésor.

— Hé bien ?

— Sire, sa place est vacante.

En parlant ainsi, la figure hautaine de maître Olivier avait quitté l'expression arrogante pour l'expression

---

1. Avec ornements. **2.** Procédé visant à faire refluer vers l'intérieur du corps les manifestations de la maladie. **3.** Cire et argile ocre rouge, pour cette médecine-cuisine.

basse. C'est le seul rechange qu'ait une figure de courtisan. Le roi le regarda très en face, et dit d'un ton sec :
— Je comprends.

Il reprit :

— Maître Olivier, le maréchal de Boucicaut[1] disait : Il n'est don que de roi, il n'est peschier que en la mer. Je vois que vous êtes de l'avis de monsieur de Boucicaut. Maintenant, oyez ceci. Nous avons bonne mémoire. En 68, nous vous avons fait varlet de notre chambre ; en 69, garde du châtel du pont de Saint-Cloud, à cent livres tournois de gages (vous les vouliez parisis). — En novembre 73, par lettres données à Gergeaule[2], nous vous avons institué concierge du bois de Vincennes, au lieu de Gilbert Acle, écuyer ; en 75, gruyer[3] de la forêt de Rouvray-lez-Saint-Cloud, en place de Jacques Le Maire ; en 78, nous vous avons gracieusement assis, par lettres-patentes scellées sur double queue de cire verte, une rente de dix livres parisis, pour vous et votre femme, sur la place aux marchands, sise à l'école Saint-Germain ; en 79, nous vous avons fait gruyer de la forêt de Senart, au lieu de ce pauvre Jehan Daiz ; puis capitaine du château de Loches ; puis gouverneur de Saint-Quentin ; puis capitaine du pont de Meulan, dont vous vous faites appeler comte. Sur les cinq sols d'amende que paie tout barbier qui rase un jour de fête, il y a trois sols pour vous, et nous avons votre reste. Nous avons bien voulu changer votre nom de *le Mauvais*, qui ressemblait trop à votre mine. En 74, nous vous avons octroyé, au grand déplaisir de notre noblesse, des armoiries de mille couleurs qui vous font une poitrine

---

1. Hugo cite ici l'article qu'il avait publié dans le *Conservateur littéraire* en mars 1820 et qu'il reprendra en 1834 dans *Littérature et Philosophie mêlées* (« Bouquins », p. 72). C'est le lieu d'un tourbillon autobiographique et politique entre la rue de Mézières où Hugo jouait à la Cassandre du féminisme triomphant, le manuscrit non publié de Philippe de Maizières (1312-1405) sur *le Songe du vieil pèlerin*, les moulins à eau de 1389 et la Révolution (de 1789), et sur les deux Boucicaut, maréchal de France l'un et l'autre (? -1370 et 1364-1421) ; le désintéressement proverbial du premier avait contribué à faire du second un modèle de chevalerie. Tout cela autour des solliciteurs qui ruinent la monarchie. Les dates de la carrière d'Olivier de Daim viennent de Sauval, III. **2.** Jargeau ? **3.** Juge d'instance des délits forestiers.

de paon. Pasque-Dieu ! n'êtes-vous pas saoul ? La pescherie n'est-elle point assez belle et miraculeuse [1] ? Et ne craignez-vous pas qu'un saumon de plus ne fasse chavirer votre bateau ? L'orgueil vous perdra, mon compère. L'orgueil est toujours talonné de la ruine et de la honte. Considérez ceci, et taisez-vous.

Ces paroles, prononcées avec sévérité, firent revenir à l'insolence la physionomie dépitée de maître Olivier. — Bon, murmura-t-il presque tout haut, on voit bien que le roi est malade aujourd'hui. Il donne tout au médecin.

Louis XI, loin de s'irriter de cette incartade [2], reprit avec quelque douceur : — Tenez, j'oubliais encore que je vous ai fait mon ambassadeur à Gand près de madame Marie [3]. — Oui, messieurs, ajouta le roi en se tournant vers les Flamands, celui-là a été ambassadeur. — Là, mon compère, poursuivit-il en s'adressant à maître Olivier, ne nous fâchons pas ; nous sommes vieux amis. Voilà qu'il est très-tard. Nous avons terminé notre travail. Rasez-moi.

Nos lecteurs n'ont sans doute pas attendu jusqu'à présent pour reconnaître dans *maître Olivier* ce Figaro [4] terrible que la Providence, cette grande faiseuse de drames, a mêlé si artistement à la longue et sanglante comédie de Louis XI. Ce n'est pas ici que nous entreprendrons de développer cette figure singulière. Ce barbier du roi avait trois noms. À la cour, on l'appelait poliment Olivier-le-Daim ; parmi le peuple, Olivier-le-Diable. Il s'appelait, de son vrai nom, Olivier-le-Mauvais.

Olivier-le-Mauvais donc resta immobile, boudant le roi, et regardant Jacques Coictier de travers. — Oui, oui ! le médecin ! disait-il entre ses dents.

— Eh ! oui, le médecin ! reprit Louis XI avec une bonhomie singulière, le médecin a plus de crédit encore que toi. C'est tout simple. Il a prise sur nous par tout le corps, et tu ne nous tiens que par le menton. Va, mon pauvre

---

1. Allusion à la pêche miraculeuse de l'Évangile (Luc, V, 1-12) où Jésus recrute Simon Pierre et ses premiers « pêcheurs d'hommes vivants ». **2.** Écart de conduite ou de langage. **3.** En 1477, comme le narre Commines (V, 14), qui ne cache pas son mépris jaloux pour ce barbier de « petit état ». **4.** L'homme à tout faire de la trilogie de Beaumarchais.

barbier, cela se retrouvera. Que dirais-tu donc, et que deviendrait ta charge, si j'étais un roi comme le roi Chilpéric, qui avait pour geste de tenir sa barbe d'une main[1] ? — Allons, mon compère, vaque à ton office, rase-moi. Va chercher ce qu'il te faut.

Olivier, voyant que le roi avait pris le parti de rire et qu'il n'y avait pas même moyen de le fâcher, sortit en grondant pour exécuter ses ordres.

Le roi se leva, s'approcha de la fenêtre, et tout-à-coup l'ouvrant avec une agitation extraordinaire : — Oh ! oui ! s'écria-t-il en battant des mains, voilà une rougeur dans le ciel sur la Cité. C'est le bailli qui brûle. Ce ne peut être que cela. Ah ! mon bon peuple ! voilà donc que tu m'aides enfin à l'écroulement des seigneuries !

Alors, se tournant vers les Flamands : — Messieurs, venez voir ceci. N'est-ce pas un feu qui rougeoie[2] ?

Les deux Gantois s'approchèrent.

— Un grand feu, dit Guillaume Rym.

— Ho ! ajouta Coppenole, dont les yeux étincelèrent tout-à-coup, cela me rappelle le brûlement de la maison du seigneur d'Hymbercourt. Il doit y avoir une grosse révolte là-bas.

— Vous croyez, maître Coppenole ? Et le regard de Louis XI était presque aussi joyeux que celui du chaussetier. N'est-ce pas, qu'il sera difficile d'y résister ?

— Croix-Dieu ! sire ! Votre majesté ébréchera là-dessus bien des compagnies de gens de guerre.

— Ah ! moi ! c'est différent, repartit le roi. Si je voulais...

Le chaussetier répondit hardiment :

— Si cette révolte est ce que je suppose, vous auriez beau vouloir, sire.

— Compère, dit Louis XI, avec deux compagnies de mon ordonnance et une volée de serpentine, on a bon marché d'une populace de manants.

Le chaussetier, malgré les signes que lui faisait Guil-

---

1. Voir la gravure dans Du Breul (p. 302) et la discussion où Hugo prend la phrase sur ce « geste ordinaire ». **2.** Rime très probable à la célèbre réponse de sœur Anne dans le conte de Perrault, qui « ne voit rien venir, que l'herbe qui verdoie et la route qui poudroie ».

laume Rym, paraissait déterminé à tenir tête au roi : — Sire, les Suisses aussi étaient des manants. Monsieur le duc de Bourgogne était un grand gentilhomme, et il faisait fi de cette canaille. À la bataille de Grandson[1], sire, il criait : Gens de canons, feu sur ces vilains ! et il jurait par saint Georges. Mais l'avoyer Scharnachtal[2] se rua sur le beau duc avec sa massue et son peuple, et de la rencontre des paysans à peaux de buffle la luisante armée bourguignone s'éclata comme une vitre au choc d'un caillou. Il y eut là bien des chevaliers de tués par des marauds ; et l'on trouva monsieur de Château-Guyon[3], le plus grand seigneur de la Bourgogne, mort avec son grand cheval grison dans un petit pré de marais.

— L'ami, repartit le roi, vous parlez d'une bataille. Il s'agit d'une mutinerie. Et j'en viendrai à bout quand il me plaira de froncer le sourcil.

L'autre répliqua avec indifférence :

— Cela se peut, sire. En ce cas, c'est que l'heure du peuple n'est pas venue.

Guillaume Rym crut devoir intervenir : — Maître Coppenole, vous parlez à un puissant roi.

— Je le sais, répondit gravement le chaussetier.

— Laissez-le dire, monsieur Rym mon ami, dit le roi ; j'aime ce franc-parler. Mon père Charles septième disait que la vérité était malade. Je croyais, moi, qu'elle était morte, et qu'elle n'avait point trouvé de confesseur. Maître Coppenole me détrompe.

Alors, posant familièrement sa main sur l'épaule de Coppenole : — Vous disiez donc, maître Jacques...

— Je dis, sire, que vous avez peut-être raison, que l'heure du peuple n'est pas venue chez vous.

Louis XI le regarda avec son œil pénétrant. — Et quand viendra cette heure, maître ?

— Vous l'entendrez sonner.

— À quelle horloge, s'il vous plaît ?

---

1. Le 3 mars 1476, déroute de Charles le Téméraire dans la montagne devant les paysans suisses descendus venger la garnison de Granson, massacrée par le duc après sa reddition. Charles y perdit son arroi et son trésor. *Cf.* Commines, V, 1. **2.** Premier magistrat de Berne, venu en renfort. **3.** Louis de Chalon, fils du prince d'Orange et seigneur de Granson.

Coppenole, avec sa contenance tranquille et rustique, fit approcher le roi de la fenêtre. — Écoutez, sire ! Il y a ici un donjon[1], un beffroi[2], des canons, des bourgeois, des soldats. Quand le beffroi bourdonnera, quand les canons gronderont, quand le donjon croulera à grand bruit, quand bourgeois et soldats hurleront et s'entretueront, c'est l'heure qui sonnera.

Le visage de Louis XI devint sombre et rêveur. Il resta un moment silencieux, puis il frappa doucement de la main, comme on flatte une croupe de destrier, l'épaisse muraille du donjon. — Oh ! que non ! dit-il. N'est-ce pas que tu ne crouleras pas si aisément, ma bonne Bastille ?

Et se tournant d'un geste brusque vers le hardi Flamand : — Avez-vous jamais vu une révolte, maître Jacques ?

— J'en ai fait, dit le chaussetier.

— Comment faites-vous, dit le roi, pour faire une révolte ?

— Ah ! répondit Coppenole, ce n'est pas bien difficile. Il y a cent façons. D'abord il faut qu'on soit mécontent dans la ville. La chose n'est pas rare. Et puis le caractère des habitants. Ceux de Gand sont commodes à la révolte. Ils aiment toujours le fils du prince, le prince jamais. Eh bien ! un matin, je suppose, on entre dans ma boutique, on me dit : Père Coppenole, il y a ceci, il y a cela, la damoiselle de Flandre veut sauver ses ministres, le grand-bailli double le tru de l'esgrin, ou autre chose. Ce qu'on veut. Moi, je laisse là l'ouvrage, je sors de ma chausseterie, et je vais dans la rue, et je crie : À sac ! Il y a bien toujours là quelque futaille défoncée. Je monte dessus, et je dis tout haut les premières paroles venues, ce que j'ai sur le cœur ; et quand on est du peuple, sire, on a toujours quelque chose sur le cœur. Alors on s'attroupe, on crie, on sonne le tocsin, on arme les manants du désarmement des soldats, les gens du marché s'y joignent, et l'on va. Et ce sera toujours ainsi, tant qu'il y aura des seigneurs dans les seigneuries, des bourgeois dans les bourgs, et des paysans dans les pays.

---

1. La Bastille. **2.** La tour de Notre-Dame.

— Et contre qui vous rebellez-vous ainsi ? demanda le roi. Contre vos baillis ? contre vos seigneurs ?

— Quelquefois, c'est selon. Contre le duc aussi, quelquefois.

Louis XI alla se rasseoir, et dit avec un sourire : — Ah ! ici, ils n'en sont encore qu'aux baillis !

En cet instant Olivier-le-Daim rentra. Il était suivi de deux pages qui portaient les toilettes du roi ; mais ce qui frappa Louis XI, c'est qu'il était en outre accompagné du prevôt de Paris et du chevalier du guet, lesquels paraissaient consternés. Le rancuneux barbier avait aussi l'air consterné, mais content en dessous. C'est lui qui prit la parole : — Sire, je demande pardon à votre majesté de la calamiteuse[1] nouvelle que je lui apporte.

Le roi, en se tournant vivement, écorcha la natte du plancher avec les pieds de sa chaise : — Qu'est-ce à dire ?

— Sire, reprit Olivier-le-Daim avec la mine méchante d'un homme qui se réjouit d'avoir à porter un coup violent, ce n'est pas sur le bailli du Palais que se rue cette sédition populaire.

— Et sur qui donc ?

— Sur vous sire.

Le vieux roi se dressa debout et droit comme un jeune homme : — Explique-toi, Olivier ! explique-toi ! Et tiens bien ta tête, mon compère ; car je te jure, par la croix de Saint-Lô[2], que, si tu nous mens à cette heure, l'épée qui a coupé le cou de monsieur de Luxembourg n'est pas si ébréchée qu'elle ne scie encore le tien !

Le serment était formidable ; Louis XI n'avait juré que deux fois dans sa vie par la croix de Saint-Lô. Olivier ouvrit la bouche pour répondre : — Sire...

— Mets-toi à genoux ! interrompit violemment le roi. Tristan, veillez sur cet homme !

Olivier se mit à genoux, et dit froidement : — Sire, une sorcière a été condamnée à mort par votre cour de Parlement. Elle s'est réfugiée dans Notre-Dame. Le peuple l'y veut reprendre de vive force. Monsieur le pre-

---

1. Se dit d'un malheur public. **2.** Saint Laud d'Angers : le parjure passait pour entraîner à tout coup la mort dans l'année.

vôt et monsieur le chevalier du guet, qui viennent de l'émeute, sont là pour me démentir si ce n'est pas la vérité. C'est Notre-Dame que le peuple assiège.

— Oui-dà ! dit le roi à voix basse, tout pâle et tout tremblant de colère. Notre-Dame ! Ils assiégent dans sa cathédrale Notre-Dame, ma bonne maîtresse ! — Relève-toi, Olivier. Tu as raison. Je te donne la charge de Simon Radin. Tu as raison. — C'est à moi qu'on s'attaque. La sorcière est sous la sauvegarde de l'église, l'église est sous ma sauvegarde. Et moi qui croyais qu'il s'agissait du bailli ! C'est contre moi !

Alors, rajeuni par la fureur, il se mit à marcher à grands pas. Il ne riait plus, il était terrible, il allait et venait ; le renard s'était changé en hyène. Il semblait suffoqué à ne pouvoir parler ; ses lèvres remuaient et ses poings décharnés se crispaient. Tout-à-coup il releva la tête, son œil cave parut plein de lumière, et sa voix éclata comme un clairon. — Main basse, Tristan ! main basse sur ces coquins ! Va, Tristan mon ami ! tue ! tue !

Cette éruption passée, il vint se rasseoir, et dit avec une rage froide et concentrée :

— Ici, Tristan ! — Il y a près de nous dans cette bastille les cinquante lances[1] du vicomte de Gif, ce qui fait trois cents chevaux : vous les prendrez. Il y a aussi la compagnie des archers de notre ordonnance de monsieur de Châteaupers : vous la prendrez. Vous êtes prevôt des maréchaux[2], vous avez les gens de votre prevôté : vous les prendrez. À l'hôtel Saint-Pol, vous trouverez quarante archers de la nouvelle garde de monsieur le Dauphin[3] : vous les prendrez. Et avec tout cela, vous allez courir à Notre-Dame. — Ah ! messieurs les manants de Paris, vous vous jetez ainsi tout au travers de la couronne de France, de la sainteté de Notre-Dame et de la paix de cette république[4] !

---

1. Brigade de cavaliers servant le lancier, et accompagnés d'hommes à pied : environ six chevaux et dix hommes. **2.** Fonction instituée par Louis XI, aux fins de police et justice sur tous les militaires. **3.** Le futur Charles VIII, alors âgé de douze ans, et soigneusement entouré à Amboise, en prévision de son accession au trône. **4.** État, bien commun.

— Extermine ! Tristan ! extermine ! et que pas un n'en réchappe que pour Montfaucon.

Tristan s'inclina. — C'est bon, sire.

Il ajouta après un silence : — Et que ferai-je de la sorcière ?

Cette question fit songer le roi.

— Ah ! dit-il, la sorcière ! — Monsieur d'Estouteville, qu'est-ce que le peuple en voulait faire ?

— Sire, répondit le prevôt de Paris, j'imagine que, puisque le peuple la vient arracher de son asile de Notre-Dame, c'est que cette impunité le blesse et qu'il la veut pendre.

Le roi parut réfléchir profondément ; puis, s'adressant à Tristan-l'Hermite : — Eh bien ! mon compère, extermine le peuple et pends la sorcière.

— C'est cela, dit tout bas Rym à Coppenole : punir le peuple de vouloir et faire ce qu'il veut.

— Il suffit, sire, répondit Tristan. Si la sorcière est encore dans Notre-Dame, faudra-t-il l'y prendre malgré l'asile ?

— Pasque-Dieu, l'asile ! dit le roi en se grattant l'oreille. Il faut pourtant que cette femme soit pendue.

Ici, comme pris d'une idée subite, il se rua à genoux devant sa chaise, ôta son chapeau, le posa sur le siège, et regardant dévotement l'une des amulettes de plomb qui le chargeaient : — Oh ! dit-il les mains jointes, Notre-Dame de Paris, ma gracieuse patrone, pardonnez-moi. Je ne le ferai que cette fois. Il faut punir cette criminelle. Je vous assure, madame la Vierge ma bonne maîtresse, que c'est une sorcière qui n'est pas digne de votre aimable protection. Vous savez, madame, que bien des princes très-pieux ont outre-passé le privilége des églises pour la gloire de Dieu et la nécessité de l'état. Saint Hugues, évêque d'Angleterre, a permis au roi Édouard de prendre un magicien dans son église[1]. Saint Louis de France, mon maître, a transgressé pour le même objet l'église de monsieur saint Paul ; et mon-

---

1. Saint Hugues, chartreux devenu évêque de Lincoln (vers 1140-1200) n'est contemporain ni d'Édouard le Confesseur (1004-1066) ni d'Édouard Ier (1272-1307).

sieur Alphonse, fils du roi de Jérusalem, l'église même du Saint-Sépulcre[1]. Pardonnez-moi donc pour cette fois, Notre-Dame de Paris. Je ne le ferai plus, et je vous donnerai une belle statue d'argent, pareille à celle que j'ai donnée l'an passé à Notre-Dame d'Écouys[2]. Ainsi soit-il.

Il fit un signe de croix, se releva, se recoiffa, et dit à Tristan : — Faites diligence, mon compère ; prenez monsieur de Châteaupers avec vous. Vous ferez sonner le tocsin. Vous écraserez le populaire. Vous pendrez la sorcière. C'est dit. Et j'entends que le pourchas de l'exécution soit fait par vous. Vous m'en rendrez compte. — Allons, Olivier, je ne me coucherai pas cette nuit. Rase-moi.

Tristan-l'Hermite s'inclina et sortit. Alors le roi, congédiant du geste Rym et Coppenole : — Dieu vous garde, messieurs mes bons amis les Flamands. Allez prendre un peu de repos. La nuit s'avance, et nous sommes plus près du matin que du soir.

Tous deux se retirèrent, et en gagnant leurs appartements sous la conduite du capitaine de la Bastille, Coppenole disait à Guillaume Rym : — Hum ! j'en ai assez de ce roi qui tousse ! j'ai vu Charles de Bourgogne[3] ivre ; il était moins méchant que Louis XI malade.

— Maître Jacques, répondit Rym, c'est que les rois ont le vin moins cruel que la tisane.

---

1. Du Breul mentionne (p. 460) « M. Alphonse fils du Roy de Hiérusalem, mari de Marie comtesse d'Eu, fille du comte de la Marche ». Il s'agit de Marie de Lusignan, mariée au fils de Jean de Brienne, empereur de Constantinople. Il mourut au siège de Tunis (1270), mais Jérusalem était perdue depuis la fin du XIIe siècle et « l'église même du Saint-Sépulcre » est sans doute celle de Paris, à la date de 1260 ; l'important est ici la gradation dans la prière-plaidoierie. **2.** Au nord des Andelys, sur la route de Paris à Rouen. **3.** Le Téméraire, grand duc d'Occident, mort devant Nancy en 1477.

VI

PETITE FLAMBE EN BAGUENAUD

En sortant de la Bastille, Gringoire descendit la rue Saint-Antoine de la vitesse d'un cheval échappé. Arrivé à la porte Baudoyer, il marcha droit à la croix de pierre qui se dressait au milieu de cette place, comme s'il eût pu distinguer dans l'obscurité la figure d'un homme vêtu et encapuchonné de noir, qui était assis sur les marches de la croix. — Est-ce vous, maître ? dit Gringoire.

Le personnage noir se leva. — Mort et passion ! Vous me faites bouillir, Gringoire. L'homme qui est sur la tour de Saint-Gervais vient de crier une heure et demie du matin.

— Oh ! repartit Gringoire, ce n'est pas ma faute ; mais celle du guet et du roi. Je viens de l'échapper belle ! Je manque toujours d'être pendu. C'est ma prédestination.

— Tu manques tout, dit l'autre. Mais allons vite. As-tu le mot de passe ?

— Figurez-vous, maître, que j'ai vu le roi. J'en viens. Il a une culotte de futaine. C'est une aventure.

— Oh ! quenouille de paroles [1] ! que me fait ton aventure ? As-tu le mot de passe des truands ?

— Je l'ai. Soyez tranquille. *Petite Flambe en baguenaud*.

— Bien. Autrement nous ne pourrions pénétrer jusqu'à l'église. Les truands barrent les rues. Heureusement il paraît qu'ils ont trouvé de la résistance. Nous arriverons peut-être encore à temps.

— Oui, maître. Mais comment entrerons-nous dans Notre-Dame ?

— J'ai la clef des tours.

— Et comment en sortirons-nous ?

— Il y a derrière le cloître une petite porte qui donne sur le Terrain et de là sur l'eau. J'en ai pris la clef, et j'y ai amarré un bateau ce matin.

---

1. Emmêlées, comme la laine que filent les femmes.

— J'ai joliment manqué d'être pendu ! reprit Gringoire.

— Eh vite ! allons ! dit l'autre.

Tous deux descendirent à grands pas vers la Cité.

VII

CHÂTEAUPERS À LA RESCOUSSE !

Le lecteur se souvient peut-être de la situation critique où nous avons laissé Quasimodo. Le brave sourd, assailli de toutes parts, avait perdu, sinon tout courage, du moins tout espoir de sauver, non pas lui (il ne songeait pas à lui), mais l'égyptienne. Il courait éperdu sur la galerie. Notre-Dame allait être enlevée par les truands. Tout-à-coup un grand galop de chevaux emplit les rues voisines, et avec une longue file de torches et une épaisse colonne de cavaliers abattant lances et brides[1], ces bruits furieux débouchèrent sur la place comme un ouragan : France ! France ! Taillez les manants ! Châteaupers à la rescousse ! Prevôté ! prevôté !

Les truands effarés firent volte face.

Quasimodo, qui n'entendait pas, vit les épées nues, les flambeaux, les fers de piques, toute cette cavalerie en tête de laquelle il reconnut le capitaine Phœbus ; il vit la confusion des truands, l'épouvante chez les uns, le trouble chez les meilleurs, et il reprit de ce secours inespéré tant de force qu'il rejeta hors de l'église les premiers assaillants qui enjambaient déjà la galerie.

C'était en effet les troupes du roi qui survenaient.

Les truands firent bravement. Ils se défendirent en désespérés. Pris en flanc par la rue Saint-Pierre-aux-Bœufs et en queue par la rue du Parvis, acculés à Notre-Dame qu'ils assaillaient encore et que défendait Quasimodo, tout à la fois assiégeants et assiégés, ils étaient dans la situation singulière où se retrouva depuis, au

---

1. *Cf.* « à bride abattue », pour un galop de charge.

fameux siége de Turin, en 1640, entre le prince Thomas de Savoie qu'il assiégeait et le marquis de Leganez qui le bloquait, le comte Henri d'Harcourt, *Taurinum obsessor idem et obsessus* [1], comme dit son épitaphe.

La mêlée fut affreuse. À chair de loup dent de chien, comme dit P. Mathieu [2]. Les cavaliers du roi, au milieu desquels Phœbus de Châteaupers se comportait vaillamment, ne faisaient aucun quartier [3], et la taille reprenait ce qui échappait à l'estoc. Les truands, mal armés, écumaient et mordaient. Hommes, femmes, enfants, se jetaient aux croupes et aux poitrails des chevaux, et s'y accrochaient comme des chats avec les dents et les ongles des quatre membres. D'autres tamponnaient à coups de torches le visage des archers. D'autre piquaient des crocs de fer au cou des cavaliers et tiraient à eux. Ils déchiquetaient ceux qui tombaient. On en remarqua un qui avait une large faux luisante, et qui faucha long-temps les jambes des chevaux. Il était effrayant. Il chantait une chanson nasillarde, il lançait sans relâche et ramenait sa faux. À chaque coup, il traçait autour de lui un grand cercle de membres coupés.Il avançait ainsi au plus fourré de la cavalerie, avec la lenteur tranquille, le balancement de tête et l'essoufflement régulier d'un moissonneur qui entame un champ de blé. C'était Clopin Trouillefou. Une arquebusade l'abattit.

Cependant les croisées s'étaient rouvertes. Les voisins, entendant les cris de guerre des gens du roi, s'étaient mêlés à l'affaire, et de tous les étages les balles pleuvaient sur les truands. Le parvis était plein d'une fumée épaisse que la mousqueterie rayait de feu. On y distinguait confusément la façade de Notre-Dame, et l'Hôtel-Dieu décrépit, avec quelques haves malades qui regardaient du haut de son toit écaillé de lucarnes.

Enfin les truands cédèrent. La lassitude, le défaut de bonnes armes, l'effroi de cette surprise, la mousqueterie

---

1. « De Turin assiégeant en même temps qu'assiégé. » D'Harcourt assiégeait Savoie, qui assiégeait les Français retranchés dans la ville, en 1640. **2.** Pierre Matthieu (1563-1621), historiographe de Henri IV, et source importante de *Notre-Dame* par la vigueur truculente de son style comme par son *Histoire de Louis XI* (1610). **3.** Point de grâce.

de fenêtres, le brave choc des gens du roi, tout les abattit. Ils forcèrent la ligne des assaillants[1], et se mirent à fuir dans toutes les directions, laissant dans le parvis un encombrement de morts.

Quand Quasimodo, qui n'avait pas cessé un moment de combattre, vit cette déroute, il tomba à deux genoux, et leva les mains au ciel, puis, ivre de joie, il courut, il monta avec la vitesse d'un oiseau à cette cellule dont il avait si intrépidement défendu les approches. Il n'avait plus qu'une pensée maintenant, c'était de s'agenouiller devant celle qu'il venait de sauver une seconde fois.

Lorsqu'il entra dans la cellule, il la trouva vide.

---

1. Firent une percée dans la ligne des cavaliers.

« Que dirais-tu donc, et que deviendrait ta charge si j'étais un roi comme le roi Chilpéric qui avait pour geste de tenir sa barbe d'une main ?... » (p. 617)

Jacques de Breul : *Le Théâtre des Antiquités*, Chilpéric.

LIVRE ONZIÈME

I

LE PETIT SOULIER

Au moment où les truands avaient assailli l'église, la Esmeralda dormait.

Bientôt la rumeur toujours croissante autour de l'édifice et le bêlement inquiet de sa chèvre éveillée avant elle l'avaient tirée de ce sommeil. Elle s'était levée sur son séant, elle avait écouté, elle avait regardé ; puis, effrayée de la lueur et du bruit, elle s'était jetée hors de la cellule et avait été voir. L'aspect de la place, la vision qui s'y agitait, le désordre de cet assaut nocturne, cette foule hideuse, sautelante comme une nuée de grenouilles, à demi entrevue dans les ténèbres, le coassement de cette rauque multitude, ces quelques torches rouges courant et se croisant sur cette ombre comme les feux de nuit qui rayent la surface brumeuse des marais[1], toute cette scène lui fit l'effet d'une mystérieuse bataille engagée entre les fantômes du sabbat et les monstres de pierre de l'église. Imbue dès l'enfance des superstitions de la tribu bohémienne, sa première pensée fut qu'elle avait surpris en maléfice les étranges êtres propres à la nuit. Alors elle courut épouvantée se tapir dans sa cellule, demandant à son grabat un moins horrible cauchemar.

Peu à peu les premières fumées de la peur s'étaient pourtant dissipées ; au bruit sans cesse grandissant, et à

1. Les feux follets dont le phosphure d'hydrogène s'embrase spontanément en émanant des masses en décomposition. Sur le ms. « de nuit » corrige « follets ».

plusieurs autres signes de réalité, elle s'était sentie investie, non de spectres, mais d'êtres humains. Alors sa frayeur, sans s'accroître, s'était transformée. Elle avait songé à la possibilité d'une mutinerie populaire pour l'arracher de son asile. L'idée de reperdre encore une fois la vie, l'espérance, Phœbus, qu'elle entrevoyait toujours dans son avenir, le profond néant de sa faiblesse, toute fuite fermée, aucun appui, son abandon, son isolement, ces pensées et mille autres l'avaient accablée. Elle était tombée à genoux, la tête sur son lit, les mains jointes sur sa tête, pleine d'anxiété et de frémissement, et quoique égyptienne, idolâtre et païenne, elle s'était mise à demander avec sanglots grâce au bon Dieu chrétien et à prier Notre-Dame son hôtesse. Car, ne crût-on à rien, il y a des moments dans la vie où l'on est toujours de la religion du temple qu'on a sous la main.

Elle resta ainsi prosternée fort long-temps, tremblant, à la vérité, plus qu'elle ne priait, glacée au souffle de plus en plus rapproché de cette multitude furieuse, ne comprenant rien à ce déchaînement, ignorant ce qui se tramait, ce qu'on faisait, ce qu'on voulait, mais pressentant une issue terrible.

Voilà qu'au milieu de cette angoisse elle entend marcher près d'elle. Elle se détourne. Deux hommes, dont l'un portait une lanterne, venaient d'entrer dans sa cellule. Elle poussa un faible cri.

— Ne craignez rien, dit une voix qui ne lui était pas inconnue, c'est moi.

— Qui, vous ? demanda-t-elle.

— Pierre Gringoire.

Ce nom la rassura. Elle releva les yeux, et reconnut en effet le poète. Mais il y avait auprès de lui une figure noire et voilée de la tête aux pieds qui la frappa de silence.

— Ah ! reprit Gringoire d'un ton de reproche, Djali m'avait reconnu avant vous !

La petite chèvre en effet n'avait pas attendu que Gringoire se nommât. À peine était-il entré qu'elle s'était tendrement frottée à ses genoux, couvrant le poète de caresses et de poils blancs, car elle était en mue[1]. Gringoire lui rendait les caresses.

— Qui est là avec vous ? dit l'égyptienne à voix basse.

— Soyez tranquille, répondit Gringoire. C'est un de mes amis.

Alors le philosophe, posant sa lanterne à terre, s'accroupit sur la dalle, et s'écria avec enthousiasme en serrant Djali dans ses bras : — Oh ! c'est une gracieuse bête, sans doute plus considérable pour sa propreté que pour sa grandeur, mais ingénieuse, subtile, et lettrée comme un grammairien ! Voyons, ma Djali, n'as-tu rien oublié de tes jolis tours ? comment fait maître Jacques Charmolue ?...

L'homme noir ne le laissa pas achever. Il s'approcha de Gringoire et le poussa rudement par l'épaule. Gringoire se leva. — C'est vrai, dit-il : j'oubliais que nous sommes pressés. — Ce n'est pourtant pas une raison, mon maître, pour forcener les gens de la sorte. — Ma chère belle enfant, votre vie est en danger, et celle de Djali. On veut vous reprendre. Nous sommes vos amis, et nous venons vous sauver. Suivez-nous.

— Est-il vrai ? s'écria-t-elle bouleversée.

— Oui, très-vrai. Venez vite !

— Je le veux bien, balbutia-t-elle. Mais pourquoi votre ami ne parle-t-il pas ?

— Ah ! dit Gringoire, c'est que son père et sa mère étaient des gens fantasques qui l'ont fait de tempérament taciturne.

Il fallut qu'elle se contentât de cette explication. Gringoire la prit par la main ; son compagnon ramassa la lanterne, et marcha devant. La peur étourdissait la jeune fille. Elle se laissa emmener. La chèvre les suivait en sautant, si joyeuse de revoir Gringoire qu'elle le faisait trébucher à tout moment pour lui fourrer ses cornes dans les jambes. — Voilà la vie, disait le philosophe chaque fois qu'il manquait de tomber ; ce sont souvent nos meilleurs amis qui nous font choir !

Ils descendirent rapidement l'escalier des tours, traver-

---

1. Changement de toison : le poil d'hiver tombe à l'approche de l'été.

sèrent l'église, pleine de ténèbres et de solitude et toute résonnante de vacarme, ce qui faisait un affreux contraste, et sortirent dans la cour du cloître par la porte-rouge. Le cloître était abandonné, les chanoines s'étaient enfuis dans l'évêché pour y prier en commun ; la cour était vide, quelques laquais effarouchés s'y blottissaient dans les coins obscurs. Ils se dirigèrent vers la petite porte qui donnait de cette cour sur le Terrain. L'homme noir l'ouvrit avec une clef qu'il avait. Nos lecteurs savent que le Terrain était une langue de terre enclose de murs du côté de la cité et appartenant au chapitre de Notre-Dame, qui terminait l'île à l'orient derrière l'église. Ils trouvèrent cet enclos parfaitement désert. Là, il y avait déjà moins de tumulte dans l'air. La rumeur de l'assaut des truands leur arrivait plus brouillée et moins criarde. Le vent frais qui suit le fil de l'eau remuait les feuilles de l'arbre unique planté à la pointe du Terrain avec un bruit déjà appréciable. Cependant ils étaient encore fort près du péril. Les édifices les plus rapprochés d'eux étaient l'évêché et l'église. Il y avait visiblement un grand désordre intérieur dans l'évêché. Sa masse ténébreuse était toute sillonnée de lumières qui y couraient d'une fenêtre à l'autre ; comme, lorsqu'on vient de brûler du papier, il reste un sombre édifice de cendre où de vives étincelles font mille courses bizarres. À côté, les énormes tours de Notre-Dame, ainsi vues de derrière avec la longue nef sur laquelle elles se dressent, découpées en noir sur la rouge et vaste lueur qui emplissait le parvis, ressemblaient aux deux chenets gigantesques d'un feu de cyclopes.

Ce qu'on voyait de Paris de tous côtés oscillait à l'œil dans une ombre mêlée de lumière. Rembrandt a de ces fonds de tableau.

L'homme à la lanterne marcha droit à la pointe du Terrain. Il y avait là, au bord extrême de l'eau, le débris vermoulu d'une haie de pieux maillée de lattes [1], où une basse vigne accrochait quelques maigres branches étendues comme les doigts d'une main ouverte. Derrière, dans l'ombre que faisait ce treillis, une petite barque était

---

1. Dont les pieux sont réunis par les lattes qui passent alternativement devant et derrière, comme la trame sur la chaîne d'un tissu.

cachée. L'homme fit signe à Gringoire et à sa compagne d'y entrer. La chèvre les y suivit. L'homme y descendit le dernier ; puis il coupa l'amarre du bateau, l'éloigna de terre avec un long croc, et, saisissant deux rames, s'assit à l'avant, en ramant de toutes ses forces vers le large. La Seine est fort rapide en cet endroit, et il eut assez de peine à quitter la pointe de l'île.

Le premier soin de Gringoire, en entrant dans le bateau, fut de mettre la chèvre sur ses genoux. Il prit place à l'arrière ; et la jeune fille, à qui l'inconnu inspirait une inquiétude indéfinissable, vint s'asseoir et se serrer contre le poète.

Quand notre philosophe sentit le bateau s'ébranler, il battit des mains, et baisa Djali entre les cornes. — Oh ! dit-il, nous voilà sauvés tous quatre. Il ajouta, avec une mine de profond penseur : — On est obligé, quelquefois à la fortune, quelquefois à la ruse, de l'heureuse issue des grandes entreprises.

Le bateau voguait lentement vers la rive droite. La jeune fille observait avec une terreur secrète l'inconnu. Il avait rebouché soigneusement la lumière de sa lanterne sourde. On l'entrevoyait dans l'obscurité, à l'avant du bateau, comme un spectre. Sa carapoue, toujours baissée, lui faisait une sorte de masque ; et à chaque fois qu'il entr'ouvrait en ramant ses bras où pendaient de larges manches noires, on eût dit deux grandes ailes de chauve-souris. Du reste, il n'avait pas encore dit une parole, jeté un souffle. Il ne se faisait dans le bateau d'autre bruit que le va-et-vient de la rame, mêlé au froissement des mille plis de l'eau le long de la barque.

— Sur mon âme ! s'écria tout-à-coup Gringoire, nous sommes alègres et joyeux comme des ascalaphes [1] ! Nous observons un silence de pythagoriciens ou de poissons ! Pasque-Dieu ! mes amis, je voudrais bien que quelqu'un me parlât. — La voix humaine est une musique à l'oreille humaine. Ce n'est pas moi qui dis cela, mais Didyme

---

1. Au masculin, un insecte proche de la libellule ; au féminin, une sorte de hibou d'Égypte, qui tire son nom d'un héros mythologique enseveli par Cérès sous un roc.

d'Alexandrie[1], et ce sont d'illustres paroles. — Certes, Didyme d'Alexandrie n'est pas un médiocre philosophe. — Une parole, ma belle enfant ! dites-moi, je vous supplie, une parole. — À propos, vous aviez une drôle de petite singulière moue ; la faites-vous toujours ? Savez-vous, ma mie, que le parlement a toute juridiction sur les lieux d'asile, et que vous couriez grand péril dans votre logette de Notre-Dame ? Hélas ! le petit oiseau trochylus[2] fait son nid dans la gueule du crocodile. — Maître, voici la lune qui reparaît. — Pourvu qu'on ne nous aperçoive pas ! — Nous faisons une chose louable en sauvant mademoiselle, et cependant on nous pendrait de par le roi si l'on nous attrapait. Hélas ! les actions humaines se prennent par deux anses. On flétrit en moi ce qu'on couronne en toi. Tel admire César qui blâme Catilina[3]. N'est-ce pas, mon maître ? Que dites-vous de cette philosophie ? Moi, je possède la philosophie d'instinct, de nature, *ut apes geometriam*[4] . — Allons ! personne ne me répond. Les fâcheuses humeurs que vous avez là tous deux ! Il faut que je parle tout seul. C'est ce que nous appelons en tragédie un monologue. — Pasque-Dieu ! — Je vous préviens que je viens de voir le roi Louis onzième, et que j'en ai retenu ce jurement. — Pasque-Dieu, donc ! ils font toujours un fier hurlement dans la Cité. — C'est un vilain méchant vieux roi. Il est tout embrunché[5] dans les fourrures. Il me doit toujours l'argent de mon épithalame, et c'est tout au plus s'il ne m'a pas fait pendre ce soir, ce

---

1. Grammairien et critique de la fin du Ier siècle avant notre ère, auteur très abondant dont il ne reste que des citations. **2.** Il s'agit de la famille des oiseaux-mouches et colibris, et particulièrement d'un oiseau du Nil cité par Hérodote et Aristote, qui sert de cure-dents aux sauriens. **3.** Deux destins contemporains, analogues et exemplaires, de patriciens romains qui appuyèrent leur sens politique et leur liberté de mœurs sur le parti populaire pour renverser le pouvoir de l'oligarchie sénatoriale. Mais l'un (101-44) réussit à préfigurer l'Empire romain, tandis que l'autre (vers 109-62) échoua devant Cicéron. Napoléon est le digne héritier de la gloire de César, mais Louis-Philippe n'est pas indigne de sa ruse. **4.** « Comme les abeilles la géométrie » de l'hexagone régulier. **5.** La *Chronique...* fournit ce mot à propos de Louis de Luxembourg, connétable de Saint-Pol, prisonnier à la Bastille en 1475, « vestu et habillé d'une cappe de camelot doublée de veloux noir » : entre la fureur et l'accablement.

qui m'aurait fort empêché. — Il est avaricieux pour les hommes de mérite. Il devrait bien lire les quatre livres de Salvien de Cologne[1] *Adversus avaritiam*. En vérité ! c'est un roi étroit dans ses façons avec les gens de lettres, et qui fait des cruautés fort barbares. C'est une éponge à prendre l'argent posée sur le peuple. Son épargne est la ratelle[2] qui s'enfle de la maigreur de tous les autres membres. Aussi les plaintes contre la rigueur du temps deviennent murmures contre le prince. Sous ce doux sire dévot, les fourches craquent de pendus, les billots pourrissent de sang, les prisons crèvent comme des ventres trop pleins. Ce roi a une main qui prend et une main qui pend. C'est le procureur de dame Gabelle[3] et de monseigneur Gibet. Les grands sont dépouillés de leurs dignités, et les petits sans cesse accablés de nouvelles foules[4]. C'est un prince exorbitant[5]. Je n'aime pas ce monarque. Et vous, mon maître ?

L'homme noir laissait gloser le bavard poète. Il continuait de lutter contre le courant violent et serré qui sépare la proue de la Cité de la poupe[6] de l'île Notre-Dame, que nous nommons aujourd'hui l'île Saint-Louis.

— À propos, maître ! reprit Gringoire subitement. Au moment où nous arrivions sur le parvis à travers les enragés truands, votre révérence a-t-elle remarqué ce pauvre petit diable auquel votre sourd était en train d'écraser la cervelle sur la rampe de la galerie des rois ?

---

1. Prêtre installé en Provence au Ve siècle, surnommé le maître des évêques. Son traité « contre la cupidité » (et non l'avarice) de ses contemporains lui a valu la réputation d'un nouveau Jérémie. **2.** La rate, mais aussi tous organes de l'abdomen qui s'hypertrophient dans les maladies dégénératives comme la cirrhose. **3.** Impôt sur le sel, généralisé au XIVe siècle, inégal selon les provinces, accompagné de conditions de consommation, de perception et de surveillance draconiennes, et donnant lieu à une intense contrebande. Procureur : représentant et pourvoyeur. **4.** Foulés : écrasés, pressurés. La cataclysmique phrase centrale (« Sous ce doux sire dévot... »), ajoutée, provient de Matthieu, 65-66. **5.** Qui sort du cercle des limites admises ; peut-être faut-il entendre aussi comme jeu de mots « qui fait jaillir les yeux des orbites ». **6.** Comme si les deux îles étaient, de même que la barque, orientées contre le courant, et que la cathédrale poursuivait l'esquif. Le manuscrit porte la trace d'importantes hésitations sur poupe et proue. Nous conservons la version fidèle aux éditions soigneusement contrôlées de l'époque.

J'ai la vue basse, et ne l'ai pu reconnaître ? Savez-vous qui ce peut être ?

L'inconnu ne répondit pas une parole. Mais il cessa brusquement de ramer, ses bras défaillirent comme brisés, sa tête tomba sur sa poitrine, et la Esmeralda l'entendit soupirer convulsivement. Elle tressaillit de son côté. Elle avait déjà entendu de ces soupirs-là.

La barque abandonnée à elle-même dériva quelques instants au gré de l'eau. Mais l'homme noir se redressa enfin, ressaisit les rames et se remit à remonter le courant. Il doubla la pointe de l'île Notre-Dame, et se dirigea vers le débarcadère du Port-au-Foin.

— Ah ! dit Gringoire, voici là-bas le logis Barbeau[1]. — Tenez, maître, regardez : ce groupe de toits noirs qui font des angles singuliers, là, au-dessous de ce tas de nuages bas, filandreux, barbouillés et sales, où la lune est toute écrasée et répandue comme un jaune d'œuf dont la coquille est cassée. — C'est un beau logis. Il y a une chapelle couronnée d'une petite voûte pleine d'enrichissements bien coupés[2]. Au-dessus vous pouvez voir le clocher très-délicatement percé. Il y a aussi un jardin plaisant, qui consiste en un étang, une volière, un écho, un mail, un labyrinthe, une maison pour les bêtes farouches, et quantité d'allées touffues fort agréables à Vénus[3]. Il y a encore un coquin d'arbre qu'on appelle *le luxurieux*[4], pour avoir servi aux plaisirs d'une princesse fameuse et d'un connétable de France[5] galant et bel esprit. — Hélas ! nous autres pauvres philosophes nous sommes à un connétable ce qu'un carré de choux et de radis est au jardin du Louvre. Qu'importe après tout ! la vie humaine pour les grands comme pour nous est mêlée de bien et de mal. La douleur est toujours à côté de la

---

1. La tour Barbeau, quai des Célestins, à la jonction de l'enceinte de Philippe-Auguste et de la Seine, mêlée d'hôtel Barbette, lieu illustre des vices et des crimes de la royauté ? **2.** Sauval (II, 308), où il s'agit d'alcôves au château de Madrid, dans la contiguïté de notes sur le Plessis-lès-Tours et Chambord. **3.** Sauval (II, 286), à propos des jardins des Tuileries. **4.** *Ibid.*, à propos de l'hôtel de Guise. **5.** Sous Philippe V le Long, le connétable était Gaucher de Châtillon.

joie, le spondée auprès du dactyle[1]. — Mon maître, il faut que je vous conte cette histoire du logis Barbeau. Cela finit d'une façon tragique. C'était en 1319, sous le règne de Philippe V, le plus long des rois de France. La moralité de l'histoire est que les tentations de la chair sont pernicieuses et malignes. N'appuyons pas trop le regard sur la femme du voisin, si chatouilleux que nos sens soient à sa beauté. La fornication est une pensée fort libertine. L'adultère est une curiosité de la volupté d'autrui. —... Ohé ! voilà que le bruit redouble là-bas !

Le tumulte en effet croissait autour de Notre-Dame. Ils écoutèrent. On entendait assez clairement des cris de victoire. Tout-à-coup, cent flambeaux qui faisaient étinceler des casques d'hommes d'armes se répandirent sur l'église à toutes les hauteurs, sur les tours, sur les galeries, sous les arcs-boutants. Ces flambeaux semblaient chercher quelque chose ; et bientôt ces clameurs éloignées arrivèrent distinctement jusqu'aux fugitifs : — L'égyptienne ! la sorcière ! à mort l'égyptienne !

La malheureuse laissa tomber sa tête sur ses mains, et l'inconnu se mit à ramer avec furie vers le bord. Cependant notre philosophe réfléchissait. Il pressait la chèvre dans ses bras, et s'éloignait tout doucement de la bohémienne qui se serrait de plus en plus contre lui, comme au seul asile qui lui restât.

Il est certain que Gringoire était dans une cruelle perplexité. Il songeait que la chèvre aussi, *d'après la législation existante*, serait pendue si elle était reprise ; que ce serait grand dommage, la pauvre Djali ! qu'il avait trop de deux condamnées ainsi accrochées après lui ; qu'enfin son compagnon ne demandait pas mieux que de se charger de l'égyptienne. Il se livrait entre ses pensées un violent combat, dans lequel, comme le Jupiter de l'Iliade, il pesait tour à tour l'égyptienne et la chèvre ; et il les regardait l'une après l'autre, avec des yeux humides de larmes, en disant entre ses dents : — Je ne puis pourtant pas vous sauver toutes deux.

Une secousse les avertit enfin que le bateau abordait.

---

1. Les deux éléments de l'hexamètre latin : deux longues, ou une longue suivie de deux brèves.

Le brouhaha sinistre remplissait toujours la Cité. L'inconnu se leva, vint à l'égyptienne, et voulut lui prendre le bras pour l'aider à descendre. Elle le repoussa, et se pendit à la manche de Gringoire, qui de son côté, occupé de la chèvre, la repoussa presque. Alors elle sauta seule à bas du bateau. Elle était si troublée qu'elle ne savait ce qu'elle faisait, où elle allait. Elle demeura ainsi un moment stupéfaite, regardant couler l'eau. Quand elle revint un peu à elle, elle était seule sur le port avec l'inconnu. Il paraît que Gringoire avait profité de l'instant du débarquement pour s'esquiver avec la chèvre dans le pâté de maisons de la rue Grenier-sur-l'Eau[1].

La pauvre égyptienne frissonna de se voir seule avec cet homme. Elle voulut parler, crier, appeler Gringoire ; sa langue était inerte dans sa bouche, et aucun son ne sortit de ses lèvres. Tout-à-coup elle sentit la main de l'inconnu sur la sienne. C'était une main froide et forte. Ses dents claquèrent, elle devint plus pâle que le rayon de lune qui l'éclairait. L'homme ne dit pas une parole. Il se mit à remonter à grands pas vers la place de Grève, en la tenant par la main. En cet instant, elle sentit vaguement que la destinée est une force irrésistible. Elle n'avait plus de ressort, elle se laissa entraîner, courant tandis qu'il marchait. Le quai en cet endroit allait en montant. Il lui semblait cependant qu'elle descendait une pente.

Elle regarda de tous côtés. Pas un passant. Le quai était absolument désert. Elle n'entendait de bruit, elle ne sentait remuer des hommes que dans la Cité tumultueuse et rougeoyante, dont elle n'était séparée que par un bras de Seine, et d'où son nom lui arrivait mêlé à des cris de mort. Le reste de Paris était répandu autour d'elle par grands blocs d'ombre.

Cependant l'inconnu l'entraînait toujours avec le même silence et la même rapidité. Elle ne retrouvait dans sa mémoire aucun des lieux où elle marchait. En passant devant une fenêtre éclairée, elle fit un effort, se roidit brusquement, et cria : — Au secours !

Le bourgeois à qui était la fenêtre l'ouvrit, y parut en chemise avec sa lampe, regarda sur le quai avec un air

---

1. Dans l'axe du chevet de Saint-Gervais.

hébété, prononça quelques paroles qu'elle n'entendit pas, et referma son volet. C'était la dernière lueur d'espoir qui s'éteignait.

L'homme noir ne proféra pas une syllabe, il la tenait bien, et se remit à marcher plus vite. Elle ne résista plus, et le suivit, brisée.

De temps en temps elle recueillait un peu de force, et disait d'une voix entrecoupée par les cahots du pavé et l'essoufflement de la course : — Qui êtes-vous ? Qui êtes-vous ? — Il ne répondait point.

Ils arrivèrent ainsi, toujours le long du quai, à une place assez grande. Il y avait un peu de lune. C'était la Grève. On distinguait au milieu une espèce de croix noire debout ; c'était le gibet. Elle reconnut tout cela, et vit où elle était.

L'homme s'arrêta, se tourna vers elle, et leva sa carapoue. — Oh ! bégaya-t-elle pétrifiée, je savais bien que c'était encore lui !

C'était le prêtre. Il avait l'air de son fantôme. C'est un effet de clair de lune. Il semble qu'à cette lumière on ne voie que les spectres des choses.

— Écoute, lui dit-il, et elle frémit au son de cette voix funeste qu'elle n'avait pas entendue depuis long-temps. Il continua. Il articulait avec ces saccades brèves et haletantes qui révèlent par leurs secousses de profonds tremblements intérieurs. — Écoute. Nous sommes ici. Je vais te parler. Ceci est la Grève. C'est ici un point extrême. La destinée nous livre l'un à l'autre. Je vais décider de ta vie ; toi, de mon âme. Voici une place et une nuit au-delà desquelles on ne voit rien. Écoute-moi donc. Je vais te dire... D'abord ne me parle pas de ton Phœbus. (En disant cela, il allait et venait, comme un homme qui ne peut rester en place, et la tirait après lui.) Ne m'en parle pas. Vois-tu ? si tu prononces ce nom, je ne sais pas ce que je ferai, mais ce sera terrible.

Cela dit, comme un corps qui retrouve son centre de gravité [1], il redevint immobile, mais ses paroles ne déce-

---

1. Dans cette application de la théorie du pendule, Phœbus est-il l'unique objet, la fixité même de Frollo ?

laient pas moins d'agitation. Sa voix était de plus en plus basse.

— Ne détourne point la tête ainsi. Écoute-moi. C'est une affaire sérieuse. D'abord, voici ce qui s'est passé. — On ne rira pas de tout ceci, je te jure. — Qu'est-ce donc que je disais ? rappelle-le-moi ! ah ! — Il y a un arrêt du parlement qui te rend à l'échafaud. Je viens de te tirer de leurs mains. Mais les voilà qui te poursuivent. Regarde.

Il étendit le bras vers la Cité. Les perquisitions, en effet, paraissaient y continuer. Les rumeurs se rapprochaient ; la tour de la maison du lieutenant [1], située vis-à-vis la Grève, était pleine de bruit et de clartés ; et l'on voyait des soldats courir sur le quai opposé avec des torches et ces cris : L'égyptienne ! Où est l'égyptienne ? Mort ! mort !

— Tu vois bien qu'ils te poursuivent, et que je ne te mens pas. Moi, je t'aime. — N'ouvre pas la bouche ; ne me parle plutôt pas, si c'est pour me dire que tu me hais. Je suis décidé à ne plus entendre cela. — Je viens de te sauver. — Laisse-moi d'abord achever. — Je puis te sauver tout-à-fait. J'ai tout préparé. C'est à toi de vouloir. Comme tu voudras, je pourrai.

Il s'interrompit violemment. — Non, ce n'est pas cela qu'il faut dire.

Et courant, et la faisant courir, car il ne la lâchait pas, il marcha droit au gibet, et le lui montrant du doigt. — Choisis entre nous deux, dit-il froidement.

Elle s'arracha de ses mains, et tomba au pied du gibet en embrassant cet appui funèbre, puis elle tourna sa belle tête à demi, et regarda le prêtre par-dessus son épaule. On eût dit une sainte Vierge au pied de la croix. Le prêtre était demeuré sans mouvement, le doigt toujours levé vers le gibet, conservant son geste, comme une statue.

Enfin l'égyptienne lui dit : — Il me fait encore moins horreur que vous.

Alors il laissa retomber lentement son bras, et regarda le pavé avec un profond accablement. — Si ces pierres

---

1. Le lieutenant civil du Prévôt de Paris, chargé de la police.

pouvaient parler, murmura-t-il, oui, elles diraient que voilà un homme bien malheureux.

Il reprit. La jeune fille, agenouillée devant le gibet, et noyée dans sa longue chevelure, le laissait parler sans l'interrompre. Il avait maintenant un accent plaintif et doux qui contrastait douloureusement avec l'âpreté hautaine de ses traits.

— Moi, je vous aime. Oh ! cela est pourtant bien vrai. Il ne sort donc rien au dehors de ce feu qui me brûle le cœur ! Hélas ! jeune fille, nuit et jour ; oui, nuit et jour, cela ne mérite-t-il aucune pitié ? C'est un amour de la nuit et du jour, vous dis-je ; c'est une torture. — Oh ! je souffre trop, ma pauvre enfant ! — C'est une chose digne de compassion, je vous assure. Vous voyez que je vous parle doucement. Je voudrais bien que vous n'eussiez plus cette horreur de moi. — Enfin, un homme qui aime une femme, ce n'est pas sa faute ! — Oh ! mon Dieu ! — Comment ! vous ne me pardonnerez donc jamais ? Vous me haïrez toujours ? C'est donc fini ! C'est là ce qui me rend mauvais, voyez-vous ? et horrible à moi-même ! — Vous ne me regardez seulement pas ! Vous pensez à autre chose, peut-être, tandis que je vous parle debout et frémissant sur la limite de notre éternité à tous deux ! — Surtout ne me parlez pas de l'officier ! — Quoi ! je me jetterais à vos genoux ; quoi ! je baiserais, non vos pieds, vous ne voudriez pas, mais la terre qui est sous vos pieds ; quoi ! je sangloterais comme un enfant, j'arracherais de ma poitrine, non des paroles, mais mon cœur et mes entrailles, pour vous dire que je vous aime ; tout serait inutile, tout ! — Et cependant vous n'avez rien dans l'âme que de tendre et de clément. Vous êtes rayonnante de la plus belle douceur ; vous êtes tout entière suave, bonne, miséricordieuse et charmante. Hélas ! vous n'avez de méchanceté que pour moi seul ! Oh ! quelle fatalité !

Il cacha son visage dans ses mains. La jeune fille l'entendit pleurer. C'était la première fois. Ainsi debout et secoué par les sanglots, il était plus misérable et plus suppliant qu'à genoux. Il pleura ainsi un certain temps.

— Allons ! poursuivit-il, ces premières larmes passées. Je ne trouve pas de paroles. J'avais pourtant bien songé à ce que je vous dirais. Maintenant je tremble et je frissonne, je défaille à l'instant décisif, je sens quelque chose de suprême qui nous enveloppe, et je balbutie. Oh ! je vais tomber sur le pavé si vous ne prenez pas pitié de moi, pitié de vous. Ne nous condamnez pas tous deux. Si vous saviez combien je vous aime ! Quel cœur c'est que mon cœur ! Oh ! quelle désertion de toute vertu ! quel abandon désespéré de moi-même ! Docteur, je bafoue la science ; gentilhomme, je déchire mon nom ; prêtre, je fais du missel un oreiller de luxure, je crache au visage de mon Dieu ! tout cela pour toi, enchanteresse ! pour être plus digne de ton enfer ! et tu ne veux pas du damné ! Oh ! que je te dise tout ! plus encore, quelque chose de plus horrible, oh ! plus horrible !...

En prononçant ces dernières paroles, son air devint tout-à-fait égaré. Il se tut un instant, et reprit comme se parlant à lui-même, et d'une voix forte : — Caïn, qu'as-tu fait de ton frère [1] ?

Il y eut encore un silence, et il poursuivit : — Ce que j'en ai fait, Seigneur ? Je l'ai recueilli, je l'ai élevé, je l'ai nourri, je l'ai aimé, je l'ai idolâtré, et je l'ai tué ! Oui, Seigneur, voici qu'on vient de lui écraser la tête devant moi sur la pierre de votre maison, et c'est à cause de moi, à cause de cette femme, à cause d'elle. . . . . . .

Son œil était hagard. Sa voix allait s'éteignant ; il répéta encore plusieurs fois, machinalement, avec d'assez longs intervalles, comme une cloche qui prolonge sa dernière vibration : — À cause d'elle... — À cause d'elle... — Puis sa langue n'articula plus aucun son perceptible, ses lèvres remuaient toujours cependant. Tout-à-coup il s'affaissa sur lui-même comme quelque chose qui s'écroule, et demeura à terre sans mouvement, la tête dans les genoux.

Un frôlement de la jeune fille, qui retirait son pied de dessous lui, le fit revenir. Il passa lentement sa main sur ses joues creuses, et regarda quelques instants avec stupeur ses doigts qui étaient mouillés. — Quoi ! murmura-t-il, j'ai pleuré !

---

1. C'est la question de Dieu à Caïn (Genèse, IV, 9-10), qui répond à juste titre qu'Abel ne lui a pas été donné à garder, tandis que Claude a redoublé sa charge en adoptant Quasimodo pour le salut de Jehan.

Et se tournant subitement vers l'égyptienne avec une angoisse inexprimable :

— Hélas ! vous m'avez regardé froidement pleurer ! Enfant, sais-tu que ces larmes sont des laves ? Est-il donc bien vrai ? de l'homme qu'on hait rien ne touche. Tu me verrais mourir, tu rirais. Oh ! moi je ne veux pas te voir mourir ! Un mot ! un seul mot de pardon ! Ne me dis pas que tu m'aimes, dis-moi seulement que tu veux bien ; cela suffira, je te sauverai. Sinon... Oh ! l'heure passe [1]. Je t'en supplie par tout ce qui est sacré, n'attends pas que je sois redevenu de pierre comme ce gibet qui te réclame aussi ! Songe que je tiens nos deux destinées dans ma main, que je suis insensé, cela est terrible, que je puis laisser tout choir, et qu'il y a au-dessous de nous un abîme sans fond, malheureuse, où ma chute poursuivra la tienne durant l'éternité ! Un mot de bonté ! dis un mot ! rien qu'un mot !

Elle ouvrit la bouche pour lui répondre. Il se précipita à genoux devant elle pour recueillir avec adoration la parole, peut-être attendrie, qui allait sortir de ses lèvres. Elle lui dit : — Vous êtes un assassin !

Le prêtre la prit dans ses bras avec fureur, et se mit à rire d'un rire abominable. — Eh bien, oui ! assassin ! dit-il, et je t'aurai. Tu ne veux pas de moi pour esclave, et tu m'auras pour maître. Je t'aurai ! J'ai un repaire où je te traînerai. Tu me suivras, il faudra bien que tu me suives, ou je te livre ! Il faut mourir, la belle, ou être à moi ! être au prêtre ! être à l'apostat [2] ! être à l'assassin ! dès cette nuit, entends-tu cela ? Allons ! de la joie, allons, baise-moi, folle ! La tombe ou mon lit !

Son œil pétillait d'impureté et de rage. Sa bouche lascive rougissait le cou de la jeune fille. Elle se débattait dans ses bras. Il la couvrait de baisers écumants.

— Ne me mords pas, monstre ! cria-t-elle. Oh ! l'odieux moine infect ! laisse-moi ! Je vais t'arracher tes vilains cheveux gris et te les jeter à poignées par la face !

---

1. C'est le leitmotiv du dénouement de Marion Delorme, où « l'homme rouge », cardinal de Richelieu, représente la fatalité du pouvoir d'État classique. **2.** Celui qui abandonne sa religion.

Il rougit, il pâlit[1], puis il la lâcha et la regarda d'un air sombre. Elle se crut victorieuse, et poursuivit : — Je te dis que je suis à mon Phœbus, que c'est Phœbus que j'aime, que c'est Phœbus qui est beau ! Toi, prêtre, tu es vieux ! tu es laid ! Va-t'en !

Il poussa un cri violent, comme le misérable auquel on applique un fer rouge. — Meurs donc ! dit-il à travers un grincement de dents. Elle vit son affreux regard, et voulut fuir. Il la reprit, il la secoua, il la jeta à terre, et marcha à pas rapides vers l'angle de la Tour-Rolland en la traînant après lui sur le pavé par ses belles mains.

Arrivé là, il se tourna vers elle : — Une dernière fois, veux-tu être à moi ?

Elle répondit avec force : — Non.

Alors il cria d'une voix haute : — Gudule ! Gudule ! voici l'égyptienne ! venge-toi !

La jeune fille se sentit saisir brusquement au coude. Elle regarda, c'était un bras décharné qui sortait d'une lucarne dans le mur et qui la tenait comme une main de fer.

— Tiens bien ! dit le prêtre, c'est l'égyptienne échappée. Ne la lâche pas. Je vais chercher les sergents. Tu la verras pendre.

Un rire guttural répondit de l'intérieur du mur à ces sanglantes paroles. Hah ! hah ! hah ! — L'égyptienne vit le prêtre s'éloigner en courant dans la direction du pont Notre-Dame. On entendait une cavalcade de ce côté.

La jeune fille avait reconnu la méchante recluse. Haletante de terreur, elle essaya de se dégager. Elle se tordit, elle fit plusieurs soubresauts d'agonie et de désespoir, mais l'autre la tenait avec une force inouie. Les doigts osseux et maigres qui la meurtrissaient se crispaient sur sa chair, et se rejoignaient à l'entour. On eût dit que cette main était rivée à son bras. C'était plus qu'une chaîne, plus qu'un carcan, plus qu'un anneau de fer, c'était une tenaille intelligente et vivante qui sortait d'un mur.

Épuisée, elle retomba contre la muraille, et alors la crainte de la mort s'empara d'elle. Elle songea à la beauté de la vie, à la jeunesse, à la vue du ciel, aux aspects de

1. Souvenir du personnage de la Phèdre de Racine (I, 3, v. 273).

la nature, à l'amour, à Phœbus, à tout ce qui s'enfuyait et à tout ce qui s'approchait, au prêtre qui la dénonçait, au bourreau qui allait venir, au gibet qui était là. Alors elle sentit l'épouvante lui monter jusque dans les racines des cheveux, et elle entendit le rire lugubre de la recluse qui lui disait tout bas : — Hah ! hah ! hah ! tu vas être pendue !

Elle se tourna mourante vers la lucarne, et elle vit la figure fauve de la sachette à travers les barreaux. — Que vous ai-je fait ? dit-elle presque inanimée.

La recluse ne lui répondit pas, et se mit à marmoter avec une intonation chantante, irritée et railleuse : — Fille d'Égypte ! fille d'Égypte ! fille d'Égypte !

La malheureuse Esmeralda laissa retomber sa tête sous ses cheveux, comprenant qu'elle n'avait pas affaire à un être humain.

Tout-à-coup la recluse s'écria, comme si la question de l'égyptienne avait mis tout ce temps pour arriver à sa pensée : — Ce que tu m'as fait, dis-tu ? Ah ! ce que tu m'as fait, égyptienne ! Eh bien ! écoute. — J'avais un enfant, moi ! vois-tu ? J'avais un enfant ! un enfant, te dis-je ! — Une jolie petite fille ! — Mon Agnès, reprit-elle égarée en baisant quelque chose dans les ténèbres. — Eh bien ! vois-tu, fille d'Égypte ? on m'a pris mon enfant ; on m'a volé mon enfant ; on m'a mangé mon enfant. Voilà ce que tu m'as fait.

La jeune fille répondit comme l'agneau[1] : — Hélas ! je n'étais peut-être pas née alors !

— Oh ! si ! repartit la recluse, tu devais être née. Tu en étais. Elle serait de ton âge ! Ainsi ! — Voilà quinze ans que je suis ici ; quinze ans que je souffre ; quinze ans que je prie ; quinze ans que je me cogne la tête aux quatre murs. — Je te dis que ce sont des égyptiennes qui me l'ont volée, entends-tu cela ? et qui l'ont mangée avec leurs dents. — As-tu un cœur ? figure-toi ce que c'est qu'un enfant qui joue ; un enfant qui tette ; un enfant qui dort. C'est si innocent ! — Hé bien ! cela, c'est cela qu'on m'a pris, qu'on m'a tué ! Le bon Dieu le sait bien ! — Aujourd'hui, c'est mon tour ; je vais manger de

---

1. *Cf.* La Fontaine, *Fables*, I, 10, v. 20 (*Le Loup et l'Agneau*).

l'égyptienne. Oh ! que je te mordrais bien si les barreaux ne m'empêchaient. J'ai la tête trop grosse ! — La pauvre petite ! pendant qu'elle dormait ! Et si elles l'ont réveillée en la prenant, elle aura eu beau crier ; je n'étais pas là ! Ah ! les mères égyptiennes, vous avez mangé mon enfant ! Venez voir la vôtre.

Alors elle se mit à rire ou à grincer des dents ; les deux choses se ressemblaient sur cette figure furieuse. Le jour commençait à poindre. Un reflet de cendre éclairait vaguement cette scène, et le gibet devenait de plus en plus distinct dans la place. De l'autre côté, vers le pont Notre-Dame, la pauvre condamnée croyait entendre se rapprocher le bruit de la cavalerie.

— Madame ! cria-t-elle joignant les mains et tombée sur ses deux genoux, échevelée, éperdue, folle d'effroi ; madame ! ayez pitié. Ils viennent. Je ne vous ai rien fait. Voulez-vous me voir mourir de cette horrible façon sous vos yeux ? Vous avez de la pitié, j'en suis sûre. C'est trop affreux. Laissez-moi me sauver. Lâchez-moi ! Grâce ! je ne veux pas mourir comme cela !

— Rends-moi mon enfant ! dit la recluse.

— Grâce ! Grâce !

— Rends-moi mon enfant !

— Lâchez-moi, au nom du ciel !

— Rends-moi mon enfant !

Cette fois encore, la jeune fille retomba, épuisée, rompue, ayant déjà le regard vitré de quelqu'un qui est dans la fosse. — Hélas ! bégaya-t-elle, vous cherchez votre enfant, moi je cherche mes parents.

— Rends-moi ma petite Agnès ! poursuivit Gudule. — Tu ne sais pas où elle est ? Alors, meurs ! — Je vais te dire. J'étais une fille de joie, j'avais un enfant, on m'a pris mon enfant. — Ce sont les égyptiennes. Tu vois bien qu'il faut que tu meures. Quand ta mère l'égyptienne viendra te réclamer, je lui dirai : La mère, regarde à ce gibet ! — Ou bien rends-moi mon enfant. — Sais-tu où elle est, ma petite fille ? Tiens, que je te montre. Voilà son soulier, tout ce qui m'en reste. Sais-tu où est le pareil ? Si tu le sais, dis-le-moi, et si ce n'est qu'à l'autre bout de la terre, je l'irai chercher en marchant sur les genoux.

En parlant ainsi, de son autre bras, tendu hors de la

lucarne, elle montrait à l'égyptienne le petit soulier brodé. Il faisait déjà assez jour pour en distinguer la forme et les couleurs.

— Montrez-moi ce soulier, dit l'égyptienne en tressaillant. Dieu ! Dieu ! Et en même temps, de la main qu'elle avait libre, elle ouvrait vivement le petit sachet orné de verroterie verte qu'elle portait au cou.

— Va ! va ! grommelait Gudule, fouille ton amulette du démon ! Tout-à-coup elle s'interrompit, trembla de tout son corps, et cria avec une voix qui venait du plus profond des entrailles : — Ma fille !

L'égyptienne venait de tirer du sachet un petit soulier absolument pareil à l'autre. À ce petit soulier était attaché un parchemin sur lequel ce *carme*[1] était écrit :

Quand le pareil retrouveras,
Ta mère te tendra les bras.

En moins de temps qu'il n'en faut à l'éclair, la recluse avait confronté les deux souliers, lu l'inscription du parchemin, et collé aux barreaux de la lucarne son visage rayonnant d'une voix céleste en criant : — Ma fille ! Ma fille !

— Ma mère ! répondit l'égyptienne.

Ici nous renonçons à peindre.

Le mur et les barreaux de fer étaient entre elles deux. — Oh ! le mur ! cria la recluse. Oh ! la voir et ne pas l'embrasser ! Ta main ! ta main !

La jeune fille lui passa son bras à travers la lucarne, la recluse se jeta sur cette main, y attacha ses lèvres, et y demeura, abîmée dans ce baiser, ne donnant plus d'autre signe de vie qu'un sanglot qui soulevait ses hanches de temps en temps. Cependant elle pleurait à torrents, en silence, dans l'ombre, comme une pluie de nuit. La pauvre mère vidait par flots sur cette main adorée le noir et profond puits de larmes qui était au dedans d'elle, et

---

1. Ou *charme*, poème et formule cabalistique.

où toute sa douleur avait filtré goutte à goutte[1] depuis quinze années.

Tout-à-coup, elle se releva, écarta ses longs cheveux gris de dessus son front, et sans dire une parole, se mit à ébranler de ses deux mains les barreaux de sa loge, plus furieusement qu'une lionne. Les barreaux tinrent bon. Alors elle alla chercher dans un coin de sa cellule un gros pavé qui lui servait d'oreiller, et le lança contre eux avec tant de violence qu'un des barreaux se brisa en jetant mille étincelles. Un second coup effondra tout-à-fait la vieille croix de fer qui barricadait la lucarne. Alors avec ses deux mains elle acheva de rompre et d'écarter les tronçons rouillés des barreaux. Il y a des moments où les mains d'une femme ont une force surhumaine.

Le passage frayé, et il fallut moins d'une minute pour cela, elle saisit sa fille par le milieu du corps, et la tira dans sa cellule. — Viens ! que je te repêche de l'abîme ! murmurait-elle.

Quand sa fille fut dans la cellule, elle la posa doucement à terre, puis la reprit, et, la portant dans ses bras comme si ce n'était toujours que sa petite Agnès, elle allait et venait dans l'étroite loge, ivre, forcenée, joyeuse, criant, chantant, baisant sa fille, lui parlant, éclatant de rire, fondant en larmes, le tout à la fois et avec emportement.

— Ma fille ! ma fille ! disait-elle. J'ai ma fille ! la voilà. Le bon Dieu me l'a rendue. Eh vous ! venez tous ! Y a-t-il quelqu'un là pour voir que j'ai ma fille ? Seigneur Jésus, qu'elle est belle ! Vous me l'avez fait attendre quinze ans, mon bon Dieu, mais c'était pour me la rendre belle. — Les égyptiennes ne l'avaient donc pas mangée ! Qui avait dit cela ? Ma petite fille ! ma petite fille ! baise-moi. Ces bonnes égyptiennes. J'aime les égyptiennes. — C'est bien toi. C'est donc cela, que le cœur me sautait chaque fois que tu passais. Moi qui prenais cela pour de la haine ! Pardonne-moi, mon Agnès, pardonne-moi. Tu m'as trouvée bien méchante, n'est-ce pas ? je t'aime. —

---

1. Image très fréquente chez Hugo ; elle retourne érosion et corrosion en civilisation, la ruine des monuments en histoire monumentale, la patience archéologique en science de l'avenir.

Ton petit signe au cou, l'as-tu toujours ? voyons. Elle l'a toujours. Oh ! tu es belle ! C'est moi qui vous ai fait ces grands yeux-là, mademoiselle. Baise-moi. Je t'aime. Cela m'est bien égal, que les autres mères aient des enfants ; je me moque bien d'elles à présent. Elles n'ont qu'à venir. Voici la mienne. Voilà son cou, ses yeux, ses cheveux, sa main. Trouvez-moi quelque chose de beau comme cela ! Oh ! je vous en réponds qu'elle aura des amoureux celle-là ! J'ai pleuré quinze ans. Toute ma beauté s'en est allée, et lui est venue. Baise-moi.

Elle lui tenait mille autres discours extravagants dont l'accent faisait toute la beauté, dérangeait les vêtements de la pauvre fille jusqu'à la faire rougir, lui lissait sa chevelure de soie avec la main, lui baisait le pied, le genou, le front, les yeux, s'extasiait de tout. La jeune fille se laissait faire, en répétant par intervalles très-bas et avec une douceur infinie : — Ma mère !

— Vois-tu, ma petite fille ? reprenait la recluse en entrecoupant tous ses mots de baisers, vois-tu ! je t'aimerai bien. Nous nous en irons d'ici. Nous allons être bien heureuses. J'ai hérité quelque chose à Reims, dans notre pays. Tu sais, Reims ? Ah ! non, tu ne sais pas cela, toi, tu étais trop petite ! Si tu savais comme tu étais jolie, à quatre mois ! Des petits pieds qu'on venait voir par curiosité d'Épernay[1], qui est à sept lieues ! Nous aurons un champ, une maison. Je te coucherai dans mon lit. Mon Dieu ! mon Dieu ! qui est-ce qui croirait cela ? j'ai ma fille !

— O ma mère ! dit la jeune fille trouvant enfin la force de parler dans son émotion, l'égyptienne me l'avait bien dit. Il y a une bonne égyptienne des nôtres qui est morte l'an passé, et qui avait toujours eu soin de moi comme une nourrice. C'est elle qui m'avait mis ce sachet au cou. Elle me disait toujours : — Petite, garde bien ce bijou. C'est un trésor. Il te fera retrouver ta mère. Tu portes ta mère à ton cou. — Elle l'avait prédit, l'égyptienne !

La sachette serra de nouveau sa fille dans ses bras. — Viens, que je te baise ! tu dis cela gentiment. Quand nous

---

1. Sur la Marne, à 27 km au sud de Reims.

serons au pays, nous chausserons un Enfant-Jésus[1] d'église avec les petits souliers. Nous devons bien cela à la bonne sainte Vierge. Mon Dieu ! que tu as une jolie voix. Quand tu me parlais tout-à-l'heure, c'était une musique ! Ah ! mon Dieu Seigneur ! J'ai retrouvé mon enfant ! Mais est-ce croyable, cette histoire-là ? On ne meurt de rien, car je ne suis pas morte de joie.

Et puis, elle se remit à battre des mains et à rire, et à crier : — Nous allons être heureuses !

En ce moment la logette retentit d'un cliquetis d'armes et d'un galop de chevaux, qui semblait déboucher du pont Notre-Dame, et s'avancer de plus en plus sur le quai. L'égyptienne se jeta avec angoisse dans les bras de la sachette.

— Sauvez-moi ! sauvez-moi ! ma mère ! les voilà qui viennent !

La recluse redevint pâle.

— O ciel ! que dis-tu là ? J'avais oublié ! on te poursuit ! Qu'as-tu donc fait ?

— Je ne sais pas, répondit la malheureuse enfant ; mais je suis condamnée à mourir.

— Mourir ! dit Gudule chancelante comme sous un coup de foudre. Mourir ! reprit-elle lentement et regardant sa fille avec son œil fixe.

— Oui, ma mère, reprit la jeune fille éperdue, ils veulent me tuer. Voilà qu'on vient me prendre. Cette potence est pour moi ! Sauvez-moi ! sauvez-moi ! Ils arrivent ! sauvez-moi !

La recluse resta quelques instants immobile comme une pétrification, puis elle remua la tête en signe de doute, et tout-à-coup partant d'un éclat de rire, mais de son rire effrayant qui lui était revenu : — Ho ! ho ! non ! c'est un rêve que tu me dis là. Ah, oui ! je l'aurais perdue, cela aurait duré quinze ans, et puis je la retrouverais, et cela durerait une minute ! Et on me la reprendrait ! et c'est maintenant qu'elle est belle, qu'elle est grande, qu'elle

---

1. La dévotion à l'Enfant-Jésus, répandue au XIIe siècle par les Cisterciens, se développa considérablement au XIXe, parallèlement aux efforts pédagogiques et philanthropiques, dans une dialectique douteuse de l'innocence.

me parle, qu'elle m'aime ; c'est maintenant qu'ils viendraient me la manger, sous mes yeux à moi qui suis la mère ! Oh, non ! ces choses-là ne sont pas possibles. Le bon Dieu n'en permet comme cela.

Ici la cavalcade parut s'arrêter, et l'on entendit une voix éloignée qui disait : — Par ici, messire Tristan ! Le prêtre dit que nous la trouverons au Trou-aux-Rats. — Le bruit de chevaux recommença.

La recluse se dressa debout avec un cri désespéré. — Sauve-toi ! sauve-toi ! mon enfant ! Tout me revient. Tu as raison. C'est ta mort ! Horreur ! malédiction ! Sauve-toi !

Elle mit la tête à la lucarne, et la retira vite. — Reste, dit-elle, d'une voix basse, brève et lugubre, en serrant convulsivement la main de l'égyptienne plus morte que vive. Reste ! ne souffle pas ! il y a des soldats partout. Tu ne peux sortir. Il fait trop de jour.

Ses yeux étaient secs et brûlants. Elle resta un moment sans parler ; seulement elle marchait à grands pas dans la cellule, et s'arrêtait par intervalles, pour s'arracher des poignées de cheveux gris qu'elle déchirait ensuite avec ses dents.

Tout-à-coup elle dit : — Ils approchent. Je vais leur parler. Cache-toi dans ce coin. Ils ne te verront pas. Je leur dirai que tu t'es échappée, que je t'ai lâchée, ma foi !

Elle posa sa fille, car elle la portait toujours, dans un angle de la cellule qu'on ne voyait pas du dehors. Elle l'accroupit, l'arrangea soigneusement, de manière que ni son pied ni sa main ne dépassassent l'ombre, lui dénoua ses cheveux noirs qu'elle répandit sur sa robe blanche pour la masquer, mit devant elle sa cruche et son pavé, les seuls meubles qu'elle eût, s'imaginant que cette cruche et son pavé la cacheraient. Et quand ce fut fini, plus tranquille, elle se mit à genoux, et pria. Le jour, qui ne faisait que de poindre, laissait encore beaucoup de ténèbres dans le Trou-aux-Rats.

En cet instant, la voix du prêtre, cette voix infernale passa très-près de la cellule en criant : — Par ici, capitaine Phœbus de Châteaupers !

À ce nom, à cette voix, la Esmeralda, tapie dans son coin, fit un mouvement. — Ne bouge pas ! dit Gudule.

Elle achevait à peine qu'un tumulte d'hommes, d'épées et de chevaux s'arrêta autour de la cellule. La mère se leva bien vite, et s'alla poster devant sa lucarne pour la boucher. Elle vit une grande troupe d'hommes armés, de pied et de cheval, rangée sur la Grève. Celui qui les commandait mit pied à terre et vint vers elle. — La vieille, dit cet homme qui avait une figure atroce, nous cherchons une sorcière pour la pendre : on nous a dit que tu l'avais.

La pauvre mère prit l'air le plus indifférent qu'elle put, et répondit : — Je ne sais pas trop ce que vous voulez dire.

L'autre reprit : — Tête-Dieu ! que chantait donc cet effaré d'archidiacre. Où est-il ?

— Monseigneur, dit un soldat, il a disparu.

— Or çà, la vieille folle, repartit le commandant, ne me mens pas. On t'a donné une sorcière à garder. Qu'en as-tu fait ?

La recluse ne voulut pas tout nier, de peur d'éveiller des soupçons, et répondit d'un accent sincère et bourru : — Si vous parlez d'une grande jeune fille qu'on m'a accrochée aux mains tout-à-l'heure, je vous dirai qu'elle m'a mordu et que je l'ai lâchée. Voilà. Laissez-moi en repos.

Le commandant fit une grimace désappointée.

— Ne vas pas me mentir, vieux spectre, reprit-il. Je m'appelle Tristan-l'Hermite, et je suis le compère du roi. Tristan-l'Hermite, entends-tu ? Il ajouta, en regardant la place de Grève autour de lui : — C'est un nom qui a de l'écho ici.

— Vous seriez Satan l'Hermite, répliqua Gudule qui reprenait espoir, que je n'aurais pas autre chose à vous dire et que je n'aurais pas peur de vous.

— Tête-Dieu, dit Tristan, voilà une commère ! Ah ! la fille sorcière s'est sauvée ! et par où a-t-elle pris ?

Gudule répondit d'un ton insouciant : — Par la rue du Mouton [1], je crois.

Tristan tourna la tête, et fit signe à sa troupe de se préparer à se remettre en marche. La recluse respira.

---

1. Issue nord de la place de Grève.

— Monseigneur, dit tout-à-coup un archer, demandez donc à la vieille fée pourquoi les barreaux de sa lucarne sont défaits de la sorte.

Cette question fit rentrer l'angoisse au cœur de la misérable mère. Elle ne perdit pourtant pas toute présence d'esprit. — Ils ont toujours été ainsi, bégaya-t-elle.

— Bah ! repartit l'archer, hier encore ils faisaient une belle croix noire qui donnait de la dévotion.

Tristan jeta un regard oblique à la recluse.

— Je crois que la commère se trouble !

L'infortunée sentit que tout dépendait de sa bonne contenance, et, la mort dans l'âme, elle se mit à ricaner. Les mères ont de ces forces-là. — Bah ! dit-elle, cet homme est ivre. Il y a plus d'un an que le cul d'une charrette de pierres a donné dans ma lucarne et en a défoncé la grille. Que même j'ai injurié le charretier !

— C'est vrai, dit un autre archer, j'y étais.

Il se trouve toujours partout des gens qui ont tout vu. Ce témoignage inespéré de l'archer ranima la recluse, à qui cet interrogatoire faisait traverser un abîme sur le tranchant d'un couteau.

Mais elle était condamnée à une alternative continuelle d'espérance et d'alarme.

— Si c'est une charrette qui a fait cela, repartit le premier soldat, les tronçons des barres devraient être repoussés en dedans, tandis qu'ils sont ramenés en dehors.

— Hé ! hé ! dit Tristan au soldat, tu as un nez[1] d'enquêteur au Châtelet. Répondez à ce qu'il dit, la vieille.

— Mon Dieu ! s'écria-t-elle aux abois et d'une voix malgré elle pleine de larmes, je vous jure, monseigneur, que c'est une charrette qui a brisé ces barreaux. Vous entendez que cet homme l'a vu. Et puis, qu'est-ce que cela fait pour votre égyptienne ?

— Hum ! grommela Tristan.

— Diable ! reprit le soldat, flatté de l'éloge du prevôt, les cassures du fer sont toutes fraîches !

Tristan hocha la tête. Elle pâlit. — Combien y a-t-il de temps, dites-vous, de cette charrette ?

---

1. L'organe et sa fonction, le flair.

— Un mois, quinze jour peut-être, monseigneur. Je ne sais plus, moi.

— Elle a d'abord dit plus d'un an, observa le soldat.

— Voilà qui est louche ! dit le prevôt.

— Monseigneur, cria-t-elle toujours collée devant la lucarne, et tremblant que le soupçon ne les poussât à y passer la tête et à regarder dans la cellule ; monseigneur, je vous jure que c'est une charrette qui a brisé cette grille. Je vous le jure par les anges du paradis. Si ce n'est pas une charrette, je veux être éternellement damnée et je renie Dieu !

— Tu mets bien de la chaleur à ce jurement ! dit Tristan avec son coup d'œil d'inquisiteur.

La pauvre femme sentait s'évanouir de plus en plus son assurance. Elle en était à faire des maladresses, et elle comprenait avec terreur qu'elle ne disait pas ce qu'il aurait fallut dire.

Ici, un autre soldat arriva en criant : — Monseigneur, la vieille fée ment. La sorcière ne s'est pas sauvée par la rue du Mouton. La chaîne de la rue est restée tendue toute la nuit, et le garde-chaîne n'a vu passer personne.

Tristan, dont la physionomie devenait à chaque instant plus sinistre, interpella la recluse : — Qu'as-tu à dire à cela ?

Elle essaya encore de faire la tête à ce nouvel incident : — Que je ne sais, monseigneur, que j'ai pu me tromper. Je crois qu'elle a passé l'eau en effet.

— C'est le côté opposé, dit le prevôt. Il n'y a pourtant pas grande apparence qu'elle ait voulu rentrer dans la Cité, où on la poursuivait. Tu mens, la vieille !

— Et puis, ajouta le premier soldat, il n'y a de bateau ni de ce côté de l'eau ni de l'autre.

— Elle aura passé à la nage, répliqua la recluse défendant le terrain pied à pied.

— Est-ce que les femmes nagent ? dit le soldat.

— Tête-Dieu ! la vieille ! tu mens ! tu mens ! reprit Tristan avec colère. J'ai bonne envie de laisser là cette sorcière, et de te prendre, toi. Un quart d'heure de question te tirera peut-être la vérité du gosier. Allons ! tu vas nous suivre.

Elle saisit ces paroles avec avidité. — Comme vous

voudrez, monseigneur. Faites. Faites. La question. Je veux bien. Emmenez-moi. Vite, vite ! partons tout de suite. — Pendant ce temps-là, pensait-elle, ma fille se sauvera.

— Mort-Dieu ! dit le prevôt, quel appétit du chevalet[1] ! Je ne comprends rien à cette folle.

Un vieux sergent du guet à tête grise sortit des rangs, et s'adressant au prevôt : — Folle en effet, monseigneur. Si elle a lâché l'égyptienne, ce n'est pas sa faute, car elle n'aime pas les égyptiennes. Voilà quinze ans que je fais le guet, et que je l'entends tous les soirs maugréer les femmes bohêmes avec des exécrations sans fin. Si celle que nous poursuivons est, comme je le crois, la petite danseuse à la chèvre, elle déteste celle-là surtout.

Gudule fit un effort et dit : — Celle-là surtout.

Le témoignage unanime des hommes du guet confirma au prevôt les paroles du vieux sergent. Tristan-l'Hermite désespérant de rien tirer de la recluse lui tourna le dos, et elle le vit avec une anxiété inexprimable se diriger lentement vers son cheval. — Allons, disait-il entre ses dents, en route ! remettons-nous à l'enquête. Je ne dormirai pas que l'égyptienne ne soit pendue.

Cependant il hésita encore quelque temps avant de monter à cheval. Gudule palpitait entre la vie et la mort en le voyant promener autour de la place cette mine inquiète d'un chien de chasse qui sent près de lui le gîte de la bête et résiste à s'éloigner. Enfin il secoua la tête et sauta en selle. Le cœur si horriblement comprimé de Gudule se dilata, et elle dit à voix basse en jetant un coup d'œil sur sa fille, qu'elle n'avait pas encore osé regarder depuis qu'ils étaient là : — Sauvée !

La pauvre enfant était restée tout ce temps dans son coin, sans souffler, sans remuer, avec l'idée de la mort debout devant elle. Elle n'avait rien perdu de la scène entre Gudule et Tristan, et chacune des angoisses de sa mère avait retenti en elle. Elle avait entendu tous les craquements successifs du fil qui la tenait suspendue sur le

---

1. Instrument qui a fini par désigner métonymiquement toute la torture. Il s'agissait d'une sorte de tréteau que chevauchait la victime, dont les jambes étaient tirées vers le bas par poids ou treuils.

gouffre ; elle avait cru vingt fois le voir se briser, et commençait enfin à respirer et à se sentir le pied en terre ferme. En ce moment, elle entendit une voix qui disait au prevôt : — Corbœuf ! monsieur le prevôt, ce n'est pas mon affaire, à moi homme d'armes, de pendre les sorcières. La quenaille de peuple est à bas. Je vous laisse besogner tout seul. Vous trouverez bon que j'aille rejoindre ma compagnie, pour ce qu'elle est sans capitaine. — Cette voix, c'était celle de Phœbus de Châteaupers. Ce qui se passa en elle est ineffable. Il était donc là, son ami, son protecteur, son appui, son asile, son Phœbus ! Elle se leva, et avant que sa mère eût pu l'en empêcher, elle s'était jetée à la lucarne en criant : — Phœbus ! à moi, mon Phœbus !

Phœbus n'y était plus. Il venait de tourner au galop l'angle de la rue de la Coutellerie[1]. Mais Tristan n'était pas encore parti.

La recluse se précipita sur sa fille avec un rugissement. Elle la retira violemment en arrière en lui enfonçant ses ongles dans le cou. Une mère tigresse n'y regarde pas de si près. Mais il était trop tard. Tristan avait vu.

— Hé ! hé ! s'écria-t-il avec un rire qui déchaussait toutes ses dents et faisait ressembler sa figure au museau d'un loup, deux souris dans la souricière[2] !

— Je m'en doutais, dit le soldat.

Tristan lui frappa sur l'épaule :

— Tu es un bon chat ! — Allons, ajouta-t-il, où est Henriet Cousin ?

Un homme qui n'avait ni le vêtement ni la mine des soldats sortit de leurs rangs. Il portait un costume mi-parti gris et brun, les cheveux plats, des manches de cuir, et un paquet de cordes à sa grosse main. Cet homme accompagnait toujours Tristan, qui accompagnait toujours Louis XI.

---

1. Topographie inexacte par lecture hâtive de Sauval. La rue de la Coutellerie, non encore éventrée par la rue de Rivoli à l'époque de *Notre-Dame de Paris*, n'a jamais fait aucun angle avec la place de Grève. On en conclura que le nom de la rue désigne le destin de Phœbus, d'autant qu'en 1482 la rue portait un autre nom. **2.** Piège à souris, figure des pièges montés par la police pour s'emparer de malfaiteurs. Mais quel est donc ici l'auteur du piège ?

— L'ami, dit Tristan-l'Hermite, je présume que voilà la sorcière que nous cherchions. Tu vas me prendre cela. As-tu ton échelle ?

— Il y en a une là sous le hangar de la Maison-aux-Piliers, répondit l'homme. Est-ce à cette justice-là que nous ferons la chose ? poursuivit-il en montrant le gibet de pierre.

— Oui.

— Ho hé ! reprit l'homme avec un gros rire plus bestial encore que celui du prevôt, nous n'aurons pas beaucoup de chemin à faire.

— Dépêche, dit Tristan ! tu riras après.

Cependant, depuis que Tristan avait vu sa fille et que tout espoir était perdu, la recluse n'avait pas encore dit une parole. Elle avait jeté la pauvre égyptienne à demi-morte dans le coin du caveau, et s'était replacée à la lucarne, ses deux mains appuyées à l'angle de l'entablement comme deux griffes. Dans cette attitude, on la voyait promener intrépidement sur tous ces soldats son regard, qui était redevenu fauve et insensé. Au moment où Henriet Cousin s'approcha de la loge, elle lui fit une figure tellement sauvage qu'il recula.

— Monseigneur, dit-il en revenant au prevôt, laquelle faut-il prendre ?

— La jeune.

— Tant mieux. Car la vieille paraît malaisée.

— Pauvre petite danseuse à la chèvre ! dit le vieux sergent du guet.

Henriet Cousin se rapprocha de la lucarne. L'œil de la mère fit baisser le sien. Il dit assez timidement : — Madame...

Elle l'interrompit d'une voix très-basse et furieuse : — Que demandes-tu ?

— Ce n'est pas vous, dit-il, c'est l'autre.

— Quelle autre ?

— La jeune.

Elle se mit à secouer la tête en criant : — Il n'y a personne ! Il n'y a personne ! Il n'y a personne !

— Si ! reprit le bourreau, vous le savez bien. Laissez-moi prendre la jeune. Je ne veux pas vous faire de mal, à vous.

Elle dit avec un ricanement étrange : — Ah ! tu ne veux pas me faire de mal, à moi !

— Laissez-moi l'autre, madame ; c'est monsieur le prevôt qui le veut.

Elle répéta d'un air de folie : — Il n'y a personne.

— Je vous dis que si ! répliqua le bourreau ; nous avons tous vu que vous étiez deux.

— Regarde plutôt ! dit la recluse en ricanant. Fourre ta tête par la lucarne.

Le bourreau examina les ongles de la mère, et n'osa pas.

— Dépêche ! cria Tristan qui venait de ranger sa troupe en cercle autour du Trou-aux-Rats, et qui se tenait à cheval près du gibet.

Henriet revint au prevôt encore une fois, tout embarrassé. Il avait posé sa corde à terre, et roulait d'un air gauche son chapeau dans ses mains. — Monseigneur, demanda-t-il, par où entrer ?

— Par la porte.

— Il n'y en a pas.

— Par la fenêtre.

— Elle est trop étroite.

— Élargis-la, dit Tristan avec colère. N'as-tu pas des pioches ?

Du fond de son antre, la mère, toujours en arrêt, regardait. Elle n'espérait plus rien, elle ne savait plus ce qu'elle voulait, mais elle ne voulait pas qu'on lui prît sa fille.

Henriet Cousin alla chercher la caisse d'outils des basses-œuvres sous le hangar de la Maison-aux-Piliers. Il en retira aussi la double échelle qu'il appliqua sur-le-champ au gibet. Cinq ou six hommes de la prevôté s'armèrent de pics et de leviers, et Tristan se dirigea avec eux vers la lucarne.

— La vieille, dit le prevôt d'un ton sévère, livre-nous cette fille de bonne grâce.

Elle le regarda comme quand on ne comprend pas.

— Tête-Dieu ! reprit Tristan, qu'as-tu donc à empêcher cette sorcière d'être pendue comme il plaît au roi ?

La misérable se mit à rire de son rire farouche.

— Ce que j'y ai ? C'est ma fille.

L'accent dont elle prononça ce mot fit frissonner jusqu'à Henriet Cousin lui-même.

— J'en suis fâché, repartit le prevôt, mais c'est le bon plaisir du roi.

Elle cria en redoublant son rire terrible : — Qu'est-ce que cela me fait, ton roi ? Je te dis que c'est ma fille !

— Percez le mur, dit Tristan.

Il suffisait, pour pratiquer une ouverture assez large, de desceller une assise de pierre au-dessous de la lucarne. Quand la mère entendit les pics et les leviers saper sa forteresse, elle poussa un cri épouvantable ; puis elle se mit à tourner avec une vitesse effrayante autour de sa loge, habitude de bête fauve que la cage lui avait donnée. Elle ne disait plus rien, mais ses yeux flamboyaient. Les soldats étaient glacés au fond du cœur.

Tout-à-coup elle prit son pavé, rit, et le jeta à deux poings sur les travailleurs. Le pavé, mal lancé (car ses mains tremblaient), ne toucha personne, et vint s'arrêter sous les pieds du cheval de Tristan. Elle grinça des dents.

Cependant, quoique le soleil ne fût pas encore levé, il faisait grand jour ; une belle teinte rose égayait les vieilles cheminées vermoulues[1] de la Maison-aux-Piliers. C'était l'heure où les fenêtres les plus matinales de la grande ville s'ouvrent joyeusement sur les toits. Quelques manants, quelques fruitiers allant aux halles sur leur âne, commençaient à traverser la Grève ; ils s'arrêtaient un moment devant ce groupe de soldats amoncelés autour du Trou-aux-Rats, le considéraient d'un air étonné, et passaient outre.

La recluse était allée s'asseoir près de sa fille, la couvrant de son corps, devant elle, l'œil fixe, écoutant la pauvre enfant qui ne bougeait pas, et qui murmurait à voix basse pour toute parole : Phœbus ! Phœbus ! À mesure que le travail des démolisseurs semblait s'avancer, la mère se reculait machinalement, et serrait de plus en plus la jeune fille contre le mur. Tout-à-coup la recluse vit la pierre (car elle faisait sentinelle, et ne la quittait pas du regard) s'ébranler, et elle entendit la voix de Tristan

---

1. Rongées par le temps comme le bois par les vers. Briques ou non, l'aurore touche d'abord les hauteurs de ses doigts de rose.

qui encourageait les travailleurs. Alors elle sortit de l'affaissement où elle était tombée depuis quelques instants, et s'écria, et tandis qu'elle parlait, sa voix tantôt déchirait l'oreille comme une scie, tantôt balbutiait comme si toutes les malédictions se fussent pressées sur ses lèvres pour éclater à la fois. — Ho ! ho ! ho ! Mais c'est horrible ! Vous êtes des brigands ! Est-ce que vous allez vraiment me prendre ma fille. Je vous dis que c'est ma fille ! Oh ! les lâches ! Oh ! les laquais bourreaux ! les misérables goujats assassins ! Au secours ! au secours ! au feu ! Mais est-ce qu'ils me prendront mon enfant comme cela ? Qui est-ce donc qu'on appelle le bon Dieu ?

Alors s'adressant à Tristan, écumante, l'œil hagard, à quatre pattes comme une panthère, et toute hérissée :

— Approche un peu me prendre ma fille ! Est-ce que tu ne comprends pas que cette femme te dit que c'est sa fille ? Sais-tu ce que c'est qu'un enfant qu'on a ? Hé ! loup-cervier[1], n'as-tu jamais gîté avec ta louve ? n'en as-tu jamais eu un louveteau ? et si tu as des petits, quand ils hurlent, est-ce que tu n'as rien dans le ventre que cela remue ?

— Mettez bas la pierre, dit Tristan ; elle ne tient plus.

Les leviers soulevèrent la lourde assise. C'était, nous l'avons dit, le dernier rempart de la mère. Elle se jeta dessus, elle voulut la retenir ; elle égratigna la pierre avec ses ongles, mais le bloc massif, mis en mouvement par six hommes, lui échappa, et glissa doucement jusqu'à terre le long des leviers de fer.

La mère, voyant l'entrée faite, tomba devant l'ouverture en travers, barricadant la brèche avec son corps, tordant ses bras, heurtant la dalle de sa tête, et criant d'une voix enrouée de fatigue qu'on entendait à peine : — Au secours ! au feu ! au feu !

— Maintenant prenez la fille, dit Tristan toujours impassible.

La mère regarda les soldats d'une manière si formidable qu'ils avaient plus envie de reculer que d'avancer.

— Allons donc, reprit le prevôt. Henriet Cousin, toi !

---

1. Le lynx, carnassier capable de chasser le gros gibier comme le cerf, particulièrement puissant et sanguinaire.

Personne ne fit un pas.

Le prevôt jura : — Tête-Christ ! mes gens de guerre ! peur d'une femme !

— Monseigneur, dit Henriet, vous appelez cela une femme ?

— Elle a une crinière de lion ! dit un autre.

— Allons ! repartit le prevôt, la baie est assez large. Entrez-y trois de front, comme à la brèche de Pontoise[1]. Finissons, mort-Mahom ! Le premier qui recule, j'en fais deux morceaux !

Placés entre le prevôt et la mère, tous deux menaçants, les soldats hésitèrent un moment, puis, prenant leur parti, s'avancèrent vers le Trou-aux-Rats.

Quand la recluse vit cela, elle se dressa brusquement sur les genoux, écarta ses cheveux de son visage, puis laissa retomber ses mains maigres et écorchées sur ses cuisses. Alors de grosses larmes sortirent une à une de ses yeux ; elles descendaient par une ride le long de ses joues, comme un torrent par le lit qu'il s'est creusé. En même temps elle se mit à parler, mais d'une voix si suppliante, si douce, si soumise et si poignante, qu'à l'entour de Tristan plus d'un vieil argousin qui aurait mangé de la chair humaine s'essuyait les yeux.

— Messeigneurs ! messieurs les sergents, un mot ! C'est une chose qu'il faut que je vous dise ! C'est ma fille, voyez-vous ? ma chère petite fille que j'avais perdue ! Écoutez. C'est une histoire. Figurez-vous que je connais très-bien messieurs les sergents. Ils ont toujours été bons pour moi dans le temps que les petits garçons me jetaient des pierres, parce que je faisais la vie d'amour. Voyez-vous ? vous me laisserez mon enfant, quand vous saurez ! je suis une pauvre fille de joie. Ce sont les bohémiennes qui me l'ont volée. Même que j'ai gardé son soulier quinze ans. Tenez, le voilà. Elle avait ce pied-là. À Reims ! la Chantefleurie ! rue Folle-Peine ! Vous avez connu cela peut-être. C'était moi. Dans votre jeunesse, alors, c'était un beau temps, on passait de bons quarts d'heure. Vous aurez pitié de moi, n'est-ce pas,

---

1. En 1441, dans l'assaut que livra Charles VII et où le futur Louis XI se conduisit en brave.

messeigneurs ? Les égyptiennes me l'ont volée ; elles me l'ont cachée quinze ans. Je la croyais morte. Figurez-vous, mes bons amis, que je la croyais morte. J'ai passé quinze ans ici, dans cette cave, sans feu l'hiver. C'est dur, cela. Le pauvre cher petit soulier ! j'ai tant crié que le bon Dieu m'a entendue. Cette nuit, il m'a rendu ma fille. C'est un miracle du bon Dieu. Elle n'était pas morte. Vous ne me la prendrez pas, j'en suis sûre. Encore si c'était moi, je ne dirais pas, mais elle, une enfant de seize ans ! Laissez-lui le temps de voir le soleil ! — Qu'est-ce qu'elle vous a fait ? rien du tout. Moi non plus. Si vous saviez que je n'ai qu'elle, que je suis vieille, que c'est une bénédiction que la sainte Vierge m'envoie. Et puis, vous êtes si bons tous ! Vous ne saviez pas que c'était ma fille ; à présent vous le savez. Oh ! je l'aime ! Monsieur le grand prevôt, j'aimerais mieux un trou à mes entrailles qu'une égratignure à son doigt ! C'est vous qui avez l'air d'un bon seigneur ! Ce que je vous dis là vous explique la chose, n'est-il pas vrai ? Oh ! si vous avez eu une mère, monseigneur ! vous êtes le capitaine, laissez-moi mon enfant ! Considérez que je vous prie à genoux, comme on prie un Jésus-Christ ! Je ne demande rien à personne ; je suis de Reims, messeigneurs ; j'ai un petit champ de mon oncle Mahiet Pradon. Je ne suis pas une mendiante. Je ne veux rien, mais je veux mon enfant ! Oh ! je veux garder mon enfant ! Le bon Dieu, qui est le maître, ne me l'a pas rendue pour rien ! Le roi ! vous dites le roi ! Cela ne lui fera déjà pas beaucoup de plaisir qu'on tue ma petite fille ! Et puis le roi est bon ! C'est ma fille ! c'est ma fille, à moi ! Elle n'est pas au roi ! elle n'est pas à vous ! Je veux m'en aller ! nous voulons nous en aller ! enfin, deux femmes qui passent, dont l'une est la mère et l'autre la fille, on les laisse passer ! Laissez-nous passer ! nous sommes de Reims. Oh ! vous êtes bien bons ! messieurs les sergents ; je vous aime tous. Vous ne me prendrez pas ma chère petite, c'est impossible ! N'est-ce pas, que c'est tout-à-fait impossible ? Mon enfant ! mon enfant !

Nous n'essaierons pas de donner une idée de son geste, de son accent, des larmes qu'elle buvait en parlant, des mains qu'elle joignait et puis tordait, des sourires navrants, des regards noyés, des gémissements, des soupirs, des cris misérables et saisissants qu'elle mêlait à ses paroles désordonnées, folles et décousues. Quand elle se tut, Tristan-l'Hermite fronça le sourcil, mais c'était pour cacher une larme qui roulait dans son œil de tigre. Il surmonta pourtant cette faiblesse, et dit d'un ton bref : — Le roi le veut.

Puis, il se pencha à l'oreille d'Henriet Cousin, et lui dit tout bas : — Finis vite ! Le redoutable prevôt sentait peut-être le cœur lui manquer, à lui aussi.

Le bourreau et les sergents entrèrent dans la logette. La mère ne fit aucune résistance, seulement elle se traîna vers sa fille et se jeta à corps perdu sur elle. L'égyptienne vit les soldats s'approcher. L'horreur de la mort la ranima : — Ma mère ! cria-t-elle avec un inexprimable accent de détresse, ma mère ! ils viennent ! défendez-moi ! — Oui, mon amour, je te défends ! répondit la mère d'une voix éteinte, et, la serrant étroitement dans ses bras, elle la couvrit de baisers. Toutes deux ainsi à terre, la mère sur la fille, faisaient un spectacle digne de pitié.

Henriet Cousin prit la jeune fille par le milieu du corps sous ses belles épaules. Quand elle sentit cette main, elle fit : Heuh ! et s'évanouit. Le bourreau, qui laissait tomber goutte à goutte de grosses larmes sur elle, voulut l'enlever dans ses bras. Il essaya de détacher la mère, qui avait pour ainsi dire noué ses deux mains autour de la ceinture de sa fille, mais elle était si puissamment cramponnée à son enfant qu'il fut impossible de l'en séparer. Henriet Cousin alors traîna la jeune fille hors de la loge, et la mère après elle. La mère aussi tenait ses yeux fermés.

Le soleil se levait en ce moment, et il y avait déjà sur la place un assez bon amas de peuple qui regardait à distance ce qu'on traînait ainsi sur le pavé vers le gibet. Car c'était la mode du prevôt Tristan aux exécutions. Il avait la manie d'empêcher les curieux d'approcher.

Il n'y avait personne aux fenêtres. On voyait seulement de loin, au sommet de celle des tours de Notre-Dame qui domine la Grève, deux hommes détachés en noir sur le ciel clair du matin, qui semblaient regarder.

Henriet Cousin s'arrêta avec ce qu'il traînait au pied de la fatale échelle, et, respirant à peine, tant la chose l'apitoyait, il passa la corde autour du cou adorable de la jeune fille. La malheureuse enfant sentit l'horrible attouchement du chanvre. Elle souleva ses paupières, et vit le bras décharné du gibet de pierre, étendu au-dessus de sa tête. Alors elle se secoua, et cria d'une voix haute et déchirante : — Non ! non ! je ne veux pas ! La mère, dont la tête était enfouie et perdue sous les vêtements de sa fille, ne dit pas une parole ; seulement on vit frémir tout son corps, et on l'entendit redoubler ses baisers sur son enfant. Le bourreau profita de ce moment pour dénouer vivement les bras dont elle étreignait la condamnée. Soit épuisement, soit désespoir, elle le laissa faire. Alors il prit la jeune fille sur son épaule, d'où la charmante créature retombait gracieusement pliée en deux sur sa large tête. Puis il mit le pied sur l'échelle pour monter.

En ce moment la mère accroupie sur le pavé ouvrit tout-à-fait les yeux. Sans jeter un cri, elle se redressa avec une expression terrible ; puis, comme une bête sur sa proie, elle se jeta sur la main du bourreau et le mordit. Ce fut un éclair. Le bourreau hurla de douleur. On accourut. On retira avec peine sa main sanglante d'entre les dents de la mère. Elle gardait un profond silence. On la repoussa assez brutalement, et l'on remarqua que sa tête retombait lourdement sur le pavé. On la releva, elle se laissa de nouveau retomber. C'est qu'elle était morte.

Le bourreau, qui n'avait pas lâché la jeune fille, se remit à monter à l'échelle.

II

LA CREATURA BELLA BIANCO VESTITA. — DANTE[1]

Quand Quasimodo vit que la cellule était vide, que l'égyptienne n'y était plus, que pendant qu'il la défendait on l'avait enlevée, il prit ses cheveux à deux mains et trépigna de surprise et de douleur, puis il se mit à courir par toute l'église, cherchant sa bohémienne, hurlant des cris étranges à tous les coins de mur, semant ses cheveux rouges sur le pavé. C'était précisément le moment où les archers du roi entraient victorieux dans Notre-Dame, cherchant aussi l'égyptienne. Quasimodo les y aida, sans se douter, le pauvre sourd, de leurs fatales intentions ; il croyait que les ennemis de l'égyptienne, c'étaient les truands. Il mena lui-même Tristan-l'Hermite à toutes les cachettes possibles, lui ouvrit les portes secrètes, les doubles-fonds d'autels, les arrière-sacristies[2]. Si la malheureuse y eût été encore, c'est lui qui l'eût livrée. Quand la lassitude de ne rien trouver eut rebuté Tristan qui ne se rebutait pas aisément, Quasimodo continua de chercher tout seul. Il fit vingt fois, cent fois le tour de l'église, de long en large, du haut en bas, montant, descendant, courant, appelant, criant, flairant, furetant[3], fouillant, fourrant sa tête dans tous les trous, poussant une torche sous toutes les voûtes, désespéré, fou. Un mâle qui a perdu sa femelle n'est pas plus rugissant ni plus hagard. Enfin quand il fut sûr, bien sûr qu'elle n'y était plus, que c'en était fait,

---

1. « La créature belle, de blanc vêtue. » Il s'agit, dans le *Purgatoire* de Dante (XII, 88-89), de l'ange de l'humilité, comparable à l'étoile du matin, qui va guider le poète vers les degrés pratiqués pour l'escalade des corniches successives, en chantant la première des Béatitudes, « Heureux les pauvres en esprit, parce que le royaume des cieux est à eux. » **2.** Souvenir des perquisitions révolutionnaires et de la tradition anticléricale du roman noir ? Les doubles-fonds et arrière-fonds des conspirations exhibent leur vanité devant la spiritualité délibérée de toute cette fin. **3.** Le furet est un petit carnivore sanguinaire dont le chasseur se sert pour débusquer le lapin de son terrier.

qu'on la lui avait dérobée, il remonta lentement l'escalier des tours, cet escalier qu'il avait escaladé avec tant d'emportement et de triomphe le jour où il l'avait sauvée. Il repassa par les mêmes lieux, la tête basse, sans voix, sans larmes, presque sans souffle. L'église était déserte de nouveau, et retombée dans son silence. Les archers l'avaient quittée pour traquer la sorcière dans la Cité. Quasimodo, resté seul dans cette vaste Notre-Dame, si assiégée et si tumultueuse le moment d'auparavant, reprit le chemin de la cellule où l'égyptienne avait dormi tant de semaines sous sa garde. En s'en approchant, il se figurait qu'il allait peut-être l'y retrouver. Quand, au détour de la galerie qui donne sur le toit des bas côtés, il aperçut l'étroite logette avec sa petite fenêtre et sa petite porte, tapie sous un grand arc-boutant comme un nid d'oiseau sous une branche, le cœur lui manqua, au pauvre homme, et il s'appuya contre un pilier pour ne pas tomber. Il s'imagina qu'elle y était peut-être rentrée, qu'un bon génie l'y avait sans doute ramenée, que cette logette était trop tranquille, trop sûre et trop charmante pour qu'elle n'y fût point, et il n'osait faire un pas de plus, de peur de briser son illusion. — Oui, se disait-il en lui-même, elle dort peut-être, ou elle prie. Ne la troublons pas. — Enfin il rassembla son courage, il avança sur la pointe des pieds, il regarda, il entra. Vide ! La cellule était toujours vide. Le malheureux sourd en fit le tour à pas lents, souleva le lit et regarda dessous, comme si elle pouvait être cachée entre la dalle et le matelas, puis il secoua la tête et demeura stupide. Tout-à-coup, il écrasa furieusement sa torche du pied, et sans dire une parole, sans pousser un soupir, il se précipita de toute sa course la tête contre le mur et tomba évanoui sur le pavé.

Quand il revint à lui, il se jeta sur le lit, il s'y roula, il baisa avec frénésie la place tiède encore où la jeune fille avait dormi, il y resta quelques minutes immobile comme s'il allait y expirer ; puis il se releva, ruisselant de sueur, haletant, insensé, et se mit à cogner les murailles de sa tête avec l'effrayante régularité du battant de ses cloches, et la résolution d'un homme qui veut l'y briser. Enfin il tomba une seconde fois, épuisé ; il se traîna sur les genoux hors de la cellule et s'accroupit en face de la porte, dans une attitude d'étonnement[1]. Il resta ainsi plus d'une heure sans faire un mouvement, l'œil fixé sur la cellule déserte, plus sombre et plus pensif qu'une mère assise entre un berceau vide et un cercueil plein. Il ne prononçait pas un mot ; seulement, à de longs intervalles, un sanglot remuait violemment tout son corps, mais un sanglot sans larmes, comme ces éclairs d'été qui ne font pas de bruit.

Il paraît que ce fut alors que, cherchant au fond de sa rêverie désolée quel pouvait être le ravisseur inattendu de l'égyptienne, il songea à l'archidiacre. Il se souvint que Dom Claude avait seul une clef de l'escalier qui menait à la cellule ; il se rappela ses tentatives nocturnes sur la jeune fille, la première à laquelle lui Quasimodo avait aidé, la seconde qu'il avait empêchée. Il se rappela mille détails, et ne douta bientôt plus que l'archidiacre ne lui eût pris l'égyptienne. Cependant tel était son respect du prêtre, la reconnaissance, le dévouement, l'amour pour cet homme avaient de si profondes racines dans son cœur qu'elles résistaient, même en ce moment, aux ongles de la jalousie et du désespoir.

Il songeait que l'archidiacre avait fait cela, et la colère de sang et de mort qu'il en eût ressentie contre tout autre, du moment où il s'agissait de Claude Frollo, se tournait chez le pauvre sourd en accroissement de douleur.

Au moment où sa pensée se fixait ainsi sur le prêtre, comme l'aube blanchissait les arcs-boutants, il vit à l'étage supérieur de Notre-Dame, au coude que fait la balustrade extérieure qui tourne autour de l'apside, une figure qui marchait. Cette figure venait de son côté. Il la reconnut. C'était l'archidiacre. Claude allait d'un pas grave et lent. Il ne regardait pas devant lui en marchant, il se dirigeait vers la tour septentrionale, mais son visage était tourné de côté, vers la rive droite de la Seine, et il tenait la tête haute, comme s'il eût tâché de voir quelque chose par-dessus les toits. Le hibou a souvent cette attitude oblique. Il vole vers un point et en regarde un autre. — Le prêtre passa ainsi au-dessus de Quasimodo sans le voir.

---

1. De sidération.

Le sourd, que cette brusque apparition avait pétrifié, le vit s'enfoncer sous la porte de l'escalier de la tour septentrionale. Le lecteur sait que cette tour est celle d'où l'on voit l'Hôtel-de-Ville. Quasimodo se leva et suivit l'archidiacre.

Quasimodo monta l'escalier de la tour pour le monter, pour savoir pourquoi le prêtre montait. Du reste, le pauvre sonneur ne savait ce qu'il ferait, lui Quasimodo, ce qu'il dirait, ce qu'il voulait. Il était plein de fureur et plein de crainte. L'archidiacre et l'égyptienne se heurtaient dans son cœur.

Quand il fut parvenu au sommet de la tour, avant de sortir de l'ombre de l'escalier et d'entrer sur la plate-forme, il examina avec précaution où était le prêtre. Le prêtre lui tournait le dos. Il y a une balustrade percée à jour qui entoure la plate-forme du clocher. Le prêtre, dont les yeux plongeaient sur la ville, avait la poitrine appuyée à celui des quatre côtés de la balustrade qui regarde le pont Notre-Dame.

Quasimodo, s'avançant à pas de loup derrière lui, alla voir ce qu'il regardait ainsi. L'attention du prêtre était tellement absorbée ailleurs qu'il n'entendit point le sourd marcher près de lui.

C'est un magnifique et charmant spectacle que Paris, et le Paris d'alors surtout, vu du haut des tours de Notre-Dame aux fraîches lueurs d'une aube d'été. On pouvait être, ce jour-là, en juillet[1]. Le ciel était parfaitement serein. Quelques étoiles attardées s'y éteignaient sur divers points, et il y en avait une très-brillante au levant dans le plus clair du ciel[2]. Le soleil était au moment de paraître. Paris commençait à remuer. Une lumière très-blanche et très-pure faisait saillir vivement à l'œil tous les plans que ses mille maisons présentent à l'orient. L'ombre géante des clochers allait de toits en toits d'un bout de la grande ville à l'autre. Il y avait déjà des quar-

---

1. Le roman de la prise manquée de la cathédrale et d'une « grande scène » à la Bastille organise la chronologie de son action de telle sorte qu'elle flotte dans l'aube rétrospective qui relie 1482, 1789 et 1830 en une histoire prophétique de ce que Michelet appelle « l'éclair de Juillet ». **2.** La planète Vénus, étoile du berger, étoile de la mer de la liturgie mariale.

tiers qui parlaient et qui faisaient du bruit. Ici un coup de cloche, là un coup de marteau, là-bas le cliquetis compliqué[1] d'une charrette en marche. Déjà quelques fumées se dégorgeaient çà et là sur toute cette surface de toits comme par les fissures d'une immense solfatare[2]. La rivière, qui fronce son eau aux arches de tant de ponts, à la pointe de tant d'îles, était moirée de plis d'argent. Autour de la ville, au dehors des remparts, la vue se perdait dans un grand cercle de vapeurs floconneuses à travers lesquelles on distinguait confusément la ligne indéfinie des plaines, et le gracieux renflement des coteaux. Toutes sortes de rumeurs flottantes se dispersaient sur cette cité à demi réveillée. Vers l'orient le vent du matin chassait à travers le ciel quelques blanches ouates arrachées à la toison de brume des collines.

Dans le Parvis, quelques bonnes femmes, qui avaient en main leur pot au lait, se montraient avec étonnement le délabrement singulier de la grande porte de Notre-Dame, et deux ruisseaux de plomb figés entre les fentes des grès. C'était tout ce qui restait du tumulte de la nuit. Le bûcher allumé par Quasimodo, entre les tours, s'était éteint. Tristan avait déjà déblayé la place et fait jeter les morts à la Seine. Les rois comme Louis XI ont soin de laver vite le pavé après un massacre.

En dehors de la balustrade de la tour, précisément au-dessous du point où s'était arrêté le prêtre, il y avait une de ces gouttières de pierre fantastiquement taillées qui hérissent les édifices gothiques ; et, dans une crevasse de cette gouttière, deux jolies giroflées en fleur[3], secouées et rendues comme vivantes par le souffle de l'air, se faisaient des salutations folâtres. Au-dessus des tours, en haut, bien loin au fond du ciel, on entendait de petits cris d'oiseaux.

Mais le prêtre n'écoutait, ne regardait rien de tout cela. Il était de ces hommes pour lesquels il n'y a pas de

---

1. C'est l'une des principales et essentielles impressions d'enfance de Hugo, depuis son entrée en Espagne, l'antécédent de la madeleine proustienne. **2.** Autre référence originelle, la région de Naples où des étendues volcaniques laissent échapper de confuses vapeurs de soufre. **3.** Encore une « chose vue » par un jour de printemps.

matins, pas d'oiseaux, pas de fleurs. Dans cet immense horizon qui prenait tant d'aspects autour de lui, sa contemplation était concentrée sur un point unique.

Quasimodo brûlait de lui demander ce qu'il avait fait de l'égyptienne ; mais l'archidiacre semblait en ce moment être hors du monde. Il était visiblement dans une de ces minutes violentes de la vie où l'on ne sentirait pas la terre crouler. Les yeux invariablement fixés sur un certain lieu, il demeurait immobile et silencieux ; et ce silence et cette immobilité avaient quelque chose de si redoutable que le sauvage sonneur frémissait devant et n'osait s'y heurter. Seulement, et c'était encore une manière d'interroger l'archidiacre, il suivit la direction de son rayon visuel, et de cette façon le regard du malheureux sourd tomba sur la place de Grève.

Il vit ainsi ce que le prêtre regardait. L'échelle était dressée près du gibet permanent. Il y avait quelque peuple dans la place et beaucoup de soldats. Un homme traînait sur le pavé une chose blanche à laquelle une chose noire était accrochée. Cet homme s'arrêta au pied du gibet. Ici il se passa quelque chose que Quasimodo ne vit pas bien. Ce n'est pas que son œil unique n'eût conservé sa longue portée, mais il y avait un gros de soldats qui empêchait de distinguer tout. D'ailleurs, en cet instant le soleil parut, et un tel flot de lumière déborda par-dessus l'horizon qu'on eût dit que toutes les pointes de Paris, flèches, cheminées, pignons, prenaient feu à la fois.

Cependant l'homme se mit à monter l'échelle. Alors Quasimodo le revit distinctement. Il portait une femme sur son épaule, une jeune fille vêtue de blanc ; cette jeune fille avait un nœud du cou. Quasimodo la reconnut. C'était elle.

L'homme parvint ainsi au haut de l'échelle. Là il arrangea le nœud. Ici le prêtre, pour mieux voir, se mit à genoux sur la balustrade.

Tout-à-coup l'homme repoussa brusquement l'échelle du talon, et Quasimodo, qui ne respirait plus depuis quelques instants, vit se balancer au bout de la corde, à deux toises[1] au-dessus du pavé, la malheureuse enfant

---

1. Près de quatre mètres.

avec l'homme accroupi les pieds sur ses épaules. La corde fit plusieurs tours sur elle-même, et Quasimodo vit courir d'horribles convulsions le long du corps de l'égyptienne. Le prêtre de son côté, le cou tendu, l'œil hors de la tête, contemplait ce groupe épouvantable de l'homme et de la jeune fille, de l'araignée et de la mouche.

Au moment où c'était le plus effroyable, un rire de démon, un rire qu'on ne peut avoir que lorsqu'on n'est plus homme, éclata sur le visage livide du prêtre. Quasimodo n'entendit pas ce rire, mais il le vit. Le sonneur recula de quelques pas derrière l'archidiacre, et tout-à-coup se ruant sur lui avec fureur, de ses deux grosses mains il le poussa par le dos dans l'abîme sur lequel dom Claude était penché.

Le prêtre cria : — Damnation ! et tomba.

La gouttière au-dessus de laquelle il se trouvait l'arrêta dans sa chute. Il s'y accrocha avec des mains désespérées, et au moment où il ouvrait la bouche pour jeter un second cri, il vit passer au rebord de la balustrade, au-dessus de sa tête, la figure formidable et vengeresse de Quasimodo. Alors il se tut.

L'abîme était au-dessous de lui. Une chute de plus de deux cents pieds, et le pavé. Dans cette situation terrible, l'archidiacre ne dit pas une parole, ne poussa pas un gémissement. Seulement, il se tordit sur la gouttière avec des efforts inouis pour remonter ; mais ses mains n'avaient pas de prise sur le granit, ses pieds rayaient la muraille noircie, sans y mordre. Les personnes qui ont monté sur les tours de Notre-Dame savent qu'il y a un renflement de la pierre immédiatement au-dessous de la balustrade. C'est sur cet angle rentrant que s'épuisait le misérable archidiacre. Il n'avait pas affaire à un mur à pic, mais à un mur qui fuyait sous lui.

Quasimodo n'eût eu, pour le tirer du gouffre, qu'à lui tendre la main ; mais il ne le regardait seulement pas. Il regardait la Grève. Il regardait le gibet. Il regardait l'égyptienne. Le sourd s'était accoudé sur la balustrade à la place où était l'archidiacre le moment d'auparavant, et là, ne détachant pas son regard du seul objet qu'il y eût pour lui au monde en ce moment, il était immobile et muet comme un homme foudroyé, et un long ruisseau de pleurs coulait en silence de cet œil qui jusqu'alors n'avait encore versé qu'une seule larme.

Cependant l'archidiacre haletait. Son front chauve ruisselait de sueur, ses ongles saignaient sur la pierre, ses genoux s'écorchaient au mur. Il entendait sa soutane, accrochée à la gouttière, craquer et se découdre à chaque secousse qu'il lui donnait. Pour comble de malheur, cette gouttière était terminée par un tuyau de plomb qui fléchissait sous le poids de son corps. L'archidiacre sentait ce tuyau ployer lentement. Il se disait, le misérable, que quand ses mains seraient brisées de fatigue, quand sa soutane serait déchirée, quand ce plomb serait ployé, il faudrait tomber, et l'épouvante le prenait aux entrailles. Quelquefois il regardait avec égarement une espèce d'étroit plateau formé, à quelque dix pieds plus bas, par des accidents de sculpture, et il demandait au ciel, dans le fond de son âme en détresse, de pouvoir finir sa vie sur cet espace de deux pieds carrés [1], dût-elle durer cent années. Une fois, il regarda au-dessous de lui dans la place, dans l'abîme ; la tête qu'il releva fermait les yeux et avait les cheveux tout droits.

C'était quelque chose d'effrayant que le silence de ces deux hommes. Tandis que l'archidiacre à quelques pieds de lui agonisait de cette horrible façon, Quasimodo pleurait et regardait la Grève.

L'archidiacre, voyant que tous ses soubresauts ne servaient qu'à ébranler le fragile point d'appui qui lui restait, avait pris le parti de ne plus remuer. Il était là, embrassant la gouttière, respirant à peine, ne bougeant plus, n'ayant plus d'autres mouvements que cette convulsion machinale du ventre qu'on éprouve dans les rêves quand on croit se sentir tomber. Ses yeux fixes étaient ouverts d'une manière maladive et étonnée. Peu à peu cependant, il perdait du terrain, ses doigts glissaient sur la gouttière ; il sentait de plus en plus la faiblesse de ses bras et la pesanteur de son corps. La courbure du plomb qui le soutenait s'inclinait à tout moment d'un cran vers l'abîme. Il voyait au-dessous de lui, chose affreuse, le toit de Saint-Jean-le-rond, petit comme une carte ployée en deux. Il

---

1. À peine plus que le quart d'un mètre carré : l'idéal du stylite.

regardait l'une après l'autre les impassibles sculptures de la tour, comme lui suspendues sur le précipice, mais sans terreur pour elles ni pitié pour lui. Tout était de pierre autour de lui : devant ses yeux, les monstres béants ; au-dessous, tout au fond, dans la place, le pavé ; au-dessus de sa tête, Quasimodo qui pleurait.

Il y avait dans le Parvis quelques groupes de braves curieux qui cherchaient tranquillement à deviner quel pouvait être le fou qui s'amusait d'une si étrange manière. Le prêtre leur entendait dire, car leur voix arrivait jusqu'à lui, claire et grêle : — Mais il va se rompre le cou !

Quasimodo pleurait.

Enfin l'archidiacre écumant de rage et d'épouvante comprit que tout était inutile. Il rassembla pourtant tout ce qui lui restait de force pour un dernier effort. Il se roidit sur la gouttière, repoussa le mur de ses deux genoux, s'accrocha des mains à une fente des pierres, et parvint à regrimper d'un pied peut-être ; mais cette commotion fit ployer brusquement le bec de plomb sur lequel il s'appuyait. Du même coup, la soutane s'éventra. Alors sentant tout manquer sous lui, n'ayant plus que ses mains roidies et défaillantes qui tenaient à quelque chose, l'infortuné ferma les yeux et lâcha la gouttière. Il tomba.

Quasimodo le regarda tomber.

Une chute de si haut est rarement perpendiculaire. L'archidiacre, lancé dans l'espace, tomba d'abord la tête en bas et les deux mains étendues ; puis il fit plusieurs tours sur lui-même ; le vent le poussa sur le toit d'une maison où le malheureux commença à se briser. Cependant il n'était pas mort quand il y arriva. Le sonneur le vit essayer encore de se retenir au pignon avec les ongles ; mais le plan était trop incliné, et il n'avait plus de force. Il glissa rapidement sur le toit comme une tuile qui se détache, et alla rebondir sur le pavé. Là, il ne remua plus.

Quasimodo alors releva son œil sur l'égyptienne dont il voyait le corps, suspendu au gibet, frémir au loin sous sa robe blanche des derniers tressaillements de l'agonie [1], puis il le rabaissa sur l'archidiacre, étendu au bas de la tour, et n'ayant plus forme humaine, et il dit avec un

1. Étymologiquement, le combat contre la mort.

sanglot qui souleva sa profonde poitrine : — Oh ! tout ce que j'ai aimé !

III

MARIAGE DE PHŒBUS

Vers le soir[1] de cette journée, quand les officiers judiciaires de l'évêque vinrent relever sur le pavé du Parvis le cadavre disloqué de l'archidiacre, Quasimodo avait disparu de Notre-Dame.

Il courut beaucoup de bruits sur cette aventure. On ne douta pas que le jour ne fût venu où, d'après leur pacte, Quasimodo, c'est-à-dire le diable, devait emporter Claude Frollo, c'est-à-dire le sorcier. On présuma qu'il avait brisé le corps en prenant l'âme comme les singes qui cassent la coquille pour manger la noix.

C'est pourquoi l'archidiacre ne fut pas inhumé en terre sainte.

Louis XI mourut l'année d'après, au mois d'août[2] 1483.

Quant à Pierre Gringoire, il parvint à sauver la chèvre, et il obtint des succès en tragédie[3]. Il paraît qu'après avoir goûté de l'astrologie, de la philosophie, de l'architecture,

---

1. Indication sans doute en rapport avec la suppression, à la fin du chapitre précédent, du « cercle de curieux [qui] se forma sur le champ autour de cet objet qui venait de tomber et qui n'avait plus forme humaine » : l'horreur du prêtre déshumanisé par une mort innommable installe une sorte de blanc de plusieurs heures avant que la lointaine autorité de l'évêque ne fasse agir l'officialité et la voierie, pour enquête, et que la tombée de la nuit n'accompagne la « sortie » dramatique du héros, dans ce *finale* aux évacuations successives. **2.** Le 30, soit quelque treize mois après ce dénouement. C'est en cours de rédaction que le roman a été déplacé de 1483 à 1482, pour des raisons qui ne tiennent pas seulement à la fixation ultérieure du début de l'année au 1er janvier. **3.** Le Gringoire historique n'a jamais pratiqué la tragédie, qui fait son entrée en France avec la *Cléopâtre* de Jodelle en 1553. Il ne s'agit pas d'une erreur de Hugo, mais d'une ironie polémique : née après Gringoire, la tragédie devait mourir avant et par Hugo, sous les coups du drame romantique et de l'histoire.

de l'hermétique, de toutes les folies, il en revint à la tragédie, qui est la plus folle de toutes. C'est ce qu'il appelait *avoir fait une fin tragique*. Voici, au sujet de ses triomphes dramatiques, ce qu'on lit dès 1483 dans les comptes de l'Ordinaire : « À Jehan Marchand et Pierre Gringoire, charpentier et compositeur, qui ont fait[1] et composé le mystère fait au Châtelet de Paris à l'entrée de monsieur le légat[2], ordonné des personnages, iceux revêtus et habillés ainsi que audit mystère était requis ; et pareillement, d'avoir fait les échafauds qui étaient à ce nécessaires ; et pour ce faire, cent livres. »

Phœbus de Châteaupers aussi fit une fin tragique, il se maria.

IV

MARIAGE DE QUASIMODO

Nous venons de dire que Quasimodo avait disparu de Notre-Dame le jour de la mort de l'égyptienne et de l'archidiacre. On ne le revit plus en effet ; on ne sut ce qu'il était devenu.

Dans la nuit qui suivit le supplice de la Esmeralda, les gens des basses-œuvres avaient détaché son corps du gibet et l'avaient porté, selon l'usage, dans la cave de Montfaucon.

Montfaucon était, comme dit Sauval, « le plus ancien et le plus superbe gibet du royaume. » Entre les faubourgs

---

1. L'abondance de ce verbe dans cette citation des Comptes de la Prévôté pour 1502 et dans les deux phrases qui l'encadrent relève de la même impertinence : à côté de la tragédie réelle et des échafauds qu'il vient de côtoyer, Gringoire, auteur du *Jeu du prince des Sots* et écrivain stipendié de la royauté, est condamné à de la fabrication.
2. La Papauté accompagne ainsi la « sortie » de Gringoire comme elle avait accompagné son entrée en I, 2, à propos de la venue de Julien de la Rovère au nom de Sixte IV en 1480. En 1502 le pape est Alexandre VI Borgia, auquel succède le légat de 1480 sous le nom de Jules II. L'ambassade de 1480 avait pour objet les affaires de Flandres et l'élargissement de Balue.

du Temple et de Saint-Martin, à environ cent soixante toises[1] des murailles de Paris, à quelques portées d'arbalète de la Courtille, on voyait au sommet d'une éminence douce, insensible, assez élevée pour être aperçue de quelques lieues à la ronde, un édifice de forme étrange, qui ressemblait assez à un cromlech celtique[2], et où il se faisait aussi des sacrifices humains.

Qu'on se figure, au couronnement d'une butte de plâtre[3], un gros parallélipipède de maçonnerie, haut de quinze pieds, large de trente, long de quarante, avec une porte, une rampe extérieure et une plate-forme ; sur cette plate-forme seize énormes piliers de pierre brute, debout, hauts de trente pieds, disposés en colonnade autour de trois des quatre côtés du massif qui les supporte, liés entre eux à leur sommet par de fortes poutres où pendent des chaînes d'intervalle en intervalle ; à toutes ces chaînes des squelettes ; aux alentours dans la plaine, une croix de pierre et deux gibets de second ordre qui semblent pousser de bouture[4] autour de la fourche centrale ; au-dessus de tout cela, dans le ciel, un vol perpétuel de corbeaux ; voilà Montfaucon.

À la fin du quinzième siècle, le formidable gibet, qui datait de 1328, était déjà fort décrépit ; les poutres étaient vermoulues, les chaînes rouillées, les piliers verts de moisissure ; les assises de pierre de taille étaient toutes refendues[5] à leur jointure, et l'herbe poussait sur cette plate-forme où les pieds ne touchaient pas. C'était un horrible profil sur le ciel que celui de ce monument ; la nuit surtout, quand il y avait un peu de lune sur ces crânes blancs, ou quand la bise du soir froissait chaînes et squelettes, et remuait tout cela dans l'ombre. Il suffisait de ce gibet présent là pour faire de tous les environs des lieux sinistres.

Le massif de pierre qui servait de base à l'odieux édi-

---

1. Un peu plus de 300 mètres. **2.** Ensemble de pierres dressées, fréquent en Bretagne, qu'on estime aujourd'hui antérieur à l'arrivée des Celtes. **3.** Le gypse du nord de Paris, d'exploitation facile, a donné à la ville sa blancheur et à la banlieue sa lividité. Hugo réemploie les éléments de Sauval (II, 584-585 et 612). **4.** Par drageonnage. **5.** L'humidité qui s'introduit par le joint produit des clivages parallèles aux plans de taille.

fice était creux. On y avait pratiqué une vaste cave, fermée d'une vieille grille de fer détraquée, où l'on jetait non-seulement les débris humains qui se détachaient des chaînes de Montfaucon, mais les corps de tous les malheureux exécutés aux autres gibets permanents de Paris. Dans ce profond charnier où tant de poussières humaines et tant de crimes ont pourri ensemble, bien des grands du monde, bien des innocents sont venus successivement apporter leurs os, depuis Enguerrand de Marigni[1], qui étrenna Montfaucon et qui était un juste, jusqu'à l'amiral de Coligni[2], qui en fit la clôture et qui était un juste.

Quant à la mystérieuse disparition de Quasimodo, voici tout ce que nous avons pu découvrir.

Deux ans environ ou dix-huit mois[3] après les événements qui terminent cette histoire, quand on vint rechercher dans la cave de Montfaucon le cadavre d'Olivier-le-Daim qui avait été pendu deux jours auparavant, et à qui Charles VIII accordait la grâce d'être enterré à Saint-Laurent en meilleure compagnie, on trouva parmi toutes ces carcasses hideuses deux squelettes dont l'un tenait l'autre singulièrement embrassé. L'un de ces deux squelettes, qui était celui d'une femme, avait encore quelques lambeaux de robe d'une étoffe qui avait été blanche, et l'on voyait autour de son cou un collier de grains d'adrézarach[4] avec un petit sachet de soie, orné de verroterie verte, qui était ouvert et vide. Ces objets avaient si peu de valeur que le bourreau sans doute n'en avait pas voulu. L'autre, qui tenait celui-ci étroitement embrassé, était un squelette d'homme. On remarqua qu'il avait la colonne vertébrale

---

1. Grand ministre de Philippe le Bel (1260-1315), s'enrichit fabuleusement, fit construire Montfaucon et y fut pendu après la mort du roi par la réaction féodale qui avait ajouté à l'accusation de concussion celle de sorcellerie. Louis X fit dépendre son cadavre en 1317 et légua à sa famille un important dédommagement. **2.** Homme de guerre et amiral de France (1519-1572), chef respecté du parti réformé, n'échappa à l'assassinat commandé par les Guise que pour succomber au massacre de la Saint-Barthélemy. Charles IX, qui venait de lui prodiguer les plus grands témoignages d'amitié, se rendit à Montfaucon insulter son cadavre. **3.** Le 21 mai 1484, vingt mois après le moment où le roman s'achève. **4.** Hugo a noté dans une longue liste de *realia* historiques et religieux : « Catalpa, grains noirs de l'Adrézarach (Sycomore, Syrie) ». Graine bonne pour colliers et chapelets.

déviée, la tête dans les omoplates, et une jambe plus courte que l'autre. Il n'avait d'ailleurs aucune rupture de vertèbres à la nuque, et il était évident qu'il n'avait pas été pendu. L'homme auquel il avait appartenu était donc venu là, et il y était mort. Quand on voulut le détacher du squelette qu'il embrassait, il tomba en poussière.

FIN[1]

---

1. Au manuscrit : « le 15 janvier 1831, à 6 h. 1/2 du soir. »

NOTRE-DAME DE PARIS SUR LES SCÈNES

Adaptations théâtrales françaises[1]

1832 : drame en 3 actes et 7 tableaux, par Dubois (artiste du théâtre de Versailles) ; création le 1er juin 1832 au théâtre du Temple (ou Dorsay). Dans cette première adaptation, de nouveaux noms de personnages apparaissent : D'Esting (au lieu de Phoebus), Renald (au lieu de Gringoire), la Mère Aupy (au lieu de La Falourdel), Argoulot (au lieu de Clopin).

1836 : sous le titre *La Cour des Miracles*, vaudeville de Théaulon, Lesguillon et Chazet ; création le 31 décembre 1836 au Théâtre Saint-Antoine.

1841 : sous le titre *Quasimodo*, monologue en vers d'Alfred Goy ; création le 21 avril 1841 au théâtre du Gymnase à Marseille.

1850 : drame en 5 actes et 15 tableaux, par Paul Foucher (beau-frère de Hugo) et Dinaux (pseudonyme de Goubaux) ; création le 16 mars 1850 à l'Ambigu-Comique, musique d'Amédée Artus, avec Mme Naptal-Arnault (Esmeralda), Saint-Ernest (Quasimodo), Arnault (Claude Frollo), Fechter (Phoebus), Chilly (Gringoire), Lucie Mabire (La Sachette).

1879 : drame en 5 actes et 12 tableaux, remaniement par Paul Meurice de l'adaptation de 1850, création le 7 juin 1879 au Théâtre des Nations (aujourd'hui Théâtre de la Ville), musique de Massenet, avec Alice Lody (La Esmeralda), Lacressonnière (Quasimodo), Monti (Claude Frollo), René Didier (Phoebus), Henri Richard (Gringoire), Marie Laurent (La Sachette), Mlle Hadamard (Fleur de Lys). Reprises : du 27 novembre 1885 au 15 février 1886 dans le même théâtre, avec Julia Depoix (La

1. Elles ont été étudiées par Michèle Petit dans un mémoire de maîtrise soutenu à l'université de Paris-III en 1978. Voir aussi la contribution de Josette Acher au catalogue de l'exposition *La Gloire de Victor Hugo* (Éditions de la Réunion des musées nationaux, 1985).

Esmeralda), Lacressonnière (Quasimodo), Taillade (Claude Frollo), Bertal (Phoebus), Deroy (Gringoire), Marie Laurent (La Sachette), Mlle Druau (Fleur de Lys), Donato (Clopin) ; en janvier 1907 au théâtre de la Porte Saint-Martin, avec Jean Coquelin (Quasimodo), Edouard De Max (Claude Frollo), Mme Tessandier (La Sachette) ; en novembre 1910 au théâtre Montmartre (aujourd'hui Théâtre de l'Atelier) puis au théâtre Moncey, déc. de Charmoy et Hackspill, cost. Granier, avec Marcelle Authclair (Esmeralda), Léon Richard (Quasimodo), Laforest (Claude Frollo), Jean Yonnel (Phoebus), Silvain (Gringoire), Laperière (Clopin Trouillefou), Lucile Risler (La Sachette), Bourdal (Jehan Frollo) ; en février 1924 à l'Odéon, mise en scène par Firmin Gémier ; du 8 au 11 décembre 1933 au théâtre du Gymnase à Marseille, mise en scène par Véber.

1905 : drame en 5 actes et en vers de Georges Fagot, publié par les Éditions de « l'Idée » mais non représenté.

1963 : adaptation en 2 actes et 11 tableaux par Fernand Doctrinal, jouée à Paris en mai.

1963 : découpage de Michel Philippe, joué à Cluis.

1978 : adaptation par Alain Decaux et Georges Soria ; création automne 1978 au Palais des Sports de Paris, mise en scène de Robert Hossein, déc. Jean Mandaroux, cost. Sylvie Poulet, avec Anne Fontaine (La Esmeralda), Gérard Boucaron (Quasimodo), Jean-Pierre Bernard (Claude Frollo), Bernard Lanneau (Phoebus de Chateaupers), Jean de Conninck (Gringoire), Rachel Salik (la Recluse), Michel Creton (Clopin Trouillefou), Max Montavon (Louis XI), Annie Monnange (Fleur de Lys), Marcel Rouze (Victor Hugo). Dans des rôles de truands : Richard Anconina, Jean-Yves Dubois, Alain Kerval.

1994 : adaptation par Martin Gringoire (pseudonyme) ; création le 22 juin 1994 à la Halle Tony Garnier de Lyon, mise en scène de Jean-Paul Lucet, déc. et cost. Daniel Ogier, mus. Serge Folie et Gilbert Gandil, avec Johara Farley-Jones (Esmeralda), Arno Chevrier (Quasimodo), Jean Dalric (Claude Frollo), Pierre-Marie Escourrou (Phoebus), Jean-Pierre Malignon (Gringoire), Pierre Bianco (Clopin), Pierre Le Rumeur (Louis XI), Béatrice Audry (Mme de Gondelaurier).

Quelques adaptations théâtrales hors de France, indices de la diffusion internationale du roman[1]

1835 : sous le titre *Esmeralda or the Deformed of Notre-Dame*, drame en 3 actes de l'Anglais Edward Fitzball, création à New York.

1836 : drame en 6 tableaux, par Charlotte Birch-Pfeiffer ; création le 15 décembre 1836 à Dusseldorf. Reprise à Zagreb en 1837 par la troupe du Dr Chiolich von Löwensberg.

1837 : sous le titre *La Esmeralda*, adaptation ; création à Saint-Pétersbourg.

1837 : sous le titre *A Notre Dame-i toronyőr,* adaptation hongroise à la scène par Janos Kiss.

1847 : sous le titre *Quatre ans d'amour*, pièce de D. Lenski construite autour des relations des quatre principaux personnages du roman ; création à Saint-Pétersbourg.

1848 : représentation à Prague d'une adaptation du roman, sous le titre *Le Sonneur de Notre-Dame*, le 5 novembre.

1866-1902 : 22 représentations en Croatie de la traduction par Spiro Domitrovic de l'adaptation allemande de Charlotte Birch-Pfeiffer.

1871 : sous le titre *Notre-Dame or the Gipsy Girl of Paris*, par Andrew Halliday ; création à Londres.

1911 : sous le titre *Claudio Frollo o Nuestra Senora de Paris*, drame en 8 actes d'Emilio Boix Serra ; création le 7 octobre 1911 à Barcelone.

1923 : adaptation du roman représentée à Moscou.

1924 : adaptation du roman représentée à Leningrad et Moscou.

1926 : adaptation du roman représentée à Moscou.

1940 : nouvelle adaptation du roman en Union soviétique, par Vladimir Goldfeld, mise en scène d'A. Gontcharov. Tournées en Oural et en Sibérie.

---

1. Ces indications doivent beaucoup à la documentation réunie par Roselyne Laplace pour le chapitre « Victor Hugo et sa diffusion dans le monde » de *Pleins feux sur Victor Hugo* (édité par la Comédie-Française en 1981).

1949 : sous le titre *Quasimodo ou le Bossu de la cathédrale*, drame en 3 actes et 5 tableaux de Kheredine Ahmed ; création à Tunis le 5 mai.

1952 : nouvelle adaptation présentée en Union soviétique par le théâtre tzigane Romen.

Opéras, spectacles musicaux et ballets

1836 : sous le titre *La Esmeralda*, opéra en 4 actes, livret de Hugo, musique de Louise Bertin ; création le 14 novembre 1836 à l'Académie royale de musique de Paris ; décors de Philastre et Cambon, avec Mme Falcon (La Esmeralda), Adolphe Nourrit (Phoebus de Chateaupers), Levasseur (Claude Frollo), Massol (Quasimodo), Mme Jawurek (Fleur de Lys), Mme Mori-Gosselin (Mme Aloïse de Gondelaurier), Wartel (Clopin Trouillefou)[1].

1836 : opéra, musique de Rodwell.

1838 : « dramma serio » en 3 actes, livret de F. de Boni, musique d'Alberto Mazzucato ; création à Mantoue.

1838 : ballet romantique en 6 parties d'Antonio Monticini ; création à Turin ; représentation à Milan en 1839.

1843 : opéra en 3 actes ; musique de José Valero ; création à Valence en Espagne.

1844 : ballet, argument et chorégraphie de Jules Perrot ; musique de Cesare Pugni ; création à Londres, avec Carlotta Grisi.

1847 : opéra en 4 actes, livret de F. Guidi ; musique de Joseph Poniatowski ; création à Florence.

---

1. On pourra trouver des précisions sur la genèse et la réception de cet opéra dans ma présentation du livret au tome V de l'édition chronologique des *Œuvres complètes* de Victor Hugo, dirigée par Jean Massin et publiée en 1967 par le Club français du livre, dans ma notice du volume « Théâtre I » de l'édition des *Œuvres complètes* de Victor Hugo, dirigée par Jacques Seebacher (assisté de Guy Rosa) et publiée en 1985 par Robert Laffont (collection « Bouquins ») et dans la thèse de Denise Boneau : *Louise Bertin and Opera in Paris in the 1820s and 1830s*, soutenue à l'université de Chicago en 1989.

1847 : opéra en 4 actes, livret et musique d'Alexander Dargomijsky ; création à Moscou.

1850 : « burlesque » ; musique de William Charles Levey ; création à Londres.

1851 : sous le titre *Ermelinda*, drame lyrique en 4 actes, livret de Domenico Bolognese, musique de Vincenzo Battista ; création à Naples.

1856 : sous le titre *La Esmeralda*, opera seria en 5 actes ; musique de François Lebeau, création le 24 mars 1856 à Liège, repris à Bruxelles le 28 avril 1857.

1859 : projet d'opéra par Bizet.

1860 (?) : opéra, musique d'Eugène Prévost ; création à La Nouvelle-Orléans.

1864 : drame lyrique en 4 actes, livret de Joseph Reese Fry, musique de William Henry Fry, création le 4 mai 1864 à Philadelphie [1].

1865 : opéra esquissé par Jules Massenet (perdu ou détruit).

1866 : opéra en 4 actes, livret du Dr Elsner, musique de Wilhelm Wetterhahn ; création à Chemnitz en Saxe.

1867 : opéra en 3 actes, livret et musique de Friedrich Müller, création à Laibach.

1869 : opéra, livret de G.T. Cimino, musique de Fabio Campana ; création à Saint-Pétersbourg.

1871 : opéra sur le livret de Hugo pour Louise Bertin, musique Louis Diémer, terminé à Bruxelles, inédit.

1875 : sous le titre *Quasimodo*, « melodramma » en 4 actes, musique de Felipe Pedrell ; création à Barcelone, au printemps 1875.

1879 : opéra, musique d'Oscar Camps y Soler ; création à Montevideo.

1880 (?) : scène 1 de l'acte IV du livret de Hugo pour Louise Bertin, musique d'Ernest Chausson.

---

1. Un mémoire de maîtrise soutenu en 1991 par Eleni Hatzis-Schoch à l'université de Paris-III avait pour sujet l'étude comparative du livret de cet opéra et de celui de Hugo pour *La Esmeralda*, ainsi que la réception de l'œuvre par la presse américaine.

1883 : opéra en 4 actes, livret de T. Marzials et Alb. Randegger, musique d'Arthur Goring Thomas ; création à Londres.

1886 : ballet, argument de V. Tikhomirov et Wladimir Bourmeister, musique de Pugni et musiques additionnelles de Riccardo Drigo, chorégraphie de Marius Petipa ; création à Saint-Pétersbourg.

1888 : opéra, livret de Foligna, musique de Carlos de Mesquita.

1897 : *Nuestra Senora de Paris*, opéra, livret de Navarro, musique de Manuel Giro ; création à Barcelone.

1901 : sous le titre *Picarol*, musique d'Enrique Granados ; création à Barcelone.

1902 : « mimodrame », argument de Gorsky (?), musique d'Anton Yulievich Simon ; création à Moscou.

1902 (?) : 2 actes esquissés d'un opéra sur le livret de Hugo pour Louise Bertin, musique d'Arthur Honegger.

Entre 1900 et 1910 (?) : opéra, musique de Bosch y Humet.

1912 : sous le titre *Smeralda*, projet d'opéra en 4 actes, livret d'Arturo Colautti, musique de Maffeo Zanon.

1914 : *Notre-Dame*, opéra romantique en 2 actes, livret de Léopold Wilk et Franz Schmidt (copyright 1913), musique de Franz Schmidt ; création à Vienne en Autriche [1].

Après 1914 : musique de scène d'Anatoli Nikolaiovic Alexandrov pour une adaptation du roman.

1965 : ballet, musique de Maurice Jarre, chorégraphie de Roland Petit ; création à l'Opéra de Paris, décors de René Allio, costumes de Yves Saint-Laurent, avec Claire Motte (Esmeralda), Cyril Atanassoff (Frollo), Roland Petit (Quasimodo), Jean-Pierre Bonnefous (Phoebus). Entre autres reprises : au Palais-Garnier du 23 novembre au 2 décembre 1988 et à l'Opéra-Bastille, en octobre-novembre 1996.

1979 : spectacle musical « de rue et d'intervention » de la

---

1. J'ai comparé le livret de cet opéra avec celui de Hugo pour *La Esmeralda* et celui du *Quasimodo* de Pedrell dans une communication, en août 1985, au symposium de l'Association internationale de Littérature comparée, dont les Actes ont été publiés, par les soins de Francis Claudon, chez Peter Lang à New York en 1989, sous le titre *Le Rayonnement international de Victor Hugo*.

compagnie de l'Attroupement, à partir du livret de Hugo pour *La Esmeralda* ; création au printemps 1979 dans la région Rhône-Alpes et en Franche-Comté, mise en scène par Denis Guenoun, avec Michèle Goddet (Mme Pinson), Elizabeth Macocco (Armandine), Denis Guénoun (Le Curé), Patrick Le Mauff (Blaise), Gerdi Nehlig (Henri Wespa-Muller), Philippe Vincenot (Désiré Picassiette) ; reprises au Festival mondial du théâtre de Nancy et, en février 1980, sous chapiteau à Paris.

1981 : ballet de Bruce Wells ; création à Melboume.

1997 : spectacle musical, textes de Luc Plamondon, musique de Richard Cocciante, avec Noa (La Esmeralda), Patrick Fiori (Phoebus de Chateaupers), Daniel Lavoie (Claude Frollo), Garou (Quasimodo), Bruno Pelletier (Gringoire), Julie Zenatti (Fleur de Lys), Luck Mervil (Clopin Trouillefou) ; création au Québec et reprise à Paris à partir du 16 septembre 1998.

NOTRE-DAME DE PARIS SUR LES ÉCRANS

(films, téléfilms, dessins animés)

1905 : sous le titre *La Esmeralda*, réalisation, Alice Guy, mise en scène Victorin Jasset (?), avec Denise Becker (Esmeralda), Henri Vorins (Quasimodo), Albert Fouché (Claude Frollo) (290 mètres, environ 15 mn), prod. Gaumont.

1906 : *Esmeralda*, réalisation anglaise.

1911 : réal. Albert Capellani, avec Henry Krauss, Stacia de Napierkowska (Esmeralda), Paul Capellani, Alexandre, Claude Garry, Mévisto, Georges Tréville, Jean Dax (900 mètres, 35 mn), prod. Société cinématographique des Auteurs et Gens de lettres / Pathé. P. P. [1] 10 novembre 1911.

1913 : réalisation Ernesto Maria Pasquali, Italie.

1916 : sous le titre *The Darling of Paris*, scénario de Adrian Johnson, réalisation James Gordon Edwards, U.S.A., avec Theda Bara (Esmeralda), Glenn White (Quasimodo), Walter Law (Frollo), Alice Gale, Carey Lee, Herbert Heyes (Phoebus), John Webb Dillon (Clopin), Louis Dean (Gringoire), prod. Fox.

---

1. Première projection publique.

1922 : réalisation Edwin J. Collins (?).

1923 : sous le titre *The Hunchback of Notre-Dame* [1], adaptation Perley Poor Sheehan, scénario Edward T. Lowe Jr, réalisation Wallace Worsley, U.S.A., assistant William Wyler, photographie Robert S. Newhard, avec Lon Chaney (Quasimodo), Patsy Ruth Miller (Esmeralda), Nigel de Brulier (dom Claude), Brandon Hurst (Je(h)an, frère de l'Archidiacre), Norman Kerry (Phoebus), Raymond Hatton (Gringoire), Emest Torrance (Clopin), Tully Marshall (Louis XI), Gladys Brockwell (« Sœur Gudule », la mère d'Esmeralda), Kate Lester (Mme de Gondelaurier), Winifred Bryson (Fleur-de-Lys), Roy Laidlaw (Charmolue), Nick De Ruiz (Torterue). Prod. exéc. Carl Laemmle, Universal Film (env. 3 200 mètres, 1 h 58 mn). P. P. à Paris : 30 mai 1924, sous le titre *Notre-Dame de Paris*, et avec, à la demande des héritiers du romancier, de nouveaux intertitres par Daniel Jourda.

1925 : réalisation japonaise sous le titre *Emmei in No Semushi*.

1932 : synopsis de John Huston pour la M.G.M. (direction Irwin Thalberg) [2].

1937 : réalisation indienne sous le titre *Dhanwan* [3].

1939 : adaptation Bruno Frank, scénario Sonya Levien, réalisation William Dieterle, U.S.A., direction artistique Van Nest Polglase, décors Darrell Silvera, costumes Walter Plunkett, photographie Joseph August, montage Robert Wise, musique Alfred Newman, avec Charles Laughton (Quasimodo), Maureen O'Hara (Esmeralda), Cedric Hardwicke (Claude Frollo), Walter Hampden (l'Archidiacre), Alan Marshal (Phoebus), Thomas Mitchell (Clopin), Edmond O'Brien (Gringoire), Harry Davenport (Louis XI), Katharine Alexander (Mme de Lys), Helene Whitney (Fleur-de-Lys). Prod. Pandro S. Berman / R.K.O. (1 h 57 mn). P. P. à Paris : 24 avril 1940 sous le titre *Quasimodo*.

---

1. Titre commun à toutes les versions réalisées aux États-Unis à partir de celle-ci.

2. Synopsis présenté par Francis Mickus dans un mémoire de maîtrise sur le *Hunchback of Notre Dame* de 1939, mémoire soutenu en 1993 à l'université de Paris-III.

3. Version signalée comme celles de 1906 et de 1925 par A. Nowlan et Gwendolyn Wright-Nowlan dans *Cinema Sequels and Remakes 1903-1987*, St James Press, Chicago/Londres, 1989.

1954 : réalisation indienne sous le titre *Badshah Dampati.*

1956 : adaptation et dialogues Jacques Prévert[1], réalisation Jean Delannoy, photographie Michel Kelber, décors René Renoux, cost. Georges Benda, musique Georges Auric, chorégraphie Léonide Massine, musique de la danse : Lavagnino, montage Henri Taverna, avec Anthony Quinn (Quasimodo), Gina Lollobrigida (Esmeralda), Alain Cuny (Claude Frollo), Jean Danet (Phoebus), Robert Hirsch (Gringoire), Philippe Clay (Clopin), Jean Tissier (Louis XI), Marianne Oswald (La Falourdel), Pierre Piéral (le Nain), Roger Blin (Mathias Hungadi), Jacques Dufilho (Guillaume Rousseau), Daniel Emilfork (Andry le Rouge), Robert Lombard (Jacques Coppenole), Boris Vian (le Cardinal), Michel Etcheverry (l'Archidiacre), Maurice Sarfati (Jehan Frollo), Valentine Tessier (Aloyse de Gondelaurier), Danielle Dumont (Fleur-de-Lys), Damia (la Mendiante), Roland Bailly (Pierrat Torterue), Jacques Hilling (Maître Charmolue), Hubert Lapparent (Guillaume de Harancourt), Pierre Fresnay (la voix du narrateur), prod. Robert et Raymond Hakim, Eastmancolor, Cinémascope, 2 955 mètres, 110 mn.

1982 : écrit pour la télévision par John Gay, réalisation Michael Tuchner, Grande-Bretagne, direction photographie Alan Hume, décors John Stoll, costumes Phyllis Dalton, musique composée et dirigée par Kenneth Thorne, avec Anthony Hopkins (Quasimodo), Lesley-Anne Down (Esmeralda), Derek Jacobi (dom Claude), David Suchet, Jerry Sundquist, Tim Pigott-Smith, John Gielgud, Robert Powell, prod. Norman Rosemont, Columbia Pictures Television, 1 h 36.

1995 : dessin animé, adaptation Georges Bloom, réalisation Toshiyuki Hiruma Takashi, production de l'animation Takahiko Tsuchiya, musique Andrew Dimitroff, chansons : Nick Carr, Ray Crossley, Andrew Dimitroff, paroles : Joellyn Cooperman, direction des voix et distribution : Michael

---

1. Jean Aurenche, cosignataire de l'adaptation et des dialogues, a déclaré à plusieurs reprises (voir, par exemple, dans *La Suite à l'écran. Entretiens*, Institut Lumière / Actes Sud, 1993, p. 79) que Jacques Prévert en était le seul auteur. Sur le travail de Prévert on peut lire ma communication intitulée « De quoi pourrait se composer une édition critique des textes de Jacques Prévert pour le film *Notre-Dame de Paris* » dans les actes du colloque *Éditer des œuvres médiatiques*, publiés à Québec sous la direction de P.-A. Bourque, P. Hétu, M. Laforest et V. Nadeau (Nuit blanche éditeur, 1992).

Donovan, prod. Mark Taylor, Goodtimes Home Video, Platinum Series, 42 mn.

1996 : sous le titre *The Halfback of Notre-Dame*[1] (ce Quasimodo est désigné par son poste de footballeur...) ; scénario Mark Trafficante, Michael Mc Clary, Larry Sugar, Richard Clark, réalisation René Bonnière, photographie Maris Jansons, décors Andrew Wilson, montage Bill Goddard, musique George Blondheim, avec Emmanuelle Vaugier (Esmeralda), Gabriel Hogan (Quasimodo), Allen Cutler, Scott Hylands, Sandra Nelson, Nicole Parker, Laura Harris, Don MacKay, Gillian Barber, Howard Dell, Enuka Okuma, Scott Swanson, Laura Jean Murdoch, prod. Larry Sugar, Show Time, TV Movie, 90 mn.

1996 : dessin animé, sous le titre *Le Bossu de Notre Dame*, scénario Léonard Lee, conception des personnages : Marc Craste et Steve Lumley, direction de l'animation et scénarimage : Richard Slapczynski, tempo : Geoff Collins, arrière-plans : Robert Qui, maquettes : Cynthia Leech, traçage : Dennis Collins, musique Garry Hardman, procès de Quasimodo : Roddy Lee, direction de plateau : Peter Jennings. Prod. Roz Phillips, producteur exécutif David C. Field, Burbank Animation, Studios PTY LTD, Sydney, Australie, c. Anchor Bay Entertainment, Inc. Troy Michigan, USA. 49 mn.

1996 : dessin animé, adaptation Tab Murphy, scénario Tab Murphy, Irene Mecchi, Bob Tzudiker, Noni White, Jonathan Roberts, réalisation Gary Trousdale et Kirk Wise, direction artistique David Goetz, décors Lisa Keene, effets visuels : Christopher Jemkins, musique Alan Menken, paroles Stephen Schwartz. Voix de la V.O. : Tom Hulce (Quasimodo), Demi Moore (dialogue d'Esmeralda), Heidi Mollenhauer (chansons d'Esmeralda), Tony Jay (Frollo), David Ogden Stiers (l'Archidiacre), Kevin Kline (Phoebus), Paul Kandel (Clopin), Mary Kay Bergman (la mère de Quasimodo), Gary Trousdale (un vieil hérétique), Charles Kimbrough (Victor), Jason Alexander (Hugo), Mary Wickes et Jane Withers (Laverne). Voix de la version française : Francis Lalanne (Quasimodo), Rebecca Dreyfus (dialogues d'Esmeralda), Claudia Benabou (chansons d'Esmeralda). Jean Piat (Frollo), Emmanuel

---

1. Mon attention a été attirée sur cette version par une référence dans un mémoire de D.E.A. sur « *Notre-Dame de Paris* de Hugo et *Le Bossu de Notre-Dame* de Trousdale et Wise », soutenu en 1998 à l'université de Paris-III par Marie Tapié.

Jacomy (Phoebus), Bernard Alanne (Clopin), Dominique Tirmont (l'Archidiacre), prod. Don Hahn et Roy Conly, Walt Disney Pictures, 1 h 26 mn.

1996 : réalisation Peter Medak, avec Mandy Patinkin (Quasimodo), Salma Hayek (Esmeralda), Richard Harris (Frollo). Prod. Craig Baumgarten, Robert Lantos, Stephen Reychel, Alliance, Turner Network Television.

1996 : ballet en 13 tableaux de Roland Petit, musique Maurice Jarre, réalisation André Frédérick, décors d'après René Allio, costumes Yves Saint-Laurent, avec Nicolas Le Riche (Quasimodo), Isabelle Guérin (Esmeralda), Laurent Hilaire (Frollo), Manuel Legris (Phoebus), Ballet de l'Opéra national de Paris, orchestre et chœurs de l'O.N.P., direction David Garforth, coproduction O.N.P. Telmondis. Vidéo, 1 h 20 mn.

1996 : dessin animé, sous le titre *Quasimodo*, idée originale et conception graphique Pascal Pinteau et J. Muller ; réal. Bahram Rohani ; direction d'écriture Alex. Reverend et Diane Dixon ; composition musicale Judy Henderson/Air Tango ; adaptation Jean-Pierre Darmont ; coprod. Aref Films/Ciné Groupe/France 3/Télé-Images.

1998 : sous le titre *Quasimodo*, scénario Jean-François Hallin, Raffy Shart, Patrick Timsit, réal. Patrick Timsit ; avec Richard Berry, Patrick Braoudé, Vincent Elbaz, Dominique Pinon, Mélanie Thierry ; prod. René Cleitman, Hachette Première/TPS/M6/France 3. Sortie prévue au printemps 1999.

1998 : projet de téléfilm avec Gérard Depardieu dans le rôle de Quasimodo.

Arnaud LASTER

CHRONOLOGIE

375. — Dédicace de Saint-Étienne, à l'est de la Cité.
431. — L'Église proclame la Vierge mère de Dieu.
436. — Mort de saint Marcel, évêque depuis 417, qui avait débarrassé la ville d'un dragon scandaleux et donnera son nom au faubourg populaire sur les rives de la Bièvre.
511. — Mort de Clovis.
528. — Childebert Ier bâtit une église à « Notre-Dame ».
768-814. — Charlemagne, empereur.
885-887. — Siège de Paris par les Normands.
987. — Hugues Capet, roi.
996. — Robert II le Pieux († 1031) reconstruit le Palais.
1160. — Maurice de Sully évêque après Pierre Lombard.
1163. — Le pape Alexandre III pose la « première pierre » de la cathédrale. Maurice de Sully en contrôle la construction sous Louis VII, roi de 1137 à 1180.
1180-1223. — Philippe II Auguste, roi.
1183. — Les Juifs sont expulsés de France.
1190. — Enceinte fortifiée de la ville sur les deux rives.
1226-1270. — Louis IX, roi (et saint). La cathédrale est achevée. Les aménagements prendront un siècle.
1243-1248. — Construction de la Sainte-Chapelle, dans l'enceinte du Palais.
1285-1314. — Philippe IV le Bel : travaux dans le Palais, dont la galerie des Rois de France dans la Grand'Salle.
1302. — Avril. Philippe le Bel réunit les États Généraux dans la cathédrale, contre le pape Boniface VIII.
1316-1322. — Philippe V le Long.
1328-1350. — Philippe VI, de Valois.
c. 1370-1380. — Enceinte de Charles V, sur la rive droite.
1400. — Jean de Montaigu offre le bourdon de Notre-Dame.
1422-1461. — Charles VII, couronné et sacré à Reims en 1429, en présence de Jeanne d'Arc.
1430. — Henri VI d'Angleterre, neuf ans, roi de France à Notre-Dame. L'Angleterre ne renonce à ce titre qu'en 1802.

1443. — 14 août. Prise de la bastille de Dieppe par le futur Louis XI, vingt ans.
1461. — 22 juillet. Mort de Charles VII. Louis XI roi.
31 août. Entrée du roi à Paris après le sacre de Reims.
1464. — Édit créant la Poste royale : les lettres du roi atteignent en urgence tous les points de ses États.
1465. — 11 juin. Procession des châsses de sainte Geneviève et de saint Marcel contre l'épidémie.
16 juillet. Bataille de Montlhéry. Le terrain reste aux Bourguignons mais le roi gagne Paris.
1er septembre. Progrès de l'artillerie : la serpentine de la tour de Billy tue sept Bourguignons.
1er octobre. Fin négociée de la guerre « du Bien public » : le roi désintéresse les grands seigneurs, et en premier le duc de Bourgogne. Saint-Pol connétable.
4 novembre. Robert d'Estouteville est renommé prévôt de Paris.
Lundi 18. « Comète » sur la ville. Un homme en tombe fou.
1466. — Été de « pestilence » à Paris. Transport depuis Soissons des châsses des saints Crépin et Crépinien, 40 000 morts, dont Arnoul, « astrologien » du roi.
1467. — 15 juin. Mort de Philippe de Bourgogne à Bruges.
Mardi 1er septembre. Accueil de la reine au Terrain : tapisseries, enfants de chœur, bergerettes, cerf « fait de confiture »...
14 septembre. Revue générale des Parisiens (« montre » ou « monstre ») hors les murs : « 60 à 80 000 têtes armées ».
Tristan l'Hermite prévôt des maréchaux de l'hôtel du Roi.
1468. — Avril. États généraux à Tours.
10-14 octobre. Louis XI prisonnier à Péronne.
30 octobre. Sac et massacre de Liège.
1469. — La Balue emprisonné et dépouillé de ses biens.
1470. — 30 juin. Naissance du futur Charles VIII.
1471. — 23 juin. Le roi en personne allume en place de Grève le feu de la Saint-Jean.
1472. — 1er mai. Ordre royal de réciter l'*Ave Maria* à midi, genou en terre, « pour donner bonne paix et union au royaume ».
9 juillet. Assaut de Bourguignons à Beauvais, repoussé par Robert d'Estouteville et son frère Torcy.
1473. — Mariage d'Anne, fille de Louis XI, et de Pierre II de Bourbon, seigneur de Beaujeu, beau-frère du Téméraire.
1475. — 28 janvier. Solennisation de la Saint-Charlemagne, fête des écoliers.
29 août. Entrevue de Picquigny entre Louis XI et Édouard IV roi d'Angleterre, qui fournit les preuves de la trahison de Saint-Pol. On achète à grand coût une trêve de sept ans.

16 octobre. Trêve de neuf ans avec le duc de Bourgogne.

19 décembre. Décapitation de Saint-Pol en présence de 200 000 (!) spectateurs.

Samedi 23 décembre. Réforme monétaire.

1476. — Le Téméraire chassé de Granson par les Suisses. Louis XI achète la Provence 50 000 écus d'or à René d'Anjou, « roi de Sicile ».

Samedi 22 juin. Déconfiture des Bourguignons à Morat.

Décembre. Mort d'Agnès de Bourgogne, mère du cardinal de Bourbon et de Pierre de Beaujeu, gendre de Louis XI.

1477. — 5 janvier (1476 ancien style). Carnage de Nancy, mort de Charles le Téméraire.

4 mars. Reddition d'Arras à Louis XI.

3 avril. Décapitation à Gand des conseillers de Marie de Bourgogne, Hugonet et Himbertcourt.

4 mai. Écrasement de la ville d'Arras, rebellée.

4 août. Exécution de Jacques d'Armagnac, duc de Nemours.

18. Mariage de Marie de Bourgogne et de Maximilien, futur empereur germanique : la politique et les guerres européennes se nouent pour près de cinq siècles.

Les statues des saints Louis et Charlemagne ont été transférées de leur pilier à la chapelle du bout de la Grand' Salle.

1479. — Lundi 5 janvier (1478 a.s.) Artillerie : Jean Maugue tué par l'explosion de sa bombarde ; une vingtaine de morts.

Juin. Mort d'Estouteville ; son fils Jacques lui succède.

Louis a rétabli la Pragmatique Sanction de 1438, qu'il avait supprimée à son avènement.

1480. — Mars. Première attaque : le roi souffre pendant une quinzaine de jours de troubles de la parole et de la mémoire.

5 septembre. Arrivée du légat du pape, Julien de la Rovère, futur pape Jules II, accompagné du cardinal de Bourbon.

Jeudi 21 décembre. De retour des Flandres, le légat se rend à Orléans obtenir l'élargissement de La Balue. Il soupe et couche chez le cardinal de Bourbon.

Du 26 décembre au 8 février, grand gel.

1481. — Mars. Louis XI victime de nouvelles attaques au Plessis-lès-Tours, puis à Thouars, fonde une haute messe.

1482. — Jeudi 4 mai. Mort de Jehanne de France, épouse de Louis, bâtard légitimé de Bourbon. Mort à Bruges de Marie de Bourgogne, comtesse de Flandres et Artois, fille de Charles le Téméraire, épouse de Maximilien d'Autriche, nièce du cardinal de Bourbon. Elle laisse aux mains des Flamands à Gand une fille, Marguerite, et un fils, Philippe le Beau, qui sera père de Charles Quint.

Juillet. Ambassade des Flamands auprès de Louis XI à Cléry. Ils seront festoyés à Paris à leur retour.

Octobre. Louis XI fort malade au Plessis, se rend à Amboise faire ses recommandations au futur Charles VIII. Il fait venir des bergers musiciens (et sorciers) du Poitou, et des ermites quasi sauvages de Calabre (saint François de Paule).

6 novembre. Maximilien donne pouvoirs pour « alliance de mariage » à ses ambassadeurs, dont la liste nourrit dans le roman la scène de la Grand' Salle. La dot comprend les comtés d'Artois et de Bourgogne (Franche-Comté), le Mâconnais et quatre seigneuries de l'Auxerrois.

1483 (n.s.). — Samedi 3 janvier. Arrivée à Paris de la demoiselle de Flandres avec l'ambassade des Gantois.

12 janvier. L'ambassade part pour Amboise et Tours.

Le cardinal de Bourbon régale l'ambassade d'une « moult belle moralité, sottie et farce ».

19 avril. Il festoie Anne et Pierre de Beaujeu qui vont chercher la « Dauphine » Marguerite en Picardie.

Édouard IV d'Angleterre est mort du dépit du mariage flamand ou du bon vin de Chaillot envoyé par Louis XI.

Lundi 2 juin. Entrée de la Dauphine à Paris : Labour, Clergé, Marchandise et Noblesse la saluent chacun d'un couplet.

7. Incendie de la charpente du clocher de Sainte-Geneviève du Mont, qui fait fondre le plomb de la couverture.

Juillet. Noces à Amboise du Dauphin Charles (13 ans) et de la Demoiselle des Flandres (3 ans).

Août. Louis XI à l'agonie fait venir de l'huile de la Sainte Ampoule de Reims et plusieurs reliques.

30. Mort de Louis XI, Charles VIII roi.

7 septembre. Destitution d'Olivier Le Daim.

22. Charles VIII annule les aliénations du domaine royal consenties par son père, dont celle de la « coutume du pied fourché » au bénéfice de N.-D. de Cléry (Sauval, III, 450).

1484. — 24 mai. Condamnation d'Olivier Le Daim ; ses biens confisqués au profit du duc d'Orléans, futur Louis XII.

1498. — Avril. Charles VIII meurt à Amboise. Louis XII roi.

10 juin. Jacques Charmolue est confirmé dans ses fonctions par le roi, comme Jacques d'Estouteville et Jean de Harlay.

1512. — 24 février. Pierre Gringore (c. 1475-c. 1538) donne pour le Mardi Gras *Le Jeu du Prince des Sots*, « sotie, moralité et farce », pour le roi de France contre le pape (Jules II). En moins de vingt ans, l'Italie a été découverte plutôt que conquise, et perdue. La Renaissance devient française.

1515. — Mort de Louis XII ; le trône passe à une dernière branche des Valois avec François Ier, qui deviendra en 1832 le protagoniste du *Roi s'amuse*.

1516. — Concordat avec Rome : fin de la Pragmatique Sanction, mais le gallicanisme n'abdique pas : le roi de France continue de nommer aux dignités ecclésiastiques.

1532. — Rabelais (1483-1553) publie *Pantagruel*.

1535. — Rabelais publie *Gargantua*, « pour ce que rire est le propre de l'homme ». Au ch. XVII, son héros compisse la foule du haut des tours de Notre-Dame, dont il pend les cloches au cou de sa jument.

1546. — Rabelais, *Tiers Livre*. Panurge loue les débiteurs et emprunteurs : le *devoir* de mariage l'entraîne dans une vaste enquête, qui n'aboutit qu'au « branlement » (de tête) du fou-sage Triboulet, promis lui aussi au *Roi s'amuse*.

1548-1552. — Rabelais, *Quart Livre*. Panurge navigue d'île en île, contré par frère Jean et contrôlé par Pantagruel. Après le chant du psaume 113 *(In exitu Israël de Aegypto)*, renversement miraculeux au sortir du pays des idoles.

1559. — 30 juin. Mort de Henri II, blessé en tournoi à l'hôtel des Tournelles, qui sera démoli en 1565.

1562-1564. — Rabelais (et autres ?), *Cinquième Livre* ; l'enquête se poursuit, et s'achève avec l'oracle de la Dive Bouteille : Trink ! La vérité est dans le vin, mieux vaut donner que recevoir, il faut donner du temps au Temps, les forces viennent du monde souterrain.

1564. — L'édit de Roussillon fixe le début de l'année au 1er janvier. Cette réforme n'aura son plein effet qu'en 1567.

1582. — Novembre. Réforme du calendrier julien par le pape Grégoire XIII : le mardi 21 succède au lundi 10.

1594. — 27 février. Sacre à Chartres de Henri IV, premier roi Bourbon, à l'issue d'une trentaine d'années de guerres civiles, dites de Religion, autour du 24 août 1572, massacre de la Saint-Barthélemy.

22 mars. Entrée de Henri IV : *Te Deum* à Notre-Dame.

1608-1613. — Mathurin Régnier (1573-1613), *Satires*. Hugo s'en pénètre dans les années qui précèdent 1830, à l'occasion des publications de Sainte-Beuve sur le XVIe siècle.

1610. — Assassinat de Henri IV par Ravaillac, fanatique peut-être manipulé par une conspiration de princes. Louis XIII, 9 ans, roi. Marie de Médicis régente.

1618. — 7 mars. Incendie du Palais de Justice de Paris.

1623. — Février. Louis XIII publie la bulle nommant Gondi archevêque (Paris n'est plus suffragant de Sens) avec « grand sceau de cire verte sur lacs de soie vert et rouge.

1638. — Vœu de Louis XIII (consécration de son royaume à la Vierge). Son accomplissement entraînera le remplacement du grand autel médiéval.

1643. — Mort de Louis XIII, après celle de Richelieu fondateur de l'Académie française et bâtisseur de la chapelle de la Sorbonne (4 déc. 42). Tous deux seront la cible du *Cinq-Mars* de Vigny et, pour Hugo, de *Marion de Lorme*. Louis XIV, 5 ans, roi ; Anne d'Autriche régente ; Mazarin au pouvoir.

1656. — 27 avril. Premier des édits royaux organisant l'« Hôpital général », destiné à enfermer fous, filles et gueux qui refuseraient de se retirer hors de Paris, puis hors de la banlieue. On estimait à 40 000 le nombre des mendiants dans Paris.

1660. — 28 mai. Molière (1622-1673) donne *Sganarelle, ou le Cocu imaginaire*.

1662. — 29 juin. Famine. La population de l'Hôpital général atteint la dizaine de milliers. Le Parlement oblige l'Hôpital à accueillir les indigents de la campagne, jusqu'à moisson.

1661. — Mort de Mazarin, constructeur du palais des Quatre Nations. Début du règne personnel et direct de Louis XIV.

1664. — 12 mai. Interdiction du *Tartuffe* de Molière.

1665. — Molière, *Dom Juan*.

1665-1674. — La Fontaine (1621-1695), *Contes*.

1668. — La Fontaine, *Fables*, livres I à VI.

1669. — Molière, *Tartuffe*, mort en 3 actes, ressuscite en 5 actes.

1674. — La Fontaine, *Le Florentin* (contre Lulli).

1678-1679. — La Fontaine, *Fables*, VII-XI.

1682. — Bossuet fait adopter la déclaration des « libertés de l'église gallicane ».

1686. — Refonte du bourdon de Notre-Dame, qui atteint 13 tonnes et un timbre exceptionnel.

1693. — La Fontaine, *Fables*, XII.

1715. — 1er septembre. Mort de Louis XIV ; Louis XV, 5 ans, roi. Philippe d'Orléans régent.

1719. — 8 janvier. Les vagabonds en rupture de ban seront transportés dans les colonies.

1722. — La déclaration de 1719 est rapportée, tant la déportation fait scandale.

1752. — Voltaire, *Le Siècle de Louis XIV*.

1757. — Jeanne-Marie Leprince de Beaumont, *Magasin des enfants* : La Belle et la Bête.

1768. — 4 septembre. Naissance de Chateaubriand.

1769. — 15 août (Assomption de la Vierge). Naissance de Napoléon Bonaparte.

1771. — Soufflot mutile le portail central de Notre-Dame.
1774. — 10 mai. Mort de Louis XV. Louis XVI roi, Marie-Antoinette reine.
1778. — 30 mai. Mort de Voltaire, qui échappe aux sacrements.
2 juillet. Mort de Rousseau.
1781-1789. — Louis-Sébastien Mercier, *Tableau de Paris*.
1783. — Mercier, *La Mort de Louis XI, roi de France*.
1784-1790. — Construction du mur des Fermiers Généraux.
1789. — 14 juillet. Prise de la Bastille.
15 juillet. *Te Deum* à Notre-Dame, à l'initiative de Bailly, président de l'Assemblée Nationale.
13 août. *Te Deum* pour l'abolition des droits féodaux (dans la nuit du 4).
1792. — 10 août. Prise des Tuileries.
21 septembre. La Convention proclame la République.
1793. — 21 janvier. Exécution de Louis XVI.
Octobre. Descente et décapitation des « statues des rois de France » de la façade occidentale de la cathédrale.
10 novembre. La cathédrale temple de la Raison et de la Liberté.
1794. — Mai. L'Être suprême remplace la Raison.
27 juillet : 9 Thermidor, chute de Robespierre.
31 août. L'abbé Grégoire, dans un rapport à la Convention, invente le terme vandalisme, à propos de la destruction des inscriptions antiques en France.
1795-1799. — Le Directoire : goût messidor. L'un des Directeurs, François (de Neufchâteau), « filleul » de Voltaire, parrainera l'essor de Hugo dans la carrière des Lettres.
1798. — 15 novembre. Naissance d'Abel Hugo, frère aîné de Victor, futur traducteur du *Romancero*, historien de Napoléon et « statisticien » de *La France pittoresque*.
1799. — 9 novembre : 18 Brumaire, coup d'État de Bonaparte qui devient Premier Consul.
1800. — 16 septembre. Naissance d'Eugène Hugo, qui mourra en 1837 après quatorze années d'enfermement asilaire.
1801. — 24 juin (la Saint-Jean). Conception de Victor Hugo au sommet du Donon ?
1802. — 26 février. Naissance prématurée à Besançon.
14 avril. Chateaubriand publie *Le Génie du christianisme* : apologétique de la beauté de la religion bien plus que de sa vérité. Apologie du gothique comme mode de végétation de la foi médiévale.
2 août. Bonaparte consul à vie.
1804. — 18 mai. Napoléon Ier, empereur des Français.

2 décembre. Sacre à Notre-Dame en présence du pape.
1805. — 2 décembre. Victoire ensoleillée d'Austerlitz.
1808. — Janvier. La femme du futur général Hugo rejoint avec ses enfants son mari à Naples, auprès du roi Joseph.
3 juillet. Léopold Hugo suit Joseph en Espagne.
1809. — Février. Sophie Hugo et ses enfants à Paris.
Juin. Installation dans l'ancien couvent des Feuillantines, quartier de la porte Saint-Jacques.
1810. — 30 décembre. Arrestation du général Lahorie, ancien protecteur de Léopold, amant de Sophie, actif comploteur.
1811. — Mai-juin. Sophie et ses enfants en voyage pour Madrid. Un mois d'attente à Bayonne. Victor découvre la sensualité, et les horreurs de la contre-guérilla, que Goya a peintes et dessinées. Retour à Paris dix mois plus tard
1812. — 19 octobre. Napoléon abandonne Moscou ; c'est la retraite de Russie.
23-29 octobre. Lahorie se libère, échoue avec Malet dans leur tentative pour prendre le pouvoir ; condamnés et fusillés. A la lecture de l'affiche : « C'était ton parrain ».
1814. — 6 avril. Napoléon abdique ; assigné à l'île d'Elbe.
1815. — 10 février. Les vieilles dissensions du couple Hugo s'aggravent : Victor et Eugène en pension.
1er mars-18 juin. Retour de Napoléon ; les Cent-Jours, du golfe Juan à Waterloo.
17 août. Chateaubriand pair de France.
15 décembre. Évasion de Lavalette, sous le déguisement de sa femme. Béranger y consacre la chanson « Sur l'événement du jour ». « Gringoire aux expédiens » s'en souviendra.
1816. — 10 juillet. « Je veux être Chateaubriand, ou rien. »
1818. — Mai. V. Hugo travaille sur et contre la revendication par les Espagnols du *Gil Blas* de Lesage, pour François de Neufchâteau qui en donne une édition argumentée en 1819.
1819. — Hugo écrit *Bug-Jargal*, bref roman sur la révolution des Noirs à Saint-Domingue en 1791, sur un pari de 1818.
21 août. Début de la traduction française des romans de Walter Scott avec *L'Officier de fortune*.
11 décembre. Premier numéro du *Conservateur littéraire* : ultracisme selon Chateaubriand. Compte rendu sur W. Scott *(L'Officier...* et *La Fiancée de Lamermoor)*.
1820. — Janvier. Début des lettres entre Victor et Adèle Foucher, idéale fiancée, impossible pour la mère du futur génie.
Mai. Compte rendu d'*Ivanhoé*.
26 décembre. Chateaubriand ambassadeur à Berlin. Hugo renonce à l'accompagner. Mais la pairie est son idéal.
Nodier a commencé avec Taylor et de Cailleux la publication

des *Voyages romantiques et pittoresques dans l'ancienne France* par la Normandie. Splendide édition, somptueusement illustrée. Le tome II paraîtra en 1825.

1821. — 1er mai. Baptême du duc de Bordeaux, « enfant du miracle », né après l'assassinat de son père. Souscription nationale pour le château de Chambord, symbole de la monarchie « renaissante ». P.-L. Courier, pamphlétaire libéral, orchestre le tollé. Hugo saisit l'occasion d'une *Ode*.

5 mai. Mort de Napoléon, connue à Paris le 7 juillet.

27 juin. Sophie Hugo meurt : les fiançailles vont être possibles, dans le deuil.

Juillet. Blessure légère dans un duel avec un garde du roi à Versailles, au retour d'un voyage à Dreux pour cause de « druidisme » et de stratégie amoureuse.

17-21 août. Prudent séjour à la Roche-Guyon, auprès du jeune et veuf duc-abbé de Rohan-Chabot, bientôt archevêque de Besançon et cardinal.

1822. — 13 janvier. Les Grecs proclament à Épidaure contre la puissance ottomane leur indépendance.

Avril. Victor fait sa cour à Adèle pendant la villégiature des Foucher à Gentilly.

Juin. *Odes et Poésies diverses*. La préface lie politique, poésie, savoir et intériorité : « tout ce qu'il y a d'intime dans tout ».

12 octobre. Mariage à Saint-Sulpice.

28 décembre. Chateaubriand ministre des Affaires étrangères.

15 septembre. Le « feu du ciel » foudroie la flèche de charpente et plomb doré de la cathédrale de Rouen.

1823. — Février. *Han d'Islande*, roman de transposition autobiographique, qui oppose dans le genre noir, scandinave et ironique, la noblesse due au mérite à la corruption des serviteurs installés de la monarchie. Vigny incite Victor à écrire un roman sur l'histoire de France.

Juillet. Premier numéro de *La Muse française*. Compte rendu du *Quentin Durward* de Scott (ou « L'Archer de Louis XI »).

Août. Ode contre « La Bande noire » qui vend au détail les anciens biens nationaux, y compris les monuments historiques, au grand applaudissement de la bourgeoisie « libérale », économiste, antiaristocratique et anticléricale.

9 octobre. Mort du petit Léopold, né le 16 juillet, en nourrice chez son grand-père à Blois, inutilement voué *in extremis* à la Vierge.

Guizot commence la publication de la Collection des *Mémoires relatifs à l'Histoire de France*.

1823-1826. — Eloi Joanneau publie son édition *variorum* de Rabelais en 9 volumes, qui tente d'interpréter la succession des héros en fonction de la suite des rois de la Renaissance, de Louis XII à Henri II.

1824. — 24 janvier. *La Muse française* publie *La Bande noire*.

7 mars. *Nouvelles odes*.

13. *Choix moral de lettres de Voltaire*.

14 avril. Premier « Dimanche » de Nodier à l'Arsenal, dont il est le bibliothécaire : début du Cénacle.

19. Mort de lord Byron à Missolonghi.

6 juin. Pentecôte. Chateaubriand destitué entre dans « l'opposition systématique », suivi par le *Journal des Débats*.

7. *Ode à M. de Chateaubriand*.

Juillet. Soumet et les romantiques attiédis mettent fin contre Hugo à *La Muse française*.

28 août. Naissance de Léopoldine Hugo.

15 septembre. Fondation du journal *Le Globe*, phare de l'intelligence critique.

16. Mort de Louis XVIII.

27. Charles X fait son entrée à Paris.

20 décembre. L'architecte Charles Robelin est chargé de la surveillance des travaux à Reims pour le sacre.

Création de la Société des Antiquaires de Normandie, bientôt nationale.

Le pape Léon XII ouvre l'année du Jubilé : 1825, après la Révolution et l'Empire, sera l'Année Sainte pour la restauration de la vocation spirituelle du Saint-Siège.

1825. — 24-28 février. Procès de Papavoine, assassin d'enfants : « La fatalité m'a conduit. »

10 avril. À Rouen, manifestations pour faire jouer le *Tartuffe* de Molière, contre l'archevêque et les missionnaires.

20. Loi sur le sacrilège, désormais passible de la peine de mort, après amende honorable.

25-30. V. Hugo invité au sacre et chevalier de la Légion d'honneur, avec Lamartine.

Dans les débuts de l'année, Amédée Pichot avait destiné comme Lettres les chapitres de son *Voyage historique et littéraire en Angleterre et en Écosse*. La lettre XI, pour Nodier, attaque la Bande noire — et le jacobinisme qui en est inséparable — mais aussi « la manœuvre toute ministérielle de vouloir exclure la politique de la littérature (... Ce) système prétendu classique tend à nous priver d'une littérature populaire ». La lettre LXXXVI à V. Hugo, fait allusion aux « figures grotesques des pantagruélines » à propos de Scott et de l'édition Joanneau de Rabelais.

6 mai. Hugo visite Chambord, digne de Grenade.

24-27. Voyage pour Reims, avec Nodier, par Soissons et

Braisne, et leurs monuments, comparables à Jumièges. À Reims, ils sont hébergés par le directeur du théâtre, Solomé.

29. « Cérémonie enivrante » du sacre de Charles X par Mgr de Latil, l'aumônier qui l'avait « converti » en 1804.

30. Chateaubriand a confié à Hugo le rituel du sacre. Les invités auront vécu « une pairie d'une semaine, ... dans une ville qui est, par l'affluence..., la capitale de l'indépendance et de l'égalité ». Nodier et Hugo s'entrelisent *Le Roi Jean*, l'œuvre clé de Shakespeare, et le *Romancero*.

Juin. Villeneuve-Bargemont, *Histoire de René d'Anjou*.

16 juillet. Contrat d'édition pour un voyage aux Alpes avec Nodier, Taylor, et peut-être Lamartine.

Condamnation pour vol dans les églises à dix ans de travaux forcés d'Antoine Guyard : « Enfin la fatalité m'entraîne. »

2 août-5 septembre. Voyage architectural d'occasion alpestre : Tournus, Brou, Chamonix, La Pacaudière et Le Crozet, Nevers, Bourges, Mehun-sur-Yèvre.

29 octobre. *Le Globe* résume l'opposition des classiques et des romantiques : l'autorité d'un côté, la liberté de l'autre, avec « l'imitation directe de la nature, et l'originalité ».

1er novembre. Début de la *Gazette des Tribunaux*, inépuisable source de confrontations entre les réalités sociales, l'état du droit et le fonctionnement des institutions.

30 décembre. Obsèques du général Foy : 10 000 personnes, avec le duc d'Orléans et Casimir Périer. David d'Angers en 1831 fera figurer Hugo parmi les porteurs du cercueil.

— Béranger a publié dans ses *Chansons nouvelles* « Le Censeur », de 1822, où Louis XI « ce roi bigot pour se soûler de crimes met sa Vierge entre le diable et lui ».

— J.A. Dubois, *Mœurs, institutions et cérémonies des peuples de l'Inde*.

— Barante poursuit la publication de son *Histoire des ducs de Bourgogne de la maison de Valois* (V-VIII).

— Ph.-A. Stapfer, traduction du *Faust* de Goethe, dans ses *Œuvres dramatiques*.

1826. — 30 janvier, *Bug-Jargal*, largement augmenté.

Mars-avril, Vigny, *Cinq-Mars*.

8 avril. Dénonciation à la Chambre du démembrement des grands domaines par leurs propriétaires et les « bandes noires ». Le projet sur le droit d'aînesse tendant à protéger la propriété foncière (« base du gouvernement monarchique ») est mis en pièces : manifestation hostile aux « jésuites ».

29. J.-J. Ampère rend compte de la traduction Stapfer.

6 août-25 octobre. Hugo rédige *Cromwell*, actes I à IV.

4 septembre. À Bicêtre, Vidocq au départ de la chaîne.

21 octobre. Obsèques de Talma, qui a refusé les secours de l'Église. Cortège de 20 à 30 000 personnes.

30. Nodier à Hugo : « avoir un journal vraiment libre où... déposer nos doctrines politiques et littéraires... sans les cuistres de la congrégation (ni) les survivants de M. de Robespierre. Il est temps de faire une Académie à côté de l'Académie, un journal à côté des journaux, une littérature à côté de la littérature. Car il est temps de faire une nation ».

4 novembre. Fête du Roi. Inauguration de la Bourse « le plus grand et le plus achevé de tous les monuments » de Paris.
Le Globe : « M. V. Hugo est en poésie ce que M. Delacroix est en peinture. »
— Béranger, *Chansons* (in-32, t. III) : « Louis XI », malade, sénile, voyeur et redoutable.
— La souscription aux *Œuvres* de Chateaubriand chez Ladvocat est présentée comme « un acte d'opposition au... parti froidement fanatique ». C'est la révélation des *Natchez*, « poème ou roman gothique », et de l'*Essai sur les Révolutions*.

1827. — Janvier. Début des relations avec Sainte-Beuve.

16 janvier. L'Académie française, Chateaubriand en tête, s'oppose au projet de loi sur la presse. Le gouvernement révoque trois des académiciens de leurs fonctions d'État.

Fin janvier. Scandale à la suite d'une réception chez l'ambassadeur d'Autriche : les maréchaux d'Empire n'ont pas eu droit à leurs titres de noblesse militaire.

Début février : *Ode à la Colonne de la place Vendôme*.

15 février : première du *Louis XI à Péronne* de Mély-Janin, d'après le *Quentin Durward* de W. Scott.

15 mars : première à l'Odéon de *Françoise de Rimini*, tragédie de Constant Berrier. L'héroïne est l'épouse de Malatesta, seigneur « bossu, borgne et boiteux ».
Installation rue Notre-Dame-des-Champs : le nouveau Cénacle.

14 avril. Débuts de Sainte-Beuve sur le XVIe siècle.

18. Le gouvernement retire son projet de loi sur la presse : l'Académie française unanime élit Royer-Collard.

27 juillet. L'Académie des Inscriptions propose comme sujet pour le prix de 1829 « la philosophie néo-platonicienne ».

20 août. Mort de Manuel, célèbre orateur libéral ; et le 23 août de J.-B. Launay, fondeur de la Colonne Vendôme.

Août-septembre. Achèvement de *Cromwell*.

Octobre. Rédaction de la *Préface*.

24. Hugo visite Bicêtre avec David d'Angers.

27. Aux Nouveautés, *Faust*, opéra en trois actes de Théaulon et Gondelier, musique de Béancourt.

29. Le *Journal des Débats* consacre la réputation européenne de *Faust*.
4 novembre. Inauguration du Salon au musée Charles X au Louvre ; Saint-Èvre : *Inés de Castro* ; Paulin Guérin, *Buste de Lamennais*. « Le romantique a tout envahi. »
5. Quasi-coup de force royal : fournée de 76 pairs, dissolution de la Chambre.
28. Gérard (de Nerval) publie sa traduction en vers et prose de *Faust*.
— Benjamin Constant : *De la religion*.
— Ch. Dupin : *Forces productives et commerciales de la France*.
— Damoiseau : *Sur le calcul des comètes*.
— Cousin achève la publication des *Œuvres* de Proclus.
Les incidents se sont multipliés contre les missions, à grand renfort de *Tartuffe*.

1828. — Réédition in-4° de la traduction Stapfer de *Faust*, avec 17 lithographies de Delacroix.
28 janvier. Mort du général Hugo, après un dîner en famille.
13 février. Échec à l'Odéon d'*Amy Robsart*, d'après le *Kenilworth* de Scott.
17 mars. Au dire de Stendhal, on ne sait si le régime sera despotique, constitutionnel ou républicain ; le goût dominant est aux tragédies tirées de l'histoire de France des XIVe et XVe siècles, mais le régime actuel rend impossible la représentation de la tragédie historique « et de la comédie de bon ton » (*Tartuffe, Le Mariage de Figaro* !).
16 avril. Mort de Goya.
30. Dernier article de Sainte-Beuve sur le XVIe siècle.
6 mai. Charles Robelin invite Hugo chez les maçons.
7 juin. Mérimée, *La Jacquerie*, scènes féodales.
19 juillet. Sainte-Beuve : *Tableau historique et critique de la poésie française et du théâtre français au XVIe siècle*.
20 octobre. *Faust* à la Porte-Saint-Martin, 3 actes de Béraud et Merle, féerie à grand fracas.
22. Ferrement des forçats à Bicêtre ; le 23, V. Hugo assiste au départ de la chaîne avec David d'Angers.
27. A. Pichot à Hugo : « Le bruit a couru que vous écriviez un roman... Gosselin prétend qu'il y a du Scott en vous. »
15 novembre. Contrat avec l'éditeur Gosselin pour livrer un roman sur Louis XI le 15 avril suivant.
Décembre. Visite de Hugo à Béranger dans sa prison.
David d'Angers a sculpté les médaillons de l'abbé Grégoire, de Victor, et de sa femme.
— Les « Chansons inédites » de Béranger glorifient les

Bohémiens : « Le bonheur c'est la liberté ! », et « Le Sacre de Charles le Simple », qui lui a valu la prison, joue sur l'homonymie avec le souverain régnant et peut-être sur l'humiliation de Péronne que connut aussi Louis XI.

Novembre-décembre. Achèvement des *Orientales* : « Bounaberdi » et « Lui » proclament la fascination de Bonaparte.

1829. — 23 janvier. *Les Orientales*.

Fin janvier. Prospectus pour la souscription aux *Œuvres complètes* de Hugo chez Gosselin et Bossange en 10 volumes, dont les deux derniers pour *Notre-Dame de Paris*.

7 février. *Le Dernier Jour d'un condamné*.

14. Seconde édition des *Orientales*, avec Préface.

28. Troisième édition du *Dernier Jour...*, précédé d'une violente « Comédie à propos d'une tragédie ».

Fin février : quatrième édition du *Cinq-Mars* de Vigny avec « Réflexions sur la vérité dans l'art ».

9 mars. Prosper Mérimée : *1572, Chronique du temps de Charles IX*.

Balzac, *Le Dernier Chouan, ou la Bretagne en 1800*.

Mars-avril. Au théâtre de la Gaîté, *Faust* (3 actes dans une adaptation de Nodier ?) avec Frédérick Lemaître.

5 avril. Premier numéro de la *Revue de Paris*.

8. *Le Globe* publie l'article décisif de Pierre Leroux sur le « style symbolique » de la poésie hugolienne et reproche à Mérimée de peindre les mœurs de 1611 sous le titre de *1572*.

16. Chateaubriand, ambassadeur à Rome, dénonce « le combat de la décrépitude des vieilles institutions contre l'énergie des jeunes générations » : « Le mélange des gouvernements représentatifs et des monarchies absolues ne saurait durer ; il faut que les unes ou les autres périssent, que la politique reprenne un égal niveau ainsi que du temps de l'Europe gothique. »

25. Hugo visite une fois de plus les tours de Notre-Dame.

16-30 juin. Rédaction de *Marion de Lorme*.

7 août. Hugo, reçu en audience par Charles X, n'obtient pas la levée de l'interdiction, le 1er août, de *Marion de Lorme*.

Retour de Polignac au pouvoir, après la parenthèse plus ou moins libérale de Martignac.

26. Legouvé fils remporte le prix de l'Académie française, sur l'invention de l'imprimerie.

29 août-14 septembre. Hugo écrit *Hernani*.

2 septembre. *Le Globe* annonce le t. II des *Religions de l'Antiquité*, adaptation par Guigniaut de Creuzer : « La Symbolique ». À l'Académie des Sciences, Geoffroy Saint-Hilaire sur l'unité de composition organique.

9. *Le Globe* annonce la traduction par Cousin du *Manuel de l'Histoire de la Philosophie* de Tennemann (Leipzig, 1812).

1er octobre. Dans *La Revue de Paris* une page sur le portrait de Hugo par Devéria : « Il est impossible de ne pas faire reposer un glorieux avenir sur cette tête de vingt-deux ans. »

5. *Hernani* (ou « La jeunesse de Charles Quint, début d'une trilogie ») est reçu au Théâtre-Français.

Novembre. *La Revue de Paris* signale, de J. Matter, l'*Histoire critique du gnosticisme et de son influence sur les sectes religieuses et philosophiques des six premiers siècles.*

Décembre. *La Revue de Paris* publie *L'Occasion* de Mérimée. À la scène 6 : « Tu as vu ces officiers de marine qui sont venus avec l'Esméralda ; leur uniforme est plus beau que celui des dragons d'Amérique. »

9 décembre. Première annonce dans *Le Globe* de la traduction en vers par A. Deschamps de la *Divine Comédie* de Dante. Firmin Didot a publié la *Vie de Pythagore* de Jamblique dans son Diogène Laërce, *Vies des Philosophes*. Cet imprimeur bibliophile avait gravé à l'identique et fondu les célèbres caractères de Vendelin de Spire pour compléter les lacunes de ses incunables vénitiens.

1830. — L'éditeur Renduel publie un album sur Paris au XVIe siècle : *Les Mauvais Garçons*.

9 février. Mariage de Marie Nodier et de Jules Mennessier.

25. Première tumultueuse d'*Hernani*.

7 avril. Balzac : « Hugo est meilleur prosateur que poète, et plus poète que dramatiste. »

Fin avril. P. Lacroix publie *Les Deux Fous* (Triboulet, bouffon de François Ier, en 1524) qui fait probablement dévier la trilogie de Charles Quint au *Roi s'amuse*.

Mai. Les Hugo déménagent de la rue Notre-Dame-des-Champs à la rue Jean-Goujon. Gosselin et Bossange exigent un engagement ferme pour l'achèvement de *Notre-Dame de Paris*. A. Pichot s'entremet mais ne peut qu'inciter Hugo à accepter les conditions draconiennes des éditeurs.

5 juin. Nouveau traité pour l'achèvement du roman, qui stipule des astreintes financières considérables en cas de retard.

21 (été). Hugo envoie à David d'Angers le poème qu'il lui a destiné en 1828 et qui sera la pièce VIII des *Feuilles d'automne* : les grands hommes (Bonaparte, Cromwell, Charles Quint, Charlemagne, César, Alexandre) sont chacun la figure concrète d'une idée ; le statuaire (auteur du médaillon de Hugo) en exprime la valeur symbolique. L'épigraphe (M. Régnier, *Sat.* V, v. 213) « D'hommes tu nous fais dieux ») peut dater de cet envoi.

30. Hugo emprunte à la Bibliothèque toute une documentation sur Louis XI, dont Comines, P. Mathieu, et un ensemble sur la Pragmatique Sanction.

16 juillet. Il expose à Montalembert ses théories sur l'architecture.

21. Les volumes du Sauval sont sur sa table de travail, en cours d'exploitation (signets, etc.).

25. Début de la rédaction du roman, reprise le 28, abandonnée les 29 et 30, jusqu'au 1er septembre : du 27 au 29 juillet la révolution a jeté bas le trône de Charles X, à la suite de la dissolution de la Chambre et d'ordonnances valant coup d'État.
La prise d'Alger (5 juillet) n'avait pas sauvé le régime. À propos de l'immobilisme de la Chambre des pairs, Chateaubriand écrira : « Une aristocratie ancienne et opulente, ayant l'habitude des affaires, n'a qu'un moyen de garder le pouvoir quand il lui échappe : c'est... de se placer à la tête du nouveau mouvement. »

Début août. Les partisans de Louis-Philippe d'Orléans continuent de le faire passer pour Valois plutôt que Bourbon.

4 août (anniversaire de l'abolition des droits féodaux en 1789 !). Hugo : « Les craintes s'apaisent, mais il faut se hâter d'organiser quelque chose. »

6. Il prétend avoir égaré « un cahier tout entier de notes qui m'avaient coûté plus de deux mois de recherches ». Gosselin accorde deux mois de délai.

9. Louis-Philippe Ier roi des Français.

« 10 août » ? Date de l'ode *À la Jeune France*, que *Le Globe* publie le 19, et qui deviendra la première pièce des *Chants du crépuscule* en 1835. Le ralliement doit beaucoup aux instances de Sainte-Beuve.

24 août (Saint-Barthélemy). Naissance d'une fille, Adèle comme sa mère, promise à un destin plus que mélancolique.

26. Lamennais tente de recruter Hugo pour *L'Avenir*. Réponse flatteuse mais prudente le 7 : « le génie est une papauté... notre belle révolution d'ordre et de liberté..., victoire du pouvoir spirituel sur le pouvoir temporel ».

8 septembre. « Je me tiens fort à l'écart du ministère... que je voudrais plus hardi dans la voie de la liberté. »

19. Baptême d'Adèle. Sainte-Beuve, parrain, cache mal son « amour sans issue » pour la mère. Hugo « plongé jusqu'au cou dans Notre-Dame... la matière s'étend et se prolonge tellement devant moi à mesure que j'avance que je ne sais si je n'écrirai pas la hauteur des tours ».

23-25. Introduction du personnage de Phoebus.

26\. Joannes de Molendino (Jean du Moulin) devient Jehan Frollo, jeune frère de l'archidiacre. À 17 h. Hugo est allé à la cathédrale (effets de couchant ?) ; Musset s'est excusé.
27\. Visite de Lamennais à Hugo, qui a achevé les livres I et II le 25 et entame ce qui deviendra le livre VI.
2 octobre. La Chambre refuse le transfert des restes de Napoléon sous la colonne de la place Vendôme.
4\. Gosselin refuse le passage à trois volumes.
9\. Ayant achevé le livre VI la veille, Hugo s'attaque à ce qui sera III, 1 « Notre-Dame », et s'interrompt aussitôt.
« 9 octobre » ? Deuxième *Ode à la Colonne* (*Chants du crépuscule*, 2).
16-17. Achèvement de III, 1, « Notre-Dame ».
18-25. Rédaction du livre IV, retour aux origines.
26 octobre-5 novembre. Rédaction de VII, 1-2 et 4.
7 novembre. Il commence VII, 5 aussitôt en suspens.
8-14. Rédaction du livre V : Coictier et le « compère tourangeau » chez Frollo. « Ceci tuera cela. »
14\. Reprise de VII, 5 ; « les deux hommes vêtus de noir » ne sont plus Coictier et son patient *incognito*, mais le prêtre et Charmolue réunis dans la même couleur de deuil.
15-19. Achèvement du livre VII (6 à 8).
20 nov.-2 déc. Livre VIII.
3-13 déc. Livre IX.
14\. Début de la rédaction du livre X.
31, minuit. Hugo inscrit la date et l'heure à l'endroit précis où Coppenole, annonçant la prise de la Bastille, dit à Louis XI : « C'est l'heure qui sonnera. »
1831. — 1er janvier. Reprise de la rédaction à l'endroit où Olivier Le Daim détrompe le roi : ce n'est pas une sédition contre le bailli mais un assaut contre Notre-Dame. Fin de X, 5.
2 janvier. X, 6 et 7. Après un mois de crise ouverte avec Sainte-Beuve (amoureux qui vire au saint-simonisme et à la religiosité), Hugo tente l'écrasement amical.
4-15. Livre XI. Le manuscrit du t. I sera livré à Gosselin le 17.
18\. À Montalembert : les révolutions irlandaise, belge, polonaise et grecque sont aussi chrétiennes, et appartiennent surtout au catholicisme romain : « Il ne tiendra qu'à vous et à quelques autres qu'il n'ait aussi celle de la France. » Hugo rappelle son ode *La Liberté*, du 3 juillet 1823, dont l'épigraphe *Christus nos liberavit.*
18 janvier-2 février. Rédaction de III, 2, *Paris à vol d'oiseau.*
3\. Hugo au banquet après l'acquittement de Lamennais.

8 mars. Première de *Fausto*, musique de Louise Bertin, au Théâtre-Italien.

16. *Notre-Dame de Paris — 1482* sans le nom de l'auteur. Tirage à 1 500 exemplaires (déclaration du 21 janvier).

18. La crise avec Sainte-Beuve se poursuit, de haut, sur le « moment où j'ai dû choisir entre elle et vous ».

Avril. « Deuxième, troisième et quatrième éditions » : tirage de 1100 ex. (déclaration du 21 mars).

1er avril. Michelet, *Introduction à l'histoire universelle* : « l'histoire, récit de l'interminable lutte de la liberté contre la fatalité ».

7. Note sur les Tuileries pour la « 5ème édition » : chef-d'œuvre de l'art du XVIe siècle ; page de l'histoire du XIXe » (du 10 août 1792 au 29 juillet 1830 : « notre révolution »).

9. Déclaration des 1500 ex. de la « cinquième édition revue et corrigée », in-12 en 4 volumes, mise en vente en mai. Compte tenu des exemplaires d'une 6e « édition » ?

14. De Bruxelles, Sainte-Beuve envoie ses compliments critiques (style, couleur locale, sentiment de l'histoire et de la forme architecturale, caractères, personnages et action). Mais « vous êtes volontiers plus vertical qu'horizontal par rapport à la trame humaine », pas assez ange, pas assez catholique, manquant d'espérance à la vie éternelle. Lamennais, Lamartine, et même Vigny ne sont pas trop éloignés de ce pieux sentiment sur « le Shakespeare du roman ».

28 mai. Mort de l'abbé Grégoire, inventeur du terme vandalisme et l'une des sources du conventionnel des *Misérables*.

Juillet. Depuis un an Adèle ne reçoit plus son mari.

1er août. La *Revue des Deux Mondes* publie avec « Ce siècle avait deux ans... » une longue étude biographique sur Hugo, aussi autorisée qu'inspirée.

11. Première de *Marion de Lorme*.

Septembre. Annonce d'un projet de suite de *Notre-Dame*, en trilogie : *La Quiquengrogne* (tour féodale des Bourbons) sera « le donjon après la cathédrale », et *Le Fils de la Bossue* suivra. Il n'est pas impossible que, dans l'exil guernesiais, *Les Travailleurs de la mer* aient fini par concrétiser cet ensorcellement des pouvoirs historiques.

Décembre. *Les Feuilles d'automne*. « 7e édition » de *Notre-Dame*, 4 vol. in-12, 900 ex.

1832. — 9 février. *Louis XI* de Casimir Delavigne.

15 mars. Nouvelle préface pour *Le Dernier Jour d'un condamné*.

27. Le choléra apparaît à Paris. L'épidémie sera terrible.

28 avril. Loi réformant quelques dispositions du code pénal.

30. Renduel déclare les 1 100 exemplaires d'une nouvelle édition de *Notre-Dame*, dans les *Œuvres* in-8°. C'est la « 8e », première complète, qui paraîtra en décembre.
24 mai. Hugo emprunte à la Bibliothèque un Brantôme et un *Dictionnaire des proverbes*.
1er juin. Première d'une *Notre-Dame de Paris* au Théâtre du Temple.
5. Funérailles du général Lamarque, qui se transforment en insurrection : « l'épopée rue Saint-Denis » des *Misérables*.
3-26. Hugo écrit *Le roi s'amuse*. L'idée du dénouement (substitution des victimes, l'innocence au lieu des pouvoirs) avait d'abord été inventée pour *Notre-Dame*.
9-20 juillet. Hugo écrit *Lucrèce Borgia*.
Août. Encyclique *Mirari vos* : le pape condamne les thèses de *L'Avenir* suspendu par Lamennais depuis neuf mois.
20 octobre. « Note ajoutée à la 8e édition » de *Notre-Dame*.
22 novembre. Première du *Roi s'amuse*, aussitôt suspendu.
10 décembre. Décret du comte d'Argout : interdiction du *Roi s'amuse* pour outrage aux mœurs. Mérimée se défend d'avoir été pour quelque chose dans l'interdiction.
4. Montalembert : Hugo « devient de jour en jour... plus étranger à la religion ».
17. « 8e édition », en 3 vol. in 8°, définitive.
19. Hugo plaide avec Odilon Barrot au tribunal de commerce contre le Théâtre-Français à cause de l'interdiction. Il entretient avec Joseph Bonaparte, ancien roi de Naples puis d'Espagne, parrain de son frère Abel, une correspondance plus ou moins « démocratique ».
1833. — Janvier. Béranger, *Chansons nouvelles et dernières*, dont « L'Alchimiste » avec note sur Flamel et l'hermétisme.
2 février. *Lucrèce Borgia* à la Porte-Saint-Martin.
16-17. Victor Hugo et Juliette Drouet amants.
1er mai. Dans la *Revue des Deux Mondes*, lettre de Montalembert à Hugo, *Du vandalisme en France* : « Nous venons adorer et prier » (et non seulement « rêver et admirer »).
29 mai. *L'Europe littéraire* publie comme éditorial la future préface de *Littérature et Philosophie mêlées*, mise en perspective critique de l'évolution politique et intellectuelle de Hugo, du « jeune jacobite » au « révolutionnaire ».
28 juin. Loi Guizot organisant l'enseignement primaire.
Juillet. Le *Magazin pittoresque* reproduit la tour de Bourbon-l'Archambault et annonce *La Quiquengrogne*. La Tourgue de *Quatrevingt-Treize* héritera de ce rêve féodal.
8 août-1er septembre. Hugo écrit *Marie Tudor*.

6 novembre. Première de *Marie Tudor* à la Porte-Saint-Martin. Juliette Drouet doit quitter le rôle de Jane.

1834. — 5 janvier (veille du « jour des Rois »). Hugo remercie Michelet de sa référence au roman dans le t. II de l'*Histoire de France* (« Je voulais du moins parler de Notre-Dame de Paris. Mais quelqu'un a marqué ce monument d'une telle griffe de lion, que personne désormais ne se hasardera d'y toucher. C'est sa chose désormais, c'est son fief ; c'est le majorat de Quasimodo. Il a bâti, à côté de la vieille cathédrale, une cathédrale de poésie, aussi ferme que les fondements de l'autre, aussi haute que ses tours »).

19 mars. *Littérature et Philosophie mêlées*. On annonce toujours *Quiquengrogne* et *Fils de la Bossue*.

9-12 avril, Insurrection ouvrière à Lyon.

13-14. Insurrection à Paris.

15 mai. Lamartine demande à la Chambre la « substitution des questions sociales aux questions politiques ». C'est le programme de Hugo depuis 1828, au moins rétrospectivement.

27. Mérimée inspecteur général des Monuments historiques.

1er juin. Hugo reprend la formule de Lamartine, pour l'avènement d'un « parti de la civilisation ».

Juin. Hugo écrit *Claude Gueux*, roman-pamphlet contre le système carcéral et l'aveuglement politique, d'après l'histoire véridique d'un condamné à mort exécuté à Troyes en 1832.

6 juillet. La *Revue de Paris* publie *Claude Gueux*.

19. *Volupté*, titre accrocheur d'un roman de Sainte-Beuve qui y transpose les replis de son cœur et de ses relations avec le couple Hugo.

28 juillet. L'Église censure *Notre-Dame de Paris*.

30. Un négociant de Dunkerque, Carlier, paye l'impression et l'envoi à tous les députés de *Claude Gueux*.

5 août. Juliette s'est enfuie. Hugo la rejoint à Brest. Visite du bagne. Retour par Nantes, la Loire, Versailles et les monuments de l'Île de France (Gisors, Beauvais, Senlis).

1835. — 10 janvier. Hugo est nommé au Comité des Monuments... avec Cousin et Mérimée. Il y sera très actif, et les vacances d'été avec Juliette ne relèveront pas seulement d'une conjugalité touristique.

Lacordaire (1802-1861), compagnon de Lamennais et de Montalembert dans l'aventure de *L'Avenir* de 1830 à 1832, commence à Notre-Dame des conférences non conformistes qui font fureur aux carêmes de la Monarchie de Juillet.

2-19 février. Hugo écrit *Angelo tyran de Padoue*.

28 avril. Première d'*Angelo* au Théâtre-Français.

14 juin. Au Comité des Monuments, Hugo espère que la restau-

ration de la Sainte-Chapelle entraînera celle de Notre-Dame (« de tous les édifices le plus populaire »). Il proteste contre le grattage et le blanchiment des monuments.

25 juillet-22 août. Voyage dans le Nord-Ouest (Soissons, Coucy, Laon, Péronne, Amiens, Abbeville, Dieppe, Tancarville, Rouen, Château-Gaillard, Pierrefonds).

27 octobre. *Les Chants du crépuscule*, obscurcissement de l'« après-Juillet 1830 ».

Théophile Gautier : prospectus pour *Notre-Dame de Paris.*

5 décembre. Mise en vente de cette édition « keepsake » en un volume, tiré à 2 000 ex, et en trois volumes ou en livraisons hebdomadaires à 9 000 ex.

1836. — 15 juin-21 juillet. Voyage : Chartres, Alençon, Fougères, Saint-Malo, Mont-Saint-Michel, Granville, Coutances, Cherbourg, Bayeux, Caen, Honfleur, Rouen, Gisors.

1er juillet. Lancement de *La Presse* par Émile de Girardin. L'éditorial, anonyme, est attribué à Hugo.

29. Inauguration de l'Arc de Triomphe de l'Étoile, à la gloire des armées napoléoniennes, sans la main de David ni le nom du général père de Hugo.

30 octobre. Louis-Napoléon Bonaparte échoue dans sa tentative de soulever la garnison de Strasbourg. Il sera courtoisement expulsé vers l'Amérique.

14 novembre. *La Esmeralda* opéra de Louise Bertin sur le livret de V. Hugo, qui fait de Clopin Trouillefou, Roi des Argotiers, le disciple en alchimie et complice de Claude Frollo. Utilité dramatique sans doute, mais aussi extrémité de la satire des pouvoirs telle que la dessinait l'invention de Charmolue dans le roman.

1837. — 25 janvier-2 février. Le poème *À l'Arc de Triomphe* organise le triangle visionnaire de la cathédrale, de la colonne Vendôme et de l'« arche » de l'Étoile sur une désolation d'outre-ruine.

20 février. La mort d'Eugène à l'asile fait Victor vicomte.

10 juin. Inauguration du Musée de l'Histoire de France au château de Versailles. Hugo y a négocié sa présence contre l'entrée des romantiques dans la Légion d'honneur. Il s'y rend avec Dumas en habit de garde national (comme le futur Jean Valjean à la barricade des *Misérables* ?).

27. *Les Voix intérieures*. L'intimité de la nature, le touffu mystérieux de la forêt y relient Chateaubriand et Baudelaire autour de l'inspiration symbolique des correspondances.

3 juillet. Le vicomte Hugo est fait officier de la Légion d'honneur.

10 août-14 septembre. Voyage : Amiens, Abbeville, Arras,

Bruxelles, Amiens, Gand, Bruges, Montreuil-sur-Mer (le lundi 4 septembre), Rouen.

1838. — 26 janvier. Hugo est nommé au nouveau Comité historique des monuments et des arts, avec Vitet, Mérimée, Didron, Montalembert, Taylor. Il y intervient vigoureusement en avril contre le vandalisme.

5 juillet-11 août. Hugo écrit *Ruy Blas*, dont la reine n'est pas étrangère à la duchesse d'Orléans, femme de l'héritier présomptif du trône.

18-28 août. Voyage : Meaux, Châlons-sur-Marne, Notre-Dame de l'Épine, Varennes, Reims, Épernay.

25 octobre. Contrat avec la « Société pour l'exploitation des Œuvres de Victor Hugo » : banquiers et marchands de papier s'associent pour liquider les invendus et préparer une relance médiatique dans le reflux de la vague romantique.

8 novembre. *Ruy Blas*, au théâtre de la Renaissance.

1839. — 7 janvier. L'Académie des Sciences enregistre dix ans plus tard la naissance de la photographie (Daguerre).

12-13 mai. Échec de l'insurrection des Saisons.

Juillet. Hugo intervient pour la grâce de Barbès.

26 juillet-23 août. Rédaction des *Jumeaux* interrompue.

31 août-26 octobre. Voyage en Provence par l'Allemagne, la Suisse et la vallée du Rhône. Retour par Dijon, Troyes, Sens et Fontainebleau.

1840. — 9 janvier. Hugo succède à Balzac comme président de la Société des Gens de Lettres.

16 mai. *Les Rayons et les Ombres*. La « seconde période de la pensée de l'auteur », ouverte par *Notre-Dame* et *Les Feuilles d'automne*, se clôt objectivement ici, sur la « Fonction du poète », qui est d'unification, et fait de lui un mage. C'est la transfiguration de Frollo : « L'esprit de l'homme a trois clés qui ouvrent tout : le chiffre, la lettre, la note. Savoir, penser, rêver, tout est là. »

15 juillet. Traité de Londres entre les puissances du Nord : la France, isolée dans la question d'Orient par la coalition austro-anglo-russo-prussienne, connaît une recrudescence d'anglophobie et se lance dans la querelle du Rhin.

28. Inauguration de la colonne de Juillet (la bourgeoisie frileuse a pris son poêle comme symbole, au lieu de l'éléphant qui devait exprimer sur la place de la Bastille une idée visionnaire de Napoléon).

6 août. Louis-Napoléon Bonaparte échoue dans sa tentative de prendre le pouvoir à Boulogne.

29 août-1er novembre. Voyage au Rhin.

15 décembre. Transfert des cendres de Napoléon. La veille,

publication à 2 000 ex. du *Retour de l'Empereur*. Le 23, sous ce titre, publication jusqu'à 20 000 ex. d'un ensemble des poèmes napoléoniens de Hugo, « espèce d'épopée,... faisceau, trophée » unique.

C'est l'année de la grande édition Furne des *Œuvres complètes*, le couronnement d'une période.

1841. — 7 janvier. Hugo élu de justesse à l'Académie française après quatre échecs depuis 1836.

1er février. Loi organisant la fortification de Paris.

1er juin. Lamartine répond par la « Marseillaise de la Paix » au « Rhin allemand » de Becker.

3. À l'Académie, Hugo répond au discours de réception de Salvandy par « un programme de ministère ».

6. Musset nargue le poème de Becker dans la *Revue de Paris*.

9. Béranger : « Hugo entre à l'Académie pour se poser en homme politique et même en futur ministre. »

19 septembre - fin octobre. Achèvement de la mise en ordre des lettres du *Rhin*. Hugo va se consacrer à l'importante *Conclusion* politique.
Sainte-Beuve : « Les Girardin le flattent, l'exaltent, l'accaparent : cela me fait l'effet d'une pêche à la baleine ; ils le pêcheront. » Charpentier a publié *Notre-Dame de Paris* en 2 vol. in-18.

1842. — 12 janvier. *Le Rhin, lettres à un ami*. Réaction de Lamartine : « Ce livre vous fait politique. Le roi vous fera pair et nous vous ferons ministre. »

26 janvier. Au Comité des Arts, Hugo demande que la monographie en chantier sur la cathédrale de Chartres puisse rivaliser avec le travail de Sulpice Boisserée sur celle de Cologne : « le chef-d'œuvre de l'art gothique n'est pas en Allemagne » (mais à Reims, Amiens, Chartres...)

Juin. Intervention au Comité pour qu'on sauve à Paris l'hôtel de Sens comme on l'a fait de l'hôtel de Cluny.

13 juillet. Mort accidentelle du duc d'Orléans. Hugo présentera au roi les condoléances officielles de l'Académie : début pour lui d'une relative familiarité avec le Château.

29 août. Loi qui écarte la duchesse d'Orléans de la Régence malgré les efforts de Lamartine, lequel prend ses distances avec la droite, et surtout le système.

Septembre-10 octobre. Hugo écrit *Les Burgraves*.

3 décembre. Espartero fait bombarder Barcelone qui s'est insurgée contre la ruine qu'entraîne le traité de commerce anglo-espagnol. La France maintient son droit de politique « sympathique » et non seulement amicale avec ce royaume bourbonien.

1843. — 27 janvier. Lamartine quitte la droite et se propose en constructeur et chef d'une gauche toute neuve.

15 février. Mariage de Léopoldine Hugo et de Ch. Vacquerie.

7 mars. Première des *Burgraves* au Théâtre-Français.

18 juillet-12 septembre. Voyage au Pays basque (Saint-Sébastien, Pasages, Tolosa, Pampelune) et aux eaux de Cauterets. Il n'est pas exclu que ces séjours visent un projet analogue à celui du *Rhin* et, vu la situation intérieure de l'Espagne, tout aussi politique.

23 novembre. Sainte-Beuve fait imprimer à quelques exemplaires le « Livre d'amour » de ses relations avec Mme Hugo. Est-ce aussi la première date des amours entre Victor et Léonie d'Aunet, épouse Biard ?

9 septembre. Sur le chemin du retour, Hugo et Juliette apprennent par le journal la mort des jeunes époux, noyés en Seine près de Villequier.

Sainte-Beuve : « Hugo voit gros... Notre-Dame n'est pas si énorme sur le parvis que dans son roman, et... elle a plutôt de l'élégance... il a l'œil ainsi fait. » On sait assez bien comment l'ancien amant de Mme Hugo avait l'organe fait : classiquement tordu.

1844. — 4 janvier. Michelet publie son *Louis XI*.

27. Mort de Nodier.

9 mars. Première d'*Ernani*, de Verdi, à la Fenice de Venise.

14. Sainte-Beuve et Mérimée élus à l'Académie.

4 mai. Début de la publication en 67 livraisons gd. in-8° de *Notre-Dame de Paris*, avec 55 planches.

Juillet. Du fort de Ham, Louis Bonaparte fait publier son *Extinction du paupérisme*.

12 octobre. Théophile Gautier, *Les Grotesques*.

27 novembre. Hugo accepte de Didron, secrétaire du Comité des Arts, la dédicace de son *Histoire de Dieu* : « Si je fais de l'archéologie c'est à l'immortel auteur de *Notre-Dame de Paris* que je le dois. »

1845. — 27 février. Hugo reçoit Sainte-Beuve à l'Académie.

Avril. Alph. Karr dévoile l'existence du *Livre d'Amour*.

13 avril. À quelques jours de la publication d'une édition augmentée du *Rhin*, chez Renouard, « près de la Chambre des Pairs », le vicomte Hugo est fait pair de France par le roi, sans s'être engagé à soutenir les ministères.

8 mai. Élection de Vigny à l'Académie.

9 juin. Hugo rend à la Bibliothèque « plusieurs livres ».

5. Constat d'adultère. « Le Pair de France est... inviolable » (art. 29 de la Charte), mais Mme Biard est incarcérée (art. 337 du code pénal) jusqu'à ce qu'une commande royale

incite le peintre à faire libérer sa femme. Hugo s'enferme et fait prétendre qu'il voyage pour trois mois en Espagne.

19 juillet. Vote d'un crédit de 2,5 millions pour la restauration de Notre-Dame, confiée à Lassus et Viollet-le-Duc.

1er octobre. Mérimée publie *Carmen*.

17 novembre. Hugo commence ce qui sera *Les Misérables*.

1846. — 15 mars. Un comité se forme pour l'indépendance de la Pologne, après écrasement de l'insurrection galicienne (19-21 février). Hugo intervient à la Chambre des Pairs le 19.

16 mai. Au Comité des Arts : « Les effacements dont le temps et les hommes sont les auteurs importent pour l'histoire et quelquefois pour l'art. Les consolider... c'est tout ce qu'on doit se permettre. »

25. Louis-Napoléon s'évade de Ham.

21 juin. Mort de Claire Pradier, fille de Juliette Drouet. L'été se passe en lectures de la Bible (Jérémie, Job,...)

Fin juillet. Démolition de la maquette de l'éléphant place de la Bastille, repaire du Gavroche des *Misérables*.

1847. — 5 avril. Visite la prison de la Roquette pour préparer la discussion sur le système pénitentiaire.

14 juin. Discours pour l'abolition de la loi d'exil frappant les Bonaparte.

22. Intervention à la Chambre des Pairs pour l'acquittement de Girardin qui a dénoncé les trafics ministériels.

8 juillet. Début du procès de Teste et Cubières. Le régime sombre dans les scandales.

26. Montalembert devant les Pairs contre le vandalisme.

24 août. Saint-Barthélemy. Exécution du condamné à mort Marquis. Le duc de Choiseul, Pair de France, assassin de sa femme, se suicide.

Fin décembre. Gosselin demandant l'exécution du traité de 1832, on s'accorde pour lui substituer le traité relatif aux « Misères », 4 volumes.

La campagne des banquets, lancée par Lamartine pour la conquête du pouvoir, « prend un tour socialiste. »

1848. — 14 février. Girardin démissionne de la Chambre des Députés. Hugo interrompt la rédaction du roman.

24 février. Révolution. Abdication du roi. Il n'est pas prouvé que Hugo se soit prononcé pour la régence de la duchesse d'Orléans. Proclamation de la République.

29 mai. Les associations d'art et d'industrie choisissent Hugo comme candidat pour les élections complémentaires à l'Assemblée constituante. Il est élu le 4 juin, comme Louis-Napoléon, qui démissionne.

21 juin. Dissolution des Ateliers nationaux, qui jette les ouvriers sur le pavé et les pousse à l'insurrection.

24. Écrasement de l'insurrection. Hugo a contribué ès qualités au rétablissement de l'ordre. La répression sera féroce. Girardin a dénoncé la manœuvre. *La Presse* est suspendue.

5 juillet. Mort de Chateaubriand.

31. Lancement de *L'Événement*, journal du clan Hugo, appuyé par Girardin.

Fin octobre. Louis-Napoléon sollicite l'appui de Hugo pour sa candidature à la présidence de la République. *L'Événement* prend parti pour ce candidat qui « croit au génie et au peuple ».

4 novembre. Hugo vote contre le projet de Constitution, par antimonocamérisme (à cause de la Convention ?)

10 décembre. Élection triomphale de L.-N. B. Hugo : « Je veux l'influence et non le pouvoir » : la possibilité d'inspirer une politique et non le devoir d'administrer celle des autres.

1849. — 3 mars. Hugo est au Comité électoral de la rue de Poitiers, état-major de la droite, et fréquente à l'Élysée, résidence du Prince-Président.

21 avril. *L'Événement* soutient la rue de Poitiers.

13 mai. Hugo élu à l'Assemblée législative.

9 juillet. Discours sur (et contre) la misère. La droite s'émeut.

Octobre. Hugo rompt avec la droite et la Présidence sur les affaires de Rome. Il a probablement le sentiment d'avoir été trompé par le Président dans l'affaire de la lettre à Edgar Ney, et l'attitude de Montalembert après son discours du 19 précipite déchirure et déchirement. De cet incident surgira le titre de *Châtiments*. Hugo se range du côté des opprimés.

1850. — 15 janvier. Discours sur la liberté de l'enseignement (contre la loi Falloux).

23-25 mars. Contre la loi sur la presse.

5 avril. Contre la déportation.

Mai. Pour le suffrage universel, contre la loi électorale.

30 juin. Allocution en l'honneur de Girardin, élu du Bas-Rhin, pour le rapprochement entre les ouvriers et l'intelligence, les *presses*, « admirables et rudes machines ».

21 août. Discours visionnaire aux funérailles de Balzac.

1851. — Février. Hugo contribue au rejet de la dotation du Président, qui s'affiche contre l'Assemblée réactionnaire.

10-11 août. Il signe le Manifeste du Peuple avec les députés de la « Montagne ».

18 septembre. *L'Événement* suspendu reparaît sous le titre de *L'Avènement du Peuple*.

2 décembre. Coup d'État : le suffrage universel est rétabli.

12 décembre. Hugo réfugié à Bruxelles, commence à la fin du mois *L'Histoire d'un crime*.

1852. — 30 janvier. Mariage fastueux à Notre-Dame du Prince-Président avec Eugénie de Montijo, amie de Mérimée.

11 mars. Note pour un titre : « Faits et Gestes du Deux-Décembre... mille petits détails familiers... c'est ainsi que j'aime l'histoire ».

Mai. Interrompt *Histoire d'un crime* pour *Napoléon le Petit*.

8-9 juin. Les Hugo vendent leur mobilier aux enchères.

22 juin. Réintégration à la Bibliothèque des *Mémoires* de Comines et de l'*Histoire de Louis XI*, empruntés le 30 juin 1832.

1er-5 août. À la veille de la publication de *Napoléon le Petit*, Hugo quitte la Belgique et gagne Jersey *via* Londres.

Septembre. Division du projet poétique en deux registres, lyrique et vengeur, qui vont donner *Les Contemplations* et *Châtiments*.

2 décembre : Napoléon III, empereur.

3. Date du poème *Stella* : « C'est l'ange Liberté, c'est le géant Lumière ».

1853. — 23 juin. Haussmann, préfet de la Seine, ouvre dans Paris tout un système de grandes percées qui favorise la construction d'immeubles bourgeois, pousse la population ouvrière vers l'est de la ville et la périphérie, fait de la capitale le phare du cosmopolitisme et de la curée financière.

4 août. Hugo propose à Gosselin de substituer *Les Contemplations* (livre de « poésie pure ») aux *Misérables* (« livre social... ou socialiste »).

6 septembre. Delphine Gay, femme d'Émile de Girardin, importe chez les Hugo la mode du spiritisme. Le guéridon reste insensible.

11. Un esprit frappeur (âme, sœur) est immédiatement identifié à Léopoldine : le guéridon va se déchaîner.

Nuit du 12 au 13. Un esprit cite *Notre-Dame de Paris* ; celui de Louis-Napoléon lui succède, envoyé par son oncle Napoléon Ier pour se faire punir : il mourra dans deux ans, la République universelle s'établira. Mme de Girardin peut rentrer à Paris et laisser le groupe familial et amical des proscrits à l'écoute obsessionnelle de l'inconnu.

21 novembre. Publication de *Châtiments*, qu'on aura bien du mal à introduire clandestinement en France.

Hetzel publie *Notre-Dame de Paris*, éd. in-8°, en 30 livraisons, illustrations de Seguin. Réimpressions en 1855 et 1857. Autre édition en in-12 (Lecou-Hetzel).

1854. — *Le Siècle, Musée littéraire* publie *Notre-Dame* en même temps que *Les Mystères de Londres* de Paul Féval.

Janvier - avril. Intense activité poétique autour de textes pour « *Satan* ». Continuation des « Tables ».

8 décembre. Le pape proclame le dogme de l'Immaculée Conception : la Vierge, elle aussi, est née sans péché. Dogme repoussé jusqu'au XIIIe siècle, réapparu avec Duns Scot au XIVe, vivace à la fin du XVe, malgré la suspension du débat par Sixte Quint.

1855. — 26 janvier. Gérard de Nerval se suicide après avoir laissé le message « la nuit sera noire et blanche », citation d'un mot du cardinal de Bourbon dans *Notre-Dame de Paris* (1, 3) : « un deuil l'avait consolé de l'autre ».

15 mai-16 octobre. Première Exposition universelle à Paris, à l'imitation de celle de Londres.

29 juin. Mort de Mme de Girardin.

Octobre. L'un des familiers des « Tables » tombe fou. On l'interne. Les séances spirites cessent.

30. Expulsé de Jersey, Hugo passe à Guernesey : ces possessions directes de la couronne des anciens ducs de Normandie sont des « États » : charme des vieilles chartes féodales et des assemblées délibérantes de propriétaires.

Novembre. Pour exprimer la solidarité et la structure symbolique des poèmes du futur recueil, Hugo le caractérise comme « pyramide au dehors, voûte en dedans », temple-tombeau.

1856. — 23 avril. Publication des *Contemplations* (Autrefois — Aujourd'hui, de part et d'autre de 1843, mort de Léopoldine). Allusion à Chateaubriand, auteur des *Mémoires d'outre-tombe* : « Ce livre doit être lu comme on lirait le livre d'un mort. »

5 novembre. Hugo emménage dans Hauteville-House, achetée le 16 mai. L'immense succès des *Contemplations* lui vaut fortune et sécurité.

1er octobre. La *Revue de Paris* publie *Madame Bovary* de Flaubert, roman secrètement daté autour du lundi 4 septembre (1843) jour de l'abandon d'Emma par Rodolphe. L'héroïne, avant de se suicider, a été mise sous le signe de la banalisation du romantisme : le bureau de son notaire est orné de la *Esmeralda* de Steuben.

1857. — Édition Houssiaux de *Notre-Dame* in 8°, qui sera réimprimée en 1860, 1864, 1869, 1875 et 1878.

1858. — Juin-octobre. Grave maladie infectieuse.

29 novembre. Date de *Montfaucon* (pour La *Légende des siècles*) : 198 vers d'horreur historique sous Philippe le Bel. Édition Hachette de *Notre-Dame de Paris* en 2 vol. in-12.

1859. — Hugo abandonne le titre de « Petites Épopées » pour celui de *La Légende des siècles*.

8 mai. Loi rattachant à Paris les communes suburbaines, dans la limite des fortifications. En 1860 la Ville passera de 12 à 20 arrondissements ; on remodèle les anciens quartiers.

26 mai-10 juin. Séjour à Serk. Notes et dessins pour un futur roman au projet très indistinct, mais tout maritime.

Août. Hugo prépare un drame sur Torquemada, inquisiteur espagnol du XVe siècle.

16. Décret d'amnistie. Hugo refuse de rentrer en France si ce n'est en compagnie de la Liberté.

26 septembre. *La Légende des siècles — Première série. Histoire. Les Petites Épopées*.

1860. — 31 janvier. Achèvement de la construction de la nouvelle flèche de Notre-Dame.

18 mars. À Champfleury : « Le roman est presque une conquête de l'art moderne. »

25 avril. Hugo rouvre le dossier des *Misérables*.

21 mai. Fin de la relecture du manuscrit et des notes des *Misérables*.

30 décembre. Reprise de la rédaction. Maux de gorge à répétition ; il craint de tomber phtisique.

1861. — Hugo se laisse pousser la barbe.

7 mai-21 juillet. Achèvement des *Misérables* en Belgique, autour de Waterloo.

21 juillet-27 août. Voyage en Belgique et Hollande.

17 novembre. Hugo demande à son éditeur Lacroix que le prospectus des *Misérables* parle surtout de *Notre-Dame*.

8-22 décembre. Rédaction du livre des *Misérables* sur Waterloo, archéologie dramatique, historique et philosophique.

1862. — 9-23 février. Hugo refuse à Lacroix toute coupure dans les excursus du couvent des *Misérables*.

30 mars-30 juin. Publication des *Misérables*, en 10 volumes.

30 juillet-14 septembre. Voyage. Vianden, Trèves, Cologne.

6 décembre. Album de 12 dessins de Hugo, préface de Th. Gautier.

25 décembre. Réouverture de Notre-Dame restaurée.

1863. — Janvier. Hugo s'occupe de son projet de roman sur la Révolution.

16 juin. Publication de *Victor Hugo raconté par un témoin de sa vie*, qui a longuement occupé Mme Hugo, toute à l'écoute de la mémoire fabuleuse mais joueuse de son mari, et solidement aidée par l'entourage (Vacquerie, Charles Hugo...).

18. Adèle H. s'enfuit à la poursuite d'un officier britannique, improbable fiancé, pour une dizaine d'années d'errance.

17 août-7 octobre. Voyage au Luxembourg et au Rhin.
2 décembre. Hugo achève son *William Shakespeare*, à l'occasion du troisième centenaire du dramaturge du *Roi Jean*.
1863. — 14 avril. Publication du *William Shakespeare*.
31 mai. Dédicace de la cathédrale de Paris, restaurée.
4 juin. Hugo commence son nouveau roman, *Les Travailleurs de la mer*, qui a failli s'intituler *L'Abîme*.
15 août-26 octobre. Voyage au Rhin, toujours par la Belgique et le Luxembourg.
17 novembre. Fraternité avec Michelet, entre *La Légende des siècles* et *La Bible de l'humanité*, déjà engagée avec *La Mer* (1861).
1865. — 23 avril. François-Victor Hugo achève sa traduction de Shakespeare. Préface du père.
29 avril. Achèvement des *Travailleurs de la mer*. La Jacressarde et le double écueil de Douvres rappellent la ville médiévale et les tours de la cathédrale. Le titre n'est pas innocent à l'époque de l'Internationale des Travailleurs qui se fonde le 28 septembre 1864 à Londres, et en France le 8 janvier 1865.
28 juin-30 octobre. Séjour à Bruxelles, de nouveau coupé par le voyage d'août-septembre au Rhin.
11 septembre. J. Hetzel et A. Lacroix commencent la publication en 35 livraisons in 8° de *Notre-Dame de Paris* avec les illustrations de Brion.
25 octobre. Publication des *Chansons des rues et des bois*.
1866. — 5 février. Hugo commence *Mille francs de récompense*, qui renoue avec la verve des gueux au grand cœur.
12 mars. Publication des *Travailleurs de la mer*.
29 mars. Fin de *Mille francs*...
Avril-mai. Ouverture du chantier de *L'Homme qui rit*, roman d'un enfant mutilé et perdu, transformé en Pair d'Angleterre.
22 juin. Première du *Gringoire*, de Banville, dédié à Hugo.
21 juillet. Début de la rédaction de *L'Homme qui rit*.
24 novembre. Interruption de *L'Homme qui rit* pour la préparation du *Paris-Guide* destiné à l'Exposition universelle de 1867. Hugo n'accepte d'en assurer la préface que s'il peut être politiquement sûr des différentes contributions, et arracher à l'Empire dont la politique extérieure se précipite à l'échec la gloire de Paris au bénéfice de la civilisation.
1867. — 20 janvier. Napoléon III annonce l'Empire libéral.
1er avril. Ouverture de l'Exposition.
1er mai. Reprise de *L'Homme qui rit*.
10. Publication des deux gros volumes du *Paris-Guide* (I Science et Art II, La Vie) avec la préface de Hugo.

20 juin. Reprise triomphale d'*Hernani* au Théâtre-Français.
Juillet. Hugo réitère à l'intention de la franc-maconnerie son *Credo* : « Dieu, l'âme, la responsabilité ». « Toutes les fois que la nécessité empiète sur la liberté, cela s'appelle fatalité. Anankê ! voilà ce que combattent Claude Frollo, Jean Valjean et Gilliatt. »
17 juillet-17 août. À Bruxelles. Félicite la franc-maçonnerie d'admettre les Noirs. Il attendra qu'elle exclue les princes.
18-14 août. Voyage en Zélande avec ses fils et Arthur Stevens.
1868. — 10 mars. Hugo propose *1830* comme titre pour un journal littéraire.
27 juillet-9 octobre. À Bruxelles.
28 août. Mort de Mme Hugo.
1869. — 3-4 avril. Premier numéro du *Rappel*, journal du groupe Hugo.
19 avril. Publication de *L'Homme qui rit*. On annonce le *Théâtre en liberté*, *Dieu* et *La Fin de Satan*.
5 août-6 novembre. Séjour à Bruxelles, coupé en septembre par le Congrès de la Paix et de la Liberté à Lausanne et un voyage en Suisse.
1870. — 8 mai. Napoléon III obtient par plébiscite un assentiment de 7 millions et demi de voix.
14 juillet. Hugo plante à Guernesey le gland du « chêne des États-Unis d'Europe ».
19 juillet. La France piégée déclare la guerre à la Prusse.
Août. Revers militaires et mouvements révolutionnaires. Hugo classe ses manuscrits, les met en sûreté, et se prépare à rejoindre la France.
2 septembre. Capitulation de Sedan. Louis-Napoléon prisonnier.
4. Proclamation de la République ; gouvernement de « Défense nationale ».
5. Hugo arrive à Paris, attendu par la foule à la gare du Nord.
19. Début du siège de Paris.
20. Édition augmentée des *Châtiments*, qui vont donner lieu à lectures publiques au profit de la défense.
1871. — 18 janvier. L'Empire allemand est proclamé dans la Galerie des Glaces du château de Versailles.
28. Armistice.
8 février. Hugo élu à Paris.
8 mars. À Bordeaux, démissionne sur le cas de Garibaldi.
13. Mort de Charles Hugo.
18. Convoi et inhumation de Charles à Paris au milieu de l'insurrection. La Commune sera proclamée le 28.
21. Hugo regagne Bruxelles, pour règlements de famille.

21 avril. *Le Rappel* : « Pas de représailles ! »
10 mai. Traité de Francfort : perte de l'Alsace-Lorraine ; indemnité de 5 milliards.
16. La colonne Vendôme est abattue.
21-28. La Semaine sanglante : reconquête de Paris par les Versaillais parmi les monuments incendiés. Fusillades expéditives.
27-28. Lapidation de la maison habitée à Bruxelles par Hugo, qui a offert l'asile aux éventuels fugitifs.
30. Expulsé de Belgique, gagne le Luxembourg.
Juin-août. Dessins, poèmes qui formeront *L'Année terrible*, préparation d'un recueil justificatif de ses « actes et paroles » en 1870-1871.
31 août. Thiers « président de la République ». Hugo rentre.
1872. — 7 janvier. Candidat malheureux aux élections, sur un programme audacieusement démocratique.
17 février. Adèle, de retour d'Amérique, est placée dans une maison de santé à Saint-Mandé.
16 mars. *Actes et Paroles, 1870-1871-1872.*
20 avril. *L'Année terrible.*
7-8 août. Retour à Guernesey.
21 octobre. Mort de Th. Gautier. « Des hommes de 1830, il ne reste plus que moi. »
21 novembre. Hugo se met à *Quatrevingt-Treize*, roman de la guerre civile.
16 décembre. Il commence la rédaction.
1873. — 9 juin. Fin de la rédaction de *Quatrevingt-Treize.*
31 juillet. Retour à Paris.
26 décembre. Mort de François-Victor. *Le Peuple souverain* a publié *Notre-Dame de Paris* en feuilleton avant de disparaître.
1874. — 19 février. Publication de *Quatrevingt-Treize. Premier récit. La guerre civile.*
1875. — 30 janvier. La République est enfin votée, par voie d'amendement et comme implicitement, à une voix.
19-28 avril. Voyage à Guernesey pour reprendre et rouvrir la malle aux manuscrits.
Mai. *Actes et Paroles, I, Avant l'exil.*
30 juin. Deux heures de perte de mémoire.
29 septembre. Dispositions pour la publication des inédits.
8 novembre. *Actes et Paroles II. Pendant l'exil.*
1876. — 30 janvier. Hugo est élu sénateur de Paris.
23 mars. Projet pour l'amnistie aux Communards. Rejeté le 23 mai.
5 juillet. *Actes et Paroles III. Après l'exil.*

1877. — 27 janvier. *Notre-Dame de Paris* chez Hugues, en 2 vol. gd 8°, illustré ; 86 livraisons, 2000 ex. en volume, souvent réimprimée.

26 février. *La Légende des siècles*, nouvelle série.

14 mai. *L'Art d'être grand'père*, recueil politique en vers.

16. Début d'une manœuvre de coup d'État par Mac-Mahon, président de la République. Hugo hâte la préparation de *L'Histoire d'un crime*.

1er octobre. *Histoire d'un crime* (première partie).

1878. — 15 mars. Deuxième partie de l'*Histoire d'un crime*.

30 mai. Discours pour le centenaire de la mort de Voltaire.

27-28 juin. Congestion cérébrale. La police le croit sombré dans la folie.

4 juillet-9 septembre. Séjour à Guernesey.

10 novembre. Installation avenue d'Eylau. Juliette ne supporte plus la longue complicité que le vieillard entretient avec Blanche, son ancienne femme de chambre.

1879. — 28 janvier. Second projet d'amnistie ; discours de Hugo qui publie en même temps *La Pitié suprême*.

28 août-20 septembre. Séjour à Veules et à Villequier, avec excursions aux vieux monuments normands, Boscherville, Jumièges, Tancarville.

13 octobre. Centième représentation de *Notre-Dame* : « La littérature est le verbe du peuple. C'est par Rabelais, Molière et Voltaire que la France règne. »

1880. — 26 février. Hugo délègue à Meurice la surveillance de ses *Œuvres complètes* (Hetzel-Quantin) : « édition définitive d'après les manuscrits originaux ». C'est le début d'une tradition de pieux ravalement des textes.

Avril. *Religions et Religion*.

8 juin. Le 14 Juillet, fête nationale de la République.

20 octobre. *L'Âne*. Zola : « Cet homme appartient au moyen âge. »

1881. — Dimanche 27 février. Le Conseil municipal et le peuple de Paris fêtent l'entrée de Hugo dans sa quatre-vingtième année. Manifestation monstre.

31 mai. *Les Quatre Vents de l'esprit* (satirique, dramatique, lyrique, épique). Ce dernier livre, *La Révolution*, se déchaîne à partir de l'animation des « cariatides de Germain Pilon » au Pont Neuf ; l'ensemble, sauf la conclusion, est de fin 1857.

31 août. Hugo lègue à la Bibliothèque « tout écrit ou dessin » qu'on trouvera après sa mort.

26 décembre. Première de *Quatrevingt-Treize*, adaptation de Paul Meurice.

1882. — 8 janvier. Hugo est réélu sénateur.

26 mai. *Torquemada*.
1er juin. Appel pour les juifs de Russie, qu'on massacre.
22 novembre. Reprise au Théâtre-Français du *Roi s'amuse*. C'est la première représentation depuis celle de 1832.
1883. — 16-17 février. Cinquantenaire d'un amour.
11 mai. Mort de Juliette Drouet.
9 juin. *La Légende des siècles*, série complémentaire.
2 août. Codicille du testament : Hugo donne 50 000 F aux pauvres (= à l'Assistance publique de Paris ; somme appréciable : 1,25 % de sa fortune), demande leur corbillard. « Je refuse l'oraison de toutes les Églises. Je demande une prière à toutes les âmes. Je crois en Dieu. »
8 septembre. Reclassement des trois séries de la *Légende* dans les quatre volumes (VII-X) de l'« édition définitive ».
20. Début de la publication de *L'Archipel de la Manche* dans *Le Rappel*, et le 6 octobre en volume.
1884. — 15 mai. Saint-Saens dirige au Trocadéro son *Hymne à V. Hugo*.
1885. — 22 mai. Mort de V. Hugo dont la famille et les proches ont réussi à faire respecter le testament religieux : l'émissaire de l'archevêché a été éconduit.
23. Vote d'obsèques nationales.
26. Décret rendant le Panthéon au culte des grands hommes.
1er juin. Funérailles. Immense cortège de l'Arc de Triomphe de l'Étoile au Panthéon, sans passer ni par la colonne Vendôme, ni par Notre-Dame. Pendant la nuit de veille, le peuple de Paris n'a pas manqué d'honorer la mémoire et la réputation du vieillard familier des omnibus.
1886. — 25 décembre. Noël. Après la découverte de Rimbaud, Paul Claudel reçoit dans Notre-Dame une illumination qui décide de sa carrière spirituelle et littéraire.
1898. — J.-K. Huysmans : *La Cathédrale*.
1926. — Achèvement des grands travaux de Paris : percement du débouché du boulevard Haussmann sur la carrefour Richelieu-Drouot, vers l'ancien passage de l'Opéra. Aragon : *Le Paysan de Paris*.

Table des illustrations

Table

NOTRE-DAME DE PARIS

LIVRE PREMIER

LIVRE II

LIVRE III

LIVRE IV

LIVRE V

LIVRE VI

LIVRE VII

LIVRE VIII

LIVRE IX

LIVRE X

LIVRE XI

Composition réalisée par NORD COMPO

IMPRIMÉ EN FRANCE PAR BRODARD ET TAUPIN
Usine de La Flèche (Sarthe).
LIBRAIRIE GÉNÉRALE FRANÇAISE - 43, quai de Grenelle - 75015 Paris.
ISBN : 2 - 89538 - 000 - 7
Dépôt légal – Bibliothèque nationale du Québec, 1999
Dépôt légal – Bibliothèque nationale du Canada, 1999

30/1698/7